Standard Textbook

標準病理学

監修
北川　昌伸　東京医科歯科大学名誉教授/新渡戸記念中野総合病院病理診断科部長

編集
仁木　利郎　自治医科大学教授
小田　義直　九州大学大学院教授

執筆（執筆順）

仁木　利郎	自治医科大学教授		八尾　隆史	順天堂大学大学院教授
北川　昌伸	東京医科歯科大学名誉教授/		下田　将之	東京慈恵会医科大学教授
	新渡戸記念中野総合病院病理診断科部長		矢野　博久	久留米大学教授
駄阿　勉	大分大学教授		若狭　朋子	近畿大学奈良病院教授
菰原　義弘	熊本大学大学院教授		大橋　健一	東京医科歯科大学大学院教授
山田　壮亮	金沢医科大学教授		村田　晋一	和歌山県立医科大学教授
倉田　厚	東京女子医科大学教授		近藤　哲夫	山梨大学大学院教授
豊國　伸哉	名古屋大学大学院教授		津田　均	防衛医科大学校教授
二口　充	山形大学教授		笹島ゆう子	帝京大学教授
坂元　亨宇	慶應義塾大学教授		佐々木　毅	東京大学大学院特任教授
百瀬　修二	埼玉医科大学総合医療センター教授		柴原　純二	杏林大学教授
一迫　玲	東北大学教授		長谷川　匡	札幌医科大学教授
今中　恭子	三重大学大学院教授		小田　義直	九州大学大学院教授
羽尾　裕之	日本大学教授		泉　美貴	昭和大学教授
羽場　礼次	香川大学医学部附属病院教授		根本　哲生	昭和大学横浜市北部病院教授
久山　佳代	日本大学松戸歯学部教授		南口早智子	京都大学医学部附属病院准教授

医学書院

歴代執筆者一覧 （五十音順）

阿部　正文	新井　栄一	池上　雅博	伊東　恭子	井藤　久雄
糸山　進次	井村　穣二	岩政　輝男	植田　規史	上田真喜子
栄本　忠昭	長村　義之	覚道　健一	笠原　正典	加藤　誠也
神代　正道	坂本　穆彦*	重松　秀一	清水　道生	下田　忠和
白石　泰三	立野　正敏	堤　　寛	内藤　善哉	中里　洋一
名倉　宏	野島　孝之	能勢　眞人	橋本　洋	橋本　優子
秦　順一*	林　德眞吉	林　良夫	福島　昭治	藤盛　孝博
古里　征国	増田　弘毅	町並　陸生*	松原　修	真鍋　俊明
本山　悌一	諸星　利男	横山　繁生	吉野　正	

（*は歴代監修者・編集者）

標準病理学

発　行　1997年3月15日　第1版第1刷
　　　　2001年4月1日　　第1版第5刷
　　　　2002年3月15日　第2版第1刷
　　　　2004年7月1日　　第2版第4刷
　　　　2006年3月1日　　第3版第1刷
　　　　2008年8月1日　　第3版第3刷
　　　　2010年8月1日　　第4版第1刷
　　　　2014年4月15日　第4版第4刷
　　　　2015年3月25日　第5版第1刷
　　　　2018年3月1日　　第5版第3刷
　　　　2019年3月15日　第6版第1刷
　　　　2021年4月15日　第6版第2刷
　　　　2023年3月15日　第7版第1刷Ⓒ

監　修　北川昌伸（きたがわまさのぶ）
編　集　仁木利郎（にきとしろう）・小田義直（おだよしなお）
発行者　株式会社　医学書院
　　　　代表取締役　金原　俊
　　　　〒113-8719　東京都文京区本郷1-28-23
　　　　電話　03-3817-5600（社内案内）
印刷・製本　横山印刷

本書の複製権・翻訳権・上映権・譲渡権・貸与権・公衆送信権（送信可能化権を含む）は株式会社医学書院が保有します．

ISBN978-4-260-05042-5

本書を無断で複製する行為（複写，スキャン，デジタルデータ化など）は，「私的使用のための複製」など著作権法上の限られた例外を除き禁じられています．大学，病院，診療所，企業などにおいて，業務上使用する目的（診療，研究活動を含む）で上記の行為を行うことは，その使用範囲が内部的であっても，私的使用には該当せず，違法です．また私的使用に該当する場合であっても，代行業者等の第三者に依頼して上記の行為を行うことは違法となります．

JCOPY〈出版者著作権管理機構　委託出版物〉
本書の無断複製は著作権法上での例外を除き禁じられています．複製される場合は，そのつど事前に，出版者著作権管理機構（電話 03-5244-5088，FAX 03-5244-5089，info@jcopy.or.jp）の許諾を得てください．

第7版 序

　『標準病理学』は1997年の初版発行以来，定期的な改訂を続け，第7版を上梓するに至った．この間，実に四半世紀が経過したが，「はじめて病理学を学ぶ医学生のための標準的な教科書」をつくるという編集方針は，今版も変わらない．一方で，医学教育や病理学を取り巻く社会の状況は変化しており，教科書も時代の要請に応える必要がある．2019年に発生した新型コロナウイルス感染症（COVID-19）は，本稿執筆時点でも収束の気配をみせていない．この感染症の流行をきっかけに浸透したオンライン授業は，いまや当たり前のものとなりつつある．そのようななかにあって，教科書はいままで以上に学生の日々の学習に寄り添う存在であることが求められる．

　これまで，日常臨床で出会う代表的疾患だけでなく，実習ではなかなか目にすることのないようなまれな疾患や，臨床で役立つ診断基準の知識を網羅するのも教科書の役割と考えてきた．しかし，版を重ねるごとに，教科書では基礎的な事項に重点を置いて丁寧に学びたい，という読者の声が大きくなってきた．第7版ではそのニーズを踏まえ，アンケートや読者モニターに協力してくださった方々の率直な意見を参考にしながら，「現代の医学生が学ぶべき病理学的知識のミニマムリクワイアメント」を考えた構成となっている．その結果，国家試験で問われる内容を中心に基礎的解説は増やしながらも，前版より総ページ数は減少し，より手に取っていただきやすくなったと自負している．

　また，今版では紙面デザインと製本方法を変更し，本の開きをよくして画像をより大きく掲載できるようになった．見やすくなった鮮明な病理像の数々を，堪能していただきたい．

　今回の改訂に際しても，いくつかの章で世代交代が行われ，新たな執筆者を迎えた．第6版までででご退任いただいた先生方は，そのお名前を別頁に掲示させていただき，これまでのご尽力に対し心よりお礼申し上げる次第である．

　先に述べたように，第7版では基礎的事項を重視する編集方針をとったが，かといってまったく"ゆとり"や"深み"がなくなったわけではない．第一線で活躍する執筆陣が紙面の端々で，「Advanced Studies」という形で専門性を活かしてわかりやすく紹介する最新の動向から，病理学研究のエッセンスを感じていただくことができるだろう．本書を入口として病理学を学ぶ楽しみは，今改訂に際してもいささかも減少していないと考える．読者諸氏の感想はいかがだろうか．

2023年1月

編者

初版 序

　本書ははじめて病理学を学ぶ医学部学生のために書かれた標準的な教科書である．日進月歩の現代医学において，病理学は如何にあるべきかとの考えのもとに編集が行なわれた．病理学は一般に総論と各論に分けて論じられている．この教科書でも，前半で病理に関する一般的事項を総論としてまとめ，後半で臓器ごとに疾患を論じ各論とした．したがって，本書1冊で病理学の全貌を概観することができる．

　最近，各大学ごとにカリキュラムを自由に決めることができるようになり，病理と臨床の講義を臓器ごとにいわば横割りにしたり，ケーススタディを取り入れたり，斬新な試みが積極的に取り入れられるようになった．このような試みは，病理各論が臨床医学の一部であるという考え方に根ざしている．本書の各論ではこのようなカリキュラムに対応できるように，従来の形態学に加えて病態をも論じ，疾患を理解しやすくするよう工夫した．したがって，臓器別講義にも十分対応できる．

　病理学総論では疾患の基礎となる細胞，組織，器官における形態学的な変化を十分理解しておくことが重要で，同時に，そこにいたる生理学的なまたは生化学的な機序の理解も必要である．さらに，病変の最も基礎となる分子・遺伝子の異常についても疾患との関連で理解を深めなければならない．本書では，これらの点についても十分考慮して記載されている．

　本書の執筆者は，各々の領域において専門的な病理学者として第一線で，また全国レベルで活躍している方々である．これらの方々は，病理医・病理学者として病理診断や研究に加えて，学生ならびに若い病理医の教育などに日常的に活動されている．このような現場での経験を十分に活かして記述がなされているので，担当者の個性がそれぞれの章で生かされている．このことは一見，統一のとれていない記述として表れていると思われる面もあるが，今回はあえて無理に統一を図らなかった．しかし，改善，修正の必要な個所も少なくないと思われるので，読者の率直な批判を期待したい．

　今日の病理学は歴代病理学者の努力の積み重ねの上に成り立っていることはいうまでもないが，新しい疾患概念や病因論が付け加わることによって，新しい病理学が発展する．このような考え方で著された『標準病理学』をひもといた学生諸君が，将来，臨床医学あるいは基礎医学の担い手となる一助となれば，執筆者一同これに優る喜びはない．

　最後に，忙しい中で時間を割いてくださった執筆者各位，ならびに医学書院の関係諸氏に感謝の意を表したい．

1997年2月

編者ら記す

目次

総論 ... 1

第1章 序論：病理学について
仁木利郎　3

- 本章の構成マップ ... 3
- A 病理学とは ... 4
- B 病理学の歴史 ... 4
- C 医学教育のなかでの病理学 ... 6
- D 医療における病理学の役割 ... 7
- E 病理学の現在と展望 ... 8

第2章 細胞傷害の機序とその修復
仁木利郎　9

- 本章の構成マップ ... 9
- A 細胞の基本構造 ... 10
- B 細胞傷害の原因と機序 ... 13
  - 1 可逆的傷害と非可逆的傷害 ... 13
  - 2 細胞傷害の原因 ... 13
  - 3 細胞傷害の機序 ... 14
- C 細胞傷害の形態変化 ... 16
  - 1 細胞傷害の初期変化 ... 16
  - 2 変性 ... 16
  - 3 細胞死 ... 17
- D 組織修復・再生とその機構 ... 22
  - 1 組織修復と再生，線維化 ... 22
  - 2 細胞の増殖と運動 ... 25
  - 3 創傷治癒，再生を制御している分子 ... 26
- E ストレスや刺激に対する細胞・組織の適応 ... 29
  - 1 肥大 ... 29
  - 2 過形成 ... 30
  - 3 萎縮 ... 31
  - 4 化生 ... 32

第3章 炎症
北川昌伸　33

- 本章の構成マップ ... 33
- A 炎症とは ... 34
  - 1 定義 ... 34
  - 2 歴史的背景 ... 34
  - 3 炎症反応の名称 ... 35
  - 4 炎症のさまざまな原因 ... 35
  - 5 炎症のプロセス ... 36
- B 炎症にかかわる細胞とケミカルメディエータ ... 36
  - 1 炎症巣の構造と浸潤細胞 ... 36
  - 2 炎症のケミカルメディエータ ... 40
- C 炎症にかかわる宿主要因 ... 46
  - 1 遺伝的要因 ... 46
  - 2 後天的要因 ... 46
- D 急性炎症 ... 46
  - 1 微小循環系の変化 ... 46
  - 2 細胞反応 ... 48
  - 3 リンパ系の役割 ... 51
  - 4 急性炎症の及ぼす影響 ... 52
  - 5 急性炎症の結末 ... 52
- E 慢性炎症 ... 54
  - 1 炎症の経過と持続 ... 54
  - 2 細胞反応と増殖 ... 54
- F 炎症の終焉と創傷治癒 ... 58
- G 各種炎症の形態像 ... 58
  - 1 急性炎症 ... 58
  - 2 慢性炎症 ... 62
- H 炎症の全身への影響 ... 66

第4章 感染症
駄阿勉　69

- 本章の構成マップ ... 69
- A 感染症とは ... 70
- B 病原微生物の種類 ... 70
  - 1 ウイルス ... 70
  - 2 細菌 ... 71
  - 3 古細菌 ... 71
  - 4 真菌 ... 71

- ⑤ 原虫 — 72
- ⑥ 蠕虫 — 72
- ⑦ プリオン — 72(→92)
- C 感染経路 — 72
- D 感染症に関して知っておくべき事項 — 72
- E ウイルス感染症 — 73
  - ① DNA ウイルス感染症 — 73
  - ② RNA ウイルス感染症 — 76
- F 細菌感染症 — 79
  - ① グラム陽性球菌感染症 — 79
  - ② グラム陽性桿菌感染症 — 79
  - ③ グラム陰性球菌感染症 — 80
  - ④ グラム陰性桿菌感染症 — 80
  - ⑤ 抗酸菌感染症 — 81
  - ⑥ マイコプラズマ感染症 — 82
  - ⑦ リケッチア感染症 — 83
  - ⑧ クラミジア感染症 — 83
  - ⑨ スピロヘータ感染症 — 84
- G 真菌感染症 — 85
- H 原虫症 — 87
- I 蠕虫症(寄生虫症) — 90
  - ① 線虫感染症 — 90
  - ② 吸虫感染症(ジストマ症) — 90
  - ③ 条虫感染症 — 91
- J 節足動物・昆虫によるもの — 91
- K プリオン病 — 92

第5章 免疫とその異常
菰原義弘 93

- ■本章の構成マップ — 93
- A 自然免疫系と獲得免疫系 — 94
  - ① 自然免疫系を構成する細胞群 — 96
  - ② 獲得免疫系を構成する細胞 — 98
- B 免疫応答のメカニズム — 101
  - ① パターン認識受容体による免疫応答 — 101
  - ② 補体による免疫応答 — 102
  - ③ T細胞による標的細胞の認識 — 103
  - ④ 主要組織適合遺伝子複合体による抗原提示 — 103
  - ⑤ 抗体の多様性を生み出すメカニズム — 106
  - ⑥ 免疫反応にかかわるサイトカイン — 107
- C リンパ球の分化と自己・非自己の認識 — 107
- D 臓器移植に関連した免疫反応 — 110
- E 腫瘍に対する免疫反応 — 112
- F アレルギー(過敏反応) — 116
- G 自己免疫疾患 — 119
- H 免疫不全症 — 128
  - ① 原発性免疫不全症 — 128
  - ② 続発性免疫不全症 — 132

第6章 代謝障害
山田壮亮 135

- ■本章の構成マップ — 135
- A 糖代謝障害 — 137
  - ① 糖代謝の概略 — 137
  - ② 糖尿病 — 138
  - ③ 低血糖症 — 143
  - ④ 糖原病 — 143
- B 脂質代謝障害 — 143
  - ① 脂質代謝の概略 — 143
  - ② 中性脂肪代謝障害 — 144
  - ③ 脂肪肝 — 147
  - ④ 動脈硬化症 — 149
  - ⑤ 複合脂質代謝異常症 — 151
  - ⑥ メタボリックシンドローム — 152
- C タンパク質代謝障害 — 152
  - ① アミノ酸代謝 — 152
  - ② 巨大タンパクの沈着症・異常症 — 153
  - ③ コラーゲンの異常 — 155
- D 核酸代謝異常 — 155
  - ① 核酸の代謝 — 155
  - ② 高尿酸血症と痛風 — 156
  - ③ 先天性核酸代謝異常と尿酸値が増加する疾患 — 156
  - ④ DNA 修復異常 — 157
- E 色素代謝異常 — 158
  - ① ヘモグロビン代謝障害 — 159
  - ② 胆汁色素代謝障害 — 159
- F 無機物代謝障害 — 161
  - ① 鉄代謝障害 — 161
  - ② カルシウム代謝障害 — 161

第7章 循環障害
倉田 厚 165

- ■本章の構成マップ — 165
- A 機能と構造 — 166
- B 充血とうっ血 — 169
- C 水腫(浮腫) — 170
  - ① 概念,定義 — 170
  - ② 発生機構 — 170
  - ③ 分類 — 171
  - ④ 水腫の臨床的意義 — 173
- D 出血 — 173
- E 止血機構と血栓症 — 176
  - ① 定義 — 176

- ❷ 正常な止血機構 —— 176
- ❸ 血栓形成機構 —— 178
- ❹ 血栓の形態学 —— 178
- ❺ 播種性血管内凝固症候群 —— 180
- ❻ 血栓症の治療と予防 —— 181
- Ⓕ 塞栓症 —— 182
- Ⓖ 虚血と梗塞 —— 184
  - ❶ 概念，定義 —— 184
  - ❷ 病態 —— 184
  - ❸ 分類 —— 185
  - ❹ 各臓器の梗塞 —— 186
  - ❺ 臨床との関連 —— 186
- Ⓗ 側副循環 —— 186
- Ⓘ 心不全 —— 189
- Ⓙ 高血圧と低血圧 —— 191
  - ❶ 血圧および関連する因子 —— 191
  - ❷ 高血圧 —— 193
  - ❸ 肺高血圧症 —— 195
  - ❹ 低血圧 —— 196
- Ⓚ ショック —— 196
  - ❶ 概念，定義 —— 196
  - ❷ 分類 —— 196
  - ❸ ショックの病態生理 —— 197
  - ❹ 各臓器のショック —— 198
  - ❺ 臨床との関連 —— 199

第8章 染色体・遺伝子および発生の異常
豊國伸哉 201

- ■本章の構成マップ —— 201
  - ❶ 先天異常 —— 202
  - ❷ 遺伝形質(表現型) —— 202
- Ⓐ 染色体・遺伝子の基本概念 —— 202
  - ❶ 染色体 —— 202
  - ❷ 遺伝子 —— 207
  - ❸ 遺伝の基本様式 —— 216
- Ⓑ 発生異常 —— 218
  - ❶ 発生異常の原因 —— 218
  - ❷ 発生各時期の異常 —— 221
  - ❸ 出生前診断 —— 225
- Ⓒ 染色体異常による疾患 —— 227
  - ❶ 常染色体異常 —— 227
  - ❷ 性染色体異常 —— 229
  - ❸ 腫瘍における染色体異常 —— 231
- Ⓓ 遺伝子異常による疾患 —— 231
  - ❶ 常染色体顕性遺伝 —— 231
  - ❷ 常染色体潜性遺伝 —— 234
  - ❸ 伴性潜性遺伝 —— 235
- ❹ その他 —— 236

第9章 腫瘍
239

- ■本章の構成マップ —— 239
- Ⓐ 定義 —— 二口 充 240
  - ❶ 腫瘍の定義 —— 240
  - ❷ 用語の定義 —— 240
  - ❸ 腫瘍組織の構成成分 —— 244
  - ❹ 悪性腫瘍の組織型 —— 244
- Ⓑ 良性および悪性腫瘍の特徴 —— 245
- Ⓒ 多段階発がん —— 255
- Ⓓ 腫瘍の診断と治療・予後 —— 256
- Ⓔ 腫瘍の生物学 —— 坂元亨宇 260
  - ❶ 腫瘍細胞の生物学的特性 —— 261
  - ❷ 腫瘍細胞の増殖 —— 263
  - ❸ 腫瘍の増殖・成長 —— 264
  - ❹ がんの転移 —— 265
  - ❺ 腫瘍細胞の染色体変化・DNA 修復 —— 267
  - ❻ 腫瘍抗原と腫瘍の診断 —— 268
  - ❼ がんの生物学的特性と治療 —— 268
- Ⓕ 腫瘍の発生 —— 268
  - ❶ 内因-宿主因子 —— 268
  - ❷ 化学発がん —— 270
  - ❸ ウイルス —— 272
  - ❹ 放射線 —— 273
  - ❺ 紫外線，その他の外因 —— 273
  - ❻ 腫瘍の組織発生 —— 273
  - ❼ がんの単中心性発生と多中心性発生 —— 274
  - ❽ 腫瘍の単クローン発生，がん幹細胞仮説 —— 274
  - ❾ 腫瘍の発生・進展 —— 274
- Ⓖ がん遺伝子とがん抑制遺伝子 —— 275
  - ❶ がん遺伝子の種類と活性化機構 —— 275
  - ❷ がん抑制遺伝子の種類と不活化機構 —— 277
  - ❸ がん遺伝子・がん抑制遺伝子の診断への応用 —— 278
  - ❹ がん遺伝子・がん抑制遺伝子と多段階発がん —— 279
- Ⓗ 腫瘍と宿主 —— 279
  - ❶ 腫瘍免疫 —— 279
  - ❷ 宿主に及ぼす腫瘍の影響 —— 280
- Ⓘ 疫学 —— 281
  - ❶ 日本人のがんの疫学 —— 281
  - ❷ 日本人のがんの特徴・地理的特徴 —— 282
  - ❸ 多重癌 —— 283
  - ❹ 職業癌 —— 283
  - ❺ 医原性癌 —— 283
  - ❻ がんの予防 —— 283

各論 　285

■各論の構成マップ───────286

第10章 血液・造血器・リンパ節
288

血液・造血器　　　百瀬修二

- Ⓐ 序論───────288
  - ❶ 骨髄における造血細胞の分化───────288
  - ❷ 血液検査───────292
- Ⓑ 赤血球系の異常───────293
  - ❶ 生体内の鉄動態───────294
  - ❷ 貧血症───────294
  - ❸ 赤血球産生の低下───────295
  - ❹ 末梢での赤血球破壊亢進───────299
  - ❺ 赤血球喪失(出血)による貧血───────301
  - ❻ 赤血球増加症(多血症)───────302
- Ⓒ 白血球の異常(非腫瘍性主体の疾患)───────302
- Ⓓ 血小板系異常と出血性疾患───────305
  - ❶ 血小板の異常───────305
  - ❷ 血管障害───────306
  - ❸ 凝固異常───────307
- Ⓔ 骨髄を増殖の場とする腫瘍性疾患───────307
  - ❶ 概論───────307
  - ❷ 骨髄異形成症候群───────309
  - ❸ 骨髄増殖性腫瘍───────310
  - ❹ 急性骨髄性白血病───────313
  - ❺ 急性リンパ芽球性白血病───────316
  - ❻ 慢性リンパ性白血病/小リンパ球性リンパ腫───────316
  - ❼ ヘアリー(有毛)細胞白血病───────317
  - ❽ 形質細胞腫瘍───────317
- Ⓕ その他の骨髄病変───────318
- Ⓖ 脾臓───────318

リンパ節　　　一迫 玲

- Ⓐ 構造・機能───────320
- Ⓑ リンパ節腫脹───────321
- Ⓒ 組織球関連病変───────336
- Ⓓ 樹状細胞関連病変───────336
- Ⓔ 転移性腫瘍───────337

第11章 循環器
今中恭子/羽尾裕之　339

血管
- Ⓐ 脈管の構造───────339
- Ⓑ 血管の病変───────341
- Ⓒ 動脈硬化───────341
  - ❶ 病型分類───────341
  - ❷ アテローム(粥状)性動脈硬化───────342
- Ⓓ 末梢動脈の狭窄・閉塞性疾患───────345
- Ⓔ 大動脈瘤と大動脈解離───────345
  - ❶ 大動脈瘤───────345
  - ❷ 大動脈解離───────348
- Ⓕ 血管炎───────349

心臓
- Ⓐ 構造───────353
- Ⓑ 先天性心疾患───────353
- Ⓒ 虚血性心疾患───────358
- Ⓓ 心筋炎───────361
- Ⓔ 心筋症───────363
- Ⓕ 弁膜疾患───────368
- Ⓖ 心臓腫瘍───────371

第12章 呼吸器
羽場礼次　375

- Ⓐ 発生・構造・機能───────375
- Ⓑ 上気道の病変───────377
  - ❶ 発生異常と発育障害───────377
  - ❷ 炎症───────377
  - ❸ 腫瘍───────379
- Ⓒ 肺の病変───────381
  - ❶ 発生異常と発育障害───────381
  - ❷ 循環障害───────383
  - ❸ 変性疾患───────387
  - ❹ 拡張異常───────387
  - ❺ 炎症───────390
  - ❻ 腫瘍───────403
- Ⓓ 胸膜の病変───────410
- Ⓔ 縦隔と胸腺の病変───────411
  - ❶ 縦隔の先天異常───────411
  - ❷ 縦隔の炎症───────412
  - ❸ 縦隔の腫瘍───────412

- ④ 胸腺の先天異常 ———— 413
- ⑤ 胸腺の退縮，過形成 ———— 413
- ⑥ 胸腺の腫瘍 ———— 413

第13章 口腔・唾液腺

久山佳代 417

- Ⓐ 顔面・口腔の発生と発育異常 ———— 417
- Ⓑ 歯の病変 ———— 419
- Ⓒ 顎骨内病変 ———— 420
- Ⓓ 口腔粘膜病変 ———— 422
  - ① 口腔粘膜感染症 ———— 422
  - ② 潰瘍性病変 ———— 424
  - ③ 軟組織に発生する嚢胞性疾患 ———— 424
  - ④ 角化性病変 ———— 424
  - ⑤ 口腔潜在的悪性疾患 ———— 426
- Ⓔ 顎口腔領域の腫瘍 ———— 426
  - ① 歯原性腫瘍 ———— 426
  - ② 非歯原性腫瘍 ———— 426
- Ⓕ 唾液腺の病変 ———— 428
- Ⓖ 顎関節症 ———— 431
- Ⓗ 口腔の加齢と老化 ———— 431

第14章 消化管

433

消化管の基本構造・機能・発生

八尾隆史

———— 433

食道

- ① 正常構造と機能 ———— 433
- ② 形成異常 ———— 434
- ③ 形態異常 ———— 434
- ④ 循環障害 ———— 435
- ⑤ 食道炎 ———— 436
- ⑥ 腫瘍 ———— 437

胃

- ① 正常構造と機能 ———— 440
- ② 形成異常 ———— 440
- ③ 位置および形態の異常 ———— 441
- ④ 循環障害 ———— 441
- ⑤ 胃炎 ———— 441
- ⑥ 潰瘍 ———— 444
- ⑦ 腫瘍および腫瘍様病変 ———— 446

十二指腸

———— 457

小腸，大腸

下田将之

- Ⓐ 正常構造と機能 ———— 459
  - ① 小腸 ———— 459
  - ② 大腸 ———— 460
- Ⓑ 形成異常 ———— 461
- Ⓒ 吸収不良症候群 ———— 462
  - ① 乳糖不耐症 ———— 462
  - ② セリアック病 ———— 462
  - ③ 熱帯性スプルー ———— 462
  - ④ ウィップル病 ———— 462
  - ⑤ 無βリポタンパク血症 ———— 462
- Ⓓ 循環障害性疾患，機械的障害 ———— 462
  - ① 虚血性腸疾患 ———— 462
  - ② イレウス ———— 463
- Ⓔ 炎症性腸疾患 ———— 463
  - ① 潰瘍性大腸炎 ———— 464
  - ② クローン病 ———— 466
  - ③ 腸管ベーチェット病 ———— 466
  - ④ 感染性腸炎 ———— 468
  - ⑤ その他 ———— 470
- Ⓕ 腫瘍および腫瘍類似病変 ———— 470
  - ① 大腸ポリープ ———— 470
  - ② 小腸上皮性腫瘍 ———— 475
  - ③ 内分泌細胞腫瘍 ———— 476
  - ④ 非上皮性腫瘍 ———— 476
  - ⑤ 消化管ポリポーシス ———— 477

虫垂

- ① 急性虫垂炎 ———— 479
- ② 虫垂腫瘍 ———— 479

第15章 肝・胆・膵

481

肝臓

矢野博久

- Ⓐ 構造と機能 ———— 481
  - ① 正常構造と機能 ———— 481
  - ② 解剖学的異常 ———— 482
- Ⓑ 肝臓の細胞障害と再生 ———— 483
  - ① 萎縮 ———— 483
  - ② 壊死とアポトーシス ———— 483
  - ③ 肝臓の再生 ———— 484
- Ⓒ 代謝障害 ———— 484

- ❶ 脂質代謝障害 —— 484
- ❷ 胆汁色素代謝障害 —— 484
- ❸ 糖代謝障害 —— 485
- ❹ アミノ酸代謝障害 —— 485
- ❺ ポルフィリン症 —— 485
- ❻ ヘモクロマトーシス —— 485
- ❼ 銅代謝障害 —— 486
- ❽ アミロイドーシス —— 486
- Ⓓ 循環障害 —— 487
  - ❶ 門脈系の循環障害 —— 487
  - ❷ 肝静脈系の循環障害 —— 487
  - ❸ 肝動脈系の循環障害 —— 488
  - ❹ 肝紫斑病 —— 488
- Ⓔ ウイルス性肝炎 —— 488
  - ❶ 肝炎ウイルスによる肝炎 —— 489
  - ❷ ウイルス肝炎の病理組織像 —— 490
- Ⓕ その他の炎症性および感染性疾患 —— 494
- Ⓖ 肝硬変 —— 495
- Ⓗ 胆管の非腫瘍性疾患 —— 499
- Ⓘ アルコール性肝障害 —— 501
- Ⓙ 非アルコール性脂肪性肝疾患 —— 502
- Ⓚ 薬物性肝障害 —— 502
- Ⓛ 腫瘍 —— 503
  - ❶ 上皮性腫瘍 —— 503
  - ❷ 非上皮性腫瘍 —— 511
  - ❸ 腫瘍類似病変 —— 513
- Ⓜ 肝移植の病理 —— 513
- Ⓝ 肝不全 —— 514

肝外胆管および胆囊

- Ⓐ 構造と機能 —— 514
  - ❶ 正常構造と機能 —— 514
  - ❷ 発生異常 —— 514
- Ⓑ 胆石症 —— 515
- Ⓒ 炎症 —— 516
- Ⓓ 腫瘍類似病変 —— 517
- Ⓔ 腫瘍 —— 518
  - ❶ 上皮性腫瘍 —— 518

膵臓
若狭朋子

- Ⓐ 解剖・組織・発生 —— 519
- Ⓑ 先天異常 —— 520
- Ⓒ 代謝障害 —— 521
- Ⓓ 膵炎 —— 521
- Ⓔ 腫瘍 —— 525
  - ❶ 概論 —— 525
  - ❷ 外分泌腫瘍 —— 526
  - ❸ 内分泌腫瘍 —— 532

- ❹ 転移性膵腫瘍 —— 533
- ❺ 非上皮性腫瘍 —— 533

第16章 腎
大橋健一 535

- Ⓐ 正常構造と機能 —— 535
  - ❶ 腎臓の構造 —— 535
  - ❷ ネフロンの構造 —— 535
  - ❸ 機能 —— 538
- Ⓑ 腎疾患の臨床 —— 538
  - ❶ 臨床所見 —— 538
  - ❷ 腎疾患の臨床分類 —— 539
- Ⓒ 糸球体腎炎の発症機序 —— 539
- Ⓓ 腎生検による糸球体疾患の診断，所見の取り方 —— 541
- Ⓔ 原発性糸球体病変 —— 542
- Ⓕ 二次性糸球体病変 —— 549
  - ❶ 系統的疾患における糸球体腎炎 —— 549
  - ❷ 代謝疾患に伴う糸球体病変 —— 553
  - ❸ 遺伝性腎症 —— 554
  - ❹ 系統的血管病変に伴う糸球体疾患 —— 555
- Ⓖ 尿細管・間質病変 —— 558
  - ❶ 尿細管間質性腎炎 —— 558
  - ❷ 急性尿細管傷害・壊死 —— 560
  - ❸ 腎臓の感染症 —— 560
  - ❹ 代謝性尿細管障害 —— 563
- Ⓗ 囊胞性疾患 —— 563
- Ⓘ 移植腎 —— 564
- Ⓙ 腎腫瘍 —— 566
  - ❶ 悪性腫瘍 —— 566
  - ❷ 良性腫瘍 —— 569

第17章 尿路（尿管・膀胱・尿道）
村田晋一 571

- Ⓐ 尿路の概論 —— 571
- Ⓑ 炎症性疾患 —— 571
  - ❶ 尿路閉塞性炎症性疾患 —— 572
  - ❷ 膀胱炎 —— 573
  - ❸ 尿管炎，腎盂腎炎 —— 574
  - ❹ 尿道炎 —— 574
- Ⓒ 腫瘍性疾患および非腫瘍性増殖性疾患 —— 574
  - ❶ 良性上皮性腫瘍 —— 575
  - ❷ 悪性上皮性腫瘍 —— 575
  - ❸ 非上皮性腫瘍 —— 579
- Ⓓ 形態異常性疾患 —— 579
- Ⓔ その他の疾患 —— 579

第18章 内分泌
近藤哲夫　581

- **A** 下垂体 ——————— 581
  - 1 構造と機能 ——————— 581
  - 2 発生異常と機能異常 ——————— 583
  - 3 炎症性疾患 ——————— 584
  - 4 下垂体腫瘍 ——————— 584
  - 5 トルコ鞍部の腫瘍・腫瘍様病変 ——————— 586
- **B** 甲状腺 ——————— 587
  - 1 構造と機能 ——————— 587
  - 2 発生異常と機能異常 ——————— 588
  - 3 炎症性疾患 ——————— 591
  - 4 甲状腺腫瘍および腫瘍様病変 ——————— 592
- **C** 副甲状腺 ——————— 600
  - 1 構造と機能 ——————— 600
  - 2 発生異常と機能異常 ——————— 600
  - 3 副甲状腺腫瘍および腫瘍様病変 ——————— 601
- **D** 副腎 ——————— 602
  - 1 構造と機能 ——————— 602
  - 2 発生異常と機能異常 ——————— 603
  - 3 副腎腫瘍 ——————— 606
- **E** 膵臓（内分泌腺） ——————— 609
  - 1 構造と機能 ——————— 609
  - 2 発生異常 ——————— 610
  - 3 膵内分泌腫瘍 ——————— 610
- **F** その他の神経内分泌腫瘍 ——————— 611
- **G** 多発性内分泌腫瘍症 ——————— 611

第19章 乳腺
津田　均　613

- **A** 構造・機能・発生とその異常 ——————— 613
  - 1 構造・機能・発生 ——————— 613
  - 2 乳腺の形成異常と肥大 ——————— 613
- **B** 炎症 ——————— 614
- **C** 乳腺症およびその他の非腫瘍性病変 ——————— 615
- **D** 腫瘍 ——————— 617
  - 1 良性腫瘍 ——————— 617
  - 2 乳癌 ——————— 618
  - 3 その他の悪性腫瘍 ——————— 626

第20章 女性生殖器
笹島ゆう子　627

- **A** 発生・構造・機能・発生異常 ——————— 627
- **B** 外陰の病変 ——————— 627
- **C** 腟の病変 ——————— 629
- **D** 子宮頸部の病変 ——————— 629
  - 1 子宮頸部の炎症 ——————— 629
  - 2 子宮頸管ポリープ ——————— 630
  - 3 子宮頸部の腫瘍性病変 ——————— 631
- **E** 子宮体部の病変 ——————— 635
- **F** 卵管の病変 ——————— 641
- **G** 卵巣の病変 ——————— 641
  - 1 卵巣の非腫瘍性病変 ——————— 641
  - 2 卵巣腫瘍 ——————— 641
- **H** 妊娠に関連する疾患 ——————— 646

第21章 男性生殖器
佐々木毅　649

- **A** 精巣・性腺 ——————— 649
  - 1 発生・構造・機能 ——————— 649
  - 2 発生異常に伴う疾患 ——————— 650
  - 3 男性不妊症 ——————— 650
  - 4 炎症 ——————— 651
  - 5 腫瘍性病変 ——————— 651
- **B** 精管・精索・精嚢・射精管 ——————— 655
- **C** 前立腺 ——————— 656
  - 1 発生・構造・機能 ——————— 656
  - 2 炎症 ——————— 657
  - 3 前立腺肥大症 ——————— 657
  - 4 前立腺癌 ——————— 658
- **D** 陰茎・陰嚢 ——————— 660

第22章 脳・神経
柴原純二　663

- **A** 構造 ——————— 663
- **B** 先天異常 ——————— 664
- **C** 脳血管障害 ——————— 666
  - 1 脳血管の解剖 ——————— 666
  - 2 脳血管障害 ——————— 666
- **D** 頭部外傷 ——————— 670
- **E** 感染性疾患 ——————— 672
- **F** 神経変性疾患 ——————— 676
- **G** 脱髄 ——————— 682
- **H** 代謝・中毒性疾患 ——————— 682
- **I** 脳腫瘍 ——————— 684
- **J** 末梢神経疾患 ——————— 687
- **K** 神経筋接合部・筋疾患 ——————— 688

第23章 軟部組織
長谷川匡　691

- **A** 非腫瘍性病変 —— 691
- **B** 腫瘍性病変 —— 692
  - ❶ 軟部腫瘍総論 —— 692
  - ❷ 脂肪性腫瘍 —— 693
  - ❸ 線維性腫瘍 —— 696
  - ❹ 線維組織球性腫瘍 —— 699
  - ❺ 横紋筋性腫瘍 —— 700
  - ❻ 平滑筋性腫瘍 —— 702
  - ❼ 血管性・血管周皮性腫瘍 —— 703
  - ❽ 末梢神経腫瘍 —— 704
  - ❾ 分化不明の腫瘍 —— 707

第24章 骨・関節
小田義直　709

骨
- **A** 構造・発生 —— 709
- **B** 発生と形態の異常 —— 711
- **C** 代謝性疾患 —— 711
- **D** 骨折 —— 713
- **E** 循環障害 —— 713
- **F** 感染症 —— 713
- **G** 骨腫瘍 —— 715
  - ❶ 骨腫瘍の頻度 —— 716
  - ❷ 軟骨形成性腫瘍 —— 716
  - ❸ 骨形成性腫瘍 —— 718
  - ❹ 脈管性腫瘍 —— 720 (→703)
  - ❺ 富破骨細胞性巨細胞腫瘍 —— 720
  - ❻ 脊索性腫瘍 —— 721
  - ❼ その他の骨間葉系腫瘍 —— 722
  - ❽ 造血細胞性腫瘍 —— 723
  - ❾ 骨軟部組織発生未分化小円形細胞肉腫 —— 724
  - ❿ 転移性骨腫瘍 —— 724

関節
- **A** 構造 —— 725
- **B** 変性疾患 —— 725
- **C** 炎症性疾患 —— 726
- **D** 代謝異常と関連する疾患 —— 727
- **E** 感染性関節炎 —— 728
- **F** 関節の腫瘍および腫瘍類似疾患 —— 728

第25章 皮膚・感覚器
泉　美貴　729

皮膚
- **A** 正常組織 —— 729
- **B** 発疹学 —— 730
- **C** 炎症性疾患 —— 731
- **D** 皮膚の腫瘍性病変 —— 741

感覚器
—— 755

付録
757

- **■ 1. 病理実習のてびき** 根本哲生　757
- **A** 病理実習では何を学ぶのか —— 757
- **B** 病理組織実習 —— 757
  - ❶ 標本の取り扱い —— 758
  - ❷ 標本のできるまで —— 758
  - ❸ 顕微鏡観察 —— 762
  - ❹ バーチャルスライド —— 766
  - ❺ スケッチ —— 767
- **C** CPC 型剖検例検討実習 —— 767

- **■ 2. セルフアセスメント** 南口早智子　771

- 和文索引 —— 797
- 欧文索引 —— 821

総論

第1章　序論：病理学について
第2章　細胞傷害の機序とその修復
第3章　炎症
第4章　感染症
第5章　免疫とその異常
第6章　代謝障害
第7章　循環障害
第8章　染色体・遺伝子および発生の異常
第9章　腫瘍

序論：病理学について

A. 病理学とは ……… ▶ 4頁

人体病理学・病理解剖学・外科病理学・診断病理学		実験病理学
人体由来の病理検体を対象とする	分子病理学	実験動物や培養細胞を対象とし，病気の原因を探求する

B. 病理学の歴史 ……… ▶ 4頁

	欧米	日本
古代ギリシャ・ローマ	ヒポクラテス(B.C.460〜B.C.370頃) 医学の父．血液，粘液，黄胆汁，黒胆汁の四体液のバランスの崩れで病気になると唱えた(体液病理学)． ガレノス(A.D.129〜A.D.216頃) 医学の体系化．	
ルネサンス	ヴェサリウス(1514〜1564) 解剖図ファブリカ．	
近世	フック(1635〜1703) レーウェンフック(1632〜1723) 顕微鏡による細胞観察． モルガーニ(1682〜1771) 近代病理学の父．病気が臓器に生じることを明らかにした．	
現代	ロキタンスキー(1804〜1878) 病理解剖学の確立． ウィルヒョウ(1821〜1902) 現代病理学の父．細胞病理学説．	緒方洪庵(1810〜1863) 1849年『病学通論』 山極勝三郎(1863〜1930) 人工的な発癌実験．

C. 医学教育のなかでの病理学 ……… ▶ 6頁

- **病理学総論**：炎症や循環障害など各カテゴリーに共通した疾患の成因を学ぶ．
- **病理学各論**：臓器や器官ごとに疾患を学ぶ．
- **病理学実習**：光学顕微鏡やバーチャルスライドの標本観察により，疾患の形態像を学ぶ．

D. 医療における病理学の役割 ……… ▶ 7頁

- **組織診断・細胞診断**：病理診断結果は，臨床医の治療方針の決定に寄与する．
- **術中迅速診断**：手術中に切除断端の癌細胞の有無や転移・播種についての情報を得る．
- **病理解剖**：臨床診断の確認，生前未解決だった問題の解明を行う．

E. 病理学の現在と展望 ……… ▶ 8頁

- 伝統的な染色と光学顕微鏡による観察に加え，分子病理学的手法が導入された．
- 個々の患者の遺伝情報を考慮したがんゲノム医療の進展が期待される．

第1章 序論：病理学について

A 病理学とは

　病理学 pathology とは，さまざまな疾患の病因，病態を探求する学問分野である．pathology という言葉は，病気を意味する"pathos"と，学問を意味する"logos"というギリシャ語に由来している．病理学には，病気の原因や，病気による形態学的，機能的変化を明らかにするという基礎医学的な側面と，その研究成果に基づいて病気の診断・治療・予防に貢献するという臨床医学的な側面がある．歴史的には，研究手法的な面から人体病理学 human pathology，実験病理学 experimental pathology に大別されてきた．

　人体病理学は，主に人体に由来する病理検体を研究対象とした学問であり，病理解剖学 anatomical pathology と呼ばれることもある．より臨床医学，医療に関係の深い外科病理学 surgical pathology，あるいは診断病理学 diagnostic pathology の領域もある．これに対し実験病理学は，主に実験動物や培養細胞を研究手法とした学問であり，病気の原因を明らかにするという基礎医学的な側面が強い．

　近年では，人体病理学，実験病理学のいずれの分野でも，分子生物学的な手法が導入されてきており，その結果，研究手法による従来の分類はあまり意味をもたなくなってきている．人体病理学，実験病理学という枠組みを越えた分子病理学 molecular pathology という領域もできている．このように時代の変遷とともに研究手法は多様化し，病理学の枠組みも変貌してきている．

B 病理学の歴史

　病気の原因についての思考は，古代ギリシャ，ローマ時代のヒポクラテス，ガレノスにまで遡ることができ，医学の歴史は病理学の歴史と重なっている．以下，医学の歴史上大きな足跡を残した先人について簡単に触れる．

　ヒポクラテス Hippocrates（B.C.460〜B.C.370頃）は，原始的な医学から迷信や呪術を切り離し科学的な医学を発展させ，「医学の父」「医聖」と呼ばれる（図1-1）．

　当時は，人間の体液は血液，粘液，黄胆汁，黒胆汁からできているとされ（四体液説），そのバランスのくずれにより病気になると考えられていた（体液病理学）．ガレノス Galenus Claudius〔129〜201（199または216とする説もある）〕は，当時の四体液説や諸説をもとに，多分に哲学的な医学理論を体系的に構築した（図1-2）．ガレノスの学説は16世紀まで信じられていた．

　ヴェサリウス Andreas Vesalius（1514〜1564）はブリュッセル生まれの解剖学者である（図1-3）．イタリアのパドヴァ大学で医学を学び，解剖図「De Humani Corporis Fabrica（ファブリカ）」を著した（図1-4）．人体の解剖に基づきガレノスの学説を訂正した．顕微鏡は，オランダのヤンセン Janssen 父子が16世紀末（1590年頃）に考案したとされる．フック Robert Hooke（1635〜1703，図1-5），レーウェンフック Antoni van Leeuwenhoek（1632〜1723，図1-6）らが顕微鏡を用いて血球，微生物，細胞を観察している．

　モルガーニ Giovanni Battista Morgagni（1682〜1771）はイタリア，パドヴァ大学にて教鞭をとった解剖学者，病理学者である（図1-7）．自ら病理解剖を行い，生前の症候と病理解剖所見を対比させることにより，病理解剖学を体系化した．病気の原因は血液とともに流れてくるという従来の考えに対し，病気は臓器に生じることを明らかにした．「近代病理学の父」とも呼ばれる．

　ロキタンスキー Carl Freiherr von Rokitansky（1804〜1878）は，ウィーンで活躍した病理学者である（図1-8）．医学における普遍的な方法論として，病理解剖とその手法を確立した．生涯で3万体以上の解剖を行い，肉眼

図 1-1　Hippocrates（B.C.460〜B.C.370 頃）

図 1-2　Galenus Claudius（129〜201）

図 1-3　Andreas Vesalius（1514〜1564）

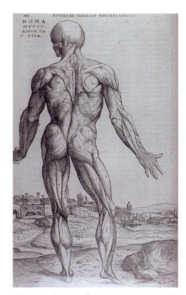

図 1-4　「ファブリカ」の1ページ

図 1-5　Hooke の使った顕微鏡

図 1-6　Antoni van Leeuwenhoek（1632〜1723）

図 1-7　Giovanni Battista Morgagni（1682〜1771）

図 1-8　Carl Freiherr von Rokitansky（1804〜1878）

図 1-9　Rudolf Ludwig Karl Virchow（1821〜1902）

図 1-10　山極勝三郎（1863〜1930）
〔写真は東京大学医学部のご厚意による〕

的な所見の記載を徹底し，病理解剖学を確立したといわれる．

　ウィルヒョウ Rudolf Ludwig Karl Virchow（1821〜1902）は，ベルリン大学の病理解剖学教授として活躍した（図 1-9）．顕微鏡を導入し，疾患の基盤は細胞にあるとした（細胞病理学説）．またすべての細胞は細胞から生じると提唱した．「現代病理学の父」と呼ばれる．

　わが国における病理学の始まりは，緒方洪庵（1810〜1863）が『病学通論』を出版した1849年と考えられている．本書は，いくつかのオランダ語の病理学書のほか内科学・外科学の書物を参照して編纂されたもので，当時の生力論的な思想に基づく液体病理学的色彩を帯びたものであったとされる．明治時代以降，わが国から多くの病理学者がドイツに留学し，わが国に病理学を伝え発展させた．なかでも特筆に値する成果は，山極勝三郎（1863〜1930，図 1-10）と市川厚一による世界初の人工的な発癌実験である（→第9章「腫瘍」，270頁に人工癌の標本の写真）．

　20世紀になると，米国が医学・医療をリードするようになってきたが，米国では，産婦人科医，外科医を中心に病理形態学を診断に応用する機運が生まれ，外科病理学，病理診断学が発展した．わが国においては，長らく大学の講座が病理学の中心的な役割を果たしてきたが，戦後になり米国のシステムに倣い，大学病院，市中病院に病理部が導入され，病理診断学の担い手として発展し，今日に至っている．

医学教育のなかでの病理学

　医学教育のなかにおいて，病理学は基礎医学と臨床医学をつなぐ位置にあり，解剖学，組織学，生理学，生化

学などの基礎医学を学んだあと，臨床医学を学ぶ前に病理学の講義が組まれているのが一般的である．病理学の講義は，従来，病理学総論と病理学各論に分けられてきたが，本書もそのような構成になっている．

病理学総論では，さまざまな疾患について，体系的に学習する．まず細胞傷害による形態変化を学んだあと，炎症性疾患，感染症，免疫異常，代謝障害，循環障害，遺伝性疾患，発生異常，腫瘍性疾患について，系統的に学習する．

病理学各論では，臓器・器官ごとに疾患について学ぶ．病理学総論では，臓器の違いを越えて各疾患のカテゴリーに共通した成因を学んだが，病理学各論では，それぞれの臓器，器官ごとに疾患を学ぶことになる．臓器により，疾患の頻度は異なること，同じカテゴリーの疾患でも臓器ごとに特有の病変，病態があることを学ぶ．病理学総論と病理学各論は，縦糸と横糸のような関係にあり，両者を学ぶことにより，異なる視点から同じ疾患を学ぶことができる．近年，医学教育の改革により，病理学各論の講義は臨床医学の講義に組み込まれて行われている大学が増えてきている．病理学を臨床医学とより密接に関連づけて学ぶことを意識した流れといえる．

講義に加えて，病理学実習では，光学顕微鏡を用いてさまざまな疾患の形態像を実際の組織標本を観察しながら学ぶことになる．組織学で学んだ正常の組織構造を復習するとともに，病理学総論，各論で学んだ用語，知識を組織標本と照らし合わせて確認することができる．近年，デジタル画像の進歩により，バーチャルスライドを用いた病理学実習をとりいれる大学も増えてきた．医学生にとっては病理学の進化を体感するよい機会になるはずである．

病理学の講義，実習では，形態学を中心に学ぶことになるが，現代では，形態に加えて分子レベルで病気の原因，病態を理解することも大切である．病理学を学ぶときには，基礎医学全般で学んだ知識を総動員し，疾患の原因，病態を形態学と有機的に関連づけて再整理するよう努めていただきたい．

> **Advanced Studies**
>
> 臨床教育の一環として，BSL（bed-side learning），CPC（clinico-pathological conference）においても病理学を学ぶことになる．
>
> BSLでは，臨床各科に加えて，病理部（病理診断部）をラウンドする機会が設けられている大学が多い．生検や手術検体，病理解剖における診断の流れを，症例に基づいて学ぶよい機会となる．
>
> CPCは臨床病理検討会のことで，通常，病理解剖の行われた症例について，臨床医と病理医が参加し検討が行われる．臨床担当医による症例の提示，問題点の整理を受けて，病理医が剖検所見を説明し，最後に全体による討議が行われる．臨床医と病理医が問題点を共有し討議することにより，今後の医療に役立てることを目的として行われるものであるが，学生の講義の一環として，CPCが講義に組み込まれている．

D 医療における病理学の役割

A 組織診断・細胞診断

病理診断は，組織診断 histological diagnosis と細胞診断 cytological diagnosis がある．組織診断と細胞診断では，検体の採取方法，標本の作製過程，顕微鏡所見の取り方が異なる．

組織診断は，生検（バイオプシー biopsy）や，外科手術の切除検体など，さまざまな場面，検体を対象として行われる．検体のなかで診断に必要と判断される箇所から病理標本を作製し，病変の質的診断（感染症，炎症性疾患，腫瘍性疾患など）を行う．癌の切除検体の場合は，癌の組織型，悪性度，進行度，転移の有無，癌が取り切れているかなどの所見を記載する．病理診断，病理所見に基づいて，臨床医が治療方針を決定する．

細胞診断には，剝離細胞診断，穿刺吸引細胞診断などがある．細胞診断は，組織診断を補完する補助的診断として用いられることが多いが，腫瘍など疾患によっては最終診断として扱われることもある．癌の種類によっては，体腔液の細胞診断がステージを決定する判断材料ともなる．

B 術中迅速診断

組織診断では，固定，薄切，染色という工程があるため，病理標本の作製には通常2〜3日を要する．それに対して，術中迅速診断では，組織を急速に凍結させ薄切，染色することにより，短い時間（10〜15分程度）で標本（凍結切片 frozen section）を作製することができる．通常の組織標本に比べて確度は低くなるが，手術中に切除断端での癌細胞の有無，癌のリンパ節転移や播種の有無を知るために用いられることが多い．

C 病理解剖

病理解剖 autopsy は，亡くなった患者を解剖し，死因や生前不明であった点を明らかにするために行う解剖である．臨床診断の確認，生前に未解決であった問題の解

明を目的として行われている．解剖実習で行われる系統解剖，法医学教室，監察医務院で行われる司法解剖，行政解剖とは異なる面がある．

Advanced Studies

医学における死体解剖は以下のように分類される．
① 系統解剖：医学教育のため，人体の正常の構造を学ぶことを目的として行う．
② 病理解剖：剖検ともいう．病気で死亡した患者を対象として，臨床診断の妥当性，直接死因の解明，治療の効果の判定などを目的として行われる．
③ 司法解剖：犯罪との関係が疑われる死体を対象として，刑事訴訟法に基づいて行われる．
④ 行政解剖：感染症・中毒・災害などにより死亡した疑いのある死体を対象として，行政上の見地から行われる解剖．主に監察医が行う．

E 病理学の現在と展望

ウィルヒョウ以来，病理学は組織形態学を основ軸として発展を遂げてきた．研究手法の発展してきた現代にあっても，病理組織の肉眼像，組織像を記載することは，今も人体病理学の基本である．病気の原因が，分子・遺伝子の異常であっても，組織レベル，個体レベルで病態を理解するには，病理形態から得られる情報が重要であることに変わりはない．科学技術はさらなる発展が予想されるが，そのなかにあって病理学は伝統的な形態観察に加え，今後開発されるであろう新たな研究手法を取り込んで，未解決の問題の解明に向けての挑戦が期待される．

疾患の概念，分類は歴史的に大きな変貌を遂げてきた．本書に記載されている疾患の概念，分類も最終的なものではなく，今後，さらに変遷し続けることが予想される．教科書の内容を固定的に捉えるのではなく，柔軟な思考が求められる．

病理診断学では，伝統的な染色と光学顕微鏡による観察に加え，分子生物学的手法が導入され，いまや日常の診断に欠かせないものになってきた．従来，主観によって影響されがちであった病理診断は客観的なデータに基づいて行われるようになっている．近年，現実のものとなってきた「がんゲノム医療」においても病理医の関与が重視される時代となった．今後のさらなる進化が楽しみである．

病理学を学ぶものは，形態学の世界にとどまらず，自然科学や社会全体を広く見渡す姿勢，統合的な視点をもつことが望ましい．若い医学生が本書で学んだことをもとにして，今後さまざまな分野で活躍することを期待したい．

●参考文献
1) 森岡恭彦：NHKブックス 医学の近代史―苦闘の道のりをたどる．NHK出版，2015
2) 梶田 昭：講談社学術文庫 医学の歴史．講談社，2003
3) 坂井建雄：ちくま新書 医学全史―西洋から東洋・日本まで．筑摩書房，2020
4) 日本病理学会：日本病理学会100周年記念誌．笹氣出版，2011

細胞傷害の機序とその修復

A. 細胞の基本構造 ·· ▶ 10 頁

細胞は，置かれた環境に変動（ストレスなど）が加わっても，一定の範囲であれば定常状態を保とうとする（適応）．しかし，変動が一定の限度を超えたとき，細胞傷害が発生する．疾患の発症機序や病態には，細胞傷害が深くかかわっている．

ストレス・刺激・侵襲

限度を超えたレベルは傷害となる　　　　　　　　　　　　　一定レベル以下は定常状態を保とうとする

B. 細胞傷害の原因と機序 ▶ 13 頁
【原因】①虚血・低酸素，②物理的因子（放射線など），
③化学物質・薬剤，④生物学的因子（ウイルスなど）　など
【機序】①ATPの欠乏，②フリーラジカル，活性酸素種，
③細胞質内カルシウムイオン濃度の上昇，④膜傷害　など

E. ストレスや刺激に対する細胞・組織の適応 ▶ 29 頁
・肥大（心筋肥大など）
・過形成（胃の過形成性ポリープなど）
・萎縮（萎縮性胃炎など）　　　　　　　　　　　　など

C. 細胞傷害の形態変化 ·· ▶ 16 頁

可逆的　　　　不可逆的
変性　　　　細胞死 ⇒ 感染 ⇒ 膿瘍
　　　　　・壊死
　　　　　・アポトーシス

組織に欠損が生じる

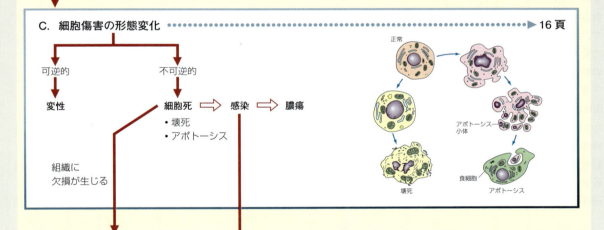

D. 組織修復・再生とその機構 ▶ 22 頁

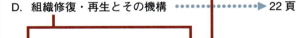

再生（完全治癒）　　　　線維化（不完全治癒）
元の細胞・組織の増殖　　線維組織による損傷部の置換．
で完全に元に戻る．　　　最終的に瘢痕となる．

・組織修復の過程は，傷害の原因，程度や頻度，あるいは組織の再生能により違いがみられる．また感染，糖尿病などの基礎疾患などにより修飾を受ける．二次的な感染により膿瘍を形成する場合もある．加齢により修復過程は遷延しやすい．

・組織修復には，増殖因子，炎症性メディエータ，細胞外基質，プロテアーゼ，接着分子などが複雑に関与する．

第2章 細胞傷害の機序とその修復

A 細胞の基本構造

　高等動物は，個体はさまざまな器官 organ や組織 tissue から成り立っており，さらに組織は分化した複数の細胞によって構成されている．19世紀のウィルヒョウ Virchow 以来，疾患は細胞の変化に基づいて理解されてきた．現代ではさらに分子生物学の進歩により，原因遺伝子が同定される疾患もある．しかし必ずしも原因遺伝子の同定が疾患の発症機序や病態の理解に直結するとは限らない．現代においても個体と分子をつなぐものとして，細胞あるいは組織レベルでの理解が重要であることに変わりはない．ここではまず細胞傷害を理解するための前提として，細胞内の小器官 organelle について概観する．小器官には，ミトコンドリア（糸粒体）mitochondria，小胞体 endoplasmic reticulum，ゴルジ装置 Golgi apparatus，エンドソーム endosome，リソソーム lysosome，ペルオキシソーム peroxisome，核 nucleus，細胞骨格 cytoskeleton などがある（図2-1，2）．これら小器官はほとんどの細胞に備わっているが，それぞれの発達は細胞の種類により異なっている．

A 細胞膜 cell membrane

　脂質の二重構造からなっている．細胞外液と細胞内液の境界を形成し，細胞内の環境を一定に維持する働きがある．細胞膜にはイオンチャネルやレセプタ（受容体），接着分子などさまざまなタンパク質が組み込まれている．イオンチャネルは細胞内の各種イオン濃度を一定に保つために必須であり，細胞内イオン濃度の異常は細胞傷害さらには細胞死の原因となる．レセプタは細胞外からの情報を細胞内に伝達する役目がある．接着分子は，細胞間あるいは細胞-基質間の接着を行う分子である．

B ミトコンドリア mitochondria

　内膜と外膜の二重膜構造をもつ．内膜はクリステと呼ばれる襞構造をとる．細胞の酸化的エネルギー産生を行う場所であり，脂質と糖の酸化によりアデノシン三リン酸 adenosine triphosphate（ATP）を産生する．カルシウムイオン（Ca^{2+}）の貯蔵庫としての役割もある．ミトコンドリアの機能障害は，細胞内の ATP レベルの低下を通じて二次的に細胞傷害をもたらす．またミトコンドリアからのチトクロームc の放出は，アポトーシスの引き金として重要な位置を占めている（後述）．ミトコンドリアは核内の DNA とは異なる独自の DNA を有し，その DNA は母親由来であることが知られている．

C 小胞体 endoplasmic reticulum

　嚢状・管状の構造物である．小胞体の膜の一部は核の外膜に連続する．リボソーム ribosome の付着している粗面小胞体 rough-surfaced endoplasmic reticulum（rER）と付着していない滑面小胞体 smooth-surfaced endoplasmic reticulum（sER）がある．小胞体はタンパク質と脂質の合成の場である．粗面小胞体で分泌タンパク質や膜タンパク質が合成される．滑面小胞体では脂質合成が行われる．肝細胞の滑面小胞体には薬物代謝酵素群が豊富にあり，薬物の代謝が活発に行われる．したがって代謝された薬物が有害であった場合，肝細胞は細胞傷害の標的となりやすい．分泌タンパク質の合成・分泌の過程で異常が起こると小胞体にタンパク質が蓄積して細胞傷害の原因となる．小胞体はミトコンドリアとともに Ca^{2+} の貯蔵庫としての機能がある．

D ゴルジ装置 Golgi apparatus

　ゴルジ装置は，扁平な袋状構造が多数積み重ねられた

A. 細胞の基本構造　11

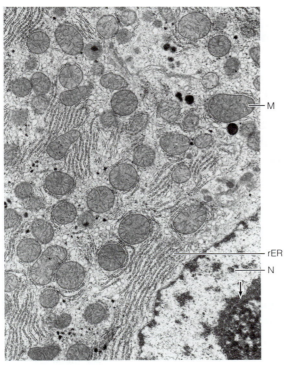

図 2-1　細胞の微細構造
ラット肝細胞．M：ミトコンドリア，N：核，rER：粗面小胞体．核内の濃く染まる領域はヘテロクロマチン，淡く染まる領域はユークロマチンと呼ばれる．核内にみえる円形の構造物の一部は核小体である（→）．

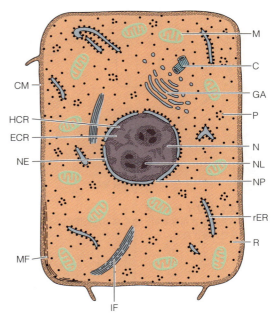

図 2-2　細胞の模式図
M：ミトコンドリア，C：中心体，GA：ゴルジ装置，P：ポリリボソーム，N：核，NL：核小体，NP：核膜孔，rER：粗面小胞体，R：リボソーム，IF：中間径フィラメント，MF：アクチンフィラメント，NE：核膜，ECR：ユークロマチン，HCR：ヘテロクロマチン，CM：細胞膜

ような形状をしている．ゴルジ装置には極性があり，粗面小胞体に面した凸面を **cis面**，その対側の凹面を **trans面**と呼ぶ．小胞体で合成されたタンパク質は膜の分離と融合を繰り返しながらゴルジ装置のcis面に小胞輸送され，さらにcis面からtrans面に輸送される過程で糖鎖が付加される．合成されたタンパク質は細胞外に分泌されたり，細胞膜あるいはリソソームなどに輸送される（図2-3）．

E　エンドソーム endosome

　細胞膜の陥入により細胞外の物質を細胞内小胞に取り込む現象を**エンドサイトーシス**と呼び，エンドサイトーシスによって形成された細胞内小胞をエンドソームと呼ぶ．エンドサイトーシスによって取り込まれる物質は，タンパク質などの高分子，細胞自身の膜受容体のほか，細菌や異物などがある．取り込まれた物質はリソソームに運ばれて分解されるが，膜受容体の一部は細胞膜にリサイクルされる（図2-4）．

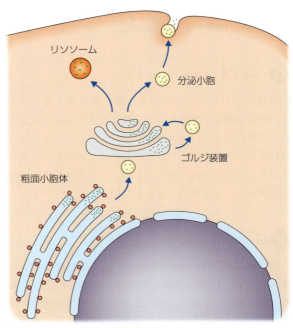

図 2-3　タンパク質合成の流れ
粗面小胞体で合成されたタンパク質は，ゴルジ装置で糖鎖が付加された後，分泌されたりリソソームなどに輸送されたりする．

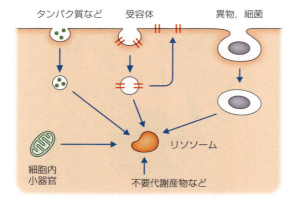

図 2-4　エンドサイトーシス
取り込まれたさまざまな物質，古くなった細胞内小器官などはリソソームで分解される．

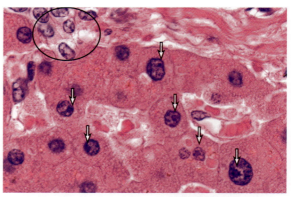

図 2-5　核と核小体
肝組織の HE（ヘマトキシリン・エオジン）染色像．肝細胞の核は胆管上皮（○で囲った細胞）の核と比較してクロマチンが濃く染まっていることがわかる．一部の肝細胞には明瞭な核小体が認められる（⇒）．

F リソソーム lysosome

酸性領域に至適 pH をもつ加水分解酵素群を含んでいる．リソソーム酵素は小胞体で合成された後，ゴルジ装置で濃縮され，さらにリソソームへと運ばれる．リソソームでは，エンドサイトーシスで取り込まれた細胞外物質のほか，細胞内の不要代謝産物，過剰産物，老化した小器官の分解が行われる．リソソーム酵素機能が先天的に欠損すると分解されるべき物質が細胞内に蓄積する（→第 6 章「代謝障害」，151 頁参照）．

G ペルオキシソーム peroxisome

小球状をした小器官である．酸化酵素群を有しており，脂質の酸化や解毒を行う．酸化反応によって産生された過酸化水素は，ペルオキシソーム内にあるカタラーゼによって分解される．脂質の酸化によって生じたアセチル基は脂質の合成に利用される．ペルオキシソーム酵素の欠損による蓄積病も知られている．

H 核 nucleus

核は**核膜** nuclear membrane によって細胞質から境界されている．核膜は外膜と内膜の二重膜からなっており，外膜は粗面小胞体の膜に移行する．内膜の内面には中間径フィラメントである**ラミン** lamin がネットワーク構造を形成し，内面から核膜を支持している．核膜には 50 nm ほどの**核膜孔** nuclear pore があり，細胞質と核間の輸送はこの孔を通して行われる．核内にある核酸とタンパク質は，**クロマチン** chromatin と呼ばれる複合体を形成しており，塩基性色素に染まった結果，顕微鏡下に濃くみえる**ヘテロクロマチン** heterochromatin と淡くみえる**ユークロマチン** euchromatin に分類される（図 2-2）．ユークロマチン領域ではクロマチン構造が緩まっており，転写のさかんな遺伝子はユークロマチンに存在する．ヘテロクロマチン領域は，クロマチン構造が密に凝集しており，あまり転写が起こっていない．核小体は核内にある小体で，リボソーム RNA の合成とリボソームの組み立てが行われている（図 2-2，5）．

I 細胞骨格 cytoskeleton

微小管 microtubule，アクチンフィラメント actin filament（マイクロフィラメント microfilament），中間径フィラメント intermediate filament の 3 種類の細胞骨格がある（図 2-6）．

a 微小管 microtubule

α，β チューブリンという 2 種類のタンパク質の重合体からなる径 20〜25 nm の管状構造をした線維である．細胞分裂における紡錘糸，線毛や鞭毛の内部骨格を構成している．微小管の異常は線毛の機能異常，精子の運動能低下の原因となる．微小管は細胞内の分子輸送にも関与している．微小管の形成は，チューブリンモノマーの重合と解離により制御されている．セイヨウイチイの樹皮からとれる**タキソール** taxol（パクリタキセル）は，チューブリンモノマーの解離を阻害することにより細胞

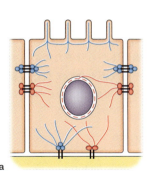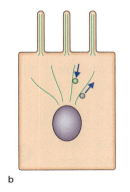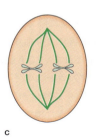

図 2-6 細胞骨格の分布と機能
a. アクチンフィラメント（青）は微絨毛などの細胞の形態維持に関与するほか，接着分子を介して細胞接着や運動において重要な役割を果たしている．中間径フィラメント（赤）は核の構造を内面で支持するものや，接着分子を介して細胞接着に関するものがある．
b. 微小管（緑）は線毛の内部骨格を構成するほか，細胞内の分子輸送にも関与する．
c. 微小管（緑）は細胞分裂における紡錘糸の内部骨格を構成している．

分裂を阻害する．タキソールにはがん細胞のアポトーシス（後述）を誘導する作用があり，抗がん剤として広く使用されている．

b アクチンフィラメント actin filament
（マイクロフィラメント microfilament）

径 6〜7 nm の細い線維で，アクチン分子の重合からなる．ミオシン分子との相互作用によって，細胞運動，収縮，物質輸送などを行う．細胞膜直下では網状構造をなし，微絨毛などの細胞の形態維持に関与している．また，アクチンフィラメントは他分子を介して細胞膜の接着分子と連結しており，細胞接着や運動において重要な役割を果たしている．

c 中間径フィラメント intermediate filament

径 10 nm 前後の線維であり，中間径という名称はアクチンフィラメントと微小管の中間の太さであることに由来する．アクチンフィラメントと微小管がすべての細胞に共通であるのに対して，上皮細胞は**ケラチン** keratin，筋細胞は**デスミン** desmin，筋細胞以外の間葉系細胞は**ビメンチン** vimentin，アストログリアは**GFAP** (glial fibrillary acidic protein) からなるグリアフィラメント，神経細胞は**ニューロフィラメント** neurofilament というように，細胞の種類に対応した中間径フィラメントが発現している．核膜内面にあるラミン（前述）はすべての細胞に共通している．上皮細胞や筋細胞においては，中間径フィラメントは細胞膜にある接着分子（デスモソーム，ヘミデスモソーム）に間接的に連結しており，細胞の接着に関与する．デスミン分子の異常は拡張型心筋症，ケラチン分子の異常は皮膚の水疱性疾患の一因と

なる．アルコール性肝障害では，肝細胞内にケラチンの凝集からなる**マロリー-デンク小体** Mallory-Denk body がしばしば形成される（→ 第 15 章「肝・胆・膵」，501 頁参照）．

 ## 細胞傷害の原因と機序

 ### 可逆的傷害と非可逆的傷害

細胞の置かれた環境に多少の変動があっても，それが一定の範囲内であれば細胞の定常状態は保たれる．環境の変動は**ストレス** stress，**刺激** stimulus，あるいは**侵襲** insult と呼ぶこともできる．環境の変動には生理的なものと病的なものがあり，一定の範囲内であれば細胞は**適応** adaptation という現象によって対応することができる（→ 29 頁参照）．しかし変動が一定の限度を超えると**細胞傷害** cell injury が発生する．細胞傷害には**可逆的** reversible なものと**非可逆的** irreversible なものがある．傷害が軽微である場合，環境が元の状態に戻れば細胞も元の状態を回復する（可逆的傷害）．一方，傷害が持続する場合，あるいは高度の傷害の場合には，細胞傷害は永続し（非可逆的傷害），ついには細胞死に至る．

2 細胞傷害の原因

疾患の発症機序や病態には，細胞傷害が深くかかわっている．ここでは細胞傷害の原因について概観する．

A 虚血 ischemia，低酸素 hypoxia

血液の循環が阻害されると，組織は酸素，栄養(特にグルコース)の不足状態に陥る(→第7章「循環障害」，166頁参照)．また呼吸障害により血中の酸素分圧が低下すると，血液循環が保たれていても組織は低酸素状態になる．組織が酸素やグルコースの不足状態に陥ると，ミトコンドリアの酸化的リン酸化が障害されてATPの産生が低下し，後述するような機序により細胞傷害が発生する．心筋細胞や神経細胞のようにエネルギー要求度の高い細胞では，虚血や低酸素による傷害を受けやすい．一時途絶した血行が回復した際にかえって傷害が進行する現象があり，このような逆説的な現象を**再灌流傷害** reperfusion injury という．再灌流傷害の機序としては，白血球から放出される炎症性メディエータやフリーラジカルの関与が考えられている(→第3章「炎症」，36頁参照)．

B 物理的因子 physical agents

物理的な原因としては，高温，低温，機械的な力，電気，放射線などがあげられる．放射線はDNAを直接損傷するほか，放射線によって生じた**フリーラジカル**が膜脂質やタンパク質，DNAを傷害する(後述)．

C 化学物質 chemical agents，薬剤 drugs

細胞傷害の原因となる化合物や薬剤は無数にある．よく知られたものとして，青酸(シアン化水素酸)，水銀，四塩化炭素など，気体では高濃度の酸素や窒素酸化物などがあげられる．青酸は**チトクローム酸化酵素**の阻害によりATPの産生を低下させて細胞を傷害する．四塩化炭素は肝細胞での代謝によりフリーラジカルとなり，肝細胞傷害をもたらす(後述)．**アスベストやシリカ粉末**は吸引されると肺に沈着し，**肺線維化**の原因となる(→第12章「呼吸器」，399頁参照)．

D 生物学的因子 biologic agents

ウイルス，細菌，真菌，原虫などのうち病原体となるものは，さまざまな機序により細胞傷害をもたらす．細菌や自然界の毒素のなかには，細胞の特定の酵素や受容体に作用して細胞傷害をきたすものがある．好中球や組織球から放出されるフリーラジカルは，病原体に対する殺菌作用があり，本来防御的に働くものであるが，過剰な炎症反応においては宿主側の細胞傷害の原因になる(→第3章「炎症」，45頁参照)．また，免疫反応も本来は個体を外来の病原体から守るためのものであるが，さまざまなアレルギー反応を介して自己の細胞・組織を傷害することがある(→第5章「免疫とその異常」，116頁参照)．

E その他の因子

a 遺伝的要因 genetic factors

遺伝子変異により特定の**酵素活性**が欠損した場合，代謝されない糖タンパク質，脂質，グリコーゲンなどが細胞内に蓄積して細胞傷害をもたらす．ヘモクロマトーシスとウィルソン Wilson 病は，それぞれ組織内に鉄と銅の沈着をきたす遺伝性疾患であるが，フリーラジカルの産生を介した細胞傷害が病態に深くかかわっている(→第6章「代謝障害」，161頁，および第15章「肝・胆・膵」，485頁参照)．

b 構造異常タンパク質の蓄積
accumulation of malfolded protein

遺伝的要因のほか，環境的要因や加齢などにより，立体構造の変化した内因性のタンパクが細胞内外に蓄積して細胞傷害を起こすことが知られている．アルツハイマー Alzheimer 病やハンチントン Huntington 舞踏病などの神経変性疾患の原因となっている．

c 栄養の過不足 nutritional status

カロリー，タンパク質摂取不足は開発途上国ではいまだ重大な問題である．逆に栄養の過剰摂取は，肥満，脂質異常症，糖尿病などを通じて傷害因子となりうる．各種ビタミンとミネラルには，重要な酵素の活性維持に必須のものがあり，不足するとさまざまな傷害の原因となる．

3 細胞傷害の機序

代表的な細胞傷害の機序としては次の4つがある．
① **ATPの欠乏**
② **フリーラジカル，活性酸素種**
③ **細胞質内 Ca^{2+} 濃度の上昇**
④ **膜傷害**

一般にこれらの機序はそれぞれが独立しているわけではなく，互いに複雑に関連しながら細胞傷害が進行する．

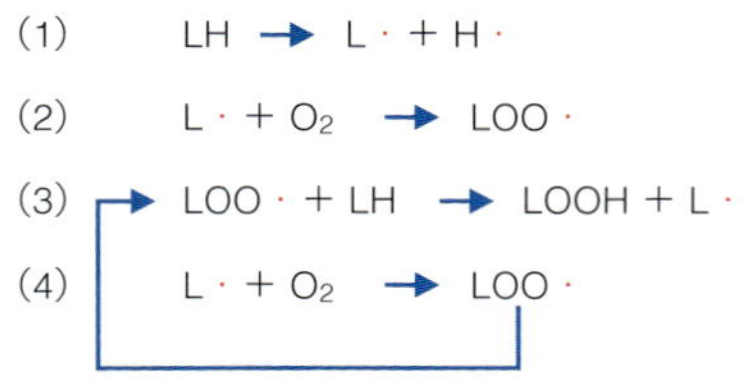

(1) LH → L・ + H・
(2) L・ + O₂ → LOO・
(3) LOO・ + LH → LOOH + L・
(4) L・ + O₂ → LOO・

図 2-7 過酸化脂質の生成過程

細胞膜などに存在するリノール酸やアラキドン酸のような不飽和脂質 LH は，活性酸素のヒドロキシラジカル OH・などとの反応により脂質ラジカル L・となる(反応1)．さらに生成された脂質ラジカル L・は，酸素分子と速やかに反応して，脂質ペルオキシルラジカル LOO・となる(反応2)．脂質ペルオキシルラジカル LOO・は，他の不飽和脂質 LH と反応して自らは過酸化脂質 LOOH になるとともに，新たに脂質ラジカル L・を生成する(反応3)．この脂質ラジカル L・は，酸素分子と反応して脂質ペルオキシルラジカル LOO・となる(反応4)．反応4で生成した脂質ペルオキシルラジカル LOO・は，他の脂質 LH と反応して，新たな過酸化脂質 LOOH と脂質ラジカル L・を生成するため，連鎖的な過酸化反応が進行することになる．

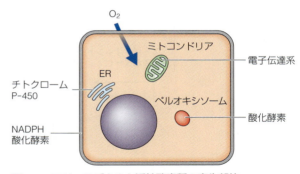

図 2-8 フリーラジカルと活性酸素種の産生部位

フリーラジカルと活性酸素種は，(1)ミトコンドリアにおける酸化的リン酸化により酸素から ATP が産生される電子伝達系の過程で，(2)ペルオキシソームや小胞体(ER)では，酸化反応による薬物の解毒過程において，(3)細菌などによって活性化した好中球の細胞膜では，NADPH 酸化酵素によって産生される．好中球によるフリーラジカルや活性酸素種の産生は，病原体の殺菌において重要な役割を果たしている．

Advanced Studies

a ATP の欠乏

虚血，低酸素，薬剤による傷害では，ミトコンドリアの酸化的リン酸化が阻害されて ATP の産生が低下する．ATP の欠乏した細胞では，細胞膜のポンプ，タンパク合成など ATP 依存性のさまざまな機能が低下し細胞傷害が進行する．ナトリウムポンプが阻害されると細胞内のナトリウムイオン(Na^+)濃度が上昇し細胞が膨化する．カルシウムポンプの機能が低下すると細胞質内の Ca^{2+} 濃度が上昇し，種々の酵素の活性化により細胞傷害が進行する．また ATP の欠乏によって起こるタンパク合成の阻害や変性タンパクの蓄積は，それ自体が細胞傷害の原因となる．さらにミトコンドリアの酸化的リン酸化が阻害されると，細胞は ATP 産生を解糖系に依存するため，細胞内に乳酸が蓄積して pH が酸性に傾く．細胞内 pH の低下はさまざまな酵素の活性低下の原因となり，細胞傷害がさらに進む．

b フリーラジカル free radical，活性酸素種 reactive oxygen species

フリーラジカルや活性酸素種は虚血，薬剤，放射線，炎症など，さまざまな原因による細胞傷害において中心的な役割を演じている．また，加齢の原因としても重要である．フリーラジカルは原子の最外軌道に対をなさない1個の電子をもった分子である．活性酸素種には，スーパーオキシドアニオンラジカル O_2^-・，過酸化水素 H_2O_2，ヒドロキシラジカル OH・などがある．フリーラジカルや活性酸素種は生成された場所の近くのタンパク質，脂質，DNA と反応してこれらの高分子の構造変化をもたらす．特に膜リン脂質を構成する高度不飽和脂肪酸では，図 2-7 に示すような連鎖反応により過酸化脂質が生成し，その結果，膜構造の破壊，流動性や透過性の変化，膜酵素の失活などが起こる．

フリーラジカルの主な生理的な産生は，ミトコンドリアの電子伝達系，ペルオキシソームや小胞体の酸化酵素のチトクロム P-450，細胞膜の NADPH 酸化酵素(特に好中球)などによる(図 2-8)．また鉄や銅などの遷移元素の存在下では，フェントン Fenton 反応 $H_2O_2 + Fe^{2+}(Cu^+) \to OH・ + OH^- + Fe^{3+}(Cu^{2+})$ により，過酸化水素から反応性の高いヒドロキシラジカル OH・が生成する．X 線などの放射線は水分子から O_2^-・，OH・を発生させる．四塩化炭素 CCl_4 は小胞体の P-450 酸化酵素により代謝され CCl_3・を生成する．

生体内にはこのようなフリーラジカルや活性酸素種を取り除く酵素が存在する．スーパーオキシドジスムターゼ superoxide dismutase (SOD) は，スーパーオキシドアニオンラジカルから過酸化水素への変換反応を触媒する．SOD には，ミトコンドリアにある Mn-SOD，細胞質内にある Cu/Zn-SOD，細胞外 SOD の3種類がある．ペルオキシソームにあるカタラーゼは過酸化水素を水と酸素に分解する反応を触媒する．グルタチオンペルオキシダーゼは，グルタミン酸，システイン，グリシンからなるトリペプチドのグルタチオン glutathione (GSH) を基質として $H_2O_2 + 2GSH \to GSSG + 2H_2O$ という反応を触媒している．これらの反応はグルタチオン還元酵素による反応と共役する．また生体内のビタミン C とビタミン E はその抗酸化作用によりフリーラジカルや活性酸素種による傷害から生体を防御している．以上のまとめを図 2-9 に示す．

c 細胞質内 Ca^{2+} 濃度の上昇

細胞外液の Ca^{2+} 濃度が 1.3 mmol/L であるのに対し，細胞質内では 0.1 μmol/L 以下と低く維持されており，細胞質内への一過性の Ca^{2+} の流入は，重要なシグナル伝達経路を構成している．虚血や薬剤，毒素による細胞傷害においては，カルシウムポンプの機能の低下や膜傷害により，過剰な Ca^{2+} の細胞質内流入が起こる．その結果 ATPase，ホスホリパーゼ，プロテアーゼ，ヌクレアーゼなどの酵素が活性化し，ATP レベルの低下，リン脂質・タンパク質・核酸の分解が進行する．

d 膜傷害

前述したように，フリーラジカルや活性酸素種によるリン脂質・タンパク質の変性，あるいは細胞質内 Ca^{2+} 濃度の上昇に伴うホスホリパーゼやプロテアーゼの活性化などによって，細胞膜や細胞内小器官の膜傷害が発生する．細胞膜の傷害は，細胞内の各種イオン濃度と浸透圧の維持を困難にする．ミトコンドリアの膜傷害は，チトクロム c の放出などを通して細胞傷害やアポトーシスの原因となる．リソソームの膜が傷害されるとリソソーム内の酵素が放出され，細胞膜，細胞質内のタンパク質，脂質が分解され，細胞傷害がさらに進行する．

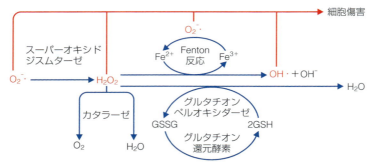

図 2-9　フリーラジカル，活性酸素種の産生，消去過程
活性酸素種には，スーパーオキシドアニオンラジカル $O_2^-\cdot$，過酸化水素 H_2O_2，ヒドロキシラジカル $OH\cdot$ などがある．細胞膜や細胞内小器官で生じたスーパーオキシドアニオンラジカルは，スーパーオキシドジスムターゼの作用によって過酸化水素に変換される．過酸化水素からは，鉄や銅などの遷移元素の存在下，Fenton 反応により反応性の高いヒドロキシラジカルが生成する．過酸化水素の消去にかかわる酵素としては，カタラーゼとグルタチオンペルオキシダーゼがある．カタラーゼはペルオキシソーム内にあり $2H_2O_2 \rightarrow O_2 + 2H_2O$ という過酸化水素を水と酸素に分解する反応を触媒する．グルタチオンペルオキシダーゼはミトコンドリアと細胞質内にあり，$H_2O_2 + 2GSH \rightarrow 2H_2O + GSSG$ という反応により，過酸化水素の消去を行う．

C　細胞傷害の形態変化

1　細胞傷害の初期変化

　ストレスや刺激が一定の範囲内であれば細胞・組織は適応という現象により安定状態を保つことができる（肥大，萎縮など）．しかし刺激がある一定のレベルを超えると細胞傷害をきたす．

　細胞傷害はまず分子レベルで始まるが，傷害が形態変化として認識されるまでには時間的な経過が必要である．虚血性傷害の場合，光学顕微鏡レベルで形態異常が現れる前の初期の段階では，ミトコンドリアや小胞体の腫大，リボソームの遊離，リソソームによる小器官の自己貪食像，核の濃縮変性などの変化が電子顕微鏡レベルで現れる．肝臓や腎臓のような実質臓器では，このような細胞内レベルの変化により臓器全体が白っぽく腫大し，割面が混濁してみえる．このような肉眼的変化を**混濁腫脹** cloudy swelling と呼ぶ．

2　変性 degeneration

　変性とは，細胞傷害によって起こった可逆的な病理形態像を指し，代表的なものとしては以下のような変化があげられる．しかし光学顕微鏡での形態的所見に基づいた古典的な用語であるため，その生化学的な本態の明らかでないものが多い．また「硝子変性」のように同一の名称で呼ばれていても，その本態が必ずしも同一でない点は留意すべきである（→物質の明確な細胞内外の沈着・蓄積は，第 6 章「代謝障害」，135 頁参照）．

　脂肪変性 fatty degeneration

　脂肪合成の亢進，あるいは脂肪の分解・放出経路のいずれかの段階で阻害が起こると細胞内に脂肪の蓄積が生じる（図 2-10）．肝細胞のほか，心筋細胞などで観察される．アルコール性肝障害，虚血などの原因によって起こる．

　水腫変性 hydropic degeneration

　虚血性細胞傷害の初期やウイルス性肝炎の急性期，薬物傷害などにおいてみられる（図 2-11）．電子顕微鏡レベルでは，ミトコンドリア，小胞体の膨化，細胞の腫大として観察される．

C　硝子変性 hyaline degeneration

　ヘマトキシリン・エオジン（HE）染色にて好酸性で均一にみえる変性像を硝子変性と呼んでいる．

C. 細胞傷害の形態変化　17

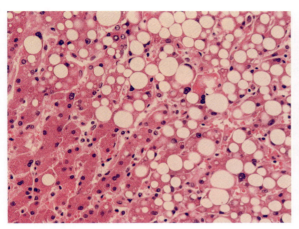

図 2-10　脂肪変性
肝細胞内に脂肪滴が蓄積している．脂肪滴は標本作製の過程で流出するため，無色に円形に抜けてみえる．

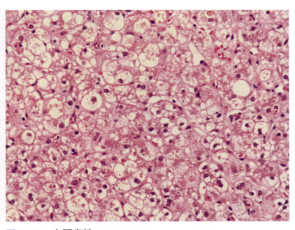

図 2-11　水腫変性
肝細胞が腫大・膨化している．

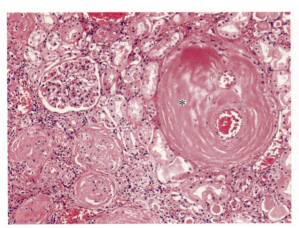

図 2-12　硝子変性
動脈硬化による変化．腎臓の動脈壁の構造が失われ，好酸性で均一にみえる（＊）．

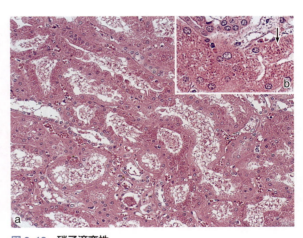

図 2-13　硝子滴変性
a．弱拡大．b．強拡大．腎尿細管上皮細胞質がエオジンの顆粒（→）によって満ちている．

① 間質や血管の膠原線維の変化．高血圧における細小動脈硬化では，血管壁の膠原線維の線維構造が不明瞭となり，好酸性で均一な像を呈する（図 2-12）．
② 血漿成分の滲出・沈着による病理所見の記載にも使用される（フィブリノイド変性）．

D 硝子滴変性 hyaline droplet degeneration

光沢をもったエオジン好性の小滴が細胞質を置換するように充満する（図 2-13）．典型的には，腎疾患でタンパク尿を伴う場合に近位尿細管内で認められる．この場合は尿細管の再吸収機能の亢進の結果で起こると考えられている．

E 粘液変性 mucoid degeneration

細胞内や細胞外に，粘液あるいは粘液様の物質が蓄積することがあり，粘液変性という．

3 細胞死

細胞死はその形態より，壊死 necrosis とアポトーシス apoptosis の 2 種類に分類される．

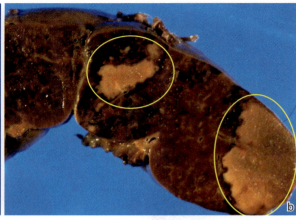

図 2-14　凝固壊死の肉眼像
a．心筋梗塞の症例．黄線内が凝固壊死部．本例では出血を伴うため赤色調を呈している．
b．脾梗塞の症例．黄線内の黄白色を呈する領域が凝固壊死部．

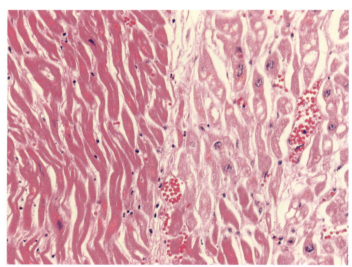

図 2-15　凝固壊死の組織像
心筋梗塞による変化．壊死に陥った心筋（左側）は細胞質の好酸性が増し，核は消失している．

図 2-16　乾酪壊死の肉眼像
肺結核の症例．黄白色のチーズ様の像を呈する．

A 壊死 necrosis

　細胞傷害が高度で細胞死に至る場合，一般的には壊死と呼ばれる細胞死の形態像を示す．壊死に陥った細胞では，細胞内の分解酵素の活性化によって，タンパク質の分解や変性，凝固が生じる．壊死の形態学的特徴は，このようなタンパク質の分解や変性に基づいている．ホルマリンや酸などの固定液および熱で処理された組織・細胞では，死んでいるにもかかわらず壊死の形態を示さない．壊死は形態的な特徴より，凝固壊死と融解壊死に分類される．

C. 細胞傷害の形態変化 ● 19

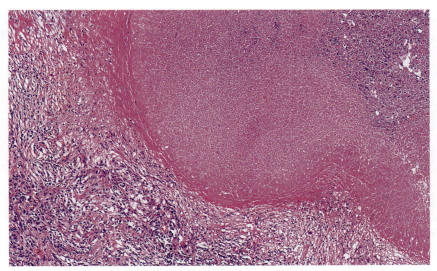

図 2-17 乾酪壊死の組織像
結核の症例.

a 凝固壊死 coagulation（coagulative）necrosis

タンパク質の変性と凝固が主体をなす場合，壊死組織は凝固壊死の形態をとる．梗塞病変では通常この壊死形態を示す（図 2-14）．HE 染色標本で観察すると，壊死に陥った細胞は，核が消失して細胞質は無構造な好酸性を呈する（図 2-15）．結核でみられる**乾酪壊死**も凝固壊死に属する．乾酪壊死では炎症性滲出物や脂質成分が多く，**チーズ様の肉眼像**を呈する（図 2-16）．組織像は図 2-17 に示す．

b 融解壊死 liquefaction（liquefactive）necrosis

脂肪成分が多くタンパク成分の比較的少ない中枢神経などの組織では，タンパク質の分解が進むため，細胞・組織は融解する（図 2-18）．脳梗塞において典型的な融解壊死をみる（図 2-19）．

B アポトーシス apoptosis

1 ● アポトーシスとその形態的特徴

アポトーシスとは，1972 年 Kerr らにより報告された特殊な形態的特徴をもつ細胞死である．壊死では細胞内小器官の膨化など，細胞質の変化が最初にみられるのに対し，アポトーシスではまず核の**クロマチン**の凝集と縮小，断片化が起こる．初期の段階では細胞内小器官は比較的保たれている．やがて細胞質も縮小し断片化した核を少量の細胞質で取り囲んだアポトーシス小体が形成される．アポトーシスに陥った細胞は周囲の細胞や食細胞に取り込まれる．アポトーシスの形態的特徴を図 2-20,

21 に示す．

アポトーシスでは細胞膜が強い傷害を受けないため，細胞内酵素の遊出が起こらない．したがって壊死と異なり，周囲に炎症反応を起こさない．壊死がもっぱら病的な細胞死であるのに対し，アポトーシスは発生や生体の恒常状態維持に必要な生理的な細胞死として機能する場合と，以下に述べるように種々の疾患の発症にかかわる病的な細胞死としてみられる場合がある．病的な細胞死において壊死とアポトーシスのいずれの形態の細胞死をとるかという決定が，どのように行われるかについてはよくわかっていない．

2 ● アポトーシスの生理的な機能

アポトーシスは発生や生体の恒常状態を維持するうえで重要な働きをしている．脳の発生過程では，一度細胞分裂によって生じた神経細胞のうちシナプス形成した細胞のみが生存することができ，その他の過剰な神経細胞はアポトーシスにより除去される．成体の腸上皮では，腺窩底部の細胞の増殖と表層でのアポトーシスによる細胞脱落のバランスによって一定の細胞数が保たれている（後述）．

T 細胞の成熟過程では，自己抗原に反応するものはアポトーシスにより胸腺内で除去され，自己免疫疾患が起こらないように調節されている（→ 第 5 章「免疫とその異常」，108 頁参照）．

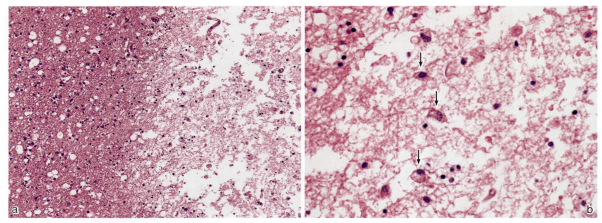

図 2-18　融解壊死の組織像
脳梗塞の症例．a．弱拡大．梗塞巣（右側）は正常部（左側）に比べ淡明化しており融解したようにみえる．
b．強拡大．融解した組織内には脂質を貪食し淡く泡沫状の胞体を有する組織球がみられる（→）．

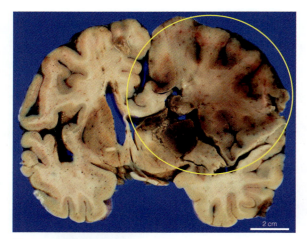

図 2-19　脳梗塞の肉眼像
黄線内に梗塞がみられる．組織は出血を伴い軟化している．

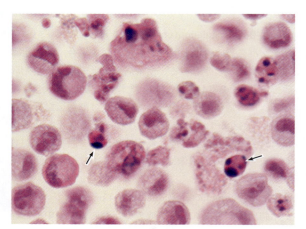

図 2-20　培養細胞のアポトーシス
核クロマチンの凝集したアポトーシス小体がみられる（→）．

3 ● アポトーシスと疾患

　脳梗塞やさまざまな神経変性疾患では，疾患の発症にアポトーシスがかかわっている．骨髄移植で発生する**移植片対宿主病** graft-versus-host disease（GVHD）では，移植された免疫系のT細胞が宿主の細胞を非自己と認識し攻撃する（→ 第5章「免疫とその異常」，111頁参照）．T細胞によって攻撃された細胞はアポトーシスによって脱落する（図2-22）．一方，がん細胞ではアポトーシスを抑制する機構があって，がんの発生や転移のメカニズム，あるいは治療抵抗性に深くかかわっている．このようにアポトーシスと疾患を考えるとき，疾患の発症にアポトーシスが関与している場合（脳梗塞や神経変性疾患）とアポトーシスの抑制が関与している場合（がん）がある．

4 ● アポトーシスの分子機構

　アポトーシスは生理的な細胞死だけでなく，変性疾患，虚血性疾患，自己免疫性疾患，がんなど多くの疾患の発症機序に深くかかわっている．したがってアポトーシスの分子機構の解明は，これら疾患の病態を理解し治療を考えるうえで重要であり，これまで精力的に研究が進められてきている．アポトーシスの分子機構は複雑であり，細胞や系によってさまざまではあるが，総じて次の3つに分けて理解できる（図2-23）．

① 細胞にアポトーシスを誘導したり，逆に抑制したりするシグナル伝達
② シグナルの調節と統合
③ アポトーシスの実行

C. 細胞傷害の形態変化 ● 21

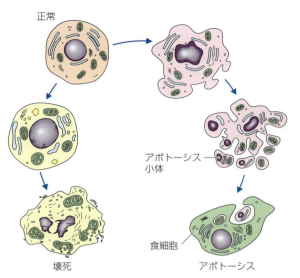

図 2-21 壊死とアポトーシスの形態的特徴
壊死では，細胞内小器官の腫大と膨化，膜傷害が起こる．アポトーシスでは，核クロマチンの凝縮と断片化がまず起こり，細胞内小器官や膜は比較的保たれる．アポトーシスに陥った細胞は周囲の細胞や食細胞に貪食される．

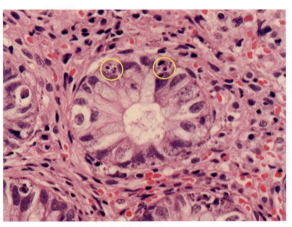

図 2-22 大腸上皮にみられたアポトーシス
陰窩上皮内に核片がみられる（黄線）．GVHD による．

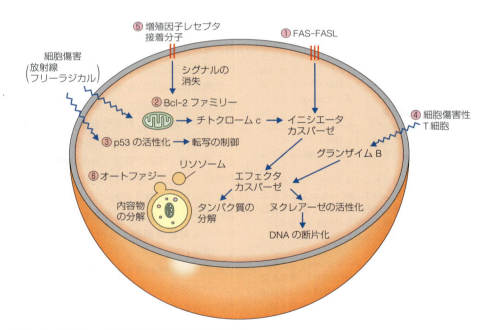

図 2-23 アポトーシスに至るさまざまな分子機構
アポトーシスを誘導する分子機構や経路として，① FAS-FASL，② ミトコンドリアを介する経路，③ p53 を介する経路，④ 細胞傷害性 T 細胞，⑤ 増殖因子レセプタや接着分子からのシグナルの消失，⑥ オートファジーなどがある．

アポトーシスの誘導と抑制の分子機構については，以下に述べるような代表的な系において，その経路の概略が明らかとなっている．
① **FasL を介する誘導機構**
② **ミトコンドリアを介する誘導機構**
③ **p53 を介する誘導機構**
④ **細胞傷害性 T 細胞を介する誘導機構**
⑤ **増殖因子レセプタあるいは接着分子を介する抑制機構のシグナル消失**
⑥ **オートファジー**

Advanced Studies

a FasL を介する誘導機構
　TNF (tumor necrosis factor 腫瘍壊死因子) スーパーファミリーの FasL (Fas ligand, Fas リガンド) によるアポトーシスでは，受容体 Fas からのシグナルがイニシエーターカスパーゼであるカスパーゼ 8 の活性化をへてエフェクターカスパーゼ群を活性化する．エフェクターカスパーゼはアポトーシスの実行役である．

b ミトコンドリアを介する誘導機構
　放射線，抗がん剤などにより細胞にストレスがかかると，**ミトコンドリアからチトクロム c** が放出される．ミトコンドリアからのチトクロム c の放出は，BcL-2 ファミリーという分子群によって調節されている．放出されたチトクロム c は，イニシエーターカスパーゼであるカスパーゼ 9 の活性化をへてエフェクターカスパーゼ群を活性化する．

c p53 を介する誘導機構
　がん抑制遺伝子 p53 は，DNA 損傷，虚血，熱ショックなどのストレスで活性化される．活性化した p53 はアポトーシスの誘導因子の転写を亢進させたり，逆にアポトーシスの抑制因子の転写を低下させることで，アポトーシスを誘導していると考えられている．

d 細胞傷害性 T 細胞を介する誘導機構
　細胞傷害性 T 細胞は標的細胞内に**グランザイム B** という酵素を送り込むことによりエフェクターカスパーゼを活性化する．

e 増殖因子レセプタあるいは接着分子を介する抑制機構のシグナル消失
　増殖因子レセプタの下流にあるシグナル伝達分子のなかには，細胞増殖や細胞運動の刺激のほかに，**AKT**，**NF-κB** のようにアポトーシスを抑制するものがある．上皮細胞，内皮細胞，線維芽細胞など，血液細胞以外の細胞では，基質との接着が細胞の生存に必要であり，基質との接着阻害により細胞はアポトーシスを起こす．

f オートファジー autophagy
　オートファジーとは，細胞質成分をリソソームで分解する仕組みである．異常なタンパク質の蓄積を防いだり（品質管理），栄養状態が悪化したときに細胞質成分の分解により代謝を維持する（飢餓適応）など，さまざまな生体の恒常性維持において重要な役割を担っている．オートファジーは一部の細胞死に関与していることも最近の研究で判明している．

D 組織修復・再生とその機構

1 組織修復と再生，線維化

　組織傷害により欠損や壊死が生じた場合，細胞の増殖や遊走によって組織の修復が行われる．**組織修復** tissue repair という現象には，**再生** regeneration（元の細胞・組織の増殖による失われた組織の補充）と**線維化** fibrosis（線維組織による損傷部の置換）という 2 つの要素がある．また十分な再生により組織が完全に元に戻る状態を完全治癒，そうでない場合を不完全治癒という．不完全治癒の場合には，多くの場合，失われた組織は線維組織により置き換えられ，最終的に**瘢痕** scar となる（瘢痕化）．

　組織修復の過程は，傷害の原因・程度・頻度，組織の再生能により多少異なっている．一般に傷害が軽度であれば線維化も軽いが，高度の傷害では線維化も広範なものとなりやすい．再生能力の高い肝臓では高度の傷害の後も線維化を残さずに再生しうるが，それでも慢性肝炎のように肝細胞傷害が長期間にわたり持続する場合には線維化をきたす（→ 第 15 章「肝・胆・膵」，484，491 頁参照）．

　加齢も組織修復に影響を与える因子である．胎児は再生能が高く，成体では瘢痕形成をきたすような傷害の後でもきれいに再生し線維化を残さないといわれる．一方，高齢者では，再生能の低下のみならず線維化の過程も遷延化しやすい．

　薬剤や基礎疾患によっても組織修復は影響を受ける．例えば，ステロイド薬で治療中の患者や糖尿病の患者では，創傷治癒の遅延がみられる．

　組織修復の過程は組織によって異なる場合もある．中枢神経系の組織修復では，**線維芽細胞**の代わりに**アストログリア**が増殖し，線維性瘢痕ではなく，**グリア瘢痕**が形成される．再生能自体も細胞や組織により違いがある．例えば，肝臓や腎臓は再生能の高い臓器であるが，骨格筋，心筋，中枢神経は再生能のない，あるいはきわめて低い組織と考えられている（最近の知見では，骨格筋が**サテライト細胞**という細胞から再生すること，中枢神経でも**神経幹細胞**より再生する可能性が示されている．後述）．

　次に組織修復の例として皮膚の創傷治癒と肝臓の再生について述べる．これらはよく研究された組織修復の代表例であるが，急性心筋梗塞のときにみられる形態変化の推移も組織修復の一例である（→ 第 11 章「循環器」，358 頁参照）．

A 創傷治癒 wound healing

　創傷治癒には，以下のような過程がみられる．
① 血管の透過性亢進によるフィブリンの滲出
② 炎症細胞（好中球，リンパ球，組織球）の遊走

D. 組織修復・再生とその機構

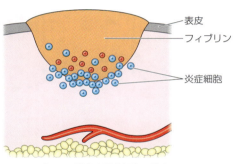

a. フィブリンの滲出と炎症細胞の遊走

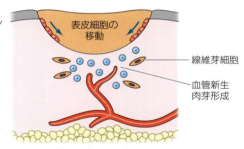

b. 肉芽組織の形成と再上皮化

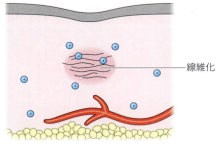

c. 線維化

d. 瘢痕形成による収縮

図 2-24　創傷の治癒過程
皮膚における創傷治癒の補強過程.

③ 線維芽細胞や血管内皮細胞の遊走・増殖
④ 肉芽組織の形成（血管新生，細胞外基質の沈着）
⑤ 上皮の再生（再上皮化）
⑥ 瘢痕の形成と収縮，傷の閉鎖
⑦ 細胞外基質や壊死物質の分解・吸収

　皮膚の創傷により組織の欠損が生じると，まず血管の透過性亢進により**フィブリンの滲出**，次いで**炎症細胞（好中球，リンパ球，組織球）の遊走**が起こる．炎症細胞の主体は，初期（1～3日）には好中球であるが，後期（3日以降）には組織球に移行する．炎症細胞に引き続いて**線維芽細胞や血管内皮細胞の遊走**，フィブリン内への侵入・増殖が起こり，その結果，線維組織や血管に富む**肉芽組織**が形成される．

　線維芽細胞から産生されるコラーゲンなどの細胞外基質の沈着により，肉芽組織は時間の経過とともに線維化していく．一方，表皮の欠損した部分は周辺の表皮細胞が増殖し遊走することにより被覆される（**再上皮化** reepithelialization）．十分な再生が起こった後は細胞の増殖は停止し，創傷治癒の過程で増殖した線維芽細胞や血管内皮はアポトーシスにより除去される．細胞外基質や壊死物質は分解され，組織球に貪食されたり吸収されたり

する．線維成分による置換（**線維化**）が進行し，傷の閉鎖を促す．修復が良好であれば線維化は軽微で組織は元に近い形態にまで修復されるが，線維組織の分解が不十分な場合には**瘢痕**となる．以上の過程を図 2-24，25 に示す．

　通常の創傷治癒は上記のように進行するが，状況によってはさまざまな修飾を受ける．例えば，加齢などの原因により肉芽組織の状態のまま修復過程が遷延する場合がある（**不良肉芽**と呼ばれる）．また二次的に感染が合併すると，**膿瘍**や**肉芽腫**の形成などをみることがある．治癒過程も遷延し，感染のない場合に比べてより広範な線維化および瘢痕形成をみる場合が多い．

　次に組織修復に関連した用語の説明を補足する．

Advanced Studies

a 血管新生 angiogenesis
　既存の血管組織から新しい血管形成が起こることを指す．組織修復において肉芽組織内でみられる血管も血管新生による．血管新生は組織修復のときのみならず，がんの浸潤・増殖においてもみられる現象である．従来，血管新生は局所の血管内皮の増殖のみによるものと考えられていたが，最近の知見では，局所での血管内皮の増殖に加えて，骨髄に由来する血管内皮前駆細胞が循環血液を経て動員されると考えられている．なお血管新生に対し，胎生期において新たに血管が形成されることを**脈管形成** vasculogenesis と呼ぶ．

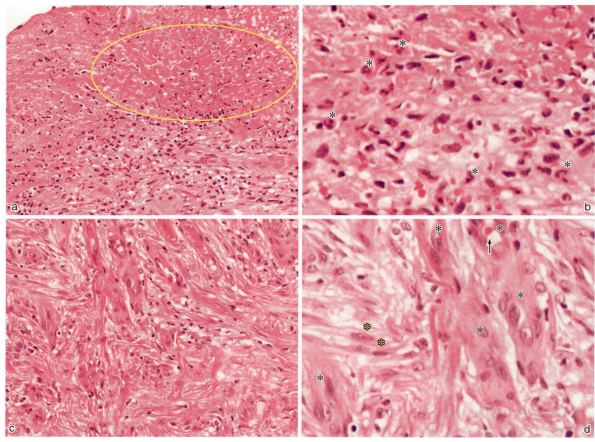

図 2-25　創傷の治癒過程
a. 初期にみられるフィブリンの滲出（黄線内にみられる好酸性の物質の部分）と炎症細胞浸潤.
b. 炎症細胞の強拡大図. 分葉核を有する好中球がみられる（＊）.
c. 肉芽組織の形成. 新生血管と線維芽細胞の増生をみる.
d. 肉芽組織の強拡大図. 新生血管（＊）の内部に赤血球（→）が認められる. 紡錘形の核をした細胞が線維芽細胞（✱）である.

b 肉芽組織 granulation tissue

　組織修復のときに形成される血管・線維組織に富んだ組織を指す. 組織傷害の原因, 組織の種類, 時間的経過などによりさまざまな形態をとりうるが, 基本的には血管内皮細胞や線維芽細胞に種々の炎症細胞を交えた組織である. 時間の経過とともに, 線維芽細胞の産生する細胞外基質の沈着によって線維化する.

c 筋線維芽細胞 myofibroblast

　組織修復においてみられる線維芽細胞は, 収縮機能をもつなど平滑筋の性質を一部もっていることから, 筋線維芽細胞とも呼ばれる. 筋線維芽細胞はいわば活性化した線維芽細胞であり, 細胞外基質だけでなくさまざまな増殖因子やサイトカインを分泌して組織修復において重要な働きをしている. 筋線維芽細胞は収縮により傷の閉鎖を促進するが, その過収縮は創傷治癒部の引きつれの原因となる. また筋線維芽細胞の過剰な増殖は, **過形成性瘢痕**や**ケロイド** keloid の原因となる.

d 組織再構築（組織リモデリング） tissue remodeling

　組織修復の過程では新たな細胞外基質の産生・沈着が起こる一方で, 一度形成された細胞外基質の分解や吸収も進行する. このような組織構築の変化を組織再構築（組織リモデリング）という. 組織再構築によって破壊された組織の復元が可能となるわけであるが, 元とは異なる形で修復が終了する場合も多い. 肝硬変や肺線維症のような疾患では, 組織再構築により本来の肝臓や肺の組織形態が失われる. 組織再構築は, 組織修復だけでなく発生やがんの浸潤においてみられる現象である.

B 組織による再生能の違い

　それぞれの組織・細胞の増殖能は, 組織・細胞ごとに大きく異なることが知られている. 皮膚の表皮細胞や肝細胞などは高い再生能があるのに対し, 神経細胞や心筋細胞などは再生能がきわめて限られている.

C 再生医療

組織・細胞が本来有している再生能力を利用して，障害された組織・臓器の機能回復を目指す医療である．一般的には，次に述べる幹細胞を分離・培養し，目的とする細胞に分化させた後，傷害部に移植する．必要に応じて理工学と連携し，人工素材を活用することにより組織の再構築を目指す．従来，再生能が限られるとされてきた神経細胞や心筋細胞についても，幹細胞を利用して再生させる研究が行われている．

D 幹細胞 stem cell

幹細胞とは，自己複製する能力をもち，それ自身は未分化であるが分化した細胞を作る能力をもった細胞である．幹細胞には胚性幹細胞と組織幹細胞の2つがある．

1 ● 胚性幹細胞（ES 細胞） embryonic stem cell

発生初期の胚盤胞の内部細胞塊に由来し，体を構成するほとんどすべての種類の細胞に分化しうる多分化能を有している．1998年にヒトの ES 細胞が樹立されるに及び，ヒト ES 細胞を用いた再生医療研究の倫理問題が議論されている．

2 ● 組織幹細胞 tissue stem cell

成体の各組織にあり，限られた分化能をもつ幹細胞である．組織幹細胞は，骨髄，皮膚，肝臓，消化管，脳などで再生医療への応用に向けて研究が進んでいる．

Advanced Studies

3 ● iPS 細胞 induced pluripotent stem cell

体細胞に4つの遺伝子（*Oct3/4, Sox2, Klf4, c-Myc*）を人工的に導入することにより，ES 細胞のような分化万能性と自己複製能をもたせた細胞を指す．わが国の山中伸弥らにより作製された．再生医療や難病の治療薬開発への応用が期待されている．

2 細胞の増殖と運動

組織修復では，失われた細胞を細胞の**増殖** proliferation によって補う必要がある．また，組織修復の過程でみられる血管新生と線維化は，それぞれ血管内皮細胞と線維芽細胞の増殖によって起こる現象である．したがって，組織修復では細胞増殖の制御が適切に行われる必要があり，その制御異常は後述するような過形成やさらには腫瘍の一因となる．組織修復が適切に行われるためには，周囲の上皮細胞や内皮細胞，線維芽細胞，炎症細胞

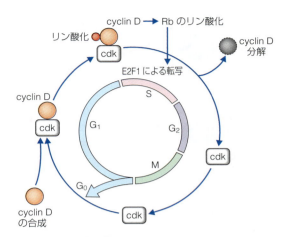

図 2-26 細胞周期の模式図
細胞周期は周期的に発現レベルの変化するサイクリンとサイクリン依存性キナーゼというキナーゼによって制御されている．

が，増殖するとともに傷害や欠損の生じた部位に移動してくる必要がある．したがって，**細胞運動** locomotion は細胞増殖とともに組織修復のうえで重要な位置を占めている．そこで，細胞増殖と細胞運動の機構についてもう少し詳しく述べた後，これらを制御している分子について概観する．

A 細胞周期 cell cycle

細胞分裂を制御している機構を細胞周期と呼ぶ．細胞周期は次の4期に分けられる（図 2-26）．
① DNA の複製が行われる **S 期**（S phase, S=synthesis）
② 核分裂の行われる **M 期**（M phase, M=mitosis）
③ M 期から S 期までの **G_1 期**（G_1 phase, G=gap）
④ S 期から M 期までの **G_2 期**（G_2 phase）

細胞分裂していない休止期の細胞は G_0 期にあるとされ，G_0 期の細胞は増殖刺激を受けると再び G_1 期に移行すると考えられる．細胞周期は周期的に発現レベルの変化する**サイクリン** cyclin という**物質群**（cyclin A，B，D，E）とサイクリン依存性キナーゼ cyclin-dependent kinase（cdk）という**キナーゼ群**（cdk2，4，6 など）によって制御されている．cdk はサイクリンと複合体を形成し，下流の基質をリン酸化することにより細胞周期を進行させる．

それぞれの周期に特有なサイクリンと cdk 分子があり，例えば G_1 期では cyclin D-cdk4，cyclin D-cdk6，cyclin E-cdk2 複合体が中心的な役割を演じている．こ

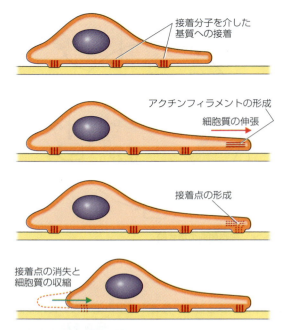

図 2-27 細胞運動の仕組み
アクチンフィラメントの形成と収縮，細胞-基質の接着が協調的に制御されることにより細胞運動が起こる．

れら G_1 サイクリン複合体の主な標的は Rb タンパク質であり，G_1 期の進行とともに Rb タンパク質のリン酸化レベルが亢進する．低リン酸化状態の Rb タンパク質は E2F1 という転写因子と複合体を形成しているが，Rb タンパク質が高リン酸化状態になると E2F1 が Rb から解離し，S 期に必要な分子の転写を誘導する．またサイクリンと cdk のほかに，p16，p21，p27 などの cdk インヒビタがあり，細胞周期の進行を負に制御している．後述する増殖因子は，このような cdk やそのインヒビタの量をタンパク質分解や mRNA の転写の調節により制御したり，核あるいは細胞質へと局在を変化させたりすることにより，細胞周期を進行させていると考えられている．

B 細胞運動の機構

細胞は細胞外からの刺激によって一定の方向に運動する特性がある (**化学走性，走化性，走化作用** chemotaxis)．炎症細胞，線維芽細胞，上皮細胞など，さまざまな細胞が，後述する増殖因子やサイトカイン，炎症性メディエータに対して化学走性を示す．細胞が運動するには，次のような一連の動きが必要である (図 2-27)．

① 移動方向に細胞質を伸張させる．
② 足場の確保のために周囲の基質へ接着する．
③ 細胞質を収縮させるとともに細胞後部で基質との接着を離す．

細胞質の伸張は**アクチンフィラメント**の重合と収縮，アクチンフィラメントと**ミオシンフィラメント**の相互作用によって起こり，このとき，低分子量 G タンパクの Rho，Rac，Cdc42 という分子が重要な働きをしている．基質への接着は**接着分子**（特に**インテグリン**）が関与している．接着分子は細胞内で直接あるいは間接的に細胞骨格と結合している．細胞運動はこのようなアクチンフィラメントの重合と収縮，接着分子と細胞外基質の結合などが，時間的・空間的に協調しながら制御されることにより起こっていると考えられている．

3 創傷治癒，再生を制御している分子

創傷治癒や再生には，次のような多くの分子が複雑に関与している．

① 増殖因子
② 炎症性メディエータ
③ 細胞外基質
④ プロテアーゼ
⑤ 接着分子

Advanced Studies

a 増殖因子 growth factor

増殖因子とは，細胞の増殖・分化・遊走など多様な生物活性をもつ主に分子量 1 万～3 万ほどの低分子タンパク質あるいは糖タンパク質を指す．組織抽出液や培養細胞の培地中には，さまざまな生物活性を有する因子があることが知られていたが，精製技術や分子生物学的手法の進歩により，1980 年代に次々にタンパク質の精製や遺伝子クローニングが進んだ．

増殖因子はさまざまな細胞によって産生され，1 つの増殖因子が多様な生物活性（増殖刺激，運動刺激，分化誘導など）をもつ特徴がある．また同時に存在する因子や細胞外基質の違いによって生物活性に違いがみられる．いくつか増殖因子についてその代表的作用を述べると，**PDGF** (platelet-derived growth factor **血小板由来成長因子**) は主に線維芽細胞の増殖や運動を刺激する作用があり，線維化の過程で重要な役割を担っている．TGF (transforming growth factor)-β は上皮細胞の増殖を抑制する作用のほか，線維芽細胞のコラーゲン産生を刺激し PDGF と協調して線維化を強力に誘導する作用がある．**VEGF** (vascular endothelial growth factor **血管内皮細胞増殖因子**) は血管内皮細胞の強力な増殖因子であり，血管新生においてきわめて重要である．HGF (hepatocyte growth factor) は強力な肝細胞の増殖因子であり，肝細胞の再生時に主に非実質細胞において発現が誘導される．これら増殖因子はすべて標的細胞の膜にあるキナーゼ活性をもつレセプタに結合し，これら増殖因子の結合により活性化したレセプタは細胞内に情報を伝達する (図 2-28)．増殖因子レセプタのほとんどは**チロシンキナーゼ活性**をもつが，TGF-β レセプタは例外的に**セリン・スレオニンキナーゼ**である．

D. 組織修復・再生とその機構 ● 27

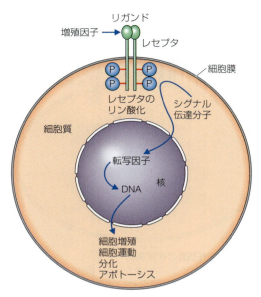

図 2-28 増殖因子の作用機構
増殖因子の結合により活性化したレセプタは，細胞内から核内に情報を伝達し，さまざまな遺伝子の転写を調節することにより細胞増殖，細胞運動，分化，アポトーシスの抑制など多様な生物現象を調節している．その他にも核での転写を介さない経路やタンパク質の分解による経路などがある．

これらのレセプタの活性化によって生じた細胞内のシグナルは核に伝えられ，cdk の活性を調節することにより細胞増殖を制御したり，さまざまな遺伝子の転写を調節することにより細胞増殖，細胞運動，分化，アポトーシスの抑制など多様な生物作用を示したりすると考えられる．また増殖因子レセプタには，アクチンフィラメントの重合・収縮を制御する Rho，Rac，Cdc42 にシグナルを伝え，転写を介することなく細胞の運動や形態を変化させる作用がある．

オートクリン，パラクリン：多細胞生物では生命活動の維持のためには細胞間で互いに情報を交換することが必要となる．このような情報を伝える分子として，神経伝達物質，ホルモン，増殖因子などがあるが，これらの分子の伝達様式には違いがある（図2-29）．神経伝達物質の場合，シナプスという特殊な部位において情報の伝達が行われ，ホルモンは血液に分泌され遠く離れた標的臓器の細胞に作用する（内分泌 endocrine）．これに対し，増殖因子は主に分泌されたごく近傍の細胞に局所的に作用する．分泌細胞自身に作用する場合を**オートクリン** autocrine，分泌細胞に近接した細胞に組織液を介して作用する場合を**パラクリン** paracrine という．増殖因子は主にオートクリンあるいはパラクリン的に作用している．

b 炎症性メディエータ
炎症細胞の遊走，血管への接着などの炎症過程には，血管作動性アミン，血漿プロテアーゼ，アラキドン酸代謝物，サイトカイン，ケモカインなどのさまざまな炎症性メディエータが関与している（→第3章「炎症」，40頁参照）．

c 細胞外基質
細胞外基質とは組織の中で細胞を除いた領域（間質）を構成する物質であり，HE 染色標本ではおおむね好酸性，時に好塩基性に染色される線維性ないし無構造な物質として観察される．細胞が多様な形態を示すのに比べ基質は単調にみえるため，単に細胞間の空間を埋めるだけのものとして以前は軽視される傾向にあった．しかし今

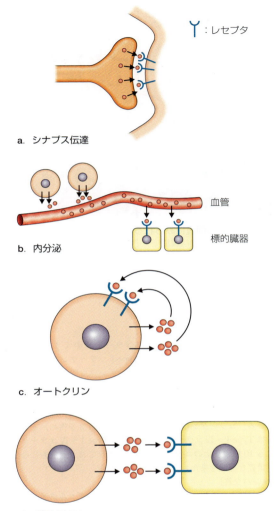

図 2-29 細胞間のシグナル経路
シナプス伝達，内分泌，オートクリン，パラクリンに分類できる．

日では，細胞外基質が細胞の増殖・分化・運動・接着・アポトーシスなどの制御において重要な機能を果たしていることが判明している．特に基底膜は上皮や内皮細胞の基底面を裏打ちするようにあって，細胞の分化・遊走・増殖を調節するなど多様な機能を有している（図 2-30）．組織修復のときに細胞が元通りに再生するためには，基底膜の保持ないし修復が必須であると考えられている．細胞外基質は後述する接着分子との結合を介して，あるいは増殖因子の作用を調節することにより，細胞にさまざまな影響を与えていると考えられている（図 2-31）．細胞外基質の構成因子の多くは高分子のタンパクであり，コラーゲン，糖タンパク質，プロテオグリカンに分類されている．

[コラーゲン]
グリシン-X-Y というアミノ酸単位の繰り返しからなるコラーゲン分子特有の配列をもっており，その特有の配列によりコラーゲン分子は**三重鎖らせん** triple helix からなる三量体を形成する．三量体分子の相互配列の違いから，Type Ⅰ・Ⅱ・Ⅲコラーゲンのよう

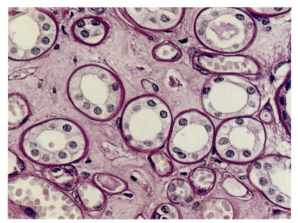

図2-30 腎臓の髄質にみられる細胞外基質（PAS染色）
管腔を形成しているのは尿細管．その間にある部分を間質と呼ぶ．間質の大部分を構成している一見無構造な部分が細胞外基質にあたる．基底膜は尿細管を取り巻くPAS陽性の膜として認められる．

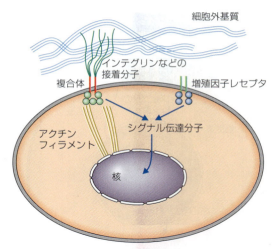

図2-31 細胞外基質の作用機構
細胞外基質は接着分子との結合を介して，細胞の接着・運動にかかわっている．また，増殖因子レセプタからのシグナルと協調して，細胞の分化・増殖・アポトーシスなどを制御している．

な線維構造をとるものとType IVコラーゲンのように格子構造（シート構造）をとるものがある．Type Iコラーゲンは，骨や腱のような硬い組織に多く，Type IIIコラーゲンは血管壁のような弾性のある組織に多い．Type IIコラーゲンは軟骨に特異的なコラーゲンである．Type IVコラーゲンは基底膜の主な構成成分であり，後述するラミニンやある種のプロテオグリカンとともに基底膜を構成している．コラーゲンは生体のタンパクの約1/3を占め，そのほとんどはType I～IVコラーゲンであるが，Type I～IVコラーゲン以外にも10種類以上のコラーゲンが同定されており，量的には少ないが重要な機能を果たしている．

[糖タンパク質]
フィブロネクチン，ラミニンが代表例．フィブロネクチンはS-S結合によりC末端部で結ばれた二量体であり，細胞接着を促進する作用がよく知られている．ラミニンはType IVコラーゲンとともに基底膜の主要な構成因子である．$\alpha \cdot \beta \cdot \gamma$鎖からなるヘテロ三量体で，これまでに10種類以上のラミニン分子が同定されている．フィブロネクチンやラミニンなどの高分子はさまざまな特徴的な機能をもつ繰り返し配列やアミノ酸配列が多数同定されている．また，組織中では多量体を形成するとともに他の高分子と結合して複雑な構造を形成している．

[プロテオグリカン]
コアタンパクと長い糖鎖をもっており，糖鎖の部分は二糖の繰り返し配列からなる．コアタンパクと糖鎖の大きさ・長さはさまざまで，分子量100万以上の巨大な分子もある．長い糖鎖が陰性に荷電しており，水分の保持能が高い．細胞外基質のほか，細胞膜の成分に組み込まれたものもある．

d プロテアーゼ
細胞外基質の分解は，発生，組織修復，がん浸潤のような組織リモデリングを伴う過程において重要な意味をもっている．細胞外基質の分解を行うプロテアーゼとして，**マトリックスメタロプロテアーゼ** matrix metalloproteinase（MMP）がある．MMPは活性中心に亜鉛イオンをもち，主に細胞外基質の分解を行っている一群の酵素であり，現在まで20種類以上が同定されている．前駆体として細胞外に分泌された後，限定分解により活性化するものが多いが，活性型として細胞膜に組み込まれたものもある（membrane-type MMP：MT-MMP）．

e 接着分子
インテグリン，**カドヘリン**，**セレクチン**，**CAM**ファミリーに分類される．インテグリンは$\alpha \cdot \beta$鎖からなるヘテロ二量体で，10数種類のα鎖，8種類のβ鎖の組み合わせにより，20種類以上のインテグリン分子が存在する．インテグリンは，細胞外基質であるコラーゲン，フィブロネクチン，ラミニン分子などと結合し，主に細胞-基質間の接着に関与するが，細胞膜のタンパクと結合し細胞-細胞間の接着を担当するものもある．細胞外基質からの情報を細胞内に伝える，いわばレセプタとして機能しているが，一般的なレセプタと違い1種類のインテグリンに多数のリガンドが結合し，また1種類のリガンドが多数のインテグリンに結合する．インテグリン自体に増殖因子レセプタのようなキナーゼ活性はないが，インテグリン分子の細胞内領域にさまざまな分子が結合し複合体を形成することが知られている．この複合体にはキナーゼ活性をもつ分子やアクチンフィラメントと結合する分子があり，細胞内へシグナルを伝達したり，細胞骨格との橋渡しをしたりしている．さらにインテグリンは前述した細胞運動において基質との接着にかかわっている．

カドヘリンは主に同種の細胞間の結合にかかわっている．E-カドヘリン，P-カドヘリン，N-カドヘリンなどがある．カドヘリンの細胞内領域には$\alpha \cdot \beta \cdot \gamma$カテニン分子が結合し，アクチンフィラメントとの結合の橋渡しをしている．またβカテニンは細胞接着や増殖因子レセプタからの情報を伝えるシグナル伝達分子としての役割もある．

セレクチンは細胞表面の糖鎖に結合する分子であり，E-セレクチン，P-セレクチン，L-セレクチンの3種類が知られている．セレクチンは，炎症・創傷治癒の初期において，炎症細胞が血管内皮に接着するうえで重要な働きをしている．

CAMは免疫グロブリンスーパーファミリーに属する分子である．主に細胞-細胞間の接着分子として働く．**ICAM**（intercellular adhesion molecule）と**VCAM**（vascular cell adhesion molecule）は，炎症細胞上のインテグリンと結合し，炎症細胞の血管内皮への接着において重要な働きをしている（→第3章「炎症」，48頁参照）．

E. ストレスや刺激に対する細胞・組織の適応 ● 29

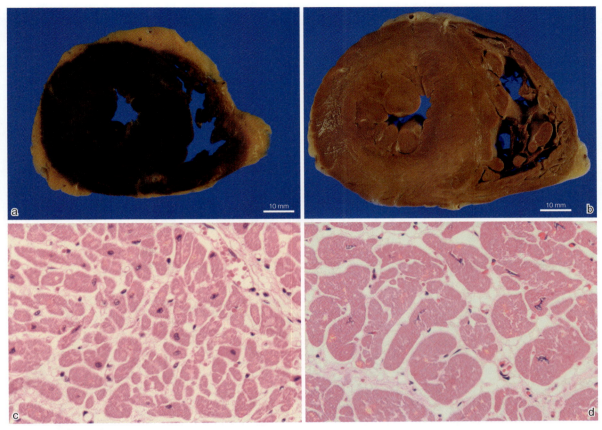

図 2-32　心筋の肥大
a. 正常の心臓割面.
b. 心肥大のある心臓割面. 左室心筋の厚さが増している.
c. 正常心筋細胞.
d. 肥大した心筋. 正常と比較して心筋の径が増している.

ストレスや刺激に対する細胞・組織の適応

　環境からのストレスや刺激が一定の範囲内であれば細胞・組織は**適応** adaptation という現象によって新たな定常状態を維持しようとする. 例えば温度上昇に対しては，熱ショックタンパク質という一群のタンパク質の発現が誘導されてタンパク質の変性を防ぐ，という機構が働く. 適応現象の代表的な例としては，肥大 hypertrophy，過形成 hyperplasia，萎縮 atrophy，化生 metaplasia という現象がある.

1 肥大 hypertrophy

　肥大とは細胞の大きさの増大によって，本来の形状を保持したまま臓器・組織の大きさが増す現象である. 構成細胞の数的増加を伴わない場合を狭義の肥大，数的増加を伴う場合を広義の肥大という. 細胞の肥大を誘導する刺激は数的な増加も誘導することが多く，臓器の大きさの増大は一般に広義の肥大による. 狭義の肥大は，心筋や骨格筋などの細胞分裂能のない臓器・組織においてみられる. スポーツ選手や肉体労働者の心臓や骨格筋では，機能の負担に対応するために筋肉細胞の肥大が起こる. この場合は生理的な肥大と呼ばれる. これに対し，高血圧症や心筋症で起こる心筋肥大は病的な肥大と呼ばれる（図 2-32）（→ 第 11 章「循環器」，363 頁参照）. 肥大心筋では心筋線維をはじめとする構造タンパク質が増加す

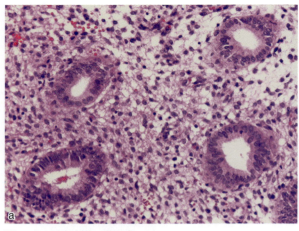
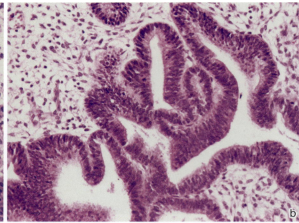

図 2-33 子宮内膜の過形成
a. 正常の子宮内膜（増殖期初期）．
b. 子宮内の過形成は子宮内膜増殖症と呼ばれる上皮細胞の増殖により，核の重層化，管腔の拡張と屈曲が目立つ．

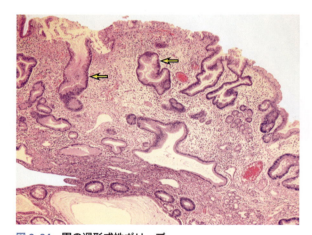
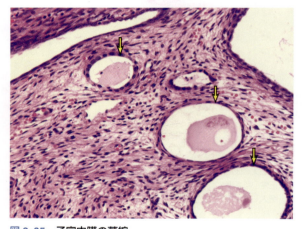

図 2-34 胃の過形成性ポリープ
正常の細胞（図 2-36a）に比べて丈の増した細胞（→）が増殖している．間質の浮腫と炎症細胞浸潤を伴っている．

図 2-35 子宮内膜の萎縮
閉経後の変化を示す．正常の内膜（図 2-33a）に比べ，上皮は扁平化し腺腔は拡張している（➡）．間質の線維化を伴っている．

るとともに細胞あたりの核 DNA 量が増加する（倍数体の細胞が現れる）．

Advanced Studies
a 肥大の分子機構
　心筋肥大の機構については，αアドレナリンレセプタやアンギオテンシンレセプタからのシグナルのほか，サイトカイン，増殖因子，機械的刺激などがかかわっている．これらの因子により，ミオシンをはじめとする構造タンパク質の合成が促進されるとともに，アポトーシスを抑制して過剰な運動負荷に適応していると考えられる．一方，より一般的な観点から考えてみると，細胞の大きさは細胞分裂によって半分になるが，次の細胞分裂時には再び元の大きさにまで戻っており，細胞の大きさを一定に保つ何らかの機構の存在が想定される．最近の酵母を用いた研究から，細胞の大きさの決定因子として，細胞周期に関連した分子，タンパク質合成やリボソーム合成に関連した分子などが同定されてきている．

2 過形成 hyperplasia

　過形成とは組織を元々構成している細胞の過剰な増殖により組織が大きくなる現象である．すでに述べたように組織内での細胞数は，**細胞増殖**と**アポトーシス**のバランスにより一定に保たれており，そのバランスの異常により過形成や萎縮（後述）が起こる．したがって過形成の分子機構には，細胞増殖やアポトーシスを制御する分子がかかわっている．乳腺や子宮内膜の増殖は**エストロゲン**によって刺激されるため，エストロゲン刺激が過剰に働くと乳腺や子宮内膜は過形成になる（図 2-33）．胃では一部の腺窩上皮あるいは腺組織が過剰に増殖してポ

E. ストレスや刺激に対する細胞・組織の適応

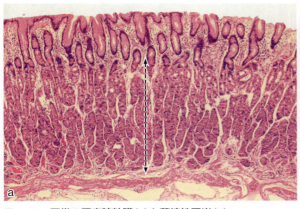
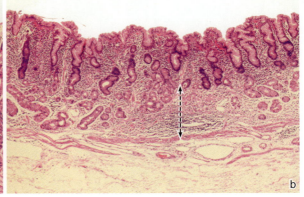

図 2-36　正常の胃底腺粘膜（a）と萎縮性胃炎（b）
a．正常の胃底腺粘膜．b．リンパ球の浸潤のほかに，腺組織の著明な減少がみられる．正常胃粘膜（a）の腺組織（◀---▶）と比較せよ．

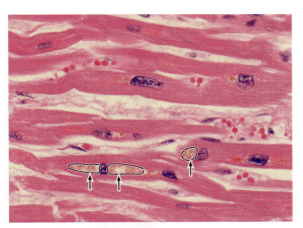

図 2-37　心筋の消耗色素
消耗色素（→）を蓄積した心筋細胞（点線）．

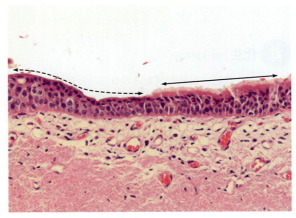

図 2-38　気管支の扁平上皮化生
左側は線毛のない異常気管支上皮（◀---▶），右側は線毛を有する正常気管支上皮（◀——▶）．

リープを形成する場合があり，**過形成性ポリープ**と呼ばれる（図 2-34）（→第 14 章「消化管」，447 頁参照）．皮膚の創傷治癒において，線維芽細胞が過度に増殖し過剰な瘢痕組織を残すことがある．これを過形成性瘢痕と呼ぶ（→24 頁参照）．ケロイドも一種の過形成性瘢痕である．

3 萎縮 atrophy

萎縮とは組織を元々構成している細胞の数的減少や容積の減少により組織の大きさが減少する現象である．ホルモン依存性の組織である子宮内膜や乳腺では，閉経後のエストロゲン濃度の低下により萎縮をきたす（図 2-35）．病気で長期臥床した患者では骨格筋の萎縮が起こり，これを**廃用萎縮**と呼ぶ．慢性の胃炎に伴って胃の腺組織の構成細胞が数的に減少し萎縮する場合がある．このような場合を**萎縮性胃炎**と呼ぶ（図 2-36）（→第 14 章「消化管」，443 頁参照）．萎縮の原因としては，そのほかに血流の低下や機械的圧迫，低栄養，老化などがある．

Advanced Studies

a 萎縮の分子機構

細胞の数的な減少には，細胞増殖やアポトーシスを制御する分子がかかわっている．一方，細胞の大きさが減少する機構については，タンパク質の合成低下や分解亢進などが関与している．タンパク質の分解には，リソソーム酵素による系のほかに，ユビキチンという小さなアミノ酸の付加反応を介したプロテオソームという高分子複合体による分解系がある．萎縮した臓器の細胞には，リソソーム酵素によって消化されない褐色の脂質酸化物の蓄積がしばしば観察される（**消耗色素，リポフスチン** lipofuscin）．肉眼的に褐色にみえるので**褐色萎縮** brown atrophy と呼ばれる（図 2-37）．

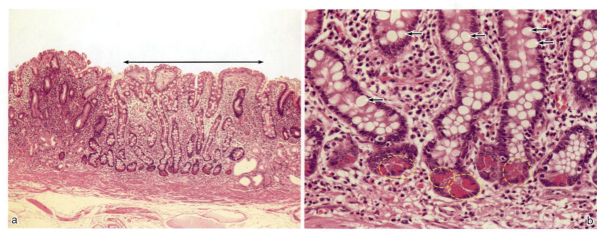

図 2-39　胃の腸上皮化生
a. ⟷ の範囲が腸上皮化生．b. 杯細胞（粘液の部分が白く抜けてみえる細胞．→ でその一部を示す）とパネート細胞（点線）の出現．

4 化生 metaplasia

　分化した細胞・組織が他系統の分化した細胞に変化することを化生という．化生は細胞が何らかの傷害を受けて再生することが契機となって起こる．上皮細胞の化生としては，喫煙者の気管支にみられる**扁平上皮化生**（図2-38），子宮頸部における扁平上皮化生，胃炎に伴う**腸上皮化生**（図2-39）などがよく知られている．逆にバレット Barrett **食道**のように，扁平上皮が腺上皮に置き換わる例もある（→ 第14章「消化管」，436頁参照）．間葉系細胞の化生としては，骨化生，軟骨化生などがある．

Advanced Studies

　化生の起こる原因や機序についてはまだ不明な点が多い．腸上皮化生については，腸の発生・分化に関与する Cdx という転写因子の異所性の発現が原因であるとされている．間葉系の細胞では，近年間葉系幹細胞から分化が起こる際，筋細胞では MyoD，脂肪細胞では PPARγ，骨細胞では CBFA-1 という転写因子が重要な役割を演じていることが明らかになっており，間葉系細胞の化生についても同様の分子が関与しているのではないかと推定されている．

●参考文献

1) Lodish H, et al：Molecular Cell Biology 9th ed. WH Freeman and Company, 2021
2) Kumar V, et al：Robbins & Cotran Pathologic basis of Disease 10th ed. WB Saunders, 2021
3) 宮園浩平，他（編）：サイトカイン・増殖因子キーワード事典．羊土社，2015

第3章 炎症

A．炎症とは ....▶ 34頁
- 炎症は，細胞傷害に対する生体の防御的な反応であり，原因となった傷害因子を排除し，同時に組織修復の反応が起こる．

B．炎症にかかわる細胞とケミカルメディエータ ......▶ 36頁
- 右のような炎症細胞が，血管内から組織中に出て炎症巣を構成する．
- これらの細胞による炎症反応をコントロールする化学物質を，ケミカルメディエータと呼ぶ．

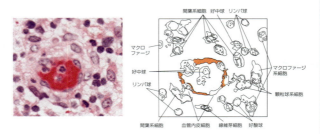

C．炎症にかかわる宿主要因 ....▶ 46頁
- 宿主要因には，主要組織適合抗原複合体（MHC）の違いによって生じる炎症反応の差などの遺伝的要因と，ヒト免疫不全ウイルス（HIV）への感染などによって炎症反応が正常に営まれなくなる後天的要因がある．

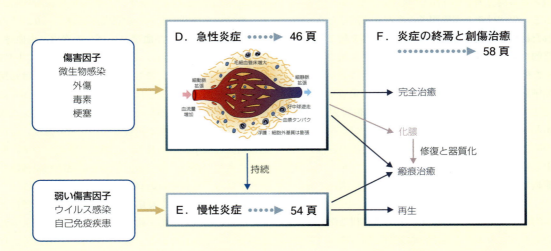

G．各種炎症の形態像 ....▶ 58頁
- 炎症反応の強さ，傷害因子，組織や部位の違いによって，炎症の形態像は修飾される．

H．炎症の全身への影響 ....▶ 66頁
- 炎症は局所に起こる生体反応だが，感染症や膠原病など全身性，多臓器に広がる場合もある．

第3章 炎症

A 炎症とは

1 定義

炎症 inflammation は第2章「細胞傷害の機序とその修復」ですでに解説した**細胞傷害** cell injury に対する生体の防御的な反応であり，"局所に作用した傷害因子に対する防御反応，またそれによって起こった組織細胞傷害に対する生体の局所的な修復反応"と定義される．炎症刺激となる傷害因子が作用して組織に何らかの傷害が加わると，生体はその傷害因子の広がりを防いだり，傷害された組織を修復するための一連の反応を起こす．その最終的なゴールは，最初に細胞傷害を引き起こす原因となった微生物や毒素などを排除し，傷害によって生じた壊死細胞や壊死組織を取り除いて組織を元通りに復元することである．実際の炎症反応では，傷害因子の破壊・希釈・中和・隔離などといった機構によって排除し，同時に傷害された組織を治癒させるための各種の反応を引き起こす準備をすることになる．したがって，炎症は**組織修復** tissue repair の過程とも密接に関連している．

基本的には，炎症反応は生体にとって有利に作用する反応である．このような炎症の本来の目的の範囲にとどまる反応を**生理的炎症** physical inflammation という．しかし，同時に炎症反応は生体にとって不利になるような状況（病態）を作り出すこともある．例えば，急性炎症による膿瘍 abscess（→60頁参照）が脳内にできると，占拠性病変として周囲の正常な脳組織を圧迫して，生命にかかわるような機能障害を起こすこともある．また，慢性炎症によって関節にまたがるような線維化 fibrosis（→54頁参照）が起こると，永久にその機能が低下してしまうこともある．このような反応は**病的炎症** pathological inflammation と呼ばれる．

組織を傷害し，炎症反応を引き起こす因子には各種の病原微生物 pathogenic microorganism をはじめ，物理・化学的因子，外傷性因子，あるいは内因性のいろいろな因子が存在する．炎症刺激となる傷害因子は生体の内外に広く分布しており，またその個々の作用も異なるため，これらに対応する炎症反応の様式もそれぞれの場合で異なってくる．しかし，それぞれ異なる炎症反応のなかにも基本的には共通した一定の反応様式がある．

炎症には経時的変化という観点から，大別して2つの型がある．**急性炎症** acute inflammation と**慢性炎症** chronic inflammation である．急性炎症は持続時間が短く，数分から数時間ないし数日間の経過をとり，その主たる特徴は**体液および血漿タンパクの滲出，白血球（特に好中球）の遊走**である．この組織反応は初期に生じる，しばしば一過性の変化である．一方，慢性炎症は初期反応に続く組織反応で，しばしば遷延する．数日から数年間の長い経過で反応が起こり，組織学的にはリンパ球やマクロファージ系細胞が出現して，組織の修復，血管や結合組織の増生がみられる．このような炎症の基本形は相互に重なり合い，多くの因子がその経過や組織像を修飾している．それぞれの詳細については後述する．

その他，炎症という反応は出現する細胞の種類によって，あるいは細胞反応・修復反応の形態などによっていくつかに分類されている．まず，基本的な考え方をしっかりと理解して，どのような立場から分類された概念であるかを見きわめて整理していこう．

2 歴史的背景

炎症反応が最初に科学的に記述されたのは非常に古く，紀元前にまでさかのぼる．ケルスス Celsus（B.C. 25頃〜A.D. 50頃）によって炎症の四主徴として記載されたのは，発赤（ラテン語で Rubor，英語で redness），腫脹（Tumor, swelling），熱感（Calor, heat），および疼痛

(Dolor, pain)である．その後ガレノス Galenus〔129～201（199 または 216 とする説もある）〕によってこれに機能障害(Functio laesa, functional disturbance)が加えられて五主徴となった．これらは，急性炎症の臨床的な肉眼的特徴をきわめてよく表現している．医学を志す者として，この炎症の特徴は忘れてはならないものの1つであろう．

a 発赤
急に炎症の起こった組織は肉眼的に赤色調を呈する．これは傷害部位での小血管の拡張による．例えば，細菌が感染した皮膚の創傷部位や急性結膜炎における結膜などである．

b 腫脹
滲出液の一部が血管外領域に貯留する**浮腫** edema に起因する．また，病巣内に遊走してきた炎症細胞が塊状となり，物理的に局所の容量を増加させることもある．

c 熱感
炎症局所の温度上昇は皮膚のような身体の末梢部位にのみみられる．それは病変部位の血流増加(**充血** congestion)によるもので，血管拡張や病巣部から緩やかに流入する血流によって起こる．炎症性メディエータ(炎症反応を仲介する物質のことで主に液性因子)(→ 40頁参照)によって引き起こされる全身の発熱は局所の温度上昇にも影響を及ぼしている．

d 疼痛
炎症を起こした個体にとって最もよく自覚される急性炎症の徴候は疼痛である．炎症性浮腫によって起こる組織の伸展や歪みが原因となって痛みを起こす．また，急性炎症のメディエータのいくつかも疼痛を引き起こす(→ 45頁参照)．

e 機能障害
炎症部位の運動は意識的に，また疼痛によって反射的に抑制されて機能を障害するとともに，腫脹によっても物理的に組織の可動性が低下する．

その後，ロキタンスキー Rokitansky(1804～1878)によって生体の防御反応は滲出した液体成分中にあるものによって行われていることが提唱され，コーンハイム Cohnheim(1839～1884)は局所の微小な循環を詳細に記載した．1905年にはメチニコフ Metchnikoff(1845～1916)が防御反応の主役は白血球であることを見いだした．1900年代以降，多くの研究者によって局所循環と血管の機能，血管透過性の機序，貪食細胞機能，炎症反応を惹起する**化学伝達物質**(ケミカルメディエータ chemical mediator)の機能，炎症にかかわる細胞の遊走因子の作用などが解明された．現在では炎症反応を制御するさまざまな機構のネットワークが分子レベルで明らかになってきている．

❸ 炎症反応の名称

炎症の概念を分類して命名する場合には，炎症の性状のあとに"炎"をつけて表す．漿液性炎，線維素性炎，化膿性炎などである．英語表記ではそれぞれ，serous inflammation, fibrinous inflammation, purulent inflammation のように性状を表す語(serous など)と inflammation とによって表す．また，ある臓器に炎症が起こった場合，その臓器名のあとに"炎"をつけて炎症性疾患 inflammatory disease の名称として用いている．例えば，肝炎，腎炎，胃炎，皮膚炎などである．英語の表記としては多くの場合，臓器名の語尾に"-itis"をつけてそれぞれ，hepatitis, nephritis, gastritis, dermatitis のように用いている．例外として肺炎の pneumonia があるが，pneumonitis という語も用いられる．また，性状と臓器名の両者をあわせて，線維素性肺炎 fibrinous pneumonia というような表現も用いられる．

❹ 炎症のさまざまな原因

炎症の原因となる刺激因子には，生物と無生物とがあり，前者としては各種の病原微生物，後者としては物理・化学的因子が代表的である．感染症の場合には病原体の種類によって炎症反応の性状が異なり，物理的・化学的因子ではその性状や濃度，作用の持続時間などによって炎症反応の程度が異なる．以下に炎症刺激となる主な傷害因子の例をあげる．

Ⓐ 病原微生物 pathogenic microorganism

病原微生物は重要な炎症刺激因子であり，**感染症** infectious disease は炎症性疾患のなかで最も重要な疾患の1つである．ウイルス，細菌，真菌，原虫などさまざまなレベルの生物が原因となりうる．微生物の産生する種々の毒素や酵素が直接炎症刺激になるほか，病原体抗原に対する生体側のアレルギー反応が起こると二次的な炎症刺激となる．

B 物理的因子 physical factors

主に体表面から作用する機械的刺激，温熱・寒冷の作用，電気的刺激，各種放射線（X線，放射性物質，紫外線など）などがこれにあたる．

C 化学的因子 chemical factors

各種の有機・無機の刺激物質は種々の程度の炎症を起こす．細菌（微生物）性・動物性・植物性毒素および体内で形成される内因性の毒素も，広い意味では化学性の刺激物質として作用を示し，親和性の高い臓器組織に変性壊死を引き起こす．炎症反応を伴わない場合は組織の可逆的な細胞傷害が起こるだけであり，単純な**変性**と呼ばれる（➡ 第2章「細胞傷害の機序とその修復」，16頁参照）．

D アレルギー反応 allergic reaction

炎症刺激因子に**抗原性** antigenicity がある場合には，**免疫系** immune system が防御反応を引き起こす（➡ 第5章「免疫とその異常」，116頁参照）．免疫反応は，本来生体が抗原を異物として排除するための反応であるが，この反応が常に生体にとって有利に働くとは限らない．免疫反応が原因となって生体に不利な状況（例：細胞や組織の破壊，種々の生理学的機能の抑制）が起こる場合もある．このような反応の1つにアレルギー反応がある．**過敏症** hypersensitivity と呼ばれることもある．アレルギー反応は，時には傷害性因子の一時的作用よりも強い炎症刺激となることもある．アレルギー反応で誘発される炎症を**アレルギー（性）炎** allergic inflammation と呼ぶ．

 ### 炎症のプロセス

生体に炎症を惹起する因子が加わり，組織細胞傷害が起こると炎症反応がスタートする．すべての反応は細静脈 venule から毛細血管 capillary，および細動脈 arteriole レベルの血管系を中心に進行する．その反応は以下の過程で起こる．
(1) 血管内径の変化とそのために起こる血流量の変化
(2) **血管透過性** vascular permeability の亢進と**滲出液** exudate の形成
(3) 細胞成分の血管外への遊出による**細胞性滲出物**の形成

具体的には，
① 一過性の細動脈の攣縮が起こり（先端の鈍なもので皮膚を強くこすると，こすった部分に一時的に白い線が出現する）
② 毛細血管から細静脈の拡張（血流増加，うっ血，次に薄赤い線が認められる）
③ 細動脈の拡張（周囲に不規則な赤色の領域が生じる）
④ 血管透過性の亢進
⑤ 血漿成分の滲出（こすった部分が軽度に膨らんでくる）
⑥ 血液濃縮
⑦ 血流の緩徐化
⑧ 白血球の血管壁への接着
⑨ 白血球の遊走と赤血球の漏出
⑩ 白血球による貪食
⑪ マクロファージの遊走と貪食
⑫ 白血球とマクロファージのリソソーム酵素による細胞組織破壊，

といった具合に一連の反応が進行する．これらはカスケード反応であり，種々のケミカルメディエータによって制御されている．したがって，炎症のプロセスを理解するためには，関与する細胞群とケミカルメディエータの機能を知る必要がある．そこで，次項でこれらについてまとめておく．

B 炎症にかかわる細胞とケミカルメディエータ

 ### 炎症巣の構造と浸潤細胞

炎症に関与する細胞は，**血液細胞（血球系細胞）**と**組織間葉系細胞** mesenchymal cell とである．

血液細胞では**白血球** leukocyte と**血小板**（細胞ではないが骨髄などで血球系細胞によってつくられたものである）が主役を果たす．白血球系細胞には何種類かあり，それぞれ分担が決まっている．好中球 neutrophil，好酸球 eosinophil，好塩基球 basophil，肥満細胞 mast cell，リンパ球 lymphocyte，形質細胞 plasma cell，単球 monocyte，マクロファージ macrophage などが炎症に関与し，同じく造血系由来の細胞である樹状細胞 dendritic cell も炎症反応から特異的な免疫反応を誘導する際に重要な働きをすることがわかってきた．炎症が起こるときには，白血球の産生母地やプールから，傷害局所

B. 炎症にかかわる細胞とケミカルメディエータ ● 37

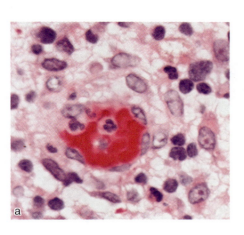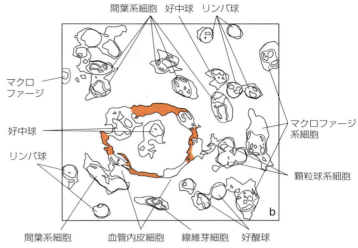

図 3-1 炎症巣の構造と浸潤細胞
組織像(a)とシェーマ(b)の対比を示す．炎症の場では，炎症細胞が血管内から組織中に出て炎症巣を構成する．炎症反応が円滑に進むように種々の細胞がさまざまな役割を果たしている．

に向けて血管系を通ってこれらの細胞が動員・運搬される．閉鎖血管系をもつ哺乳動物では，血管内皮細胞 vascular endothelial cell を通って血管外へ細胞が遊走する．実際の炎症巣の構造と浸潤細胞の様子を図3-1に示す．
　上記のような細胞が血管外へ遊走し，炎症の局所へ動員されることを炎症細胞浸潤 inflammatory cell infiltration と呼び，浸潤した炎症細胞は炎症局所の構築をなす組織間葉系細胞(血管内皮細胞や線維芽細胞 fibroblast)とともに，炎症巣を構成する．構成要素となるそれぞれの細胞についてここに簡単に説明しておく(→第5章「免疫とその異常」，96頁参照)．

A 好中球 neutrophil

　急性炎症の主役となる細胞である．骨髄で産生され成熟したあと，血中を循環するか，あるいは血流が緩徐となった血管の内皮細胞に接して存在する．さかんな**遊走能**と**貪食機能**を有し，炎症が起こると壊死組織の処理や細菌など微生物感染や異物に対する反応細胞として組織中に動員される．直径は12〜16μmで，分葉した核をもち(そのため多形核白血球とも呼ばれる)，細胞質中には多数の顆粒を含み顆粒球 granulocyte とも呼ばれる(図3-2a)．

Advanced Studies
顆粒はヘマトキシリン・エオジン hematoxylin-eosin (HE)染色で染色されず無色で，**一次顆粒**(**アズール顆粒** azurophilic granule)と**二次顆粒**(**特殊顆粒**)の2種類がある．一次顆粒には酸ホスファ

ターゼ，ホスホリパーゼ，βグルクロニダーゼなどの酸性加水分解酵素(リソソーム酵素)とコラゲナーゼ，エラスターゼ，カテプシンなどの中性プロテアーゼ，またミエロペルオキシダーゼなどが含まれる．二次顆粒にはリゾチームやアルカリホスファターゼなどが含まれる．これらのさまざまな酵素の多くはタンパク分解によって抗菌作用や異物の分解機能をもつ．また，炎症刺激に反応して，種々のアラキドン酸代謝産物や血小板活性化因子，インターロイキンなどを産生して炎症反応のカスケードの重要な一端を担っている．

B 好酸球 eosinophil

　Ⅰ型アレルギー反応の際に出現することでよく知られる(→第5章「免疫とその異常」，116頁参照)．通常は，皮膚，腸管，気道に分布し，形態は好中球と類似しているが，細胞質中に好酸性(HE染色でエオジン好性の赤色調を呈する)の**顆粒**を多数もつことが特徴である(図3-2b)．顆粒には好中球と類似した酵素，カタラーゼ，ヒスタミナーゼなどを含んでいるが，抗菌作用はほとんどない．しかし，多くの寄生虫 parasite は好中球などの産生する酵素には抵抗性だが，好酸球の顆粒タンパクによって殺されるため，寄生虫に対する炎症では活躍する．寄生虫感染症では，感作リンパ球によって産生される IL-5，あるいは虫体由来の走化性物質，虫体を貪食した好中球から遊離する走化性因子などによって好酸球増多 eosinophilia が起こる．また，アレルギー反応の1つである気管支喘息 bronchial asthma における好酸球の主な働きは，アレルゲンと IgE の反応を介した**血小板活性化因子** platelet activating factor (PAF)の産生であり，症状を悪化させる．

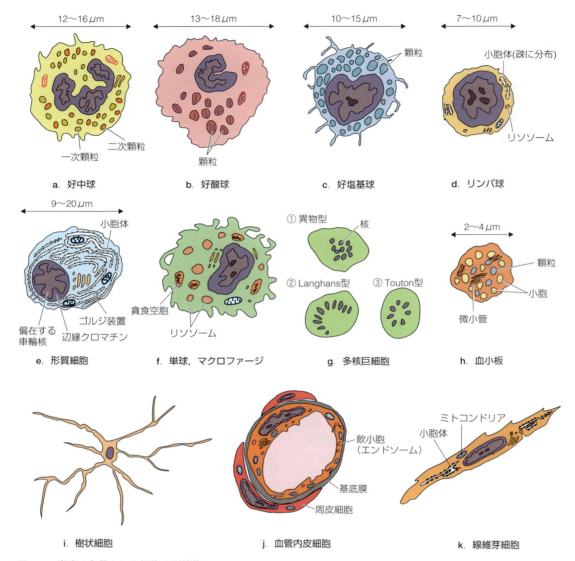

図 3-2　炎症の主役となる細胞の形態像
a. **好中球**：分葉した核をもち，細胞質中には多数の顆粒を含む．顆粒は HE 染色で染色されず無色で，一次顆粒（アズール顆粒）と二次顆粒（特殊顆粒）の 2 種類がある．直径 12〜16 μm．
b. **好酸球**：好中球と似ているが，細胞質中に多数の好酸性（HE 染色でエオジン好性の赤い色を呈する）の顆粒をもつ．直径 13〜18 μm．
c. **好塩基球**：細胞質内に好塩基性（HE 染色で青い色を呈する）の顆粒を多数もっている．直径 10〜15 μm．
d. **リンパ球**：小型単核細胞で，細胞質は少なく細胞内小器官にも乏しい．直径 7〜10 μm の小リンパ球と単球程度の大リンパ球がある．
e. **形質細胞**：形質細胞は卵円形の単核の細胞で，核が偏在しており，広い細胞質には粗面小胞体が豊富である．直径 9〜20 μm．
f. **単球，マクロファージ**：細胞質内にリソソームや貪食空胞をもつ．単球は直径 13〜21 μm，マクロファージは状況によってさまざまである．
g. **多核巨細胞**：核の分布や配列のパターンによっていくつかの型に分類される．大きさはさまざまで，直径 100〜200 μm に達することもある．
h. **血小板**：血小板内にはさまざまな顆粒やリソソームがある．直径約 2〜4 μm．
i. **樹状細胞**：複雑な形をした多数の樹状の突起をもつ細胞である．
j. **血管内皮細胞**：血管内腔を裏打ちする細胞で，さまざまな機能をもつ．基底膜を隔てて，周皮細胞が存在することもある．
k. **線維芽細胞**：コラーゲンを産生する紡錘形の細胞である．

C 好塩基球 basophil，肥満細胞 mast cell

好塩基球は直径 10〜15 μm で，細胞内に好塩基性（HE 染色で青色調を呈する）の**顆粒**を多数もっており，顆粒にはヒスタミンなどの活性化アミン類を大量に含む（図 3-2c）．IgE 抗体に対する Fc レセプタを細胞表面に発現しており，遊離 IgE 抗体と結合している．この IgE が抗原と結合すると刺激され，**脱顆粒** degranulation が起こり，ヒスタミンやヘパリンなどのメディエタが細胞外へ放出され，さまざまな炎症免疫カスケードを賦活化する．ヒスタミンは血管透過性を亢進させ，平滑筋の収縮・拡張に関係し，滲出反応を誘発する．ヘパリンは血液凝固を防ぎ，循環を高める．

Advanced Studies

このような好塩基顆粒をもつ細胞には，血液中の好塩基球のほかに，肥満（マスト）細胞があり，結合組織内に存在する結合組織肥満細胞，粘膜内に定着している粘膜内肥満細胞がある．直径は約 10 μm で類円形ないし楕円形の細胞である．肥満細胞はまた，キニンに対するレセプタをもち，その結合によりプロスタグランジンやロイコトリエンを産生する．

D リンパ球 lymphocyte，形質細胞 plasma cell

リンパ球はウイルス感染に対する炎症や慢性炎症で主役となる細胞である．直径 7〜10 μm の小型単核細胞で，細胞質は少なく細胞内小器官にも乏しい（小リンパ球，図 3-2d）．炎症の刺激によって大型化（**芽球化**）し，核小体の明瞭な大型核と種々の細胞内小器官を有する豊かな細胞質をもった直径 8〜16 μm 程度の大型リンパ球となってリンパ節や炎症巣に出現する．**T 細胞**（**T リンパ球**）T cell（T lymphocyte）と **B 細胞**（**B リンパ球**）B cell（B lymphocyte）とがあり，それぞれ分化に伴って特徴的な抗原を細胞表面に発現している〔CD（cluster of differentiation）分類により数多くの抗原が同定されている〕（→第 5 章「免疫とその異常」，108 頁参照）．抗体産生するように分化した B 細胞は最終的に形質細胞となる．形質細胞は卵円形の単核球で，核が偏在しており，広い細胞質には**粗面小胞体**が豊富である（図 3-2e）．ナチュラルキラー細胞 natural killer（NK）cell はリンパ球の一種で，ウイルス感染などの炎症の初期に非特異的に感染細胞を攻撃する細胞である．

E 単球 monocyte，マクロファージ macrophage

単核球貪食細胞系に属する**貪食機能**のさかんな細胞として，単球とマクロファージ系細胞がある．いずれも骨髄由来であるが，成熟あるいは活性化によって形態像が変わる．骨髄を出て末梢循環に入ったばかりのものは分化が完成しておらず，単球と呼ばれる．単球は直径 13〜21 μm で，豆様のくびれをもった核と**リソソーム**，**貪食空胞**（ファゴソーム）と**細胞骨格**フィラメントのある細胞質をもつ（図 3-2f）．これらの細胞は組織に固着するとマクロファージとなり，組織球 histiocyte とも呼ばれる．マクロファージはさまざまな刺激で活性化され（後述，図 3-16 参照），さまざまな形態像を呈する．細胞質の豊富な**類上皮細胞** epithelioid cell，融合して多くの核をもつ**多核巨細胞** multinucleated giant cell（図 3-2g）などである．特殊に分化したマクロファージ系細胞には，中枢神経系の**ミクログリア** microglia，肝の**クッパー** Kupffer **細胞**，呼吸器系の**肺胞マクロファージ** alveolar macrophage，骨の多核の貪食細胞である**破骨細胞** osteoclast などがある．これらの細胞の本来の目的は，貪食によって有害物を無毒化し，あるいは不要になったものを消化・分解することにあるが，それが不可能あるいはさらに高度の防衛が必要な場合には，免疫反応の仲介役として重要な機能を発揮する（→第 5 章「免疫とその異常」，96 頁参照）．

F 血小板 platelet

骨髄巨核球 megakaryocyte の細胞質の一部がちぎれて血小板 platelet となり，血液中に移行する．血小板の主な役割は，出血に対して**血栓** thrombus を形成して**止血** hemostasis をすることである．このほか，血小板はセロトニンやドパミン，アミノ酸，アデノシンなどの取り込みとその能動的輸送をする．血小板は炎症性伝達物質（例：強力な血管作用性物質，間葉系細胞の増殖を調節する増殖因子など）の重要な供給源でもある．

Advanced Studies

血小板には以下がみられる（図 3-2h）．
① セロトニン，ヒスタミン，カルシウムおよびアデノシン二リン酸を豊富に含む緻密顆粒（δ 顆粒）
② フィブリノーゲン，凝固タンパク，血小板由来増殖因子および他のペプチドやタンパクを含む α 顆粒
③ 酸性加水分解酵素を含むリソソーム

G 樹状細胞 dendritic cell

樹状細胞は形態学的に細胞質に複雑な突出を伴う樹状の突起をもち（図 3-2i），抗原提示細胞 antigen presenting cell（APC）として特異的な免疫反応に重要な役割を果たす．骨髄由来と考えられている指状嵌入細胞 interdigitating dendritic cell（あるいは単に樹状細胞 dendritic cell）はリンパ装置だけでなくさまざまな臓器に分布し，皮膚にあるものは**ランゲルハンス細胞** Langerhans cell と呼ばれる（→ 第25章「皮膚・感覚器」，729頁参照）．

H 血管内皮細胞 vascular endothelial cell

血管の内側を裏打ちする間葉系細胞で，形態学的には閉鎖された血管腔を形成しているが，さまざまな機能をもっており，正常では以下の機能に携わっている（図3-2j）．
① 血液中の栄養素など，生体に必要な物質の組織への輸送
② 血漿成分の透過の制御，特定の物質の選択的透過作用
③ 抗血栓作用
④ 血管緊張調節作用
⑤ 血管基底膜の造成

また，いったん炎症刺激を受けると以下の機能に関与する．
① 血管透過性の亢進
② 炎症細胞の組織への遊走を助ける細胞の通過・接着
③ 出血を防ぐための血栓形成作用

さらに，炎症の修復過程では血管増殖因子によって**血管新生**を行う（→ 57頁参照）．

I 線維芽細胞 fibroblast

間質の間葉系細胞（図3-2k）で，炎症細胞浸潤が起こるとさまざまなケミカルメディエータを介して活性化されて，増殖したり線維成分（コラーゲンなど）を産生したりする．

2 炎症のケミカルメディエータ

炎症の形態学的・機能的変化は，基本的にすべて化学物質によって制御されている．炎症の場で，上記のようなさまざまな細胞による炎症反応をコントロールしているこのような物質をケミカルメディエータ chemical mediator と呼ぶ．ケミカルメディエータには，あらかじめ細胞内に貯蔵されているものと，反応の結果，新たに合成されるものとがある（図3-3）．このケミカルメ

ディエータは原則として傷害によって局所で産生されたものを起点として，次から次へと**カスケード**（連鎖的）**反応**として産生される．カスケードのなかではフィードバック機構も作用し，反応の進行を制御しながら目的とする防衛修復反応を進め，正常の場合，処理が終わると急速に収束する．

A 血管内径を変化させ，血管透過性を亢進させるメディエータ（血管作動性物質）

1 血管作動性アミン vasoactive amine

ヒスタミン histamine は最もよく知られている急性炎症のケミカルメディエータの1つで，組織に広く分布する肥満細胞に存在し，特に血管周辺の結合組織に多い．また，血液中では好塩基球のほか，血小板にも認められる．肥満細胞で産生されたヒスタミンは細胞質の顆粒内に貯留され，さまざまな刺激に反応して放出される．その刺激には以下のようなものがある．
① 物理的損傷（外傷や熱傷）
② 肥満細胞のFc受容体にIgE抗体が結合するなどの免疫反応
③ 補体のC3aおよびC5aフラグメント（いわゆるアナフィラトキシン）
④ 好中球由来のヒスタミン放出リソソームタンパク
⑤ 神経ペプチド（サブスタンスPなど）
⑥ ある種のサイトカイン（IL-1やIL-8）

ヒスタミンは細動脈を拡張させるとともに，細静脈の内皮細胞を収縮させ内皮細胞間の細胞接合を広げることによって血管透過性亢進を引き起こす．放出されたヒスタミンはヒスタミナーゼによってすぐに不活化される．

セロトニン serotonin は血小板内に貯留されている血管作動性アミンで，I型アレルギー反応（→ 第5章「免疫とその異常」，116頁参照）のメディエータの1つである．血小板の凝集により放出されてヒスタミンと同様，血管透過性亢進を示すとともに血管収縮作用を示す．

2 補体分解物 degraded complements

細菌を溶菌させるには抗体だけでなく，抗体以外の血清中の物質が必要であることがわかり，免疫の作用を補うという意味も込めて，補体と呼ばれる．補体のほとんどはタンパク質分解酵素だが，血液中では不活性な酵素として存在する．補体が活性化されると酵素活性を発揮して次々とほかの補体を活性化する連鎖反応が起こる．補体系を構成する一連の血漿タンパクは免疫や炎症にお

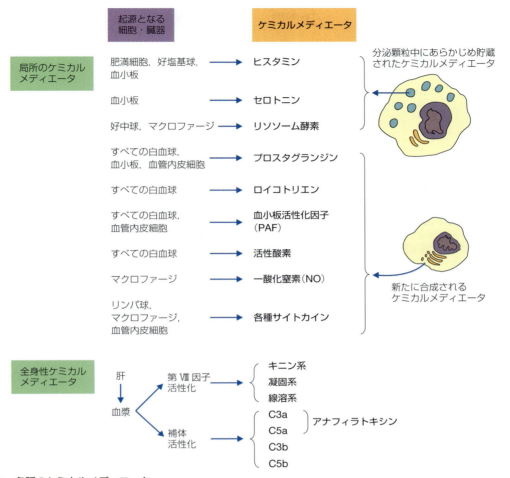

図 3-3　各種のケミカルメディエータ
ケミカルメディエータには局所で作用するものと全身性に作用するものとがある．それぞれ起源となる細胞・臓器との関係で示す．

いて重要な役割を演じる．細菌などの感染に際して，抗原抗体複合体が形成されると**古典的経路** classical pathway を経由して補体が活性化され，他方，グラム陰性細菌由来のエンドトキシン endotoxin は**第二経路** alternative pathway を経由して補体系を活性化する（図 3-4）．いずれの経路においても C3 が分解してできる C3a，および C5 が分解してできる C5a が主体となって血管透過性を亢進する．この両者は**アナフィラトキシン** anaphylatoxin とも呼ばれ，前述の肥満細胞や血小板からヒスタミンを放出させる作用もあり，血管拡張を引き起こす．

3　キニン類 kinins

キニン類のタンパクは血液凝固系第XII因子である**ハーゲマン因子** Hageman factor を直接活性化することによって誘導生成される一連の血漿タンパクである（図 3-5）．キニンは 9〜11 個のアミノ酸からなるペプチドで，キニン系が活性化されると，血中の前駆物質である高分子量キニノーゲンから最終的には**ブラジキニン** bradykinin が形成される．ヒスタミンと同様，ブラジキニンは細動脈の拡張および細静脈の血管透過性亢進を引き起こす（→ 第 7 章「循環障害」，192 頁参照）．血管以外の平滑筋（気管支平滑筋など）に対しては収縮させる作用がある．ブラジキニンは血漿や組織中のキニナーゼによって急速に不活化され，その作用は反応の急性期に限られている．ブラジキニンは疼痛を惹起するケミカルメディエータでもある（→ 46 頁参照）．

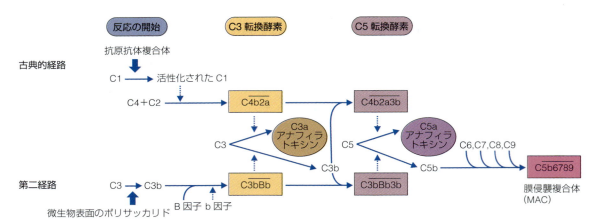

図 3-4 補体系反応の経路
古典的経路では，C4b2a 複合体が，第二経路では C3bBb 複合体が C3 転換酵素として作用する．C3 の加水分解によって生じた C3b は古典的経路では C4b2a3b，第二経路では C3bBb3b を形成し C5 転換酵素として作用する．C3a と C5a はアナフィラトキシンとよばれる．最終的に C5b，C6，C7，C8，C9 からなる複合体（C5b6789）は MAC といわれる膜侵襲複合体をつくる．これは細胞膜の中に埋め込まれ，パンチのように穴を開け，細胞溶解を始める．

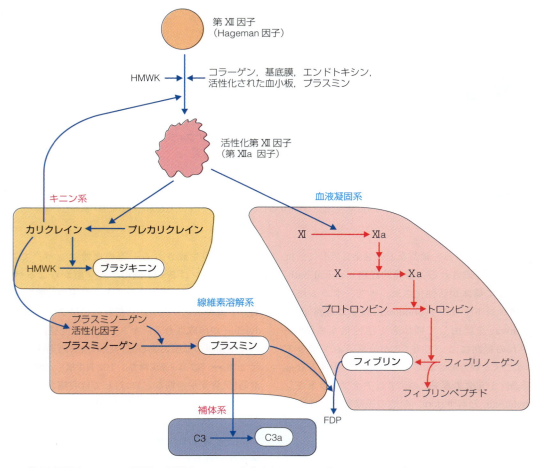

図 3-5 第 XII 因子（Hageman 因子）の活性化によって産生される 4 つの系のケミカルメディエータ
第 XII 因子の活性化によってキニン系，血液凝固系，線維素溶解系（線溶系），補体系の 4 つの系が活性化されて，図に示すようなケミカルメディエータを産生する．HMWK：high molecular weight kininogen（高分子量キニノーゲン），FDP：fibrin/fibrinogen degradation products（線維素分解産物）．

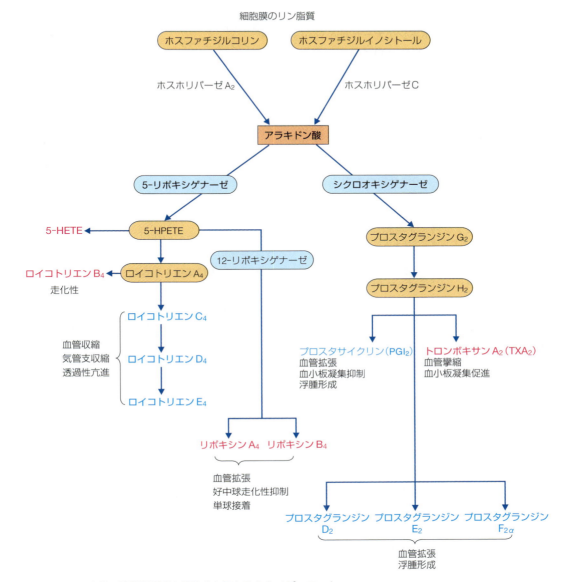

図 3-6　アラキドン酸代謝経路と産生されるケミカルメディエータ
細胞膜に由来するリン脂質にホスホリパーゼが作用してアラキドン酸が産生され，リポキシゲナーゼおよびシクロオキシゲナーゼの作用によって，図に示すような多彩なケミカルメディエータが産生される．HETE：hydroxyeicosatetraenoic acid，HPETE：hydroperoxyeicosatetraenoic acid．

4　アラキドン酸代謝産物
metabolite of arachidonic acid

脂質の一種であり，多種類の細胞で合成されている．材料の素となるのは細胞膜の主要構成成分であるリン脂質であり，これに**ホスホリパーゼ** phospholipase が作用してできたアラキドン酸から代謝系がスタートする（図3-6）．ここに炎症細胞に含まれる**シクロオキシゲナーゼ** cyclooxygenase が作用すると**プロスタグランジン** prostaglandin（PG）G_2 から PGH_2，さらに PGD_2，PGE_2，$PGF_{2\alpha}$，PGI_2，トロンボキサン thromboxane（TX）A_2 ができる．PGD_2，PGE_2，$PGF_{2\alpha}$ は血管拡張を起こし，PGI_2（プロスタサイクリン prostacyclin）は血管拡張と血小板凝集抑制作用があり，逆に TXA_2 は血管収縮と血小板凝集促進効果をもつ．血管内皮細胞では主に PGI_2 が，血小板中では TXA_2 が，また単球やマクロファージでは活性の状態に応じてこれらの誘導体のいず

れかもしくはすべてが産生される．また，炎症細胞と組織においてアラキドン酸に**リポキシゲナーゼ** lipoxygenase が作用すると脂肪酸化が起こり**ロイコトリエン** leukotriene (LT) A_4, LTB_4, LTC_4, LTD_4, LTE_4 ができる．リポキシゲナーゼは好中球に多い酵素で，その作用によって産生される LTC_4, LTD_4, LTE_4 は血管収縮，気管支攣縮，血管透過性亢進作用をもつ．また，LTB_4 は好中球や単球およびマクロファージに対する強力な走化性因子となる（後述）．I型アレルギー反応を引き起こす遅反応物質はロイコトリエンの混合物である．

Advanced Studies
アラキドン酸代謝によってできるこれらの一連の産物は炎症やホメオスタシスなどのさまざまな生物学的現象に影響を及ぼしている．これらの物質は産生された局所で活性を示し，すぐに自動的に分解するか酵素によって分解される短期的な作動物質である．アスピリンや非ステロイド性抗炎症薬のような薬剤の抗炎症効果の一部は，プロスタグランジン合成系に関与する酵素群の1つを抑制することによる．

5 ● 血小板活性化因子 platelet activating factor(PAF)

PAF はリン脂質由来のメディエータで，好中球，単球，好塩基球，血管内皮細胞などの膜のリン脂質から，ホスホリパーゼ A_2 の作用で産生される．血小板を刺激して組織傷害部位での血小板凝集と脱顆粒を引き起こし，セロトニンの放出を強め，そのため血管透過性を亢進させる．そのほか，血管内皮細胞に作用して血管透過性亢進作用を発揮し，同時に血管平滑筋に作用して血管収縮，平滑筋に作用して気管支収縮，好中球・単球・マクロファージに作用してこれらの細胞の付着・遊走（走化性）・脱顆粒などにも関与する．肥満細胞に作用するとヒスタミンの放出を促し，やはり血管透過性の亢進を引き起こす．

6 ● 血管内皮細胞増殖因子
vascular endothelial growth factor(VEGF)

血管内皮細胞や血管平滑筋細胞などから産生される糖タンパクであり，強い血管透過性亢進作用を示す．

7 ● 線溶系 fibrinolysis

プラスミン plasmin は**フィブリン** fibrin（線維素）をフィブリン分解産物 fibrin degradation products へと融解する役割をもち〔線溶系（線維素溶解系），図 3-5〕，血管透過性に局所的に影響を与えている．

B 白血球遊走促進と活性化にかかわるメディエータ

1 ● 補体分解物 degraded complements

補体系のなかで C5 が分解されてできる C5a（図 3-4）は，白血球を活性化し，細胞接着分子の1つである**インテグリン** integrin に対する親和性を増加させることによって白血球と血管内皮細胞との付着性を高める作用がある．また同時に，好中球・好酸球・単球の遊走性を高める．

2 ● ロイコトリエン leukotriene

リポキシゲナーゼの作用で産生されるアラキドン酸の代謝産物のうち，LTB_4（図 3-6）は強力な遊走促進因子であり，好中球集積を引き起こす．

3 ● 細菌由来ペプチド bacterial peptide

細菌の分解産物の一部には好中球，好酸球，好塩基球，単球，マクロファージなどの貪食能を有する細胞の細胞膜に結合すると遊走を引き起こすものがある．

4 ● その他

白血球の活性化にかかわるその他の因子として，顆粒球マクロファージコロニー刺激因子 granulocyte/macrophage colony stimulating factor(GM-CSF)や顆粒球コロニー刺激因子 granulocyte colony stimulating factor(G-CSF)などがある．

C 組織傷害作用をもつメディエータ

1 ● 好中球，単球，マクロファージのリソソーム酵素
lysosomal enzyme

これらの細胞がもつリソソーム顆粒には炎症のメディエータとなる多くの酵素が含まれている．**酸性プロテアーゼ**は至適 pH が低い酵素群で，貪食リソソーム内に限局しており細胞内で作用する．これに対して**中性プロテアーゼ**は，エラスターゼ，コラゲナーゼ，カテプシンなども含めて細胞外基質で活性を示すので，エラスチン，コラーゲン，基底膜やその他の基質タンパクを分解することにより組織傷害の原因となる．また，中性プロテアーゼは補体系の C3 および C5 を直接分解することによって C3a や C5a といったアナフィラトキシンを産生する．

Advanced Studies

炎症反応で白血球浸潤が抑制されずに持続すると組織傷害と血管透過性亢進（アナフィラトキシンによる）が過剰に起こることになる．しかし，実際にはこのような反応は血液中あるいは組織外基質中のさまざまな抗プロテアーゼにより制御を受けている．例えば，好中球のエラスターゼの拮抗物質としては $α_1$ アンチトリプシン antitrypsin が重要で，この酵素が欠損すると好中球のプロテアーゼ活性が抑制できないため，肺では高度の組織破壊が生じて肺気腫となる（➡ 第12章「呼吸器」，388頁参照）．

2 フリーラジカル free radical

一酸化窒素 nitric oxide（NO）は短時間作動性の水溶性のフリーラジカルで，至るところで産生され，さまざまな効果をもった重要な炎症のメディエータである（図3-7）．NO は半減期が数秒間しかなく，その影響は産生された近傍の細胞にしか及ばないという特徴がある．L-アルギニンと酸素分子，NADPH から**一酸化窒素合成酵素** nitric oxide synthase（NOS）によって合成される．NOS には血管内皮細胞型（**eNOS**），ニューロン型（**nNOS**），およびサイトカイン型（inducible NOS：**iNOS**）の3つのアイソザイムがあり，組織分布，Ca^{2+}依存性が異なる．eNOS と nNOS は恒常的に細胞内で合成されており，カルモジュリンの存在下で，細胞内 Ca^{2+} の増加によって急速に活性化されるが，iNOS は TNF-α や IFN-γ によってマクロファージが活性化されると合成が誘導される．NO の炎症における作用としては，以下のものなどがある．

① 血管平滑筋の弛緩（血管拡張）
② 血小板接着抑制
③ 活性化されたマクロファージによる殺菌作用
④ 細胞毒性

酸素由来のフリーラジカルは NADPH 酸化酵素系によって合成され，遊走因子や免疫複合体あるいは貪食作用の亢進刺激などで活性化された好中球やマクロファージから放出される．過酸化基は H_2O_2 や $OH·$ に変換され，有毒な活性酸素が生成される．これらのフリーラジカルは以下の作用などを引き起こす．

① 血管内皮細胞の傷害
② 血栓形成と血管透過性の亢進
③ プロテアーゼの活性化による細胞外基質の破壊
④ 細胞の直接傷害

組織中や血清中にはカタラーゼやグルタチオンなどの抗オキシダント機構があって，酸素化合物の毒性は制御されている．

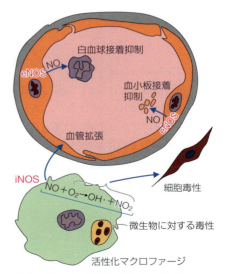

図3-7 炎症の場での一酸化窒素（NO）の作用
血管内皮細胞に由来する eNOS とマクロファージに由来する iNOS の作用によって NO が産生され，図に示すような作用を示す．

D 発熱にかかわるメディエータ

1 IL-1，TNF

インターロイキン interleukin（IL）-1 と腫瘍壊死因子 tumor necrosis factor（TNF）-α は炎症や組織傷害の情報が伝えられて活性化されたマクロファージから産生され，TNF-β（リンホトキシン lymphotoxin とも呼ばれる）はリンパ球から分泌される．これらは炎症急性期の全身反応に関与するサイトカインである．その作用としては発熱，無力感，肝での種々のタンパク合成，代謝系の消耗，血中の白血球増加，副腎皮質ホルモン（コルチコステロイド）の合成と放出などがある．また，局所ではこれらのサイトカインは血管内皮細胞を活性化し，細胞接着分子の発現増強，他のサイトカインの分泌，血栓形成の促進などの作用をもつ．

2 プロスタグランジン prostaglandins

アラキドン酸代謝産物であるプロスタグランジン系のメディエータのうち，PGE_2（図3-6）は全身作用として発熱に関与する．

E 疼痛にかかわるメディエータ

1 プロスタグランジン prostaglandins

プロスタサイクリン（PGI_2）には前述の血管拡張と血小板凝集抑制作用のほか，浮腫形成，痛みの発現などの

作用がある．好中球で産生される PGE$_2$ は疼痛刺激反応を増強する．

2 ● ブラジキニン bradykinin

炎症刺激で組織が傷害されると，血漿中や組織中のプレカリクレインがカリクレインになり，高分子量キニノーゲンをブラジキニンやカリジンに変える．ブラジキニンやカリジンが傷害受容神経線維の B$_2$ レセプタに結合し，G タンパクを介した経路を経て疼痛を発現する．

3 ● セロトニン serotonin

血管壁に凝集した血小板から出されるセロトニンは，傷害受容線維芽細胞のレセプタと結合し，線維芽細胞の脱分極を誘発して，疼痛の原因となる．

C 炎症にかかわる宿主要因

1 遺伝的要因 genetic factor

種々の抗原系に対する生体の免疫応答の程度は，**主要組織適合抗原複合体** major histocompatibility complex（MHC）に存在する遺伝子群に制御されている（➡ 第 5 章「免疫とその異常」，103 頁参照）．このため同じ炎症刺激に対しても，HLA ハプロタイプの異なるヒトでは程度や様式の異なる炎症反応が起こる．

免疫細胞系の異常を引き起こす**先天性免疫不全症候群** congenital immunodeficiency syndrome では，炎症や免疫反応を起こす能力が一部欠如しており，炎症による組織傷害修復が起こりにくいため，敗血症 sepsis（微生物が増殖して血液中を循環し，各臓器に傷害を与える状態）（➡ 61 頁参照）になることがある．

Advanced Studies

炎症反応にかかわる細胞系に遺伝的な機能異常があると，炎症の出現の有無やその程度，経過に重大な影響を与える．例えば白血球機能に欠陥があると，炎症のプロセスがうまく行われないため感染はしばしば生命を脅かすことになる．白血球の接着がうまくいかない先天異常である**白血球接着不全症** leukocyte adhesion deficiency には I 型と II 型が知られ，細胞接着分子の機能異常によって白血球の接着や，突起の伸展，食作用などに障害が及ぶ．**慢性肉芽腫症** chronic granulomatous disease（CGD）では，活性酸素種産生に関与する NADPH 酸化酵素成分に遺伝的欠損が生じる（➡ 第 8 章「染色体・遺伝子および発生の異常」，235 頁参照）．その結果，白血球が細菌を貪食しても酵素依存性殺菌機構の活性化が起こらないために細菌を除去することができない．また，先天的に細胞のリソソームに異常があると（チェディアック-東 Chédiak-Higashi 症候群），細菌を貪食した好中球やマクロファージがこれを死滅させる

ことができないので，病原体が拡散し炎症刺激が持続することになる．

2 後天的要因 acquired factor

種々の薬剤や放射線照射，あるいはウイルス感染〔例えば，ヒト免疫不全ウイルス human immunodeficiency virus（HIV）〕などにより生体の炎症細胞や免疫細胞が傷害されると炎症反応は抑制される．細菌感染症ではその結果，敗血症が起こりやすくなる．その他，熱傷，糖尿病，血液透析，栄養不良などによっても白血球機能に異常が生じ，炎症反応が正常に営まれなくなることがある．

D 急性炎症

急性炎症はいろいろな傷害因子に対する最も初期の組織反応で，数時間から数日の間持続する．原因となる因子は前述のように，微生物感染，過敏性反応，物理的因子，刺激性および腐食性の化学物質，組織壊死などさまざまであるが，起こってくる急性炎症反応は類似している．肉眼像は，先述した通り，発赤，熱感，腫脹，疼痛，機能障害といった特徴を示すが，組織学的には微小血管の反応が特徴的で，血流増加を引き起こす血管内腔径の拡張，傷害を受けた局所への血管からの血漿タンパクの滲出 exudation（図 3-8），および好中球を主体とした白血球の浸潤・集簇が認められる．肉眼像の変化をもたらしているのも血管反応と炎症細胞浸潤であることはいうまでもない．まず血管系に起こる変化から解説する．

1 微小循環系の変化

A 血流の変化と血管の収縮拡張

微小循環系は比較的厚い筋層壁をもつ細動脈 arteriole と血管壁の薄い細静脈 venule との間にあり，小さな毛細血管 capillary の網状のネットワークによって形成されている（図 3-9）．毛細血管は血管壁にその内径を調節する平滑筋がなく，細動脈壁の平滑筋が毛細血管床の血流を調節する毛細血管前括約筋を形成している．急性炎症の際に微小循環系に最初に起こる変化は細動脈の一過性の収縮で，比較的軽い刺激の場合は数秒間，組織破壊を伴う重い傷害の場合は数分間持続する．これは，アラキドン酸代謝産物の LTC$_4$ や LTD$_4$ による反応と考えら

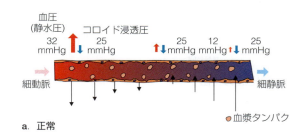

a. 正常

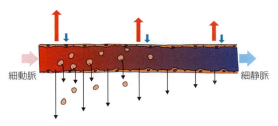

b. 急性炎症

図3-8　急性炎症における血圧と血漿コロイド浸透圧の変化
a. 血圧とコロイド浸透圧の関係から，細動脈側で液体は血管の外に出る．逆に細静脈側では液体は血管内に入り，血管から出る液体量と入る液体量は平衡関係にある．
b. 血圧の上昇により液体成分は血管外へ出るものが優勢となり，液体とともに血漿タンパクも血管外に出て，浮腫を引き起こす．

a. 正常

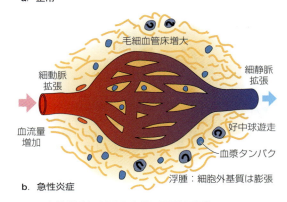

b. 急性炎症

図3-9　急性炎症における血管，局所の変化
a. 毛細血管前括約筋が収縮した状態で血流は制限され，毛細血管床は閉鎖している部分が多い．
b. 括約筋が開いて血流は増加して毛細血管床は増大する．血管拡張によって発赤や熱感が引き起こされ，血漿と血漿タンパクの血管外漏出によって浮腫が起こる．さらに炎症局所では好中球も遊走して集積する．

れているが，おそらくあまり重要ではない．

続いて起こる細動脈の血管拡張の時期は，受けた傷害の程度によって十数分から数時間持続することもある．その結果血流量は増加して毛細血管や細静脈は拡張し，炎症反応部位の血液量は正常時の10倍にも達することが実験的に明らかになっている（**充血** hyperemia）．血管拡張には PGE_2，$PGF_{2\alpha}$，PGI_2，NO などがメディエータとして重要な役割を果たしている．

その後，血流は再び緩やかになり，後述のように細静脈を中心に血管透過性が高まり，血漿成分が組織間質に滲出して**浮腫** edema を起こす．血液細胞を血管内に保持したまま血漿を組織内に漏出させるため，赤血球密度や粘稠度が高まる（**うっ滞** stasis）．細静脈における血球のうっ滞が持続すると，血液細胞は内腔中心部の軸流よりむしろ血管壁付近を流れるようになり，好中球が血流の辺縁の血管内皮細胞近くに集まり（**辺縁趨向** leukocyte margination），血管内皮細胞に接着し，**舗装化** pavementing が起こる．その後，好中球は血管壁に**膠着** stacking し，血管外へ遊出，炎症巣に遊走・集簇する（→ 次頁参照）．

この過程は，「炎症のプロセス」（→ 36頁）でも解説した．

B 血管透過性亢進と滲出

小血管の内腔面は1層の血管内皮細胞によって覆われている．小血管壁はマイクロフィルターとして働き，水や水溶性物質は通過させるが，大きな分子や細胞は通過させない．高分子物質のうち比較的小型のものは血管内皮細胞の細胞接合部を通過し，大型のものは**貪飲** pinocytosis によって形成された小胞内を介して内皮細胞内を通過する．酸素や二酸化炭素，低分子（分子量5,000以下）の栄養素は単純拡散によって血管壁を通過する．しかし，液体や水溶性物質の移動は主に限外濾過によって移動する．これは毛細血管内外の圧力によって規定された動きである．血管内の血漿タンパクは膠質浸透圧 colloid osmotic pressure を高めて液性物質を血管内にとどめるように作用する．正常状態では毛細血管の細動脈端の静水圧が高く，細静脈端では低いため，細動脈側で血管外間隙へ押し出された液性物質は細静脈側で毛細血管内に戻る．しかし，急性炎症では毛細血管の静水圧が上昇するばかりでなく，上記のような高分子物質の

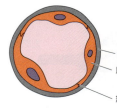
a. 正常な細静脈
- 基底膜
- 血管内皮細胞
- 細胞間接合部

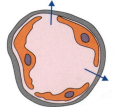
b. 血管作動性ケミカルメディエータの作用
- 血管内皮細胞の収縮
- 細胞間接合部が開大
- 基底膜が露出すると液性物質が持続的に流出
- 短時間（数分）

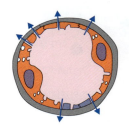
c. 血管内皮細胞の細胞内輸送の亢進
- 血管内皮増殖因子などのケミカルメディエータの作用
- 小胞が融合してチャネル形成

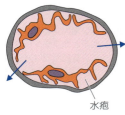
d. 血管内皮細胞への直接傷害
- 毒素，熱傷，化学物質，白血球など
- 血管内皮細胞は水疱形成し，基底膜から剥離
- 基底膜の露出による液性物質流出
- 長時間（数時間〜数日）

水疱

図 3-10　血管透過性亢進のメカニズム
a. 細動脈の血管内皮細胞の間は閉じている．
b. 血管内皮細胞間の接合部が開大する．
c. 細胞内を血漿成分が移動して血管外へ出る．
d. 血管内皮細胞の破壊によって血漿成分が血管外へ出る．

移動機構が変化して，血漿タンパク成分の血管外間隙への漏出も起こるために，漏出部の膠質浸透圧が上昇し，血管内へ戻る量よりもはるかに多い量の液体が血管から流出することになる（図 3-8）．

ヒスタミンなどのメディエータによって即時性かつ一過性の血管透過性亢進が起こる（図 3-10b）．また，炎症刺激によって産生された IL-1，TNF，IFN などのサイトカインの作用により，血管内皮細胞のアクチンフィラメントが収縮し，細胞間接合部が開大することによっても，速やかに透過性が亢進する（図 3-10c）．温熱，冷却，紫外線，放射線，細菌性毒素，腐食性化学物質などは直接的に内皮細胞を傷害して，遅発性かつ持続性にタンパクの移動機構を破壊することになる（図 3-10d）．

タンパク含量の多い液体が血管から漏出することを**滲出** exudation といい，この液体は滲出液 exudate と呼ばれる．

C 滲出液の特徴

急性炎症の際に血管から滲出する高分子タンパクには免疫グロブリンやフィブリノーゲン，凝固因子などが含まれる．免疫グロブリンは侵入した病原体の破壊に重要であり，フィブリノーゲンは血管外組織との接触によって**フィブリン** fibrin 沈着を起こす．析出したフィブリンに富む滲出液は**線維素性滲出物** fibrinous exudate と呼ばれる．炎症性滲出物は局所のリンパ管によって排出されており，活発に新しいものと入れ替えられている．

2 細胞反応

A 白血球の遊走

急性炎症の次の段階では，白血球（特に好中球）が傷害部位に集合する．炎症巣に白血球が到達するためには，① 辺縁趨向 margination，② **血管内皮細胞への接着** adhesion，③ **血管外への遊出** diapedesis，④ **組織内遊走** emigration といった過程が必要となる（図 3-11）．

1 ● 白血球の辺縁趨向とローリング

正常状態の血流では，赤血球と白血球は血管の中心部で軸流を形成し，血球成分に乏しい血漿が血管内皮細胞付近を流れている．炎症の第一段階で血管の透過性が亢進する結果，前述のように液性物質が減少するため血流は遅くなる．その結果，白血球は中心部の軸流を離れて血管内腔の辺縁部によってくる（辺縁趨向）．さらに白血球はセレクチンファミリーの分子によって血管内皮と比較的疎で一時的な癒着を起こし，内皮細胞の表面にまとわりついて転がりながら移動し始める（ローリング rolling, 図 3-12）．

2 ● 接着と遊出

次に，白血球表面のインテグリンが，血管内皮細胞表面に発現してくる ICAM-1 や VCAM-1 などの**細胞接着分子**と結合して，内皮細胞と強固に付着する（接着，図 3-12）．内皮細胞の表面と強く結合した（膠着）後，白血球は細胞間隙に沿って細胞の間を通り抜ける（遊出）．この際，細胞質の**微小管** microtubules の収縮と原形質流動でのマイクロフィラメントの切断による**ゲル/ゾル変**

D. 急性炎症 49

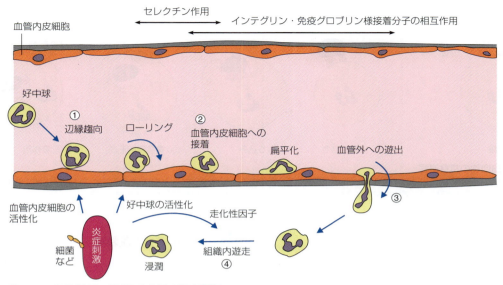

図 3-11　急性炎症における白血球の遊走過程
①まず血管中央を流れていた白血球（好中球）が辺縁を流れるようになり，血管内皮細胞上を転がるように移動する．②血管内皮細胞にしっかりと接着し，扁平化する．③血管内皮細胞間隙を通り抜けて血管外へ遊出する．④さらに組織内を遊走して炎症の局所へ到達する．

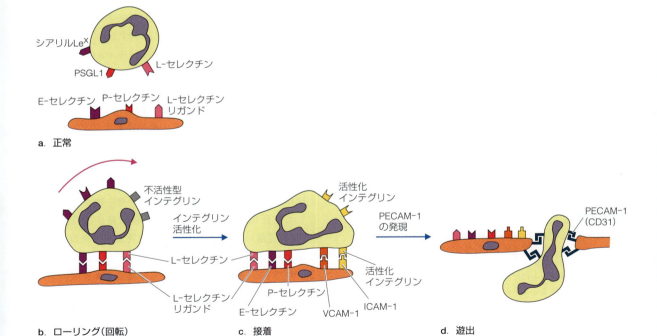

図 3-12　各段階に作用する細胞接着分子
白血球のローリング（回転）・接着・遊出には各種の接着分子が関与する．

図3-13　白血球の貪食過程
① 微生物などの異物の表面にIgGやC3bなど(オプソニン)が結合する．② オプソニンと白血球表面のオプソニンレセプタが結合する．③ 白血球が異物を取り囲む．④ 異物を細胞質内に取り込んで貪食空胞を形成．⑤ 異物に対する殺作用を行う．

換が，アメーバ様運動を引き起こす．これらの活動性の機構はカルシウムイオン(Ca^{2+})に依存し，環状ヌクレオチドの細胞内濃度によって調節される．内皮細胞の接合部を通り抜けたあと，白血球はコラゲナーゼを分泌して基底膜 basement membrane を部分的に破壊して血管外へと遊出していく．

3 ● 遊走

血管外へ脱出したあと，白血球は局所で産生される可溶性化学物質の濃度勾配に沿って，損傷部位に向かって遊走する．この現象は白血球の**走化性** chemotaxis とも呼ばれ，多くの**走化性因子** chemotactic factor によって調節されている(図3-11)．走化性因子が白血球表面の特異的な受容体と結合すると，Gタンパクを介してホスホリパーゼCを活性化して，最終的に細胞内のカルシウム濃度が上昇する(➡次頁参照)．すると，細胞内カルシウム増加によって，運動に必要な細胞骨格の収縮成分の合成が開始され，細胞骨格の収縮が起こって移動が可能となる．

Advanced Studies

白血球は細胞外基質に錨を下ろすような形で偽足 pseudopod を伸ばし，この偽足を固定させてから残りの細胞体部分をひきつけるようにして移動していく．偽足先端部ではアクチンモノマーが重合して長いフィラメントになり，同時に細胞内の他の部分のアクチンフィラメントは解きほぐされて，偽足伸展方向に流れていく．白血球運動の進行方向では，細胞の先進部でレセプタと走化性因子リガンドとの相互作用が，より効率よく行われるように特殊化されているためにこのような変化が起こる．白血球の移動の方向は，細胞先進部での反応が行われやすい方向，すなわち走化性因子の濃度が高いほうへと向かう．走化性因子には，細菌由来の水溶性ポリペプチド，補体系のC5a，アラキドン酸代謝産物のLTB_4，サイトカインやケモカインなどがある．

B 白血球の貪食と脱顆粒

炎症の場に到達した白血球は，**貪食作用** phagocytosis と**脱顆粒** degranulation によるリソソーム酵素の放出という作用を行う．この2つは炎症の場に浸潤し集簇した白血球の主たる機能を担う作用である．貪食作用は起炎物質や外来異物を処理するために行われるが，3つの過程で行われる(図3-13)．

① 貪食能のある白血球が，異物が外来の物質であることを認識 recognition し接着・結合する．
② それを飲み込んで胞体内へ取り込み engulfment，貪食空胞 phagocytic vesicle を形成する．
③ 貪食した微生物に対して殺作用 killing を発揮したり，物質を分解 degradation したりする．

微生物の認識と付着は，その微生物がオプソニンと呼ばれる血清中のタンパクによって覆われていると促進される．オプソニンの中でも最も重要なのは，免疫グロブリンG(IgG)分子(この分子の中でも特異的なFc部分)と補体のC3bである．多くの場合，微生物がIgGと結合して抗原抗体複合体ができると補体系が活性化され(古典的経路)，C3bが作られて微生物表面に沈着する．しかし微生物の表面の多糖類が直接，補体を活性化することもできる(第二経路)．どちらの場合もオプソニンに覆われた(**オプソニン化** opsonization)微生物は白血球表面の対応するレセプタ，IgGに対してはFcレセプタ，C3bに対しては補体レセプタ，と結合する．

白血球がオプソニン化された粒子と結合することによって，取り込みの引き金が引かれ，細胞質が伸び出し，粒子の周囲を取り囲み，貪食空胞をつくって，その中に取り込む．この空胞はリソソーム顆粒の膜と融合し，顆粒の内容物は空胞内に放出される．貪食空胞内に取り込まれた外来物質はリソソーム内のさまざまなリソ

ソーム酵素，活性酸素ラジカル，アラキドン酸代謝産物によって殺菌・分解される．リソソーム酵素群は同時に細胞外にも放出され，エラスターゼやコラゲナーゼなどがタンパク融解を引き起こし，細胞傷害や細胞間基質の分解を起こす（図 3-13）．またリソソーム酵素群には各種の加水分解酵素が含まれているため，他のさまざまな酵素（→ 37 頁参照）とともに種々の起炎物質や不要となった壊死物などを分解する．これらの酵素の放出は炎症性滲出物の消化にも役立っている（後述）が，時に正常組織を消化してしまうなど有害な作用を及ぼすこともある．

C 白血球の活性化と血管内皮細胞傷害

炎症反応によって傷害され，壊死に陥った組織や炎症性滲出物は炎症巣に集まってきた白血球の作用によって貪食・分解される．この反応は傷害された組織の創傷治癒に不可欠なもので，活性化された白血球によって行われる．活性化された白血球からはさまざまな活性酸素，フリーラジカル（→ 45 頁参照）やプロテアーゼが放出され，壊死に陥った組織や血管内皮細胞などを傷害する．

白血球の活性化のプロセスは，

① **ケモカイン** chemokine などの因子がリガンドとして白血球膜表面上のレセプタに結合し関連 G タンパクを活性化する，
② 活性化 G タンパクによって**ホスホリパーゼ C** phospholipase C が活性化され，**ホスファチジルイノシトール二リン酸** phosphatidylinositol biphosphate（PIP_2）を**イノシトール三リン酸** inositol triphosphate（IP_3）と**ジアシルグリセロール** diacylglycerol（DAG）に分解する，
③ IP_3 によって細胞内の小胞体から，また細胞外からも細胞質中に Ca^{2+} が流入して Ca^{2+} 濃度上昇，
④ DAG によって**プロテインキナーゼ C** protein kinase C とそれによるさまざまな細胞内タンパクのリン酸化が起こる，
⑤ プロテインキナーゼ C の作用によって顆粒の分泌・脱顆粒や活性酸素の産生などの反応が，Ca^{2+} 濃度増加によってアラキドン酸代謝産物の産生や細胞接着分子（インテグリンなど）の増加・結合能亢進，細胞内フィラメント（アクチンやミオシン）の集合による運動性と走化性の獲得などが起こる（図 3-14）．

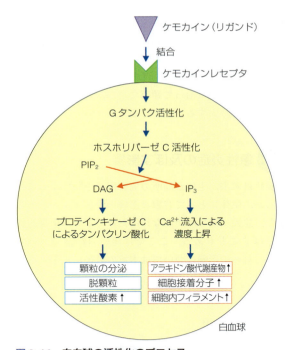

図 3-14　白血球の活性化のプロセス
ケモカインがレセプタに結合した後に，白血球内で進む反応の過程を示す．

❸ リンパ系の役割

リンパ管とリンパ節よりなるリンパ系は細胞外の基質に出てきた体液をドレナージして有害物質の有無をチェックしている．炎症反応によって傷害因子を局所で処理しきれなかった場合には，末梢に存在する抗原やリンパ球を中枢のリンパ節へと運び，大量に存在する T 細胞や B 細胞，樹状細胞の作用によって免疫反応を惹起する．

リンパ管は毛細血管同様いろいろな組織に多数存在する．リンパ管は内面に内皮細胞が連続して裏打ちしているが，細胞接着はゆるく基底膜は疎で太い管以外では筋層もみられない．したがって，リンパ管内皮細胞間の間隙は受動的に開きやすく，大きなタンパク分子の流入を可能にしている．リンパ管には弁があるためにリンパ流は末梢から中枢への一方向にのみ流れており，微細線維が細胞外基質とリンパ管壁をつないでいるために内腔の開存が保たれている（ただし，閉塞などによってリンパ流のうっ滞が起こると逆流することもある）．

リンパの流れは炎症時に増加し，浮腫液や血管外に遊走した白血球，細胞の破片などを血管外腔から吸引して炎症反応の終焉に重要な役割を果たしている．しかし，

逆にリンパの流れが傷害因子を炎症局所から他の組織へばら撒いてしまうことも起こり，その結果，二次的な炎症がリンパ管(**リンパ管炎**)やリンパ節(**反応性リンパ節炎**)に生じることがある．例えば，齲蝕による口腔内の炎症がリンパ流に沿って頸部に及び，頸部リンパ節が圧痛を伴って腫大することがある．

4 急性炎症の及ぼす影響

炎症は本来，生体が局所の傷害因子を除去する過程であるが，生体にとって有害な影響を及ぼすこともある．また，急性炎症は局所的な作用だけでなく，全身的影響を及ぼすこともある．ここでは局所の影響について述べ，全身への影響については本章の最後にまとめることにする．

A 有益な作用

① 液性滲出物によって細菌が産生する毒素が希釈され，リンパ管を介した排泄が行われる．
② 血管透過性亢進に伴って，抗体が血管外間隙へ流出しやすくなり，補体系とともに微生物を溶解したり，オプソニン化によって貪食の効率を上げたりする．
③ 滲出物中に含まれるフィブリノーゲンからフィブリンが形成され，微生物が移動しにくい状況を作って貪食の効率を上げる．
④ 炎症部位での血流量の増加と滲出によって，好中球のように高い代謝活性をもつ細胞に栄養素や酸素を供給することが可能となる．
⑤ 滲出液がリンパ管に流入し，微生物などの傷害因子とともにリンパ節に運搬されると，免疫反応が起こって，さらに処理の効率がよくなる．
⑥ 滲出とともに抗菌薬などの薬剤は微生物の増殖している病巣に到達しやすくなる．

B 有害な作用

① 炎症とともに細胞外に放出されたコラゲナーゼやプロテアーゼなどの酵素は，正常組織を消化して破壊することもある．糸球体腎炎 glomerulonephritis などでは，特に血管損傷を起こしやすい．
② 急性炎症によって，局所に急激な腫脹が起こると生体に不利な状況が引き起こされることがある．急性髄膜炎 acute meningitis で頭蓋内圧上昇と呼吸中枢の圧迫による呼吸抑制が起こったり，インフルエンザ菌 *Haemophilus influenzae* の感染による急性喉頭蓋炎 acute epiglottitis で気道の閉塞が起こることがある．

5 急性炎症の結末

急性炎症の帰結は傷害の性質や強さ，傷害を受けた部位や組織，反応を起こす宿主の能力などによって影響を受ける(図 3-15)．一般に急性炎症は次のいずれかの経過をとる．

A 完全治癒 complete resolution

傷害が限局性で短時間の場合，組織破壊は軽度で，組織が再生可能なため，ほとんどは組織の構築変化を残さずに治癒する．組織学的にも機能的にも正常な形に修復する最も理想的な結末である．この治癒の場合には，ケミカルメディエータはインヒビタの作用やその他のフィードバック機構によって中和ないし除去され，その結果，血管透過性は正常に戻り，白血球の遊走も停止する．リンパ液のドレナージとマクロファージの共同作業により炎症の場から浮腫や炎症細胞および組織壊死物などは除去される．

B 瘢痕治癒 healing by scarring

炎症による組織傷害の程度が強かったり範囲が大きかったりした場合や，再生しない組織細胞が傷害された場合に起こる結果である．加えて，著明な**線維素性滲出**があって，完全にそれが吸収できないと結合組織の成長により器質化され(後述)，その結果，塊状の線維組織，**瘢痕** scar が形成される．線維化を起こす際，結合組織に比較して組織全体が収縮するため，瘢痕化が起こった部分で組織が変形してしまうことや機能障害が残ることもある．

C 膿瘍形成 abscess formation

化膿性 pyogenic の細菌や真菌などの微生物が感染すると，炎症の局所の組織が融解し，滲出物と多数集まってきた好中球によって**膿**が形成される(後述)．

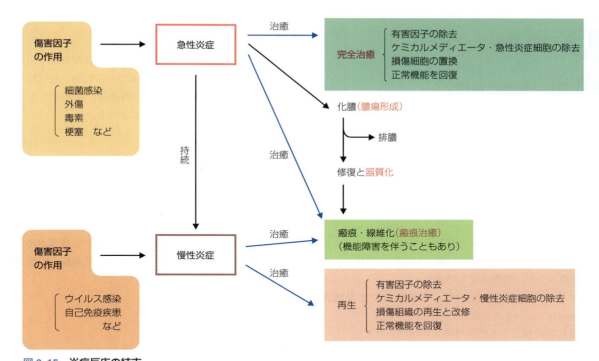

図 3-15　炎症反応の結末
傷害因子の作用によって炎症反応が起こった後の過程を示す．

D 器質化 organization

組織の器質化とは，**肉芽組織** granulation tissue による組織の置換を指す．このような組織反応を引き起こすのは以下の場合である
① 大量のフィブリンが形成され，血漿あるいは好中球からのフィブリン溶解酵素によって完全に除去できない場合
② 大量の組織が壊死に陥った場合，あるいは線維組織などの消化がうまくいかない場合
③ 滲出物と組織残骸の除去が不可能で，排出もできない場合

器質化の過程で，新生した毛細血管は無反応性物質（**炎症性滲出物**）の中へ進展し，そこへマクロファージが遊走し，線維芽細胞が増殖して線維化が起こる．例えば，気管支肺炎の後の肺胞腔内で，広い範囲にわたって線維性滲出物が充満すると，フィブリンは簡単には除去されず，その結果，毛細血管がフィブリン内へと進展してマクロファージや線維芽細胞によって滲出物は器質化される．

表 3-1　創傷治癒を遅延させる因子

- 感染
- 壊死組織の存在
- 低栄養状態
- 局所の循環障害
- 代謝障害
- 白血球機能の抑制
- 血小板の不足

E 慢性炎症 chronic inflammation への移行

急性炎症を引き起こした原因が除去されず，引き続いて慢性炎症が惹起されることがある（後述）．前述した組織の器質化に加えて，リンパ球，形質細胞およびマクロファージが好中球に代わって出現し，細胞性滲出物の性状が変化する．多くの場合，いつ急性炎症から慢性炎症へ移行したのか明らかではない．急性炎症後の創傷治癒過程を遷延化させる因子を表 3-1 に示す．また，急性炎症を前駆期とせず，最初から慢性炎症が起こることもある（後述）．

E 慢性炎症

1 炎症の経過と持続

慢性炎症は急性炎症から移行して起こる病態であるが，これは傷害因子が存続して炎症反応が消褪しない場合か，もしくは正常な治癒過程が起こりにくい場合に生じる反応である．炎症の経過中，急性と慢性の両病態がともに認められることもある．一方，ある種の傷害（例：ウイルス感染）では最初から慢性炎症を主体とした反応が起こることもある．この場合の傷害因子は急性炎症を引き起こすようなものと異なり，毒性が弱い．

急性炎症では血管の変化や浮腫，好中球の浸潤などが特徴であったが，慢性炎症の特徴は，
① マクロファージやリンパ球，形質細胞など**単核球** mononuclear cell の浸潤，
② 炎症細胞浸潤による組織破壊と組織構築の改変，
③ 新生血管の**増生** angiogenesis を含む修復と線維芽細胞の増殖を伴う**線維化** fibrosis である．

慢性炎症とは炎症が長時間（数週〜数か月，数年）持続したものと考えられ，そこでは活動的な炎症，組織傷害，修復治癒の過程が同時に進行している．炎症が持続して慢性化するのには次のような要因がある．

A 傷害性は弱いが炎症刺激が持続する場合

例えば，結核 tuberculosis の結核菌 *Mycobacterium tuberculosis*，ハンセン病 Hansen disease の *M. leprae*，梅毒 syphilis の *Treponema pallidum* および一部の真菌のように細胞内持続感染を起こす微生物の感染がある．これらの微生物は毒性が低く，遅延型アレルギー反応と呼ばれる免疫反応を引き起こし，肉芽腫性反応（後述）を起こす．

B 潜在的に毒性を有する物質への曝露

吸入された珪酸粒子（シリカ silica）のように生体内で分解できない物質などは，肺に慢性炎症を引き起こす（→ 第12章「呼吸器」，400頁参照）．また，内在性のものの例としては，慢性的に増加した血漿脂質が動脈に**粥状硬化症** atherosclerosis（→ 第11章「循環器」，342頁参照）を引き起こす場合などがある．

C 自己免疫疾患

この場合，自己の抗原が組織に対して免疫反応を引き起こす．自己抗原は常に更新されているため，持続的に炎症反応が起こることになる．例えば，関節リウマチ rheumatoid arthritis などはこれにあたる．

D 急性炎症が繰り返し再燃する場合

慢性胃炎 chronic gastritis，十二指腸潰瘍 duodenal ulcer，慢性胆嚢炎 chronic cholecystitis，慢性腎盂腎炎 chronic pyelonephritis などでは最初に起こった急性炎症は治癒過程に入るが，再び上皮細胞に対する傷害が再発するとこの過程は中断し，病変部には急性炎症と慢性炎症が混在して観察される．

E ウイルス感染の遷延化

ウイルス性肝炎 viral hepatitis（B型肝炎ウイルスあるいはC型肝炎ウイルスなどの感染）のように急性炎症後，ウイルス感染が遷延化し，その刺激が持続する場合，急性肝炎 acute hepatitis から慢性肝炎 chronic hepatitis への移行としてとらえられる．

2 細胞反応と増殖

A マクロファージの役割

マクロファージは慢性炎症を引き起こす反応の制御において中心的な役割を演じる細胞である．循環血液中の単球が遊走刺激を受けて炎症巣で血管外に滲出すると，**活性化** activation されて大型化し直径が30 μm にも及び，マクロファージと呼ばれる細胞形態を呈する（図3-16）．組織マクロファージは組織内をアメーバ様運動によって移動する．マクロファージは，感作されたT細胞由来のサイトカイン〔インターフェロン interferon-γ（IFN-γ）など〕，細菌の内毒素などいろいろな起炎物質によって活性化される．活性化されたマクロファージは細胞の大きさが増し，代謝も活発となって貪食作用が亢進し，リソソーム酵素が増加して貪食した微生物を殺す能力も著明に増強する．さらに，活性酸素ラジカル，プロテアーゼや走化性因子，増殖因子などさまざまな物質を産生して，傷害された組織の細胞や隣接する細胞を破壊し，免疫担当細胞の動員，線維芽細胞や血

E. 慢性炎症

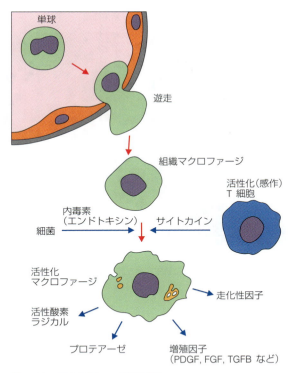

図 3-16 マクロファージの役割
血管内から血管外へと遊走して組織内に入ったマクロファージは活性化されてさまざまな作用を示す．

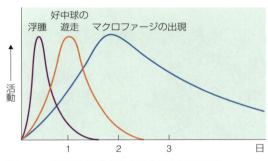

図 3-17 炎症反応開始後の各症候の出現時間

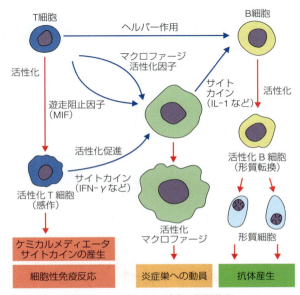

図 3-18 マクロファージとリンパ球の相互作用
マクロファージとリンパ球とは相互に作用して炎症反応に複雑に関与する．

管内皮細胞の増殖を促進する．これらの作用によりマクロファージは，**肉芽組織** granulation tissue を形成して，傷害を受けて欠損した組織を補塡する．

急性炎症の場では，刺激物質が除去されて作用物質が分解されるとマクロファージは最終的には死滅するか，リンパ管を通って炎症の場から消失する．慢性炎症の場合には炎症刺激が持続するため，マクロファージの集簇も持続する．好中球は微生物を摂取すると通常自滅しその寿命は約3日であるが，マクロファージは好中球に比べてより多くの種類の物質を取り込むことができ，寿命も長い．微生物を取り込んだ後，リソソーム酵素で殺すことができない場合には生きたままとらえておくこともできる．このような細胞内感染を起こす細菌には結核菌や M. leprae などがあり，マクロファージは遅延型過敏反応に関与する．この場合，マクロファージはしばしば炎症局所で死滅しリソソーム酵素が放出されるため，広範囲に壊死を引き起こすことになる（後述）．炎症過程で出現する各症候の時間経過を図 3-17 に示す．

マクロファージが炎症の場に持続的に集合し続けるには，リンパ球由来の因子が重要である．炎症巣にマクロファージを持続的に動員しておくためには，主に**遊走阻止因子** migration inhibitory factor (MIF) が関与しており，この因子にはマクロファージを組織にとどめておく作用がある．また，IL-4 や IFN-γ はマクロファージを融合させて多核巨細胞と呼ばれる大きな細胞を作らせることができる（図 3-2g）．マクロファージ自体の増殖能は強くないが，適当な条件下ではある程度増殖する．

B 慢性炎症における細胞の協調作用（図 3-18）

組織に浸潤するリンパ球にはいくつかのタイプがある（→ 第5章「免疫とその異常」，98頁参照）．B細胞は抗原と接触し，抗体産生に特に適応した形質細胞へと分化して

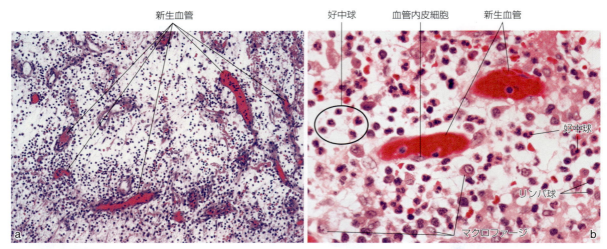

図 3-19　肉芽組織
a. 弱拡大像．やや浮腫性の間質にマクロファージ，好中球，リンパ球などの炎症細胞と，増生した新生血管が認められる．
b. 強拡大像．名称を付したようなさまざまな細胞が認められる．

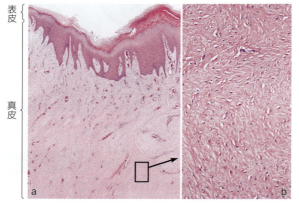

図 3-20　瘢痕
修復された皮膚の瘢痕組織（a）．コラーゲンが相対的に増加して最終的には細胞成分はほとんど認められなくなる（拡大：b）．

いく．T細胞は細胞性免疫に関与する細胞群で，抗原に接触するとサイトカインを含む多種の可溶性因子を産生し，炎症にかかわる多くの細胞に影響を与える．このようなT細胞は，遊走阻止因子などを介してマクロファージを動員・集積させたり，マクロファージ活性化因子によってマクロファージの貪食能や殺菌能を高めたりする．また，炎症性のケミカルメディエータを介して，好中球の走化性を亢進させたり，血管透過性を亢進させたりする．活性化したT細胞からはIFN-γが産生され，抗ウイルス活性を発揮するとともにマクロファージの活性化も行う．一方，マクロファージや線維芽細胞はIFN-αやIFN-βを産生して抗ウイルス活性作用を示し，同時にナチュラルキラー natural killer（NK）細胞やマクロファージを活性化する．

C 肉芽組織形成と細胞増殖因子

　肉芽組織とは結合組織成分からなるもので，結合組織自体の欠損の場合はもちろん，他の組織の再生が不十分な場合にも創傷治癒の1つの形として，一時的あるいは永久的な補填物として形成される．主成分は線維芽細胞で，これにマクロファージ，好中球，リンパ球，形質細胞などの炎症細胞と，新生血管が混在する（図3-19）．これらの支持組織の基質は**細胞外基質** extracellular matrix（ECM）と呼ばれる細胞間物質よりなる．細胞外基質は主として線維芽細胞の作る酸性ムコ多糖（ヒアルロン酸，コンドロイチン硫酸，ケラタン硫酸），コラーゲン collagen やエラスチン elastin などの線維性成分，フィブロネクチン fibronectin やラミニン laminin などの細胞接着分子に富む．炎症細胞浸潤は炎症細胞の接着と離脱という現象のバランスで制御されており，その制御は細胞外基質内の細胞接着分子の機能と，それを分解する**マトリックスメタロプロテアーゼ** matrix metalloproteinase（MMP）によって調節されている．MMPは線維芽細胞や好中球，マクロファージなどによって産生される．肉芽組織が古くなると炎症細胞は減少し，コラーゲンが相対的に増加して最終的には瘢痕（図3-20）となる（後述）．

E. 慢性炎症 ● 57

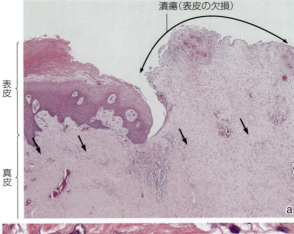

図 3-21　線維化
a. 皮膚の潰瘍の深部では線維芽細胞によって細胞外基質の沈着が起こる（→より下の部位）．
b. マッソン染色で青色に染まるコラーゲン（膠原線維）（★）の沈着が認められる（Dupuytren 拘縮にみられた手掌腱膜の線維化）．
c. 線維化巣の強拡大像．コラーゲンの増加を伴う線維化が認められる．

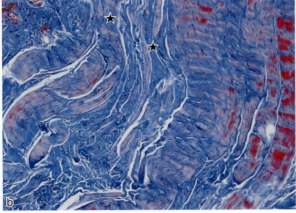
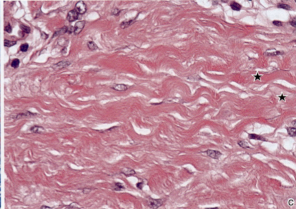

Advanced Studies

マクロファージからは肉芽組織の構成細胞に作用するさまざまな細胞増殖因子やサイトカインが産生される．線維芽細胞に作用して線維増生にかかわるものとして，**トランスフォーミング成長因子ベータ** transforming growth factor-β（TGF-β），**血小板由来成長因子** platelet-derived growth factor（PDGF），**線維芽細胞成長因子** fibroblast growth factor（FGF）などが，血管新生を刺激する因子としては FGF や **腫瘍壊死因子アルファ** tumor necrosis factor-α（TNF-α）がある．また創傷治癒の際に上皮細胞の再生を刺激するものとして，上皮成長因子 epidermal growth factor（EGF）やトランスフォーミング成長因子アルファ transforming growth factor-α（TGF-α）なども産生する．

D 血管新生と線維化

血管新生 angiogenesis は既存の血管から新しい毛細血管の芽が出て，伸びていく過程である．慢性炎症の場のみならず，さまざまな線維化やがん細胞の増殖，血栓により閉塞した血管の再疎通などによって，生体の各種の部位，いろいろな場合に起こる重要な現象である．炎症の修復過程においても再生する組織を維持するためには血管新生，特に細動脈，毛細血管，細静脈の新生は欠かすことができない．血管新生は以下の過程を経て行われる．

① 血管内皮細胞の活性化と，この内皮細胞による基底膜や他の細胞外基質の **酵素的溶解**（プラスミンやコラゲナーゼなど）
② 内皮細胞の遊走
③ 内皮細胞や，その周辺に存在する細胞由来の増殖因子による内皮細胞自体の増殖
④ 内皮細胞の管腔形成と基底膜合成
⑤ 内皮細胞の外側を覆う細胞，**血管周囲細胞** pericyte による包囲

一方，線維化 fibrosis は線維芽細胞によって行われる細胞外基質の沈着の結果として起こる（図 3-21）．線維芽細胞によるコラーゲン合成は炎症後早期から始まるが，数週間持続する．治癒過程が進むにつれて線維芽細胞の増殖は減少してくるが，コラーゲンなどの合成能は

高まる．コラーゲン合成は白血球や線維芽細胞自体から分泌される増殖因子やサイトカインによって誘導される．また，コラーゲンの沈着には，コラーゲンの分解を抑制する物質も重要な役割を果たしている〔例：プロテアーゼを抑制するメタロプロテアーゼ組織阻害物質 tissue inhibitor of metalloproteinase（TIMP）〕．

炎症の終焉と創傷治癒

これまで述べてきたように組織細胞に傷害が起こると局所では炎症反応が始まり，好中球やマクロファージなどの炎症細胞浸潤と活性化が続いて起こる．さらに，樹状細胞やマクロファージなどによる抗原提示に続いて，リンパ球の浸潤と活性化による免疫反応が加わって，起炎物質あるいは微生物は非常に効率よく除去される．その後，炎症反応はケミカルメディエータに対する抑制物質の産生やメディエータ自体のフィードバック機構によって進行が止められる．炎症反応が止まると，滲出液は吸収され，リンパ球によって活性化されたマクロファージが，傷害された組織細胞や不溶性のフィブリンを除去し，欠損組織の再生，肉芽組織による補填作業が行われ，炎症局所の清掃と修復が行われる．欠損組織の再生は傷害を受けた組織と同じ細胞によって修復される過程であり，瘢痕形成はそれができない場合に起こる充填作業の結果である（→54頁参照）．これらは創傷治癒または組織修復の過程にほかならず，修復の項を参照されたい．

各種炎症の形態像

炎症反応の強さ，特異的な傷害因子，および特殊な組織や部位などの要因の違いによって，急性および慢性炎症の基本的な形態像は修飾される．以下に代表的な各種炎症の形態像の特徴についてまとめる．

 急性炎症 acute inflammation

 漿液性炎 serous inflammation

漿液性炎の主な病変は，急性炎症初期の炎症性充血に伴って起こる血管からの液性成分の滲出である．しかし，この滲出液には**線維素原（フィブリノーゲン）** fibrinogen は含まれないため，**漿液滲出** serous exudation と呼ばれる．少量の好中球滲出を伴う．多くの漿液性炎は痕跡なく吸収されて完全治癒する．

漿液性炎は毛細血管網のよく発達した組織に起こりやすく，臓器や組織によってその形態像の特徴は多少異なる．間質組織に滲出液が貯留した状態を**炎症性浮腫** inflammatory edema という．例としては炎症に伴って声門に浮腫が起こる**声門浮腫** glottis edema がある．また，漿膜に囲まれた体腔（例：胸腔，腹腔，心嚢など）に多量の**炎症性漿液** inflammatory effusion が貯留するときには，**漿液性胸膜炎** serous pleuritis，**漿液性腹膜炎** serous peritonitis，**漿液性心嚢炎** serous pericarditis と呼ぶ．皮膚や粘膜組織に漿液が限局性に貯留したものは**水疱** blister，**小水疱** vesicle と呼ぶ．

粘膜の表面から多量の漿液が滲出してくる状態を**漿液性カタル** serous catarrh あるいは**カタル性炎** catarrhal inflammation と呼ぶ．鼻腔粘膜，口腔粘膜，気管支粘膜，消化管粘膜などに発生する．いわゆる鼻かぜやアレルギー性鼻炎 allergic rhinitis が典型的で，**鼻カタル** nasal catarrh と呼ばれる．粘液が混じることが多いが，これは炎症性刺激によって粘液腺の分泌作用が活発になるためである．消化管にもカタル性炎が起こるが，なかでもコレラ cholera は典型的である．コレラ菌 *Vibrio cholerae* の外毒素エンテロトキシンが小腸粘膜上皮のレセプタに結合し，結果的に Na^+ の吸収が阻害され，多量の水分が分泌される．激しい水様下痢のため脱水症状を起こす．

B 線維素性炎 fibrinous inflammation

フィブリノーゲンが血液から滲出すると，組織の滲出液中に線維素（フィブリン）fibrin が形成されて細網状に沈着する．漿液を多く含む**漿液線維素性炎** serofibrinous inflammation では，フィブリンは線状を呈する．線維素性炎は主に，漿膜，粘膜および肺胞などで認められるが，血管，組織間質，組織の実質中にも他の炎症性変化に合併して現れることがある．

漿膜面では，フィブリンは表面に凝着し，漿膜表面は光沢を失ってザラザラとしたビロード velvet 状を呈したり，細い絨毛状 villous を呈したりすることもある．心外膜表面に起こった場合にはこのような変化が強く，肉眼的に**絨毛心** cor villosum/hairy heart という（図3-22）．

喉頭，咽頭，気管支，消化管などの粘膜面に線維素性

G. 各種炎症の形態像 ● 59

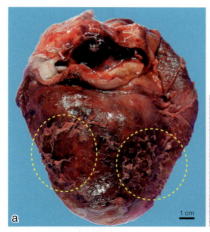
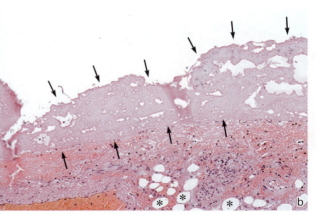

図 3-22　線維素性炎
a. 線維素性心外膜炎の肉眼像．心外膜表面はフィブリンの沈着によって絨毛状（黄点線）となっている．
b. 線維素性心外膜炎の組織像を示す．心外膜〔脂肪組織（＊）が認められる部分〕の表面にフィブリンが多量に沈着（→）していることがわかる．

滲出物が膜状に沈着する状態を**偽膜性炎** pseudomembranous inflammation といい，付着した膜様物を剥離することは困難である．また，喉頭や気管などで粘膜自身の壊死が軽度で剥離が容易なものはクループ性炎 croupous inflammation という．偽膜性炎の典型として喉頭ジフテリアに認められるジフテリア炎 diphtheric (diphtheroid) inflammation がある．細菌性赤痢の大腸病変にもみられる．また最近，抗菌薬が多用されるようになり，腸の菌交代現象が問題になっているが，大腸の常在菌に代わるディフィシル菌 *Clostridioides difficile* の増殖によって偽膜性炎が起こる（図 3-23）．

壊死が激しく，病変が上皮内にとどまらない偽膜性炎では，フィブリンと壊死組織が**痂皮** crust を作るために痂皮化炎 scabbing inflammation あるいは膜性炎 membranous inflammation といわれる．

肺の線維素性肺炎 fibrinous pneumonia は，広く大葉性に広がり，肺胞内に多量の微細なフィブリンが網状に析出する．尿毒症 uremia ではフィブリンの析出が目立つ肺炎，心囊炎，食道炎，胃腸炎が好発する．

線維素性炎では析出したフィブリンは**線維素溶解現象** fibrinolysis によって吸収されるが，時に器質化が起こって瘢痕が形成されることがあり，漿膜腔では癒着を残す．線維素性炎は主に血管反応の強い炎症に発生するものであるが，各種病原体による線維素性肺炎，線維素性胸膜炎 fibrinous pleuritis，線維素性心囊炎 fibrinous pericarditis などは，細菌感染に対する強いアレルギー反応が原因と考えられている．

C ● 化膿性炎 purulent inflammation, suppurative inflammation

多数の好中球が血管から遊走して滲出液に混ざったものを**漿液化膿性炎** seropurulent inflammation といい，好中球の特に多いものを化膿性炎という．大部分はブドウ球菌や連鎖球菌などの細菌（化膿菌）感染によって起こる．**膿性滲出物** purulent exudate は**膿** pus と呼ばれ，好中球が脂肪変性を起こすために，黄白色〜黄緑色不透明の濃厚な液体となる．アルカリ性で比重は 1.031〜1.033，煮沸してもフィブリノーゲンを加えても凝固しない．膿を放置しておくと細胞成分は沈降して上部に透明な層を残す．この上清を**膿清** pus serum という．液体成分中のタンパクや塩類は血清と同様であるが，ほかにリソソーム酵素，ペプトン，抗生物質，コレステロール，ヘモグロビン，細菌色素，細菌およびその崩壊産物などを含んでいる．沈降した下層の混濁液中には，膿の主要成分である**膿球** pus corpuscle が多数含まれている．膿球は主に変性した好中球からなるが，そのほかに組織球，リンパ球，好酸球，破壊された組織細胞も混在する．化膿性炎は病理組織学的に，膿性カタル，蜂窩織炎，膿瘍の 3 つに分類される．

1 ● 膿性カタル suppurative catarrh

好中球を含む膿が粘膜表面から外部に流出する形態を示す炎症である．このため，組織自体はあまり融解を起こさない．膿性滲出物は**膿漏** pyorrhea と呼ばれ，鼻腔

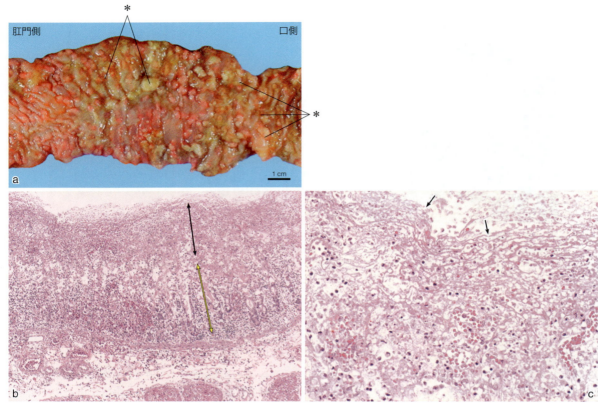

図 3-23 偽膜性腸炎
a. 肉眼像．結腸粘膜には剥離困難な膜状付着物（＊）が多数認められる．
b. 弱拡大で結腸粘膜の表層部分は正常の腺管構造（⇔）が破壊されて偽膜と呼ばれる膜状の滲出物（⇔）に覆われている．
c. 強拡大では偽膜部分はフィブリン（→）の析出と炎症細胞の混ざった滲出物であることがわかる．

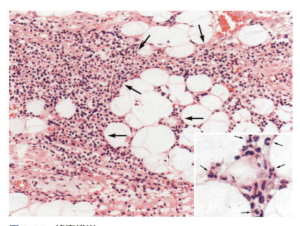

図 3-24 蜂窩織炎
虫垂炎．脂肪組織内に炎症細胞が多数浸潤している（→）．強拡大では好中球（→）が多数認められる（挿入図）．

粘膜，淋菌の感染を受けた尿道，子宮頸管および眼球結膜によくみられる．粘膜ないし漿膜で囲まれた体腔に膿汁が貯留する病態を蓄膿症 empyema といい，副鼻腔，胸膜腔，心嚢などにみられる．

2 蜂窩織炎 phlegmonous inflammation, cellulitis

化膿性炎の病変が限局しないで，組織間隙にびまん性に広がったものをいう．この病態は皮下組織などの疎性結合組織の部位に起こりやすく，また虫垂炎（図 3-24）や丹毒など連鎖球菌による化膿性炎によくみられる．びまん性となる原因は，細菌に由来するヒアルロニダーゼ hyaluronidase の作用のためと考えられる．

3 膿瘍 abscess

臓器組織の内部に起こる限局性の化膿性炎で，炎症局所の組織が，崩壊した好中球から遊離される各種分解酵素の作用で融解し，膿を貯めた病巣をさす（図 3-25）．

G. 各種炎症の形態像 ● 61

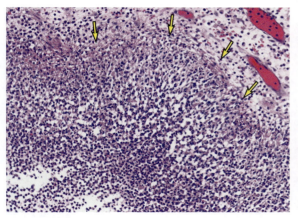

図 3-25 膿瘍
囊胞に囲まれた内腔に多数の好中球が集塊(➡の内側は好中球が貯留した膿瘍腔となっている)を作っている.

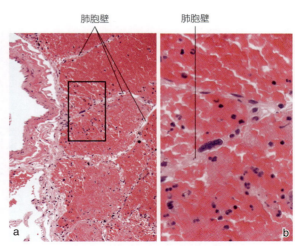

図 3-26 出血性炎
a. 著明な肺出血を伴う肺の炎症巣を示す. 炎症は軽度だが, 肺胞内の出血が目立つ.
b. 強拡大(a の□部)では, 肺胞内に出血とともに好中球の浸潤も認められる.

経過とともに**膿瘍膜** abscess membrane あるいは**化膿性膜** pyogenic membrane と呼ばれる被膜が形成されることが多い. 膿が流出した後は空洞を形成する. 膿瘍は皮下組織に多く, 実質臓器では肝や脳, 腎, 肺などによくみられる. 化膿菌などの細菌感染による場合が多いが, ある種の化学物質でも起こる. 深在性の膿瘍では, 時にその膿汁を**洞管** sinus tract を通じて排出する. 洞管は膿瘍と皮膚あるいは粘膜を連結し, 肉芽組織によって取り囲まれている. 洞管が, 2つの粘膜表面の間あるいは粘膜表面と皮膚表面との間を結ぶ通路を形成する場合, **瘻** fistula と呼ぶ.

4 ● 特殊な化膿性炎

皮膚の化膿性炎は種々の名称で呼ばれるが, その本質はほかの臓器のものと同一である. 膿は限局性に集積して**膿疱** pustula を作り, 周囲の組織を融解して膿瘍となる. 粟粒大の**粟粒膿瘍** miliary abscess から巨大な大きさに達することもある. 皮膚の毛嚢および付属器に限局した化膿性炎を**癤** furuncle といい, それが多数集合したものは**癰** carbuncle という. なお, 指先の蜂窩織炎は**瘭疽** whitlow と呼ばれる. 皮膚および粘膜などの膿瘍が破れると**潰瘍** ulcer ができ, 管状になると**瘻(孔)**になる.

5 ● 化膿性炎の転帰

化膿性炎の小さなものは膿が吸収されて自然に治癒する. 外表に破れて膿が排出(排膿)された場合には, 炎症巣に肉芽組織が形成されて, 残された崩壊産物は吸収されて治癒する. 大きな膿瘍で外部に破れにくいときには

膿瘍周囲に肉芽組織ができ, 膿瘍膜を形成する. 膿の液体成分は徐々に吸収されて内容物は濃厚乾酪(チーズ)様となり, 時にはここに石灰化が起こることもある. 逆に細胞成分のほうが吸収されて, 漿液が膿瘍腔を充満する場合もある.

病原体が血中に入った状態を**菌血症** bacteremia と呼ぶ. 菌は血流に乗って全身の各種臓器・組織にばら撒かれてあちこちに膿瘍を作る. この状態は**膿血症** pyemia と呼ばれ, 菌がさらに組織反応に打ち勝って全身性に増殖してしまうと, 組織は単に受身の壊死性変化を呈することになる(**敗血症** sepsis).

D 出血性炎 hemorrhagic inflammation(図 3-26)

上記のような各種炎症反応に合併して**出血** hemorrhage, bleeding が起こり, 滲出液や炎症組織全体が血性を帯びる病態を出血性炎という. 炎症は一般にある程度の出血を伴うが, その程度は軽い. ところが傷害因子による刺激が非常に強い場合には, 血管傷害が強く現れ, 血流停止, 血栓症が加わって漏出性ないし破綻性の著明な出血を伴う出血性炎が成立する. しかし, この場合も出血自体は炎症反応の主体ではなく, ほかの炎症反応に付随する現象である. 特に強い出血性炎を起こす例としては, 連鎖球菌, 腸管出血性大腸菌(EHEC: なかでも O157), ペスト菌, 炭疽菌などの細菌感染, インフルエンザ, 発疹チフス, ワイル Weil 病や流行性出血熱など

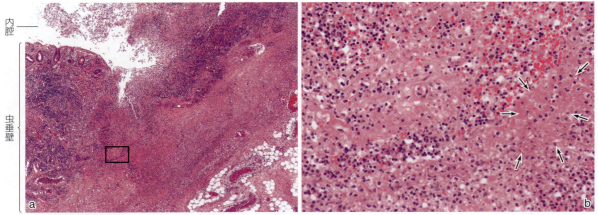

図 3-27　壊疽性虫垂炎
a. 弱拡大で虫垂壁は著明な急性炎症の波及によって全層が破壊され壊死に陥っていることがわかる.
b. 強拡大（a の□部）では好中球主体の細胞浸潤と，壊死して無構造・ピンク色になった虫垂の組織（→）が認められる.

の際に認められる.

　出血性炎の転帰としては，ほかの滲出性炎と同様，吸収と器質化が起こるが，多量の血色素とヘモジデリンの沈着を残す．出血性炎は強い傷害因子が作用した場合の激しい炎症，あるいは生体の抵抗性減弱の際に起こる敗血症などの場合に多いので，死の転帰をとることもある．

E 壊死性炎 necrotizing inflammation と壊疽性炎 gangrenous inflammation

　炎症局所において，組織の壊死が著しく目立つ病態を壊死性炎という．細菌の毒素や種々の毒性物質，あるいはある種のアレルギー，細菌感染に伴う局所の循環不全などが原因となって起こる．

　粘膜に壊死が起こると，周辺の組織と明瞭に境された組織の脱落，すなわち潰瘍が形成される．胃潰瘍や十二指腸潰瘍などがよくみられる．実質臓器の壊死性炎としては，劇症肝炎 fulminant hepatitis などがある．一般に壊死性炎は慢性炎症にも多く，結核症における**乾酪壊死** caseous necrosis がそのよい例である．

　化膿性炎あるいは壊死性炎を起こした組織に腐敗菌などの二次感染が起こって腐敗分解した病態を特に**壊疽性炎**および**腐敗性炎** putrid inflammation と呼ぶ．この型の炎症の例としては，壊疽性虫垂炎 gangrenous appendicitis（図 3-27），腐敗性気管支炎 fetid bronchitis，肺壊疽 pulmonary gangrene，流産後の壊疽性子宮内膜炎 postabortional gangrenous endometritis，壊疽性扁桃炎 gangrenous tonsillitis，壊疽性口内炎 gangrenous stomatitis，などがある．局所は汚い腐敗性を帯びて軟化し，インドールやスカトールなどの産生によって悪臭を放ち，またガスを発生する細菌感染の場合にはガス壊疽 gas gangrene となる．

2 慢性炎症 chronic inflammation

　急性炎症の組織反応の特徴が滲出炎であるのに対して，慢性炎症では**増殖性炎** proliferative inflammation が特徴的である．一般的にみられる慢性増殖性炎 chronic proliferative inflammation と，特殊な病態でみられる肉芽腫性炎 granulomatous inflammation とに分類される．

A 慢性増殖性炎 chronic proliferative inflammation

　傷害因子による炎症刺激が持続する場合，組織は持続性に増殖反応を起こす．アレルギー反応を欠く組織の場合の組織反応は，主に組織中のマクロファージ（**組織球**とも呼ばれる），線維芽細胞，血管内皮細胞の増殖からなる肉芽組織と局所上皮細胞の再生性の増殖からなる．

　一方，アレルギー反応が誘発された組織では，これらの変化に加えて初期にリンパ球と単球あるいは好酸球の浸潤が起こり，続いて炎症局所でのリンパ球とマクロファージの著しい増殖が起こる．抗原の種類によって，B 細胞に増殖分化が誘導される場合は，組織中に形質胞が多く認められる．ウイルス感染症では感染に防御的に作用する T 細胞（特に CD8 陽性 T 細胞）とマクロ

G. 各種炎症の形態像 ● 63

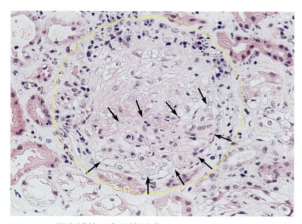

図 3-28　腎糸球体の半月体形成
Bowman囊（黄点線）の一部に半月状に線維性組織の増殖（→）が認められる．増殖性炎の一例．

ファージの増殖が組織反応の主体となる．
　増殖性炎で臓器固有の細胞のみが増殖する場合もある．例えば，びまん性半月体形成性糸球体腎炎 diffuse crescentic glomerulonephritis では，ボーマン Bowman 囊上皮細胞の増殖が主病変となる（図 3-28）．
　慢性炎症における増殖性炎では，マクロファージ系細胞と線維芽細胞の炎症局所での増殖が組織新生をもたらすが，その一部は線維化し，古くなると瘢痕化して組織に変形を残す．例えば，肝硬変 liver cirrhosis では，肝炎による肝細胞壊死とともに線維化が進み，肝細胞の再生に伴って偽小葉 pseudolobule（再生結節 regenerative nodule）が形成される．その結果，肝臓は全体として萎縮・変形する．また，慢性腎盂腎炎 chronic pyelonephritis では尿細管の傷害に伴う線維化が進行し，瘢痕化すると腎表面に浅く広い不規則形の陥凹が残る．

B　肉芽腫性炎 granulomatous inflammation

　肉芽腫性炎は**類上皮細胞** epithelioid cell および**多核巨細胞** multinucleated giant cell を含む**肉芽腫** granuloma を形成するという点で，一般の慢性増殖性炎と区別される（多核巨細胞は出現しないこともある，図 3-29）．肉芽腫という用語は，限局性に増殖性の肉芽組織ができ，これが結節状の病変となっているときに用いる．マクロファージ系細胞由来の類上皮細胞と多核巨細胞の集合巣で，その周囲はリンパ球を主体とした単核球が密に浸潤している．肉芽腫性炎では病原となる微生物や傷害因子（抗原）に応じて，それぞれ特徴的な肉芽腫を形成する．これらの抗原はすべて遅延型反応（Ⅳ型アレルギー）を誘

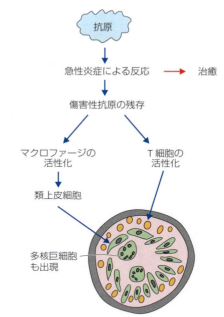

図 3-29　肉芽腫形成過程のメカニズム
傷害因子としての抗原に反応した宿主は，その処理がすぐに行えず残存してしまった場合，類上皮細胞肉芽腫を形成する．

導することが知られ，その成立にはいろいろなサイトカインが関与している．肉芽腫の主役をなす類上皮細胞は，紡錘形の核と豊富な淡明性の細胞質を有し，一般に細胞間質が少なく上皮細胞に似た配列を示すことからこのように呼ばれている．類上皮細胞は，マクロファージが自らの酵素で処理できない物質を大量に貪食したときに形成されると考えられている．多核巨細胞は肉芽腫の種類によって形態が異なるが，類上皮細胞と同じようにマクロファージに由来し，これが複数融合したものである．結核結節の**ラングハンス** Langhans **型巨細胞**は大きく，核は細胞質の周辺に馬蹄形ないし花冠状に配列している（図 3-2g, 30）．細胞質は細顆粒状・好酸性でやや空胞状を呈し，四方に突起を出しているものもある．**サルコイドーシス** sarcoidosis の巨細胞もこれに似ているが（図 3-31），細胞質内に封入体を認めることがある．心筋の間質にみられる**アショフ** Aschoff **体**（**結節**）の巨細胞はフクロウの眼のようにみえる核をもつこともあり **owl-eye cell** とも呼ばれ，リウマチ熱に特徴的に出現する（→65頁参照）．**異物肉芽腫** foreign body granuloma の際にも巨細胞が出現するが，これは**異物型** foreign body **巨細胞**と呼ばれ，核は一般に胞体の中心部に不規則に集合しており，Langhans型とは区別される（図 3-2g,

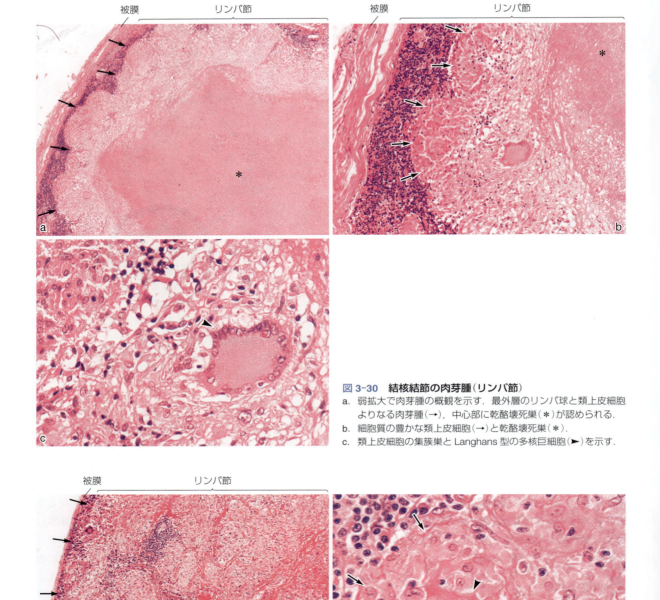

図 3-30 結核結節の肉芽腫（リンパ節）
a. 弱拡大で肉芽腫の概観を示す．最外層のリンパ球と類上皮細胞よりなる肉芽腫（→），中心部に乾酪壊死巣（＊）が認められる．
b. 細胞質の豊かな類上皮細胞（→）と乾酪壊死巣（＊）．
c. 類上皮細胞の集簇巣とLanghans型の多核巨細胞（►）を示す．

図 3-31 サルコイドーシスの肉芽腫（リンパ節）
a. 弱拡大で肉芽腫の概観を示す．最外層のリンパ球と類上皮細胞よりなる肉芽腫（→），結核結節と異なり中心部の乾酪壊死巣は認められない．
b. 類上皮細胞の集簇（→）とLanghans型の多核巨細胞（►）を示す．

G. 各種炎症の形態像 ● 65

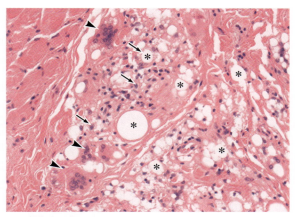

図 3-32　異物肉芽腫
異物（この場合は手術で欠損組織を補填するために注入されたシリコン，＊）とそれを貪食するマクロファージ（→），異物型の多核巨細胞（▶）が認められる．

32）．コレステロール結晶を異物とする肉芽腫には細胞質にコレステロールや中性脂肪を多くもったトゥートン Touton 型巨細胞が出現する．この型では多数の核がリング状に配列し，脂質を含有した淡明な細胞質がその周囲を取り囲んでいる（図 3-2g）．

1 ● 結核性肉芽腫 tuberculous granuloma（図 3-30）
　結核菌の存在する全身臓器に起こりうる病変で結核結節とも呼ぶ．類上皮細胞および Langhans 型巨細胞からなる肉芽腫とそれを取り巻くリンパ球の**集簇巣**からなり，中心部に**乾酪壊死巣**が形成されている．梅毒や真菌感染症でも類似の肉芽腫を認めることがある．

2 ● サルコイド肉芽腫 sarcoid granuloma（図 3-31）
　サルコイドーシス sarcoidosis 患者のリンパ節，肺，皮膚，心，肝，脾，唾液腺，網膜などに認められる．結核結節に類似するが，中心部に壊死はほとんど認められない．Langhans 型巨細胞と異物型巨細胞の両方が認められ，この中に**星状小体** asteroid body（エオジン好性で星型状の小体）やまれに**シャウマン小体** Schaumann body（ヘマトキシリンに濃染する求心性層状の小体）と呼ばれる細胞内封入体を認めることがある．このような型の肉芽腫はサルコイドーシスに特異的なものではなく，梅毒，Hansen 病，クローン Crohn 病，真菌感染症，ベリリウム症などでも認められる．

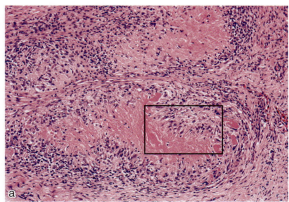

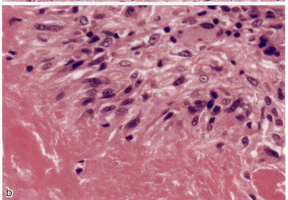

図 3-33　リウマチ（様）結節
a. 中心部の壊死巣（無構造でピンク色の部分）を囲んで，類上皮胞（ここでは紡錘形）が柵状かつ放射状に配列する．
b. 強拡大（a の□部）では，紡錘形の類上皮細胞が柵状に配列する像が認められる．

3 ● リウマチ（様）結節 rheumatoid nodule（図 3-33）
　関節リウマチ rheumatoid arthritis 患者の皮下組織に好発し，中央のフィブリノイド壊死を囲み，類上皮細胞が柵状に配列する像が認められる．

4 ● アショフ体（結節） Aschoff body（図 3-34）
　リウマチ熱 rheumatic fever に比較的特徴的で，主に心筋間質に認められる．この型の肉芽腫内には Aschoff 細胞という大形細胞がみられ，腎臓形の切れ込みのある 1〜数個の核と好塩基性の細胞質をもつ．

5 ● ネコひっかき病 cat scratch disease
　リンパ節腫脹と発熱を伴うグラム陰性菌の感染症と考えられている．リンパ節では，不規則な形の膿瘍を取り囲むように類上皮細胞肉芽腫が形成される．

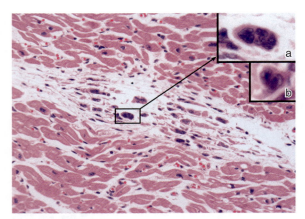

図 3-34 Aschoff 結節
心筋間質には紡錘形細胞が並んで配列する肉芽腫性病変が認められる．この型の肉芽腫内には Aschoff 細胞と呼ばれる大形細胞が認められることが特徴的である．本例でも切れ込みのある不整形の核を数個有する大型細胞や 2 核の大型細胞（owl-eye 様）がみられる（挿入図．b は別の部分より）．

6 異物肉芽腫 foreign body granuloma
（図 3-32, 35）

異物を貪食したマクロファージと異物型巨細胞よりなる肉芽腫．大きな異物で比較的刺激の少ないもの〔縫合糸，とげ，誤嚥物，手術や豊胸術（→ 第 19 章「乳腺」，614 頁参照）で人工物を入れた場合など〕が生体内に入るとマクロファージや巨細胞がこれを取り囲んで処理する．異物肉芽腫はやがて線維化し瘢痕化する．

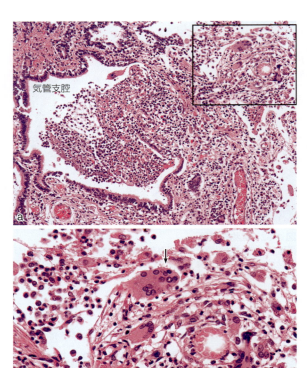

図 3-35 嚥下（誤嚥）性肺炎にみられた異物反応
a. 気管支には誤嚥物（異物）に対する急性炎症と異物型の多核巨細胞（b の→）を認める．
b. 炎症がやや慢性化した部位（a の□部）では異物を貪食した多核巨細胞（→）周囲に肉芽腫様病変も形成されている．

H 炎症の全身への影響

炎症は局所に起こる生体反応であるが，感染症の場合には広範に全身に広がることがある．感染による炎症が広がる経路としては，連続性のほか，管内性，血行性，リンパ行性などがありうる．このほか，炎症が多臓器に及ぶ例としてはⅢ型アレルギーの機序で起こる膠原病（全身性エリテマトーデスなど）の際に，免疫複合体が全身でフィルターの役目をしている腎糸球体や，脳，脊髄の**脈絡叢** choroid plexus あるいは表皮真皮間基底膜や小動脈壁に沈着することがある．

炎症は，感染症，組織の壊死，アレルギー反応などを介して発熱や疼痛を起こすことは前述した．その他の身体症状として，倦怠感や食欲不振，悪心などがある．また，広範に慢性炎症が持続していると，窒素平衡が負になるため，体重減少もみられる．臓器では局所あるいは全身のリンパ節が炎症に付随して腫大することがあり，敗血症では脾腫 splenomegaly がみられる（→ 第 10 章「血液・造血器・リンパ節」，326 頁参照）．

血液学的変化のうち，**白血球増多症** leukocytosis は炎症の重要な症状の 1 つである．**好中球増多症** neutrophilia は多くの感染症でみられる現象であり，炎症細胞が産生する顆粒球コロニー刺激因子（G-CSF）などによって起こる．**好酸球増多症** eosinophilia は寄生虫症やアレルギー疾患にみられ，**リンパ球増多症** lymphocytosis はある種のウイルス性疾患に，**単球増多症** monocytosis は肉芽腫性炎症の際などにみられる．多くの種類の炎症では，非特異的所見として赤沈が亢進する．貧血は，炎症性滲出物中に血液が喪失された場合，細菌の毒素によって溶血が起こった場合，慢性炎症に伴って骨髄抑制が起こった場合などにみられる．

Advanced Studies

　急性炎症においては**急性期タンパク** acute phase reactant と呼ばれるタンパクが肝で多く産生される．その多くは炎症刺激で活性化されたマクロファージの産生する IL-1 が肝細胞に作用して合成が高まるタンパクで，α_1-アンチトリプシン antitrypsin，C 反応性タンパク C-reactive protein（CRP），α_1-アンチキモトリプシン antichymotrypsin，ハプトグロビン haptoglobin，セルロプラスミン ceruloplasmin，フィブリノーゲン fibrinogen などがある．これらは一般に細菌に結合したり，プロテアーゼインヒビター protease inhibitor として作用したり，酸化酵素 oxidase 活性を発揮したりすることにより生体の非特異的防御に役立っている．

　長期持続性慢性炎症（例：関節リウマチ，結核症など）では，血清中にアミロイド A タンパク serum amyloid A protein（SAA）が増加することによって，種々の組織にアミロイド沈着を引き起こし，続発性アミロイドーシスを起こすこともある（→ 第 6 章「代謝障害」，153 頁参照）．

●参考文献

1) 南木敏宏，他：サイトカインとサイトカイン受容体の多様性と機能．最新医学 4：831-839, 2002
2) 宮坂信之，他（編）：サイトカイン．別冊医学の歩み，医歯薬出版，2004
3) 澁谷和敏，他（編）：感染性疾患の病理．病理と臨床 臨時増刊号 36 巻，文光堂，2018
4) 蛇澤 晶，他（編）：非腫瘍性疾患病理アトラス―肺．文光堂，2022
5) 真鍋俊明，他（編）：皮膚病理のすべて II ―炎症性皮膚疾患．文光堂，2020
6) 宮坂昌之（監），小安重夫，他（編）：標準免疫学 第 4 版．医学書院，2021
7) 笹月健彦（監訳）：カラー図説 免疫-感染症と炎症性疾患における免疫応答．メディカルサイエンスインターナショナル，2009

第4章 感染症

感染症の基礎知識

- A．感染症とは ………………………………………▶ 70 頁
- B．病原微生物の種類 …………………………………▶ 70 頁
- C．感染経路 ……………………………………………▶ 72 頁
- D．感染症に関して知っておくべき事項 ……………▶ 72 頁

感染症の分類

E．ウイルス感染症 ………▶ 73 頁
ウイルス感染への反応はアポトーシスやリンパ球浸潤が一般的．封入体や多核巨細胞がみられることも．

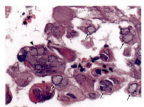

単純ヘルペスウイルス感染症
→：すりガラス状核
▶：多核細胞

F．細菌感染症 ……………▶ 79 頁
組織傷害性の毒素や酵素を産生する場合が多い．

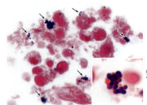

黄色ブドウ球菌（MRSA）感染症
→：菌の集塊

G．真菌感染症 ……………▶ 85 頁
真菌は真核生物で，菌糸形（例：アスペルギルス）と酵母形（例：クリプトコッカス）がある．

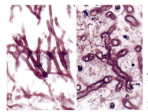

アスペルギルス症（左），クリプトコッカス症（右）

H．原虫症 …………………▶ 87 頁
単細胞の真核生物である原虫による．アメーバ症，トリコモナス症，マラリアなど．

ランブル鞭毛虫症

I．蠕虫症（寄生虫症）……▶ 90 頁
寄生性の多細胞生物である蠕虫による．線虫類，吸虫類，条虫類など．

糞線虫症
→：小型線虫

J．節足動物・昆虫によるもの ……▶ 91 頁
マダニ刺症（重症熱性血小板減少症候群：SFTS），ニキビダニ症，疥癬など．

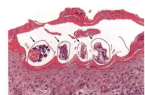

疥癬（皮膚）
→：小型ダニ

K．プリオン病 ……………▶ 92 頁
タンパク質からなる感染因子プリオンによる．クロイツフェルト-ヤコブ病が代表的．

第4章 感染症

A 感染症とは

A 定義

　感染症とは，病原微生物が経口的・経皮的またはその他の経路により生体(宿主)に侵入し，増殖することによって，またはその産生する毒素によって生じる，その生体にとって望ましくない状態である．その病原微生物がヒトからヒトに伝播する場合を伝染病という．

　微生物 microorganism とは，肉眼で見ることができないほどの微小な生物の総称であり，ウイルス，細菌，真菌，原虫を含めるのが一般的であるが，本章では，人体に侵入して病的状態を引き起こすという意味で寄生虫を，また伝播性を示すという意味でプリオンを対象に含める．

B 疫学

　2019年の資料によると，世界的には，下気道感染症，下痢性疾患が死亡原因の10位以内にランクされており，途上国においては，マラリア，結核，ヒト免疫不全ウイルス human immunodeficiency virus (HIV)による後天性免疫不全症候群 acquired immunodeficiency syndrome (AIDS)が上記に追加される．わが国では，悪性新生物，虚血性心疾患，老衰，脳血管疾患に次ぎ，肺炎が死亡原因の5位となっており，感染症診療が臨床業務のなかで重要な地位を占めているといえよう．

B 病原微生物の種類

1 ウイルス virus

A 定義

　ウイルスは細胞のリボソームと同程度の大きさで，タンパク質と核酸(ウイルスゲノム)からなる．細菌と異なり，他の生物の細胞内でしか自己複製できない．ビリオンと呼ばれる感染性をもつ完全なウイルス粒子は，ウイルスゲノムと，それを包み込むように存在するカプシドというタンパク質で構成される(ヌクレオカプシド)．ウイルス種によっては，感染細胞の細胞膜に由来するエンベロープや宿主の細胞に結合するためのスパイクを有する(図4-1)．

B 分類

　ウイルスゲノムの種類(DNAかRNAか，1本鎖か2本鎖か)，カプシドの形状，エンベロープの有無などによって分類されるが，宿主の違いによっても分類される(→73頁参照)．細菌に感染するウイルスをバクテリオファージと呼ぶ．

C 感染機構

　ウイルスは細胞内でのみ増殖できるが，宿主に侵入したウイルス粒子は，宿主細胞への吸着，ヌクレオカプシドの細胞内への侵入，細胞内でのウイルス粒子の増殖，宿主細胞からのウイルス粒子の出芽または放出の段階を経て，宿主内での感染が広がっていく．

　多くのウイルスは，例えば，呼吸器の細胞や腸管の細胞のように，特定の宿主細胞に感染する．これを親和性

B. 病原微生物の種類

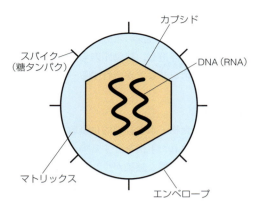

図 4-1　ウイルスの構造
核酸とカプシドが基本構造で，エンベロープやスパイクをもつウイルスもある．

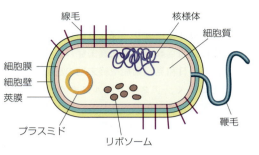

図 4-2　細菌の構造
核様体，プラスミド，リボソームなどを含む細胞質を，細胞膜，細胞壁，細菌によっては莢膜が囲み，最外層には鞭毛と線毛がみられる．

または臓器特異性というが，これは宿主細胞上に存在する受容体によって規定される．ウイルスの感染により，宿主細胞では細胞の変性や封入体形成などの変化が生じるが，個体レベルではこのような宿主細胞の変性・障害による，またはウイルス粒子や感染細胞に対する免疫応答によるさまざまな病態が生じる．

多くのウイルス感染の場合，ウイルスは宿主の防御機構によって体内から排除され，一過性の経過をとるが，ウイルス感染状態が長期にわたる場合がある．水痘帯状疱疹ウイルスにみられる潜伏感染や，肝炎ウイルスにみられる慢性感染がそれである．

2　細菌 bacterium

A 定義

核膜をもたない原核生物で，数 μm 程度の大きさのものが多く，光学顕微鏡で観察できる．ウイルスと異なり，栄養を含む培地中で増殖させることができる．

細胞壁の内側に，細胞膜に包まれた細胞質が存在し，細胞質はリボソームや染色体 DNA を含む．運動性のある細菌は鞭毛をもつ（図 4-2）．

B 分類

グラム染色性，形態，菌の配列，生化学的特性によって分類・同定される（→ 79 頁参照）．

C 感染機構

細菌が成体に接着・侵入したのち，増殖することによって感染が成立するが，多くの細菌が組織傷害性の毒素や酵素を産生することが知られている．外毒素としては，ボツリヌス菌や破傷風菌の神経毒素，病原性大腸菌の腸毒素が知られている．グラム陰性菌の外膜の一部を形成するリポ多糖類 lipopolysaccharide（LPS）は内毒素として，血管内凝固やショックなどの重篤な状態を引き起こす．細菌感染に対する成体の反応として，一般的に好中球浸潤によって特徴づけられる化膿性炎症が生じる．

そのほかに，細菌に分類され，感染症を引き起こすものとして，マイコプラズマ，リケッチア，クラミジア，スピロヘータがある．

Advanced Studies

3　古細菌 Archaea

原核生物であるが，分子遺伝学的には一般の細菌より真核生物に近い性質をもっていることから，生物界を構成する 3 つのドメインの 1 つとして提唱された（ほかは真核生物 Eucarya と真正細菌 Bacteria である）．メタン菌や超好熱菌が古細菌に属し，ヒトへの病原性はないとの認識が一般的であったが，近年，認知症の一部に古細菌が関与していることが示された．

4　真菌 fungus

カビ類や酵母類と考えてよく，真核生物の 1 つである．発酵や醸造で有用な微生物であるが，ヒトに対して病害をもたらすものも多数存在し，その病態を真菌症という（→ 85 頁参照）．

真菌には菌糸形 hyphal form（アスペルギルスなど）のものと酵母形 yeast form のもの（クリプトコッカスな

ど)があり，それぞれ先端成長と出芽で増殖する．

真菌症は感染部位により，深在真菌症，皮下真菌症，表在真菌症に分類される．深在真菌症は，宿主の抵抗力が低下した際の日和見感染症や終末期の感染症としてみられることが多く，アスペルギルスやクリプトコッカス，カンジダなどで引き起こされる．皮下真菌症では，真菌感染により皮下組織に慢性膿瘍や肉芽腫が形成される．表在真菌症は，真菌の感染が皮膚または粘膜に限局するものである(皮膚白癬，食道カンジダ症など)．

5 原虫 protozoa

原生動物とも呼ばれる単細胞の真核生物であり，細胞質と核をもち，その構造は動物細胞と同様である．多くは他の生物に寄生しない自由生活を送るが，人体に疾患をもたらすものが40種類程度知られている．

根足虫類(アメーバ類)，鞭毛虫類(ランブル鞭毛虫，トリパノソーマ類)，胞子虫類(トキソプラズマ，マラリア原虫など)，線毛虫類に分類される(→87頁参照)．

6 蠕虫 helminth

寄生性の動物で，多細胞のものをいう．線虫類，吸虫類，条虫類が含まれる(→90頁参照)．

7 プリオン prion

後述する(→92頁参照)．

C 感染経路

病原体が生体に侵入する経路である．病原体を含む，または汚染されたものを感染源という．感染源となるものには，空気，食物，飲料水，血液などがある．

1 接触感染

病原体や保菌者，動物との直接の接触により皮膚・粘膜を介して生じる場合を接触感染という．性交による感染もこれに含まれる．

2 経気道感染(呼吸器系飛沫・飛沫核感染)

空中に浮遊する病原体または病原体を含む粒子を吸入することによる経路．通常の会話，咳，くしゃみなどで唾液を含む飛沫が飛散するが，比較的速やかに落下し，その到達距離は短い．飛沫の水分が蒸発したものを飛沫核といい，空中に浮遊し，移動距離も長く，結核が代表的で，インフルエンザなどが流行する一因である．

3 経口感染

病原体を含む食物・水を経口的に摂取することによる経路．汚染物に触れた手指を介する場合もある．飲用水が汚染されると大規模な感染が生じる(水系感染)．感染性胃腸炎など，病原体を含む排泄物を手指などを介して経口的に摂取する場合，糞口感染ということもある．

4 経皮感染

皮膚は強固なバリアである重層扁平上皮に覆われているため，通常は感染に対して抵抗がある．蚊，ダニ，ノミなどの媒介生物(病原体保有生物，ベクターという)による刺傷や咬傷により，経皮的に感染が生じる．そのほかに，医原的な針刺し事故による感染がある．

5 母子感染(垂直感染)

経胎盤感染，産道感染，母乳感染がある．風疹ウイルス，サイトメガロウイルス，HIVなどは胎盤を通過し，胎児に感染する．新生児は出産時，産道に存在する微生物に曝露されるが，出産時出血の血液による感染もある．成人T細胞白血病/リンパ腫 adult T-cell leukemia/lymphoma (ATLL) を引き起こすHTLV-1は母乳を介して児に感染することが知られている．

6 ベクター感染

昆虫や節足動物などの，主に刺咬によって感染する場合をいう．マラリアや日本脳炎などは蚊が媒介する．

D 感染症に関して知っておくべき事項

A 法律と行政

感染症の発生を予防し，その蔓延を防止するためには，社会として感染症に適切に対処する必要があり，医師をはじめとする医療従事者は国および地方公共団体の定める施策に協力・寄与することが求められる．「感染症の予防及び感染症の患者に対する医療に関する法律」(感染症法，平成10年法律第114号)では，危険度に応

じて一類から五類感染症，新型インフルエンザ等感染症，指定感染症，新感染症が定められており，医師の届け出義務も併せて定められている．

一類感染症に7疾患(エボラ出血熱，クリミア・コンゴ出血熱など)，二類感染症に7疾患(急性灰白髄炎，結核，鳥インフルエンザなど)，三類感染症に5疾患(コレラ，細菌性赤痢など)，四類感染症に44疾患(ウエストナイル熱，エキノコックス症，オウム病など)，五類感染症に48疾患(アメーバ赤痢，RSウイルス感染症など)が定められている．

B 菌交代現象 microbial substitution

われわれの身体は決して無菌的ではなく，特に皮膚，口腔，鼻咽腔，腸管，腟には，さまざまな細菌や真菌が常在しており，病原性を有する細菌の増殖を抑制している．これを正常菌叢という．抗菌薬の使用によって正常菌叢が減少し，それに代わって抗菌薬に感受性のない細菌や真菌が増殖することを菌交代現象という．代表的な菌交代現象としては *Clostridioides difficile* による偽膜性大腸炎や腟カンジダ症があげられる．

C 日和見感染症 opportunistic infection

正常な免疫能をもつ個体では感染症を起こさない弱毒微生物や非病原性微生物が，免疫抑制状態の宿主で感染症を起こすものをいう．AIDS患者，ステロイドや免疫抑制薬使用中などで免疫抑制状態にある患者に生じる．

D 薬剤耐性菌 drug-resistant bacterium

細菌感染症の治療に際しては，抗菌薬が使用されるが，それによって抗菌薬に耐性のある細菌が発生，または選択される可能性がある．このような細菌を薬剤耐性菌とよび，メチシリン耐性黄色ブドウ球菌 methicillin-resistant *Staphylococcus aureus*(MRSA)，バンコマイシン耐性腸球菌 vancomycin-resistant *Enterococcus*(VRE)，多剤耐性緑膿菌 multiple drug-resistant *Pseudomonas aeruginosa*(MDRP)，多剤耐性アシネトバクター，カルバペネム耐性腸内細菌 carbapenem-resistant *Enterobacteriaceae*(CRE)，多剤耐性結核菌などがあり，これらによる感染症の多くは日和見感染や院内感染であり，治療も困難であることも加わり，臨床上の課題となっている．

E 新興感染症 emerging infectious disease, 再興感染症 re-emerging infectious disease

新興感染症とは，新たに知られるようになった局地的な感染症であるが，人や物資の移動に伴い国際的な感染の広がりが問題となる．重症急性呼吸器症候群 severe acute respiratory syndrome(SARS)，中東呼吸器症候群 Middle East respiratory syndrome(MERS)，新型コロナウイルス感染症 coronavirus disease 2019(COVID-19)，エボラ出血熱，ウエストナイル熱，クリミア・コンゴ出血熱などがこれに含まれる．

再興感染症は，いったん減少していたが，耐性菌の増加や，その他さまざまな原因により，再び増加してきた感染症をいう．デング熱，マラリア，結核などがあげられる．

F 生物兵器・バイオテロに関する感染症

バイオテロは病原体またはその毒素を人を殺傷する目的で使用することであり，生物兵器は病原体・病原体毒素を武器としたものである．バイオテロとされるものには，米国における炭疽菌事件がある(2001年9月，10月)．炭疽菌以外には天然痘ウイルス，フィロウイルス，アレナウイルス，フラビウイルス，ペスト菌，野兎病菌などが，兵器やテロに使用される可能性があると考えられている．

E ウイルス感染症 viral infection

ウイルス感染症に際しては，アポトーシスやリンパ球浸潤が一般的に観察される変化であり，ウイルス種によっては，特徴的な封入体や多核巨細胞が観察されるものもある．

1 DNAウイルス感染症

A ヘルペスウイルス感染症 herpesvirus infection

1 単純ヘルペスウイルス感染症
herpes simplex virus (HSV) infection

口唇ヘルペスと性器ヘルペスがある．それぞれ，HSV-1とHSV-2の感染により発症する．口唇ヘルペスは幼少期に，性器ヘルペスは性行為により感染するの

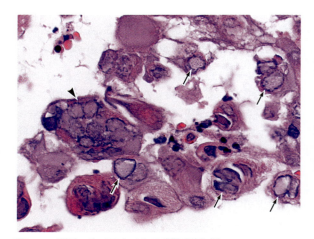

図 4-3　単純ヘルペスウイルス感染症（皮膚）
核縁にクロマチンが凝集したすりガラス状核(full 型核内封入体：→)と，同様の核からなる多核細胞(▶)が特徴である．

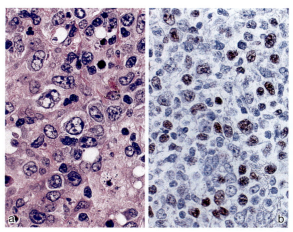

図 4-4　伝染性単核球症（リンパ節）
a．リンパ節には多数の大型異型リンパ球が出現し，悪性リンパ腫と間違われやすい．
b．ISH (in situ hybridization)法で多数の EBER (Epstein-Barr virus encoded RNA)陽性細胞（褐色の核）を認める．

2　水痘帯状疱疹ウイルス感染症
varicella-zoster virus (VZV) infection

初感染は水痘（水疱瘡），ウイルスの再活性化による回帰発症が帯状疱疹である．VZV は経気道的に侵入し，ウイルス血症をきたしたのち，皮膚に水疱が形成される．水疱は痂皮化・治癒し，終生免疫が成立するが，ウイルスは神経節に潜伏する．VZV が再活性化すると，知覚神経の支配領域に一致して紅斑・水疱が形成される．強い痛み（神経痛）を伴う．

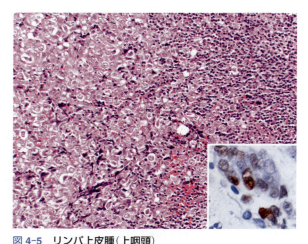

図 4-5　リンパ上皮腫（上咽頭）
多数のリンパ球浸潤（右側）を伴って，分化の明らかでない癌腫（左側）を認める．ISH 法で，多くの腫瘍細胞に EBER 陽性所見（褐色の核）を認める（挿入図）．

3　エプスタイン-バーウイルス感染症
Epstein-Barr virus (EBV) infection

唾液を介して伝播する．初感染は主に乳児期に成立し，無症候性である．伝染性単核球症は，若年成人期の初感染時には咽頭炎，リンパ節腫脹，発熱，肝脾腫が生じるもので，末梢血に異型リンパ球が出現する（図 4-4）．慢性活動性 EBV 感染症は，伝染性単核球症様の症状が 3 か月以上持続し，寛解・増悪を繰り返し，EBV 感染細胞が同定されるものである．

EBV は持続感染し，上咽頭に発生するリンパ上皮腫（図 4-5），NK/T 細胞リンパ腫など，腫瘍の原因となることがある．

4　サイトメガロウイルス感染症
cytomegalovirus (CMV) infection

出産時や新生児期に経産道的，または母乳を介して，

で思春期以降にみられる．両方とも感染部位に水疱が形成され，感染源となる．ウイルスは神経節に達し，特筆すべき潜伏感染が成立し，ウイルスの再活性化により水疱性病変を繰り返す（回帰発症という）．

ヘルペス脳炎はヘルペスウイルスによる脳炎である．新生児では全脳炎となることが多く，年長児や成人では大脳辺縁系に病変を起こすとされている．

免疫不全患者では，広範・難治の水疱性病変が，食道，直腸，肺に出現することがある．

水疱部の感染細胞では，特徴的なすりガラス状核や核内封入体がみられ，多核細胞も出現する（図 4-3）．

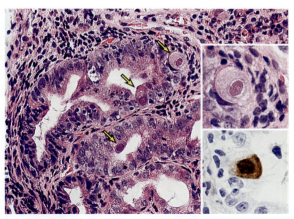

図4-6　サイトメガロウイルス感染症（腸管）
骨髄移植術後の経過中にみられたサイトメガロウイルス感染症．粘膜上皮や粘膜固有層の細胞に"フクロウの眼"と形容される特徴的な封入体が認められる（→，挿入図上）．抗サイトメガロウイルス抗体を用いた免疫組織化学では核内封入体に一致して陽性所見（褐色）を認める（挿入図下）．

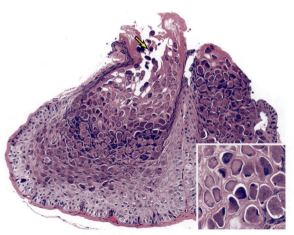

図4-7　伝染性軟属腫（皮膚）
中央に臍窩（→）のある洋梨状の病変で，内部に多数の好酸性〜好塩基性の均質な無構造物（molluscum body）を認める．molluscum bodyは細胞質内封入体で，辺縁に圧迫された核がみられる（挿入図）．

母子感染が高率に生じる．初感染は無症候で，持続感染が生じる．AIDSや臓器移植後など，免疫抑制状態での再活性化により，間質性肺炎，腸炎，肝炎などの重篤な障害が生じる（図4-6）．

5　その他のヘルペスウイルス感染症

突発性発疹はヒトヘルペスウイルス6 human herpes virus 6（HHV-6）およびヒトヘルペスウイルス7 human herpes virus 7（HHV-7）感染による．0〜2歳児でみられる熱性発疹症で，38℃以上の発熱が2〜3日続き，解熱とともに顔面や四肢に潮紅性の発疹が出現する．

B　ポックスウイルス感染症 poxvirus infection

1　天然痘 smallpox

天然痘ウイルス感染による，発熱と全身性の発疹を主徴とする致命率の高い感染症である．1980年にWHOにより根絶が宣言された感染症である．空気感染，所属リンパ節での増殖，ウイルス血症，発疹（紅斑，丘疹，水疱など）の経過をとる．

2　伝染性軟属腫 molluscum contagiosum

伝染性軟属腫ウイルス感染による，いわゆる水いぼである．接触，性行為，タオルなどを介した間接接触で感染し，小児に多い疾患である．中央に臍窩（へこみ）を伴う数mm大の丘疹が生じる．ウイルスが増殖する表皮

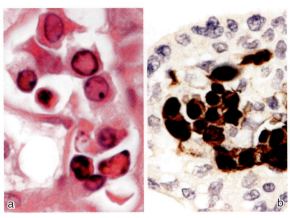

図4-8　パルボウイルスB19感染症（胎盤絨毛）
a．感染赤芽球の核には，核縁の肥厚と好酸性・均質な核内封入体を認める．
b．抗パルボウイルスB19抗体を用いた免疫組織化学では，核に一致して陽性所見（褐色）を認める．
〔写真提供：大分県立病院病理部　卜部省悟先生〕

では特徴的なmolluscum bodyがみられる（図4-7）．

C　パルボウイルス感染症 parvovirus infection

伝染性紅斑はヒトパルボウイルスB19による感染症で，小児の頬部や四肢に紅斑が生じる．妊婦での初感染では，経胎盤的に感染し，流産や胎児水腫の原因となる．胎盤の絨毛血管中に異常赤芽球が観察される（図4-8）．

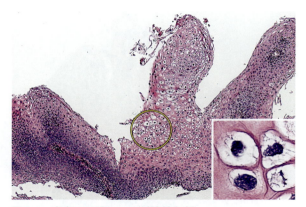

図 4-9　尖圭コンジローマ（外陰部皮膚）
乳頭状に増生した重層扁平上皮が認められ，腫大した核周囲が淡明化したコイロサイト（黄線，挿入図）が認められる．

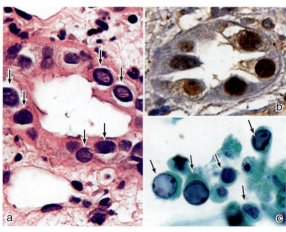

図 4-10　BK ウイルス腎症
a．感染した尿細管上皮にすりガラス状の大型核を認める（→）．
b．抗 SV40 抗体を用いた免疫組織化学で，感染細胞の核が陽性を示す．
c．尿細胞診に出現したデコイ細胞（→）．

D ヒトパピローマウイルス感染症
human papillomavirus（HPV）infection

　一般的に疣をつくるウイルスである．200 を超える型があるが，皮膚向性型と粘膜向性型，発がんのリスクにより高リスク型と低リスク型に分類される．重層扁平上皮に感染し，増殖性病変を形成する．組織学的には，増大した核の周囲が明るく抜けた，コイロサイト koilocyte が特徴的に観察される．主な感染経路は性交を含む病変部との接触である．
　小児の手指に多い尋常性疣贅，外性器の皮膚に生じる尖圭コンジローマ（図 4-9）も本ウイルスの感染による．子宮頸癌では高リスク群に含まれる HPV16 が（DNA 検査によって）高頻度に検出される．中咽頭癌（扁平上皮癌）にも HPV が関連するものが含まれる．

E ポリオーマウイルス感染症
polyomavirus infection

　ポリオーマウイルスに属する BK ウイルスは尿細管上皮などに潜伏感染し，腎移植後などの免疫抑制状態において再活性化され，日和見感染を起こし，尿細管上皮の核に特徴的なすりガラス状の変化が生じ，これらは抗 SV40 抗体を用いた免疫組織化学で陽性を示す（図 4-10a, b）．尿中に出現したものは，デコイ細胞 decoy cell として観察される（図 4-10c）．

F アデノウイルス感染症 adenovirus infection

　呼吸器，眼，腸管，泌尿器に感染症を引き起こす．呼吸器感染症としては，乳幼児に咽頭炎（発熱，咳など）を引き起こす．重症肺炎を起こすこともある．咽頭結膜熱は，俗にプール熱と呼ばれるものであり，プールを介する流行がみられる．咽頭炎，発熱，結膜炎を主症状とする．夏季に地域で流行することがある．

❷ RNA ウイルス感染症

A インフルエンザウイルス感染症
influenza virus infection

　インフルエンザウイルスは RNA ゲノムとエンベロープをもつ．エンベロープ上にはスパイク状のヘムアグルチニン（赤血球凝集素）hemagglutinin（HA），ノイラミニダーゼ neuraminidase（NA）がある．A 型の HA，NA にはそれぞれ 16，9 種の亜型があり，これが A 型の多様性を生み，パンデミックを起こす一因となる．A 型の自然宿主はカモである．
　1〜3 日の潜伏期を経て，発熱，倦怠感，呼吸器症状，関節痛，筋肉痛などが出現し，38〜40℃の発熱が 2〜3 日間持続し，治癒する．重篤な合併症として肺炎や脳炎があり，乳幼児と高齢者で特に注意が必要である．

E. ウイルス感染症 77

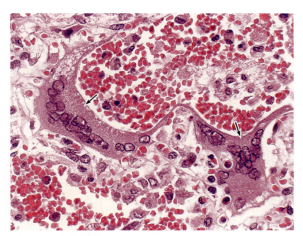

図 4-11　麻疹（肺）
麻疹ウイルス感染による巨細胞性肺炎の組織像で，核内封入体を伴う合胞性多核巨細胞（→）を 2 個認める．

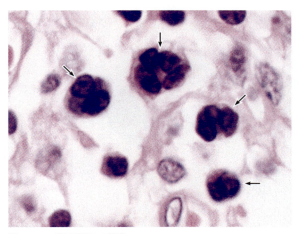

図 4-12　麻疹（リンパ節）
麻疹ウイルス感染によるリンパ節内の多核巨細胞（→）は Warthin-Finkeldey 細胞と呼ばれる．

B パラミクソウイルス感染症
paramyxovirus infection

1 RS ウイルス感染症
respiratory syncytial virus infection

乳幼児に肺炎や細気管支炎を引き起こす．冬期に流行する．生後 1 年で過半の児が感染し，その 1/3 が気管支炎や肺炎を起こすとされている．再感染を繰り返すが，この場合は上気道症状のみで重症化することは少ない．

2 麻疹 measles

ワクチン摂取の普及により患者数が減少している．不顕性感染がなく，免疫がない状態で感染すれば例外なく発症する．症状は発熱と上気道症状ののち，全身性の発疹が出現する．初期に頬粘膜にコプリック Koplik 斑といわれる紅暈を有する数 mm の白色斑が出現するが，6〜10 日の経過で回復する．ウイルスは経気道的に侵入し，感染臓器では特徴的な多核巨細胞であるワルチン-フィンケルダイ Warthin-Finkeldey 細胞が出現する．
RS ウイルスとともに巨細胞性肺炎の原因ウイルスの 1 つである（図 4-11, 12）．脳炎を合併することがある．また，重篤な合併症として亜急性硬化性全脳炎がある．麻疹ウイルスの中枢神経への持続感染によるもので，数年の潜伏期ののち，中枢神経症状が進行し，最終的に死の転帰をとる．
かつてはすべての子どもが罹患する疾患であったが，効果的なワクチン接種の結果，患者数は年 400 人程度に減少している．

3 ムンプスウイルス感染症 mumps virus infection

流行性耳下腺炎が引き起こされる．唾液中のウイルスに接触することにより，または飛沫感染により感染する．発熱とともに両側耳下腺が腫脹する．多くは幼児期に初感染するが，思春期以降では精巣炎も併発する．不顕性感染例が 30％程度あるといわれている．合併症には無菌性髄膜炎がある．

C コロナウイルス感染症 corona virus infection

コロナウイルスは 1 本鎖（＋）の RNA をゲノムとしてエンベロープのなかに含む．7 種類が知られ，いわゆる風邪コロナと SARS コロナウイルスに分けられる．

1 重症急性呼吸器症候群
severe acute respiratory syndrome（SARS）

2002 年，中国広東省に発生した，SARS コロナウイルス（SARS-CoV）と命名されたコロナウイルスの感染症であり，致死率 10％の重症肺炎を引き起こす．SARS コロナウイルスの自然宿主はコウモリ（キクガシラコウモリ）とされている．

2 中東呼吸器症候群
Middle East respiratory syndrome（MERS）

サウジアラビアを中心として流行している，致死率 35％の重症肺炎であり，2012 年に原因ウイルスが分離され，MERS コロナウイルスと命名された．自然宿主はヒトコブラクダである．

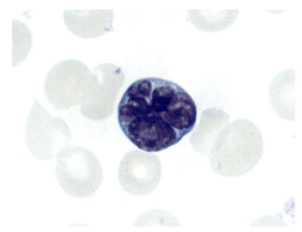

図 4-13　成人 T 細胞性白血病（末梢血）
クビレが目立つ分葉状核をもった異型リンパ球（花弁状細胞 flower cell）が特徴である（ギムザ染色）．
〔写真提供：大分大学医学部輸血部 緒方正男先生〕

3　新型コロナウイルス感染症
coronavirus disease 2019（COVID-19）

2019 年 12 月，原因不明の肺炎として中国武漢市で最初に報告された．翌年には原因が新型コロナウイルスであることが判明し，SARS コロナウイルスと類似性が高かったことより，SARS コロナウイルス 2 型（SARS-CoV-2）と命名され，その後 WHO により正式名称が coronavirus disease 2019（COVID-19）と決定された．ウイルスは変異を重ね，世界的な流行をみせ，本書改訂時（2023 年初頭）にもパンデミックの状況にあり，収束に至っていない．

D トガウイルス感染症 togavirus infection

1　風疹 rubella

風疹は俗に三日ばしかと呼ばれる．トガウイルス科ルビウイルス属の風疹ウイルスに気道感染，または汚染物に接触することにより感染する．2〜3 週間の潜伏期ののち，後耳介リンパ節腫脹，発熱，紅斑状の発疹，結膜炎，関節痛が出現する．三日ばしかの病名通り，数日で軽快する．

先天性風疹症候群は風疹ウイルスの胎児への感染による．白内障，緑内障，心奇形，聴覚異常などの先天異常を生じる．妊娠 2 か月以内の感染でリスクが高い．

E レトロウイルス感染症 retrovirus infection

RNA ゲノムをもつウイルスである．逆転写酵素をもち，自身の RNA を宿主細胞の DNA に組み込む．組み込まれた DNA からウイルスゲノムである RNA が転写され，ウイルス粒子がつくられるという特異な生活環をもつウイルスである．

1　ヒト免疫不全ウイルス感染症
human immunodeficiency virus（HIV）infection

HIV は後天性免疫不全症候群（エイズ）acquired immunodeficiency syndrome（AIDS）の原因ウイルスである．1980 年代，米国で男性同性愛者の間で種々の日和見感染を示す症例が報告され，AIDS と名付けられたが，AIDS 患者のリンパ球からレトロウイルス HIV-1 が発見され，これが AIDS の原因と判明した．このウイルスは CD4 陽性 T 細胞（ヘルパー T 細胞）に感染し破壊するため，免疫機構が破綻する．1986 年に西アフリカの AIDS 患者から HIV-2 が発見され，いまでも HIV-2 感染は西アフリカが中心となっている．

2　ヒト T 細胞白血病ウイルス感染症
human T-cell leukemia virus（HTLV）infection

HTLV-1 は母乳を介して母から子へ，性交により精液を介して男性から女性に感染するウイルスであり，ATLL の原因ウイルスである．HTLV-1 は持続感染し，ATL-associated antigen（ATLA）が陽性となり，キャリアの状態となる．キャリアの分布には地域性があり，日本南西部海岸やカリブ海諸島などに多い．キャリアの多くは発症しないが，一部が ATLL を発症する．ATLL では HTLV-1 プロウイルスが組み込まれた CD4 陽性 T 細胞が腫瘍性に増殖し，腫瘍細胞の浸潤による皮疹やリンパ節腫大がみられ，末梢血には特徴的な花弁状細胞 flower cell が出現する（図 4-13）．くすぶり型，慢性型，急性型，リンパ腫型に分類される．急性型とリンパ腫型は予後不良である．

細菌感染症 bacterial infection

1 グラム陽性球菌感染症
Gram-positive coccal infection

A ブドウ球菌感染症 staphylococcal infection

細菌が球状でブドウの房のように配列することに，その名は由来する．黄色ブドウ球菌 S. aureus が重要である．鼻咽腔や皮膚の常在菌であるが，感染すると化膿性炎症を引き起こす．特殊な感染形態としてブドウ球菌性熱傷様皮膚症候群 staphylococcal scalded skin syndrome（SSSS）があるが，本菌の産生する表皮剝奪毒素 exfoliatin による．ブドウ球菌エンテロトキシンは食中毒の原因となる．メチシリン耐性黄色ブドウ球菌（MRSA）は院内感染の原因菌として重要である（図4-14）．

B 連鎖球菌感染症 streptococcal infection

名称は，菌が連鎖状であることに由来する．群抗原（細胞壁に含まれる多糖体）と血液寒天培地における溶血性により分類される．溶連菌はベータ溶血を示すものをいう．

ヒトに化膿性炎症を引き起こす重要な菌種は Streptococcus pyogenes と S. pneumoniae である．S. pyogenes は化膿性咽頭炎や扁桃炎などを引き起こす．猩紅熱（咽頭炎とともに全身性の紅斑）の原因菌でもある．急性糸球体腎炎やリウマチ熱などの続発症もある．劇症型溶血性連鎖球菌感染症は，S. pyogenes による感染症で，壊死性筋膜炎から急速に多臓器不全に進行する．肺炎球菌は連鎖が短く（双球），かつて肺炎双球菌と呼ばれていた．肺炎（特に大葉性肺炎），中耳炎，髄膜炎などの化膿性炎症を引き起こす．

2 グラム陽性桿菌感染症
Gram-positive bacillary infection

A クロストリジウム感染症 clostridium infection

Clostridium 属は土壌菌として広く分布している偏性嫌気性菌である．酸素存在下では芽胞の状態で生存し，外毒素を産生する．以前は Clostridium 属だった

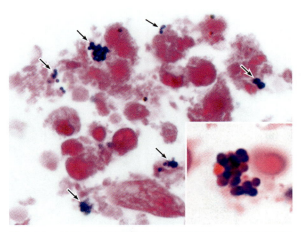

図4-14　メチシリン耐性黄色ブドウ球菌（MRSA）感染症（肺）
多数のグラム陽性球菌の集塊（青染：→）を認める（グラム染色）．挿入図はその強拡大像．

Clostridioides difficile もここで紹介する．

1 ● 破傷風 tetanus

原因菌は C. tetani であり，外傷が侵入門戸で，同部が嫌気性環境になると菌が増殖する．外毒素テタノスパスミンにより口筋や顔面筋の痙攣，後弓反張 opisthotonus などを生じる．

2 ● ボツリヌス中毒 botulism

食事性ボツリヌス症は，C. botulinum で汚染された缶詰，瓶詰食品を摂取することによって発症する．C. botulinum は嫌気性環境である，缶詰や瓶詰容器内で増殖し，ボツリヌス毒素を産生する．経口摂取された毒素は末梢神経に結合し，麻痺を起こす．眼瞼下垂や外眼筋麻痺による複視が重要な徴候であり，重症例では呼吸筋麻痺もきたす．

乳児が食事性（蜂蜜が知られている）に C. botulinum の芽胞を摂取した場合は乳児ボツリヌス症になる．腸管内で増殖した菌が産生する外毒素による．

3 ● 偽膜性腸炎 pseudomembranous colitis

本症の原因菌は Clostridioides difficile である．C. difficile は腸管内常在菌だが，抗菌薬の使用による菌交代現象として本菌が増殖する．分泌された毒素（CD毒素）により大腸粘膜が傷害され，偽膜が形成される．偽膜は好中球，核破砕物，フィブリンからなり，特徴的な組織像から summit lesion と呼ばれる（図4-15）．

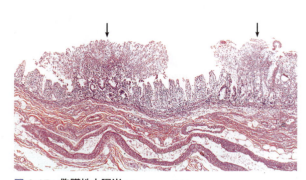

図 4-15　偽膜性大腸炎
2か所（→）に噴火状の summit lesion を認め，病変間の大腸粘膜に異常はない．

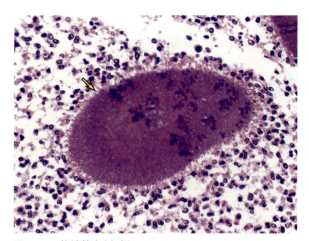

図 4-16　放線菌症（皮膚）
膿瘍内に好塩基性の菌塊を認める．菌塊周囲には放射状構造物（スプレンドーレ-ヘッペリ Splendore-Hoeppli 現象：➡）がみられる．

4 ● ガス壊疽 gas gangrene

C. perfringens（旧名ウェルシュ菌）による感染症である．創傷部で産生された組織傷害性毒素により筋肉などの組織が破壊され，壊死に陥る．菌が産生したガスによる循環障害も加味され，病巣が進展していく．

B　放線菌症 actinomycosis

Actinomyces 属は口腔内常在菌で，*A. israelii* が慢性化膿性炎症を引き起こす．顎顔面領域に多く，次いで胸部や腹部が多い．自壊して瘻孔を形成し，病変部に菌塊（ドルーゼ）である黄色の硫黄顆粒 sulfur granule が見いだされる（図 4-16）．

3　グラム陰性球菌感染症
Gram-negative coccal infection

1 ● 淋疾（淋菌感染症）gonorrhea

Neisseria gonorrhoeae 感染症で，性交による接触感染で生じる．粘膜の化膿性炎症で，男性では尿道炎や精巣上体炎，女性では子宮頸管炎や卵管炎が起こる．膿汁中に菌を取り込んだ好中球が観察される．

2 ● 髄膜炎菌性髄膜炎 meningococcal meningitis

N. meningitidis による感染症で，流行性髄膜炎とも呼ばれる．本菌はヒトの鼻咽腔に存在し，保菌率は2〜7％である．飛沫感染する．鼻咽腔で増殖した菌は血流を介して髄腔に達し，化膿性髄膜炎を起こす．無治療の場合の致死率は100％で，治療しても致死率は10％に達するとされる．

4　グラム陰性桿菌感染症
Gram-negative bacillary infection

1 ● 緑膿菌感染症

Pseudomonas aeruginosa の感染症であるが，免疫力が低下している状態にある場合に問題となる．呼吸器感染症，尿路感染症，敗血症を引き起こす．本菌は抗菌薬に耐性を獲得しやすく，日和見感染や院内感染の病原菌として重要である．

2 ● 大腸菌感染症

大腸菌 *Escherichia coli* は腸管の常在菌であるが，下痢を引き起こすものや，髄膜炎や尿路感染を引き起こすものが含まれる．感染症の原因となる大腸菌を病原大腸菌という．消化器症状の原因となる大腸菌は毒素原性大腸菌，腸管病原性大腸菌，腸管組織侵入性大腸菌，腸管凝集付着性大腸菌，腸管出血性大腸菌，均一付着性大腸菌の6種に分けられる．いずれも下痢が主徴であるが，腸管出血性大腸菌によるものでは血液が混じった多量の水様血便がみられる．これは，大腸菌の産生するベロ毒素によるもので，虚血性腸炎に似た傷害を引き起こす（図 4-17）．ベロ毒素は腎臓，脳の血管内皮も傷害し，溶血性尿毒症症候群 hemolytic uremic syndrome（HUS），急性脳症を引き起こす．膀胱炎，腎盂炎などの尿路感染症は，その80％が大腸菌感染による．

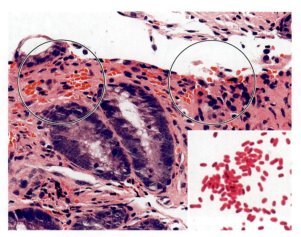

図 4-17　腸管出血性大腸菌（O157:H7）大腸炎
出血と上皮の剥離・消失（黒線）を認める．挿入図は患者便から分離・培養されたグラム陰性（赤染）の大腸菌．

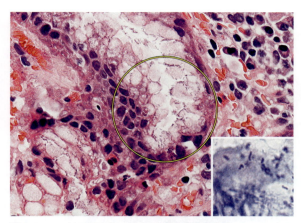

図 4-18　ヘリコバクター（ピロリ菌）感染症（胃）
HE 染色でも胃粘膜の陰窩上皮の表面および粘液内に桿状菌が認められる（黄線）．ギムザ染色で菌体は強調される（挿入図，強拡大像）．

3 ● ヘリコバクター（ピロリ菌）感染症

Helicobacter pylori はグラム陰性，らせん状の菌であり，主に胃に生息する．*H. pylori* にはウレアーゼ活性があり，胃液中の尿素をアンモニアに変えることによって胃酸を中和する．本菌は胃表層上皮や陰窩の粘液層に生息し，胃生検標本などで観察できる（図 4-18）．本菌は急性胃炎，慢性活動性胃炎を引き起こし，胃癌，胃 MALT リンパ腫との関連が強く，近年，特発性血小板減少性紫斑病との関連も指摘されている．

4 ● サルモネラ症 salmonellosis

サルモネラ腸炎は非チフス性サルモネラ菌 *Salmonella enteritidis* による感染症で，腹痛，下痢，嘔吐，発熱をみる．未調理の鶏肉や鶏卵などで感染する．

腸チフスは *S. typhi* による感染症で，腹痛や嘔吐などの消化器症状に始まり，脾腫，バラ疹，脳症，髄膜炎などを併発する．

5 ● ビブリオ感染症

ビブリオ属菌 *Vibrio* spp. の感染症として重要な疾患には，コレラ，腸炎ビブリオ，壊死性筋膜炎がある．コレラは *V. cholerae* が産生するコレラ毒素により，重症の水様性（米のとぎ汁様）下痢や脱水をきたすものである．腸炎ビブリオは *V. parahaemolyticus* による食中毒であり，腹痛，下痢，嘔吐，発熱を主症状とする．本菌は汽水と海水に生息するので，魚介類の生食により感染する．

肝硬変や糖尿病などがある人が，魚介類の生食により，*V. vulnificus*（いわゆる人食いバクテリアと呼ばれる菌の1つ）に感染すると，四肢の水疱，血疱，壊死性潰瘍を症状とする壊死性筋膜炎を発症することがある．

5 抗酸菌感染症 mycobacteriosis

抗酸菌とは *Mycobacterium* 属に属する細菌の総称であり，石炭酸フクシンによる染色が，塩酸アルコールの脱色に抵抗性であることにその名は由来する．偏性好気性菌であり，空気が遮断された状態では増殖できない．本属による感染症として重要なものには，結核，ハンセン Hansen 病，非結核性抗酸菌症がある．

1 ● 結核 tuberculosis

M. tuberculosis が原因菌であり，主たる感染経路は結核患者からの飛沫核感染であるが，経皮感染・消化管感染の例もある．初感染の場合，吸入された結核菌は肺胞に達し（通常肺尖部），結核結節が形成される．結核菌の一部は肺門の所属リンパ節に達し，そこでも同様の病変が形成され，両方を合わせて初期変化群 primary complex という．多くの場合この時点で免疫が成立し，発病に至らないが，結核菌は長期にわたって体内に潜伏する．老化などの種々の原因により免疫能が低下した状態で結核菌が再び増殖することにより，または外来性再感染により，結核を発症する．

結核の病変部では，乾酪壊死 caseous necrosis と，類上皮細胞が多数集まって結節状になった類上皮細胞性肉芽腫 epithelioid cell granuloma が形成される（図 4-19）．

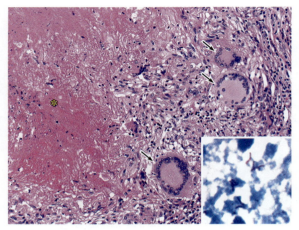

図 4-19 結核（肺）
乾酪壊死巣（＊）の周囲に Langhans 型巨細胞（→）を伴う類上皮細胞性肉芽腫を認める．チール-ネールゼン Ziehl-Neelsen 染色で赤染する結核菌がみられる（挿入図）．

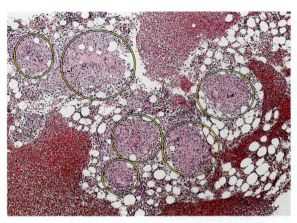

図 4-20 粟粒結核（骨髄）
骨髄内に 1 mm 大の結核結節が多数認められる（黄線）．

肉芽腫は特徴的なラングハンス Langhans 型巨細胞を伴う．肺の結核病巣が空洞化すると，好気性である結核菌はさかんに増殖して感染源となる．結核菌は血行性・リンパ行性に，または消化管や尿路などの管腔臓器を介して広がり，肺以外のさまざまな部位に病巣を形成する．特に結核菌が血行性に散布され，全身の諸臓器（2 臓器以上）で小型の結核結節が多数形成された状態を粟粒結核という（図 4-20）．

2 ● ハンセン病 Hansen disease

らい菌 *M. leprae* による感染症である．1996 年に「らい予防法」が廃止され，病名は「癩（らい）」から「ハンセン病」に変更された．現在「らい」の言葉は菌種名と病型に残るのみである．感染しにくく，発症もまれな疾患である．感染源は未治療の Hansen 病患者と考えられているが，不明な点も多い．開発途上国で新規患者の発生がみられ，衛生環境や栄養環境も影響するようである．経皮・経粘膜的に感染し，皮膚や末梢神経を侵し，皮疹や神経障害がみられる（図 4-21）．

宿主の免疫反応によって類結核型 tuberculoid leprosy（T 型），らい腫型 lepromatous leprosy（L 型），両者の中間型である境界型 borderline leprosy（B 群）の 3 型に分類される．類結核型では，宿主の細胞性免疫が強く，丘疹や紅斑が少数出現する．真皮において類上皮細胞性肉芽腫が形成され，神経内およびその周囲にリンパ球浸潤や肉芽腫が生じ，神経障害の原因となる．らい腫型では宿主の細胞性免疫が弱く，菌が全身性に増殖し，左右対称性のらい性結節性紅斑が多発する．特に顔面の皮膚病変は獅子面 facies leontina として知られる．菌量が多く，病変部では泡沫細胞（らい細胞）が集簇しており，抗酸菌染色を行うとらい菌の集塊（らい球）が，その細胞質に認められる（図 4-22）．

3 ● 非結核性抗酸菌症
nontuberculous mycobacterial disease

非結核性抗酸菌は結核菌とらい菌を除いた抗酸菌群の総称であり，これによる感染症を非結核性抗酸菌症という．非結核性抗酸菌は土壌や水系に分布しており，病原性の弱いものが多く，一般的に日和見病原体である．ヒトに感染症を引き起こすものとしては，*M. avium* complex（MAC），*M. marinum* が重要である．前者は肺結核に類似する感染症を引き起こすが，AIDS 患者では血行性の広がりを示して全身感染を起こす．*M. marinum* は淡塩水を好み，プールや水槽の水を介して，手指皮膚に感染病巣を形成する（swimming pool granuloma, fish-tank granuloma）．

6 マイコプラズマ感染症
mycoplasmal infection

マイコプラズマは 0.22 μm 濾過滅菌フィルターを通過することができ，無細胞培地内で自己増殖できる最小の細菌である．*Mycoplasma pneumoniae* による肺炎は 9 歳以下の小児に好発する．通常の細菌性肺炎と異なり，

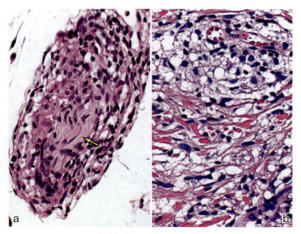

図 4-21　Hansen 病（皮膚）
a. 類結核型：神経（→）周囲に類上皮細胞性肉芽腫を認める．これが知覚障害の原因になる．
b. らい腫型：びまん性に明るい泡沫状細胞（らい細胞）を認める．

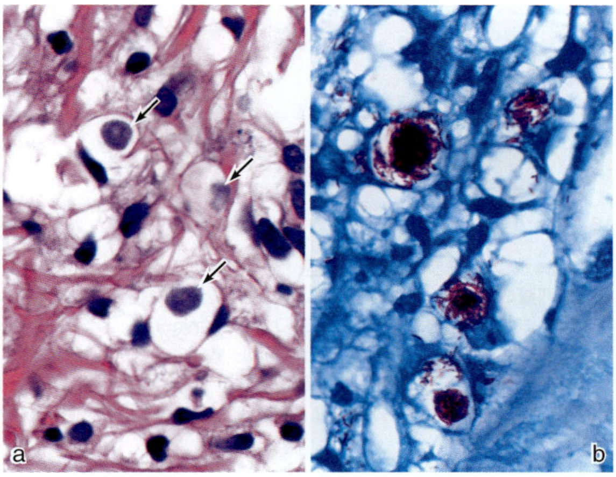

図 4-22　Hansen 病（皮膚）
a. 泡沫細胞（らい細胞）内に好塩基性のらい球（→）を認める．
b. らい球はらい菌の集塊である（抗酸菌染色-Fite 法で赤染）．

重症感がなく，胸部X線像が異なることから，異型肺炎という呼称が用いられていた．感染者からの飛沫感染や接触感染により感染する．

7 リケッチア感染症 rickettsial infection

　リケッチアは動物細胞でしか増殖できない細菌であり，その感染はダニやノミなどの節足動物の媒介による．ダニやノミの刺咬により侵入したリケッチアは局所で増殖し，血行性に全身に散布される．次いで血管内皮細胞に感染し，血管内皮細胞の障害，血栓形成，小血管の閉塞が引き起こされる．刺咬部皮膚の潰瘍・壊死などと所属リンパ節の有痛性腫脹も観察される．
　発疹チフスの病原体は *Rickettsia prowazekii* であり，媒介節足動物（ベクター）はコロモジラミとアタマジラミである．1～2週の潜伏期ののち，高熱，頭痛，筋肉痛で発症し，皮疹（バラ疹）も出現し，出血斑となる．中枢神経症状や循環器症状も生じる．
　ツツガムシ病は *Orientia tsutsugamushi* による感染症であり，ベクターはツツガムシである．刺し口，発疹，高熱，リンパ節腫脹が主徴である．刺し口は黒色の痂皮を伴った潰瘍としてみられる．また，小紅斑や丘疹からなる発疹が全身性に出現する．早期に適切な治療が行われれば予後は良好であるが，重症例では播種性血管内凝固症候群を発症し，死亡する例もある．

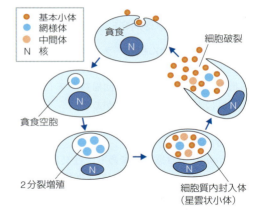

図 4-23　クラミジアの増殖サイクル
細胞内に取り込まれた基本小体は増殖型の網様体に変化し，中間体を経て感染力のある次世代の基本小体となる．

8 クラミジア感染症 chlamydial infection

　クラミジアは動物細胞内でしか増殖できない小型の細菌である（図4-23）．リケッチアと異なり，感染に節足動物の媒介を必要とせず，ヒトからヒト，または動物からヒトに感染する．ヒトに対して病原性を有するものは，*Chlamydia trachomatis* と *C. pneumoniae*, *C. psittaci* である．*C. trachomatis* はヒトの眼や泌尿生殖器粘膜に感染し，角結膜炎（トラコーマ），男性においては尿道炎，精巣上体炎，前立腺炎を，女性においては子宮頸管炎や卵管炎などを引き起こし，腟・頸管の細胞診検体中に感染細胞が見いだされる（図4-24）．*C. pneumoniae*

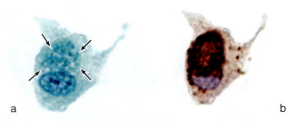

図 4-24 クラミジア感染症（腟・子宮頸部スメア）
a. 細胞質の約半分を占めるぼんやりとした細胞質内封入体（星雲状小体：→）を認める（パパニコロウ Papanicolaou 染色）．
b. 脱色した同一標本に抗 C. trachomatis 抗体を用いた免疫組織化学を行うと，星雲状小体に一致した陽性所見（褐色）を認める．
〔写真提供：大分市医師会立アルメイダ病院 蒲池綾子先生〕

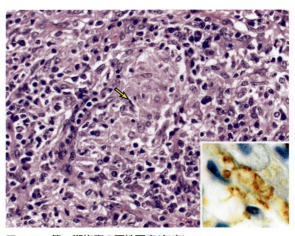

図 4-25 第 1 期梅毒の硬性下疳（包皮）
多数の形質細胞浸潤と小さな類上皮細胞性肉芽腫（→）を認める．抗 T. pallidum 抗体を用いた免疫組織化学で病原スピロヘータ（褐色）を証明できる（挿入図）．

は肺炎や気管支炎を引き起こす．C. psittaci はオウム病の病原菌である．感染した鳥類の糞が感染源となり，症状は発熱，肺炎症状，熱性疾患がある．

9 スピロヘータ感染症 Spirochaeta infection

スピロヘータはらせん状のグラム陰性菌で，活発に運動する．ヒトでの感染症として，Treponema pallidum による梅毒，ボレリア属による回帰熱やライム病，レプトスピラ属によるワイル病などがある．

1 梅毒 syphilis

T. pallidum による感染症であり，性交により感染する．梅毒は 4 期に分けられる．第 1 期梅毒は感染から 1～10 週の期間で，感染局所（通常外性器）に初期硬結が出現・潰瘍化する．この潰瘍化した硬結を硬性下疳という（図 4-25）．所属リンパ節も腫脹する．硬性下疳は自然治癒する．

下疳消失後 2 か月程度で第 2 期梅毒に移行する．この時期に，全身リンパ節腫脹，皮疹（バラ疹），脱毛が生じる．扁平コンジローマ flat condyloma が外陰や肛門周囲に発生する．T. pallidum は病巣部に存在する．数年の無病期ののち，第 3 期および第 4 期梅毒となる．皮膚潰瘍，ゴム腫 gumma，神経障害（脊髄癆 tabes dorsalis，進行麻痺 progressive paralysis），大動脈病変（大動脈瘤）などがみられる．

組織学的変化としては，第 1～2 期の病変部では形質細胞の高度の浸潤（図 4-25），血管内皮腫大による小血管の内腔狭窄が認められる．ゴム腫は壊死を伴う類上皮細胞性肉芽腫である．

T. pallidum は経胎盤的に胎児に感染する．早産・死産する場合もあるが，出生児にはハッチンソン Hutchinson 三徴（実質性角膜炎，内耳性難聴，Hutchinson 歯）やゴム腫がみられる．

血清学的には，T. pallidum 感染によって生じる抗カルジオリピン抗体を検出する STS（serological test for syphilis）と T. pallidum hemagglutination test（TPHA 法）により診断される．

2 回帰熱ボレリア

ボレリア Borrelia 属菌による感染症で，熱帯圏で散発する熱性疾患であり，反復する熱発作が特徴である．シラミやダニが媒介する．

3 ライム病 Lyme disease

病名は米国コネチカット州ライム地方で確認されたことに由来する．マダニが媒介するボレリア感染症であり，関節炎や発熱，神経・循環器・皮膚症状などを呈する．

4 ワイル病 Weil disease

レプトスピラ Leptospira interrogans による感染症であり，黄疸，肝障害，出血，腎障害を呈する．自然宿主であるげっ歯類の尿や，それに汚染された土壌・水などに接触することにより感染する．

図4-26 皮膚糸状菌症
角層内に糸状菌(黒染)を認める(グロコットGrocott染色).

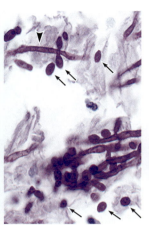
図4-27 カンジダ症(食道)
赤紫染する多数の胞子(→)と偽菌糸(▶)を認める(PAS反応).

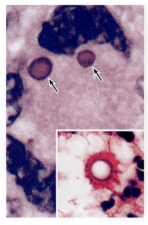
図4-28 スポロトリコーシス(皮膚)
多核巨細胞に貪食された酵母様真菌(Sporothrix globosa, 赤紫染：→)を認める(PAS反応). 挿入図は星芒体.

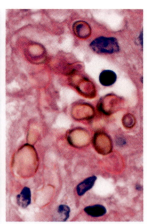
図4-29 黒色真菌症(皮膚)
褐色の酵母様真菌を認める(HE染色).

G 真菌感染症 fungal infection

A 皮膚糸状菌症 dermatophytosis

白癬ともいう(図4-26). 原因菌はトリコフィトン Trichophyton 属, ミクロスポルム Microsporum 属, エピデルモフィトン Epidermophyton 属の真菌であり, いずれもケラチン(皮膚角質層)に親和性があり, 皮膚や爪に感染する. 侵される部位により頭部白癬(シラクモ), 汗疱状白癬(ミズムシ), 頑癬(インキンタムシ)と診断される.

B 癜風 tinea versicolor

皮膚に常在するマラセチア Malassezia 属によるものであり, 成人皮膚角質に寄生し, 脂漏性皮膚炎やマラセチア毛包炎を引き起こす. 菌種として Malassezia globosa が知られる.

C カンジダ症 candidiasis

主要な菌は Candida albicans であるが, これは口腔や腟の常在菌であり, 日和見感染症として発症することが多い. 糖尿病, 造血器腫瘍, ステロイド使用などが背景として重要である. 表在性カンジダ症, 深在性カンジダ症の病型がある. 表在性のものでは口腔カンジダ症(鵞口瘡), 腟カンジダ症, 皮膚カンジダ症があり, 深在性カンジダ症では内臓の感染やカンジダ性敗血症をきたす(図4-27).

D スポロトリコーシス sporotrichosis

Sporothrix globosa の感染による. 小外傷を介して皮内に侵入し, 潰瘍を伴う肉芽腫性の病変を形成する深在性真菌症である. 組織学的には, 小膿瘍を形質細胞浸潤層と肉芽腫が取り囲む像がみられ, 星芒体(星状小体) asteroid body と呼ばれる(図4-28).

E 黒色真菌症 chromomycosis

本症の真菌は細胞壁にメラニンをもつため, 寒天培地上で黒色を呈する. いわゆる黒カビである. 皮下に化膿性肉芽腫性病変の形成がみられ, 膿瘍内または多核巨細胞内に厚い細胞壁を有し, 褐色調を呈する酵母様の菌体が観察される. 菌糸がみられることもある(図4-29).

F クリプトコッカス症 cryptococcosis

Cryptococcus neoformans の感染による. 本菌は土壌に広く分布する酵母様真菌であるが, 特にハトの糞中に高率に含まれている. 形態が特徴的で, ムチカルミン染

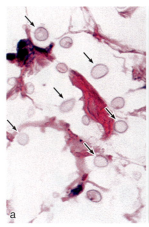
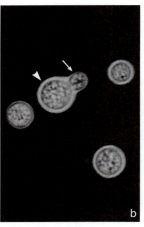
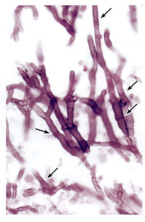
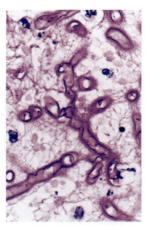

図4-30 クリプトコッカス症
a. ステロイド使用患者の皮膚にみられた無反応性病変．炎症細胞浸潤がなく，HE染色で染色されない多数の酵母様真菌（*Cryptococcus neoformans*：→）を認める．
b. 墨汁法でみたクリプトコッカス（AIDS患者の髄液）．厚い莢膜（▶）と涙滴状の出芽胞子（→）を認める．

図4-31 アスペルギルス症（肺）
Y字形に分岐する大きさのそろった菌糸で，中隔（→）を認める（PAS反応）．

図4-32 ムコール症（脳血管）
ムコールはアスペルギルスよりも幅広く不ぞろいで，中隔を欠き，不規則に分岐する（PAS反応）．

G アスペルギルス症 aspergillosis

　アスペルギルス属の真菌は生活環境に広く分布しており，発酵にかかわるコウジカビを含むが，ヒトに病原性をもつものとしては，*Aspergillus fumigatus* が重要である．組織学的には中隔を有し，Y字型に分岐する菌糸として観察される（図4-31）．上顎洞や肺の結核性空洞，拡張気管支内で菌塊（fungus ballという）を形成する場合，アレルギー機序により喘息症状と好酸球浸潤を伴うアレルギー性肺気管支アスペルギルス症，白血病末期などの免疫不全状態において，肺実質内で本菌が増殖する侵襲性アスペルギルス症などを発症する．免疫不全状態では，感染が肺にとどまらず，全身性に播種し，播種性アスペルギルス症になることもある．

H ムコール症 mucormycosis

　ムコール目に属する真菌による日和見感染症であり，致死的な経過をとることがある．環境に浮遊する真菌を吸入することによって感染すると考えられている．副鼻腔や眼窩の初感染巣から中枢神経に侵入する鼻脳型が多いが，肺や消化管が感染巣となる肺型や消化管型の病型がある．菌糸はアスペルギルスより太く，中隔を欠く（図4-32）．本菌は血管親和性が高く，真菌性塞栓による出血や梗塞を起こしやすい．

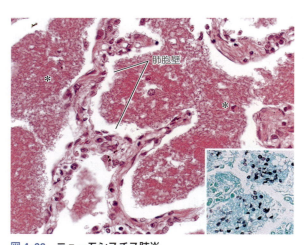

図4-33 ニューモシスチス肺炎
肺胞腔内（*）に特徴的な好酸性・泡沫状の滲出物を認める．グロコット染色で黒染する球状ないしは三日月状の菌体を認める（挿入図）．

色（粘液を染める染色法）で染まる厚い莢膜を有する．日和見感染を引き起こし，肺の感染巣では肉芽腫性炎が生じる．中枢神経系に感染して髄膜炎 cryptococcal meningitis を引き起こす．この場合は採取した髄液を遠沈し，墨汁と混和することで菌体の直接観察が可能である（図4-30）．

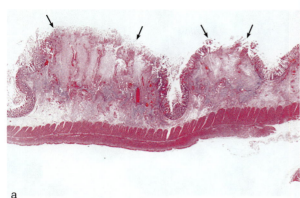
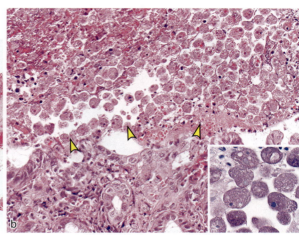

図 4-34　赤痢アメーバ症（大腸）
a．特徴的な深掘れ状の潰瘍が認められる（→）．
b．大腸粘膜表面（▷より上）に無数のアメーバ（球形構造物）を認める．アメーバは小型核をもち，写真ではわかりにくいが，細胞質内に捕食した赤血球もみられる．虫体は PAS 反応陽性である（挿入図）．

I ニューモシスチス肺炎
Pneumocystis pneumonia

　免疫力が低下した人，特に AIDS 患者が発症する肺炎で，以前は *Pneumocystis carinii* という原虫が原因とされていたが，ヒトでは真菌に分類される *P. jirovecii* がニューモシスチス肺炎の原因菌であることが判明し，今日に至っている．

　組織像は特徴的で，肺胞腔内に好酸性で泡沫状の滲出物 frothy exudate がみられ，グロコット染色により，その滲出物中に多数の球状または三日月状の菌体が観察される（図 4-33）．

J その他の真菌症

　前述の真菌症以外に，フサリウム症 fusariosis，プロトテカ症 protothecosis，輸入真菌症であるヒストプラズマ症 histoplasmosis，コクシジオイデス症 coccidioidomycosis などがある．

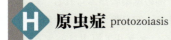

H 原虫症 protozoiasis

1 アメーバ症 amebiasis

　Entamoeba histolytica による赤痢アメーバ症が重要である．アメーバには宿主内で増殖する栄養型 trophozoite と，外表が強固な被膜で包まれた嚢子 cyst の 2 つの形態がある．熱帯・亜熱帯地域において，嚢子に汚染された水や食品の経口摂取により感染するが，わが国では男性同性愛者間での性感染症としてみられる例も多い．本原虫は大腸に寄生し，特徴的なフラスコ状 flask-shaped または深掘れ状の潰瘍が形成され（図 4-34a），粘血便をみる．アメーバは，HE 染色では円形で小型核をもち，PAS 染色で赤紫色に染色される（図 4-34b）．炎症細胞浸潤が軽いという特徴もある．アメーバが経門脈的に肝臓に達し，アメーバ性肝膿瘍が形成されることもある（腸管外アメーバ症）．

　その他のアメーバ症として，*Naegleria fowleri* による原発性アメーバ性髄膜脳炎，アカントアメーバ *Acanthamoeba* による角膜炎がある．前者は河川や湖沼での水浴中にアメーバ虫体が経鼻粘膜的に感染し，嗅神経を上行して脳で炎症を引き起こす重篤な疾患である．後者はコンタクトレンズ装着者に多くみられる．コンタクトレンズ保存液がアメーバに汚染されることによると考えられている．

2 ランブル鞭毛虫症 lambliasis
　　（ジアルジア症 giardiasis）

　Giardia lamblia の感染によるもので，海外旅行者の下痢性疾患として重要なものである．嚢子を経口摂取することにより感染する．栄養型の虫体は十二指腸，上部

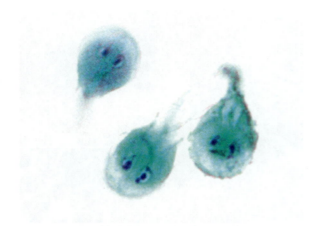

図 4-35　ランブル鞭毛虫症（十二指腸液の細胞診）
カブトガニに似た有尾状の虫体で，一対の核を認める（パパニコロウ染色）．
〔写真提供：大分市医師会立アルメイダ病院　蒲池綾子先生〕

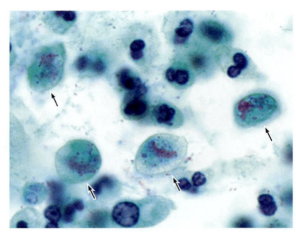

図 4-36　トリコモナス症（腟の細胞診）
トリコモナス（→）は球形ないしは洋梨状で，核は不明瞭，しばしば細胞質内に好酸性顆粒を認める（パパニコロウ染色）．

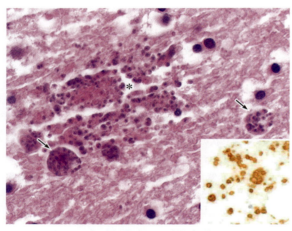

図 4-37　トキソプラズマ症（AIDS 患者の脳）
多数の虫体を含む囊子（→）と散布された虫体（＊部の小顆粒）を認める．虫体は抗 *T. gondii* 抗体を用いた免疫組織化学で陽性を示す（挿入図）．
〔写真提供：済生会熊本病院中央検査部病理　神尾多喜浩先生〕

小腸，胆道の粘膜に吸着・寄生し，2〜8週間の潜伏期ののち，下痢を引き起こす．虫体は2核で，それぞれが大きな核小体をもち，4対8本の鞭毛を有する（図4-35）．

3　トリコモナス症 trichomoniasis

本症は *Trichomonas vaginalis* 感染による腟炎である．性交により感染する．帯下の増加，外陰部の瘙痒・びらんを主症状とする．*T. vaginalis* は20〜30 μm径，洋な

し型の原虫で，5本の鞭毛をもつ．パパニコロウ染色の細胞診標本上では，好中球を背景に，好酸性顆粒をもつ虫体が観察される（図4-36）．

4　トキソプラズマ症 toxoplasmosis

Toxoplasma gondii による感染症である．ヒトへの感染はブタやヒツジなどの食肉中の囊子の摂取，またはネコの糞中のオーシストの経口感染による．健常者が感染しても無症状または軽度の発熱，リンパ節腫脹（ピリンガー・クヒンカ Piringer Kuchinka リンパ節炎）を呈するが，AIDS などで免疫力が低下している状態では，脳炎や脈絡膜炎が生じる（図4-37）．
妊娠中に感染すると，虫体が経胎盤的に胎児に感染し，妊娠初期では流産することが多く，妊娠中期〜後期では，脈絡網膜炎，水頭症，小脳症，脳内石灰化などが生じる（先天性トキソプラズマ症）．

5　マラリア malaria

ハマダラカが媒介する *Plasmodium* 属原虫の感染症である．流行地は熱帯・亜熱帯地方であり，わが国では輸入感染症として年間数十例の感染者がみられる．熱帯熱マラリア，三日熱マラリア，四日熱マラリア，卵形マラリアの4つの病型がある．マラリア原虫はハマダラカとヒトの2つの宿主を必要とし，ヒト体内では無性生殖を，ハマダラカ体内では有性生殖を行う．本原虫の生活環を列挙すると以下のようになる（図4-38）．

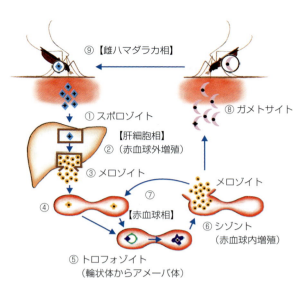

図 4-38　マラリアの生活環

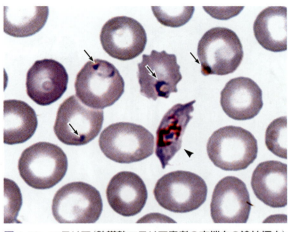

図 4-39　マラリア（熱帯熱マラリア患者の末梢血の塗抹標本）
4個の輪状体（→）とバナナ状の生殖母体（▶）を認める．他のマラリアと異なり，熱帯熱マラリアでは多数の感染赤血球がみられる（ギムザ染色）．
〔写真提供：大分大学名誉教授　高岡宏行先生〕

① ハマダラカの刺咬により，マラリア原虫のスポロゾイトがヒト体内に侵入する．
② スポロゾイトが肝細胞に取り込まれ，肝細胞中で増殖する．
③ 肝細胞中で数千個のメロゾイトとなり，肝細胞は破壊される．
④ メロゾイトは血中に放出され，赤血球に侵入する．
⑤ 輪状体やトロフォゾイト（栄養体）を経て，複数のメロゾイトを内包する分裂体となる．
⑥ 赤血球が破壊されてメロゾイトが血中に放出される．
⑦ 新たに赤血球に感染し，このサイクルが繰り返される．
⑧ メロゾイトの一部は赤血球内で雌雄のある生殖母体ガメトサイトとなる．生殖母体をもつ赤血球が刺咬によりハマダラカに摂取され，中腸内で有性生殖ののち，オーシストとなる．オーシスト内で多数のスポロゾイトが形成され，オーシストを脱したスポロゾイトはハマダラカの唾液腺に集積する．ハマダラカが新たに吸血することによって，ヒト-蚊-ヒトの感染サイクルが成立する．

　症状は周期的でスパイク状の発熱，脾腫，貧血である．発熱は赤血球破壊時に生じるので，発熱の周期は原虫の赤血球内発育周期に一致し，三日熱マラリアや卵形マラリアでは48時間，四日熱マラリアでは72時間となる．熱帯熱マラリアの発熱周期は36〜48時間と不定

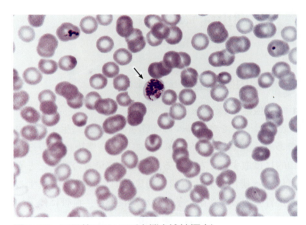

図 4-40　三日熱マラリア（末梢血塗抹標本）
赤血球中に複数のメロゾイトを内包する分裂体が認められる（→）．
〔写真提供：大分大学医学部感染予防医学講座　小林隆志先生，神山長慶先生，曽我泰裕先生〕

期である．脳マラリアは熱帯性マラリアの致死性の合併症であり，脳内の毛細血管が感染赤血球により閉塞することによる．
　診断は血液の塗抹標本中にマラリア原虫を確認することによってなされる（図 4-39, 40）．赤血球内増殖の初期では小さな輪状体として観察され，栄養体や生殖母体となると各型の特徴像が認められる．マラリア原虫の種類ごとに形態の違いがあり，鑑別に応用できる．また，輪状体と栄養体の虫体内では代謝産物である褐色色素が認められ，マラリア色素と呼ばれる．

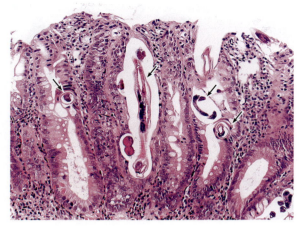

図 4-41 糞線虫症（小腸）
小腸陰窩内に多数の小型線虫（→）を認める．

I 蠕虫症 helminthiasis（寄生虫症 parasitosis）

1 線虫感染症 nematodiasis

1 回虫症 ascariasis

回虫はヒトを含む多くの哺乳類の小腸に寄生する線虫である．大きさは 15〜30 cm に及ぶ．感染は虫卵を経口的に摂取することによる．虫卵は感染者の糞便とともに体外へ排出され，虫卵に汚染された食物を摂取すると，胃で卵殻から出た子虫は小腸に達し，血管に侵入，肝臓を経て肺に達する．その後，1 mm くらいに成長した回虫は，気管支，咽頭，食道を経て小腸に達し成虫となる．近年の衛生環境の改善によって，本症は激減している．

2 アニサキス症 anisakiasis

幼虫が寄生する魚介（サバやイカが多い）の生食で発症する．幼虫が胃壁に侵入して強い腹痛が生じる．小腸に達して急性腹症を引き起こす場合もある．

3 糞線虫症 strongyloidiasis

糞線虫は寄生世代と自由世代をもつ特異な寄生虫であり，土壌中の幼虫が経皮的にヒトに感染し，十二指腸・小腸粘膜の陰窩に寄生し，成虫となる（図 4-41）．自家感染により宿主内で増殖し，下痢，血便，腹痛などを引き起こす．わが国では九州や沖縄が浸淫地であり，

ATLL のそれと重なる．糞線虫症は免疫不全状態では肺炎，敗血症，髄膜炎などの腸管外感染を起こし，重症化することがある．

4 蟯虫症 enterobiasis

小児に多い寄生虫症である．虫卵を経口的に摂取することにより感染する．腸蟯虫は盲腸に寄生するが，夜間に肛門に移動して産卵する．このときに肛門周囲に強い瘙痒を自覚する．

5 糸状虫症 filariasis

蚊によって媒介される寄生虫症である．バンクロフト糸状虫症やマレー糸状虫症が知られる．数 cm の細い線虫がリンパ管内に寄生する．そのため，リンパ浮腫が引き起こされ，象皮病や陰嚢水腫の状態となる．輸入感染症としてみられる．

6 鉤虫症 ancylostomiasis

土壌中の幼虫が経皮的に侵入し，肺を経て腸に寄生する．侵入部の皮膚には皮膚炎症状が生じる．

7 幼虫移行症 larva migrans

ヒトが終宿主でない場合は成虫まで発育できないため，幼虫が体内を移行し，種々の症状を引き起こす．皮膚幼虫移行症，内臓幼虫移行症，眼幼虫移行症などがある．

2 吸虫感染症 trematode infection（ジストマ症 distomatosis）

扁形動物に属する寄生虫である．口吸盤と腹吸盤をもち，発育のため，1 つ以上の中間宿主を必要とする．終宿主より外界に排出された虫卵からミラシジウムが孵化し，第 1 中間宿主の貝類に侵入し，その体内で多数のセルカリアと呼ばれる幼虫が生じる．セルカリアは貝類から離脱し，第 2 中間宿主の甲殻類・魚類に侵入または付着し，メタセルカリアとなる．終宿主がメタセルカリアを経口的に摂取して感染する．セルカリアが直接，終宿主に感染するものもある．

1 住血吸虫症 schistosomiasis

わが国では日本住血吸虫症 schistosomiasis japonica が重要である．中間宿主はミヤイリガイで，セルカリアが経皮的に侵入し，ヒトへの感染が成立するが，このとき

J. 節足動物・昆虫によるもの ● 91

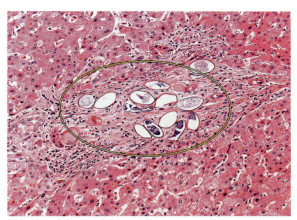

図 4-42 日本住血吸虫症（肝臓）
肝臓の門脈域に多数の石灰化した虫卵が認められる（黄線）．

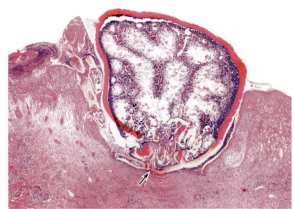

図 4-43 マダニ刺症（皮膚）
浅い潰瘍内に口部（→）を先端にした大型のダニを認める．

瘙痒を伴う皮膚炎が生じる（セルカリア皮膚炎）．成虫は腸管の細静脈で産卵を繰り返し，虫卵が肝門脈枝を塞栓する（図 4-42）．経過とともに肝硬変に進行する．

2 ● 肺吸虫症 paragonimiasis

肺寄生の吸虫症としては，わが国ではウェステルマン肺吸虫症や宮崎肺吸虫症がある．ウェステルマン肺吸虫の終宿主はヒト，イヌ，ネコなどであるが，第 2 中間宿主のモクズガニやサワガニが感染源として重要である．これらが保有するメタセルカリアが経口的に摂取されて感染が成立する．待機宿主であるイノシシ肉の生食により感染する例もある．経口的に摂取されたメタセルカリアは，腸管壁を貫いて腹腔に達し，次いで，横隔膜や胸膜を経て肺に寄生する．

宮崎肺吸虫はサワガニの生食により感染する．胸腔に寄生し，胸水や気胸をきたすのが特徴である．

3 ● その他の吸虫症

その他の吸虫症として，肝吸虫症，肝蛭症，横川吸虫症などがある．

3 条虫感染症 cestodiasis

頭節とそれに連なる数千個の片節からなるテープ状の寄生虫であり，消化管をもたない．宿主の腸管内で，体表から栄養を吸収する．消化管に寄生する成虫期の条虫は病原性が低く，一般に重篤な状態に陥ることはないが，幼虫期の条虫は重篤な病害をもたらすことがある．北海道に多くみられるエキノコックス症は多包条虫

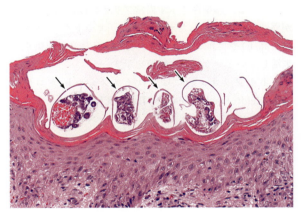

図 4-44 疥癬（皮膚）
角層のトンネル内に 4 個の小型ダニ（→）を認める．

Echinococcus multilocularis の感染症であり，予後不良である．*E. multilocularis* の中間宿主はネズミ，終宿主はキツネやイヌなどであり，これらの動物との接触または野生植物やキノコ採取などがヒトへの感染機会となる．ヒトに感染すると，肝，次いで肺に包虫を形成し，多房性囊胞となる．

節足動物・昆虫によるもの

昆虫を含む節足動物に，病原微生物を媒介するものがあることは前述した通りである．直接的な病害としては，マダニ刺症（図 4-43）や，ニキビダニ，疥癬の寄生（図 4-44）がある．

Advanced Studies

マダニが媒介するウイルス感染症に，重症熱性血小板減少症候群 severe fever with thrombocytopenia syndrome（SFTS）がある．SFTSウイルス（ブニヤウイルス科フレボウイルス属）を保有するマダニに咬まれることにより感染する．九州，中国，四国地方および紀伊半島に発生をみる．1～2週間程度の潜伏期ののち，発熱，消化器症状，出血症状を呈し，致死率は10～30％とされている．血液などからウイルスゲノムを検出することにより診断される．

K プリオン病 prion disease

プリオンはタンパク質からなる感染性因子であり，核酸ゲノムをもたないという点で，ウイルスや細菌，真菌と顕著に異なる．正常型プリオンは第20番染色体上の遺伝子にコードされるタンパク質であり，脳や脊髄に分布している．感染性を示す異常プリオンは正常プリオンが構造変化を起こしたものであり，オートクレーブ（高温・高圧）やアルコール，紫外線，γ線などで感染性が失活しないという厄介な性質を示す．

ヒトのプリオン病にはクロイツフェルト-ヤコブ病 Creutzfeldt-Jakob disease（CJD），変異型クロイツフェルト-ヤコブ病 variant CJD，ゲルストマン-シュトロイスラー-シャインカー症候群 Gerstmann-Sträussler-Scheinker syndrome（GSS），致死性家族性不眠症 fatal familial insomnia，クールー kuru がある．いわゆる薬害ヤコブは，脳外科手術で使用されたヒト乾燥硬膜（切除した硬膜を補充するために使用された）が原因となって発症した Creutzfeldt-Jakob 病である．ヒト以外の動物ではヒツジのスクレイピー scrapie，ヒツジの肉骨粉を飼料として与えたことで伝播したとされるウシ海綿状脳症 bovine spongiform encephalopathy（BSE）がある．ヒトの変異型 Creutzfeldt-Jakob 病 variant CJD は，BSEの牛肉摂取によるとされている．

致死性の疾患である．発症は，異常型プリオンが正常型プリオンを連鎖的に異常型に転換し，中枢神経にアミロイドの沈着と海綿状変化を引き起こすことによる．遺伝性のプリオン病では遺伝子変異によって異常型プリオンが産生されると考えられている．

●参考文献
1) 吉田眞一，他（編）：戸田新細菌学 34版．南山堂，2013
2) 藤本秀士（編）：わかる！ 身につく！ 病原体・感染・免疫 3版．南山堂，2017
3) 阿部章夫：もっとよくわかる！ 感染症．羊土社，2014
4) 堤 寛：感染症病理アトラス
　https://pathos223.com/atlas（2023年1月閲覧）

免疫とその異常

> **A． 自然免疫系と獲得免疫系** ▶94頁
> - **自然免疫系**：上皮細胞，食細胞（好中球・マクロファージ），NK細胞，補体が働く．短時間で作用するが，同じ病原体に曝露しても反応の増強は生じない．
> - **獲得免疫系**：リンパ球中心．数日単位の時間を要するが，免疫記憶を有し，病原体に曝露するたびに反応は強力になる．

> **B． 免疫応答のメカニズム** ▶101頁
> - パターン認識受容体，補体，主要組織適合遺伝子複合体などの分子が，免疫応答のメカニズムの中核を担う．また，抗体産生においては，体細胞突然変異とクラススイッチのメカニズムにより多様性が生み出される．

不十分な活性化

> **H． 免疫不全症** ▶128頁
> - 易感染性で重症感染，日和見感染がみられる．

> **E． 腫瘍に対する免疫反応** ▶112頁
> - 腫瘍細胞に対する免疫反応はさまざまな理由により抑制されているが，この免疫反応を活性化させる免疫療法が近年注目されている．

過剰な活性化

> **C． リンパ球の分化と自己・非自己の認識** ▶107頁
> - 自己寛容（免疫系が自己の正常な細胞を攻撃しないこと）が破綻すると，自己免疫疾患を引き起こす．
> （**G． 自己免疫疾患** ▶119頁）

> **D． 臓器移植に関連した免疫反応** ▶110頁

> **F． アレルギー（過敏反応）** ▶116頁
> - 本来無害な外来性抗原に対する有害な免疫反応．

免疫系の正常な活性化

好中球　好酸球　好塩基球
T細胞　B細胞　マクロファージ　樹状細胞

- 感染防御
- 生体恒常性の維持

第5章 免疫とその異常

　免疫系 immune system は自己と非自己を識別し，非自己を排除する生体防御システムとして定義づけられている．免疫 immunity の語源はラテン語 immunitas に由来しており，元々は古代ローマの元老院議員が市民としての義務や苦役から免除されるという特権をさすものであったが，現在では「疫病（感染症）から免れる・一度罹った感染症には二度は罹らない」という意味で使用されている．ジェンナー Edward Jenner（1749〜1823，英国）が種痘を始めたのは 18 世紀後半であるが，それ以前の中国ではすでに天然痘においてこのような現象が知られていた．

　免疫系が機能不全に陥ると，病原体に対する抵抗性が低下するとともに，がんに対する免疫監視能も低下する．その一方で，免疫系が過度な応答を起こすとアレルギーや自己免疫疾患が引き起こされる（図 5-1）．このように，本来は生体防御に働くべき免疫系が生体に害を及ぼすこともあり，免疫系は「諸刃の剣」とも呼ばれている．

　近年，免疫系の活性化を利用したがん治療の開発が盛んである．また，免疫不全は臨床現場においてしばしば遭遇する病態である．原発性免疫不全症は頻度こそ少ないが，疾患分類の理解は免疫がかかわる臨床病態を理解するうえでも重要である．本章では，臨床医学を習得するうえで最低限理解しておくべき免疫系のしくみについて概説し，次いで免疫系の異常に起因する疾患について病理学見地から述べる．

A 自然免疫系と獲得免疫系

　免疫系は自然免疫系と獲得免疫系に大別される．われわれの体内には，常日頃から病原体などの異物が侵入してくるが，そのほとんどは感染症を引き起こさない．これは体内に侵入した病原体が，きわめて短時間（数時間以内）で異物として**自然免疫系**により認識され，排除されているからである．自然免疫系には上皮細胞，食細胞（好中球，マクロファージ），ナチュラルキラー（NK）細胞，補体が活躍する．自然免疫系は first line of defense として短時間で作用するが，免疫記憶が存在しないため，同じ病原体に曝露されても反応の迅速化や増強は生じない．

　これに対してリンパ球が中心となる**獲得免疫系**は，侵入してきた病原体に特異的に反応するリンパ球クローンの増殖に数日単位の時間を要する．しかし，免疫記憶を有するため，病原体に曝露されるたびに反応は迅速かつ強力となる（免疫系に認識される病原体や異物の一部分を**抗原**と呼称する）．リンパ球には T 細胞と B 細胞があり，それぞれ細胞表面上には異なった抗原を認識することができる抗原受容体が発現している．抗原受容体には膨大な数のレパートリーが準備されており，多種多様な抗原に反応することができる．

　B 細胞の抗原受容体は免疫グロブリンであり，抗原が体内に侵入するとその抗原に結合する免疫グロブリンをもったクローンが分裂増殖し，同一の特異性をもった免疫グロブリンが抗体として産生される．T 細胞の抗原受容体は T 細胞受容体 T-cell receptor（TCR）であり，主要組織適合遺伝子複合体 major histocompatibility complex（MHC）分子とその表面に提示された抗原ペプチドの複合体を認識する．エフェクター細胞傷害性 T 細胞 cytotoxic T-cell（CTL）はウイルス感染細胞や腫瘍細胞に直接作用し，これらの細胞を傷害し排除する．B 細胞と抗体によって担われる免疫は**液性免疫**，CTL による細胞傷害は**細胞性免疫**と呼ばれる．ヘルパー T 細胞は細胞性免疫と液性免疫，双方の活性化に必要であり，免疫反応の司令塔としての役割を担っている．

　病原体が体内に侵入すると，まず自然免疫系が活性化され，その後，獲得免疫系が活性化される．両免疫系は互いに独立した存在ではなく，その間には密なクロス

A. 自然免疫系と獲得免疫系

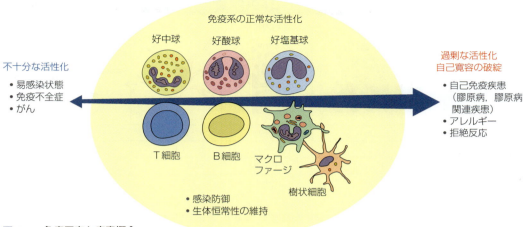

図 5-1 免疫反応と疾患概念

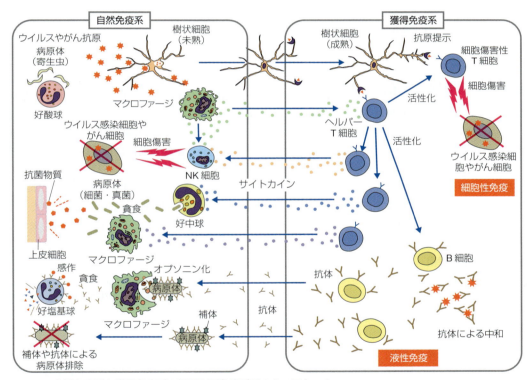

図 5-2 自然免疫系と獲得免疫系の概要と両免疫系間のクロストーク
獲得免疫系は自然免疫系が活性化された後に、T細胞が樹状細胞によって抗原特異的に活性化されることで始動する。一方、獲得免疫系の活性化は、①マクロファージの食作用の増強、②NK細胞のキラー活性の増強、③古典的経路による補体の活性化などにより、自然免疫系の反応を増強する。
〔図の提供：笠原正典先生〕

トークがある（図 5-2）．一般的に，獲得免疫系が活性化されるためには自然免疫系が前もって活性化される必要がある．一方で，獲得免疫系が活性化された後に初めて活性化される自然免疫系も存在する．例えば補体の古典的経路が活性化されるためには，抗原特異的な抗体が産生されていなければならない．このように，自然免疫系と獲得免疫系は複雑に絡み合って働く相互依存性のシステムを形成している．

	マクロファージ	好中球	樹状細胞	
	リソソーム 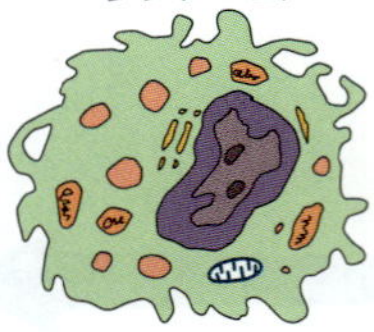	細胞内顆粒 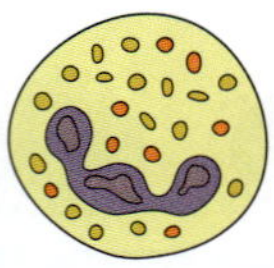	未熟 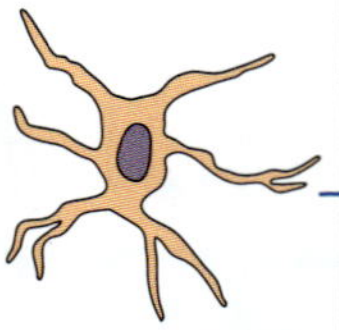	成熟 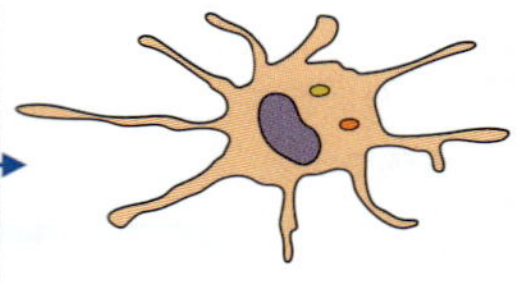
食作用	(+++)	(+)	(++)	(+)
抗原提示	(+)	(−)	(+)	(+++)
遊走能	(++)	(+++)	(++)	(+)
殺菌能	(++)	(+++)	(+)	(+)

図 5-3　代表的な食細胞の特徴
マクロファージ・好中球・樹状細胞はいずれも代表的な食細胞であるが，生体防御におけるそれぞれの役割・特徴は異なる．図では細胞のサイズは同等に描かれているが，マクロファージ・樹状細胞は好中球の5倍以上の大きさである．マクロファージは食食と消化能が最も高く，病原菌の貪食処理にかかわる．これらのなかでもマクロファージは多種多様なサイトカイン・ケモカインを産生することができる．好中球は，貪食能は低いものの活性酸素種などを産生し，病原菌を殺菌する能力は高い．樹状細胞は，未熟な状態と活性化して成熟した状態では性質が異なるが，成熟した樹状細胞は抗原提示能がきわめて高く，獲得免疫系の活性化に大きく寄与している．

1　自然免疫系を構成する細胞群

　自然免疫系においては，微生物などの病原体・異物（以下，異物のみ記載する）の排除は身体の内外を画する上皮細胞バリア，上皮細胞の直下で微生物の侵入に備えているマクロファージや好中球などの食細胞，ウイルス感染細胞の排除に深くかかわるNK細胞，そして病原体の破壊や食作用の誘導を司る補体系，が主にエフェクターとして作用する．

1　上皮細胞のバリア機構

　われわれの身体には外界との境界線を形成する上皮細胞層が存在する．皮膚など重層扁平上皮により形成される表皮と，消化管のように単層の腺上皮により形成されている粘膜上皮細胞層があり，微生物の侵入を防御している．腺上皮細胞からは糖タンパク質であるムチンを主成分とする粘液が分泌され，異物が上皮細胞へ接近・接着するのを防いでいる．気管支や鼻腔の粘膜上皮には線毛があり，異物の排出にかかわる．ムチン遺伝子には$MUC1 \sim MUC22$までの遺伝子があり，組織ごとに異なる組み合わせがある．このような防御は**物理的バリア**と呼ばれる．腺上皮細胞からは抗菌作用を有する分子も産生される．涙腺や唾液腺からは細菌の膜を破壊するリゾチームが，十二指腸・小腸のパネート細胞からはさまざまな種類の抗菌ペプチドが分泌される．このような防御を**化学的バリア**と呼ぶ．

2　マクロファージ macrophage（組織球 histiocyte）

　食細胞のなかで最も**貪食能**（異物を食べて消化する能力）が強い細胞であり，以前は大食細胞とも呼ばれていた（図5-3）．**組織球**と呼称されることも多い．異物を捕足するために細胞表面には細長い多数の細胞突起をもち，細胞内には多くのリソソームが存在し異物の消化にかかわる．異物のみならず変性や壊死，アポトーシスに陥った細胞の貪食処理にも重要な役割を果たしている．多くのマクロファージは血液中の単球に由来するが，ミクログリアなど一部のマクロファージは胎児期に由来する細胞が局所で自己複製することで維持されている．
　マクロファージには補体受容体（CR1やCR3など）やIgGのFc部分を認識する受容体（FcγR）が発現しており，C3bなどの補体やIgGが結合した（オプソニン化された）異物を貪食する．スカベンジャー受容体やマンノース受容体を介してオプソニン化されていない異物を取り込むこともできる．取り込まれた異物はファゴソームに内包され，ファゴソームとリソソームが融合した際に消化・分解される．
　単独で異物を消化できない場合，マクロファージはしばしば融合して多細胞化し，異物巨細胞となる．また特殊な活性化状態では，上皮細胞に類似した形態を示す類上皮細胞へと変化し，肉芽腫を形成する．食細胞が微生物を認識すると，食作用だけでなくToll様受容体 Toll-like receptor（TLR）などのパターン認識受容体 pattern-recognizing receptor（PRR）を介したシグナルにより，

種々の遺伝子発現が誘導される．なかでも，サイトカインやケモカインなどの液性因子によって炎症が誘導される．

> **Advanced Studies**

a マクロファージ（組織球）の由来

マクロファージは全身臓器に存在している．通常の状態から臓器に存在しているものを組織在住マクロファージ，炎症に伴い血液中の単球が組織に移行したものを滲出性マクロファージと呼ぶ．組織在住マクロファージの起源は単球に由来するものと胎児期の卵黄嚢に出現した赤血球-骨髄球系前駆細胞に由来するものがあり，その割合は臓器や年齢によって変化する．例えば脳のミクログリアは後者であり，自己複製能を有し長寿命であるため生涯にわたって維持されるが，腸の場合は生後，後者から前者（単球由来）に置き換わっていく．

b マクロファージの活性化

単球由来マクロファージはM1マクロファージとM2マクロファージに大別される．M1マクロファージはTLR刺激やIFN刺激によって誘導され，炎症性サイトカインや活性酸素を多く産生し，病原体排除にかかわる．M2マクロファージはIL-4やIL-13などによって誘導され，抗炎症性サイトカインや血管新生因子などを多く産生することで炎症の終息や創傷治癒，がんの増殖・進展にかかわる．実際にはM1とM2の中間的な性質を有する細胞も存在しており，M1とM2が明確に区別されるものではないが，このようなマクロファージの活性化はM1/M2バランスと呼ばれ，さまざまな疾患形成にかかわることが明らかにされつつある．局所の炎症状態により，M1/M2バランスは変化する．後述するがん随伴（関連）マクロファージはM2寄りの性質を有しているが，進行癌では特にM2の性質が強くなる．

3 ● 好中球 neutrophil

好中球は多核白血球とも呼ばれ，末梢血白血球の60〜70％を占める．核が3〜5個に分葉しており，アズール顆粒と呼ばれる顆粒を細胞質内に保有している．細菌などの微生物に対する防御に重要な細胞であり，感染の際には感染局所に最も早く浸潤することができるが，核が分葉していることで血管を通過しやすくなっていることも，その性質に関与している．

好中球はマクロファージと同様に補体受容体やFc受容体を発現しているので，侵入してきた細菌を貪食し殺菌することができる．TLRを介して細胞に刺激が入るとIL-1などの炎症性サイトカインやエラスターゼを放出する．すると血管の透過性が亢進することで，さらに多くの好中球が動員されるようになる．感染局所からのC5aなど補体の分解成分や細菌由来のエンドトキシンなどが好中球を呼び寄せる．好中球はマクロファージよりもよく発達したNADPHオキシダーゼを有しており，強い殺菌作用をもつ活性酸素を産生する．好中球はアズール顆粒（一次顆粒）のほかに加水分解酵素や抗菌物質を含む二次顆粒をもち，顆粒を放出することで細菌や真菌の細胞膜を破壊する．

4 ● 好酸球 eosinophil，好塩基球 basophil，肥満細胞（マスト細胞）mast cell

顆粒球のうち，顆粒が酸性色素で染色される顆粒をもつ細胞を好酸球，塩基性色素で染色されるものを好塩基球と呼ぶ．好酸球は顆粒の中に主要塩基性タンパク質 major basic protein（MBP）という強い傷害作用をもつ物質などを含み，刺激によって顆粒を細胞外に放出することで寄生虫を殺傷する．好酸球はIgEに対する高親和性受容体Fcε受容体や補体受容体，IL-5受容体，ヒスタミン受容体を有している．

好塩基球は主に血液中に，肥満細胞は末梢組織に存在し，ともに共通の前駆細胞から分化する．顆粒にはヒスタミンや血小板活性化因子，セロトニン，ヘパリンのほか，種々のプロテアーゼが含まれる．好塩基球・肥満細胞はともに好酸球と同様，Fcε受容体を有しており，血液中のIgEを表面に結合させる．このIgEが抗原によって架橋されると，細胞が活性化し細胞内顆粒が急速に放出される（脱顆粒）．

5 ● ナチュラルキラー natural killer（NK）細胞とナチュラルキラー T（NKT）細胞

NK細胞とNKT細胞は名称こそ類似しているものの，その機能は全く異なる細胞である．NK細胞は自然リンパ球に分類されており，MHCクラスI発現が消失した癌細胞やウイルス感染細胞を攻撃する役割をもつ．細胞傷害にはT細胞と同様にパーフォリンやグランザイムBなどの分子が関与する．

一方，NKT細胞はT細胞系の亜群であるが，NK細胞のマーカーを発現していることから，この名称がつけられた．T細胞が主にタンパク質を抗原として認識するのに対して，NKT細胞は糖脂質を抗原として認識する．NKT細胞が活性化されることでIFN-γが産生され，NK細胞や好中球，マクロファージなどの自然免疫系が活性化されるとともに，T細胞を解する獲得免疫系も強く誘導される．結核菌など細胞膜に大量の脂質を含む病原体の感染防御に深くかかわっている．

> **Advanced Studies**

6 ● 自然リンパ球 innate lymphoid cell（ILC）

ILCは自然免疫系で働くリンパ球であるが，T細胞・B細胞とは異なり組織に常在している．ILCはNK細胞のほか，活性化にかかわるサイトカインの種類によってILC1，ILC2，ILC3の3つのグループに分けられるが，その分布は組織によって大きく異なる．ILC1とILC3は主に腸管に，ILC2は主に脂肪組織や皮膚に多く存在する．NK細胞とILC1はIFN-γを産生することでマクロファージの活性化を誘導する．NK細胞はILC1に類似しているが，組織間を移動することが可能である．ILC2はIL-5やIL-13など寄生

虫に対する感染防御やアレルギー反応に関与する．ILC3 は上皮細胞の活性化や好中球の遊走にかかわる IL-17 や IL-22 などのサイトカインを産生，感染防御に関与する．

2 獲得免疫系を構成する細胞

獲得免疫系を構成する主たる血球はリンパ球である．リンパ球は末梢血白血球の 20～40％程度を占め，T 細胞と B 細胞に大別され，それぞれ細胞性免疫と液性免疫の中心的役割を演じている．それぞれ抗原特異的な受容体を有しており，標的抗原に対して特異的に反応することができる．T 細胞は細胞表面に発現する TCR や表面マーカーの違いから複数のサブセットに分類される．末梢組織では $\alpha\beta$T 細胞が大部分を占め，CD4 陽性 T 細胞と CD8 陽性 T 細胞で構成されている．CD4 は MHC クラス II 分子と，CD8 は MHC クラス I 分子と結合する細胞表面分子であり，それぞれ TCR からのシグナルを補助することで T 細胞の活性化にかかわっている．

1 ● 樹状細胞 dendritic cell（DC）

樹状細胞は最も強力な抗原提示細胞（リンパ球に抗原情報を提示する細胞）であり，多数の細長い細胞突起を有するため，この名称となった．マクロファージと類似した特徴を有している．病原体の主要な侵入経路である皮膚や消化管，呼吸器の上皮組織には特に多く存在する．末梢組織に分布する未熟樹状細胞は貪食能が強く，病原体を貪食した後，リンパ節に移動し成熟樹状細胞となる．樹状細胞は成熟することで貪食能が低下し，代わって強い抗原提示作用を有するようになる．成熟した樹状細胞がリンパ節において T 細胞に抗原を提示することで，T 細胞の活性化が誘導され獲得免疫系が始動するため，樹状細胞は自然免疫系と獲得免疫系の橋渡し役でもある（図 5-4）．

単球と同じ前駆細胞に由来する樹状細胞は，通常型樹状細胞（cDC）と形質細胞様樹状細胞（pDC）に大別される．cDC は抗原提示によるナイーブ T 細胞の活性化能に優れており，エフェクター T 細胞への分化を誘導する．pDC は細胞内エンドソームに核酸センサーである TLR7 や TLR9 を有しており，ウイルスや自己由来の核酸が取り込まれると I 型 IFN を大量に産生し免疫炎症反応を亢進させる．濾胞樹状細胞は間葉系細胞に由来する細胞であり，補体分解産物で標識された異物を積極的に取り込み B 細胞に抗原を提示，抗体産生を促す．表皮のランゲルハンス Langerhans 細胞は樹状細胞と同等の強い抗原提示能を有しているが，組織在住マクロファージと起源が同一でありマクロファージと認識されている．皮膚病性リンパ節症においては皮膚 Langerhans 細胞がリンパ節の傍皮質領域に移動し，増殖することが知られている．

2 ● B 細胞

骨髄で産生された B 細胞はリンパ節や脾臓，粘膜関連リンパ組織など二次リンパ組織へ移行する（図 5-5）．体内には無数の抗原に反応できる B 細胞があらかじめ準備されているが，抗原と出会うことで活性化された B 細胞はクローン性に増殖し（抗原と反応する受容体をもつ細胞のみが増殖する），抗体を分泌する形質細胞へと分化する．形質細胞の一部は骨髄に移動し，長寿命形質細胞として長期的に抗体を産生し続ける．B 細胞は活性化されることで抗体の発現パターンを膜型から分泌型へと変化させる．同じ抗原に反応するヘルパー T 細胞と相互作用することで，リンパ節や脾臓で胚中心を形成する．胚中心では抗体のクラススイッチと体細胞変異により，さらに抗原と親和性の高い受容体をもつ B 細胞が誕生する．

活性化する前の未熟 B 細胞には IgM 型の受容体が発現している．IgM は免疫反応の早い段階で分泌される抗体であり，病原体などの異物に結合すると補体の古典的経路を活性化させることで病原体の排除を行う．免疫反応の後半ではクラススイッチにより IgG が分泌され，IgG が結合した異物はオプソニン効果によりマクロファージにより貪食処理される．

3 ● CD8 陽性 T 細胞

CD8 陽性 T 細胞は細胞傷害性 T 細胞 cytotoxic T lymphocytes（CTL）とも呼ばれ，ウイルスに感染した細胞やがん細胞を攻撃する．CTL に分化する前の細胞は "ナイーブ" CD8 陽性 T 細胞と呼ばれ，MHC クラス I 分子に提示された抗原ペプチドを認識することで活性化し，クローン性に増殖しながら CTL へと分化する．この過程ではヘルパー T 細胞が産生する IL-2 や活性化した抗原提示細胞の補助が必要である．つまり，樹状細胞など抗原提示細胞と CD8 陽性 T 細胞が反応する際に，その近傍に同一抗原を提示している樹状細胞とヘルパー T 細胞が反応している必要がある．CTL は細胞質内にグランザイムやパーフォリンなど細胞傷害性分子を含む細胞傷害顆粒を有しており，CTL が標的細胞を認識した後，これらの分子を放出し標的細胞を殺傷する．ま

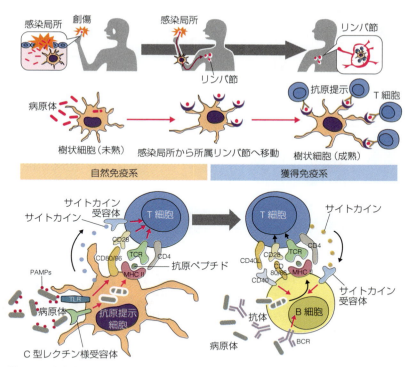

図 5-4 樹状細胞による T 細胞の活性化
樹状細胞に発現するパターン認識受容体は，抗原提示において 2 つの重要な働きをしている．1 つは抗原の取り込みである．これにはマンノース受容体が重要な働きをしている．もう 1 つは，副刺激分子の発現誘導である．これには，微生物の病原体関連分子パターン（PAMPs）を認識する Toll 様受容体（TLR）が重要な働きをしている．樹状細胞は感染局所から所属リンパ節に移動し，T 細胞に抗原を提示する．図の下段には，MHC クラス II 分子によるヘルパー T 細胞の活性化とヘルパー T 細胞による B 細胞の活性化(抗体産生)を示した．CD80 と CD86 は，樹状細胞の成熟に伴って発現が誘導される主要な副刺激分子である．
〔図の提供：笠原正典先生〕

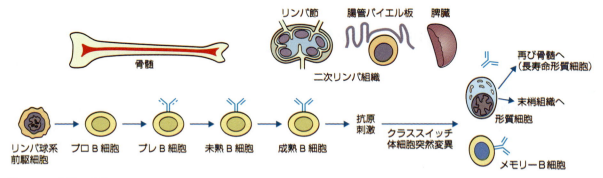

図 5-5 B 細胞の成熟
骨髄では，自己抗原に反応する B 細胞はアポトーシスあるいはアナジーに陥り，自己抗原に反応しない B 細胞のみが末梢に移行する(実際には少数の自己反応性 B 細胞も末梢に移行する)．二次リンパ組織のリンパ濾胞において抗原刺激とヘルパー T 細胞からの刺激を受けることで，形質細胞あるいはメモリー B 細胞へ分化する．抗原への親和性が高い細胞が形質細胞となり，抗原特異的な抗体を産生するが，親和性の低い細胞はメモリー B 細胞となり，次の刺激に備える．

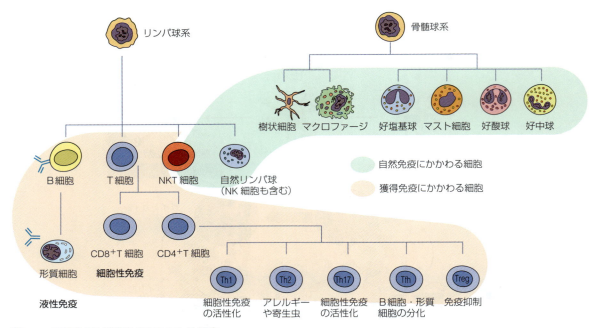

図 5-6　自然免疫と獲得免疫にかかわる細胞

た，CTL は細胞膜上に FAS リガンドなどを発現しており，これらの分子が標的細胞上に発現する受容体に作用することで，標的細胞のアポトーシスを誘導する．

抗原が排除された後，90％以上の CTL は死滅するが，数％程度はメモリー CD8 陽性 T 細胞として長期間生体内で維持される．メモリー T 細胞は，同一病原体の再侵入時に素早く CTL へと分化し（二次免疫応答），1 回目の免疫応答（一次免疫応答）よりも早く強い細胞傷害能を発揮する．ウイルスの慢性感染やがんにおいては，恒常的抗原刺激によって CTL は疲弊し，機能不全に陥っている．

4 ● CD4 陽性 T 細胞

CD4 陽性 T 細胞は大きくヘルパー T（Th）細胞と制御性 T（Treg）細胞，濾胞ヘルパー T（Tfh）細胞に区別され，ヘルパー T 細胞はさらに Th1，Th2，Th17 に分けられる（図 5-6）．CD4 陽性 T 細胞が抗原刺激を受けて活性化する際に曝露されるサイトカインによって分化誘導の方向性が決定される．活性化する前の細胞は"ナイーブ" CD4 陽性 T 細胞と呼ばれる．

Th1 細胞は，IL-2 や IFN-γ，TNF-α などのサイトカインを産生し，マクロファージや NK 細胞，CTL を活性化させることで細胞内寄生菌やウイルス感染細胞，がん細胞の排除に重要な役割を果たしている．

Th2 細胞は，IL-4，IL-5，IL-13 などを産生し，肥満細胞や好酸球の活性化を通して I 型アレルギー反応や寄生虫の排除に関与する．これらのサイトカインは B 細胞の IgE へのクラススイッチにも関与している．

Th17 細胞は，IL-17，IL-21，IL-22 などを産生し，好中球の動員や抗菌ペプチドの産生を誘導して感染防御に寄与するが，過剰な活性化は自己免疫疾患を引き起こす．

Treg 細胞は，IL-2 や TGF-β によって誘導され，過剰な免疫反応を抑制することで免疫恒常性を維持する細胞である．Treg 細胞の機能が低下すると，自己免疫疾患や炎症性疾患を発症する．

Tfh 細胞は，二次リンパ組織の胚中心に存在しており，IL-4 や IL-21 の産生を介して B 細胞のクラススイッチや体細胞突然変異にかかわることで抗原親和性の高い抗体産生に関与し，メモリー B 細胞や形質細胞への分化にも重要な役割を担っている．Tfh は胚中心の形成・維持に必要な細胞である．

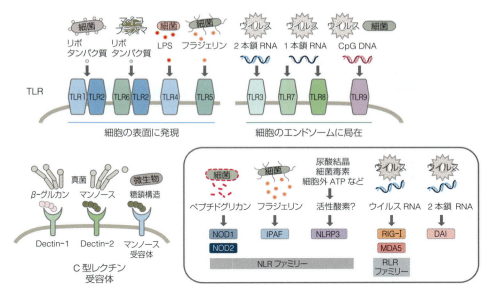

図 5-7　主なパターン認識受容体
〔図の提供：笠原正典先生〕

B 免疫応答のメカニズム

1 パターン認識受容体による免疫応答

A 細胞の活性化と受容体

マクロファージや樹状細胞はさまざまな微生物感染に迅速に応答し，貪食殺菌を行うとともに，サイトカインを産生することで炎症反応を誘引し，獲得免疫の成立に重要な役割を果たす．こうした微生物の認識にはパターン認識受容体 pattern recognition receptor (PRR) と呼ばれる一連の分子群が関与する (図 5-7)．PRR には細胞内のシグナル伝達経路を活性化しサイトカイン産生を誘導するものと，液性因子として分泌されるもの，細胞内への取り込みにかかわるものが存在するが，本項は細胞内シグナル伝達経路の活性化にかかわる TLR のみ述べる．

B Toll 様受容体 (TLR) の種類

Toll 様受容体 (TLR) は膜タンパク質でロイシンに富んだ繰り返し構造 leucine-rich repeat (LRR) をもち，主に微生物に由来する脂質やタンパク質，核酸を認識する．脂質やタンパク質を認識する TLR は細胞表面に存在しており，核酸を認識する TLR は細胞内のエンドソームに存在する．ほ乳類では 10 種類の TLR が同定されている．TLR4 はグラム陰性菌に広く認められる分子構造であるリポ多糖 lipopolysaccharide (LPS) を認識する．TLR5 は細菌の鞭毛成分であるフラジェリンを，TLR9 は細菌やウイルス特有の構造である非メチル化 CpG DNA を認識する．TLR はその種類によって発現する細胞の種類が異なっているが，主として好中球，マクロファージ，樹状細胞といった貪食細胞に発現している．

C TLR と炎症反応

TLR にリガンドが結合することで，IL-1β や IL-6，TNF-α などの炎症性サイトカインや I 型インターフェロンの分泌が誘導され，炎症反応が活性化される．微生物に対する炎症反応は，感染巣の拡大を防ぎ，治癒を促進する点で生体にとっては有害な反応ではないが，過剰な炎症反応は致死的なショックを引き起こす．特に LPS によるショックはエンドトキシンショックとして知られている．微生物だけでなく内因性物質によって TLR が慢性的に刺激されていることがある．例えば，肥満においては脂肪細胞から産生される飽和脂肪酸が TLR4 を介してマクロファージを活性化させており，脂肪組織で弱い炎症反応が持続している．

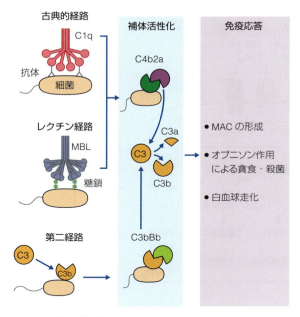

図 5-8 補体活性化の経路
補体活性化の3経路はいずれも C3 転換酵素の形成に収束する．レクチン経路は，血清レクチンの1つである MBL が病原体表面の糖鎖に結合することによって活性化される．MBL は MASP（MBL-associated serine protease）と複合体を形成する．

Advanced Studies

D NLR（NOD-like receptor）とインフラマソーム

食細胞には感染などのストレスに即座に反応して炎症を引き起こすメカニズムがあり，TLR などの PRR は免疫センサーとして代表的なものである．NLR は細胞質内に存在する PRR の代表的なものであり，さまざまな病原体構造に加えてアスベストやシリカ，尿酸結晶なども認識する．特に食細胞に発現しており，NLR の活性化はインフラマソームという巨大な分子複合体を形成し，IL1 サイトカインファミリーである IL-1β や IL-18 の産生を誘導する．インフラマソームの活性化はさまざまな炎症性疾患形成に関与する．先天的な遺伝的異常により，インフラマソームの持続的な活性化が引き起こされる場合を自己炎症性疾患と呼ぶ（→ 131 頁参照）．

2 補体による免疫応答

A 補体の活性化経路

補体は抗体による溶菌作用を補助する易熱性の物質として見出され，その後，細菌と結合することにより食作用が亢進されるオプソニン作用が発見された．補体は約30種類からなる血清タンパク質の総称であり，補体系と呼ばれるカスケード反応を形成している．補体の活性化には古典的経路 classical pathway とレクチン経路 lectin pathway，第二経路（副経路）alternative pathway の3つが知られている．それぞれ初期ステップは特有の補体因子が関連するが，いずれも補体因子 C3 に収束し共通の経路に帰結する（図 5-8）．

古典的経路は病原体に抗体が結合することによって活性化される経路で，抗体の Fc 部分に補体因子 C1q が結合することで反応が始まる．C1q は IgM，IgG1，IgG3 に強く，IgG2 に弱く結合するが，その他の免疫グロブリンには結合しない．

レクチンは糖結合タンパク質の総称であり，細菌表面に存在するマンノースなどの糖にマンノース結合レクチン mannose binding lectin（MBL）とフィコリンが結合することによって**レクチン経路**が開始される．

第二経路は C3 の分解産物である C3b が細菌表面に結合することで反応が進み，最終的にはさらに C3 の分解が進み新たに C3b が作り出される．この活性化ループにより続々と補体の活性化が進む．古典的経路は獲得免疫系に関与するのに対し，レクチン経路と第二経路は自然免疫系に関与している．

B 膜侵襲複合体（MAC）の形成

3つの補体経路は C3 が分解されて C3b ができる段階で合流するが，その後に続くのが MAC（membrane-attack complex）形成である．C3b により C5 転換酵素が活性化し，C5b が形成される．C5b はさらに C6，C7，C8，C9 と順次反応することで巨大な MAC 分子が形成される．MAC 分子は膜の内外をつなぐ貫通孔を形成することで細胞を破壊する．この効果は主にグラム陰性菌や寄生虫などの微生物に対して効果を発揮するが，グラム陽性菌は厚いペプチドグリカンの層が MAC 形成を妨げており抵抗性を示す．グラム陽性菌は C3b 標識によるオプソニン作用により貪食・殺菌される．

C 補体のアナフィラトキシン活性と白血球走化作用

補体活性で生じた C3a，C5a が，それぞれの受容体 C3a 受容体，C5a 受容体を発現する好中球やマクロファージ，肥満細胞を刺激しヒスタミンなどの化学物質を放出させ，血管透過性の亢進や平滑筋収縮などを起こして炎症を惹起する．C5a はさまざまな免疫細胞の局所への遊走にもかかわっている．C4a も作用は2つに比べて弱いものの，アナフィラトキシンとしての活性を有している．

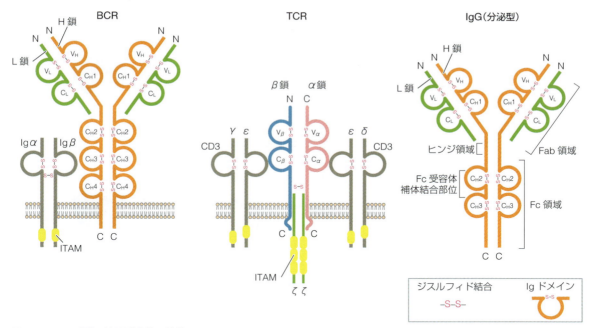

図 5-9　リンパ球の抗原受容体と抗体
ITAM：immunoreceptor tyrosine-based activation motif.

3　T細胞による標的細胞の認識

T細胞の抗原認識はTCRを介して行われる．TCRは主にα鎖とβ鎖からなるヘテロ二量体タンパク質であり，それぞれの末端には抗原結合領域が存在し，この領域はV領域と呼ばれる（図5-9）．TCRはCD3分子と会合しており，CD3分子の細胞内部分にはITAMと呼ばれるシグナル伝達にかかわる配列がある．TCRはMHCとMHC上に提示されている抗原ペプチドの複合体のみを認識する．TCRがMHC-ペプチド複合体と結合して活性化するためにはTCRのほかにCD4もしくはCD8分子が必要である．CD4はMHCクラスIIとCD8はMHCクラスIとそれぞれ結合することで，TCRとMHC-ペプチド複合体の結合を強固にするとともにTCRからのシグナルを増強することができる．

4　主要組織適合遺伝子複合体（MHC）による抗原提示

A　MHCの機能

MHCは移植片が生着するか拒絶するかを決定する最も重要な遺伝子座としてマウスで発見された．全く同一のMHC型をもつ個体間で移植を行うと，移植片は生着

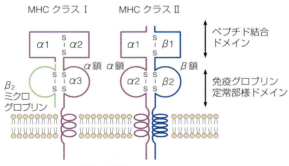

図 5-10　MHC分子の構造
クラスI分子とクラスII分子のドメイン構造は類似している．両者とも2個の膜遠位ドメイン（ペプチド結合ドメイン）と2個の膜近位ドメイン（免疫グロブリン定常部様ドメイン）からなる．

するが，MHC型の異なる個体間で移植を行うと，拒絶現象が起こり移植片は脱落する．そのため，"組織適合性を規定する最も重要な遺伝子複合体"という名称がつけられた．

MHCが本来何のために存在するかは長い間謎であったが，その後，T細胞が自己のMHCと同時に抗原を認識することが示され，MHCの抗原提示分子としての役割が明らかとなった．今日では①MHC分子に結合し，TCRに提示される抗原の本体はペプチドであること，②異なるMHC型をもつ個体では，T細胞に抗原提示

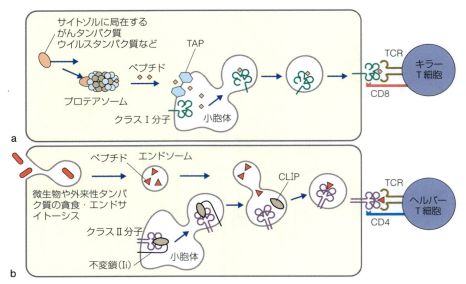

図 5-11　MHC 分子による抗原処理経路
クラスⅠ分子(a)とクラスⅡ分子(b)では，結合するペプチドの由来，ペプチドの産生に関与するプロテアーゼ，ペプチドを結合する細胞内部位が異なる．Ii : invariant chain, CLIP : class Ⅱ-associated invariant chain peptide.
〔図の提供：笠原正典先生〕

できるペプチド配列が異なることが証明されている．ヒトの MHC は **HLA**（human leukocyte antigen）と呼ばれる．

B　MHC の構造

MHC 分子はクラスⅠ分子とクラスⅡ分子に大別される（図 5-10）．

クラスⅠ分子は分子量 44kDa の α 鎖と分子量 12kDa の $β_2$ ミクログロブリン $β_2$-microglobulin（$β_2$M）からなるヘテロ二量体である．ヒトの代表的クラスⅠ分子は HLA-A, -B, -C である．α 鎖はそれぞれ 100 個のアミノ酸からなる 3 個の細胞外ドメイン（α1～3）と膜貫通部位，細胞内ドメインからなる．ペプチドの結合に関与するのは α1 と α2 ドメインであり，この部分に多型が存在する．クラスⅠ分子は基本的にすべての細胞に存在している．細胞質に存在するタンパク質に由来するペプチドを細胞傷害性 T 細胞（CTL）に提示する．クラスⅠ分子は抗体が到達しない細胞内の異常（ウイルス感染や細胞内寄生菌，がん細胞における変異タンパク質）を外界に知らせる分子装置ともいえる．ウイルス感染細胞やがん細胞では，しばしばクラスⅠ分子の発現が低下しており CTL の攻撃から逃れているが，クラスⅠ分子が消失した場合は NK 細胞に異物として認識され攻撃される．

クラスⅡ分子は，分子量 33～35kDa の α 鎖と 27～29kDa の β 鎖が結合したヘテロ二量体である．ヒトの代表的クラスⅡ分子は HLA-DR, -DQ, -DP である．多型が存在する部位は DR 分子では β1 ドメインに，DQ および DP 分子では α1 と β1 ドメインの両方に存在する．クラスⅡ分子は抗原提示細胞や B 細胞に発現しており，主に貪食やエンドサイトーシスによって取り込まれた外来性タンパク質に由来するペプチドをヘルパー T 細胞に提示する．

C　抗原提示に至る経路

MHC 分子によって T 細胞に抗原が提示されるには，抗原となるタンパク質がしかるべき処理を受け，MHC 分子に結合する必要がある．このプロセスを抗原処理 antigen processing という．抗原処理の分子機構は，クラスⅠ分子とクラスⅡ分子で大きく異なっている（図 5-11）．

1　クラスⅠ分子の抗原処理機構

クラスⅠ分子によって提示されるペプチドは，プロテアソームとよばれるプロテアーゼによって細胞質内（サイトゾル）でつくられる．ペプチドは小胞体に局在するペプチド輸送分子 transporter associated with antigen processing (TAP) によってサイトゾルから小胞体内部に運ばれ，MHC クラス I 分子に結合する．ペプチドを結合した MHC クラス I 分子はゴルジ体で糖鎖を付加された後，細胞表面に発現する．クラス I 分子に提示されるペプチドは，一般的に 8～10 個のアミノ酸からなる．

ただし，抗原提示細胞（樹状細胞とマクロファージ）においては，貪食された抗原タンパク質に由来するペプチドもクラス I 分子を介してキラー T 細胞に提示することができ，この現象は**クロスプレゼンテーション**と呼ばれナイーブな CD8 陽性 T 細胞の活性化に重要である．エンドサイトーシスによって取り込まれたタンパク質の一部がサイトゾルに輸送された後，プロテアソームで分解され，TAP を介してクラス I 分子に結合する．

2 ● クラス II 分子の抗原処理機構

クラス II 分子にはエンドサイトーシスによって取り込まれ，カテプシンなどのプロテアーゼにより，リソソームで分解されたタンパク質由来のペプチドが提示される．小胞体で MHC クラス II 分子のヘテロ二量体が合成される際には，インバリアント鎖が先端部分に結合し，三量体が形成される．インバリアント鎖は MHC 分子と異なり多型性はないが，どの MHC クラス II 分子のペプチド結合溝にも親和性を示す．インバリアント鎖は，プロテアソームによって産生されたペプチドが小胞体内でクラス II 分子に結合することを阻害している．クラス II 分子の三量体がゴルジ体を経てリソソームへ輸送されると，バリアント鎖はカテプシンにより分解され CLIP と呼ばれるペプチドに変換される．リソソーム内では HLA-DM 分子が介在することで CLIP ペプチドがほかのペプチドに置換される．クラス II 分子に提示されるペプチドは，一般的に 13～17 個のアミノ酸からなる．

Advanced Studies

a スーパー抗原

初回刺激から T 細胞の活性化が過剰に誘導される場合がある．一部の細菌やウイルスから産生される抗原が，MHC クラス II と TCR を (MHC 分子のペプチド結合溝を使用せずに) 直接架橋することで T 細胞から過剰なサイトカインが産生され，ショック状態が引き起こされる．スーパー抗原を産生する菌としては，黄色ブドウ球菌や A 群溶血性連鎖球菌（溶連菌）が知られている．溶連菌感染により急激に症状が悪化する病態は劇症型溶血性連鎖球菌感染症と呼ばれ，スーパー抗原による過剰な免疫反応が病態に影響していると考えられている．

b ミスフォールドタンパク質と自己免疫疾患

細胞内では多くのタンパク質が合成されるが，すべてが正常なタンパク質とは限らず，産生された際に正常に折りたたまれなかったタンパク質が生じることがあり，ミスフォールドタンパク質と呼ばれる．MHC クラス II 分子には細胞内のミスフォールドタンパク質を細胞外へ表示する機能もあり，これが自己抗体の標的にもなることが指摘されている．新たな自己免疫疾患の発症原因として注目されている．

D MHC の遺伝子多型性

MHC クラス I 遺伝子とクラス II 遺伝子はゲノムの特定領域に存在しており，抗原提示に必要な複数の遺伝子とともに，ヒトにおいては第 6 染色体上にクラスターを形成している．MIC, HLA-E, HLA-G, HLA-F などの非古典的 MHC クラス I 分子も MHC クラス I 遺伝子近傍に存在する．マウスなどほかのほ乳類も同様の遺伝子構造がみられ，MHC 分子と関連する分子群は共進化してきたと考えられる．

各個体は，母方，父方からそれぞれ 2 個の遺伝子を引き継ぐが，相同の遺伝子座で異なる遺伝子配列を有する場合は対立遺伝子と呼ばれる．MHC クラス I 遺伝子，MHC クラス II 遺伝子ともに親から子に受け継がれる際，優性・劣性の区別がない．MHC 遺伝子は個体間で遺伝子配列の微妙な違いがあり，ほかの遺伝子に類をみないほど多くの対立遺伝子を有している．このような遺伝子多型は免疫応答の個体差を生み出す重要な要因であり，多くの疾患において MHC 遺伝子多型とリスクの関係性が報告されている．遺伝子の組み合わせをアレルと呼び，ヒトにおいては数千にもおよぶ MHC (HLA) アレルが存在している．MHC アレルには人種間の偏りもみられる．

T 細胞が標的細胞を認識する際，MHC と MHC 上に提示されたペプチド複合体を認識する必要性があるが，このペプチド抗原は MHC のペプチド結合溝を構成するアミノ酸配列により異なる．例えば，あるウイルスに感染した場合，そのウイルス由来のペプチドを効率的に提示できる MHC アレルをもっている個体群では，ウイルスに対する免疫応答が効率的に行われる．しかし，そのような MHC アレルを有しない個体群では，ウイルスに対する細胞性免疫が十分に誘導されず，感染の重症化につながる．一方，ウイルス側においても MHC 分子に提示されないような遺伝子配列を獲得し，進化を遂げる．そうすると別の MHC を有する個体群がウイルス感染に強い抵抗性を示すことになる．このように，ウイルスなどによる致死的な感染症に対して抵抗性の MHC を有する個体が生き残るという現象が長い年月をかけて繰り返された結果，MHC 遺伝子に非常に多くの多型性が生じたと考えられる．

MHC の高い遺伝子多型性は移植医療の大きな障害に

Ig クラス	IgG	IgA	IgM	IgD	IgE
構造	 Y	 160 分泌型	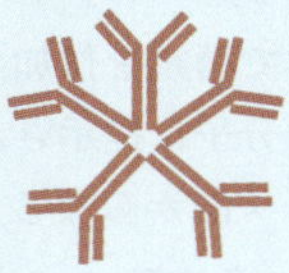 (星形)	 Y	 Y
分子量(kDa)	150	370〜600*	900〜970	180	190
血清中濃度(mg/mL)	5〜12(IgG1)	1〜4	0.4〜4	0.02〜0.04	<1μg/mL
血中半減期(日)	21(IgG1)	5	5	3	2
胎盤通過	+++	−	−	−	−
体外分泌	+	+++	+	?	+
補体結合	+	−	++	−	−

図 5-12 免疫グロブリンの種類と性状
* 分泌型 IgA は二量体,三量体,四量体が存在する.

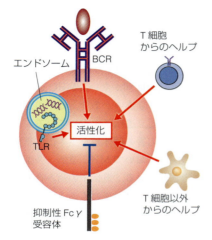

図 5-13 B細胞の活性化を制御する分子群
B細胞が活性化するためには,抗原がB細胞受容体(BCR)に結合するだけでは不十分であり,その他にさまざまな活性化分子からの刺激が必要になる.また,過剰な活性化を防ぐため,活性化を制御するFcγ受容体も存在する.
〔高橋宜聖:B細胞. 標準免疫学第4版,医学書院,2021 より改変して転載〕

5 抗体の多様性を生み出すメカニズム

A 抗体のアイソタイプ(図 5-12)

抗体には,IgA,IgD,IgE,IgG,IgM の5つの種類(アイソタイプ isotype)があり,IgG と IgA にはそれぞれ4つ,2つのサブクラスがある.どの種類にもB細胞表面に発現する膜型抗体(B細胞受容体)と,細胞外に分泌される分泌型抗体がある.膜型抗体はB細胞の活性化と抗原の取り込みに寄与し(図 5-13),分泌型抗体は病原体などの排除にかかわる.

Advanced Studies
a 新生児における免疫グロブリン
妊娠12週頃から母親のIgGが胎盤を通過し胎児の血中に輸送されるため,出生前の胎児には母親の血中濃度に匹敵するIgGが含まれている(ほかの免疫グロブリンは移行しない).移行したIgGは徐々に減少していくため,出生後3〜4か月では出生時の約40%に減少する.その後,自身でもIgGを産生できるようになるため生後1年では成人値の約60%程度まで増加する.出生4か月から1年の間に乳幼児はさまざまな感染症に罹患するが,これは母親の移行抗体が減少するためである.

B 体細胞突然変異とクラススイッチ

抗体の基本的な構造は分子量50〜75kDaの重鎖 heavy chain(H 鎖)と,およそ25kDaの軽鎖 light chain(L 鎖)2本が結合したヘテロ二量体同士がさらに二量体化したものである.どちらの遺伝子も,大部分は遺伝子配列が定まった定常領域(C 領域)であるのに対しN末端のアミノ酸残基は可変領域(V 領域)としてさまざまな遺伝子配列であり,協調して抗原結合部位を形成する.V遺伝子領域はさらにV,D,Jと呼ばれる多数の遺伝子断片に分かれて存在している.B細胞が分化する

なっている.また,遺伝子多型性が自己免疫疾患はじめ,アレルギー性疾患や炎症性疾患,神経変性疾患などの発症に強い影響を与えることも明らかになっている.詳細な機序は不明であるが,強直性脊椎炎におけるHLA-B27 やベーチェット Behçet 病における HLA-B51,ナルコレプシーにおける HLA-DR2 などがよく知られている.

表 5-1 免疫反応にかかわるサイトカイン

サイトカイン	産生細胞	作用
IFN-γ	リンパ球, マクロファージ	Th1 細胞への分化, MHC 発現増強, マクロファージの活性化, B 細胞の分化促進
IL-1β	マクロファージ, 樹状細胞	免疫細胞全般の活性化, 体温上昇, 急性期タンパク質合成, 血管内皮細胞の活性化, 破骨細胞の活性化
IL-2	リンパ球	T 細胞(CTL, Th, Treg)や NK 細胞の増殖・活性化, B 細胞の形質細胞への分化
IL-4	マスト細胞, リンパ球	Th2 への分化, マスト細胞や好塩基球の活性化, IgE へのクラススイッチ
IL-5	マスト細胞, リンパ球, 好酸球	B 細胞と好酸球の増殖・分化に関与
IL-6	免疫細胞を含むさまざまな細胞	免疫細胞全般の活性化, 急性期タンパク質の合成などに関与, 老化に伴う慢性炎症に関与
IL-10	Th, マクロファージ	Th1 への分化抑制, サイトカイン産生抑制
IL-12	マクロファージ, 樹状細胞	CTL, NK 細胞の活性化, Th1 への分化促進
IL-13	リンパ球, マスト細胞, NK 細胞	IgE へのクラススイッチ, 上皮細胞による粘液産生亢進
IL-17	リンパ球	免疫細胞以外のさまざまな細胞に作用し, IL-1 や IL-6, GM-CSF などの炎症にかかわるサイトカインやケモカイン産生を誘導
TNF-α	マクロファージ, リンパ球	免疫細胞全般の活性化, 体温上昇, 急性期タンパク質合成, 抗ウイルス作用, MHC 発現増強, NK 細胞の活性化
IL-23	マクロファージ, 樹状細胞	Th17 の維持と増殖を促進, 炎症性サイトカインを誘導
CCL2 (MCP-1)	免疫細胞を含むさまざまな細胞	サイトカインではなくケモカインに分類, 炎症局所への単球・マクロファージの浸潤を誘導

過程で, V, D, J 遺伝子からそれぞれ 1 つずつが選ばれ, 1 つの V 領域をコードする遺伝子が再構成(VDJ 組換えとも呼称される)されることで V 領域の多様性が生み出される. VDJ 組換えと同時に C 領域の転写が開始されるが, 当初産生される抗体は IgM である. しかし B 細胞がリンパ節や脾臓など二次リンパ組織における胚中心で, 樹状細胞からの抗原刺激によって増殖する際には, H 鎖の C 領域のみが変化し IgM と異なるクラスの抗体を発現するようになる. このように V 領域は変化せずに C 領域のみが変化する現象をクラススイッチと呼ぶ. さらに, 増殖の際には V 領域の遺伝子に突然変異が挿入されるが, この現象を**体細胞突然変異** somatic hypermutation と呼び, これにより抗原結合性がさらに強い抗体を有する B 細胞が産生される. この一連の過程は**親和性成熟**とも呼ばれる. AID (activation-induced cytidine deaminase)は体細胞突然変異とクラススイッチに重要な役割を果たす酵素の 1 つである.

クラススイッチに関しては, ヘルパー T 細胞などから産生されるサイトカインによって抗体のクラスが変化する. 例えば IL-4 は IgG1 や IgE, IL-5 は IgA, IL-13 は IgE へのクラススイッチ組換えを誘導する.

6 免疫反応にかかわるサイトカイン

これまで自然免疫系・獲得免疫系にかかわるサイトカインについて言及してきたが, 主なものをまとめておく(表 5-1). 現在, 多くのサイトカインに対する抗体医薬(生物学的製剤)が開発され, さまざまな疾患の治療に使用されている.

C リンパ球の分化と自己・非自己の認識

免疫系が正常に機能するために特に重要なのは, 免疫系が正常な細胞や組織を攻撃しないという自己抗原に対する**免疫寛容**, すなわち自己寛容 self tolerance であり, 自己寛容の破綻は**自己免疫疾患**を引き起こす. 免疫寛容は自己抗原を認識したリンパ球が, 死滅して除去(選別)される, 機能的に免疫応答できない状態(アナジーanergy)に陥るなどの機序によって成立する.

骨髄と胸腺はリンパ球の産生にかかわる組織であり, 一次リンパ組織と呼ばれる. 骨髄あるいは胸腺において

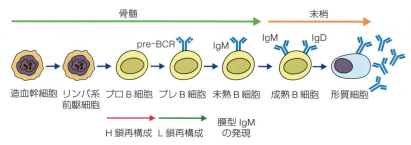

図 5-14　B 細胞の分化
プレ B 細胞では H 鎖は代替軽鎖（青点線）と会合している．

自己反応性 B 細胞および T 細胞は除去される．つまり，自己には反応しないが機能的な T 細胞，B 細胞だけがつくられる仕組みになっている．

リンパ節，扁桃，脾臓，パイエル板をはじめとする粘膜関連リンパ組織 mucosa-associated lymphoid tissue（MALT）は，二次リンパ組織と呼ばれる．一次リンパ組織が選別の場であるのに対して，二次リンパ組織は免疫反応の場である．B 細胞，T 細胞いずれも二次リンパ組織において抗原と出会うことで，抗原に反応する細胞が増殖する．B 細胞は最終的に形質細胞へ分化し，末梢へ分布するか再び骨髄へ戻る．増殖した T 細胞はエフェクター細胞として末梢へ分布する．抗原に反応する一部の B 細胞，T 細胞はメモリー細胞として二次リンパ組織で長期間生存する．

 一次リンパ組織における免疫寛容

1　B 細胞の分化と寛容の成立

骨髄内で造血幹細胞から前駆細胞→プロ B 細胞→プレ B 細胞→未熟 B 細胞と分化し，末梢組織において成熟 B 細胞となる（図 5-14）．成熟 B 細胞は抗原と出会い活性化することで形質細胞に分化する．プロ B 細胞の段階では免疫グロブリン H 鎖の再構成が，プレ B 細胞の段階では免疫グロブリン L 鎖の再構成が起こる．H 鎖に加えて L 鎖が正しくできると，免疫グロブリン複合体である膜型 IgM が細胞表面に発現する．骨髄内で自己抗原に反応性を示す未熟 B 細胞はアポトーシスやアナジーに陥ることで，自己反応性 B 細胞は除去される．

2　T 細胞の分化と寛容の成立

胸腺には T 細胞系列への分化に特化した前駆細胞が存在しており，胸腺内で増殖し，T 細胞に分化する（図 5-15）．胸腺における T 細胞の分化は CD4 分子と CD8 分子の発現によって段階づけられている．最も初期段階の T 細胞は CD4，CD8 ともに陰性であり（double negative，DN），CD4，CD8 がともに陽性（double positive，DP）の段階を経て，CD4 あるいは CD8 のみ陽性（single positive，SP）の成熟 T 細胞となって末梢組織に分布していく．DN の段階では TCRβ 鎖の再構成と旺盛な細胞増殖（100 万倍ともいわれる）が起こる．その後，DP 細胞へと分化し TCRα 鎖の再構成が起こることで細胞表面に α 鎖・β 鎖の二量体である TCR が発現する（αβT 細胞）．一部の細胞では TCRγ 鎖と TCRδ 鎖の再構成が起こり γδT 細胞となる．

TCR を発現した DP 細胞は，胸腺皮質上皮細胞上に発現する MHC クラス I・クラス II 分子と相互作用することにより，正の選択 positive selection を受ける．この選択によって MHC 分子ときわめて高い親和性で結合する TCR，あるいは MHC 分子に全く親和性のない TCR を発現する T 細胞クローンが除去される．

正の選択を受けた DP 細胞は SP 細胞となって髄質へ移行し，髄質上皮細胞，マクロファージ，樹状細胞上に発現する MHC 分子と反応する．これらの細胞には全身のさまざまな組織で発現する抗原が発現しており，MHC 上には自己抗原由来のペプチドが提示されている．このような MHC 分子と反応する自己反応性 T 細胞が除去されることで，自己免疫疾患を引き起こしうる T 細胞が取り除かれていると考えられている（負の選択 negative selection）．胸腺において CD4 陽性 T 細胞はヘルパー T 細胞と制御性 T 細胞，濾胞ヘルパー T（Tfh）細胞に分化し，末梢組織においてヘルパー T 細胞はさらに Th1，Th2，Th17 に分化する．

胸腺は思春期に最も大きくなり，成人に達すると退縮が始まり脂肪組織に置換されていく．老化が最も早い臓器ともいわれており，胸腺細胞の数は成人期以降，20

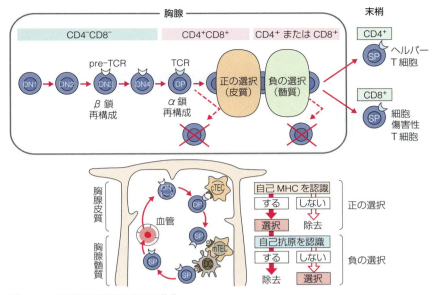

図 5-15　T細胞の胸腺における分化
T細胞は胸腺皮質においてCD4分子とCD8分子がともに陰性（DN）の状態で被膜に向かって移動する．その後，ともに陽性（DP）の状態に分化すると，細胞膜表面上にT細胞受容体（TCR）が発現するようになる．このDP細胞は皮質上皮細胞 cortical thymic epithelial cell（cTEC）上のMHC分子と相互作用し，正の選択を受ける．正の選択を経たDP細胞はSP細胞となり，胸腺髄質へ移動し，髄質上皮細胞 medullary thymic epithelial cell（mTEC），マクロファージ，樹状細胞上のMHC分子との反応により負の選択を受ける．2つの選択を経たT細胞は末梢に出ていく．
〔図の提供：笠原正典先生〕

年ごとに1/10になるペースで減少するとされている．ヌードマウスという胸腺を欠如するマウスはT細胞が欠如しており免疫不全状態にあるため，さまざまな医学研究に使用されている．

B 二次リンパ組織における免疫寛容

1 アナジー anergy

リンパ球が標的細胞を認識しているにもかかわらず，攻撃できない状態のことである．アナジーの機序はT細胞活性化の機序が不十分だったときに起こる．T細胞の活性化はまず樹状細胞などの抗原提示細胞がT細胞に刺激を与えることで始まる．この際，MHC分子-抗原ペプチド複合体とTCRの結合に加えて，CD80/CD86などの補助刺激分子からの刺激が必要である．しかし，自己抗原を提示している未熟な抗原提示細胞では補助刺激をT細胞に十分に伝えることができず，T細胞はアナジー状態になる．この状態になると，以降の抗原刺激に対して反応できず自己寛容状態が維持される．

2 活性化誘導型細胞死 activation induced cell death

持続的に繰り返す抗原刺激により，T細胞上にFASとそのリガンドであるFASLの発現が誘導され，相互の結合によりT細胞のアポトーシスが誘導される．*FAS*遺伝子の異常により，自己免疫性リンパ増殖症候群を発症することが知られている．

3 制御性T細胞（Treg細胞）による免疫抑制

Treg細胞による免疫抑制には複数の機序が知られているが，主に細胞接着依存的な機序と抑制性サイトカイン依存的な機序の2つを記載する．Treg細胞に発現するCTLA-4は，T細胞に発現するCD28よりも抗原提示細胞に発現する補助刺激分子であるCD80/CD86への結合能が高いため，Treg細胞が組織の近傍に存在する場合，競合的にT細胞の補助刺激が抑制される．また，TGF-βやIL-10などの免疫抑制性サイトカインを産生することで，T細胞の活性化を制御する．これらのサイトカインは抗原提示細胞の機能抑制にも関与する．Treg細胞の分化に重要な役割を有する*FOXP3*遺伝子の異常では免疫系の過剰な活性化により後述するIPEX症候群という自己免疫疾患を引き起こす．

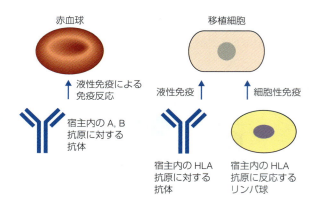

図 5-16 臓器移植に関連した免疫反応
赤血球輸血に対する拒絶反応は，A, B抗原に対する抗体が関与する．移植細胞や臓器に対する免疫反応は，HLA抗原に対する抗体やリンパ球が関与する．

臓器移植に関連した免疫反応

移植 transplantation の目的は，機能障害をきたした臓器・組織を健康な臓器・組織で置換することである．移植される臓器・組織を移植片（グラフト）graft といい，移植片を提供する個体を供与者（ドナー）donor，移植片を受け取る個体を宿主（ホスト）host という．移植は，供与者とホストの組み合わせによって，① 自家移植（供与者と宿主が同一個体），② 同系移植（一卵性双生児間での移植），③ 同種移植（同一種に属する2個体間での移植），④ 異種移植（異種間での移植）に分類される．

これらのなかで，現在の移植医療において最も重要なのは同種移植であり，今日では腎，肝，心，肺，膵，骨髄細胞などの臓器・細胞移植が行われている．移植片と宿主間には組織適合抗原を標的とした免疫応答が生じるが，これらの移植の成否を決定するうえで最も重要なのは MHC 型（ヒトでは HLA）の一致・不一致である．基本的に MHC 型が一致している場合には移植片は生着し，不一致の場合は拒絶 rejection される．移植に関連する免疫応答は，宿主対移植片反応 host-versus-graft reaction（HVGR，宿主細胞が移植細胞を攻撃）と移植片対宿主反応 graft-versus-host reaction（GVHR，移植細胞が宿主細胞を攻撃）に大別される．

赤血球輸血は，一般的に移植という言葉は使用されないが，実際は最も高い頻度で行われている移植である．ABO 血液型によって輸血できる組み合わせとでそうでない場合があり，ABO 適合，不適合という．ABO 不適合の際に起こる免疫反応は，主に ABO 血液型抗原に対する抗体が関連した免疫反応（液性免疫）である（図 5-16）．

A 拒絶反応の種類

拒絶反応は，その発現の時期により超急性，急性，慢性に分類されており（図 5-17），それぞれのメカニズムは全く異なるため，治療方法も異なる．

超急性拒絶反応は，移植後数分〜数時間以内に起こる拒絶反応であり，血管内に血栓が形成されることで臓器虚血に陥る．移植前から移植片あるいは供与者に対する抗体が宿主に存在している場合に発生する．抗 HLA 抗体や抗 ABO 抗体があげられるが，これらの抗体は輸血や妊娠によって宿主内でアロ抗原（同一種の個体間で異なる抗原）に対する免疫反応が起こる結果産生されることが多い．

急性拒絶反応は移植後，数日〜3か月以内に起こる拒絶反応であり，細胞性免疫や液性免疫といった獲得免疫系が働くことで引き起こされる．

慢性拒絶反応は移植後，3か月以降に発症する拒絶反応である．移植臓器の機能が徐々に悪化することで，移植後数年後に顕在化することもある．主に液性免疫が関与していると考えられている．組織学的変化としては，間質の線維化や組織の萎縮（腎移植であれば尿細管萎縮），動脈硬化（心臓移植であれば冠動脈の求心性内膜肥厚），細動脈の硝子化などがみられる．

B 臓器移植における拒絶反応の組織学的所見
（図 5-18）

細胞性免疫が拒絶にかかわる場合，腎臓では尿細管や動脈内膜へのリンパ球浸潤，心臓では間質へのリンパ球浸潤，肝臓では門脈内の間質および胆管内へのリンパ球浸潤が急性期に観察される．

液性免疫が拒絶にかかわる場合，抗 HLA 抗体が毛細血管内皮に沈着することで，毛細血管内皮の腫大や変性が急性期にみられる．補体の活性化が誘導され細胞が傷害されるが，その際に産生される補体 C4d の毛細血管への沈着を免疫組織化学的に同定することで拒絶反応を評価することも可能である．

慢性期には，いずれのメカニズムにおいても傷害された部位の線維化が認められる．急性期も含めて，それぞれの臓器に拒絶反応の評価項目があり，国際的な基準が定められている．

D. 臓器移植に関連した免疫反応 ● 111

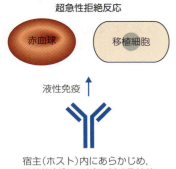

図 5-17　拒絶反応の種類
拒絶反応には，超急性，急性，慢性の3種類があるが，それぞれ免疫反応メカニズムは異なる．抗体が関与する拒絶反応では，後述するII型あるいはIII型アレルギー反応が関与する．

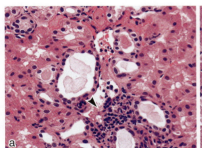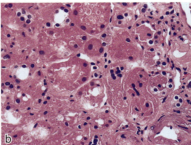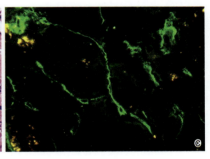

図 5-18　腎臓移植における拒絶反応
a. 細胞性免疫が関与する急性拒絶反応である（T細胞性拒絶反応）．リンパ球が尿細管周囲に浸潤しており（▶），尿細管も萎縮している．
b, c. 液性免疫が関与する急性拒絶反応である（抗体関連型拒絶反応）．尿細管の障害がみられ（b，尿細管の好酸性変化），傍尿細管周囲の毛細血管にC4d沈着を伴っている（c，蛍光写真の緑色）．
〔写真提供：金沢医科大学　塩谷晃広先生〕

C 移植片対宿主病 graft-versus-host disease（GVHD）

　血液系腫瘍では治療のために，造血幹細胞（骨髄細胞や末梢血幹細胞，臍帯血幹細胞）を移植することがある．この場合，宿主側の免疫細胞を先に減少あるいは除去してから移植片である造血幹細胞を移植するため，臓器を移植した場合とは異なり，供与者側の免疫細胞が宿主の正常細胞を攻撃することになる（特に末梢血幹細胞を使用する場合はリンパ球の混入が多い）．HVGRの場合は移植臓器のみが傷害されるが，GVHRの場合は複数の臓器に傷害がみられる．GVHRにより臨床的症状をきたした場合にGVHDと呼ばれる．

　急性GVHD（数日～3か月以内）の場合，移植されたリンパ球による細胞性免疫のため，皮膚，肝臓，消化管が傷害されることが多い（図5-19）．組織学的にはこれらの臓器にリンパ球浸潤とともに表皮細胞や肝細胞，腺上皮細胞のアポトーシスあるいは変性所見が観察される．GVHDの場合，宿主の免疫系，特に獲得免疫系が抑制されているため易感染状態にあり，感染症を合併することも多い．

　慢性GVHDは3か月以降に発症し，半数近くの症例が発症するとされている．詳細な機序は明らかにされていないが，皮膚，口腔，眼，肝臓が傷害されることが多い．傷害組織では正常組織の萎縮や線維化などがみられる．

Advanced Studies

a 免疫特権 immune privilege
　眼，精巣，脳は移植片が拒絶されにくい臓器として知られており（例として角膜移植があげられる），免疫特権部位と呼ばれる．これらの臓器では普段から免疫反応が抑制されており，高度な生命活動のために炎症による傷害から組織を保護するためと考えられている．さまざまな機序が報告されているが，解剖学的に免疫細胞が浸潤しにくいことやHLAの発現が低いことなどがあげられる．

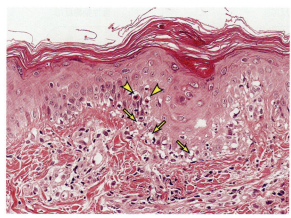

図 5-19　急性 GVHD の皮膚組織
表皮真皮接合部の周囲にリンパ球の浸潤をみる．表皮に好酸性を示す壊死に陥った角化細胞（▷）と基底層の空胞変性（→）を認める．
〔写真提供：笠原正典先生〕

b 免疫順応 accommodation

移植片への抗体沈着が確認されるにもかかわらず，移植片が傷害を受けない状態である．つまり，宿主側に移植片に対する抗体が存在していても拒絶反応が起こらない場合がある．詳細なメカニズムは不明であるが，細胞に結合する抗体が少ない場合は細胞保護にかかわるシグナル経路が活性化し，結合する抗体が多い場合は補体活性化が亢進する．

D 妊娠と免疫寛容

ほ乳類では子宮内で胎児が発育する．胎児と胎盤は胎児成分であり，脱落膜（肥厚した子宮内膜）は母体である．胎児は母親の MHC と父親の MHC を有しており，母体にとって胎児は半異物の状態にある．免疫学的には移植と類似した状態であるが，通常，胎児の拒絶反応はみられない．その理由として，さまざまな機序で成立している**母子間免疫寛容**があげられるが，一部のみ紹介する．

Treg 細胞は胎盤や子宮周囲のリンパ節に多く存在する．産科における重篤な合併症に妊娠高血圧腎症があり，この疾患では Treg 細胞が減少していることから Treg 細胞が免疫寛容に関与していると考えられている．また，胎盤を構成するトロホブラスト（栄養膜）には非古典的 MHC クラス I 分子（遺伝子座が MHC 遺伝子領域に存在し，MHC クラス I 分子と同様の構造をもつが多型性が少ない）である HLA-G が発現している．HLA-G は T 細胞や NK 細胞の活性化を抑制することで，免疫寛容に関与している．

胎児血と母体血は胎盤が障壁になっているためじかに接することはないが，微量の血液交流は存在しており，胎児に少数ではあるが母体由来の免疫細胞も混入している．この現象をマイクロキメリズムと呼び，母子間免疫寛容に関与していると考えられている．臓器移植の際，母親の臓器のほうが父親の臓器に比べて拒絶反応が少ないことは，母子間免疫寛容が長期間続くことを示唆している．

腫瘍に対する免疫反応

免疫系は自己と非自己を識別し，非自己を排除する生体システムである．悪性腫瘍（がん）は細胞への遺伝子変異の蓄積により発生することから，正常細胞が本来保有していない非自己の抗原（主にタンパク質）を有しており，免疫系からは異物として認識される．がん患者の血液中には，がん細胞に反応する T 細胞が多少なりとも確認されるが，がんは免疫系から逃れて増殖するようになる（図 5-20）．これまでさまざまな方法により，がんに対する免疫反応を活性化させる"がん免疫療法"が多くなされてきたが，2011 年に免疫チェックポイント分子を標的とした治療が臨床応用されると，これまでの免疫療法を大きく上回る臨床効果がさまざまな臓器で確認され，現在もその適応範囲が増えている状況である．がんに対する免疫反応は，免疫療法以外にも化学療法や放射線療法の治療効果にもかかわることが示唆されており，がん免疫の理解はがん診療にかかわる医師にとって必須である．

A がん免疫編集説 cancer immunoediting theory

がん細胞が免疫系により排除される現象は 100 年以上前から知られていたが，理論として提唱されたのは 1950〜1960 年代である．「生体内では細胞に遺伝子変異が常に起こり悪性細胞が出現するが，これらの危険な異常細胞は免疫系により見つけ出され排除される」というがん免疫監視機構である．この説は多くの研究成果に支持されたが，現在では発がんに至る過程の免疫系の役割を 3 つの相（排除相 elimination，平衡相 equilibrium，逃避相 escape）に分類した**がん免疫編集説**が多くの研究者によって支持されている（図 5-21）．

a 排除相

紫外線などにより生じた異常細胞は，通常は自己修復能により修復されるかアポトーシスにより除去される．しかし，自己修復できずに生き残った場合は免疫系により排除される．

b 平衡相

免疫細胞が認識しにくい（免疫原性が低い）がん細胞のみが選別され生体内で生存可能となるが，免疫系との平衡を保っており，まだ無限に増殖する機能を有していない．

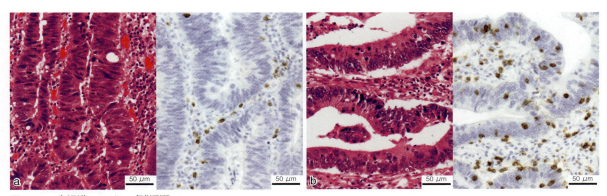

図 5-20　癌組織へのリンパ球浸潤
どちらも大腸の高分化管状腺癌であるが（左側：HE 写真，右側：CD8 の免疫染色），a は間質に少数の CD8 陽性 CTL を認めるのみであるが，b は間質および癌胞巣内に多数の CD8 陽性 CTL を認める．一般的に，b のような症例のほうが生存率が高いことが知られている．

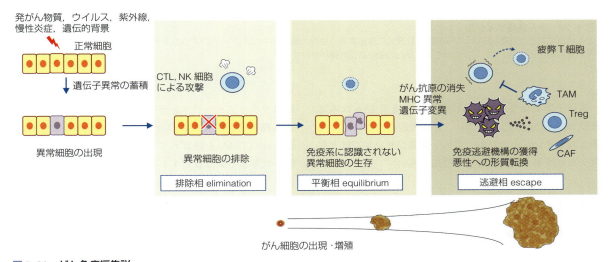

図 5-21　がん免疫編集説
さまざまな刺激により，異常細胞（腫瘍細胞）が発生するが，その多くは免疫系で排除される（排除相）．免疫系に認識されない細胞が生存可能となるが，まだ増殖能が低い（平衡相）．さらなる遺伝子変異の蓄積により増殖能が高い腫瘍（がん）細胞が出現し，同時に周囲の間質細胞も巻き込み免疫逃避機構を獲得する（逃避相）．がん細胞の影響を受けたがん随伴マクロファージ tumor-associated macrophage（TAM）やがん関連線維芽細胞 cancer-associated fibroblast（CAF），制御性 T 細胞（Treg）はリンパ球（CTL）によるがん細胞の攻撃を減弱させる．活性化 CTL はがん細胞を攻撃できずに，疲弊 T 細胞となり機能不全に陥る．

c 逃避相

過剰な免疫応答を抑制する免疫抑制機構は生体の恒常性維持に必要である．しかし，がん組織にこの機構が取り入れられると，がん細胞は免疫系から逃れることができ（免疫逃避），無限に増殖するようになる．臨床的に見つかる「がん」は，既に排除相，平衡相を経て逃避相の段階にあるといえる．

B がん抗原

正常細胞ががん化することにより発現する抗原をがん抗原という．がん抗原はがん免疫の標的になるとともに，肝臓がんにおける α-フェトプロテインのように腫瘍マーカーとしても用いられているものもある．がん抗原は，がん細胞のみに発現しているがん特異的抗原 tumor-specific antigen（TSA）と，がん細胞に高発現しているが正常細胞にも発現しているがん関連抗原 tumor-associated antigen（TAA）の 2 種類がある．

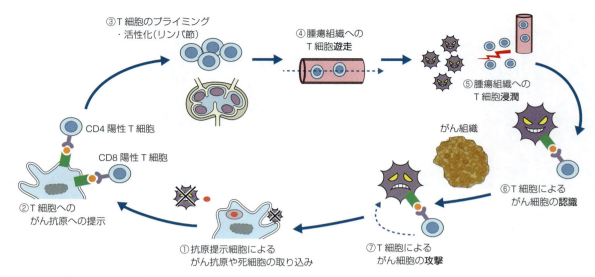

図 5-22　がん免疫サイクル
がん抗原に対する免疫反応は，がん細胞に特異的に反応するT細胞の誘導を中心に①〜⑦の7つのステップにまとめられている．それぞれのステップに対して，さまざまながんの免疫逃避機構が存在する．

遺伝子変異によって生じた非自己の抗原TSAはネオ抗原 neo-antigen とも呼ばれ，免疫細胞の標的として認識されやすい．そのため，遺伝子変異が多いがんほど免疫チェックポイント阻害薬の効果が高い．

C　がん免疫にかかわる細胞

CD8陽性T細胞は，抗原提示細胞上のがん抗原（ペプチド）とMHCクラスI分子複合体を認識することで活性化され，細胞傷害性T細胞（CTL）に分化する．CTLはがん細胞に発現するがん抗原（ペプチド）とMHCクラスI分子複合体を認識し，IFN-γ，パーフォリン，グランザイムを介してがん細胞を攻撃する．

CD4陽性T細胞は，抗原提示細胞上のがん抗原（ペプチド）とMHCクラスII分子複合体を認識することで活性化し，ヘルパーT細胞へ分化する．活性化されたヘルパーT細胞はIL-2などのサイトカインを産生し，CTLの活性化を補助する役割がある．

制御性T（Treg）細胞は，ヘルパーT細胞と同様にMHCクラスII分子を介して活性化され，CTLA-4やさまざまな免疫抑制因子を産生することでがん細胞に対する免疫応答を抑制している．

マクロファージは，がん細胞が分泌するMCP-1（CCL2）などのケモカインにより，主に末梢血単球ががん組織に誘引されたものである．がん組織に浸潤した単球はマクロファージへと分化するが，このような細胞は**がん随伴（関連）マクロファージ** tumor-associated macrophage（TAM）と呼ばれている．当初，TAMはがん細胞を攻撃あるいは貪食すると考えられてきたが，実際には多くのTAMはがん細胞に対する増殖因子や血管新生因子，免疫抑制因子などを産生することでがんの増殖に寄与している．

がん細胞に対する免疫反応ではCTLが中心的な役割を演じているが，がん抗原に反応するCTLの誘導から免疫応答までのステップは，**がん免疫サイクル**としてまとめられている（図5-22）．概して，がん組織内に浸潤したT細胞が多い症例ほど臨床経過が良好であり，Treg細胞やTAMが多い症例は臨床経過が悪い傾向にある．

D　免疫チェックポイント分子

近年，免疫チェックポイント阻害薬を用いた免疫療法が注目を集めている（図5-23）．免疫系は過剰な免疫応答を抑制し免疫応答の恒常性を維持するために，活性化T細胞に免疫抑制シグナルを伝達するブレーキ機能を有している．その1つが**PD-1**や**CTLA-4**などの免疫チェックポイント分子であり，これらの分子はT細胞活性化とともにT細胞表面に発現が誘導される．CTLA-4が発現することでCD28を介した補助刺激が阻害され，

E. 腫瘍に対する免疫反応 ● 115

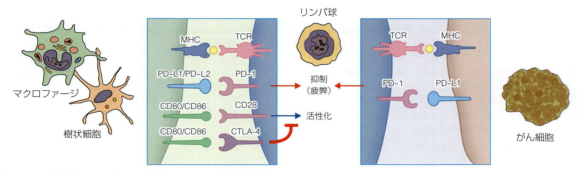

図 5-23　免疫チェックポイント分子を介した免疫制御機構
PD-1 は活性化リンパ球に発現し，PD-L1 による刺激によりリンパ球の活性化が抑制される（疲弊化）．CD28 はリンパ球に発現しており，抗原提示細胞の CD80/CD86 からの刺激を受けリンパ球を活性化させる．CTLA-4 は活性化リンパ球に発現し，CD80/CD86 と CD28 の結合を阻害することで，CD28 による活性化を制御している．PD-1 や PD-L1，CTLA-4 に対する阻害抗体は，がん細胞に対するリンパ球の免疫反応を増強させる．

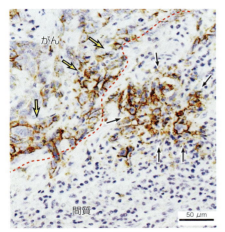

図 5-24　口腔の扁平上皮癌における PD-L1 の免疫染色像
がん胞巣の辺縁に PD-L1 陽性がん細胞が観察される（➡）．間質には多数のリンパ球浸潤とともに PD-L1 陽性の TAM が観察される（→）．

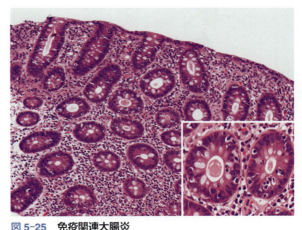

図 5-25　免疫関連大腸炎
陰窩上皮（腺上皮）は障害され，杯細胞減少と萎縮がみられる．間質および上皮内にリンパ球が多数浸潤しており，上皮のアポトーシスも散見される．

エフェクター T 細胞としての活性化が抑制される．PD-1 のリガンドとして PD-L1 と PD-L2 がある．PD-L1 はマクロファージや樹状細胞，がん細胞，感染細胞などさまざまな細胞に発現し，PD-L2 は主に活性化したマクロファージや樹状細胞に発現している．現在，PD-1 と PD-L1，CTLA-4 に対する阻害抗体の臨床応用が進んでいる．PD-L1 分子は，免疫組織化学によりがん組織での発現を評価することができるため，治療適応を判定する際に PD-L1 発現を評価する場合がある（図 5-24）．

E 免疫関連有害事象
immune-related adverse events（irAE）

　免疫チェックポイント阻害薬に代表されるがん免疫療法により，自己免疫反応が過剰に活性化する場合がある．この場合，皮膚や消化管，肝，肺，甲状腺，下垂体，関節，筋などさまざまな臓器が標的となり，自己免疫疾患に近い症状を呈する（図 5-25）．高度の irAE は死に至る場合がある．液性免疫・細胞性免疫の双方の関与が示唆されている．

表 5-2　過敏反応（アレルギー）の分類

過敏反応の種類	機序	関連する疾患
Ⅰ型（即時型）	細胞上に発現した IgE にアレルゲンが結合，さらに架橋することで，肥満細胞や好塩基球が活性化する	気管支喘息，花粉症，アレルギー性鼻炎，アトピー性皮膚炎，蕁麻疹，アナフィラキシーショックなど
Ⅱ型	細胞や組織に対する抗体により，補体の活性化を経て細胞・組織傷害が起こる場合，NK細胞などの活性化を経て細胞機能障害（過剰な刺激あるいは阻害）が起こる場合がある	自己免疫性溶血性貧血，グッドパスチャー Goodpasture 症候群，特発性血小板減少性紫斑病，重症筋無力症，バセドウ Basedow 病など
Ⅲ型	組織に沈着した免疫複合体により補体が活性化し，免疫細胞の遊走と活性化を促す	全身性エリテマトーデス，過敏性肺臓炎，血清病など
Ⅳ型（遅延型）	ヘルパー T 細胞の活性化により，マクロファージや CTL が活性化する	接触性皮膚炎，関節リウマチ，シェーグレン Sjögren 症候群，1 型糖尿病，多発性硬化症，橋本病，原発硬化性胆管炎，ツベルクリン反応など

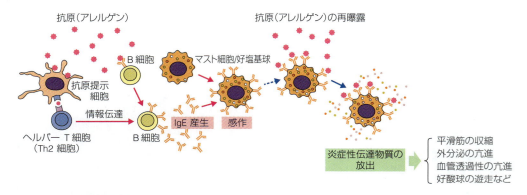

図 5-26　Ⅰ型過敏反応

Advanced Studies

a がんの免疫逃避 immune escape

がん細胞は免疫系から逃れるためにさまざまな変化を取り入れている．MHC クラス I 分子の発現低下や機能低下，PD-L1 や TGF-β など免疫抑制因子の発現，がん抗原の消失，マクロファージや Treg 細胞，線維芽細胞などの免疫抑制細胞の増加，血管内皮細胞の異常化などがある．免疫療法に耐性を獲得したがんでは特にこれらの変化が強く認められる．また，がん細胞に発現する CD47 は，"Don't eat me" シグナルとして働き，マクロファージによる貪食から逃れる一役を担っている．

 ## F アレルギー（過敏反応）

アレルギー allergy は，本来無害な外来性抗原（アレルゲン）allergen に対して惹起される有害な免疫反応である．「免疫反応に基づく生体に対する全身的または局所的な障害」とも定義されている．アレルギーが成立するためには，前もって抗原に曝露され，免疫反応の結果その抗原に対する抗体やリンパ球が産生されていることが必要である．このようにある抗原に対しアレルギーを起こしうる状態になることを**感作**と呼ぶ．機序に基づくアレルギー分類として，Coombs と Gell による分類（Ⅰ～Ⅳ型）がある．一般的にアレルギーと呼ばれる病態はⅠ型（液性免疫が関与する即時型）とⅣ型（細胞性免疫が関与する遅延型）である．広義（Ⅰ～Ⅳ型）のアレルギーと狭義（Ⅰ型/Ⅳ型）のアレルギーを区別するために，前者を**過敏反応** hypersensitivity reaction と呼ぶこともある．本項ではⅠ～Ⅳ型の分類に沿って機序と疾患のかかわりについて述べる（表 5-2）．

1 Ⅰ型過敏反応

すでに感作されている抗原に接した際に数分以内に発生する即時型免疫反応である（図 5-26）．アレルゲンに反応する IgE が過剰に産生され，肥満細胞や好塩基球の FcεRⅠ（IgE 抗体に親和性の高い Fc 受容体）に結合していることが誘因となる．細胞上に結合した IgE にアレルゲンが結合・さらに架橋することで，肥満細胞や好塩基球から細胞内顆粒に貯蔵されているヒスタミンやヘパリン，ロイコトリエンなどが放出され，血管透過性の亢進や免疫細胞の局所への遊走，平滑筋収縮，外分泌腺の過分泌などが生じる（図 5-27）．代表的疾患としてアナ

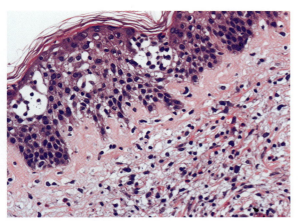

図 5-27　アトピー性皮膚炎
表皮内および表皮下に好酸球を含む免疫細胞浸潤がみられる．表皮内には海綿状水疱がみられる．

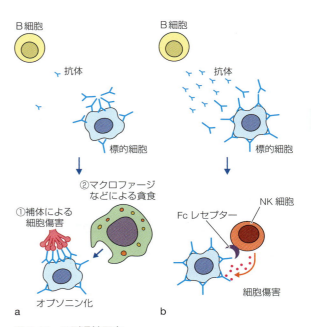

図 5-28　II 型過敏反応
a．補体依存性細胞傷害．b．抗体依存性細胞傷害．

フィラキシーショック，気管支喘息，蕁麻疹などがある．

　I 型過敏反応の患者では，抗原刺激に対して Th2 細胞の反応が誘導されやすい．Th2 から産生される IL-4 と IL-13 は B 細胞に作用して IgE へのクラススイッチに関与することで，IgE 産生が促進される．このような体質には遺伝的要因が関与している．

2　II 型過敏反応

　細胞や組織(基底膜など)に対する抗体(IgG, IgM)が産生されることで細胞・組織傷害が起こる場合と(細胞傷害型)，細胞表面の受容体に結合した抗体により細胞機能障害(過剰な刺激あるいは阻害)が引き起こされる場合がある(細胞刺激/阻害型)．細胞傷害には補体が関与する機序(補体依存性細胞傷害)と，しない機序(抗体依存性細胞傷害)の 2 種類がある(図 5-28)．

　補体依存性細胞傷害 complement dependent cytotoxicity (CDC)では，細胞・組織に抗体が結合することで補体が活性化し膜侵襲複合体 MAC が形成されることで細胞傷害が起こる．また C3b によってオプソニン化された細胞はマクロファージにより貪食される．

　抗体依存性細胞媒介性細胞傷害 antibody-dependent cell-mediated cytotoxicity (ADCC)では，細胞・組織に結合した抗体の Fc 部分を NK 細胞が認識し活性化することで，パーフォリン・グランザイムを介した細胞傷害が誘導される．

　細胞傷害型の疾患には，自己免疫性溶血性貧血やグッドパスチャー Goodpasture 症候群，A 型胃炎，特発性血小板減少性紫斑病，ギラン Guillain-バレー Barré 症候群などがある．細胞刺激型にはバセドウ Basedow 病などの甲状腺亢進症，細胞阻害型には重症筋無力症などがある(図 5-29)．

3　III 型過敏反応

　可溶性抗原とそれに反応した抗体(IgG や IgM)が抗原抗体複合体(免疫複合体)を形成し，組織に沈着することで組織が傷害される(図 5-30)．組織に沈着した免疫複合体は補体を活性化させ，産生されたアナフィラトキシン(C3a, C5a)によって局所に好中球やマクロファージ，肥満細胞，好塩基球などの炎症細胞が呼び寄せられる．肥満細胞や好塩基球からは血管透過性亢進や平滑筋収縮にかかわる因子が，好中球からはタンパク質分解酵素や活性酸素が放出され組織が傷害される．抗原の皮内注射後，3～8 時間で紅斑や浮腫が最大となるアルサス Arthus 反応は代表的な III 型過敏反応である．代表的疾患としては，全身性エリテマトーデスや関節リウマチ，過敏性肺臓炎，血清病などがある．

4　IV 型過敏反応

　細胞性免疫(主にヘルパー T 細胞)が関与する反応であり(図 5-31)，症状が出現するために 24～72 時間を要するため遅延型とも呼ばれる．感作された Th1 細胞

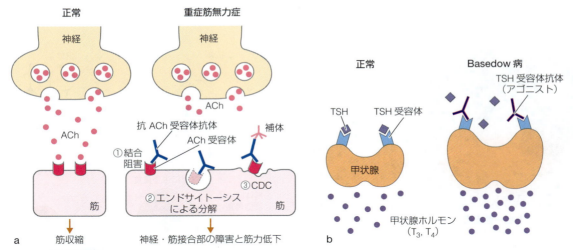

図 5-29　抗受容体病
a. 重症筋無力症．アセチルコリン acetylcholine（ACh）受容体に対する自己抗体が神経から筋へのシグナル伝達を阻害する．
b. Basedow 病．甲状腺刺激ホルモン thyroid stimulating hormone（TSH）受容体に対する自己抗体により甲状腺が強く刺激される．

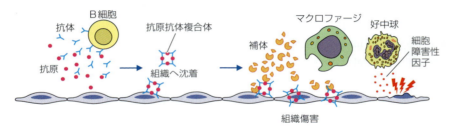

図 5-30　Ⅲ型過敏反応
可溶性抗原と抗体の抗原抗体複合体が組織に沈着することで，周囲の組織が炎症細胞による傷害を受ける．

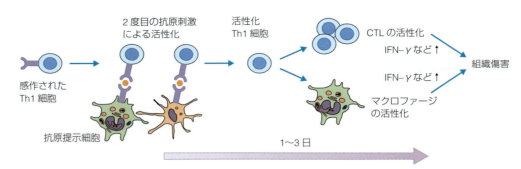

図 5-31　Ⅳ型過敏反応
感作された Th1 細胞が，再度の抗原刺激により活性化し，CTL やマクロファージによる IFN-γ などの細胞傷害性因子の産生を誘導する．

から産生される IFN-γ などのサイトカインがマクロファージやリンパ球（CTL）などの免疫細胞を活性化させることで引き起こされる．代表的疾患には接触性皮膚炎があり，ツベルクリン反応はⅣ型過敏反応の典型像である．

表 5-3 代表的な自己免疫疾患

標的臓器（細胞）	病名	標的抗原
皮膚，関節，筋，血管，腎	全身性エリテマトーデス	核酸，クロマチン関連分子
結合組織	全身性硬化症（強皮症）	Scl-70，セントロメア，RNA ポリメラーゼ
筋	多発性筋炎・皮膚筋炎	Jo-1，ARS，Mi-2，TIF1-γ，MDA5
関節滑膜	関節リウマチ	環状シトルリン化ペプチド
皮膚，消化管，眼	Behçet 病	不明
涙腺，唾液腺	Sjögren 症候群	SS-A，SS-B
赤血球	自己免疫性溶血性貧血	赤血球表面抗原
筋	重症筋無力症	アセチルコリン受容体
血小板	特発性血小板減少性紫斑病	血小板表面抗原（ピロリ菌との交差反応が示唆）
血小板	血栓性血小板減少性紫斑病	ADAMTS13
甲状腺	Basedow 病	甲状腺刺激ホルモン受容体
甲状腺	慢性甲状腺炎（橋本病）	甲状腺ペルオキシダーゼ（TPO），サイログロブリン（Tg）
腎，肺	Goodpasture 症候群	IV型コラーゲン
脳	多発性硬化症	ミエリン関連抗原
膵臓（Langerhans 島β細胞）	1 型糖尿病	プロインスリン，β細胞関連抗原
皮膚	天疱瘡	デスモグレイン 1，3
皮膚	乾癬	不明
心臓（弁膜/心外膜）	リウマチ性心筋炎	心筋関連抗原

あくまで簡便化した表であり，この他にも多数の標的抗原がある．

Advanced Studies

a ツベルクリン反応と IFN-γ 遊離試験

IFN-γ release assay（IGRA）

結核菌培養液から精製した抗原を皮内注射した際に，48 時間後をピークに出現する発赤・硬結反応をツベルクリン反応と呼ぶ．結核菌に特異的な抗原で刺激した T 細胞の IFN-γ 産生を測定する方法である．ツベルクリン反応は結核菌感染や非結核性抗酸菌感染，BCG ワクチン接種を受けた個体で陽性になるが，IFN-γ 遊離試験は非結核性抗酸菌感染では陽性にならない．いずれも免疫不全患者では偽陰性の可能性がある．

G 自己免疫疾患

A 概念

ヒトは免疫系によって感染症から身を守っており，そのためには多様性の獲得や自己寛容など精密な免疫システムを備えている．しかし，自己寛容が破綻してしまうと免疫が自己を攻撃するようになり，**自己免疫疾患** autoimmune disease を引き起こす（表 5-3）．自己免疫疾患は全身の臓器に障害をきたす**全身性**自己免疫疾患と，特定の臓器に病原が限局している**臓器特異的**自己免疫疾患に大別される．

膠原病は 1942 年に米国の病理学者 Paul Klemperer らにより提唱された概念であり，病理学的に結合組織にフィブリノイド変性を認める疾患群に対して命名されたものである．全身性エリテマトーデスや関節リウマチ，強皮症，多発性筋炎・皮膚筋炎，結節性多発動脈炎，リウマチ熱の 6 つの全身性自己免疫疾患が膠原病に相当するが，血管炎症候群やシェーグレン Sjögren 症候群など臓器特異的自己免疫疾患は膠原病には分類されず，膠原病関連疾患として分類されている．

B 発症機序

自己免疫疾患の多くは複数の遺伝要因と環境要因の相互作用により発症する多因子性疾患である．遺伝要因のなかで特に重要なのは *HLA* 遺伝子であり，HLA 型と自己免疫疾患の罹患頻度には強い相関が認められる．環境要因としては感染症などが重要である．自己免疫疾患の罹患頻度には顕著な性差があり，女性に多いことからホルモン環境も発症に影響を与える重要な因子と考えられる．

1 遺伝因子

自己免疫疾患は，家庭内発症を認めることや，一卵性双生児で片方が発症した場合他方が発症する確率が高いことなどから，遺伝素因が深くかかわっているとされている．全身性エリテマトーデスや関節リウマチでは

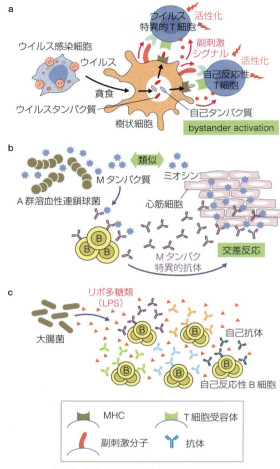

図 5-32 自己免疫疾患の発症機序
a. 自己反応性 T 細胞の活性化：感染に伴い外来抗原に対する T 細胞とともに，自己に反応する T 細胞も活性化する（bystander activation）．
b. 分子模倣：自己抗原と類似した抗原を有する病原体に感染した場合，病原体に対する免疫反応が自己抗原にも交差反応する．
c. 多クローン性のリンパ球活性化：病原体由来の因子により，T 細胞非依存性に多数の B 細胞が活性化する．その中には自己抗体を産生する B 細胞もある．

〔図の提供：笠原正典先生〕

HLA に加えて数十にも及ぶ疾患感受性遺伝子の一塩基多型 single nucleotide polymorphism（SNP）の関与が指摘されており，そのなかには免疫にかかわる遺伝子が複数含まれている．

まれではあるが，単一遺伝子の異常による自己免疫疾患も知られている（→詳細は「原発性免疫不全症」，128 頁参照）．

2 環境要因による自己寛容破綻

a 自己反応性 T 細胞の活性化（図 5-32a）

微生物感染によって抗原提示細胞が活性化し，微生物抗原に特異的な T 細胞が活性化するが，同時に自己反応性 T 細胞も活性化してしまう．この現象は bystander activation と呼ばれる．

b 分子模倣 molecular mimicry（図 5-32b）

自己抗原と類似したタンパク質を発現する微生物に感染した場合，微生物への免疫応答が自己にも**交差反応**する．例えば，A 群溶血性連鎖球菌感染後に発症するリウマチ性心疾患は，菌の M タンパク質に対する抗体が心臓のミオシンなどの分子に交差反応することに起因している．

c 自己反応性 B 細胞の活性化（図 5-33）

自己抗原と反応する B 細胞は少なからず存在する．自己反応性 B 細胞が自己抗原を取り込んで MHC クラス II 分子に抗原ペプチドを提示したとしても自己抗原に反応するヘルパー T 細胞が存在しないので B 細胞は活性化しない．しかし，自己抗原と類似した B 細胞認識部分を有する微生物が感染した場合，自己反応性 B 細胞が微生物を取り込み，微生物由来ペプチドを MHC クラス II 分子に提示する．すると微生物由来ペプチドに反応するヘルパー T 細胞により自己反応性 B 細胞が活性化し，形質細胞へと分化して自己抗体を産生するようになる．

d 自己抗原の修飾（図 5-33）

自己抗原が薬剤や感染などで修飾を受けると，非自己である修飾部を認識するヘルパー T 細胞が誘導され，修飾抗原とともに自己抗原を認識する B 細胞を活性化する．

e 隔絶抗原

眼球の水晶体やぶどう膜，精子抗原などの免疫特権のある隔絶抗原に対しては自己寛容が誘導されていないため，これらの抗原が外傷や炎症などで免疫系に曝露されると，免疫反応が誘導される．外傷後のぶどう膜炎や精管切除後の精巣炎などがこの機序により起こると考えられている．

3 自己抗体

リウマトイド因子 rheumatoid factor（**RF**）は IgG の Fc 部に対する自己抗体である．関節リウマチで陽性率の高い抗体であるが，その他の膠原病や感染症，健常者でも陽性になる場合がある．

抗核抗体 anti-nuclear antibody（**ANA**）は細胞の各成分

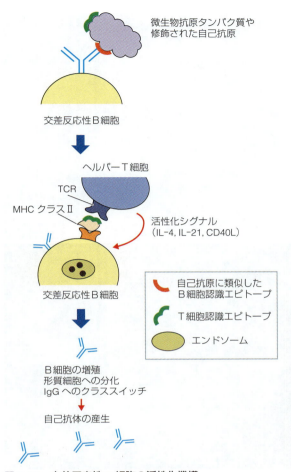

図 5-33 交差反応性 B 細胞の活性化機構
生体内には自己抗原に反応する抗体を有する B 細胞(交差反応性 B 細胞)が少なからず存在する．その自己抗原に類似した B 細胞認識エピトープを有する微生物が感染した場合，微生物抗原を交差反応性 B 細胞が取り込み，MHC クラス II 上に T 細胞認識エピトープを提示する．MHC クラス II 上のエピトープをヘルパー T 細胞が認識すると，活性化シグナルを B 細胞に伝達する．交差反応性 B 細胞が増殖・活性化することで，結果的に体内で自己抗体が増加する．

名称	染色パターン	代表的抗体
均等型 homogeneous		抗 DNA 抗体, 抗ヒストン抗体
辺縁型 peripheral(shaggy)		抗 DNA 抗体
斑紋型 speckled		抗 RNP 抗体，抗 Sm 抗体, 抗 SS-A，SS-B 抗体, 抗 Scl-70 抗体
核小体型 nucleolar		抗 Scl-70 抗体, 抗 RNA ポリメラーゼ抗体
セントロメア型 (散在斑紋型) centromere (discrete speckled)		抗セントロメア抗体

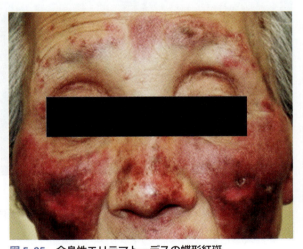

図 5-34 抗核抗体検査による細胞核の染色パターン

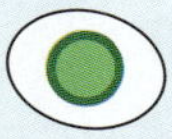

図 5-35 全身性エリテマトーデスの蝶形紅斑
顔面頬部から鼻梁にかけて紅斑が出現している．
〔写真提供：熊本大学皮膚病態治療再建学 牧野雄成先生，福島 聡先生〕

に対する自己抗体の総称である．特に全身性エリテマトーデスで陽性率が高い．抗核抗体の種類は多数あり，それぞれ抗 DNA 抗体，抗 SS-A/B 抗体，抗 RNP 抗体，抗セントロメア抗体などと呼ばれている．血液を用いた検査では，抗核抗体は蛍光抗体法による染色パターンにより，均等型 homogeneous，辺縁型 peripheral，斑紋型 speckled，核小体型 nucleolar，セントロメア型 centromere などに分けられ，おおよその対応抗原が予想できる．例えば，全身性エリテマトーデスにおける抗 DNA 抗体は均等型あるいは辺縁型を示す(図 5-34)．

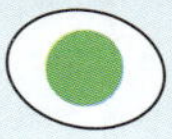

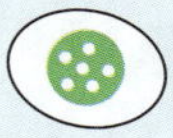

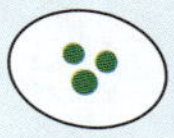

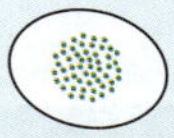

C 全身性自己免疫疾患

1 全身性エリテマトーデス

systemic lupus erythematosus(SLE)

【臨床像，概念】

主として皮膚，腎，関節，脳などが傷害される難治性全身性自己免疫疾患である．20〜40 歳の女性に好発する．顔面頬部から鼻梁にかけて出現する蝶形紅斑 butterfly rash(図 5-35)と，顔面，耳介，頭部，関節背面にみられる円板状紅斑 discoid rash が特徴的である．経過中にすべての臓器障害を発症するわけでなく，予後を規

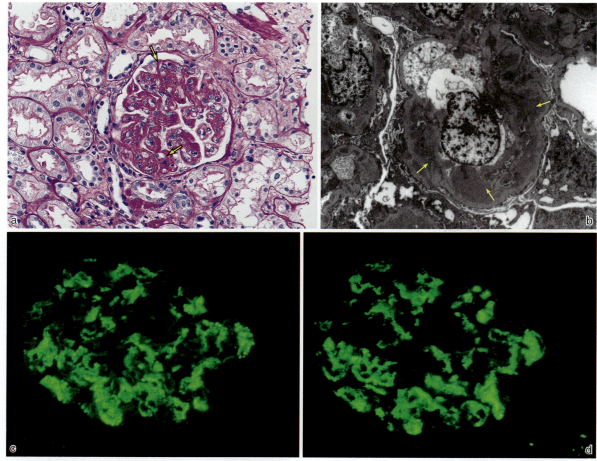

図 5-36　全身性エリテマトーデスの腎病変（ループス腎炎）
クラスIVのびまん性ループス腎炎に該当する所見である．
a．PAS 染色．糸球体には管内増殖とワイヤーループ病変（免疫複合体が毛細血管壁に沈着し，血管壁が肥厚し，あたかも針金を曲げたようにみえる，→）を認める．
b．電子顕微鏡では糸球体係蹄内皮下とメサンギウム領域にびまん性に電子密度の高い沈着物（免疫複合体，→）を認める．
c, d．蛍光染色では IgG（c）と C3（d）の顆粒状沈着を認める．
〔写真提供：笠原正典先生〕

定するのは腎障害，中枢神経症状，肺障害，心障害である．

　病態の中心はIII型アレルギーであり，多彩な自己抗体と組織への免疫複合体沈着，補体の活性化による組織傷害が原因である．自己抗体としては抗核抗体，特に ds-DNA と Sm 抗原に対する抗体が特徴的であり，しばしば抗リン脂質抗体も検出される．活動期の患者から生まれた新生児の顔面に皮疹発症を認めることがあるが，このことから皮膚炎が胎盤通過性のある IgG によって引き起こされていると考えられる．原因は不明であるが，遺伝的素因や感染など環境要因，性ホルモンなどの関与が推定されている．

【病理形態像】
　免疫複合体が皮膚や腎糸球体，心血管系，脈絡叢などに沈着することで，多彩な病理所見がみられる．蝶形紅斑部位では血管周囲の炎症細胞浸潤や浮腫，表皮基底層の液状変性が認められる．
　腎病変は患者の約半数に認められ，**ループス腎炎** lupus nephritis と呼ばれる糸球体腎炎が認められる（図 5-36）．病変は多彩で，原発性糸球体腎炎のような一定の特徴を示さない．免疫複合体が糸球体血管内皮下に沈着した場合，糸球体係蹄壁の肥厚をきたす（**ワイヤーループ病変** wire-loop lesion）．心血管系では，心内膜炎，心外膜炎，心筋炎，冠動脈硬化症などがみられる．

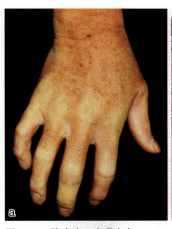
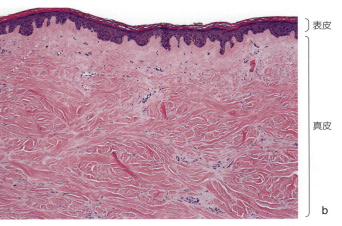

図 5-37 強皮症の皮膚病変
a. 皮膚が硬くなり，指が曲がったまま伸ばしにくくなる（手指屈曲拘縮）．〔写真提供：熊本大学皮膚病態治療再建学 牧野雄成先生，福島 聡先生〕
b. 組織所見．表皮は菲薄化している．真皮には硬化した膠原線維が増加しており，汗腺などの皮膚付属器が萎縮している．病変が高度になると皮膚乳頭が消失する．〔写真提供：京都大学病理診断科 藤本正数先生〕

心内膜炎では僧帽弁や三尖弁に小疣贅が付着し，リブマン-サックス Libman-Sacks 型心内膜炎と呼ばれる．脾臓の動脈性血管では，血管壁の中膜・外膜に同心円状の線維増生をみることがあり，onion-skin 病変と呼ばれる．

Advanced Studies

a 抗リン脂質抗体症候群

抗リン脂質自己抗体により，流産や血栓症が引き起こされる疾患で，約半数は SLE に合併してみられる．流産を繰り返すため習慣性流産と呼ばれる．血栓症では，静脈のみならず動脈にも血栓が形成され若年で脳梗塞を発症する．凝固過程を阻害する因子が自己抗体により阻害されるため，全身の血管で血栓が形成されやすくなる．

2 ● 全身性硬化症 systemic sclerosis（SS）
（強皮症 scleroderma）

【臨床像，概念】

結合組織の硬化性病変をきたす疾患で，手や足の指先から始まる皮膚硬化が内臓や関節など全身におよび，強皮症とも呼ばれる（図 5-37a）．レイノー現象 Raynaud phenomenon は必発である．30～50 歳前後に多いが，あらゆる年代に認められ，女性に多い．

多彩な自己抗体が認められるが，DNA トポイソメラーゼ I に対する抗核抗体（抗 Scl-70 抗体），抗セントロメア抗体，抗 RNA ポリメラーゼ III 抗体などが特徴的である．原因は不明であるが，サイトカイン産生の亢進によって線維芽細胞の活性化および膠原線維産生が促進されるためと考えられている．

【病理形態像】

皮膚病変の初期では膠原線維の変性，間質の浮腫，血管周囲リンパ球浸潤を認めるが，やがて高度の線維化を示すようになり，表皮の菲薄化，皮膚付属器の萎縮などがみられるようになる（図 5-37b）．消化管壁の線維化は蠕動障害，間質性肺炎は呼吸障害を引き起こす．全身の動脈性血管には内膜から中膜におよぶ同心円状線維化による血管壁肥厚がみられ，肺では肺高血圧症，腎では腎機能低下（急激な血圧上昇とともに腎機能が悪くなることを強皮症腎クリーゼと呼ぶ）を引き起こす．関節の破壊をきたすことはないが，腱の線維性肥厚による屈曲拘縮がみられることもある．

3 ● 多発性筋炎 polymyositis（PM）および
皮膚筋炎 dermatomyositis（DM）

【臨床像，概念】

横紋筋を傷害する炎症性筋疾患で，両側対称性の筋力低下が体幹や四肢近位筋から進行する．中年女性に好発する．

PM は筋病変のみ，DM は筋病変に皮膚病変を伴う．DM では上眼瞼のヘリオトロープ疹やゴットロン Gottron 徴候と呼ばれる皮疹がみられる．DM では悪性腫瘍の合併率が高い．PM の発症には細胞傷害性 T 細胞による筋細胞の破壊が，DM には抗体依存性の微小血管傷害の関与が示唆されている．

【病理形態像】

筋病変では筋組織，特に筋内膜にリンパ球浸潤がみられる（図 5-38）．皮膚病変では主として真皮内の血管周囲にリンパ球浸潤がみられ，表皮基底層の液状変性や表

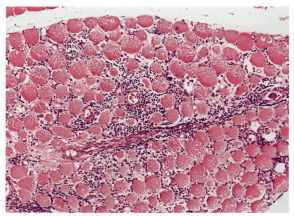

図 5-38　多発性筋炎
リンパ球やマクロファージが各筋線維を隔てる筋内膜に浸潤している.
〔写真提供：笠原正典先生〕

皮異常角化細胞（シバット Civatte 小体），真皮の浮腫性変化（ムチン沈着）がみられる．

4 ● 関節リウマチ rheumatoid arthritis（RA）
【臨床像，概念】

　進行性の関節破壊をもたらす全身性の炎症性疾患で，関節を構成する滑膜の慢性炎症で，病変の進行とともに関節軟骨や骨が破壊される疾患である（図 5-39）．30～50 歳代の女性に好発する．主な症状は朝のこわばりから進展する多発性，左右対称性の関節炎である．関節外病変としては，皮膚のリウマトイド結節や間質性肺疾患，眼・口腔乾燥症などがみられる．IgG の Fc 部分に特異的に反応する自己抗体であるリウマトイド因子 RF（主に IgM 抗体）が多くの症例で検出される．炎症によってアルギニン残基がシトルリン残基に変換された自己抗原に対する抗環状シトルリン化ペプチド抗体（抗 CCP 抗体）は，RF よりも本疾患に対する特異度が高い．

　RA に血管炎が併発し，重篤な関節外病変（心膜炎，心筋炎，間質性肺疾患など）を伴うものを悪性関節リウマチと呼ぶ．RA 患者の 1% を占め，60 歳代の男性に好発する．RA に加えて抗核抗体が認められる．

　若年性関節リウマチは小児（女児に多い）に発症する特発性関節炎であり，リウマトイド因子は陰性のことが多い．症状により全身型，多関節型，少関節型に分類される．

【病理形態像】
　罹患関節は慢性滑膜炎の像であり，滑膜細胞の増加，リンパ球・形質細胞・マクロファージの浸潤，リンパ濾

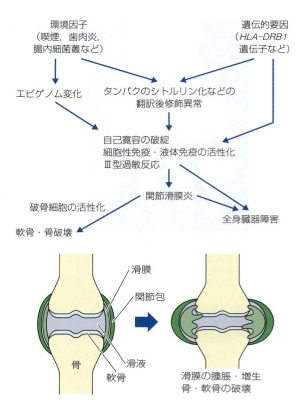

図 5-39　関節リウマチの発症メカニズム
遺伝子要因に環境要因，エピゲノム変化が加わることで，自己寛容が破綻し，免疫反応が誘導される．自己抗体の滑膜組織への沈着はⅢ型過敏反応を引き起こし，病態の悪化を引き起こす．

胞形成がみられる（図 5-40）．パンヌスと呼ばれる炎症性肉芽組織が形成され，関節腔内に絨毛状に突出するのみならず，関節軟骨や骨組織に進展し組織を破壊する．これが進行すると，関節に線維化や石灰化が生じ，関節強直に至る．

5 ● ベーチェット病 Behçet disease
【臨床像，概念】
　再発性の口腔内アフタ性潰瘍（図 5-41），結節性紅斑様皮疹，外陰部潰瘍，ぶどう膜炎を主症状とする疾患である．20～40 歳に多く発症し，寛解と増悪を繰り返し慢性の経過をたどる．消化管に病変を合併することも多く，腸管 Behçet 病と呼ばれ，回盲弁上に打ち抜き様潰瘍が特徴的所見である．HLA-B51 と強い相関性を示すが原因不明である．

【病理形態像】
　特徴的な組織所見はないが，潰瘍部には非特異的な炎

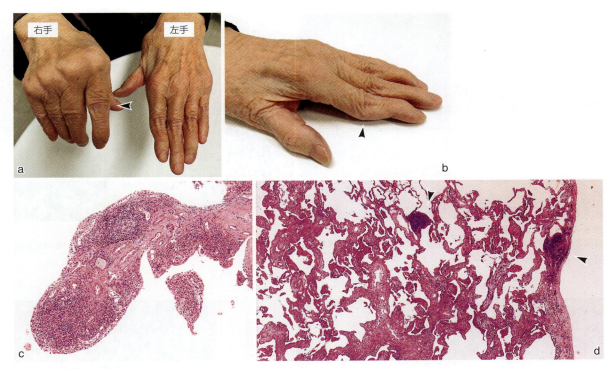

図 5-40　関節リウマチ
a. 特に右第二指（►）に第三関節の腫脹が強く，尺側偏位をきたしている．
b. 側面の写真は第二指（►）にスワンネック変形を認める．
c. 滑膜病変．滑膜細胞の活性化と増殖，炎症により，滑膜が絨毛状に増生する．高度のリンパ球や形質細胞浸潤，リンパ濾胞形成がみられる．
d. 肺病変．肺胞壁は線維性に肥厚しており，胸膜炎を伴っている．リンパ濾胞形成も散見される（►）．関節リウマチに伴う肺病変はさまざまな形態を呈するので，「間質性肺疾患」と表現する場合も多い．
〔写真提供：a, b：熊本大学整形外科　宮本健史先生，c, d：金沢医科大学　山田壮亮先生〕

症性肉芽組織がみられる（→ 第 14 章「消化器」，466 頁参照）．

6 ● IgG4 関連疾患

【臨床像，概念】

　血清 IgG4 の増加とともに，同時性あるいは異時性に全身のさまざまな臓器に線維化や腫瘤を形成する疾患である．比較的高齢者に多く，罹患臓器としては膵臓，胆管，涙腺・唾液腺，硬膜，甲状腺，肺，肝臓，消化管，腎臓，前立腺，後腹膜，動脈，リンパ節などがあり，複数臓器に病変が及ぶことが多い．IgG4 自体の病的意義も含めて原因不明である．

【病理形態像】

　IgG4 陽性形質細胞の増加とともに，特徴的な線維化（花筵状線維化 storiform fibrosis）や閉塞性静脈炎（炎症と線維化による静脈閉塞）がみられる（図 5-42）．

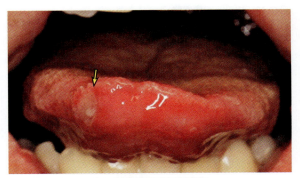

図 5-41　Behçet 病の口腔内アフタ性潰瘍
舌の先端部に白色調の陥凹病変がみられる．
〔写真提供：熊本大学皮膚病態治療再建学　牧野雄成先生，福島　聡先生〕

7 ● シェーグレン症候群 Sjögren syndrome

【臨床像，概念】

　涙腺や唾液腺が傷害されることで眼球乾燥と口腔乾燥をきたす疾患である．中高年の女性に好発する．抗核抗

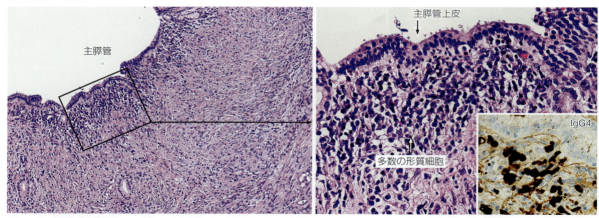

図 5-42　IgG4 関連疾患
膵臓の腫瘤性病変の組織像である．線維芽細胞の増加による線維化に加えて，リンパ球・形質細胞の浸潤が特徴的である．形質細胞はIgG4 を産生している（挿入図は IgG4 の免疫染色像）．

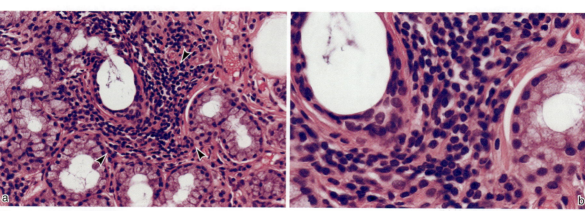

図 5-43　Sjögren 症候群
a．唾液腺において，導管周囲のリンパ球浸潤（▶）と腺房の萎縮を認める．
b．a の拡大像．

体である抗 SS-A 抗体や抗 SS-B 抗体が検出され，抗 SS-B 抗体は本疾患に対する特異性が高い．慢性炎症を背景として，MALT リンパ腫など B 細胞性リンパ腫を併発することがある．

【病理形態像】
　涙腺や唾液腺の導管周囲に高度のリンパ球の浸潤を認める．時にリンパ濾胞の形成をみる．炎症が慢性化することで，腺房の萎縮や線維化が起こる（図 5-43）．

8　その他
　血管炎症候群（→第 11 章「循環器」，349 頁参照）や混合性結合組織病などがある．
　乾癬などの皮膚疾患は，第 25 章「皮膚・感覚器」（→736 頁）を参照．

Advanced Studies
a　ギラン-バレー症候群 Guillain-Barré syndrome
　自己免疫により末梢神経が障害され，四肢の筋力低下をきたす疾患である．神経系の細胞膜表面に存在するガングリオシドなど糖脂質を認識する自己抗体が検出される．多くの症例で発症 1〜2 週間前に呼吸器系や消化器系の感染が先行することから，病原菌のもつ糖鎖に対する抗体が自己抗原に交差すると考えられている．

D　臓器特異的自己免疫疾患

1　血球成分に対する自己免疫疾患
a　自己免疫性溶血性貧血
autoimmune hemolytic anemia（AIHA）
　赤血球に対する自己抗体が産生され，赤血球が破壊されることで貧血をきたす疾患である．多くの場合 IgG

G. 自己免疫疾患 127

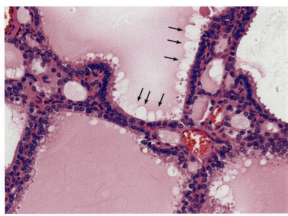

図 5-44 Basedow 病（甲状腺）
濾胞上皮細胞の増生が認められ，ところどころで内腔へ乳頭状に突出する．濾胞上皮に接して空胞（コロイドの吸収像，→）がみられる．

であり，抗体が結合した赤血球は補体の活性化により破壊されるか，あるいは Fc 受容体を介してマクロファージに貪食される．特発性と SLE やリンパ腫に併発する続発性のものがある．

b 特発性血小板減少性紫斑病
idiopathic thrombocytopenic purpura（ITP）

血小板に対して自己抗体が産生され，血小板が破壊されることで種々の出血症状をきたす疾患である．急性型と慢性型があり，急性型は小児，慢性型は成人に多い．小児ではウイルス感染が先行する場合が多く，成人では約半数に *H. pylori* 感染（胃）が認められ除菌療法が有効である場合が多い．骨髄の病理所見では，巨核球が増加しているのが特徴的である．

2 ● 受容体に対する自己免疫疾患
a 重症筋無力症 myasthenia gravis

神経筋接合部に対する自己抗体により全身の筋力低下をきたす疾患であり，眼瞼下垂や眼球運動障害などを初発症状とする．症例の 80％はアセチルコリン受容体に対する自己抗体が神経と筋の間の伝達を阻害する．胸腺過形成や胸腺腫など胸腺異常の合併が高率にみられる．

b バセドウ病 Basedow disease（Graves disease）

甲状腺刺激ホルモン受容体に対する自己抗体により，甲状腺機能亢進症が引き起こされる病態である．眼球突出や甲状腺腫，頻脈など特徴的な症状がある．甲状腺の病理所見では，濾胞上皮の多層化や乳頭状増殖，コロイドの吸収像などが特徴的である（図 5-44）．

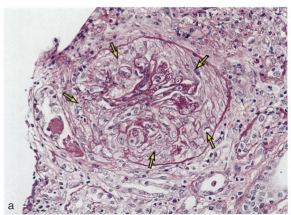

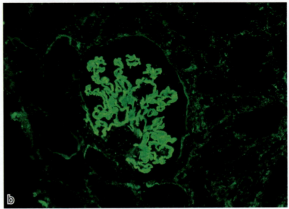

図 5-45 Goodpasture 症候群の腎病変
a. ボーマン Bowman 嚢内腔のほぼ全域にわたって細胞性半月体（→）の形成を認める．
b. 抗ヒト免疫グロブリン抗体で染色すると，基底膜に沿った線状の免疫グロブリン（抗糸球体基底膜抗体）の沈着が認められる．
〔写真提供：笠原正典先生〕

3 ● 基底膜に対する自己免疫疾患
a グッドパスチャー症候群 Goodpasture syndrome

急速進行性糸球体腎炎と肺胞出血を特徴とする疾患であり，成人男性に多く発症するまれな疾患である．糸球体と肺胞の基底膜に多く分布するⅣ型コラーゲン α3 鎖に対する自己抗体と，補体依存性のⅡ型過敏反応により基底膜が破壊される．

腎には半月体形成性糸球体腎炎の像を認める．腎糸球体の基底膜に沿って免疫グロブリンが線状に沈着していることが蛍光抗体法で観察される（図 5-45）．

4 ● その他の代表的な臓器特異的自己免疫疾患

慢性甲状腺炎（橋本病，図 5-46）や多発性硬化症，自己免疫性肝炎，1 型糖尿病などが代表的疾患であるが，それぞれ別項を参照されたい．

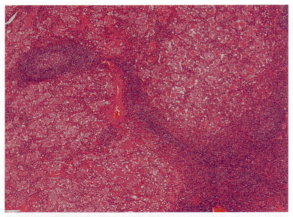

図 5-46　橋本病
リンパ球と形質細胞を主体とする高度の炎症細胞浸潤，リンパ濾胞の形成，濾胞細胞の変性破壊を認める．
〔写真提供：笠原正典先生〕

免疫不全症

　免疫機能が低下する疾患を総称して免疫不全症 immunodeficiency disease という．先天性の特定の遺伝子異常により免疫機能に障害をもつ疾患群を原発性免疫不全症と呼ぶが，まれな疾患群である．これに対し，生来正常であった免疫系がさまざまな要因により免疫不全になっている状態を，続発性免疫不全症と呼ぶ．頻度としては続発性のほうが原発性よりも圧倒的に多い．原発性の場合，患者の多くは20歳未満であり，X連鎖の遺伝形質をとるものが多いため男性に多い傾向にある．原発性免疫不全症の分類は，障害される細胞や分子などにより，複合免疫不全症，免疫不全症を伴う症候群，抗体産生不全症，免疫制御異常症，食細胞異常症など10種類に分類されている（表5-4）．

　免疫不全症の特徴は易感染性である．すなわち，反復感染，重症感染，持続感染，日和見感染（健常者に対して病原性の低い微生物による感染）が認められる．B細胞の障害では化膿性細菌感染が，T細胞の障害ではサイトメガロウイルスやヘルペスウイルス，EBウイルスなどのウイルス感染が，マクロファージ活性化障害ではカンジダやクリプトコッカス，ニューモシスチス，アスペルギルスなどの真菌感染，結核，非結核性抗酸菌感染が引き起こされる．また，がん細胞の排除にも支障をきたすようになり，免疫不全患者ではがんの罹患率が高い傾向にある．

1 原発性免疫不全症

1 複合免疫不全症

　液性免疫，すなわち抗体の産生にはT細胞の存在が不可欠であるため，T細胞の数的，機能的異常をきたす場合，細胞性免疫不全と液性免疫不全を生じる．そのため，T細胞の異常による免疫不全を複合免疫不全症と呼ぶ．なかでも，重篤な免疫不全をきたし，無治療の場合，乳児期に致死的である疾患群を重症複合免疫不全症 severe combined immunodeficiency（SCID）と呼ぶ．さらに，SCIDには複数の病型に分けられるが，以下の2つが代表的な疾患である．

a X連鎖重症複合免疫不全症 X-linked SCID

　IL-2など複数のサイトカインをリガンドとするIL-2受容体γ鎖遺伝子の変異によって引き起こされる疾患で，SCIDのなかでも最も頻度が高い．この遺伝子はX染色体上に存在するため，伴性潜性（劣性）遺伝する．T細胞とNK細胞の分化が障害されるが，B細胞分化は保たれる．しかし，形質細胞分化が障害されるため，液性免疫と細胞性免疫の両方が障害される．

b adenosine deaminase（ADA）欠損症

　プリン代謝酵素であるADAが欠損することで，細胞内にデオキシアデノシンなどが蓄積し，未熟なリンパ球のアポトーシスが誘導される．常染色体潜性遺伝の疾患である．T細胞，B細胞，NK細胞の分化が障害される．約半数に骨形成の異常を認め，発達の遅れなど神経症状を伴うこともある．

2 免疫不全症を伴う症候群

　免疫不全症以外に特徴的な症状を伴う症候群であり，代表的な疾患は以下の3つである．

a ウィスコット-オルドリッチ症候群 Wiskott-Aldrich syndrome

　X染色体上に存在するWASP（Wiskott-Aldrich syndrome protein）遺伝子の変異による疾患である．X染色体潜性遺伝のため主に男児に発症する．WASタンパクはアクチン細胞骨格をコントロールし，多くの細胞内シグナル伝達分子の活性化にかかわるため，さまざまな細胞の機能が障害される．T細胞・B細胞・NK細胞の機能低下による易感染のほか，血小板減少やアトピー性皮膚炎様の湿疹を三主徴とするが，実際はすべての症状が揃うことは少ない．血小板減少はほぼすべての症例でみられ，血便や皮下出血などの出血傾向を伴う．悪性リンパ腫や自己免疫疾患（溶血性貧血など）の合併が多い．

表 5-4　原発性免疫不全症の分類（IUIS の分類）

分類	代表的な疾患	異常な遺伝子	主に障害される免疫系 自然免疫か獲得免疫か	主に障害される免疫系 細胞性免疫か液性免疫か
1. 複合免疫不全症	重症複合免疫不全症（SCID）	IL2RG，JAK3 など	獲得免疫	両方
2. 免疫不全症を伴う症候群	Wiskott-Aldrich 症候群	WASP など	両方	両方
3. 抗体産生不全症	無γグロブリン血症（B 細胞欠損症）	BTK など	獲得免疫	液性免疫
4. 免疫調節異常症	Chédiak-Higashi 症候群 / 制御性 T 細胞欠損症	LYST など / FOXP3	獲得免疫 / 易感染は伴わない	両方
5. 食細胞異常症	慢性肉芽腫症	$gp91^{phox}$ など	自然免疫	細胞性免疫
6. 自然免疫不全症	TLR シグナル異常症	IRAK4，MyD88 など	自然免疫	両方
7. 自己炎症性疾患	家族制地中海熱などのインフラマソーム異常症	MEFV など	易感染は伴わない	両方
8. 補体欠損症	先天性補体欠損症	C1〜C9 など	自然免疫	液性免疫
9. 骨髄不全症	Fanconi 貧血	FANCA など	両方	両方
10. phenocopy	IL-6 や GM-CSF，IL-17，IFN-γ などに対する自己抗体によるもの		両方	両方

〔今井耕輔：免疫不全．宮坂昌之（監），小安重夫，他（編）．標準免疫学　第 4 版．p362，医学書院，2021 より改変〕

b 毛細血管拡張性運動失調症 ataxia-telangiectasia

DNA 修復にかかわる ATM (ataxia telangiectasia mutated) 遺伝子の異常により，易感染のほか，小脳運動失調や眼球結膜などの毛細血管拡張がみられる．常染色体潜性遺伝である．免疫グロブリンのクラススイッチや V(D)J 再構成異常により，液性免疫が障害される．悪性リンパ腫を高率に発症する．

c ディジョージ症候群 DiGeorge syndrome/ 胸腺低形成症候群

第 3・第 4 咽頭弓の発生異常により，胸腺や副甲状腺の低形成あるいは無形成，心流出路の形成異常をきたす疾患である．胸腺低形成による T 細胞の機能異常により易感染となる．染色体 22q11.2 領域に微細な欠失が認められ，同領域に存在する TBX1 遺伝子のハプロ不全が先天異常に関与している．常染色体顕性（優性）遺伝あるいは de novo（新規）発症形式をとる．

3 ● 抗体産生不全症

B 細胞の発生・分化異常により液性免疫が障害される疾患であり，以下の 3 疾患に分類されている．

a 分類不能型免疫不全症

メモリー B 細胞あるいは形質細胞への分化障害により，抗体産生能が低下し，易感染をきたす．20〜40 歳代で診断されることが多い．多数の原因遺伝子が同定されている．自己免疫疾患や悪性リンパ腫を発症する頻度が高い．

b B 細胞欠損症

骨髄における B 細胞発生異常により，末梢血の B 細胞がみられない．X 染色体の BTK（Bruton tyrosine kinase）遺伝子変異によるものは，**X 連鎖無γグロブリン血症**と呼ばれ，原発性免疫不全症のなかでは頻度が高い．男児に発症し，母親からの移行抗体が消失する生後 4〜8 か月頃から易感染となる．

c 高 IgM 症候群

B 細胞のクラススイッチ障害のため，IgG, IgA, IgE が産生されず易感染となる疾患である．CD40 リガンドや活性化誘導シチジンデアミナーゼ（AID）の異常による．血清 IgM が高値になることが多いが，正常のこともある．CD40 リガンドの異常は，樹状細胞やマクロファージの活性化を障害することで，より重度の易感染状態となる．

4 ● 免疫調節異常症

免疫寛容には胸腺における中枢性免疫寛容と末梢組織における末梢性免疫寛容があるが，それぞれの機能不全により，免疫系の調節異常が生じる．脱顆粒の異常による疾患群も，この分類に含まれる．

a 多腺性自己免疫症候群

autoimmune polyglandular syndrome (APS)

自己免疫性の病態により複数の内分泌器官が障害される一群の疾患の総称である．臨床症状から I 型，II 型，III 型に分類されており，I 型は小児期に発症し，粘膜皮

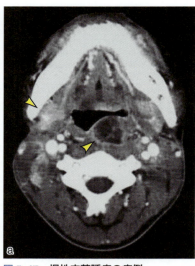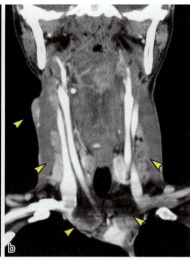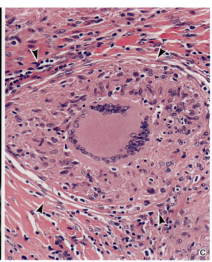

図 5-47　慢性肉芽腫症の症例
a．頸部 CT の横断像，b．頸部 CT の環状断像，c．リンパ節生検の HE 像．10 歳代の男性で，特に多数の頸部リンパ節が腫脹している．生検での組織像は，Langhans 型多核巨細胞の出現を伴う肉芽腫（▷）が形成されていた．この症例では病原菌は検出されず非感染性の肉芽腫と判断されたが，実際には真菌などの感染が観察される場合もある．
〔写真提供：国立病院機構熊本医療センター　水上智之先生〕

膚カンジダ症，副甲状腺機能低下症，副腎不全（アジソン病 Addison disease）を三徴とする．胸腺上皮細胞における自己抗原発現にかかわる *AIRE* 遺伝子の異常により，免疫寛容の破綻をきたす．乳幼児期の慢性の皮膚カンジダ症が初発症状とする場合が多い．

b チェディアック-東症候群 Chédiak-Higashi syndrome

易感染のほか，白皮症や出血傾向を伴う疾患である．増悪時には血球貪食性リンパ組織球症（血球貪食症候群）を引き起こす．リソソームとファゴソームの融合にかかわる *LYST* 遺伝子が障害されており，食細胞における殺菌作用やリンパ球からの脱顆粒が障害されている．白血球内に巨大顆粒（巨大リソソーム）が観察されるのが特徴である．

c 制御性 T 細胞欠損症

重症の下痢や自己免疫性溶血性貧血，アトピー性皮膚炎などに加え，1 型糖尿病，甲状腺機能低下症など多臓器の内分泌障害がみられ，生後数年で死に至る．*FOXP3* 遺伝子の異常により，制御性 T 細胞の機能が障害されている（末梢性免疫寛容の破綻）．X 染色体潜性遺伝のため男児に発症する．主症状から IPEX（immune dysregulation, polyendocrinopathy, enteropathy, X-linked）とも呼ばれる．

5 食細胞異常症

食細胞には好中球とマクロファージがあり，これに沿って疾患が分類されている．

a 好中球減少症

好中球エラスターゼを転写する *ELA2/ELANE* 遺伝子などの異常により，好中球が減少し，易感染となる．軽症から重症までさまざまであり，重症型は**重症先天性好中球減少症**，軽症型は**周期性好中球減少症**と呼ばれ，後者は約 3 週間間隔で好中球が減少する．

b 慢性肉芽腫症

易感染のほか，気道や消化管，尿路系に肉芽腫が形成される（図 5-47）．食細胞における殺菌には活性酸素が関与する．活性酸素産生にかかわる NADPH オキシダーゼを構成する分子のいずれかに変異がみられるが（図 5-48），$gp91^{phox}$ 欠損型（X 連鎖慢性肉芽腫症）の頻度が高い．カタラーゼ陽性の細菌（ブドウ球菌や大腸菌など）や真菌（カンジダやアスペルギルスなど）による感染症は難治性である．肉芽腫形成の原因は殺菌能障害と慢性炎症によるものと考えられている．

6 自然免疫不全症

Toll 様受容体（TLR）は，マクロファージなど自然免疫系の活性化に重要な役割を有する．TLR1,2,4,5,6 に共通のシグナル伝達分子である IRAK4 や *MyD88* 遺伝子の

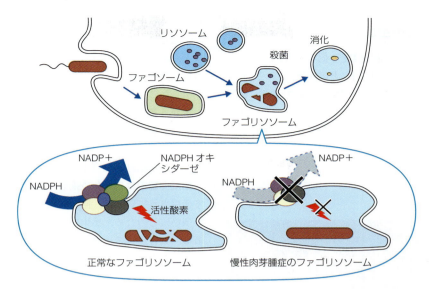

図 5-48　慢性肉芽腫症における殺菌障害
NADPH オキシダーゼは gp91^{phox} などの複数の分子の複合体であり、殺菌作用を有する活性酸素の産生に重要な役割を果たす。1つでも分子に異常があると活性酸素の産生不全が起こり、殺菌能が低下する。

異常（IRAK4 欠損症および MyD88 欠損症）が知られている。さまざまな菌に対して易感染状態にあるが、肺炎球菌、ブドウ球菌、緑膿菌、溶血連鎖球菌は重症化しやすく、致死的髄膜炎や敗血症などの原因となる。8歳以降は獲得免疫系の発達により重症化する頻度が下がる。このことは、幼少期では特に自然免疫系が重要であることが示唆される。

7　自己炎症性疾患

感染のない状態で炎症反応が周期的あるいは持続的に起こる症候群である。易感染は伴わない。I 型インターフェロンの過剰産生によるもの、インフラマソーム異常活性化によるもの、それ以外の3種類に分類される。数十種類の遺伝子異常が報告されているが、パターン認識受容体（PRR）であるクリオピリンをコードする *NLRP3* 遺伝子、ピリンをコードする *MEFV* 遺伝子の異常がよく知られている。

家族性地中海熱は、*MEFV* 遺伝子の変異によりインフラマソームが異常活性化し、周期性の発熱と漿膜炎（腹膜炎、胸膜炎、関節炎など）など特徴的症状を呈する。慢性炎症によりアミロイドーシスとなる。地中海沿岸地域に多い疾患であるが、日本にもみられる。

8　補体欠損症

補体（C1〜C9）の活性化には、古典的経路、レクチン経路、第二経路がある。補体（C1〜C9）のいずれかが欠損するが、それぞれの異常により症状が異なる。古典的経路の欠損（異常）では易感染に加えて SLE 様症状がみられる。後半（C5 以降）の欠損では膜侵襲複合体に異常があるためグラム陰性菌の易感染をきたしやすく、特に髄膜炎菌による髄膜炎を繰り返す。いずれもまれであるが、C9 欠損症は日本人に比較的多くみられ、多くの場合無症状である。

9　その他

先天的な骨髄不全は、赤血球の減少による貧血とともに白血球減少による易感染をきたす。代表的な疾患として、ファンコーニ Fanconi 貧血がある。本疾患の責任遺伝子としては *FANCA* など DNA 修復に関与する遺伝子が多数同定されている。白血病や骨髄異形成症候群を合併する頻度が高い。

IL-6 や GM-CSF、IL-17、IFN-γ など免疫にかかわる因子に対する自己抗体の出現により、成人期以降に免疫不全症候群に類似した病態を呈することがある。このような疾患は phenocopy（表現型模写）of primary immunodeficiency disease として分類されている。

❷ 続発性免疫不全症

さまざまな要因により免疫機能の低下（免疫不全）が引き起こされる．低栄養，糖尿病などの疾患，抗がん剤や免疫抑制薬の使用などがよく遭遇するものである．HIV感染に関しては，現在は治療薬の発達により長期生存が可能になったが，免疫不全を契機に診断される場合も多い．

1 ● 免疫不全を引き起こす要因

低栄養によるものでは，児童虐待や神経性食思不振症などが原因としてあげられる．タンパク質合成能低下や微量元素の不足により，白血球数減少や抗体産生能低下が引き起こされる（図5-49）．

抗がん剤には多くの種類がある．治療により，赤血球・白血球・血小板造血が抑制されることを骨髄抑制と呼ぶ．薬剤によってそれぞれ機序が異なるため，影響を受ける造血細胞・免疫細胞も異なる．

免疫抑制薬は自己免疫疾患や移植後の拒絶反応に対して使用されているが，同時に免疫不全も引き起こす場合も多い．そのため，感染症の適切な予防や治療が重要である．副腎皮質ステロイドの長期使用はリンパ球のアポトーシスを誘導する．

免疫抑制薬の長期使用などによる免疫不全により，リンパ球の異常増殖が起こり，リンパ腫様病態が引き起こされることを**免疫不全関連リンパ増殖性疾患**と呼ぶ．EBV（Epstein-Barr virus）が潜伏感染したB細胞が増殖する場合が多い．免疫抑制薬の服用中止により改善する場合が多いが，改善せずに死に至る場合もある．関節リウマチ患者に対するメトトレキサート治療に続発するものがよく知られている（図5-50, 51）．

2 ● 後天性免疫不全症候群

acquired immunodeficiency syndrome (AIDS)
ヒト免疫不全ウイルス human immunodeficiency virus

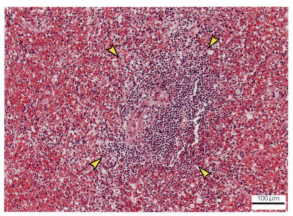

図5-49　低栄養による脾臓・白脾髄の萎縮
低栄養により全身のリンパ球が減少し，脾臓においては白脾髄の萎縮（▶）が観察される．通常であれば提示写真の3倍以上の大きさである．

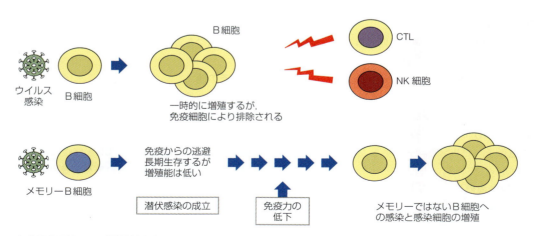

図5-50　免疫不全関連リンパ増殖性疾患
EBVが感染することで，一部のB細胞は不死化・増殖する．しかし，免疫細胞であるCTLやNK細胞によりほとんどのEBV感染細胞は排除される．しかし，EBVが感染したメモリーB細胞の一部は免疫系から逃れることができる（潜伏感染の成立）．免疫不全によりEBV感染細胞が再び増殖を始め，リンパ腫と同様の症状を呈する場合がある．その悪性度や組織形態像はさまざまであり，免疫不全状態の回復により治癒する場合もあれば，化学療法などの強い治療によっても治癒しない場合がある．

(HIV)感染によって引き起こされる高度の免疫不全を，後天性免疫不全症候群(AIDS)と呼ぶ．CD4陽性T細胞が減少することで，日和見感染や続発性腫瘍がみられる．日和見感染症としてはニューモシスチス肺炎(図5-52)，カンジダ症，サイトメガロウイルス感染症，単純ヘルペスウイルス(HSV)感染症，結核，非結核性抗酸菌感染症の頻度が高いのがAIDSの特徴である．続発性腫瘍の発生にはT細胞の機能低下に加えてヒトヘルペスウイルス(HHV)8やEBVなどの重複感染が関与している．

HIVはウイルスまたはウイルス感染細胞を含んだ血液や体液を介して感染する．輸血や血液製剤による感染は，以前社会問題となったが，現在では実質的に消滅している．HIVに感染すると1〜4週後に発熱，倦怠感，リンパ節腫脹などの感冒様症状が一過性に出現する，6〜8週後に抗HIV抗体が陽性となる．以降，数年から十数年にわたって無症候期が続く．しかし，無症候期にもウイルスは増殖しておりCD4陽性T細胞は徐々に減少していく．血中のCD4陽性T細胞が200個/μLを下回った段階で重篤な日和見感染症に罹患するようになる(AIDSの発症)．

Advanced Studies

a HIV

HIVはレトロウイルス科に属する1本鎖RNAウイルスであり，9つの遺伝子(*gag, pol, env, vif, vpr, vpu, tat, rev, nef*)と転写制御を行うLTR(long terminal repeat)で形成されている．*gag*遺伝子からは構造タンパク質，*pol*遺伝子からは酵素(逆転写酵素，イ ンテグラーゼ，プロテアーゼを含む)，*env*遺伝子からはエンベロープがつくられる．HIVの機能タンパクは20種類程度存在するが，まず複合タンパクとして産生されたものがHIV自身のプロテアーゼによって特定の部位で切断されることで機能を発揮する．エンベロープ表面のgp120はT細胞およびマクロファージに発現しているCD4に結合する．さらにgp120はT細胞表面のCXCR4あるいはマクロファージ表面のCCR5にも結合し，これらの分子は補助レセプターとしてウイルスの宿主細胞への侵入に利用される．gp120は変異が多いため，CXCR4により強く結合するT細胞指向性(X4型)やCCR5により強く結合するマクロファージ指向性(R5型)，あるいは両者に結合する両細胞指向性(R5X4型)が知られている．実際には，それぞれの型が混在している．R5型はヒトからヒトへの感染伝播と持続感染に関与し，感染後期にX4型やR5X4

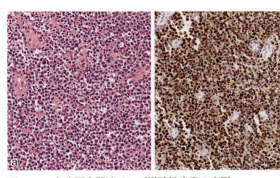

図5-51 免疫不全関連リンパ増殖性疾患の症例
脳に発生したリンパ腫の症例である．
a. HE染色ではびまん性に大型のリンパ球が増殖している．
b. *in situ* hybridization法で，EBVがほぼすべての細胞に同定される．

〔写真提供：島根大学病態病理学 新野大介先生〕

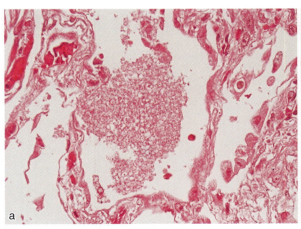
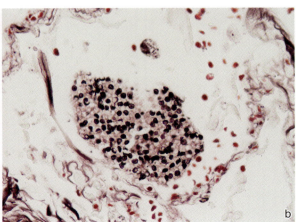

図5-52 AIDS患者における日和見感染
酵母様真菌である*Pneumocystis jirovecii*によって引き起こされるニューモシスチス肺炎の組織像．
a. HE染色では肺胞内にエオジンに染まる微細泡沫状の滲出物を認める．
b. グロコット染色では成熟嚢子が黒く染色される．

〔写真提供：笠原正典先生〕

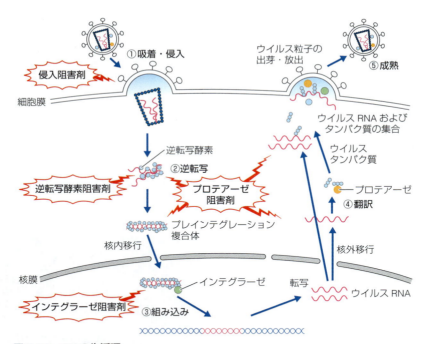

図 5-53 HIV の生活環
実際には 1 個の感染細胞から多数の新しいウイルス粒子が産生される.

型が増加し，T 細胞減少を引き起こす.
　pol 遺伝子から産生される逆転写酵素やプロテアーゼを阻害する薬剤が複数開発され，それらを併用することで AIDS の発症を長期間遅らせることができる（図 5-53）．*CCR5* 遺伝子の異常（32bp 欠失多型）を有する個体では HIV 感染に抵抗性となることから，CCR5 を標的とした薬剤（侵入阻害剤）も近年，治療薬として承認されている．

● 参考文献
1) 宮坂昌之（監），小安重夫，他（編）：標準免疫学　4 版．医学書院，2021
2) Doan T, et al : Lippincott Illustrated Reviews : Immunology 3rd. Wolters Kluwer Health, 2021
3) 渥美達也（編）：リウマチ・膠原病およびアレルギー・免疫疾患．矢﨑義雄，他（総論）：内科学 12 版 Ⅲ巻．朝倉書店，2022

第6章 代謝障害

- 生物は糖質，脂質，タンパク質などの有機物を分解してエネルギーを得て（異化），そのエネルギーを利用して生体に必要な物質を生合成している（同化）．この異化・同化機構の全過程を代謝と呼び，絶妙な調整によって生体の恒常性は維持されている．
- この代謝経路，異化・同化過程そのものの，あるいは異化・同化バランスの異常により起こる病的状態を代謝障害と呼ぶ．

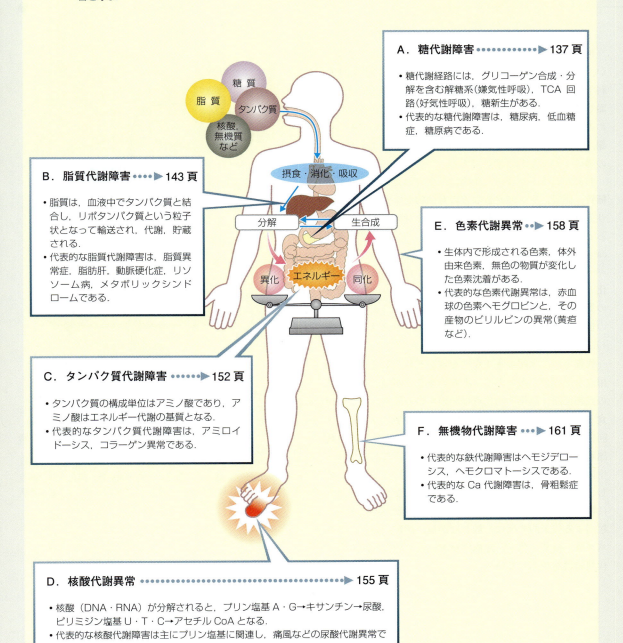

A．糖代謝障害 ▶137頁
- 糖代謝経路には，グリコーゲン合成・分解を含む解糖系（嫌気性呼吸），TCA回路（好気性呼吸），糖新生がある．
- 代表的な糖代謝障害は，糖尿病，低血糖症，糖原病である．

B．脂質代謝障害 ▶143頁
- 脂質は，血液中でタンパク質と結合し，リポタンパク質という粒子状となって輸送され，代謝，貯蔵される．
- 代表的な脂質代謝障害は，脂質異常症，脂肪肝，動脈硬化症，リソソーム病，メタボリックシンドロームである．

E．色素代謝異常 ▶158頁
- 生体内で形成される色素，体外由来色素，無色の物質が変化した色素沈着がある．
- 代表的な色素代謝異常は，赤血球の色素ヘモグロビンと，その産物のビリルビンの異常（黄疸など）．

C．タンパク質代謝障害 ▶152頁
- タンパク質の構成単位はアミノ酸であり，アミノ酸はエネルギー代謝の基質となる．
- 代表的なタンパク質代謝障害は，アミロイドーシス，コラーゲン異常である．

F．無機物代謝障害 ▶161頁
- 代表的な鉄代謝障害はヘモジデローシス，ヘモクロマトーシスである．
- 代表的なCa代謝障害は，骨粗鬆症である．

D．核酸代謝異常 ▶155頁
- 核酸（DNA・RNA）が分解されると，プリン塩基A・G→キサンチン→尿酸，ピリミジン塩基U・T・C→アセチルCoAとなる．
- 代表的な核酸代謝障害は主にプリン塩基に関連し，痛風などの尿酸代謝異常である．

第6章 代謝障害

　世に「ダイエット」なる文言が飛び交ってかまびすしい．医学者たろうとするに際し「代謝」という用語を，科学的に詳細に考慮し理解するにとどまらず，大きく俯瞰して考察することも，多くの世の俗言に流されないための重要な心構えとされたい．その意味においても，代謝，そして代謝障害を病理学的側面から学ぶことが，その礎の1つとなれば幸いである．

　われわれヒトを含めた生物は，生育のために外界から糖質，脂質，タンパク質などの有機物を栄養素として摂り入れる必要がある．そしてそれらを身体の中で分解することによって，エネルギーを得る，この過程を**異化** catabolism と呼ぶ．一方，異化によって得られたエネルギーを利用して生体に必要な物質を生合成する過程を**同化** anabolism と呼ぶ．われわれは毎日の営みのなかでこの異化・同化機構を絶妙・巧妙に調整することで，生体の**恒常性** homeostasis を維持しているといえよう（図6-1）．

　代謝とは，上記エネルギーを含むそれら取り入れと利用の全過程のことである，ともいうことができよう．この代謝経路，異化・同化過程そのものの異常，および摂食・消化・吸収などの病的状態によって生じうる異化・同化バランスの異常，これらにより起こる病的状態を**代謝障害**として扱いたい（図6-1）．代謝障害においては，生体内に異常物質，または量的に異常に物質が蓄積してしまう．ここでは先天的原因もさることながら，現代人に警鐘が鳴らされている偏食・過食や運動不足などから起因する後天的要因にも触れながら，糖質，脂質，タンパク質，核酸，色素，無機物などの成分別に代謝異常，代謝障害を説明していく．

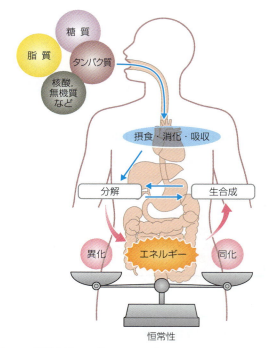

図6-1　代謝とは……そのイメージ
ヒトを含めた生物は，糖質，脂質，タンパク質などの有機物を摂り入れ，分解することによってエネルギーを得る（異化 catabolism）．一方，異化によって得られたエネルギーを利用して生体に必要な物質を生合成する（同化 anabolism）．これら全過程を代謝と呼ぶ．異化・同化機構を絶妙・巧妙に調整することで生体の恒常性 homeostasis を維持しているが，この代謝経路，異化・同化過程そのもの，あるいは異化・同化バランスの異常などにより起こる病的状態を代謝障害として扱う．

A 糖代謝障害

1 糖代謝の概略

糖質は生体のエネルギー源として重要な一物質であり，食事中のデンプンやグリコーゲンは，アミラーゼで分解されてブドウ糖（グルコース）になり血液内へ吸収される．骨格筋細胞，心筋細胞，脂肪細胞などの全身の細胞では，**膵臓ランゲルハンス島のβ細胞**から分泌される**インスリン**が標的細胞の受容体 receptor に結合すると細胞内の情報伝達が活性化され，グルコースは血液中から細胞内に取り込まれる．そのため，血液中には常に一定量のグルコースを維持しなければならない．血糖値（血液中のグルコース濃度）を維持するために，グリコーゲン glycogen として肝臓や筋肉などに貯蔵させている．必要に応じてグリコーゲンを分解しグルコースを放出することで，細胞に必要なエネルギー源を供給し生体の恒常性を維持せしめているのだ（図6-2）．

糖代謝経路として，グリコーゲン合成・分解を含む解糖系（嫌気性呼吸），トリカルボン酸回路 tricarboxylic acid（TCA）cycle〔クエン酸回路 citric acid cycle（好気性呼吸）〕，糖新生，血糖の維持やエネルギーの供給に重要な役割を果たしている．

A 解糖と TCA 回路

グルコースを ATP（adenosine triphosphates）の形でエネルギーとして取り出すためには，**解糖系**と **TCA 回路**が重要である．これらの反応系により1分子のグルコースから36分子もの ATP を得ることができる．グルコースからグリコーゲン産生やピルビン酸産生を行う嫌気的分解のことを**解糖** glycolysis と称し，すべての細胞の細胞質内で進行する嫌気的な10段階の化学反応から構成されている．解糖の最終産物のピルビン酸は嫌気的な条件下では乳酸に変わるが，通常の好気的条件ではミトコンドリア膜を通過してピルビン酸デヒドロゲナーゼ pyruvate dehydrogenase の作用で**アセチル CoA** となる．このアセチル CoA が TCA 回路に入りオキサロ酢酸と縮合してクエン酸になり，以降，化学反応により大量のエネルギー（ATP）を産生する．また脂肪酸はアセチル CoA を介して，一方，多くのアミノ酸は TCA 回路の中間体に異化されることにより，TCA 回路に入りエネルギー源として用いられる（図6-2）．

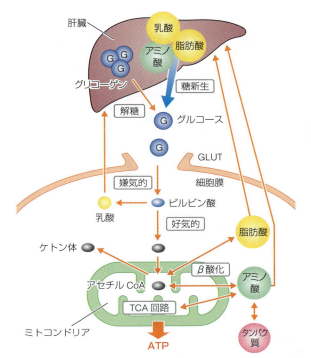

図 6-2 糖代謝経路の概要（解糖・糖新生・β酸化）
糖代謝経路には，グリコーゲン合成・分解を含む解糖系（嫌気性呼吸），TCA 回路（好気性呼吸），糖新生がある．
血中のグルコースは解糖系によりエネルギーとして利用されるほか，過剰な糖は肝臓や筋にグリコーゲンの形で蓄えられる．一方，空腹時には，糖以外のアミノ酸，乳酸，脂肪酸などからグルコースの合成（糖新生）を行う．
解糖の最終産物のピルビン酸は通常の好気的条件ではミトコンドリア膜を通過してアセチル CoA となる．このアセチル CoA が TCA 回路に入り大量のエネルギー（36 ATP）を産生する．また脂肪酸はβ酸化と呼ばれる代謝経路でアセチル CoA を介して，アミノ酸は TCA 回路の中間体に異化されることで，TCA 回路に入りエネルギー源として用いられる．

B グリコーゲンの合成・分解

血中のグルコースは解糖によりエネルギーとして利用されるほか，摂食などで増加した過剰な糖はインスリンの作用により肝臓や筋に取り込まれ**グリコーゲン**の形で蓄えられる（図6-2）．一方，飢餓時はグルカゴンやアドレナリンなどが作用し，後述の糖新生によりグルコースを合成し，空腹時血糖を一定の幅（80〜100 mg/dL 程度）で保っている．

グリコーゲンはグルコースが重合してできたホモ多糖の一種であり，分岐が多いため非還元末端から速やかにグルコースを利用できるのが特徴である．

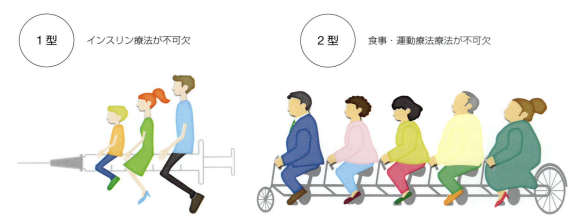

図 6-3　1 型および 2 型糖尿病患者のイメージ
1 型糖尿病は若年者に多く，体重は正常かやせ型であることが多い．白人に比べると，日本人を含むアジア人には少ない．治療にはインスリンが必須である．
2 型糖尿病は罹患者が非常に多く，1 型糖尿病より遺伝性が強い．肥満に傾かせる生活習慣を送った場合に発症することが多い．食事療法や運動療法が基本的な治療法であるが，薬剤による加療が必要な場合も多々ある．日本人は欧米人より発症しやすい．

C 糖新生 gluconeogenesis

　脳と赤血球はエネルギーのほとんどをグルコースに依存している．しかし絶食状態では，肝臓の貯蔵グリコーゲンだけでは脳の半日分程度のグルコースしか供給できないといわれている．そこで空腹時には，糖以外の物質からグルコースの合成（**糖新生**）を行う．糖新生の行われる場所は主に肝臓であり，アミノ酸，乳酸，グリセロール（脂肪酸）などからグルコースを合成する（図 6-2）．アミノ酸は筋組織などのタンパク質から分解，提供され，乳酸は赤血球や筋組織での嫌気性解糖の結果提供される．一方，グリセロールは脂肪組織の中性脂肪から分解されて提供される．

2 糖尿病 diabetes mellitus（DM）

　糖尿病とは，「インスリン作用不足による慢性的な高血糖を主徴とし，種々の特徴的な代謝異常を伴う疾患群である」と定義されており，インスリンの作用あるいは分泌の低下，およびそれらの両方が原因となる．高血糖の基準値としては，空腹時血糖値≧126 mg/dL，75 g ブドウ糖服用 2 時間後の血糖値≧200 mg/dL 以上，随時血糖≧200 mg/dL 以上，および HbA1c≧6.5％などが臨床の場で使われている．糖代謝異常に加え，脂質代謝異常などが複雑に合併し，血管，眼，腎臓，神経などに重大な病的変化を及ぼしてしまう，非常に恐ろしい疾患であるといえよう．

A 糖尿病の分類

　糖尿病は原因により，①1 型糖尿病，②2 型糖尿病，③その他の特定の機序，疾患によるもの，④妊娠糖尿病に大別されると，日本糖尿病学会が報告しているが，その 95％以上を②2 型糖尿病が占める．ここでは特に重要な 1 型と 2 型糖尿病を中心に記述したい（図 6-3）．厚生労働省による調査では，20 歳以上の人で糖尿病が強く疑われる人，糖尿病の可能性を否定できない人は徐々に増え続けており，実際，20 歳以上の日本国民の 4 人に 1 人以上までもが，糖尿病またはその予備軍ということになっているのは大変な驚きである．

1 ● 1 型糖尿病 DM type 1

　1 型糖尿病は若年者に多く，遺伝的素因があるところに何らかの環境要因が加わり，そのために自己免疫反応が起こってランゲルハンス島の β 細胞が破壊され発症すると考えられている（図 6-4b）．抗 GAD（glutamic acid decarboxylase）抗体や ICA（islet cell antibody）などの自己抗体が知られている．1 型糖尿病ではランゲルハンス島の β 細胞が有意に減少しており，インスリンの絶対量が足りないために発症する．治療にはインスリンが必須であり，これを**インスリン依存性** insulin dependent と呼ぶ．1 型糖尿病を insulin dependent DM（IDDM）と呼称することもある所以である．生活習慣との関連性は乏しく，体重は正常かやせ型であることが多い．白人に比べると，日本人を含むアジア人には少ない（図 6-3）．

A. 糖代謝障害 ● 139

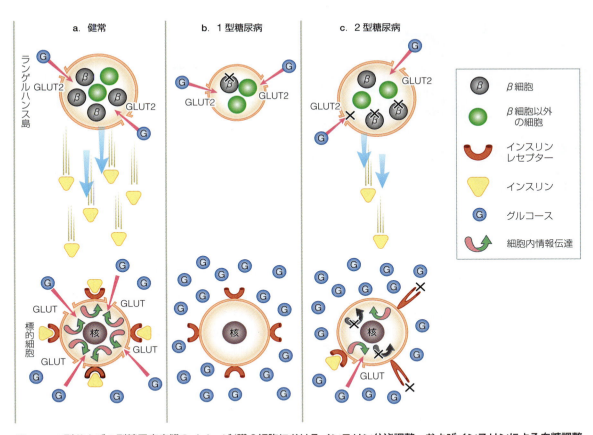

図 6-4　1 型および 2 型糖尿病病態のイメージ（膵 β 細胞におけるインスリン分泌調整，およびインスリンによる血糖調整の異常）

1 型糖尿病ではランゲルハンス島の β 細胞が有意に減少しており，インスリンの絶対量が足りないために発症する．よって治療にはインスリンが必須であり，インスリン依存性 insulin dependent と呼ぶ．
2 型糖尿病ではインスリン量が十分あっても，インスリンを受け取る細胞のほうがうまく反応できない状態に陥っており，インスリン抵抗性 insulin resistance と呼ぶ．原因としては受容体（インスリンレセプター）の機能異常，受容体数の減少，細胞内情報伝達の異常などが考慮されているが，根本原因は不明．インスリン抵抗性と β 細胞機能不全が重なって，初めて引き起こされると考えられている．膵 β 細胞の GLUT2 発現異常も存在していることが多い．

2　2 型糖尿病　DM type 2

　2 型糖尿病は罹患者が非常に多く，一般的に「糖尿病」という場合にはこの 2 型糖尿病のことを指している．1 型糖尿病より **遺伝性** が強く，血縁者に 2 型糖尿病がしばしばみられる．よって遺伝的素因をもっている人が 2 型糖尿病になりやすい．さらには，**肥満** に傾かせる生活習慣を送った場合に発症することが多いといえよう．インスリン量が十分あっても，インスリンを受け取る標的細胞のほうがうまく反応できない状態に陥っており，これを **インスリン抵抗性** insulin resistance と呼ぶ（図 6-4c）．かつては，1 型糖尿病の insulin dependent DM（IDDM）の呼称に対して，non-insulin dependent DM（NIDDM）が使用されていた．初期の病状は一般に軽度で，ゆっくりと進行していくため通常は中高年から発症していく．**食事療法** や **運動療法** が基本的な治療法であるが，血糖降下薬やインスリンなどの薬剤による加療が必要な場合も多々ある．

　2 型糖尿病の病因は複雑であり，さしずめインスリン抵抗性の原因としては受容体の機能異常，受容体数の減少，細胞内情報伝達の異常などが考慮されているが，根本的なところはいまだ不明のままである（図 6-4c）．**多因子疾患** polygenic disease であり，複数の遺伝子が先天的かつ後天的に関与しているのであろう．

　インスリン抵抗性と β 細胞機能不全が重なって，初めて引き起こされると考えられている．つまり，インスリン抵抗性に陥って高血糖になる条件がそろったとして

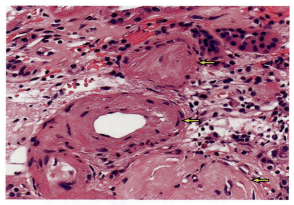

図 6-5　糖尿病性細小血管障害の病理組織像
細動脈壁の硝子様変性により，硝子様細動脈硬化（→）を起こし，血管内腔が狭小化している．

も，β細胞がそれに打ち勝つだけの十分なインスリンを分泌することができれば，2型糖尿病を発症するまでには至らないともいえる．一方で，もしβ細胞が十分なインスリンを分泌できなければ，つまり**β細胞機能不全**が重なれば，2型糖尿病を発症するわけである．日本人は欧米人より肥満の程度が軽くても2型糖尿病を発症しやすい（図 6-3）．これは日本人のインスリン分泌能力がもともと欧米人より有意に低く，β細胞機能不全に陥りやすいためだといわれている．

B インスリンと血糖調節障害

インスリンは細胞膜上のインスリンレセプターに結合し，細胞膜にある**グルコース輸送担体** glucose transporter（GLUT）を介して細胞内にグルコースを取り込む（図 6-2, 4）．肝細胞や膵β細胞では GLUT2，脳グリア細胞を含む種々の細胞では GLUT1 や GLUT3 が発現しており，グルコースを取り入れる．他方，筋や脂肪細胞では GLUT4 が発現しており，この GLUT4 の発現はインスリンにより転写段階での発現を受けている．

1型糖尿病では膵β細胞の傷害や消失によるインスリン不足，2型糖尿病ではインスリン分泌異常やインスリン抵抗性増悪に伴い高血糖がみられることは上述の通りである（図 6-4b, c）．また，糖尿病では高血糖そのものにより，インスリン分泌障害や骨格筋でのグルコース利用障害が認められる．2型糖尿病では，膵β細胞の GLUT2 発現異常や，糖代謝の鍵となる酵素であるグルコキナーゼの異常などによるグルコース認識機構の障害も指摘されている（図 6-4c）．

Advanced Studies

C グリケーション glycation

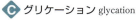

非酵素的タンパク糖化反応のことをいい，糖尿病における血糖の長期コントロールの指標として，さらに，この過程の終末産物は糖尿病慢性合併症の原因の1つとして注目されている．高血糖の状態では還元糖とアミノ酸，またはヘモグロビン（Hb）などのタンパク質と非酵素的反応が起こる．

まず初期には Hb タンパクとグルコースから，比較的短時間で可逆的な反応により **HbA1c** などの変性産物が形成される．これらは4～8週間の平均血糖値を反映するとされ，臨床的指標としても非常に重要である．次に，さらに数週間から数か月の長時間の経過で**終末糖化物質** advanced glycation end product（AGE）となる．血管基底膜成分のコラーゲンなどでは AGE 化に伴ったコラーゲンの代謝遅延や機能異常がみられることがいわれており，**糖尿病性血管合併症**（特に**細小血管障害**）の原因にもなる（図 6-5）．

D インスリンと脂質代謝

インスリンは脂質代謝にも種々の影響を及ぼす．特に2型糖尿病では高インスリン血症やインスリン抵抗性がみられ，下記のごとく多彩な脂質代謝障害が出現する．

① 脂肪細胞のグルコース取り込みを促進し，中性脂肪トリグリセリド triglyceride（TG）合成が増加する．
② 脂肪細胞でピルビン酸からのアセチル CoA 生成を促進し，アセチル CoA カルボキシラーゼなどの活性を高める．
③ 肝の脂肪合成が促進し，肝細胞沈着をきたす．アセチル CoA カルボキシラーゼや fatty acid synthase（FAS）の活性を上昇させ，脂肪酸合成が高められる．さらに脂肪酸のエステル化により TG〔特に超低比重リポ蛋白 very low density lipoprotein（VLDL）-TG〕合成が促進され，場合によっては**非アルコール性脂肪性肝炎** non-alcoholic steatohepatitis（NASH）となりうる．
④ 肝の HMG-CoA（ヒドロキシメチルグルタリル CoA，hydroxymethylglutaryl coenzyme A）還元酵素活性を高めてコレステロール合成が促される．
⑤ 脂肪組織内におけるリポタンパクリパーゼ（LPL）活性を高めて脂肪合成が促進され，脂肪分解は抑制される．
⑥ ホルモン感受性リパーゼ活性を低下させて貯蔵 TG の分解を抑えることにより，血中の遊離脂肪酸レベルを低下させる．
⑦ 肝における**ケトン体**産生を抑制する．

などが知られている．

A. 糖代謝障害 ● 141

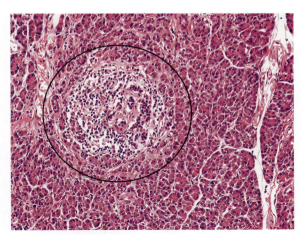

図 6-6 膵島炎の病理組織像
特にランゲルハンス島(膵島)において，高度のリンパ球集簇巣が同定され，破壊により膵島構造は不明瞭化(○)している．
〔写真提供：国立病院機構金沢医療センター 黒瀬 望先生〕

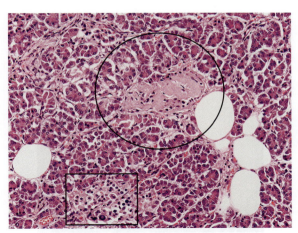

図 6-7 2型糖尿病における，膵臓ランゲルハンス島へのアミロイド沈着(好酸性無構造物質)
2型糖尿病患者の病理解剖症例．膵臓ランゲルハンス島の1つに，明らかなアミロイド沈着(○)が認められる．その下方のランゲルハンス島(□)には沈着が目立たない．

E ケトアシドーシスとβ酸化

特に1型糖尿病においてインスリン投与がなされていない状態や不足した場合に発症しやすく，血中に**ケトン体**(アセト酢酸，β-ヒドロキシ酪酸，アセトンの総称)が増加して，血液が酸性，アシドーシスになることを**ケトアシドーシス**と呼ぶ．

糖尿病の高血糖状態では，解糖系の律速酵素であるグルコキナーゼ，ホスホフルクトキナーゼ，さらにピルビン酸キナーゼの活性低下が生じており，グルコースの利用効率低下が認められる．それに伴い脂肪を分解しエネルギーを得ようとするわけだが，脂肪細胞から遊離した脂肪酸のβ酸化によるATP産生と同時に，脂肪酸の中間代謝産物である大量のアセチルCoA産生がみられる．しかし，細胞内ではTCA回路の回転率が低下しているため，大量に生じたアセチルCoAを処理できず，上記のアセト酢酸，β-ヒドロキシ酪酸，アセトンが大量に生成されることになる．これらケトン体は，肝臓以外の脳や骨格筋などでは，代謝酵素により再びアセチルCoAに戻ってTCA回路に入ることで，ある意味非常に優れたエネルギー源として利用されている(図6-2)．一方，肝細胞には代謝酵素が皆無のため，他臓器で処理できないほどの過剰なケトン体が肝臓で産生されて血中に放出された場合，ケトアシドーシスに傾くこととなる．

F 膵臓における糖尿病の病理組織像

1型糖尿病では**膵島炎**がみられるが，実際に組織像として目にされるのは病理解剖検体くらいではなかろうか．膵島炎は，細胞傷害性サプレッサーT細胞やマクロファージの浸潤より発生し，β細胞が障害されると膵島の既存形態は不明瞭となり，β細胞以外のα, δ, PP細胞などにも炎症の影響が及ぶ(図6-6)．

2型糖尿病では程度の差はあれ，膵臓ランゲルハンス島に**アミロイド沈着**がみられることもある(図6-7)．沈着しているアミロイドはIAPP(islet amyloid polypeptide)またはアミリン amylinと呼ばれ，インスリン受容細胞側のインスリン抵抗性に伴うβ細胞のインスリン過分泌状態を反映しているともいえる．IAPPは，通常はインスリンとともにβ細胞からごく微量分泌されるが，非生理的な高濃度では抗インスリン作用を有する．

G 合併症

1型糖尿病，2型糖尿病ともに，慢性高血糖が持続するために，血管が病理学的変化の主座となる．小型血管が侵されると**網膜症**，**腎症**，**神経症**の三大合併症を引き起こし(これを**細小血管障害**と呼ぶ，図6-5)，大型血管が侵されると**動脈硬化**(**粥状硬化**)が進行する(これを**大血管障害**と呼ぶ)．これらの合併症の影響もあり，糖尿病患者の平均死亡時年齢は，一般の人の平均寿命より10歳以上短い．

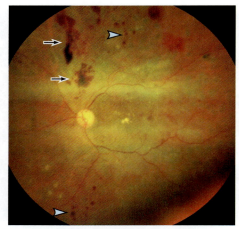

図 6-8　重度の糖尿病性網膜症の眼底写真像
網膜に，血管の一部が拡張してこぶ状になった毛細血管瘤（▷）が多数同定される．部分的に出血（⇒）を伴っている．

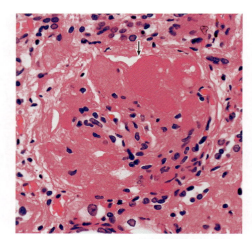

図 6-9　糖尿病による腎糸球体変化のなかでも特異的な Kimmelstiel-Wilson 結節
糖尿病性血管合併症（特に細小血管障害）の一表現型である．腎臓の糸球体はつまるところ毛細血管の糸玉，塊であり，糸球体血管係蹄壁を構成する基底膜の肥厚や，メサンギウム基質の増加が引き起こされ，糖尿病に特異的な変化と考えられる，結節性病変（→）が出現する．

図 6-10　糖尿病による下肢閉塞性動脈硬化症が引き起こした足壊疽（病理解剖症例）
特に足趾末端ほど壊疽が進み，指の脱落を伴う．

a 糖尿病性網膜症 diabetic retinopathy
　網膜に，血管の一部が拡張してこぶ状になった毛細血管瘤や，新生血管ができる．重篤な場合には，硝子体に出血して失明する（図6-8）．

b 糖尿病性腎症 diabetic nephropathy
　腎臓の糸球体はつまるところ毛細血管の糸玉，塊であるので，糖尿病で侵されやすい組織の1つである．基底膜の肥厚やメサンギウム基質の増加が引き起こされ，**糖尿病性糸球体硬化症**になり腎機能が低下する．特に結節状のメサンギウム基質の増加（**キンメルスティール-ウィルソン結節** Kimmelstiel-Wilson nodule）は，糖尿病に特異的な変化と考えられている（図6-9）．タンパク尿や浮腫，高血圧が発症し，状態が悪化すれば腎不全になり人工透析を受けねばならなくなる．透析に至った原因に関しては，2011年には慢性糸球体腎炎をはるかに上回って糖尿病性腎症が第1位となっており，近年では全体の約4割を超えるまで増加している．

c 糖尿病性神経症 diabetic neuropathy
　末梢神経が侵され，知覚障害（触覚低下，痛覚低下）が生じる．また，排便や排尿の障害（自律神経障害），神経因性膀胱も糖尿病性神経障害に含まれる．

d 動脈硬化（粥状硬化）atherosclerosis
　大型〜中型動脈の動脈硬化，粥状硬化が進展するため，**心筋梗塞，狭心症，脳梗塞，下肢閉塞性動脈硬化症**などに罹患しやすい．特に心筋梗塞は，糖尿病でない人に比べて有意に発症しやすく，死に直結する．下肢閉塞性動脈硬化症は，大腿動脈などの下肢動脈が動脈硬化によって狭窄または閉塞し，下肢の血行障害が引き起こされるものである（図6-10）．下肢に痺れ，疼痛，冷感が生じ，進行すると足の指に壊疽が起こる．また，一定距離を歩くと下肢に痛みを生じるため一時休まなければならなくなり，症状が改善したら再び歩き始めることができる，いわゆる間欠性跛行が認められる．

e その他
　神経因性膀胱などからの尿路感染症を含めた，呼吸器系や尿路系などの感染症にかかりやすくなることが知られている．また最近の研究では，糖尿病患者は有意に膵臓癌などの悪性腫瘍，新生物を発症しやすいこともわ

かっている．これは，がんの発生・進展に糖代謝異常も強く関連していることを示唆するものといえよう．

3 低血糖症

低血糖による病理組織形態学的変化は乏しい．臨床的には，次に示すウィップル Whipple の三徴が認められる．
① 低血糖を考慮させる症状（空腹感，蒼白，発汗，動悸，不安や意識障害など）．
② 空腹時血糖値が低い（50 mg/dL 以下）．
③ 食事やグルコースの投与で症状が改善する．
低血糖症を原因別にみると，次のように分類される．

a 内因性のもの
インスリンの関与するものとして，インスリノーマ，インスリン自己免疫症候群などが知られている．一方，インスリンの関与しないものとして，抗インスリンホルモンの分泌減少などがあげられる．

b 外因性のもの
インスリンや糖尿病治療薬の過剰投与など，また他のさまざまな薬剤性低血糖や胃切除後のダンピング症候群などもあげられる．

4 糖原病 glycogen storage disease, glycogenosis

グリコーゲンの代謝，つまり生成や分解に関与する酵素の先天的欠損により，肝臓や筋肉や心臓にグリコーゲンが蓄積し腫大してしまう疾患であり，欠損酵素別に分類されている．罹患臓器別に，肝型糖原病（Ⅰ，Ⅲ，Ⅳ，Ⅵ，Ⅸ型），筋型糖原病（好発病型は 0，Ⅳ，Ⅸ，Ⅹ，Ⅺ，Ⅻ，ⅩⅢ，ⅩⅣ，ⅩⅤ型，ホスホグリセリン酸キナーゼ欠損症）に分けられる．Ⅰ型が最も多く，次いでⅡ型とⅢ型が多い．ここではⅠおよびⅡ型糖原病について説明する．

1 ● Ⅰ型（フォン・ギールケ病 von Gierke disease）

肝型糖原病の代表的なものである．なかでもⅠa型はグルコース-6-ホスファターゼの欠損症で，グルコース6-リン酸からグルコースが生成されないため，空腹時に低血糖をきたす．肝臓や腎臓にグリコーゲンが蓄積し，肝腫大がみられる．またグルコース6-リン酸は解糖系から乳酸形成や脂肪酸形成に用いられるため，高乳酸血症や脂質異常症をきたす．グルコース-6-リン酸濃度が増加し，ペントースリン酸経路が活性化されるため

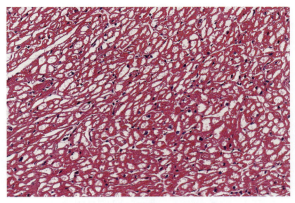

図 6-11　Ⅱ型糖原病（Pompe 病）の心筋病理像
肥大した心臓における心筋細胞は，リソソームに異常に蓄積したグリコーゲンを反映して，心筋の細胞質は広く空胞状を呈しており，全体像ではレース模様を思わせる．
〔写真提供：産業医科大学第一病理学 名和田 彩先生〕

リボース 5-リン酸産生速度が上昇して，ヒポキサンチンとグアニンの再利用に使われる PRPP（5-ホスホリボシル-1-ピロリン酸）が蓄積する．その結果，プリンヌクレオチド生合成が促進される．多くは乳児期に発症し，肝腫大（腹部膨満），発育遅延，人形様顔貌，低血糖発作，肝・腎機能異常などが起こる．

2 ● Ⅱ型（ポンペ病 Pompe disease）

全身性糖原病とも呼ばれる．糖原病のなかで唯一のリソソーム蓄積症であり，リソソームにグリコーゲンが蓄積する（図 6-11）．幼児型は酵素活性がほぼ完全に欠損するため，生後 1 か月以内に発症し，全身臓器（心臓，肝臓，舌など）の腫大と筋力低下がみられ，きわめて予後不良である．若年型や成人型ではある程度酵素活性が残存するため，骨格筋症状が前面に出て，特に成人型ではミオパチー症状だけのことが多い．欠損酵素はリソソーム酸性 α-グルコシダーゼであるため，電子顕微鏡像ではグリコーゲンを大量に含むリソソーム（glycogenosome）が観察される．

B 脂質代謝障害

1 脂質代謝の概略

脂質には，脂肪酸，アシルグリセロール，グリセロリン脂質，スフィンゴ脂質，コレステロールなどがあり，一般に単純脂質と複合脂質に分けられる．単純脂質は脂

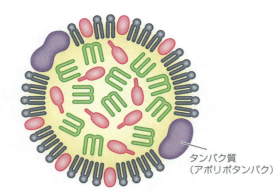

図6-12 リポタンパクの模型，そのイメージ
脂質は血液中では互いに種々の程度に組み合わされ，さらにタンパク質とも結合し粒子状になっている．これをリポタンパク質（リポタンパク）と呼ぶ．リポタンパクのタンパク質部分はアポリポタンパク（アポタンパク）と呼ばれる．

肪酸とグリセロールのエステルであるアシルグリセロールやコレステロールエステルなどである．複合脂質は極性基により，リン脂質，糖脂質，スフィンゴ脂質などに分けられる．これら脂質は血液中では互いに組み合わされ，さらにタンパク質とも結合し粒子状になっている．これを**リポタンパク質**（リポタンパクと略すことが多い）lipoprotein と呼ぶ（図6-12）．

脂肪酸は長い炭化水素側鎖をもつカルボン酸で，飽和脂肪酸と不飽和脂肪酸がある．

中性脂肪とは一般的にトリアシルグリセロールを指し，**トリグリセリド** triglyceride（TG）とも呼ばれる．これはグリセロールの脂肪酸トリエステルであり，脂質中の最大量を占め，生体内に貯蔵栄養源として蓄えられている．

リン脂質は非極性の脂肪族の尾と極性のリン酸をもつ両親媒性分子であり，スフィンゴシン骨格を有するスフィンゴリン脂質とグリセロール骨格をもつグリセロリン脂質に分けられる．スフィンゴリン脂質のスフィンゴミエリンは神経細胞のミエリン鞘に多く存在し，スフィンゴ糖脂質はセラミドの末端水酸基に糖鎖が付加された物質の総称で，多くは細胞膜表面に存在している．

コレステロールは細胞膜や細胞内オルガネラ膜にもみられ，血漿リポタンパク中に多く存在している．その70％は長鎖脂肪酸の疎水性コレステロールエステルである．

② 中性脂肪代謝障害

トリグリセリド（TG）は量的に最も多い脂質であり，エネルギー貯蔵物質として脂肪組織に蓄えられており，空腹時には遊離脂肪酸として血中に放出される．血中には食事由来や肝で合成されたTGやコレステロール，リポタンパクとして存在している．繰り返しになるが，リポタンパクとはタンパク質と脂質が会合し粒子を形成したもので，その作用や物理的性質によりそれぞれ分類され（表6-1），TGやコレステロールの搬送に働いている．リポタンパクのタンパク質部分は**アポリポタンパク（アポタンパク）**apolipoprotein と呼ばれ，リポタンパク粒子の構築に不可欠である（図6-12）．また，アポタンパクは脂質の加水分解や脂肪酸の転移に関する酵素活性を修飾するほか，細胞表面でリポタンパクの取り込みを行うレセプタのリガンド ligand としても働いており，生体内において非常に重要な役割を有している．

リポタンパクによる脂質の搬送は2つの方向に大別される（図6-13）．1つは，消化管で吸収された脂質や肝で合成された脂質を脂肪組織に送って蓄える反応である．これには**アポBタンパク**を有する**低比重リポタンパク** low density lipoprotein（LDL）が関与する．もう1つは，末梢組織からの余分な脂質，主にコレステロールの輸送であり，**高比重リポタンパク** high density lipoprotein（HDL）が関与する．肝外細胞のコレステロールは，**アポA-1タンパク**を含むリポタンパク，HDLに取り込まれて肝へ輸送されたのち，蓄積される．

Advanced Studies

A 脂質の吸収とリポタンパクの代謝（図6-13，表6-1）

摂取された脂質は分解されて吸収されるが，小腸ではTGとなり，粘膜上皮で合成されたアポB（アポB-48）とともに**カイロミクロン** chylomicron（CM）という大きな粒子を形成し，リンパ系を経由して血液循環に入る．このTGは肝でも新たに合成される．adipose triglyceride lipase（ATGL）や hormone-sensitive lipase（HSL）の分解酵素の作用により，脂肪組織や筋組織から動員された遊離脂肪酸をもとに，新たに合成されたTGは，同じく肝で合成されたアポB（アポB-100）とともに超低比重リポタンパク very low density lipoprotein（VLDL）となる（図6-13①）．

CMとVLDLはトリグリセリドrichリポタンパクとも呼ばれ，毛細血管（特に脂肪組織や筋肉内）で血管内皮細胞表面に存在する**リポタンパクリパーゼ** lipoprotein lipase（LPL）の作用により分解される．ここでTGは脂肪酸やモノグリセリドとなり，血管内皮細胞を通って再びTGとして脂肪組織などに蓄えられる．LPLの作用でTGを失い小型化したCM粒子からは，比較的水に溶けやすいアポA-1，C-1，C-Ⅱ，C-Ⅲタンパクなどが離脱し，CM自体はCMレムナント remnant（CMR）となる．レムナントはコレステロール（chol）が主成分であり，レムナントレセプタや**アポEレセプタ**を介して肝に取り込まれる（図6-13②）．この誘導物質としてのコレス

表6-1 リポタンパクの種類と組成

	カイロミクロン (CM)	超低比重リポタンパク (VLDL)	中間型リポタンパク (IDL)	低比重リポタンパク (LDL)	高比重リポタンパク (HDL)
比重	<0.96	0.96〜1.006	1.006〜1.019	1.019〜1.063	1.063〜1.210
粒子径(nm)	80〜1,000	30〜75	22〜30	19〜22	7〜10
脂質(%)	98	92	82	77	42〜58
トリグリセリド(TG)	85	55	24	10	5
コレステロール(エステル)	5	12	33	37	12〜18
コレステロール(遊離)	2	7	13	8	3〜6
リン脂質	6	18	12	22	23〜29
タンパク質(%)	1〜2	8	18	23	42〜58
アポリポタンパク組成(%)	A(12) B(23) C(65)	B(37) C(50) E(13)	B(78)	B(98)	A(89) C(8) E(3)

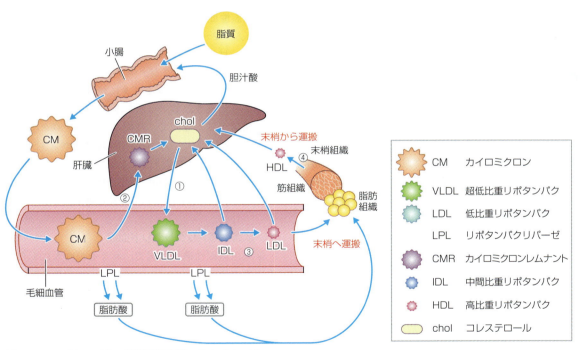

図6-13 リポタンパクの代謝運搬経路，そのイメージ

リポタンパクによる脂質の搬送は，消化管で吸収された脂質や肝で合成された脂質を脂肪組織を含む末梢組織に送って蓄える反応と，末梢組織からの余分な脂質，主にコレステロールの輸送にかかわるものである．

摂取された脂質は分解されて吸収されるが，小腸ではトリグリセリド(TG)となり，さらにカイロミクロン(CM)という大きな粒子を形成し，リンパ系を経由して血液循環に入る．

肝で合成された血中の超低比重リポタンパク very low density lipoprotein (VLDL)も同様に，LPLによる分解に伴い中間型リポタンパク(IDL)を経てLDLとなる．

テロールは，肝臓から排出された胆汁酸内に含まれるコレステロールが**腸肝循環**で再吸収されたものが多い．また，上記の分解によって生じた（遊離）脂肪酸は，血中を循環輸送され肝臓や筋肉などの末梢組織において，β酸化と呼ばれる代謝経路でアセチル CoA を通して TCA 回路に入り，エネルギー源（ATP）となる（図 6-2）．

血中の VLDL も同様に，LPL による TG の分解に伴い中間型リポタンパク intermediated lipoprotein（IDL）を経て LDL となる（図 6-13③）．LDL は，ほぼコレステロールとアポ B-100 からなり，この LDL コレステロールは HDL にあるレシチン・コレステロールアシル基転移酵素 lecithin cholesterol acyltransferase（LCAT）の作用でエステル化される．これら疎水性となった LDL コレステロールエステルは効率よく運搬される．LDL の一部は **LDL レセプタ**を介して肝臓に取り込まれ，LDL コレステロールは脂溶性ビタミンおよびステロイドホルモン合成・胆汁酸合成などの重要成分の 1 つとなる．残りの LDL は末梢組織に運ばれ，内部の LDL コレステロールは細胞膜成分やホルモンとして利用される．一方，肝臓や小腸由来の HDL は，末梢組織で不要または余剰のコレステロールを内部に取り込み，成熟した HDL となって肝臓に運ばれる（図 6-13④）．

概略するならば，LDL は主としてコレステロールを肝臓から末梢組織へ運ぶ重要な役割を有し，一方，HDL は逆に主としてコレステロールを末梢組織から肝臓へ運ぶ重要な役割を有している，ともいえよう．これらコレステロールの血漿循環のバランスが破綻すると，下記の脂質異常症に結びつく．

B 脂質異常症 dyslipidemia（高脂血症 hyperlipidemia，高リポタンパク血症 hyperlipoproteinemia）

血中の TG，総コレステロール，リン脂質あるいは遊離脂肪酸 free fatty acid（FFA）などが異常に増加した状態を，高脂血症や高リポタンパク血症と呼ぶが，異常に不足している状態も含めて**脂質異常症**という名称が新しく使われている．異常に増加・減少した成分により高 LDL コレステロール血症，高トリグリセリド血症，低 HDL コレステロール血症などと呼ばれる．また，総コレステロール値から HDL コレステロール値を差し引いた際の，高 non-HDL コレステロール血症という概念も出てきており，総コレステロール値測定の意義もいまだ生きている．

血清脂質異常は，大きくは①原発性，②生活習慣に起因するもの，③糖尿病や甲状腺機能低下症，ネフローゼ症候群などに伴って発症する続発性，に分けられる．なかでも②は社会経済的な問題に発展しているともいえよう．さらには表現型，病因別，病態別，遺伝などによっても分類されており，表現型分類である Fredrickson 分類がよく知られているが，その詳細は他に譲りたい．そのなかで，特に臨床病理学上も重要な，原発性の本態性脂質異常症と続発性脂質異常症について以下に記述する．

C 本態性脂質異常症

1 家族性高コレステロール血症
familial hypercholesterolemia（FH）

本態性脂質異常症のうち，本症は家族歴があり，特異的に LDL レセプタ遺伝子の異常がみられる．常染色体顕性（優性）遺伝形式で，ヘテロ接合体での発生頻度はおよそ 500 人に 1 人，ホモ接合体は 100 万人に 1 人の頻度である．Fredrickson 分類のⅡa とⅡb に属する．狭心症，心筋梗塞，黄色腫，腱鞘炎などが臨床的に発生する．

LDL レセプタの欠損や異常は，本来肝臓に取り込まれて処理される LDL の血中上昇を引き起こし，血管の粥状硬化の発生・進展や**皮膚黄色腫** xanthoma を発症させる（図 6-14）．黄色腫はアキレス腱部，肘関節部，膝関節部，殿部，手指関節部，眼瞼などに好発する．

2 家族性Ⅲ型脂質異常症（アポ E 欠損症）

1 万人に 2〜3 人の頻度でみられる．家族性Ⅲ型脂質異常症ではアポ E の異常により，VLDL から IDL にかけて異常リポタンパクが出現する．正常のアポ E（E2，E3，E4 など）は LDL レセプタに認識されて，速やかに血中から処理される．しかし本症では，アポ E の欠損や異常アポ E が原因で，肝でのリポタンパクの取り込み障害が生じ，多くは，青年期以降に高コレステロール血症と高トリグリセリド血症を呈する．冠動脈疾患や閉塞性動脈硬化症などの動脈硬化性疾患を合併することが多く，手掌線状黄色腫を含めた黄色腫も認められる．

3 家族性高トリグリセリド血症

常染色体顕性遺伝形式で，およそ 100 人に 1 人の発生頻度と考えられている．Fredrickson 分類のⅣ型に属する．VLDL の産生過剰と異化低下が原因とされる．血清トリグリセリド値は中等度上昇するが，総コレステロール値の増加はみられない．血清は白濁してくる．

D 続発性（二次性）脂質異常症

脂質異常症はさまざまな疾患により引き起こされるが，前述のごとく，特に**糖尿病**では高頻度に脂質異常症を伴い，動脈硬化性疾患の主要な危険因子となる．糖尿病では**高トリグリセリド血症**が最も起こりやすく，Fredrickson 分類のⅣ型などが多くみられる．甲状腺機能低下症，アルコール過剰摂取や副腎皮質ホルモン製剤投与などでも，二次性に脂質異常症が合併しやすい．

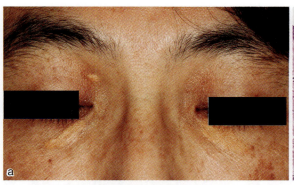
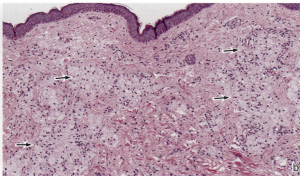

図 6-14　皮膚黄色腫の典型的な肉眼・病理組織像
a．両内眼角に黄色調の丘疹および扁平隆起性局面が多発している．
b．真皮内に，脂質を貪食し，泡沫状の豊富な細胞質を有する黄色腫細胞（マクロファージ）が，多数出現し集簇（→）している．

3 脂肪肝

正常な状態でも肝臓は総重量あたり 2〜4％程度の脂質を含んでいるが，脂肪含量が肝細胞全体の 30％以上を超えた場合に，**脂肪肝**と診断される．ただ病理学的には，5％以上でも肝細胞に脂肪滴が認められれば，肝脂肪変性と定義されている．脂肪肝は臨床的に，過栄養状態を基盤とする全身性肥満，特に**内臓脂肪型肥満**，糖尿病，適量を超えるアルコール摂取，薬剤性などで認められる．脂肪肝の病因には，少なくとも以下の 4 つがあげられよう．
① 肝臓における脂肪酸合成の促進：アセチル CoA カルボキシラーゼ活性の増加など．
② 肝臓への末梢組織からの脂肪酸動員の増加．
③ 肝臓での脂肪酸酸化の低下：ミトコンドリアでの β 酸化障害や，ペルオキシダーゼを含む酸化還元酵素の活性低下．
④ 肝臓のリポタンパク合成や分泌などの低下．

さらに，腸内細菌研究の蓄積により，腸内細菌叢のバランス異常，小腸内細菌異常増殖などが上記病因と複雑に絡み合っている可能性も示唆されている．

A 脂肪肝の組織像

組織学的には以下のように分けられるが，軽症例や初期の脂肪肝は下記の ① と ② のタイプが多く，進行すると次第に ③ へ移行するため，特に ③ では病因にまで言及するのは困難である．
① 小葉中心性脂肪化：小葉中心帯領域のみ脂肪化がみられるもの．アルコール性，薬剤性，糖尿病，肥満，妊娠，貧血や酸素欠乏などに伴ってみられる．
② 小葉辺縁性脂肪化：門脈周囲帯優位に脂肪化が起こるもの．脂質異常症，高脂肪・高カロリー食，飢餓，リン中毒などに起因する．
③ びまん性脂肪化：肝小葉全体にわたって脂肪化がみられるもの（図 6-15）．糖尿病，肥満，過栄養状態，飢餓，副腎皮質ホルモン製剤投与など多因子に起因する．

脂肪は病理組織学的に，脂肪滴として肝細胞内にみられ，小滴状から大滴状のものまで存在する．小滴状の脂肪変性は，特にリポタンパク合成障害などで認められる場合が多い．大滴状脂肪化は血中遊離脂肪酸が増加した状態などで認められる．

B 主な脂肪肝

1 過栄養性脂肪肝

カロリーの過剰摂取により肝細胞内に中性脂肪〔主にトリグリセリド（TG）〕が蓄積した状態であり，肥満者（特に内臓脂肪型肥満）と関係が深い．内臓脂肪型肥満は男性に多く，**インスリン抵抗性**に伴い高インスリン血症がみられる．**2 型糖尿病**，メタボリックシンドロームに伴う脂肪肝とも，当然ながら重複する．

2 糖尿病に伴う脂肪肝

糖尿病では，特に 2 型糖尿病において脂肪肝の合併率が高く，肥満を伴うと，より高頻度にみられる．糖尿病における脂肪肝発生の原因は，少なくとも主に以下の 3 つがあげられよう．
① 末梢脂肪組織から肝への遊離脂肪酸動員の亢進

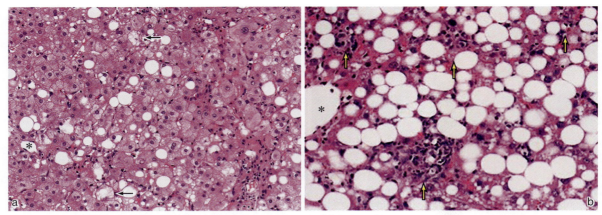

図 6-15 ヒト脂肪肝（NASH 症例，a）およびマウス NASH 類似脂肪肝（動物実験モデル，b）
小葉中心静脈（＊）周囲から，小葉辺縁にかけてほぼびまん性に，大〜小脂肪滴が肝細胞内に認められる．
a．ヒト NASH 肝では，肝細胞の風船様膨化 ballooning（→）が散見される．
b．モデルマウス肝では，高度びまん性の脂肪滴沈着のみならず，小葉内の炎症および肝細胞壊死（➡）も伴っている．

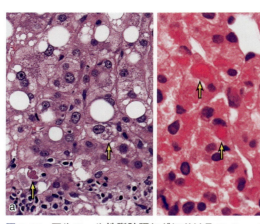

図 6-16 アルコール性脂肪肝などにおける Mallory 小体様の封入体
脂肪肝が進んでいくと，変性した肝細胞細胞質内に Mallory 小体様（→）の好酸性封入体が出現してくる（a）．しかし特異的なものではなく，実際，肝細胞癌症例でも綺麗な Mallory body（➡）が認められる（b）．

② 肝における脂肪酸や中性脂肪の合成亢進
③ VLDL の肝からの分泌低下

　インスリンは脂肪組織での TG 合成を促進し，分解を抑制する．このインスリンの欠乏や感受性低下（インスリン抵抗性の増悪）により脂肪の分解が亢進し，遊離脂肪酸が肝へ多量に流れ込む．またリポタンパクリパーゼ（LPL）はインスリン依存性のため，LPL の活性低下が生じ，アポリポタンパク B の合成低下や VLDL の分泌低下も認められる．

3 ● アルコール性脂肪肝

　肝ではアルコール（経口摂取されたエタノール）の 80％ 以上が，アルコールデヒドロゲナーゼ alcohol dehydrogenase や，ミクロソームにおけるミクロソームエタノール酸化酵素系 microsomal ethanol oxidizing system（MEOS）に含まれるチトクローム p450（cytochrome p450）などにより代謝され，アセトアルデヒドから酢酸となり，最終的には水と二酸化炭素へ分解される．この過程でニコチンアミドアデニンジヌクレオチド nicotinamide adenine dinucleotide（NAD）から，その還元型である NADH 生成が進み，これらに密接に調節される多くの酸化還元（レドックス）系に変化が起こる．その結果，TG 代謝に関係するミトコンドリア β 酸化の抑制やエタノールによる TG 合成酵素の活性化が生じ，肝細胞内に TG が蓄積していく．

　まとめると，アルコールの摂取で，肝臓における，① 中性脂肪の過剰産生，② 脂肪分解や β 酸化の低下，③ 脂肪酸放出の低下，④ 末梢脂肪組織からの脂肪酸動員の促進などが引き起こされ，脂肪肝が進んでいくと考えられる．病理組織学的に，変性した肝細胞細胞質内にアルコール硝子体やマロリー Mallory 小体などの好酸性封入体が出現するが，特異的なものではない（図 6-16）．

4 ● その他の脂肪肝

　栄養不良や飢餓状態，また吸収不良症候群でも脂肪肝が生じることが知られており，病理解剖における悪液質（カヘキシア cachexia）症例などでしばしば遭遇する．クワシオルコル kwashiorkor はアフリカの乳幼児などで

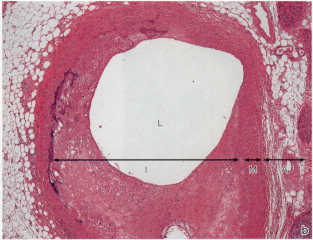

図 6-17 動脈硬化症，いわゆる粥状硬化症の典型的な進行期病変の肉眼および組織像
（冠動脈，病理解剖症例）

a. 摘出した冠動脈（短軸で割を入れ並べている）は，粥状硬化症により石灰化を伴い硬度を非常に増しており，一部で明らかな血栓形成を伴って動脈内腔の狭窄・閉塞（➡）をきたしている．本症例は，急性心筋梗塞により急死に至った剖検例である．
b. 高度の粥状硬化に陥った冠動脈断面像を病理組織学的に観察するに，高度肥厚を呈する内膜（I）は，脂質を貪食したマクロファージ（泡沫細胞）も少数混在させながら，中膜（M）から遊走・増殖したと考えられる平滑筋細胞，さらにはそれらから産生されたコラーゲンなどの豊富な細胞外基質より主になる，線維細胞性内膜肥厚巣を呈している．中膜（M）は肥厚内膜に押しやられ著明に菲薄化している．血管内腔（L）は高度の狭窄を認め，典型的な偏心性動脈硬化像を見せている．I：intima 内膜，M：media 中膜，A：adventitia 外膜，L：lumen 血管内腔．

みられる低タンパク食などによる栄養不良を示す．

また，栄養素の１つであるコリンが欠乏すると肝臓ではリポタンパク質を合成できずに，取り込んだ脂肪酸が一方的に蓄積して，結果的に脂肪肝をきたすと考えられている．コリン・メチオニン欠乏食は，マウスを含むげっ歯類にヒト**非アルコール性脂肪性肝炎**（NASH）類似の脂肪肝を生じさせる，確立された代表的動物実験モデルである（図 6-15b）．

４ 動脈硬化症 arteriosclerosis

100 年以上も前に，米国の医学者 William Osler 博士は「ヒトは血管とともに老いる」と述べている．血管機能の経年変化，衰え（動脈硬化）は，すべてのヒトに生じる避けられない生物学的変化ともいえよう．病理学的に動脈硬化症とは，動脈壁に脂質沈着や内膜肥厚，そして壁の再改築を起こすことで弾性の低下（硬化）をきたし，血管の機能低下を示す，慢性炎症性複合性病変かつ脂質代謝異常性疾患と考えられる．

動脈硬化は古典的に，以下の３つの形態学的変化を含む病変に大別される．
① **粥状硬化症** atherosclerosis（図 6-17）
② **メンケベルク中膜石灰化** Mönckeberg medial calcification
③ **細動脈硬化症** arteriolosclerosis

上記のうち，最も重要かつ，一般的な「動脈硬化」を指すと考えられる ① 粥状硬化症は，大動脈とそれから分岐する**弾性型動脈**（図 6-18），また冠動脈（図 6-17），脳底動脈などの大型・中型の**筋型動脈**に好発する．動脈内腔の狭窄や閉塞をきたし，虚血性心疾患，狭心症や心筋梗塞，脳梗塞，下肢の壊疽などを引き起こす．また，大動脈の**動脈瘤**形成の一大原因であり，破裂に至れば死に直結する．

粥状硬化症の程度や病変の広がりは，当然のことながらさまざまであるが，基本的には血管内膜における，以下の病理学的変化によって形成されている（図 6-17b）．
① コレステロールやリン脂質などの脂質の沈着，それらを貪食するマクロファージの集簇
② 平滑筋細胞の遊走・増殖
③ コラーゲンなどの細胞外基質の増加

最終的には粥腫（アテローム atheroma）病変にびらん・出血，潰瘍形成，血栓形成，石灰沈着などの二次的病変を伴った**複合病変** complicated lesion となる（図 6-17, 18）．

150 ● 第6章 代謝障害

図 6-18 動脈硬化症，いわゆる粥状硬化症の典型的な進行期複合病変の肉眼像（大動脈，病理解剖症例）
摘出した大動脈（長軸で切り開いている）内膜側は不規則に肥厚しており，明らかに全体の弾性が失われた状態で硬くなっている．脂質の沈着を反映した黄色調の粥腫（アテローム）病変に，びらん・出血，潰瘍形成，石灰沈着などの二次的病変を伴った複合病変が形成されている．粥腫は互いに融合し，動脈内面全体に認められる．

図 6-19 動脈硬化モデル実験動物（ウサギ）における，粥状硬化初期病変としての脂肪斑（oil red-O 染色にて赤く染めだされる）の肉眼像
大動脈（長軸で切り開いている）動脈壁の内膜側に，表在性で時にごくごく軽度の盛り上がりを伴う斑状～線状の病変が染色されており，ヒトでは若年成人にも認められるものである．大動脈血管分岐部を中心に，赤く染めだされているのがわかる．

粥状硬化の発生・進展については膨大な研究が現在まで行われ，動脈硬化に関与するさまざまな因子が検討されている．脂質異常症の存在は特に重要な原因の1つであるが，それ以外にさまざまな動脈壁傷害因子（細胞外基質分解酵素，アポトーシスや酸化ストレスなどを含む），増殖因子，細胞接着因子，血管内皮細胞の剥離，平滑筋細胞やマクロファージの動態などが複雑に組み合い重なり合い，長年にわたって血管壁に作用し，動脈硬化が成立すると考えられている．

A 粥状硬化病変の種類

1 ● 脂肪斑（脂肪線条 fatty streak）

肉眼的に動脈壁の内膜側に表在性で，時に軽度の盛り上がりを伴う斑状～線状の黄色調の病変であり，若年成人にも認められる（図 6-19）．顕微鏡的には脂質を貪食したマクロファージ，泡沫細胞 foam(y) cell の集簇巣から構成される．

実験的に脂肪斑の粥腫（アテローム）病変への移行がみ

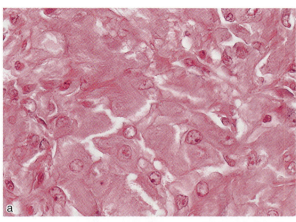
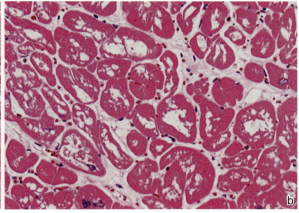

図 6-20　Gaucher 病と Fabry 病における特徴的顕微鏡学的所見
a．Gaucher 病患者の脾臓において出現した，泡沫状の豊富な胞体を有する Gaucher 細胞の集簇巣．
b．Fabry 病患者の心筋において出現した，脂質蓄積を反映した細胞質内空胞変性所見．
〔写真提供：a, b ともに熊本大学大学院生命科学研究部 菰原義弘先生〕

られることや，アテロームと同様に泡沫細胞などで構成されていることから，おそらく脂肪斑は粥状硬化症の初期病変であり，以下に記載する進行した硬化病変へ移行すると推定される．

2　線維斑（線維性硬化巣 fibrous plaque）

肉眼的に灰白色でやや硬く半透明の線維性限局性隆起であり，さまざまな程度の脂肪沈着も伴っている．中膜由来と考えられる平滑筋細胞の遊走・増殖，さらにはコラーゲンなどの細胞外基質産生を伴った，線維性内膜肥厚巣のことである．

3　粥腫 atheroma

粥状硬化の完成した進行期病変のことで，黄色〜黄白色を呈し，中心部はコレステロールに富んだ脂質が多量に沈着した脂質中心コア（無細胞性壊死巣）からなり，その周囲や細胞内外にも脂質が多くみられる．さらに，平滑筋細胞増殖，細胞外基質増生が顕著となる（図 6-17）．病変の進展に伴い粥腫数は増して互いに融合し，動脈内面全体に認められるようになる．病理解剖でしばしば遭遇する（図 6-18）．

4　複合病変 complicated lesion（図 6-18）

上記の粥腫に出血，潰瘍，血栓形成，石灰沈着などの二次的変化をさまざまな程度に伴った病変であり，特に血栓形成は内腔の閉塞をきたす危険性があり，心筋梗塞や脳梗塞などの重要な原因となる．また動脈壁，特に大動脈壁中膜が脆弱化して**動脈瘤**を形成することもある．

5　複合脂質代謝異常症

リソソーム（ライソソーム）lysosome は，主たる細胞内消化の場で，内部は pH4〜5 の酸性に保たれ，取り込んだ生体高分子を加水分解酵素により分解する．このリソソームにおける酵素やトランスポーターの先天的欠損などにより，リソソームに異常に物質が蓄積する疾患を総称しリソソーム病 lysosomal disease（リソソーム蓄積症 lysosomal storage disease）と呼ぶ．蓄積される脂質はスフィンゴ脂質，糖タンパク，ムコ多糖体など多岐にわたるが，ここでは種々の複合脂質の総称であるスフィンゴ脂質が異常に蓄積するスフィンゴリピドーシスのなかでも，代表的なものを述べる．

1　ゴーシェ病 Gaucher disease

常染色体潜性（劣性）遺伝形式であり，グルコセレブロシドが主に肝臓，脾臓，骨髄など細網内皮系（網内系）の臓器のマクロファージに蓄積することで発症し，肝脾腫や貧血，血小板減少に加えて神経症状などを呈することもある．**Gaucher 細胞**と呼ばれる泡沫状の胞体を有する特徴的なマクロファージが出現する（図 6-20a）．

2　ニーマン-ピック病 Niemann-Pick disease

常染色体潜性遺伝形式で乳児期に発症し，スフィンゴミエリンやコレステロールの蓄積により肝脾腫がみられ，精神発達遅滞や退行なども伴う．**Niemann-Pick 細胞**と呼ばれる泡沫状の胞体を有する特徴的なマクロファージが諸臓器で認められる．

表 6-2 メタボリックシンドロームの診断基準

内臓脂肪（腹腔内脂肪）蓄積	
ウエスト周囲径	男性 ≥ 85 cm 女性 ≥ 90 cm
（内臓脂肪面積　男女とも ≥ 100 cm^2 に相当）	
上記に加え以下のうち 2 項目以上	
高トリグリセライド血症 　　　かつ/または 低 HDL コレステロール血症	≥ 150 mg/dL < 40 mg/dL 　　男女とも
収縮期血圧 　　　かつ/または 拡張期血圧	≥ 130 mmHg ≥ 85 mmHg
空腹時高血糖	≥ 110 mg/dL

* CT スキャンなどで内臓脂肪量測定を行うことが望ましい．
* ウエスト径は立位，軽呼吸時，臍レベルで測定する．脂肪蓄積が著明で臍が下方に偏位している場合は肋骨下縁と前上腸骨棘の中点の高さで測定する．
* メタボリックシンドロームと診断された場合，糖負荷試験が薦められるが診断には必須ではない．
* 高 TG 血症，低 HDL-C 血症，高血圧，糖尿病に対する薬剤治療をうけている場合は，それぞれの項目に含める．
* 糖尿病，高コレステロール血症の存在はメタボリックシンドロームの診断から除外されない．

〔メタボリックシンドローム診断基準検討委員会：メタボリックシンドロームの定義と診断基準．日本内科学雑誌 94：188-203，2005 より転載〕

3 ● ファブリ病 Fabry disease

α-ガラクトシダーゼ A の欠損または低下で引き起こされ，X 染色体潜性遺伝形式をとる．古典的には，小児期に被角血管腫，四肢末端痛，低汗症，角膜混濁などを呈し，多臓器障害をきたす．一方，中年期以降では古典的症状を欠くため，心肥大による心症状のみを呈する心 Fabry 病が多く存在している可能性が指摘されている．いずれも，心筋や血管内皮，腎糸球体などに脂質蓄積を反映した多数の空胞変性が出現する（図 6-20b）．

6 メタボリックシンドローム

体重が正常範囲内で，外見上は肥満が目立たないにもかかわらず，肥満者と同様に動脈硬化症の増悪や心臓血管疾患合併の生じやすい症例が多数みられ，高インスリン血症の存在に起因する可能性がかねてより指摘されていた．その後，遺伝的背景に起因したインスリン抵抗性が基礎となり，高血糖，高血圧，脂質代謝異常（高トリグリセリド血症や低 HDL コレステロール血症）などが集積し，その個体に動脈硬化症の重症化や虚血性心疾患発生の高い発生率を招くという，インスリン抵抗性症候群の病態を syndrome X と命名することが提唱された．

さらに，内臓脂肪蓄積による男性型肥満の存在がインスリン抵抗性症候群の増悪に関連することや，インスリン抵抗性に起因した動脈硬化性疾患などの生活習慣病発生のリスク増大が注目されるようなった．これを受けて 1998 年 WHO により，さまざまな動脈硬化性心血管疾患の危険性を高める複合型リスク症候群に対して，**メタボリックシンドローム** metabolic syndrome（**内臓脂肪症候群**）の新名称が与えられ，診断基準が考案された．わが国でも 2005 年 4 月に，日本内科学会を中心とした合同委員会において，メタボリックシンドロームの概念がまとめられ表 6-2 の「診断基準」が提示されている．ちなみに，厚生労働省の 2018 年国民健康・栄養調査によれば，実に日本人成人の 3 人に 1 人以上がメタボリックシンドロームまたはその予備群であり，社会的・医療経済的な大問題となること必至であろう．

1 ● メタボリックシンドロームの概念
① インスリン抵抗性・動脈硬化惹起性リポタンパク異常・血圧高値を個人に合併する心血管病易発症状態である．
② 偶然にリスクが集まったものではなく，上流に共通の発症基盤が存在する疾病単位である．したがって単なる複合型リスク症候群と同じではない．
③ その共通の基盤として内臓脂肪蓄積が存在する．
④ 代謝異常のみを基盤としているわけではない（よって，後天的異常のみではなく遺伝的背景も考慮される）．

C タンパク質代謝障害

1 アミノ酸代謝

アミノ酸はタンパク質の構成単位であり，同じ炭素原子にアミノ基とカルボキシル基が結合した構造を基本としており，側鎖の違いから 20 種類のアミノ酸が存在している．うち 11 種類の**非必須アミノ酸**は生体内で合成できるが，残り 9 種の**必須アミノ酸**は食物から摂取しなければならない．

摂取されたアミノ酸はそのままの形では排泄も貯蔵もされない．ピルビン酸やオキサロ酢酸，2-オキソグルタル酸などの代謝中間体として蓄えられ，グルコース，脂肪酸，さらにはケトン体の材料となる．したがって，アミノ酸はタンパク質の構成単位であるばかりでなく，エネルギー代謝の基質でもある．

C. タンパク質代謝障害 ● 153

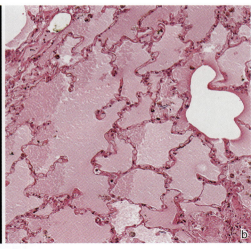

図 6-21　尿毒症性肺の肉眼・病理組織像（病理解剖症例）
a. 重量の著明に増加した肺の割面では，うっ血高度でびまん性に褐色調を呈しており，含気はほとんど保たれていない．
b. 組織学的に肺うっ血水腫（肺浮腫）像が明らかで，肺胞腔内にはフィブリンなどによる滲出物と出血がみられる．

A アミノ酸の分解

1 尿素回路

アミノ酸の代謝・分解で生じたアンモニアは，人体にとって有害であるため肝臓における尿素回路で尿素に変換され，腎より排泄される．尿素の尿中排泄量は，成人では 1 日約 20〜30 mg 程度である．血中の尿素窒素濃度(BUN)は，尿素の生成率と尿中排泄率によって決まり，食事や消化管出血，熱傷などの腎前性因子や，腎機能障害・腎血流量などの腎性因子が関与する．BUN の基準値は約 8〜20 mg/dL とされる．

BUN が血中で著しく増加することを高窒素血症と呼び，**尿毒症** uremia を引き起こし病理解剖例ではしばしば遭遇することとなる．尿毒症では電解質異常を含めたさまざまな代謝異常が出現するが，心臓では尿毒症性心外膜炎，肺では**尿毒症性肺** uremic lung が認められる(図 6-21a)．後者では画像上，肺門を中心に左右対称な蝶形 butterfly あるいはコウモリ翼 batwing 様陰影が認められ，組織学的には浮腫やフィブリンによる滲出物がみられる(図 6-21b)．さらに，消化管には偽膜性の多発潰瘍，膵臓には限局性の膵炎なども出現する．腎のエリスロポイエチン erythropoietin 産生低下にかかわる貧血もみられる．

2 個々のアミノ酸の代謝分解と代謝障害

動物が生み出す代謝エネルギーの 10〜15％は，アミノ酸に由来すると考えられている．アミノ酸が分解されるとTCA回路中間体や，その前駆体となるが，20 種類のアミノ酸の炭素骨格はそれぞれ異なるので，TCA回路に入る道も異なる．主にアミノ酸分解酵素異常に起因する代表的疾患を以下に挙げる．

① メープルシロップ尿症：ロイシン，イソロイシン，バリンの代謝経路にある，α-ケト酸デヒドロゲナーゼ複合体の活性が低下するために生じる常染色体潜性遺伝性疾患である．
② フェニルケトン尿症：フェニルアラニンをチロシンに変換する酵素，フェニルアラニン 4-モノオキシゲナーゼの欠損により生じる．
③ ホモシスチン尿症：メチオニンの代謝経路において，中間生成物ホモシスチンの代謝酵素であるシスタチオニン-β-シンターゼの先天的欠損により，ホモシスチンがシスチンに変換されないために生じる．
④ 白皮症：チロシンからメラニンへの合成経路におけるチロシナーゼの欠損症であり，メラニン色素が不足することによって，目や皮膚の色素が薄くなる．いわゆるアルビニズムである(図 6-22)．

2 巨大タンパクの沈着症・異常症

A アミロイドーシス amyloidosis

細胞病理学の生みの親，そして現代病理学の父，ウィルヒョウ(ドイツ語発音はやや異なる)Rudolf Ludwig Carl Virchow は，これら沈着物のヨード・硫酸反応が

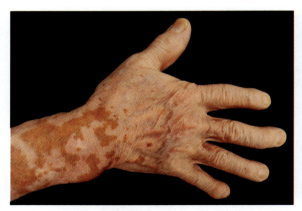

図 6-22　白皮症（アルビニズム）
右手背に境界明瞭な脱色素斑が拡がっている．白斑内部には小色素斑が混在している．

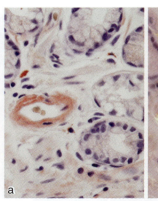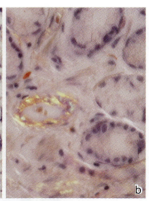

図 6-23　アミロイドーシスにおける，アミロイドタンパクの同定
コンゴーレッド染色(a)にて橙色に染色される，小血管壁に沈着するアミロイド．これらを偏光顕微鏡(b)で観察すると，青緑色に複屈折する．

セルロースに似ていると考え，Amyloide Substanz と表現した．それ以後アミロイドおよびその沈着症についてアミロイドーシス amyloidosis と呼ぶようになっている．

アミロイドの一般的な性質は，コンゴーレッド特殊染色で橙色に染まり，それらを偏光顕微鏡で観察すると青緑色の複屈折を示すことが特徴とされる（図 6-23）．各種溶媒に難溶性であることも知られる．マクロファージによる貪食作用にも抵抗性を示すため，沈着が減少することはない．

アミロイドは免疫グロブリンのL鎖からできるものなど，さまざまなものが知られているが，アミロイドーシスを原発性と続発性に分類し，さらに全身性と限局性に分ける．現在アミロイドタンパクの科学的性格が詳細にわかってきたものも多く，その前駆タンパクおよび臨床病名によりそれぞれ分類される．

B アミロイドタンパク

a AL（amyloid light chain）タンパク

Glenner らが報告し，免疫グロブリンのL鎖あるいはその可変領域で，AκやAλがみられる．

b AA（amyloid A）タンパク

血清α-グロブリン分画にある，血清アミロイドAタンパク serum amyloid protein A（SAA）で急性期タンパク質の一種である．急性・慢性疾患や加齢で増加し，IL-1やIL-6の刺激で肝細胞が産生する．SAAには1，2，3があり，SAA2がアミロイド線維になるといわれている．血清には血清アミロイドP成分 serum amyloid P component（SAP）があり，少量がアミロイドとともに沈着する．AAアミロイドーシスは，結核や関節リウマチなどに続発するものとして知られている．さらに，健常人にも SAA の処理能力が低いマクロファージをもったヒトがいるといわれ，AA アミロイドーシスとの関連が考えられている．

c トランスサイレチン transthyretin（TTR）

遺伝性トランスサイレチンアミロイドーシス〔旧名：家族性アミロイドポリニューロパチー familial amyloidotic polyneuropathy（FAP）〕は，プレアルブミン transthyretin（TTR）を前駆タンパクとして沈着をきたし，末梢神経障害などを主症状とする常染色体顕性（優性）遺伝形式を示す疾患で，日本，ポルトガル，スウェーデンなどに家系が報告されている．また，TTR 由来のアミロイドーシスには，全身性 ATTRwt アミロイドーシス（旧名：非遺伝性老人性全身性アミロイドーシス）があり，超高齢社会において臨床病理学的に重要性が増してきている．心不全の原因となることが知られており，治療薬も存在する．

d Aβ_2M

長期透析患者には，β_2-ミクログロブリンよりなるアミロイド（Aβ_2M）が沈着し，手根管症候群などを発症する．しかし，関節周囲や滑膜だけでなく全身にも沈着がみられる．近年，糖尿病などによる慢性腎臓病で透析に至る患者数は年々増加している背景から，透析アミロイドーシスを鏡検する機会も増している．

D. 核酸代謝異常 ● 155

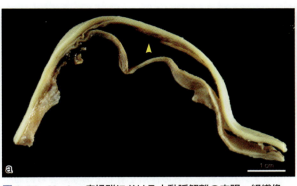
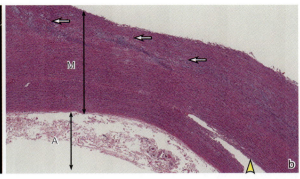

図 6-24　Marfan 症候群における大動脈解離の肉眼・組織像
a. 若年での大動脈解離例．解離を起こした摘出大動脈の一部を長軸方向で割を入れた．肉眼的に内膜側（上側）の動脈硬化はほとんど認められず，中膜の下層約 1/3〜1/4 に解離腔（▷）が存在している．
b. 病理組織学的にも中膜（M）の下層約 1/4 に解離腔（▷）が存在しており，解離の先端部が示されている．またコラーゲンやエラスチン（弾性線維）の異常を反映した嚢胞性中膜壊死（⇒）と呼ばれる，特徴的な虫食い状の病理像が同定される．M：media 中膜，A：adventitia 外膜．

e IAPP（islet amyloid polypeptide）

内分泌アミロイドーシスの 1 つである AIAPP では，2 型糖尿病でアミリン，インスリノーマで膵島アミロイドポリペプチド islet amyloid polypeptide（IAPP）の沈着がみられるが，両者は同一のものである．これらはインスリンとともに膵β細胞より分泌され，糖尿病の初期にはインスリン抵抗性などによりインスリンと IAPP 過剰分泌があり，さらに何らかの異常が加わってアミロイド沈着が始まると考えられる（図 6-7 参照）．

③ コラーゲンの異常

ヒトを含めて高等動物のタンパク質の約 1/3 はコラーゲンである．細胞間接着や細胞間基質（マトリックス）の主成分として，病理組織学的にも非常に重要な役割を担っている．特に腱，皮膚，脱灰骨や軟骨などに多量に含まれている．コラーゲンは現在 30 種類以上あり，ほとんどの遺伝子がクローニングされている．

コラーゲン異常として知られる病気には，皮膚や関節が過伸展する**エーラス-ダンロス症候群** Ehlers-Danlos syndrome や，手足の指が長く高身長で大動脈解離や解離性大動脈瘤などを生じやすい**マルファン症候群** Marfan syndrome などがあげられる（図 6-24）．

核酸代謝異常

① 核酸の代謝

核酸〔デオキシリボ核酸 deoxyribonucleic acid（DNA）とリボ核酸 ribonucleic acid（RNA）〕は，ヌクレオチド nucleotide の重合により形成される．ヌクレオチドは，五炭糖（デオキシリボースまたはリボース）とリン酸のバックボーン上に，プリン塩基またはピリミジン塩基が並んで構成される．プリン塩基はアデニン adenine（A）とグアニン guanine（G），ピリミジン塩基はウラシル uracil（U），チミン thymine（T），シトシン cytosine（C）である．ヒト細胞中では，A と T，G と C が塩基対をなした二本鎖 DNA として存在している．

食事から摂取した核酸は，小腸でヌクレオチドとして吸収され遊離塩基へと分解される．遊離塩基の一部は再利用され，体内の死細胞などから分解された核酸とともに，新たな核酸合成の材料となる．また解糖系産物とアミノ酸からも核酸は生合成される．

核酸が体内で分解された際には，遊離**プリン塩基** A と G はすべてキサンチンへと変換される．キサンチンは，さらにキサンチン酸化酵素によって，難溶性物質の尿酸となり主に尿から排泄される．一方，遊離ピリミジン塩基 U，T，C は，肝臓で分解されてアセチル CoA となり，解糖，糖新生や脂肪酸合成などに利用される．臨床病理学的に問題となるのは前者，プリン塩基である．

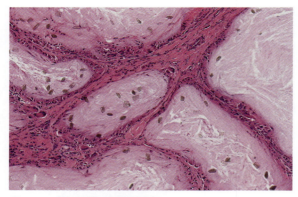

図 6-25　痛風結節の病理組織像
尿酸塩(尿酸ナトリウム)からなる小型結晶を伴う無構造沈着物が島状に認められ，それらの周囲には，多核巨細胞が混じるマクロファージの集簇による異物肉芽腫(痛風結節)が形成されている．

2 高尿酸血症 hyperuricemia と痛風 gout

　高尿酸血症は，その成因により大きく産生過剰と排泄低下によって分類される．ヒトや霊長類でのプリンヌクレオチドの最終分解産物は尿酸であり，アミノ酸の窒素もプリン生合成を経て尿酸として排泄される．難溶性の尿酸は，微量の水とともに排泄される．一方，尿素は水溶性であり，排泄には大量の水が必要となる．よって，尿酸として排泄するのは水の節約のためでもある．しかし，水生・海生動物のなかには尿素として排泄するものや NH_4^+ として排泄するものもいる．

　この尿酸が体液中に増加すると(血中尿酸濃度の基準値は，男性 3.0〜7.0 mg/dL，女性 2.0〜7.0 mg/dL)，不溶性の尿酸ナトリウムが析出し，コラーゲンやムコ多糖を多く含む組織に沈着する．しばしば関節(特に足親指の第二関節)に沈着し，激しい痛みを誘発し痛風発作と呼ばれる(→ 第 24 章「骨・関節」，727 頁も参照)．痛風はさまざまな原因で発症し，そのいくつかは原発性とされており，原因が明らかではない特発性産生過剰型や，腎障害により排泄が障害された排泄低下型などが含まれる．さらに続発性としては，過飲過食，腫瘍の壊死や大量の組織破壊に伴うもの，薬剤性など，さまざまな機序が知られている．

　痛風では，急性および慢性の関節障害，痛風腎や尿酸結石がみられる．尿酸塩(尿酸ナトリウム)が結晶となって沈着し，周囲にマクロファージの集簇を伴う一種の異物肉芽腫である**痛風結節** tophus が病理組織学的に形成される(図 6-25)．手指や足趾の関節，耳介などの軟骨，腱，耳朶などの皮膚，さらに心膜や心弁膜などにも生じ

るが，一方で，神経系や骨格筋，肝，脾，肺などには沈着しない．尿酸値が高いまま放置すると痛風結節は次第に増大し，関節の変形・破壊・運動障害が起こりうるが，尿酸値が正常化すれば，尿酸ナトリウムの結晶は少しずつ溶解して排泄され，結節も次第に小さくなる．

　急性の発作では，関節内腔に尿酸ナトリウムの結晶が析出して滑膜炎が起こる．尿酸ナトリウムは単球やマクロファージ様滑膜細胞に貪食され，炎症性サイトカインIL-1 を放出する．IL-1 は遊走因子，発熱作用，肝の急性期タンパク合成などの作用を有しており，さらに局所に集まってきた白血球，特に好中球などからリソソーム酵素やプロテアーゼを放出させ，キニンなども作用して発熱が起こる．発熱，関節の高度腫脹，発赤，強い痛み，いわゆる炎症の四主徴が誘発され，さらに臨床検査所見として赤沈亢進，白血球増加，CRP 値上昇などがみられる．有効な治療がなされない場合には，発作は 6 か月〜2 年くらいの間隔をおいて再発を繰り返す．慢性関節障害は軟骨や骨の形状変化に伴うものであるが，近年は有効な薬剤が出現したことでほとんど診ることはない．

　痛風腎は高尿酸血症が継続することで，尿細管に尿酸塩結晶が析出して閉塞が起こり，さらには髄質の間質にも尿酸塩結晶の沈着が起こるものである．痛風腎は放置しておくと慢性腎不全から尿毒症に至り，死亡することもあるが，こちらも臨床病理学的に遭遇することは非常にまれである．

3 先天性核酸代謝異常と尿酸値が増加する疾患

1 ● レッシュ-ナイハン症候群 Lesch-Nyhan syndrome

　Lesch-Nyhan 症候群は，尿酸代謝にかかわる遺伝子の異常によって引き起こされる X 染色体潜性遺伝疾患であり，Lesch と Nyhan により報告された．ヒポキサンチンをイノシン酸に，グアニン(G)をグアニル酸に再利用する代謝酵素が，突然変異による遺伝子異常で機能しなくなることより，ヒポキサンチンやグアニンが酸化されて，代謝最終産物である尿酸が体内で過剰に産生される．

　男児のみに発症し，高尿酸血症，神経症状，行動異常が主な臨床症状であり，幼児期より精神発達遅滞，舞踏病アテトーゼなどの不随意筋運動，また自傷行為もみられる．

2 糖原病 I 型（フォン・ギールケ病 von Gierke disease）
→ 143 頁を参照.

3 慢性腎不全，鉛中毒，副甲状腺機能亢進症
腎からの尿酸排泄低下による続発性高尿酸血症も出現する．尿酸は糸球体で濾過され，近位尿細管で再吸収を受けるが，約 7% は遠位尿細管から排泄される．慢性腎不全，鉛中毒や副甲状腺機能亢進症のような疾患では，腎からの尿酸の排泄が低下する．19 世紀にはワインには鉛が入っていて，これによる腎障害も痛風の原因の1つとなっていたといわれている．薬剤性としては，サイアザイド系利尿薬，フロセミド（ループ利尿薬），ピラジナミド（結核治療薬）などが血中尿酸値を上昇させる．

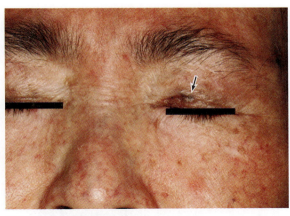

図 6-26　色素性乾皮症
露光部を中心に，皮膚は乾燥し雀卵斑様色素斑や脱色素斑，毛細血管拡張が混在し，多型皮膚萎縮を呈する．左上眼瞼には青灰色の扁平局面がみられ（→），皮膚生検にて基底細胞癌と診断された．

4 DNA 修復異常

DNA 損傷は細胞死，突然変異および，発がんなどに結びつくが，自然界には DNA 損傷を引き起こす多数の物理的ならびに科学的変異原が存在している．それらのなかでは紫外線や放射線などがよく知られており，酸化ストレス，炎症因子などが，DNA 損傷のメカニズムと強く関連性を有している．

DNA 損傷に対し，細胞周期のチェックポイントにおいて周期を停止させて DNA の修復を行うが，DNA の損傷が強いときには修復機構が働かずにアポトーシスも起こりうる．DNA 損傷は塩基損傷の他，DNA 架橋，DNA 一本鎖切断，DNA 二本鎖切断と多岐にわたっており，その損傷の種類によって異なる修復機構が存在する．**DNA 修復機構**には以下が知られており，関与する原因遺伝子と疾患名をあげた．今後重要性が増してくるであろう，**がんゲノム医療**においても必須の知識といえる．

1 ヌクレオチド・核酸除去修復

ヌクレオチド除去修復は，紫外線照射により生じるピリミジンダイマー（二量体，塩基同士の結合）を除去する修復経路であり，*XP* 遺伝子群と *CS* 遺伝子群が重要な役割を果たしていることが知られている．

XP 遺伝子群は**色素性乾皮症** xeroderma pigmentosum (XP) の原因遺伝子で，常染色体潜性遺伝形式の光線過敏性皮膚疾患である．さまざまな皮膚症状を引き起こし，徐々に皮膚基底細胞癌，扁平上皮癌，そして悪性黒色腫が発症する（図 6-26）．知的障害や小頭症などの神経症状を伴うタイプもある．また，*CS* 遺伝子群はコケイン症候群 Cockayne syndrome (CS) の原因遺伝子であり，紫外線に対して高感受性であるばかりでなく，小頭症および髄鞘形成不全も呈する．

2 塩基除去修復

活性酸素種を含む酸化ストレス因子などで生じた一塩基異常の除去を行う．塩基除去修復では，*XRCC1* が非常に重要な働きをする．塩基損傷や DNA 一本鎖切断などの小さい規模の DNA 損傷が生じた際にその部位を除去する経路において，XRCC1 は足場タンパク質としての中心的機能を有し，他のタンパク質の損傷部位へのリクルートの要である．*XRCC1* ノックアウトマウスホモ接合体は胎生致死であることが知られており，生体の維持に必須の遺伝子であることを裏付ける．

3 DNA 二本鎖切断修復

放射線被曝などにより DNA 二本鎖切断を生じた際に，これを修復する経路は非相同末端結合修復と，**相同組換え修復** homologous recombination repair (HRR) とに大別される．DNA 二本鎖切断修復では ATM を含むリン酸化酵素が主要な役割を担っており，ATM は非相同末端結合修復経路に関与する．*ATM* は**毛細血管拡張性運動失調症**の原因遺伝子で，その異常は免疫不全，白血病・リンパ腫や小脳発生異常がみられる疾患である．

遺伝性乳癌卵巣癌症候群 hereditary breast and ovarian cancer (HBOC) の原因遺伝子である *BRCA1* および *BRCA2* は相同組換え修復経路 HRR に関与しており，これらの胚細胞変異はゲノムの多発構造異常を誘発す

158 ● 第6章 代謝障害

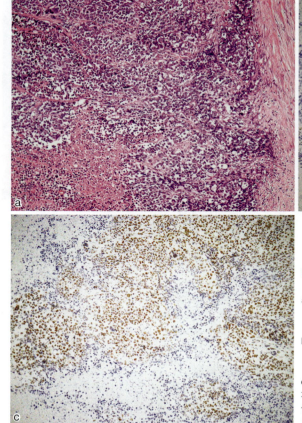

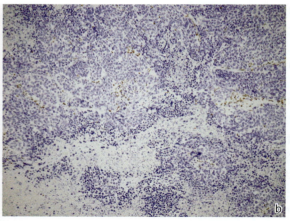

図 6-27 Lynch 症候群の病理組織像（35 歳，男性．若年例の大腸癌病理組織像）
a. HE 染色では，壊死を伴いながら，通常の大腸腺癌の増殖パターンと違い，N/C 比の高い異型上皮様細胞が充実性髄様に高度に浸潤増殖する像が認められる．
b. ミスマッチ修復（MMR）機構にかかわる遺伝子のなかで，MSH2 の胚細胞変異が免疫組織化学的に確認され，MSH2 の核内タンパク発現が完全に消失している．
c. MLH1 の核内タンパク発現は保持されている．
本症例では，高いマイクロサテライト不安定性（MSI）を示し，遺伝性非ポリポーシス性大腸癌（HNPCC）の臨床像を呈していた．
〔写真提供：富山県立中央病院病理診断科部長 石澤 伸先生〕

る．また，DNA 架橋の修復経路に関わるファンコーニ貧血 Fanconi anemia（FA）遺伝子群も知られている．

4 **ミスマッチ修復** mismatch repair（MMR，図 6-27）

DNA 複製時のエラーとして生じる，塩基ペアの対合しない部位の修復のことである．この修復機構に関わる遺伝子として *MSH2*，*MLH1*，*MSH6*，*PMS2* が知られており，これらの **MMR 遺伝子**の胚細胞変異がみられると，遺伝性大腸がんの1つである**リンチ症候群** Lynch syndrome〔**遺伝性非ポリポーシス性大腸癌** hereditary non-polyposis colorectal cancer（HNPCC）〕を呈する（図 6-27）．常染色体顕性遺伝形式を示し，性別に関係なく子供に 50％の確率で遺伝する．MMR 機構が異常をきたすと，**マイクロサテライト不安定性** microsatellite instability（MSI）を示し，抗 PD-1 抗体（ニボルマブ）を含む，**免疫チェックポイント阻害薬**の効果予測因子ともなりうる．

E 色素代謝異常

生体内で形成される色素には以下のものなどがあり，肉眼的・顕微鏡学的に独特の色調を呈し，病理診断上も重要なものとして同定すべきである．
① ポルフィリン porphyrin やヘム誘導体〔ヘモグロビン hemoglobin（Hb）やミオグロビン myoglobin（Mb）〕
② メラニン melanin，脂質原色素 lipopigment（リポフスチン lipofuscin やセロイド ceroid），脂色素 lipochrome（カロテノイド carotenoid，ルテイン lutein）

体外から入り込んで沈着する色素性物質（刺青，炭粉，硝酸銀や硫化銅，カロチンおよびカロテノイド）も忘れてはならないし，固定液のホルマリンピグメントなどの人工産物や，本来無色の物質が変化して色素性になること（色素沈着 pigmentation）も知っておかねばならない．ここでは生体内で形成される色素のうち，ヘム誘導体，特に Hb とその最終代謝産物であるビリルビン bilirubin 代

謝障害について記述したい.

ヘモグロビン代謝障害

1 ● ヘモグロビン(Hb)の概要

赤血球の色素であるHbは,鉄を含むピロール環色素であるヘムと,タンパク質であるグロビンが結合しており,$\alpha_2\beta_2$と記される四量体タンパクで,酸素O_2と二酸化炭素CO_2の輸送を行う.4個のピロール環が架橋された複素環系をポルフィリンといい,ヒトではポルフィリンの一種であるプロトポルフィンIXに鉄イオンFe^{2+}が結合して,ヘムとなる.このヘムの中心にある鉄イオンの結合基(配位)が,O_2と可逆的に結合している.Hbは生理的pHでO_2を結合するとプロトン(H^+)を離し,またH^+が放出されればO_2も結合しやすくなる(Bohr効果).ヘムのほとんどは,老化赤血球が破壊されてHbがグロビンとヘムに分解したものであるが,10～20%は直接骨髄および肝臓で合成される.骨格筋では,Hbと構造や進化のうえで深い関係の,同じヘムタンパクであるミオグロビンMbがあり,筋肉でO_2を蓄えるだけでなく,筋肉に対しO_2供給を助けてもいる.

2 ● 鎌状赤血球症

常染色体顕性遺伝形式の異常ヘモグロビン症の1つである.ホモ接合体はsickle cell anemia,ヘテロ接合体はsickle cell traitと呼ばれる.sickle cell anemiaは高度の貧血,関節痛,四肢痛などがあるが,sickle cell traitは軽度の溶血性貧血を認めるが,通常臨床的な問題はほとんどない.ただし,全身麻酔や重症肺炎などによる酸素不足があると急性発症することがある.この疾患は,旧赤道アフリカ出身者の子孫(黒人)がほとんどであり,分布はこの地域で主要な死因となるマラリアのものと一致している.赤血球が鎌状化するとK^+濃度が下がり,マラリア原虫が感染しないため,この遺伝子の保因者は生存に有利であったとも多角的に推察されよう.

2 胆汁色素代謝障害

1 ● ビリルビン産生

ビリルビンには水溶性(ジアゾ反応直接反応型)と脂溶性(間接反応型)があり,前者を直接型ビリルビン,後者は間接型ビリルビンと呼称される.血中では,合わせても0.2～1.0 mg/dLの割合に保たれており,その大部分は老化赤血球のHbに由来する.

赤血球が約120日の寿命の後,主としてマクロファージに取り込まれて破壊されると,グロビンとヘムに分かれ,グロビンはアミノ酸にまで分解されて体内アミノ酸プールに入る.一方,ヘムはFe^{2+}を失ってピロール環が開環したビリルビンとなり代謝・排泄され,放出されたFe^{2+}はフェリチンやヘモジデリンとして網内系細胞にとどまるか,トランスフェリンとして骨髄に運ばれて再びHbの素材となる.プロトポルフィリンは再利用されず,化学変化を受けて体外に排出される.

網内系細胞で形成されたビリルビンは,分子内水素結合により疎水性の分子構造をとるので血中ではアルブミンと結合し,非抱合型(間接型)ビリルビンとして運ばれる.アルブミン1分子は2分子のビリルビンと結合するので,血液は60～80 mg/100 mLのビリルビン結合能をもち,実際にアルブミンが飽和されることはない.しかし,新生児(特に低出生体重児)では,サルファ剤やサリチル酸剤など,ビリルビンと競合してアルブミンと結合する薬剤の投与は禁忌である.

2 ● 肝細胞内における,ヘムのビリルビンへの代謝

遊離Hbは血中タンパク質と結合しており,ハプトグロビンHb-Hpという.血中のHb-Hpが受容体を介して肝細胞に取り込まれると,ヘムとグロビンは分離してcarrier proteinと結合する.

ヘムのビリルビンへの代謝は,ヘム酸化酵素heme oxygenase(HO)などの水素供与体の存在下で,非酵素的に共役酸化coupled oxidationされることによると考えられている.HOはミクロソームに存在し,ヘムはFe^{2+}を放出した緑色調のビリベルジンbiliverdinとなり,これがさらにビリベルジン還元酵素biliverdin reductaseの作用で開環して黄色の非抱合型(間接型)ビリルビンができ,**グルクロン酸抱合**を受けて水溶性の抱合型(直接型)ビリルビンとして毛細胆管に分泌される.最終的には胆汁の一成分として,総胆管から十二指腸に排出される.

一方,肝外でヘムからビリルビンに代謝されたものも,間接型ビリルビンとして血中から肝に取り込まれ同様に代謝される.

3 ● ウロビリノーゲンへの変換

抱合型(直接型)ビリルビンは胆道を通り,胆汁中の他の成分とともに十二指腸に排泄される.小腸で吸収されることはなく,抱合型のまま回腸末端から結腸に達す

図 6-28　全身黄疸
本病理解剖症例では，全身黄疸による皮膚黄染だけでなく，長期血液透析に伴う高度の皮膚乾燥および皮膚びらんも認められる．

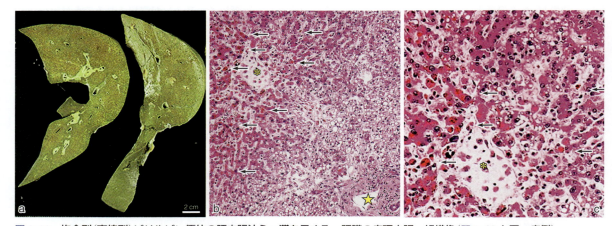

図 6-29　抱合型（直接型）ビリルビン優位の肝内胆汁うっ滞を呈する，肝臓の病理肉眼・組織像（図 6-28 と同一症例）
a．直接型ビリルビン優位の高度胆汁うっ滞により，肝割面はびまん性に著明な黄緑色調を呈する．
b．病理組織学的に，中心静脈周囲（✻）の中心帯から中間帯にかけて細胆管レベルにおける胆汁貯留（→）が拡がっている（拡大したものを c に示す）．背景には，低栄養状態を反映する，門脈域（★）周囲を主体とする小滴状の脂肪沈着を見る．

る．そこで腸内細菌のβ-グルクロニダーゼでグルクロン酸が離れ，引き続き腸内細菌により還元されてメゾビリルビノーゲンを経てウロビリノーゲンと総称される4-ピロール化合物ができる．主なものはdウロビリノーゲン，ステルコビリノーゲン，ステルコビリンなどである．ウロビリノーゲンの大部分は糞便中に排泄されるが，10～20％は腸管から再吸収され，血中に現れて肝から胆道へ排出される（**腸肝循環**）．また一部は，ウロビリノーゲンが酸化された黄色調のウロビリンとして，腎・尿路系から排泄・排尿される．

4 ● 黄疸 jaundice

黄疸は，血漿中のビリルビン濃度が上昇し，皮膚や粘膜が黄染した状態で，生成量の増大，処理能の低下，排泄障害などで発症する（図 6-28）．総ビリルビンが 2 mg/dL を超えると眼球結膜の黄染がみられ，全身臓器のなかでも肝を含む網内系に強く着色していく一方で，軟骨，角膜，成人の脳組織には着色しない．
　黄疸をきたす代表的な疾患である肝炎（図 6-29）では，肝細胞の壊死によりビリルビンが細胞外に逸脱したり，毛細胆管内の胆汁の逆流がみられたりするなど，抱合型（直接型）ビリルビン優位の黄疸が発生し，皮膚ケラチンとの親和性が高いため，黄染が強く目立つ．**原発性胆汁**

性肝硬変や薬物性肝障害など，肝内胆汁うっ滞をきたすものや閉塞性黄疸でも，抱合型が優位である．しかし，新生児黄疸（新生児の溶血性黄疸）では非抱合型（間接型）ビリルビンが優位で，時に脳神経細胞が黄染し，脳幹部で顕著なため**核黄疸**と呼ばれている．成人の溶血性黄疸では，肝臓での処理能力を超えるので非抱合型が顕著に増えるが，処理能力に応じて抱合型も増える．

体質性黄疸では，それぞれの肝細胞ビリルビン代謝の先天性欠損によってさまざまなパターンがあり，抱合能障害で非抱合型優位となるクリグラー-ナジャー症候群 Crigler-Najjar syndrome，抱合能障害や肝へのビリルビン摂取障害がみられ非抱合型優位となるジルベール症候群 Gilbert syndrome，ビリルビン排泄障害で抱合型優位となるデュビン-ジョンソン症候群 Dubin-Johnson syndrome などが知られている．

F 無機物代謝障害

生体内には多くの無機物が存在する．それらのなかにはカルシウムのように成人で 800〜1,100 g も存在するものや，銅のように 0.1 g 程度しか含まないものなどさまざまである．これらは，**細胞内シグナル伝達物質**として，さらにはさまざまな酵素の活性化や金属酵素の成分として，非常に大切な役割を果たしている一方で，過剰になると**酸化ストレス物質**などとして有害な作用も示しうる．

1 鉄代謝障害

1 鉄の吸収と排泄

鉄の吸収は上部小腸で行われ，鉄は還元型の Fe^{2+} のときに，より吸収されやすいが，食物中の鉄は大部分が酸化型の Fe^{3+} である．上部小腸の腸上皮細胞微絨毛膜に存在する Fe^{3+} 還元酵素により Fe^{2+} に変わり，刷子縁膜の鉄トランスポーターによって腸上皮細胞に取り込まれる．吸収された鉄の一部はフェリチン ferritin として蓄えられ，残りはトランスフェリン transferrin として血液中を輸送される．胃粘膜から鉄はほとんど吸収されないが，胃液は鉄を溶かして還元剤と Fe^{2+} との可溶性複合体形成を助ける．鉄の排泄量は 1 日約 0.6〜1 mg であり，鉄の吸収量と一致する．鉄の排泄は主に老廃物の剝離によるものであるが，出血や女性の月経は大なり小なり鉄の損失となる．

Advanced Studies

2 体内の鉄の分布

成人の体内鉄は約 3〜4 g で，約 55〜70% はヘモグロビン，約 5〜10% はミオグロビンである．残りの大部分は貯蔵鉄 storage iron であり，フェリチンやヘモジデリン hemosiderin の形で網内系細胞や肝細胞に蓄えられている．血漿トランスフェリンのような輸送鉄 transport iron は体内鉄の約 0.1% とごく少量であるが，トランスフェリン鉄飽和率は鉄代謝を鋭敏に反映するため重要である．赤芽球の表面には約 5,000 個のトランスフェリン受容体があり，トランスフェリンはこの受容体に結合して細胞内に取り込まれ，鉄を離してアポトランスフェリンとなり，再び血漿中に戻る．血漿トランスフェリンの鉄飽和率が低いと骨髄だけがトランスフェリン鉄を利用し，飽和率が高いと肝や脾臓に貯蔵鉄として貯えられる．

3 ヘモジデローシスとヘモクロマトーシス

鉄が不足すると，ヘモグロビン（Hb）の合成低下により**鉄欠乏性貧血**になる．一方，鉄が過剰になると網内系細胞にヘモジデリンが蓄積し，**ヘモジデローシス** hemosiderosis をきたす（図 6-30）．輸血の反復や，長期間にわたって赤血球崩壊が続く溶血性貧血のような疾患では，ヘモジデリンは脾，骨髄，肝の網内系細胞や腎尿細管に強く沈着し，沈着臓器は肉眼的に青銅色を呈し，全身性ヘモジデローシスとなる．

網内系細胞に加え，実質細胞にもヘモジデリンの沈着が認められ，機能障害をきたすものを**ヘモクロマトーシス** hemochromatosis と呼び（図 6-31），原発性（遺伝性）と続発性がある．原発性のうち，最も頻度が高いものには HFE 遺伝子変異により腸からの鉄吸収が増加する，常染色体潜性遺伝疾患がある．続発性には，① 輸血の反復，② 鉄の摂取増加，③ 骨髄異形成症候群，巨赤芽球性貧血，鉄芽球性貧血などの無効造血をきたす疾患，④ 肝硬変を含む肝疾患などがある．ヘモクロマトーシスでは，沈着した鉄は 40〜75 g にも及ぶ．肝は線維化から肝硬変を生じ，膵ではランゲルハンス島にヘモジデリンが沈着し，1 型糖尿病様病態を呈す．心筋や内分泌臓器にも沈着がみられて，さまざまな機能障害を呈する．肝腫大，糖尿病，皮膚色素沈着（青銅色糖尿病）がヘモクロマトーシスの三主徴である．

2 カルシウム代謝障害

1 カルシウム（Ca）の吸収と体内分布

Ca は小腸から吸収され，成人 1 日の必要量は 0.4〜1.0 g であり，幼児や妊婦はこの 4〜5 倍を要する．Ca 吸収はビタミン D 誘導体を介して調整されている．Ca の体内分布は一定しており，その大部分（99%）は骨や

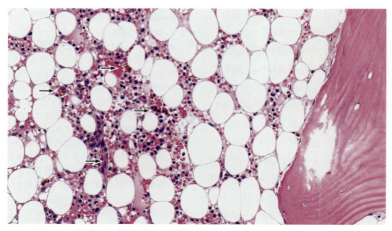

図 6-30　ヘモジデローシスの病理組織像
骨髄において，黄褐色調細顆粒状のヘモジデリン沈着が散見される（→）．

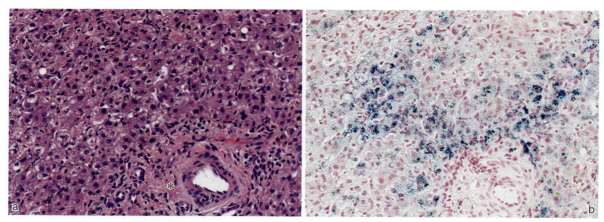

図 6-31　ヘモクロマトーシスの病理組織像
a．肝 Kupffer 細胞や肝細胞において黄褐色調のヘモジデリン沈着が認められ，門脈域（＊）から小葉内にかけて炎症細胞浸潤と肝細胞索構築の乱れを伴っている．
b．同部位によるベルリンブルー（鉄）染色により，青色を呈する鉄の沈着が同定された．

歯に含まれ，残りは血液や各種の細胞，細胞外液に存在している．血清 Ca 濃度は約 8.5〜10 mg/dL に維持され，その約 46％はアルブミンなどのタンパク結合型，約 47％がイオン化型，約 0.5％がリン酸やクエン酸と錯塩を形成している．一方，骨を形成する塩類は大部分がリン酸 Ca で，病的に沈着する石灰も骨と同様の組成である．

　Ca 代謝は，**副甲状腺ホルモン** parathyroid hormone（PTH），副甲状腺ホルモン関連蛋白 PTH-related protein（PTHrP），甲状腺 C 細胞由来の**カルシトニン**，ビタミン D 誘導体，エストロゲン，糖質コルチコイドなどによって，複雑に，しかし絶妙に調節されている．

2　骨の吸収と形成

　骨は，骨吸収と骨形成（骨リモデリング）が，それぞれ破骨細胞と骨芽細胞により常に営まれている．PTH は骨芽細胞からの破骨細胞活性化因子の分泌を促す．破骨細胞は PTH 受容体をもたないが，前破骨細胞は受容体を有していることなどもあって，PTH は破骨活性を促進する．一方で，カルシトニンは破骨細胞を抑制する．

　骨形成には，**軟骨性骨化**と**線維性骨化（膜内骨化）**とがあり（図 6-32），軟骨性骨化は成長期の急速な造骨に都合がよく，まず軟骨の基質（マトリックス）を作りミネラルを次々に沈着させていく．線維性骨化は未分化な結合組織（間質）細胞から骨芽細胞が分化してきて，コラーゲ

F. 無機物代謝障害 163

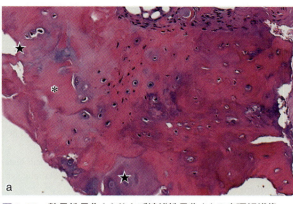
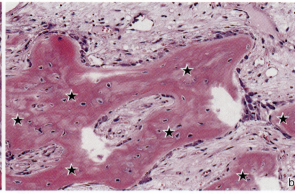

図 6-32　軟骨性骨化(a)および線維性骨化(b)の病理組織像
a. 軟骨性骨化では軟骨基質(マトリックス)(＊)を作り，そこを土台に，Caを含むミネラルを次々に沈着させていく．
b. 一方，線維性骨化では未分化な結合組織(間質)細胞から骨芽細胞が分化してきて，コラーゲンを主とする細胞間基質が分泌される．そこを土台に，リン酸Caが沈着し類骨(★)が形成される．類骨周囲には骨芽細胞が取り巻いている．

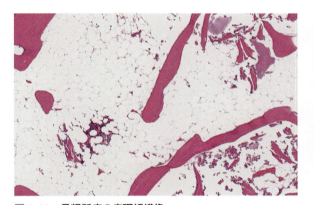

図 6-33　骨粗鬆症の病理組織像
骨梁(ピンク色の組織)が菲薄化し骨成分が疎になり，相対的に骨髄領域(本症例ではほとんどが脂肪髄である)が目立っている．

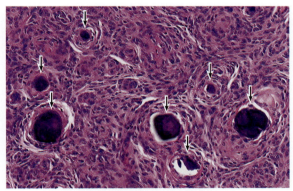

図 6-34　腫瘍内異栄養性石灰化の病理組織像
髄膜腫において，砂粒小体と呼ばれる腫瘍内石灰化(→)が多発している．渦巻き状に増殖する髄膜腫細胞と連続するように，タマネギ輪切り状の微小石灰化が同定される．

ンを主とする細胞間基質を分泌する．これは組織学的に類骨osteoidと呼ばれ，次第にリン酸Caが沈着していく(図6-32)．

3 ● カルシウム・骨代謝異常

副甲状腺機能亢進症や，悪性腫瘍が産生するPTHrPに伴う高Ca血症，逆に副甲状腺機能低下症や腎不全に伴う低Ca血症，また，骨粗鬆症，くる病，骨軟化症なども知っておきたい．

a 骨粗鬆症 osteoporosis

超高齢社会において臨床上も重要な**骨粗鬆症**は，破骨細胞機能の相対的な過剰によって引き起こされる疾患で，骨塩とミネラルの比は一定のまま，骨量の減少がみられる．病因が明らかなものは続発性，それ以外は原発性とされる．続発性骨粗鬆症には，内分泌性骨粗鬆症，栄養性骨粗鬆症，物理的骨粗鬆症が知られている．さらに機能的分類として，高回転型(閉経後骨粗鬆症)と低回転型(老人性骨粗鬆症)に分類される．病理組織学的に，骨梁が菲薄化し骨成分が疎になり，相対的に骨髄領域が目立ってくる(図6-33)．

骨軟化症osteomalaciaは成人期に，くる病ricketsは小児期にみられる骨の石灰化不全であり，基質(マトリックス)に比べて骨塩量が減少している．骨形成不全症osteogenesis imperfectaはほとんどがⅠ型コラーゲンの異常が原因の遺伝性疾患である．

b 石灰沈着

異栄養性石灰化 dystrophic calcificationは，変性壊死組織や組織内異物に，血清Caの増加がみられずとも石

灰沈着をきたすものである．変性壊死組織でのpHの変化（アルカリ性が高くなる）や骨形成性タンパクの関与が考慮されている．病的石灰化の最も通常の型であり，結核の古い乾酪壊死巣や動脈硬化症の内膜などでもみられることが多い（図6-17, 18参照）．腫瘍組織にも多く，時には多数の微小な石灰顆粒が形成され，**砂粒小体** psammoma body とも呼ばれる（図6-34）．さらに病的骨化 pathologic ossification とは，古い石灰化巣に異所性に骨形成をみるものであり，時に骨髄の形成も伴うことがある．

　転移性石灰化 metastatic calcification は，上記の高カルシウム血症に伴って石灰が沈着するものであり，骨組織から石灰が運搬されて他部に沈着するという意味で転移と呼ばれる．肺胞，胃粘膜，血管壁などが好発部位である．

●参考文献

1) 山田壮亮：全身性疾患（高血圧・糖尿病・メタボリックシンドローム）．小田義直，他（編）：わかりやすい病理学　改訂第7版．pp311-317，南江堂，2021
2) 山田壮亮，他：マウスモデルおよび細胞培養と実験的粥状動脈硬化症．戸田隆義（編）：粥状動脈硬化症．pp143-155, 223-234，アトムス，2016
3) 中島　豊：代謝異常．渡辺照男（編）：カラーで学べる病理学　改訂第5版．pp99-119，ヌーヴェルヒロカワ，2019
4) 北澤荘平：代謝異常．青笹克之（監）：解明病理学　改訂第4版．pp207-225，医歯薬出版，2021
5) Yamada S, et al : Critical *in vivo* roles of histamine and histamine receptor signaling in animal models of metabolic syndrome. Pathol Int 66: 661-671, 2016

第7章 循環障害

A. 機能と構造 ▶166頁
- 循環系は心臓と血管から構成され，酸素やグルコースを全身に供給し，二酸化炭素などの酸化物を回収する物質交換を担う．左心室から全身を経て右心房に戻る循環を体(大)循環，右心室から肺を経て左心房に戻る循環を肺(小)循環という．

J. 高血圧と低血圧 ▶191頁
- 高血圧の基準値は，収縮期血圧140 mmHg以上，拡張期血圧90 mmHg以上とされる．低血圧は収縮期血圧100 mmHg以下とすることが多い．

K. ショック ▶196頁
- ショックとは，広範に起こる組織灌流の著しい減少であり，さまざまな組織の代謝に必要な血液供給が不十分となり臓器や組織が障害される．

I. 心不全 ▶189頁
- 心臓が原因で体の需要に応じるだけの循環を維持できない状態を心不全という．

B. 充血とうっ血 ▶169頁
- 臓器・組織内の血液量が増加した状態のうち，動脈系からの血液供給が増加して起こるものを充血，静脈血の流出が妨げられて起こるものをうっ血という．

C. 水腫(浮腫) ▶170頁
- 水腫とは，細胞間，組織間，体腔などの腔内に異常な量の液体が蓄積した状態を指す．

D. 出血 ▶173頁
- 血液の全成分が血管内から組織間隙，体腔，あるいは体表面などへ出ることを出血という．

E. 止血機構と血栓症 ▶176頁
- 血液の凝固による止血は生命維持に必須だが，その凝固塊(血栓)が血管を閉塞し，血流が止まった状態を血栓症といい，部位によっては生命にかかわる．

H. 側副循環 ▶186頁
- 主要な血管が閉塞したときに，支流が役目を代償することを側副循環という．

G. 虚血と梗塞 ▶184頁
- 組織に必要な血流が得られないことを虚血といい，虚血を原因とする器官・組織の壊死を梗塞という．

F. 塞栓症 ▶182頁
- 脈管内の剥離物や異物(栓子)が血流によって運ばれ，別の脈管腔を閉塞する状態を塞栓症という．

第7章 循環障害

A 機能と構造

　循環障害では,「血液循環はなぜ必要で,どのようにして維持され,障害に対してどのように反応するか」と考えながら学習を進めていきたい.まず,体内のほとんどの細胞は,「$C_6H_{12}O_6 + O_2 \rightarrow CO_2 + H_2O + Q$ kcal」というグルコースを燃やす反応でエネルギーを得ている(内呼吸).循環系は心臓と血管から構成され,身体各所にグルコースや,肺から外呼吸によって得られた酸素を赤血球を介して運び,局所での物質交換を経て,二酸化炭素などの酸化物を肺や腎臓に運ぶ役割などを果たす.**循環血液量**は体重の1/13程度であり,体重65 kgの人なら約5 Lである.なお,体液は成人体重の約60％を占め,その2/3が細胞内液,1/3が細胞外液であり,細胞外液のうち3/4が組織間液で1/4が血漿であり,血液は血漿と血球からなる(図7-1).

　左心室から全身を経て右心房に戻る循環を**体循環**または**大循環**といい,右心室から肺を経て左心房に戻る循環を**肺循環**または**小循環**という(図7-2).血液は約1分で全身を循環するため,循環血液量は1分間の**心拍出量**にほぼ等しい.なお,体循環は約50秒,肺循環は約5秒弱で巡る.両者の血液量の比は9:1,血圧の比は7:1程度である.

Advanced Studies

　シャント shunt とは,血液が本来通るべき血管と別のルートを流れる状態のことであり,一般に,動脈と静脈が毛細血管を介さず直接吻合している箇所を指す.先天性心疾患などで認められる病的シャントとは異なり,健常人でも,気管支動静脈が肺動静脈と一部吻合しており,冠静脈の一部がテベシウム静脈 Thebesian vein として左心系に流入する.これらの事象は**生理的シャント**と呼ばれる(肝動脈血が門脈血と混合する事象は通常,生理的シャントと呼ばれない).これら解剖学的シャントは「病的」の対義語として「生理的」シャントと呼ばれるが,ほかにも,「解剖学的」の対義語として,「生理的」シャントと呼ばれる.例えば,肺内でガス交換ができない血流があり,呼吸器学ではむしろこちらを生理的シャントと呼ぶことが多い.

　血液循環をもたらすのは,左右心室のポンプ作用である.心室の収縮により動脈に血液が流入して,大きな**収縮期血圧**が生じるが,心室からの血流が途絶えている時相においても,大動脈ないしは主肺動脈の弾性力によっ

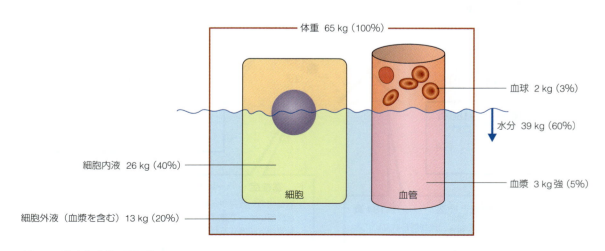

図7-1　体内各成分の重量比

て**拡張期血圧**が生じる(図7-3).ここで収縮期・拡張期というのは心室の収縮・拡張に対応した用語であり,大動脈は逆に拡張・収縮していることに注意したい.動脈が分岐するにつれて血圧はどんどん低下するが,毛細血管レベルでもある程度の血圧があり,それによって前述した物質交換が可能になる.血液が心房に戻る頃には血圧はほぼゼロになっている(図7-4).

安静時と運動時によって,またその他のさまざまな条件に応じて,各器官・組織レベルが必要とする血液量が変動する.全身の各所に過不足なく血液を供給するために,循環系には巧妙な調節機構が働いている.これには臓器・組織内の血管構築の仕組み,血管平滑筋の収縮と弛緩,自律神経系やホルモンを含む血管作動性物質などが関与している.迅速な反応として自律神経による調節機構が,ゆっくりとした反応として体液性や血管作動性物質による機構が作用する.例えば,運動時には交感神経β作用によって筋肉内の小動脈が拡張して,筋肉への血流が増加する.

体循環系は構造によって,大動脈(直径1〜3 cm),動脈,細動脈(20〜200 μm),毛細血管(5〜10 μm),細静脈(20〜500 μm),静脈,大静脈(1.5〜3.5 cm)に区分される.なお,赤血球は直径が7〜8 μm,厚さが2 μm強ほどであり,自身よりも狭い毛細血管でも応形機能により通過する.血管は分岐するごとに総断面積が広くなるので,総断面積比では動脈:毛細血管:静脈は1:700:2程度である.ただし,血管の長さや通過速度の影響もあり,全身の血液の20%が動脈に,5%が毛細血管に,75%が静脈にある.この意味で静脈は血液の貯留場所として働き,**容量血管**とも称される.血管系を機能別にみると,図7-4bのように区分されていることがわかる.前述した大動脈や主肺動脈は,中膜に平滑筋が

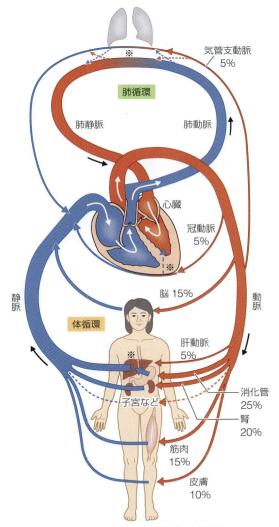

図7-2 循環系のダイアグラム(安静時の循環量)
各臓器に心拍出量のおおよそどのくらいが分布するかを%で示した.例えば,左心室から駆出される動脈血の5%が心臓自体を養う冠動脈に流れる.肺と肝臓は,機能動脈のそれぞれ肺動脈と門脈に加えて,栄養動脈のそれぞれ気管支動脈と肝動脈が存在し,二重支配となる.これらと心臓において,※印の場所では動脈血と静脈血の混合が生じる.なお,点線はわずかな血流を表す.

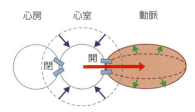

収縮期血圧:心室が収縮してもたらされる動脈(大動脈または主肺動脈)の圧
① 心室収縮→② 房室弁閉鎖→③ さらに心室収縮→④ 動脈弁開く→⑤ 心室から血液流出→⑥ 動脈拡張

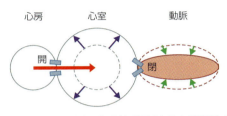

拡張期血圧:心室の拡張時に動脈(大動脈または主肺動脈)が収縮してもたらされる動脈圧
① 心室拡張→② 動脈弁閉鎖→③ 動脈収縮→④ さらに心室拡張→⑤ 房室弁開く→⑥ 心室へ血液流入

図7-3 心室の収縮期・拡張期と,動脈の弾性力
→:心筋の動き,→:血流の動き,→:動脈壁の弾性力.

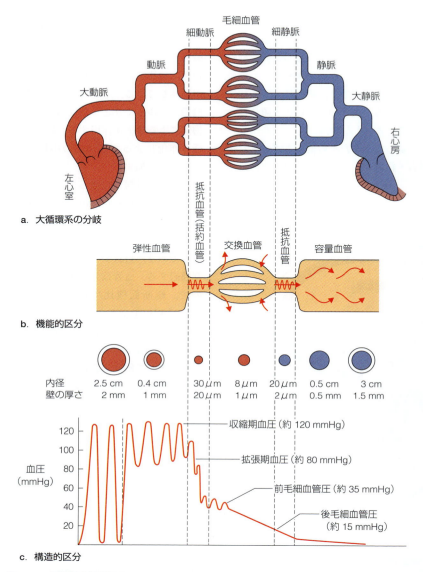

図 7-4 血管系の機能的シェーマ
体循環における動脈から静脈への血液の流れを保証する血管系を解剖機能的に表したものである．各血管の機能的・構造的区分と血圧の変化を示している．
〔松原 修：循環障害．坂本穆彦, 他（編）：標準病理学 第4版．p162, 医学書院, 2010 より改変〕

少なく弾性線維が多いため，**弾性血管**ないしは空気質血管と呼ばれ，図7-3 で示したような弾性作用を有し，収縮期と拡張期の血圧を緩衝する．逆に細動脈や細静脈は，中膜に弾性線維が少なく平滑筋が多く，神経やホルモンの指令により平滑筋が血管を収縮・弛緩させて抵抗を上下させるため，筋性血管ないしは**抵抗血管**と呼ばれる．弾性血管が受動的に収縮・弛緩するのに対して，抵抗血管は能動的に収縮・弛緩するとも理解できる．特に細動脈が毛細血管に移行する前毛細血管での細動脈の抵抗が最も強く，**括約血管**とも呼ばれる．ここでの収縮・弛緩により各臓器・組織への血流分配の調節が行われる．また，細静脈の収縮・弛緩により毛細血管での濾過圧が調節される．

心血管系のホメオスタシスを維持するためには，血圧，心拍出量，血管抵抗，組織の血液灌流量などが一定に保たれなければならない．そのため，生体は何らかの刺激や傷害が加わったとき，変化を最小限にとどめ，元に戻す機構を備えている．ところが，限界を超える変化

B. 充血とうっ血 169

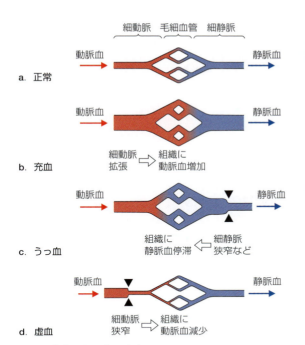

図7-5 充血，うっ血，虚血のシェーマ
充血では血液流入が増え，うっ血では血液流出が減る．そのため，充血とうっ血のいずれも組織血液量が増加して毛細血管が拡張する．虚血では血液流入が減った結果，組織血液量が減る．

が加わった場合，この機構は破綻して循環障害が生じる．具体的には，急に大きな変化が加わったり，変化そのものが持続したり，変化を加速させる悪循環を合併したりする場合である．それらを主体に，以下に解説する．

B 充血とうっ血

A 充血 hyperemia

充血とは，動脈系から血液の供給が増加して，臓器・組織内の血液量が増加した状態をいう(図7-5)．細動脈が拡張して血液供給が増加すると，休んでいた(ほぼ閉じていた)毛細血管にまで血液が流入する．運動負荷時の心臓や骨格筋にみられるように，臓器・組織の機能が亢進して酸素需要が増大した場合に生じる．発熱時の皮膚が充血しているのは熱を放散するのに都合がよい．蚊にさされた皮膚や結膜炎の目の充血でわかるように，炎症時には顕著な充血が生じるが，これは白血球など炎症性細胞から放出される血管作動性物質によって血管拡張が生じるためである(→193頁，第3章「炎症」，40頁参照)．

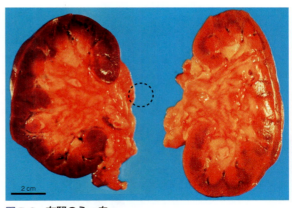

図7-6 右腎のうっ血
左右腎の割面を示す．右腰部交感神経節へのがんの転移(点線)により，右腎静脈が圧迫され，血液流出が阻害されて右腎うっ血を生じた．

B うっ血 congestion

うっ血とは，静脈血の流出が妨げられることによって，臓器・組織内の血液量が増加した状態をいう(図7-5)．うっ血した組織内では静脈圧や毛細血管圧が上昇している．

うっ血には，局所性のうっ血，右心不全による全身のうっ血，左心不全による肺うっ血がある．局所性のうっ血は，局所の静脈狭窄などにより静脈還流が障害されることで生じる(図7-6)．心不全に伴う全身性のうっ血は，典型的には右心不全で生じるが，慢性の左心不全でも肺うっ血を経て右心不全に至ることが多い．うっ血では充血と異なり，静脈還流不全に伴う**低酸素症**による実質障害が生じる点も重要である．

C 各臓器のうっ血

充血とうっ血の定義は異なるが，形態学的には厳密に区別するのは困難であることが多い．本項では各臓器でのうっ血の形態像について説明する．川をダムでせき止めると，上流ではダムの近くから順に水没していくように，循環が障害された部位の上流で障害部近傍からうっ血が生じていく．

Advanced Studies

a 肺うっ血
左心不全に伴い，肺には受動的なうっ血が生じる．肺うっ血では，肺胞毛細血管の圧は上昇し，拡張して血液で充満する．これに引き続いて，血漿成分の肺胞への漏出(**肺水腫**)を伴うことが多く，**湿潤肺** wet lung とも呼ぶ．さらに微小な肺胞内出血とそれに伴うヘモジデリン貪食マクロファージ(ジデロファージ siderophage = 心

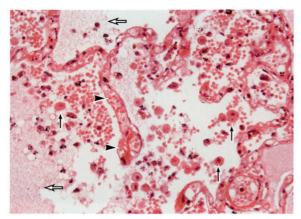

図 7-7　慢性肺うっ血
肺胞壁の毛細血管は強く拡張し（▶），肺胞内に血漿成分が漏出するうっ血を呈する（⇒）．さらに肺胞内に赤血球が漏出し，褐色のヘモジデリンを貪食した組織球（心不全細胞：→）が出現する．

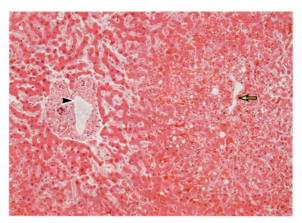

図 7-8　肝うっ血の組織像
門脈（▶）に近い左半分の領域よりも，中心静脈（肝静脈，⇒）に近い右半分の領域（小葉中心部）のほうが，類洞に赤血球が停滞し（うっ血・出血），肝細胞索も痩せて脂肪沈着を伴う．

不全細胞 heart failure cell）の出現（図 7-7）も認める．肺水腫が急性に広範に生じるとガス交換障害から死に至るが，慢性的に経過すると，肺のうっ血性硬化（**褐色硬化** brown induration），また肺高血圧症とそれに伴う右心不全などが起こる．

b 肝うっ血

肝静脈は下大静脈を経てすぐに右心房に流入するため，右心不全では肝うっ血を生じやすい．肝小葉内での血流のうち下流に相当する小葉中心部からうっ血が始まるため，肉眼的には小葉中心部の血液充満と小葉から離れた部位の正常色とが織りなす色模様が，ニクズクという植物の種子（ナツメグ）の割面に似ているため，**ニクズク肝** nutmeg liver と呼ばれる（→ 第 15 章「肝・胆・膵」，488 頁参照）．組織学的にも，小葉中心部を主体とするうっ血・出血が観察され，同部の肝細胞索は圧排されて萎縮を起こし，**中心性出血性壊死**とも呼ばれる（図 7-8）．時間が経つと中心静脈周囲から線維化が始まり，最後は**心臓性肝硬変** cardiac cirrhosis となる．

c 脾うっ血

門脈圧亢進症では，脾静脈圧の上昇と脾のうっ血が生じる．脾は腫大し硬度を増し，割面は黒色調を呈する．慢性化すると線維成分が増加し，石灰化を伴った**陳旧性出血巣**（ガムナ-ガンディ小体 Gamna-Gandy body）もみられる．

水腫（浮腫）

❶ 概念，定義

水腫 edema とは細胞間（組織間）あるいは体腔や肺胞などの腔内に異常な量の液体が蓄積した状態をいう．局所的なものと全身性のものがある．**浮腫** edema とは通常，皮下の水腫状態をいい，強い全身性の浮腫のことを**アナザルカ** anasarca ともいう．

体腔などに液体の貯まった状態を**腔水症** effusion into body cavity といい，部位により腹水症 hydroperitoneum（通常，腹水 ascites），水胸症 hydrothorax（通常，胸水 pleural effusion），心嚢水腫 hydropericardium（通常，心嚢水 pericardial effusion），関節水症 joint hydrops（関節水腫 hydrarthrosis），陰嚢水腫 hydrocele testis，水頭症 hydrocephalus（脳室の水の貯留）などという．静水圧の上昇などによる非炎症性の水腫の液体は**濾出液** transudate といい，タンパク濃度が 2.5 g/dL 以下と低く，比重も 1.015 以下と軽い．炎症性の水腫のときはタンパク濃度が 4.0 g/dL 以上，比重は 1.018 以上とより重く，**滲出液** exudate という．

❷ 発生機構

水腫の発生にも関与する血管内外の水分の移動は，生理的な状態では**静水圧** hydrostatic pressure と**膠質（コロイド）浸透圧** colloid osmotic pressure の両方によって調節されている（図 7-9）．すなわち，細動脈静水圧から血漿膠質浸透圧を差し引いた分だけ動脈から組織間へ血液が流出し，内呼吸を成立させ血漿膠質浸透圧から細静脈静水圧を差し引いた分だけ組織間から静脈へ血液が流入する．これを **Starling の仮説（法則）** と呼ぶ（注：Starling の心臓の法則のことではない）．これによって局所での物質交換が成立する．なお，細動脈静水圧は前毛細血管圧（35 mmHg）に，細静脈静水圧は後毛細血管圧（15 mmHg）に等しい（図 7-4）．また，血管外の水分がすべて血管内に戻るのではなく，戻りきれなかった水分が少しはあり，それはリンパ管へ入って最終的には静脈血と混合して右心房に還流する．一方，腎臓から尿とし

C. 水腫(浮腫) ● 171

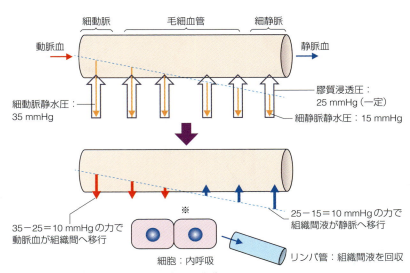

図 7-9 微小循環における正常な水分の移動
血液中と組織間液との間では，静水圧と膠質浸透圧の差し引きで液体成分が移動する．

表 7-1 水腫の原因別分類

主要な原因		局所性水腫	全身性水腫
細静脈静水圧の上昇		静脈閉塞 ・血栓症 ・外部よりの圧迫	うっ血性心不全
血漿膠質浸透圧の低下		なし	アルブミン合成障害：肝硬変，栄養障害など アルブミンの喪失：ネフローゼ症候群など
リンパ管閉塞		腫瘍性：癌性リンパ管症など 炎症性：フィラリア症など 手術後	なし
Na^+の貯留		なし	腎不全など
血管透過性の亢進	炎症性	局所の炎症・アレルギー	なし
	血管神経性	Quincke 水腫	なし

〔松原 修：循環障害．坂本穆彦，他（編）：標準病理学 第4版．p164，医学書院，2010 より改変〕

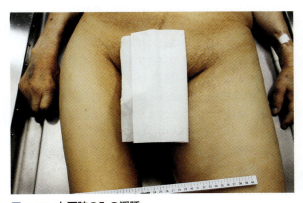

図 7-10 左下肢のみの浮腫
左下肢が浮腫で膨らんでいる．左総腸骨静脈の血栓症により左下肢の静脈還流が障害されたために生じた．

てナトリウムイオン（Na^+）と水分が排出されるが，腎臓の障害から尿が減少したときは，全身に Na^+ と水分が貯留する．

したがって，水腫すなわち組織間（図7-9の※で示す領域）に水分が貯留する条件として，①細静脈静水圧の上昇，②血漿膠質浸透圧の低下，③リンパ管の閉塞，④腎不全などによる全身の Na^+ と水分の貯留，⑤血管

透過性の亢進がある（①と②は前述の「血漿膠質浸透圧から細静脈静水圧を差し引いた分」が小さくなり，静脈への水分の流入が減るため）．

3 分類

水腫の種類を原因別に整理した（表7-1）．全身性と局所性の水腫に共通する機序はほとんどない．

A 局所性の水腫

細静脈静水圧の上昇による局所性の水腫の代表的な例は，下肢にできた閉塞性の静脈血栓症である（図7-10）．

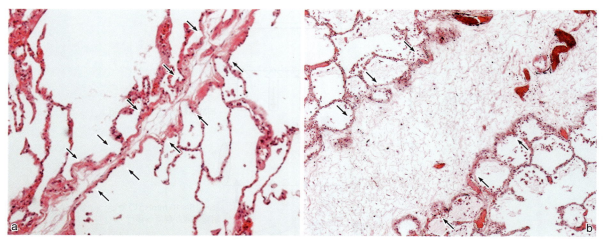

図 7-11　肺水腫による小葉間間質の肥厚
b. 肺水腫. →で挟まれた小葉間間質が，正常(a)に比べて著明に肥厚している．胸部 X 線では Kerley B line と呼ばれる線状影として写る．

うっ血の項目で述べたように，静脈閉塞がうっ血を呈し，細静脈圧の上昇をきたして水腫を呈する．また，左心不全のときは，血漿成分の肺胞への漏出をきたすが，それに先だって肺静脈の存在する小葉間間質における水腫を生じることが多い（図 7-11）．

脳水腫（浮腫） brain edema は，脳外傷，出血，腫瘍，髄膜炎，脳炎など，さまざまな病的な状態で起こる．脳は頭蓋骨という硬い枠の中にあるため，大孔，小脳テント，大脳鎌の 3 つの仕切り以外に圧力の逃げ場がない．これら仕切りから水腫で腫大した大脳・小脳が脱出すると，大孔ヘルニアなどを生じて，生命維持に重要な延髄などを圧迫し大変危険な状態になる．

> **Advanced Studies**
> リンパ管の閉塞は腫瘍性でも炎症性でも起こる．腫瘍性としては，腫瘤がリンパ管を外から圧迫したことによる閉塞の場合や，がん細胞のリンパ管内での増殖による閉塞，すなわち癌性リンパ管症 lymphangiosis carcinomatosa の場合がある．また，がんに対する手術を行った場合も，例えば広範なリンパ節郭清の後などで局所のリンパ性の水腫が起こる（乳癌手術での腋窩リンパ節郭清後の片側上肢の水腫など）．炎症性の代表として，**フィラリア症**では，Wuchereria bancrofti がリンパ管内に寄生し，しばしば鼠径部のリンパ節とリンパ管に炎症，線維化と閉塞が起こり，外性器と下肢に大変強い水腫が現れる．あたかも象の皮膚のように皮膚が硬化することから**象皮症** elephantiasis と呼ぶ．

炎症時には，白血球などの炎症細胞から放出される血管作動性物質によって血管拡張が生じる（➡ 193 頁，第 3 章「炎症」，40 頁参照）．具体的には，ヒスタミン，セロトニン，ブラジキニン，カリクレイン，ロイコトリエンなどであるが，これらの物質は**毛細血管透過性の亢進**ももたらし，局所の水腫をきたす．特にアナフィラキシーショックの場合には，透過性亢進をもたらす因子が多数放出され，水腫と同時に血漿成分の流出による低血圧を伴う．

血管神経性水腫 angioneurotic edema は，機械的な刺激に対して血管運動神経の障害から透過性が亢進し，局所性に一過性の水腫を発生するもので，口唇，眼瞼，頬部，咽頭，喉頭が腫れることが多い．**クインケ** Quincke **水腫**が代表的である．

B 全身性の水腫

血漿膠質浸透圧の低下は，血漿中のアルブミン低下に原因があり，これは肝臓におけるアルブミン合成の障害の場合と，血中からアルブミンを喪失する場合とがある．前者の代表的な例が肝硬変であり，後者がネフローゼ症候群である．ほかに低栄養によるアルブミン欠乏がある（例：飢餓による腹水貯留）．

肝硬変や慢性肝炎などの**慢性肝障害**においては，全身性の水腫に加えて腹水貯留を起こすが，それにはアルブミン低下に加えて**門脈圧亢進症**も大いに関与している（➡ 第 15 章「肝・胆・膵」，498 頁参照）．慢性肝障害では，炎症と肝実質細胞の減少に伴って肝内の線維化が進展する．不規則な線維化が静脈還流不全を生じ，低酸素症によりますます肝障害が進むと同時に，血液うっ滞から類洞圧が上昇して，それがより上流に及ぶことで門脈圧亢進症となる（後類洞性の門脈圧亢進症）．図 7-12 にこの機序をシェーマ化したものを示す．また，表 7-2 に臨床的に重要な腹水の原因を示す．

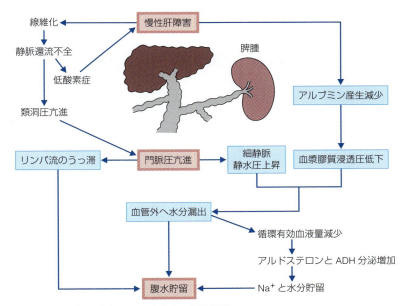

図 7-12　慢性肝障害における腹水の発生機構

　Na⁺貯留による全身性水腫は，腎不全のときが代表的な例である．血管内も含めた全身に水分が貯留するため，水腫だけでなく高血圧を伴う．
　うっ血性心不全のとき，右心不全における後方障害(心臓より上流の障害)として，全身の細静脈静水圧の上昇から水腫を生じるが，ほかにも水腫を助長させる因子がある．腎不全と同様に循環血液量の増加がみられるが，これは左心不全における前方障害(心臓より下流の障害)として，心ポンプ力低下によって心拍出量が減少し腎血液量が減少した結果，尿量が減少する機序とレニン・アルドステロン分泌の増加を介して Na⁺ と水分の貯留を引き起こす機序による(図 7-13)．この際，抗利尿ホルモン antidiuretic hormone (ADH)の分泌増加も病態に関与している．

4　水腫の臨床的意義

　水腫は生じた部位・程度・期間により，病的意義の乏しい軽症から死に直結する重症まで，さまざまな影響をもたらす．心不全や腎不全の初期には浮腫以外の症状が乏しいことがよくある．一方，肺水腫や脳浮腫を生じると重篤な状態となることが多い．喉頭浮腫では声門狭窄から窒息死することもある．腹水は中等量でも生死に直結しないが，胸水は肺の拡張を妨げて呼吸障害を，心嚢水は右心室の拡張を妨げて右心不全をもたらす(心タンポナーデ)．また水腫が強いと正常な免疫機構が働きにくくなり，感染を引き起こしやすく，治癒が遅れることも重要である．

表 7-2　腹水の原因

門脈圧亢進によるもの
①肝前性：門脈の狭窄，閉塞，門脈血栓症，腫瘍による圧迫
②肝内前類洞性：特発性門脈圧亢進症，日本住血吸虫症
③肝内後類洞性：肝硬変症，慢性肝炎
④肝後性：肝静脈または下大静脈の閉塞，Budd-Chiari 症候群，腫瘍による圧迫
うっ血性心不全によるもの
弁膜症，心筋症など
リンパ流のうっ滞によるもの
フィラリア症など
腹膜炎によるもの
腹膜炎など
血漿膠質浸透圧の低下によるもの
低栄養，吸収不良症候群，ネフローゼ症候群

〔松原　修：循環障害．坂本穆彦，他(編)：標準病理学 第4版，p165，医学書院，2010 より〕

D　出血

A　概念，定義

　血液の全成分が血管内から組織間隙や体腔，あるいは体表面などへ出ることを**出血** hemorrhage, bleeding という．血液の全成分というのは赤血球が指標であり，白

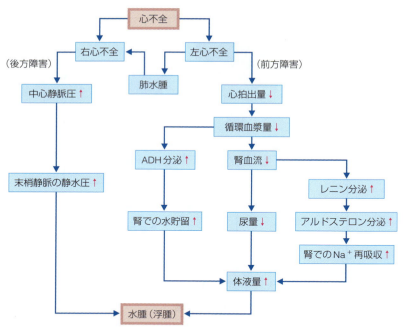

図 7-13 うっ血性心不全における水腫の発生機構

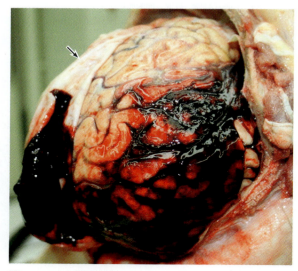

図 7-14 くも膜下出血
開頭時，硬膜（→）を剝離するとくも膜に覆われた脳が露出するが，くも膜下は広範に出血を呈している．

血球や血漿成分のみの場合は出血とはいわない．出血には，血管壁の破綻による**破綻性出血**と，明らかな破綻がなくジワジワと赤血球が浸み出す**漏出性出血**とがある．破綻性出血は，破綻した血管部位により，動脈性出血，静脈性出血，毛細血管性出血などと呼ばれる．致命的になることが多い大動脈の破綻は外傷や解離，大動脈瘤破裂によることが多く，脳の血管破裂は動脈瘤破裂や高血圧性であることが多い（図 7-14）．毛細血管を含む小血管からの出血の原因としては高血圧性のほか，後述する出血性素因（出血傾向）がある．漏出性出血の原因は，出血性素因のほか，貧血や虚血に伴う血管内皮障害，ウイルス感染などがある．

B 病態

健常人では，小さい出血が生じた後は跡形もなく吸収される．血管の破綻部位は修復され，遊出した赤血球は貪食細胞によって貪食されてリンパ管を経てリンパ節で処理される．ある程度以上の大きさの出血であれば，壊れた赤血球から遊離したヘモグロビンが鉄を遊離させてヘモジデリンに変化し，局所の色は赤色から黄褐色へと変わっていくが，最後は吸収されて線維化を残す．組織内に大きい出血が起こると，血液が腫瘤状に固まって**血腫** hematoma となり，後に被包化された囊胞となって残ることが多い．

血管の破綻が大きかったり止血機構に障害があったりすると出血が持続する．そうした病的な出血は，局所的な要因でも全身性の要因でも引き起こされる．止血機構の障害による全身性の出血傾向を特徴とする一群の疾患を**出血性素因** hemorrhagic diathesis と呼んでいる．

表7-3 出血性素因

血管系の異常によるもの
① 先天性の血管形成異常
　遺伝性出血性毛細血管拡張症，ファブリFabry病
② 先天性結合組織疾患
　エーラス-ダンロス Ehlers-Danlos 症候群，弾性線維仮性黄色腫，マルファン Marfan 症候群，骨形成不全症
③ 後天性紫斑病
　壊血病，Henoch-Schönlein 紫斑病，副腎皮質ホルモン製剤投与，原発性アミロイドーシス

血小板の異常によるもの
① 血小板減少によるもの
　1) 産生低下：再生不良性貧血，がんの骨髄転移，化学療法
　2) 破壊亢進：ITP，SLE，TTP，DIC，溶血性尿毒症症候群
　3) 分布異常や喪失：脾機能亢進症，出血
② 血小板の機能異常によるもの
　1) 先天性のもの：血小板無力症，Bernard-Soulier 症候群
　2) 後天性のもの：尿毒症，骨髄増殖性疾患

凝固系の異常によるもの
① 血友病とその類似疾患
　無フィブリノーゲン血症，第Ⅷ因子欠乏症（血友病A），第Ⅸ因子欠乏症（血友病B），第Ⅱ，Ⅴ，Ⅶ，Ⅹ，Ⅺ，Ⅻ，ⅩⅢ因子欠乏症，von Willebrand 病
② 後天性凝固異常
　肝硬変症，肝癌，ビタミンK不足，ネフローゼ症候群，DIC

線溶系の異常によるもの
① 先天性線溶異常
　プラスミノーゲン欠乏症
② 後天性線溶異常
　DIC，ヘパリン投与，血栓溶解薬投与

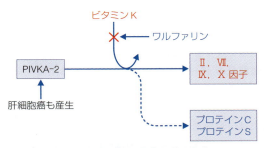

図7-15 肝臓における凝固因子などの合成
点線は少量を示す．赤字は凝固促進に，青字は凝固抑制に作用する．

傾向が現れる．凝固因子のうち第Ⅱ，Ⅶ，Ⅸ，Ⅹ因子はビタミンK依存性にPIVKA-2から合成されるため（図7-15），**ビタミンK欠乏**でも出血傾向となる．なお，PIVKA-2は肝細胞癌の腫瘍マーカーとしても用いられる．

Advanced Studies

ビタミンK欠乏による出血傾向として，母乳栄養による**新生児メレナ（下血）**や**頭蓋内出血**が有名である．母乳はビタミンKが足りないことと，新生児期では腸内細菌叢によるビタミンKの産生が未確立であることがかかわっている．また，ビタミンKは脂溶性ビタミンであるため，**閉塞性黄疸**などにより，胆汁による腸内容の脂肪のミセル化が障害されてもビタミンK不足が生じる．

C 出血性素因とその疾患

出血性素因を原因別に分類したものが表7-3である．**血管系の異常**による出血性素因では，遺伝性出血性毛細血管拡張症，ビタミンC欠乏による壊血病 scurvy，ヘノッホ-シェーンライン Henoch-Schönlein 紫斑病の頻度が高い．

血小板の障害には数の減少と機能の低下がある．前者の代表が，特発性血小板減少性紫斑病 idiopathic thrombocytopenic purpura（ITP）と血栓性血小板減少性紫斑病 thrombotic thrombocytopenic purpura（TTP）である．後者の代表には血小板無力症（Glanzmann グランツマン病）とベルナール-スーリエ Bernard-Soulier 症候群がある．

凝固因子の欠乏する疾患には先天性と後天性のものがあるが，先天性のものの代表が**血友病** hemophilia である．後天性の凝固因子の減少する疾患で重要なのは重症の肝疾患である．ほとんどの凝固因子は肝臓で合成されるので，肝硬変や劇症肝炎などの肝不全では全身の出血

D 各臓器の出血

体腔内に出血し貯留した状態を胸腔では血胸 hemothorax，腹腔では腹腔内出血 hemoperitoneum，心嚢では心膜出血 hemopericardium，関節腔では血関節 hemarthrosis という．また皮膚，粘膜や漿膜といった平面に出血が起こった場合を紫斑 purpura と呼び，その大きさから点状出血 petechiae，ないしは斑状出血 ecchymosis という．

出血部位によっても名称がついている．鼻粘膜からは鼻出血 epistaxis，気管支や肺からは喀血 hemoptysis，胃からは吐血 hematemesis，便とともに黒色の血液が腸から排出されることは下血 melena，尿に血液が混入することは血尿 hematuria，子宮からの出血は子宮出血 metrorrhagia という．

卒中 apoplexy とは臓器の中への大出血などの血管障害で急激な症状を呈することで，脳卒中や膵卒中などという．ただし慣用的に脳卒中は出血のみならず梗塞も含む．

E 臨床的意義

出血で重要なことは，出血の量・速度と部位である．全血液量の15〜25%を急激に失うことは出血性ショックから死を招きうる．大動脈瘤破裂や食道静脈瘤破裂にそのような場合が多い．一方，長い経過での微量の血液損失は，造血系による補充もあるため大過ない．ただし，胃・十二指腸潰瘍などの慢性消化性潰瘍や出血性素因による鉄の消耗から鉄欠乏性貧血を伴いうる．なお，比較的少量の出血でも心囊腔に生じれば心タンポナーデから右心不全をきたし，微少量の出血でも脳幹部に起これば危険である．

E 止血機構と血栓症

心臓血管系の中にできた血液凝固塊を**血栓** thrombus といい，血栓が形成される病的現象を**血栓症** thrombosis という．血液の凝固による止血は，血管壁の破綻した損傷を覆って出血を防ぐので生命維持に欠かせないが，その凝固塊（血栓）が血管を閉塞すると血流が止まってしまう．そのような状態を血栓症といい，脳，心臓，肺などに生じると命にかかわる．

血管に破綻が起こると神経反射機構やエンドセリンなどの血管内皮細胞由来の血管収縮因子により血管収縮が起こり，傷口を小さくしようとする．すぐに血小板の活性化が生じて血小板血栓ができる（**一次止血**）．続いて，一次止血でできた血小板血栓をより強固なものにするため，引き続いて凝固系が活性化して「**二次止血**」が起こる．止血が完了したら線溶により血栓が溶解する．このような一連の現象から正常な止血が営まれている．

以上の経過を，血管壁，血小板，凝固系，線溶系に分けて説明する．

A 血管壁

血管壁の内側はすべて血管内皮細胞で覆われており，この血管内皮細胞は血小板や凝固因子と反応しないため，血栓を形成することはない．しかし，血管内皮細胞下にはマイクロフィブリル（膠原微細線維），線維芽細胞，**膠原線維**（コラーゲン）などの結合組織が存在し，親凝固性に働く．血管内皮細胞の剥がれた部位には膠原線維が露出しており，そこに血中の von Willebrand 因子（vWF）（血管内皮や骨髄巨核球が産生する）が接着することが血栓形成の最初の一歩となる．平滑筋細胞は血管壁の管腔構造の維持に働き，血管壁への傷害のとき，収縮することにより血液損失を防ぐ．

B 血小板

血小板は骨髄巨核球の細胞質がちぎれたものである．循環血液中では $15〜35 \times 10^4/\mu L$ ほどの数がある．前述したように血栓形成は血管内皮細胞下のコラーゲンにvWFが接着することから始まるが，続いて血小板がその膜の**糖タンパクGPⅠb**を介してvWFに**粘着** adhesion する．これにより活性化した血小板からADP，セロトニン，（アラキドン酸から生成された）**トロンボキサンA_2** などが**放出（分泌）** release (secretion) され，他の血小板の**凝集** aggregation や血管収縮が促進される．活性化した血小板の膜表面に**糖タンパクGPⅡb-Ⅲa複合体**が露出し，この糖タンパクに**フィブリノーゲン** fibrinogen が結合し，さらに糖タンパク GPⅡb-Ⅲa 複合体を介して別の血小板が結合して，血小板の凝集が進む．この一連の反応を図7-16a に示した．

C 凝固系

血液凝固反応とは，可溶性の血漿フィブリノーゲンから非可溶性の線維性タンパクである**フィブリン** fibrin を形成することである．血液凝固に直接関与する因子を**血液凝固因子**といい，発見順にⅠ〜ⅩⅢが知られている（Ⅵは欠番，表7-4）．これらの凝固因子のなかで，Ⅲ（組織因子），vWF，Ⅳ（Ca^{2+}）を除くすべてが肝臓で作られる．

血液凝固反応には，血液中に元から含まれていた因子だけが関与する**内因系機序**と，主に血管外の線維芽細胞，一部は血管内皮細胞から産生された**組織因子** tissue factor が凝固反応を起こす**外因系機序**と，Ⅹ因子やⅤ因子の活性化などの共通の機序がある．この血液凝固カスケードを図7-16b に示す．なお，凝固系が活性化されて生成したトロンビンは，役割を果たした後，直ちにアンチトロンビンと複合体（トロンビン・アンチトロンビン複合体：TAT）を形成し不活化される．また，アンチ

E. 止血機構と血栓症 ● 177

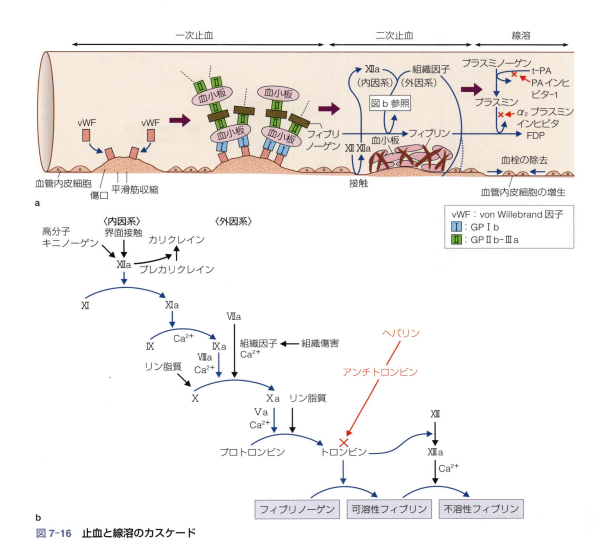

b

図 7-16 止血と線溶のカスケード

トロンビンはヘパリンが結合することにより抗トロンビン活性を増強する．このように抗凝固性に働くアンチトロンビンとヘパリンは，いずれも肝臓で産生され血中に存在する．

D 線溶系

線溶系（線溶現象） fibrinolysis は線維素（フィブリン）溶解系の略称で，一度凝固してしまった血液を溶解する現象である（図 7-16a）．**組織プラスミノーゲンアクチベータ** tissue-plasminogen activator（t-PA）により**プラスミノーゲン** plasminogen から形成された**プラスミン** plasmin が強力なフィブリン溶解能をもっている．フィブリンとフィブリノーゲンはこれにより分解されて分解産物 **fibrin and fibrinogen degradation product（FDP と**

表 7-4 血液凝固因子

因子番号	同意語	因子番号	同意語
I	フィブリノーゲン	XI	PTA
II	プロトロンビン	XII	Hageman 因子
III	組織因子（トロンボプラスチン）	XIII	フィブリン安定化因子（FSF）
IV	Ca²⁺	vWF	von Willebrand 因子
V	プロアクセレリン，不安定因子	プレカリクレイン	Fletcher 因子
VI	欠番		
VII	安定因子，SPCA	高分子キニノーゲン	Fitzgerald, Flaujeac, Williams 因子
VIII	抗血友病因子（AHF）		
IX	Christmas 因子		
X	Stuart-Prower 因子		

SPCA：serum prothrombin conversion accelerator, AHF：antihemophilic factor, PTA：plasma thromboplastin antecedent, FSF：fibrin stabilizing factor.

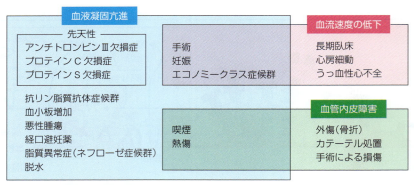

図 7-17　血栓症の危険因子

表 7-5　血栓の形態学的分類

肉眼分類	組織学的分類	主な成分	好発部位
白色血栓		血小板	中小動脈
赤色血栓		赤血球＞フィブリン	静脈
混合血栓		フィブリン・血小板/赤血球	心腔，大動脈瘤
	硝子血栓	フィブリン	毛細血管

FgDP）となる．t-PA は血管内皮細胞で産生分泌され，フィブリンが析出していないと作用せず，プラスミンとともにフィブリンに親和性がある．またプラスミノーゲンアクチベータインヒビタ 1（PAI-1）の制御も受けている．一方で，血中の α_2 プラスミンインヒビタ α_2 plasmin inhibitor（α_2PI）はフィブリンへの結合部位でプラスミンに結合し，線溶系を制御している．

3 血栓形成機構

　血管内に異常な凝血が起こって血栓が形成されると，正常な血流が阻害され，虚血を生じる．これは，正常な止血過程が病的なほうへ進展した，ないしは間違った場所で止血が行われたともいえる．また血栓が剥離すると血栓塞栓症のもととなる．

　血栓形成の原因としては，① 血液凝固亢進，② 血流速度の低下，③ 血管内皮障害のウィルヒョウ Virchow の 3 因子が知られている．この 3 因子に対応させて，血栓症を起こしやすい疾患と状態を図 7-17 にまとめた．

4 血栓の形態学

A 血栓の肉眼的および組織学的分類

　血栓は肉眼的には白色，赤色，混合血栓に区別される（表 7-5）．**白色血栓**は血小板を多く含み，堤防が決壊したときに土嚢を積むかのごとく，主に血小板の膠着により傷口を止血した結果生じるので**膠着血栓** conglutination thrombus ともいわれる．中小動脈での血栓に多い．**赤色血栓**は赤血球を多く含み，フィブリンも伴う．試験管内での血液凝固と同様の起こり方で生じ，**凝固血栓** coagulation thrombus ともいう．血流の緩徐な部位で形成され，血管壁に異常がない場合にも形成されうる．静脈で多い．**混合血栓**ではフィブリンと血小板を主体とする白色の層と，多くの赤血球を含む赤色の層が交互に重なった模様がみられ，**ツァーン Zahn の線条**という（図 7-18）．主に心腔内や大動脈瘤内のような乱流を含む多様な血流の存在下で血栓が形成された場合に多いが，静脈血栓でも注意深く観察すると認められることがある．これらのほかに，顕微鏡的に淡好酸性で均一な（硝子様），フィブリンを主体とする血栓があり，**硝子血栓** hyaline thrombus と呼ばれ，後述する播種性血管内凝固症候群（→ 180 頁参照）などにおいて毛細血管内にしばしば多発する．

B 壁在血栓，疣贅 vegetation

　心房内，心室内，動脈瘤壁などに付着した血栓を**壁在血栓**という．一方，冠動脈，脳動脈，大腿動脈，腸骨動脈など中小の血管ではしばしば血栓が内腔を閉塞することがあり，**閉塞性血栓**という．通常血栓という場合は閉塞性のものをいう．心臓の弁膜に血栓が付着することが

E. 止血機構と血栓症 179

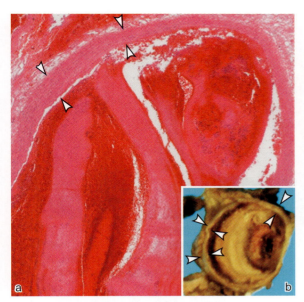

図7-18 新鮮な動脈内血栓の肉眼像と組織像
a. 組織像. b. 肉眼像. ピンク色と赤色（肉眼像では淡色と暗色）の交互の模様からなる Zahn の線条が認められる. ▷◁は元からあった血管壁.

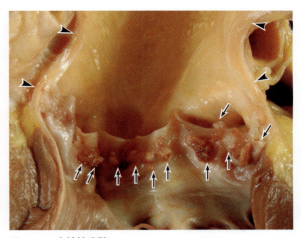

図7-19 血栓性疣贅
大動脈弁に米粒大の疣状の血栓（→）が多数付着している. ▶◀は切開された大動脈基部〜上行大動脈（上が頭側）.

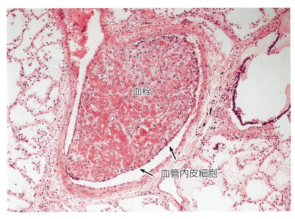

図7-20 血栓の取り込み
血管内皮細胞が伸び出して，血栓の表面を覆っている.

あり，感染性心内膜炎のとき，病原性細菌と一緒に血栓が付着したものを細菌性疣贅という．非感染性でも弁膜に付着した血栓が疣状の形態を示すことがあり，血栓性疣贅という．SLE にみられる疣贅性心内膜炎 verrucous endocarditis（リブマン-サックス心内膜炎 Libman-Sacks endocarditis）や，がんや慢性の消耗性疾患の患者の末期にしばしばみられ，**非細菌性血栓性心内膜炎** nonbacterial thrombotic endocarditis（NBTE）と呼ばれる（図7-19）．

C 静脈血栓と死後凝血塊

静脈内にできる血栓のことを静脈血栓といい，ほとんどが閉塞性である．下肢にできることが多く，下腿・大腿・膝窩・腸骨静脈に多い．静脈血栓は病理解剖時，死後の凝血と鑑別が難しいことがある．死後の凝血は血栓と違って水分が多く，表面に光沢があり，弾性軟の硬さで，Zahn の線条がない．死後は黄白色の**線維素凝塊** fibrin clot もしばしばみられ，豚脂ともいう．

D 血栓の予後

一度形成された血栓は，患者が直ちに死亡しない限り，できたときのままであることはない．以下の5つのどれかの運命をたどることになる．

① 線溶系の活性化により跡形もなく消滅する．
② 血栓への物理的刺激やタンパク分解酵素による軟化で，断片が流血中に遊離し**塞栓**となる．
③ 血栓がどんどん大きくなり，血管内を進展する．
④ 血管内皮細胞による血栓の取り込み（図7-20），器質化の後，壁在血栓となる．
⑤ 血管を閉塞させた血栓が異物として処理され，器質化が生じ，やがては**再疎通** recanalization が起こる（図7-21）．

血栓の**器質化** organization は形成後2〜3日から始まり，表面は増殖した血管内皮細胞で覆われ，血栓付着部から毛細血管や結合組織が侵入し，肉芽組織を形成し，

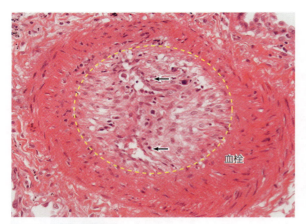

図 7-21　血栓の再疎通
器質化血栓内に再疎通血管（→）が現れてきている．

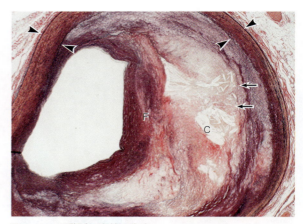

図 7-22　冠動脈の粥状硬化症
粥腫の沈着により冠動脈内腔の狭窄が起こっている．内膜肥厚部の lipid core（C）を覆う fibrous cap（F）が薄いため，破綻しやすい．C 内にはコレステリン結晶（→）の沈着がみられる．▶◀ は元からあった血管壁．EVG 染色．

図 7-23　DIC の原因と基礎疾患

血栓を吸収して置換する．肉芽組織は次第に瘢痕化して収縮し，内膜の偏在性の線維性肥厚となって残る．大きな血栓あるいは閉塞性血栓では肉芽組織中の新生毛細血管が互いに連絡して再疎通する．器質化した血栓には時に石灰沈着や骨化生をみる．

不安定狭心症〜急性心筋梗塞を包括する**急性冠症候群**では，血栓形成が最後の一撃となることが多い．冠動脈の**粥状硬化症**（図 7-22）を示すが，この図の段階でも著しい内腔の狭窄を呈しており，狭心症の症状を呈していることも多い．図のように**線維性被膜** fibrous cap が薄いと**不安定プラーク**と呼ばれ，**脂質コア** lipid core が破綻しやすい．破綻部に新鮮な血栓を生じ，冠動脈内腔の閉塞から心筋梗塞を起こすことになる．

5 播種性血管内凝固症候群 disseminated intravascular coagulation（DIC）syndrome

A 概念，定義

DIC は，何らかの引き金により凝固系が過剰に活性化し，全身の微小血管内に多発血栓を生じる疾患群である（播種とは畑に種を播くことであり，微小多発状態を意味する）．DIC では諸臓器に虚血による機能障害を生じる．同時に，血小板とフィブリノーゲンなどの凝固因子が消費されてしまい，全身の出血傾向が起こる．凝固と出血という相反する反応が全身に生じるため複雑で難治性である．DIC の基礎疾患（図 7-23）は，血栓症の危険因子と共通するものもある（図 7-17 参照）．

B 病態

DIC の病態は，基礎疾患に伴う血管内凝固，血栓の存続，また二次的な線溶亢進の過剰に分けることができる（図 7-24）．**血管内凝固**は多くは血管内皮細胞の傷害，ないしは凝固活性の高い因子が血管内に増加することから始まる．特に粘液産生性の腺癌細胞や急性前骨髄球性白血病細胞は強力な組織因子様物質を産生する．羊水には組織因子が多く含まれていることから，産科的疾患はDIC を合併しやすい．敗血症で生じるエンドトキシンや免疫複合体も，単球などの白血球や血管内皮細胞に働いて間接的に組織因子産生を促進する一方，直接的な血

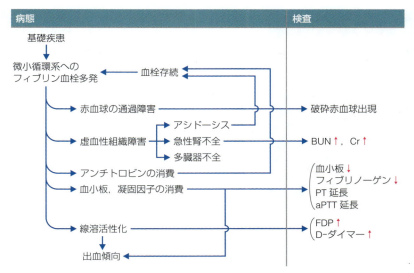

図 7-24　DIC の病態と検査

管内皮障害ももたらす．巨大血管腫では血流のうっ滞が凝固活性を高め，DIC を合併したものを**カサバッハ-メリット症候群** Kasabach-Merritt syndrome という．血栓による虚血により嫌気性代謝が進行してアシドーシスになると，pH の低下がさらに血液凝固能を亢進させる．アンチトロンビンが大量に消費され不足するため，凝固反応が収束せず，**血栓の存続**を促す．血栓により毛細血管内腔が狭小化すると，赤血球は通過障害により破砕される．また，血栓ができた部位の血管内皮細胞から t-PA が遊離し，プラスミノーゲンからプラスミンが生じ血栓を溶解しようとするが，この**線溶系亢進**は，血小板や凝固因子の消費による低下とあいまって出血を起こしやすくする．臨床検査上の診断では，末梢血に破砕赤血球の出現，血小板の減少，フィブリノーゲンなど血液凝固因子の減少，FDP や **D-ダイマー**（FDP の一部）の上昇などが重要である．

C　各臓器の DIC

　DIC の病理像は諸臓器における多数の微小血栓，多発する小梗塞巣，また種々の出血によって特徴づけられる．微小血栓はフィブリン血栓からなり，腎臓（図7-25），副腎，脳，心筋，肺，消化管などの細動脈から毛細血管内に多く出現する．症状として呼吸困難や意識障害を伴う．腎糸球体内の微小血栓はしばしば広範で，腎皮質の微小梗塞から腎皮質壊死を合併することもある．副腎壊死が強いとウォーターハウス-フリードリク

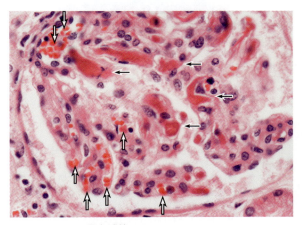

図 7-25　**DIC の腎糸球体**
腎糸球体内の毛細血管内に多数のフィブリン血栓（→）が詰まっている．赤血球（⇒）との形態・染色性の微妙な違いに注意．血栓により糸球体濾過率（GFR）は減少し，腎不全となる．

セン Waterhouse-Friderichsen 症候群，下垂体壊死ではシーハン Sheehan 症候群を合併することになる．出血は皮膚，体腔の漿膜面，心内膜，肺，膀胱などに多くみられ，血尿や下血を伴う．

Advanced Studies

⑥　血栓症の治療と予防

　血栓症の発症を治療ないしは予防するための代表的な薬剤を紹介する．
　肺動脈血栓塞栓症，冠動脈血栓症，脳梗塞などにおける新鮮な血栓症の治療として，t-PA やウロキナーゼ（t-PA 同様の働きがある）などのフィブリン溶解物質を初期の段階で注入すると，よい治療成

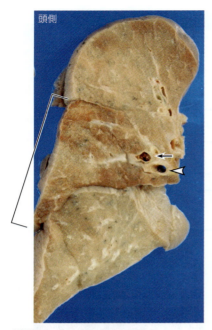

図 7-26　肺動脈の血栓塞栓症と肺梗塞
右肺中葉気管支（▷）と伴走する肺動脈（→）は血栓性塞栓により閉塞し、その支配領域の右肺中葉は出血性梗塞で褐色調を呈している（[ ]）（胸部X線写真同様の前額断，上が頭側）．
〔写真提供：NTT 東日本関東病院 橋本浩次先生〕

績をあげられることがわかっている．ただし，出血の副作用もあるため，適応には厳格な決まりがある．
　DIC の治療には，血小板，ヘパリン，アンチトロンビンなどの補充が行われる．一般に静脈内血栓が生じた場合はヘパリンが即効性があるが，数日後に作用時間の長いワルファリンに切り替えていくことが多い．心房内血栓は凝固血栓（赤色血栓）であるため，心房細動のある人は心房内血栓予防のためワルファリンを服用する．
　一方，脳梗塞は動脈内血栓（白色血栓）から生じることが多いため，脳梗塞のリスクのある人は，血小板におけるアラキドン酸からのトロンボキサン A_2 合成を阻害する低用量アスピリンを服用する．ただし，高用量のアスピリンは，血管内皮細胞におけるアラキドン酸からの PGI_2（prostacyclin：血小板凝集を抑制する）の合成を抑制してしまうため，むしろ血栓症を誘発して消化性潰瘍などを生じてしまう．これはアスピリンジレンマと呼ばれ，同じ薬剤なのに投与量によって全く逆の作用を示す．

A 概念，定義

　脈管内の固形，液体あるいは気体からなる剥離物や異物が，血流により運ばれ，別の脈管腔を閉塞してしまう状態を**塞栓症** embolism といい，脈管腔を閉塞させた物を**栓子** embolus という．塞栓症は動脈，静脈，リンパ管のいずれにも起こる．栓子は通常，分岐して細くなった脈管腔でトラップされるため，塞栓症の起こりやすい臓器は，静脈性の栓子の場合は肺（と肝）で，動脈性の場合は脳，腎，脾などの諸臓器や上肢・下肢の末端である．心臓などに由来した塞栓が全身に多発する場合を**シャワーエンボリ** shower emboli と呼ぶ．心臓に卵円孔の開存があって，静脈性の塞栓が肺動脈ばかりでなく，全身の動脈性塞栓を起こすことがまれにあり，**奇異性（逆説的）** paradoxical あるいは**交差性** crossed **塞栓症**と呼ぶ．

　最も頻度が高い栓子は血栓由来のものである．

1 ● 血栓塞栓症 thromboembolism

　血栓の一部もしくは全部が，形成された部位から離れて下流のほうへ流され，血管を閉塞する場合を**血栓塞栓症**と呼び，後述する梗塞の原因となる．
　手術後や長期臥床などは血栓症のリスクを高めるが（図 7-17 参照），その発生部位は下肢静脈や骨盤内静脈であることが多い（深部静脈血栓）．エコノミークラス症候群では，長時間の着席により血栓が形成された後，航空機が着陸して席を立つと，血栓が剥離して血流に乗って移動し，下大静脈や右心系を経た後，肺動脈でトラップされ塞栓症を起こす（図 7-26）．このように血栓は新鮮なうちは，離床や咳嗽などの体動，壁の圧迫などの物理的刺激で剥離して塞栓となりやすい．また，動脈性栓子としての血栓の発生部位は僧帽弁や大動脈弁の疣贅，左心耳・左心房・左心室や大動脈瘤内の壁在血栓，大動脈などの粥状硬化巣（粥腫）が多い．

Advanced Studies

2 ● 脂肪塞栓症 fat embolism

　骨折（特に骨髄に脂肪が多い四肢長管骨の骨折），また広範な軟部組織の挫滅や熱傷に際して，脂肪組織が壊れて脂肪滴が生じ，それが血管内に侵入して，細い血管に塞栓を起こすことがある（図 7-27）．脂肪滴の栓子は肺，脳，腎によくみられる．外傷後 1～3 日のうちに急激に起こる呼吸不全，意識障害，血小板減少や点状出血などの症状がみられる．非外傷性では糖尿病や膵炎のときにみられうる．脂肪滴は通常のパラフィン切片標本では，アルコール脱水で脂肪が溶けるため見ることができない．凍結切片などで脂肪染色しないと同定できない．

3 ● 細胞，組織片，細菌，真菌，寄生虫による塞栓症

　骨髄片，胎盤片，心弁膜片，腫瘍細胞，粥腫（アテ

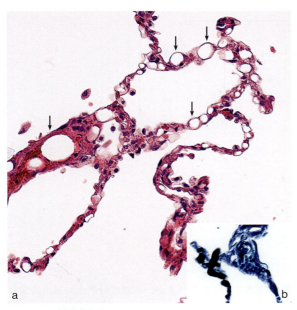

図 7-27 脂肪塞栓症
肺胞の毛細血管内に脂肪滴が充満した像である（→）．一見すると，毛細血管の拡張にみえる．オスミウム固定トルイジンブルー染色（b）では脂肪が黒く染まる．
〔写真提供：三井記念病院 三浦泰朗先生，森正也先生〕

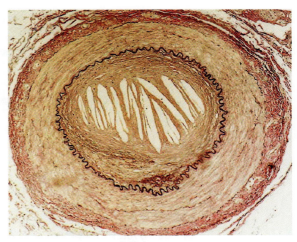

図 7-28 コレステリン塞栓症
小動脈内腔が粥腫（図 7-22 の lipid core 参照）由来の白い針状のコレステリン結晶により閉塞している．EVG 染色．

ローム）成分の**コレステリン結晶物**（図 7-28），手術に際しての人工物などが栓子になることがある．悪性腫瘍細胞による塞栓症は転移成立に重要である．良性腫瘍であっても，心房内に形成された粘液腫は脆いため，ちぎれてシャワーエンボリをきたすことがある．同様に，左心系の疣贅がシャワーエンボリをきたす．敗血症のとき，細菌や真菌が血管内で増殖して塞栓となることもある．寄生虫が塞栓となることもあり，日本住血吸虫症では虫卵が肝の門脈に塞栓症を起こし，門脈圧亢進症を伴う（表 7-2）．

Advanced Studies

腺癌では組織因子様物質の産生により DIC を合併しやすいことは前述した．腺癌ではさらに，DIC のような微小血栓ではなく，全身の動静脈に血栓が多発することがあり，**トルソー症候群** Trousseau syndrome として知られており，深部静脈血栓症から肺動脈塞栓症を合併したり，血栓性疣贅から脳血管塞栓による脳梗塞を合併したりする．これらとは異なり，微小肺動脈内にフィブリンと混在した腫瘍塞栓が多発することもあり，**肺腫瘍塞栓性微小血管症** pulmonary tumor thrombotic microangiopathy（PTTM）と呼ばれており，呼吸困難が急速に悪化する（図 7-29）．

4 羊水塞栓症 amniotic fluid embolism
分娩に伴う重篤な合併症である．2～3 万回に 1 回程度の発症頻度といわれているが，母胎死亡率は約 90％ と高い．胎盤膜の裂け目から母体の子宮や頸部静脈に羊水，胎児の皮膚や脂肪などの組織が入り，肺循環に塞栓を起こし，DIC を合併したり，急性呼吸窮迫症候群 acute respiratory distress syndrome（ARDS）を起こしたりする．分娩だけでなく，流産や帝王切開時に起こることもある．

5 空気塞栓症 air embolism
手術や外傷，気胸，分娩や流産などの際，多量の空気が静脈内へ入り，肺や脳などの血管を閉塞して起こる．点滴などに際して少量の気泡が入ることはまず問題にならない．
特殊な場合として**減圧症** decompression sickness（潜函病 dysbarism）がある．水中でのダイビングなど高圧環境から常圧環境へ戻る際に，高圧下では血中に溶解していた窒素ガスが血管内で遊離し多数の小気泡となり，塞栓を起こすことがある．特に飛行機に乗って急に気圧が低くなると生じやすい．病態としては急性と慢性の場合があり，急性の場合は関節痛，筋肉痛，呼吸不全，意識障害が現れ，死亡することもある．慢性の場合は大腿骨骨頭・脛骨・上腕骨などの虚血性壊死が起こる．

C 各臓器の塞栓症

1 肺塞栓症 pulmonary embolism
顕微鏡レベルの微小な肺塞栓まで調べると全剖検例の 60％ 以上に見つかる．臨床症状がみられないものから突然死をきたすものまで重症度はさまざまである．下肢の深部静脈血栓からの塞栓症が最も多いが，元々の血栓形成部位での血栓性静脈炎の症状を示していることは少ない．

Advanced Studies

重症の肺塞栓症では，肺動脈幹，左右の太い肺動脈，区域レベルの肺動脈などに，時に樹枝状に広がる血栓塞栓が認められ，左右の分岐部にまたがるときは**騎乗栓子** saddle embolus という．早期に

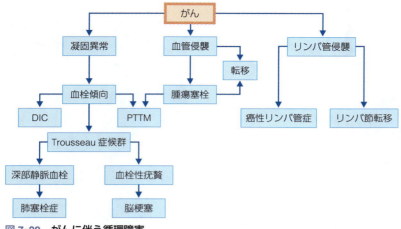

図 7-29　がんに伴う循環障害

低酸素症か急性の右心不全(肺性心)で死亡し，肺には梗塞も何も変化がない．しかし，塞栓の範囲がより狭く，生きながらえた場合，支配領域に当初は貧血性の，後に出血性の梗塞が広がる(図 7-26)．胸部 X 線写真でも当初は空気のみで血流のない肺野が黒く映るが(ウェスターマーク Westermark 徴候)，後に気管支動脈からの出血を反映して白く映る(ハンプトンのこぶ徴候 Hampton's hump sign)．末梢の肺動脈へ繰り返し小肺塞栓が起こると肺高血圧症が生じる．

2 ● 末梢動脈の塞栓症

動脈性塞栓 arterial embolus は心臓内の壁在血栓からの栓子によるものが一番多く，シャワーエンボリをきたしうる．心臓内の壁在血栓は心筋梗塞，心筋症，弁膜症などでできやすい．特に僧帽弁狭窄症に伴う心房細動は左心房内の血流うっ滞を生じるためリスクが高い．また，心臓弁膜の疣贅，左心房内の粘液腫，大動脈瘤内の血栓，粥状硬化症のアテローム潰瘍部などからも動脈性塞栓が生じる．大動脈内のカテーテル操作は粥腫剝離からコレステリン塞栓症(図 7-28)をきたしやすい．動脈性塞栓が下肢に詰まると**壊疽** gangrene(黒色壊死：壊死に腐敗菌感染を伴う)を起こし，内頸動脈や脳の動脈では脳梗塞，腸間膜動脈では腸梗塞を起こす．

G 虚血と梗塞

1 概念，定義

組織に必要な血流が得られないことを**虚血** ischemia という(図 7-5)．虚血を原因とする器官・組織の壊死のことを**梗塞** infarction という．梗塞の多くは支配領域の動脈閉塞によって生じるが，まれに静脈血の還流障害によっても生じる．虚血による壊死巣を**梗塞巣** infarct という．梗塞巣は多くの場合は凝固壊死を呈するが，脳では液化壊死になる．梗塞による壊死巣は区域性の組織単位以上の壊死であり，1 つひとつの細胞単位の壊死では梗塞とはいわない．

2 病態

A 成因

梗塞の成因となる血管閉塞のほとんどは，動脈に生じる血栓ないしは血栓塞栓症である．血管閉塞が急激で強いほど組織の損傷は強く広範囲となる．血栓としては，粥腫の破綻による動脈内腔の血栓性閉塞が多い．血栓性塞栓としては，心臓や大動脈由来の栓子は末梢動脈に塞栓を起こし，静脈系の血栓は肺動脈に塞栓を起こす．それ以外には，スパズムと呼ばれる血管の攣縮，**血管炎**(図 7-30)，腫瘍などによる血管の外からの圧迫，血管を含む組織の捻転，精巣や卵巣の静脈血栓による場合がある．

B 梗塞の経過

多くの場合，梗塞巣は肉眼的に閉塞動脈の末梢に広がる三角形をしている．梗塞部は凝固壊死に陥るが，炎症細胞による処理の後，**肉芽組織**を経て線維化していく．線維化は元の領域を完全には充塡できず，瘢痕性収縮から陥凹した瘢痕となることが多い．

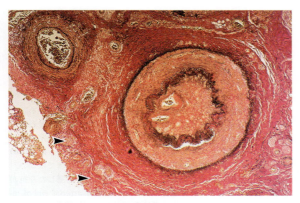

図 7-30　血管炎による動脈閉塞
Buerger 病による下肢の動脈閉塞．血栓の再疎通を認める．炎症を反映して動脈外膜の線維化もみられる（▶）．左上は伴走する静脈．EVG 染色．

C 虚血性組織傷害 ischemic tissue injury

血管閉塞が完全でなく，ある程度血液供給が保たれた場合や，徐々に血流が減少した場合などでは，はっきりとした壊死すなわち梗塞という形ではなく，虚血性組織傷害という形を示す．虚血性の細胞変性や実質組織の梗塞までの広がりはない，より狭い範囲の壊死（**限局性細胞死 focal cell death**）がみられる．粥状硬化症，血管炎，血圧低下，うっ血性心不全，血管収縮などの場合に起こる．例えば，図 7-30 に示したバージャー Buerger 病では，下肢の動脈が閉塞しているが，再疎通血管や側副循環により辛うじて血流が保たれていることも多く，歩行に際して酸素欠乏により疼痛を訴えてずるずる歩くが（跛行），休むと回復する．これを**間欠性跛行**と呼ぶ．

3 分類

A 貧血性（白色）梗塞 anemic (white) infarction

貧血性（白色）梗塞は，血液の貯留が起こりにくい充填された組織・臓器に，動脈性の閉塞が起こったときに出現する．なお，この動脈が**終末動脈**（その先は別の動脈との吻合がない）であることも条件である（図 7-31）．動脈閉塞が起こってすぐは開通している周囲の血管からの出血が生じるが，充実性臓器ではその量は限られている．加えて残存の血液と静脈性の血液うっ滞から，梗塞の初期（24 時間以内）には赤色調を帯びる．24～48 時間の間に実質細胞の凝固壊死，赤血球の溶血とヘモグロビンの崩壊から，梗塞部は蒼白となる．その後，壊死巣に

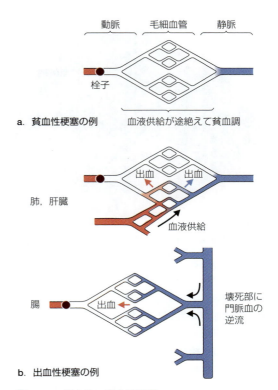

図 7-31　貧血性・出血性梗塞
貧血性梗塞は終末動脈の閉塞で起こり，出血性梗塞は梗塞部に血液供給が生じる場合に起こる．

図 7-32　脾臓の貧血性梗塞
梗塞部（→）は黄白色調で，その周囲は出血調である．

向けて生きている組織のほうから炎症細胞が浸潤し，肉芽組織ができてくる．このとき，灰白色～黄色の梗塞巣を赤色の帯が取り囲むようにみえる（図 7-32）．心臓（図 7-33），腎臓，脾臓は終末動脈からの支配を受けているので，貧血性梗塞の好発部位である．

B 出血性（赤色）梗塞 hemorrhagic (red) infarction

出血性（赤色）梗塞は，以下のいずれかの場合に起こる．

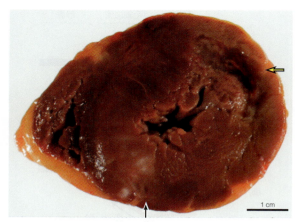

図 7-33　急性および陳旧性心筋梗塞
心筋の水平断を下から見た面．向かって右〜中央が左心室，左端が右心室である．左室側壁の急性心筋梗塞（➡）は軽度出血調で，後壁の陳旧性心筋梗塞（→）は線維化を伴い白色調である．

① 梗塞部に血液が貯留しやすい，肺などの軟らかい空隙の多い組織・器官．
② 血液の二重供給を受ける肺や肝臓．一方の動脈（肺動脈ないし肝動脈）が閉塞して梗塞を生じても，後に他方の血管（気管支動脈ないし門脈）から梗塞部に血液が流出するため（図 7-26 参照）．
③ 梗塞部に静脈からの還流が生じる場合．腸では静脈に相当する門脈の圧が高いため，梗塞部に門脈血が還流して出血性梗塞になる（図 7-31）．
④ 卵巣・精巣の捻転のように，静脈が閉塞する場合．
⑤ 動脈閉塞により壊死した領域への動脈血再灌流が生じた場合．脳梗塞では血栓性塞栓の栓子が小さいため，栓子溶解が生じて出血性梗塞となることがある．

4 各臓器の梗塞

Advanced Studies

a 心筋梗塞 myocardial infarction
　虚血性心疾患の経過の多くでは，冠動脈の粥状硬化症による狭窄から**狭心症** angina pectoris が発生しており，虚血性組織傷害により，労作時の胸痛や胸部圧迫感などの症状を呈している．そこに，粥腫破綻から血栓を生じて冠動脈が閉塞することで心筋梗塞が起こる．ただし，これらの虚血性心疾患の発生の有無と程度は，冠動脈の閉塞の発生スピード，心筋細胞の肥大の有無，貧血など，血液の酸素運搬能などの複数の因子が関係する．

b 脳梗塞 cerebral infarction
　脳梗塞も心筋梗塞と同様に，内頸動脈とその分枝の前・中大脳動脈，ないしは椎骨・脳底動脈とその分枝の後大脳動脈の粥状硬化症を基礎として，粥腫破綻により閉塞することによっても発生するが，機序はより多彩である．より中枢側の動脈内の粥腫や心臓内の血栓が栓子となる塞栓による発症も多い．貧血性梗塞が基本である

が，いったん閉塞した血栓が溶けて再疎通した場合は虚血部位に血液の再流入が起こり，出血性梗塞となる．くも膜下出血の合併症として，動脈のスパズムで脳梗塞を生じることもある．脳には線維芽細胞がないため，梗塞巣に肉芽組織は形成されず，容易に軟化し（**脳軟化症** encephalomalacia, cerebral softening），**液状壊死**に陥り，後には囊胞化することが多い．

c 肝臓の梗塞
　肝臓にも梗塞が起こるが，門脈系と肝動脈系の二重支配があるので，なかなか起こりにくい．有名な肝の **Zahn の梗塞**は肝臓表面を底辺とするくさび型・赤色の病変で，肉眼的には出血性梗塞のようにみえる．しかし，実際は血栓などによる門脈枝の閉塞と限局性のうっ血であり，肝細胞の壊死はなく，真の意味での梗塞ではない．肝細胞癌の治療に血管造影を行いながら，肝動脈を閉塞したり抗がん剤を投与したりする**肝動脈塞栓術** transcatheter arterial embolization（TAE）ないしは**肝動脈化学塞栓術** transcatheter arterial chemo-embolization（TACE）が行われている．これは人為的に梗塞を起こしているともいえるが，肝細胞癌が肝動脈のみから栄養されるのに対して正常肝は門脈からも栄養されるため，肝細胞癌のみを壊死させることを目的とする．

5 臨床との関連

　梗塞は最も頻繁で重篤な疾患の1つである．なかでも心筋梗塞，脳梗塞，肺梗塞は有病率と死亡率が高く，重篤な合併症もきたしやすい．長寿社会を迎えた先進国において解決しなければならない大問題であり，その予防として，後述する高血圧の予防や食生活を含めた生活習慣の改善も大事になってくる．

H 側副循環

A 概念，定義

　血管が何らかの原因で徐々に狭窄・閉塞した場合，狭窄・閉塞部位の上流と下流を連絡していた吻合の枝を用いて血液が流れ，血液灌流が保たれて虚血性障害を免れることがよくある．このように，主要な血管が閉塞したときに，支流がその役目を代償することを**側副循環** collateral circulation という．

B 分類

　側副循環は動脈系でも，門脈を含む静脈系でも生じる．動脈系の閉塞では，血液は側副循環によって何とか末梢まで灌流しようとし，静脈系の閉塞では，血液は側副循環によって何とか右心房に還流しようとしていると考えると理解しやすい．

H. 側副循環 ● 187

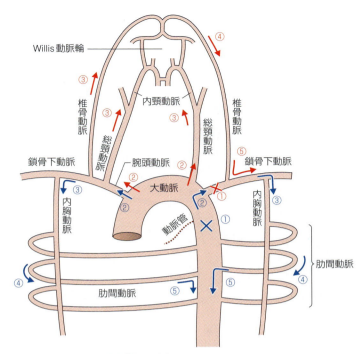

図 7-34　動脈系の側副循環の例
閉塞(狭窄)部位を×で，側副血行を矢印で，鎖骨下動脈盗血症候群(赤色)と管後型大動脈縮窄症(青色)を色分けして示した．番号は各側副循環の流れる順を示す．

1 ● 動脈系での側副循環

　動脈硬化や大動脈炎により鎖骨下動脈が根本(椎骨動脈分岐部より中枢側)で狭窄・閉塞すると，反対側の内頸動脈や椎骨動脈からの血流がウィリス Willis 動脈輪を介して病側の椎骨動脈を逆流する形で側副循環となり，病側の鎖骨下動脈末梢までを栄養する(図 7-34)．一方で，本来は脳へ供給されるべき血液が，病側の腕のほうへ盗まれてしまう(盗血)ともいえ，病側上肢の運動時に一過性のめまいや失神などの脳虚血症状が現れる．これを**鎖骨下動脈盗血症候群** subclavian steal syndrome と呼ぶ．

Advanced Studies
　大動脈峡部と下行大動脈の移行部(大動脈の動脈管接合部)付近に生じる限局性の大動脈狭窄をきたした先天異常を**大動脈縮窄症**と呼ぶが，これは狭窄部位が動脈管接合部の上にある管前型と，下にある管後型に分けられる．管前型では生直後に動脈管を経て肺動脈血流が大動脈に流れ込み，下半身のチアノーゼで気づかれる．管後型は小児期以降の発症であるが，動脈管は既に閉鎖しており，大動脈弓にうっ滞した動脈血は，左右の鎖骨下動脈から内胸動脈・肋間動脈を経た側副血行路で下行大動脈へ流入する．肋間動脈は拡張し，胸部 X 線撮影にて，肋間動脈が存在する肋骨下縁の虫喰い状のくぼみとして映る(rib notching，図 7-34)．
　これらのほかにも，さまざまな側副循環がある．例えば，Buerger 病(図 7-30)では，下肢動脈造影にてコークスクリュー状の細かい側副血行が認められるが，これは動脈栄養動脈の拡張によるといわれている．

2 ● 上大静脈症候群 superior vena cava syndrome

　上大静脈症候群とは，肺癌や胸腺腫などによる圧迫・閉塞により，上大静脈の還流が障害された状態をいう．上大静脈圧の亢進に伴って，顔面・上肢に静脈拡張や浮腫を呈する．上大静脈にうっ滞した血液は，側副循環を経て右心房に還流するが，この側副循環のパターンは2種類ある(図 7-35)．上大静脈への奇静脈流入部よりも末梢での上大静脈の閉塞の場合(広義の上大静脈症候群に含まれる左右腕頭静脈の閉塞など)，うっ滞した血液は内胸静脈と肋間静脈を経て奇静脈系から上大静脈の中枢部に還流する．前述した rib notching をきたす動脈側副循環の静脈版ともいえる．一方，上大静脈への奇静脈流入部よりも中枢での上大静脈の閉塞の場合は，うっ滞した血液は上大静脈に還流できないため，鎖骨下静脈から胸腹壁静脈を経て下大静脈から右心房に還流する．このとき，体表より下行性の側副血行が観察される．

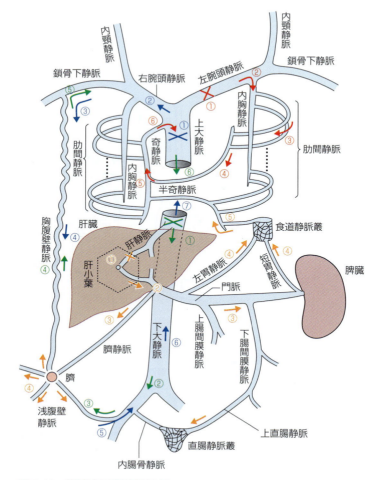

図 7-35　静脈系の側副循環の例
閉塞部位を×で，側副血行を矢印で，上大静脈症候群（赤色ないしは青色），肝硬変（オレンジ色），Budd-Chiari症候群（緑色）を色分けして示した．番号は各側副循環の流れる順を示す．

3　肝硬変に伴う門脈圧亢進症

肝硬変などで門脈血の還流が障害されると，**門脈圧亢進症**を生じ，門脈にうっ滞した血液は食道静脈や臍部の静脈を経る側副循環で右心房に還流する．同時にこれらの側副血行路にはうっ血や静脈瘤を生じる（図7-35）．

Advanced Studies

a　食道静脈瘤 esophageal varix

門脈圧が高まると門脈血は左胃静脈や短胃静脈を経て胃のほうに向かう．さらに，胃の静脈は食道下部にある静脈叢と吻合しているので，食道静脈叢を通って，背側の奇静脈を経て上大静脈から右心房に還流する．この血流が増加すると食道粘膜下層の静脈が数珠状に拡張・怒張し，内視鏡でも観察できるほどになる．これが食道静脈瘤と呼ばれ，食道内腔に向けて破裂すると大出血を起こし，死亡の原因となることが多い．

b　臍静脈（メドゥーサの頭）

母体中で胎生期に発達していた臍静脈は成長とともに萎縮してしまっているが，門脈圧が高まると門脈血はこの臍静脈を通じて腹壁の静脈系に流れ込むことになる．浅腹壁静脈から下大静脈へ，ないしは胸腹壁静脈を経て上大静脈へ還流する．臍静脈の側副循環が発達すると臍を中心に放射状に怒張・蛇行した静脈が体表より観察される．この静脈の様子がギリシャ神話のメドゥーサの頭部でうごめく蛇に似ているとのたとえから，**メドゥーサの頭** caput medusae と呼ばれている．

c　肛門周囲静脈叢

門脈の上流にあたる下腸間膜静脈や上直腸静脈は肛門管周囲の直腸静脈叢と交通している．門脈圧が亢進すると門脈血はこの静脈叢から内腸骨静脈を通じて下大静脈へ還流する．また，この静脈叢のうっ滞から痔核 hemorrhoids の形成もみられ，出血を起こす．

4　バッド-キアリ症候群 Budd-Chiari syndrome

Budd-Chiari症候群では，肝静脈ないしは肝部下大静脈の閉塞・狭窄が認められる．同部の先天的な血管形成異常や後天的な血栓などが原因として考えられている

が，原因不明も多い．Budd-Chiari 症候群では門脈圧亢進症もきたすが，肝部下大静脈の閉塞・狭窄の場合には，**下大静脈症候群**とも呼ばれ，下大静脈圧上昇に伴って下腿浮腫や下肢静脈瘤をきたし，さらには胸腹壁静脈を経て上大静脈に還流する上行性の側副血行が体表より観察される．ちょうど，上大静脈症候群(奇静脈流入部よりも中枢での上大静脈閉塞)での側副血行の逆になる(図 7-35)．

心不全

A 概念，定義と成因

心不全 heart failure とは，心臓が原因で，体の需要に応じるだけの循環(主に酸素供給)を維持できない状態をいう．ただし，心房への静脈還流障害による心拍出量低下は心不全には含めないのが普通である．

心拍出が保たれるためには，①刺激伝導系による指令が心筋内にいきとどき，②心筋が過不足なく収縮・弛緩し，③大動脈圧よりも高い圧で，④血液が正しい方向に，⑤十分量駆出される必要がある．したがって，心機能が破綻して心不全となるのは，以下の原因による．

①刺激伝導系の障害(房室ブロック，心室細動など)，
②心筋のポンプ機能不全(心筋梗塞，収縮性心膜炎など)，
③血液駆出の障害(高血圧症，大動脈弁狭窄など)，
④血液逆流による障害(僧帽弁閉鎖不全，心室中隔欠損症など)，
⑤心臓・大血管の壁の破綻(外傷，心臓破裂など)．

これらはいずれも心拍出量の低下をきたすものであるが，心拍出量は低下せず，むしろ増加しているのに症状としての心不全をきたすものがあり，**高拍出性心不全**と呼ばれる．これは貧血，甲状腺機能亢進症，脚気などが原因であり，末梢の酸素需要が大きすぎるなどで通常の心拍出では供給が足りないため生じる．

B 病態

心臓は生涯に数十億回，拍動するといわれている．大変な働き者で，かつ強い適応性 adaptation をもっている．そのため，少々の負担の増加に対しては**代償** compensation 機能が働き，これに耐える．心臓への負担と

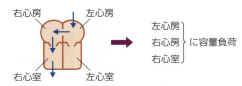

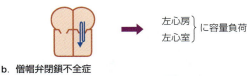

図 7-36 シャントや弁膜症における容量負荷と圧負荷の例
a. シャント血流が通過する心腔には容量負荷がかかる．
b. 閉鎖不全症では弁の前後に容量負荷が生じる．
c. 狭窄症では弁の手前にどんどん圧負荷が生じていく(道路の車線規制による渋滞発生をイメージせよ)．

して，**容量負荷** volume load と**圧負荷** pressure load がある．先天性心疾患などでシャントがあると，シャント血流が通過する心腔では，本来の仕事量以上の容量を拍出するために容量負荷がかかる(図 7-36a)．また，弁の閉鎖不全では，血流が弁の前後を行ったり来たりするため，弁の前後の心腔に容量負荷がかかる(図 7-36b)．一方，弁の狭窄症がある場合や弁の向こう側の圧が高い場合には，その弁の手前の心腔に圧負荷がかかる(図 7-36c)．重症化すると，肺動静脈と右心室に圧負荷がかかる．高血圧症や大動脈弁狭窄では左心室に圧負荷がかかる．心室においては，容量負荷は**前負荷**に，圧負荷は**後負荷**にほぼ対応する．前・後負荷とは，心臓のポンプ作用において，流入してきた血液(前)を大動脈圧(後)よりも高い圧で駆出する意味から呼ばれるが(図 7-37)，心不全の結果生じる前方・後方障害(図 7-13)とは言葉の対応する場が逆になる．

負荷に対しては各心腔が応形して適応する(表 7-6)．容量負荷に対しては心筋が伸びることで心腔内を拡張して適応し(**拡張**)，圧負荷に対しては特に筋肉の厚い左心室では心筋の肥大で適応しようとするが，それにより心腔はむしろ狭小化する(**求心性肥大** concentric hypertrophy)．健常心の大きさはその人の手拳大で，重量が 250〜400 g 程度である．しかし，肺高血圧症や虚血性心疾患では 600 g，高血圧症，大動脈弁狭窄症，僧帽弁

図 7-37　心室における前負荷と後負荷のイメージ
心室は心房から入ってきた血液を大動脈圧（肺動脈圧）より高い圧で駆出する必要がある．前負荷は血液量に，後負荷は大動脈圧（肺動脈圧）に相当する．

閉鎖不全症，拡張型心筋症では 800 g，大動脈弁閉鎖不全症や肥大型心筋症では 1,000 g まで達することがある．適応を超える負荷のとき，**代償不全** decompensation により破綻が起こり，心不全状態が生じると考えられる．これには冠動脈による肥大心筋への栄養供給の上限が関係していると考えられているが，負荷に対する心筋の適応による代償性肥大自体で栄養需要が高まる矛盾を抱えており，限界までくるとちょっとした負荷の増大には耐え切れなくなっていることは重要なポイントであろう．

C 分類

心不全には左心の不全が中心となる左心不全と，右心の不全が中心となる右心不全がある．多くの場合，両心不全に陥る（図 7-13 参照）．

表 7-6　負荷に対する各心腔の応形

	容量負荷	圧負荷
右・左心房	拡張	拡張
右心室	拡張	拡張/肥大
左心室	拡張	肥大

1 ● 左心不全 left-sided heart failure

左心不全は，虚血性心疾患，高血圧症，弁膜症，心筋疾患などで起こり，特徴は肺の静脈・毛細血管系のうっ血や肺水腫が起こって呼吸困難を生じたり（後方障害，図 7-7 参照），体循環の末梢への血流減少から低血圧を呈したりすることである（前方障害）．左心室は肥大・拡張し，左心室圧上昇の負荷により左心房も拡張し，しばしば心房細動や心房内血栓の原因となる．

低血圧から腎血流低下を招き，レニン-アンギオテンシン-アルドステロン系が活性化すると，塩分と水分の貯留に傾く．これは体内の組織液と血液循環量の増加に働き，ますます肺水腫が悪化する．腎血流低下からは高窒素血症 azotemia が引き起こされる．進行した左心不全では脳の低酸素状態が始まり，進行すると低酸素性脳症 hypoxic encephalopathy が引き起こされ，興奮しやすくなったり，集中力がなくなったり，昏睡までの意識障害が起こったりする．

2 ● 右心不全 right-sided heart failure

右心不全の場合は体循環系の静脈・毛細血管にうっ血が起こる．右心不全は多くの場合，左心不全に伴って出現する．右心不全自体が単独で現れることは少ないが，慢性肺高血圧症に伴う**肺性心**によって引き起こされる．また，心タンポナーデや収縮性心膜炎のように，心臓の拡張が制限される場合には，左心室よりも心筋の力が弱い右心室に拡張障害が生じやすいため，単独の右心不全が生じる．右心不全では肝臓・門脈系のうっ血，ひいては腎臓のうっ血による体液貯留，肺血流の低下からくるガス交換不全による低酸素血症，胸腔と心嚢への水の貯留，皮下組織の浮腫がみられる．特に肝臓のうっ血は必発で，大きさも重量も増大し（うっ血性肝腫大 congestive hepatomegaly），小葉中心性にうっ血が強く（慢性受動性うっ血 chronic passive congestion），小葉中心性壊死 centrilobular necrosis も起こす（図 7-8）．より長い経過では心臓性肝硬変 cardiac cirrhosis という肝の強い線維化が起こる．なお，脾臓も慢性うっ血で腫大を起こす（うっ血性脾腫 congestive splenomegaly）．

3 ● うっ血性心不全

心不全により全身性のうっ血が引き起こされた場合をうっ血性心不全という．直ちに致命的となることは少なく，慢性化することが多い．心不全の程度や重症度を示す分類には，自覚症状から判断する NYHA (New York Heart Association) 心機能分類などがある．すなわち，心不全の程度が軽度のうちは階段歩行などの労作によって心不全症状が生じるが，重症化すると安静時でも心不全症状が生じる．呼吸困難や動悸といった心不全症状は，末梢に酸素供給をするための代償機構ととらえることもできる（図7-38）．左心室から体循環への血液の駆出が急激に困難となると全身の循環は急速に破綻する．これを**急性循環不全**，あるいは**心原性ショック**という．

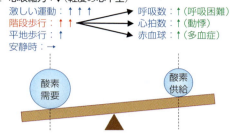

図7-38　心不全などにおける代償機構
心不全の程度と労作の程度に応じて（赤字），末梢の細胞の内呼吸における酸素需要と供給のバランスをとろうと代償機構（緑字）が働く（黒矢印は因果を示す）．軽度の心不全（a）では階段歩行時などで，呼吸数増加，心拍数増加などの症状が出るが，高度の心不全（b）では安静時でも症状が出る．

J 高血圧と低血圧

1 血圧および関連する因子

A 血圧の定義

血圧 blood pressure とは，血管内の血液の有する圧力のことであり，一般には左心室から出た直後の大動脈内圧のことを指す．通常，上腕にマンシェットを巻いて上腕動脈を圧迫して測定する．最大の血圧を最高血圧 P_s，最小の血圧を最低血圧 P_d といい，それぞれ収縮期血圧 systolic blood pressure と拡張期血圧 diastolic blood pressure に相当する．最高血圧と最低血圧の差を**脈圧** pulse pressure という．血圧の時間的変化を**圧脈拍** pressure pulse といい，これを時間的に積分したものが**平均血圧** mean blood pressure (P_m) である．圧脈拍の波形が大動脈と末梢動脈では異なり，平均血圧は

大動脈で $P_m = \dfrac{1}{2}(P_s + P_d)$，

末梢動脈で $P_m = P_w + \dfrac{1}{3}(P_s + P_d)$

もしくは $P_m = P_d + \dfrac{1}{3}(P_s - P_d)$

となり（P_w とは側圧のこと），血圧は細動脈で急峻に減少する（図7-4 参照）．

平均血圧，心拍出量と全末梢血管抵抗の間には，

$$\text{全末梢血管抵抗}(\text{dynes/cm}^{-5}/\text{秒}) = \dfrac{\text{平均血圧}(\text{mmHg}) \times 1.332}{\text{心拍出量}(\text{mL}/\text{秒})}$$

の関係が成り立つ．したがって，物理的には心拍出量が増加するか，全末梢血管抵抗が増加すると血圧が上昇することになる．ただし，その両方に影響する因子は大変多く，相互作用も影響するため複雑である．

B 血圧を規定する因子

心拍出量に大きな影響を与えるものは心機能と循環血漿量である．しかし，多くの場合，血圧の変動には末梢血管の抵抗を左右する因子が問題となる．ここでは重要と思われる体液性因子と血管作動性物質について解説する．

1 ● レニン-アンギオテンシン系

血圧を上昇させる因子であるレニンは，アミノ酸340個からなるタンパク分解酵素で，腎臓の輸入細動脈壁にある**傍糸球体細胞**から分泌される．この傍糸球体細胞と遠位尿細管にある**緻密斑** macula densa などを併せて**傍糸球体装置** juxtaglomerular apparatus (JGA) という（→ 第16章「腎」，537頁参照）．傍糸球体細胞は圧受容とレニン分泌機構を，緻密斑は尿中 Cl 濃度の受容機構をもっている．これらはレニン分泌により腎循環血漿量と糸球体濾過値を一定に保つ働きがある．腎動脈の狭窄などによる**腎循環血漿量の低下**，緻密斑での **Cl 濃度低下**，交感神経 β 刺激が，レニンの分泌を亢進させる．レニンは血漿中の $α_2$ グロブリン分画に含まれているアンギオテ

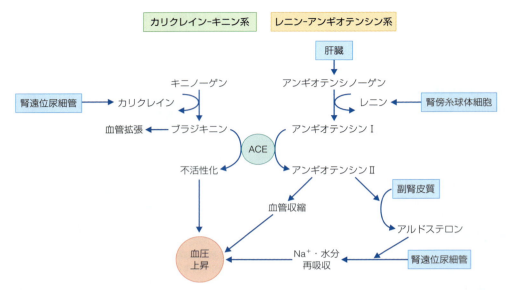

図 7-39　ACE を中心とした昇圧反応
ACE は血管収縮や体液増加を促進する一方，血管拡張因子を不活性化し，血圧上昇をもたらす．

ンシノーゲン（肝臓で産生される）を加水分解してアミノ酸 10 個のアンギオテンシン I を作る．これが肺などの血管内皮細胞から産生される**アンギオテンシン変換酵素** angiotensin converting enzyme（**ACE**）により**アンギオテンシン II** に変換される．アンギオテンシン II は強力な末梢血管収縮作用をもっており，血圧を上昇させるとともに，副腎皮質からの**アルドステロン**の産生分泌を促進する．アルドステロンは腎の遠位尿細管に作用して Na^+ と水分の再吸収を促進し，その結果，体液量や循環血漿量が増加するので，これも血圧を上昇させることになる（図 7-39）．

2 ● カリクレイン-キニン系

腎カリクレインは遠位尿細管で産生され，キニノーゲンに作用して，Lys-ブラジキニンを作り，これは組織アミノペプチダーゼにより**ブラジキニン**に変換される（→第 3 章「炎症」，41 頁参照）．ブラジキニンは尿細管上皮細胞に働いてプロスタグランジンの産生を促進し，局所の血管を拡張して腎血流量を増加させる．また，Na^+ と水分の排泄促進も行い，血圧低下に働く．腎だけでなく，唾液腺，膵外分泌腺，汗腺などからもカリクレインが産生され，これらからもブラジキニンが作られ，局所の血管拡張作用がもたらされる．なお，ACE はブラジキニンを不活性化する働きもあり，ACE を中心とすると，ACE が強力な血圧上昇作用をもたらすことがわかる（図 7-39）．

Advanced Studies

血管作動性アミンを総称して**キニン類**というが，ブラジキニンはその代表である．例えば，コレシストキニン cholecystokinin が胆嚢収縮促進ホルモンであるように，キニンは収縮するという意味である．キニン類は気道・消化管・子宮などの平滑筋を収縮させることが知られていたが，血管平滑筋に関しては弛緩させることが後にわかってきた．ACE 阻害薬は降圧薬として用いられているが，その副作用としてブラジキニン増加による気道平滑筋収縮に伴う空咳などがある．キニン類はほかにも，発痛作用や血管透過性亢進作用を有して炎症などにもかかわっている．肺や消化管にできる**カルチノイド腫瘍**はブラジキニンをはじめとするキニン類を内分泌するため，**カルチノイド症候群**の症状（血管拡張による顔面紅潮，低血圧，また平滑筋収縮による喘息様症状，消化管蠕動運動亢進に伴う下痢など）が出る．

3 ● 副腎ホルモン

副腎皮質ホルモンであるアルドステロンが血圧上昇に働くことは述べた．他の副腎皮質ホルモンである糖質コルチコイドにもアルドステロン類似作用があり，過剰によって高血圧がもたらされる．また，副腎髄質ホルモンである**カテコールアミン**（アドレナリン，ノルアドレナリン）により，末梢血管の収縮が起こり血圧が上昇する．これは交感神経性の血管収縮と同様の機序である．神経終末から分泌されたカテコールアミンのうち，アドレナリンは主に筋肉内の血管平滑筋の β レセプタに作用して血管を拡張させるが，主にノルアドレナリンは血管平滑筋の α レセプタに作用して収縮を起こし，後者の作

用が通常は強いためである．逆に，コリン作動性の節後線維では，アセチルコリンが分泌されて血管拡張が起こる．

4 ● 血管作動性物質

血管壁にある血管平滑筋は収縮・弛緩により血管の管径を変化させ，血流量を調節している．これは全身的には末梢血管抵抗の変化であり，血圧の調節に働くことになる．また局所的には局所の循環の調節を行い，臓器組織の機能の分化・亢進や休止などの調節に重要な働きをしていることになる．

直接血管に作用して，収縮・弛緩を起こす体液性の因子を血管作動性物質と総称する．血管作動性物質にはさまざまな因子があり，それらが複雑に組み合って循環の調節を行っている．

血管内皮細胞の機能の1つが，**血管弛緩因子** endothelium-derived relaxing factor(EDRF)ないしは**血管収縮因子** endothelium-derived contracting factor(EDCF)を分泌し，血管平滑筋を調節していることである．EDRFの実体は今日，**一酸化窒素**(NO)とわかった．アセチルコリン，アデノシン，ATP，ブラジキニン，ヒスタミンなどが血管内皮細胞を刺激し，EDRFを産生させ，血管拡張を起こす．EDCFとしては**エンドセリン** endothelin(ET)が注目を集めている．

2 高血圧 hypertension

A 概念，定義

一過性の血圧上昇ではなく，高い血圧がある程度持続する状態が問題となる．高血圧の原因は多種多様である．大部分は原因がわからないものであり，**本態性高血圧症** essential hypertension といい，原因のはっきりしたものは**二次性高血圧症** secondary hypertension あるいは**症候性高血圧症** symptomatic hypertension という．

B 本態性高血圧症

本態性高血圧症とは，現在のところ原因疾患を明らかにできない高血圧症の総称である．遺伝的因子と生活習慣(あるいは環境因子)が複雑に絡み合って発病すると考えられており，**生活習慣病**の代表ともいえる．リスクを高める生活習慣としては，塩分の摂取，肥満，運動不足，喫煙，過度の飲酒，ストレス過多などがいわれてい

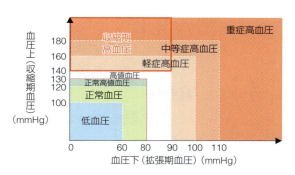

図 7-40 血圧の分類
日本高血圧学会による高血圧治療ガイドライン2019年版(JSH 2019)に基づく．ただし，低血圧には基準が存在しないため，おおよその数値を示す．

る．高血圧症は，肥満，脂質異常症，糖尿病と合併すると，「死の四重奏」「syndrome X」「インスリン抵抗性症候群」などと称されていたが，現在では「**メタボリックシンドローム**」と呼ばれる．高血圧症を放置すると後述するような心血管障害の合併症を発生しやすくなる．治療の目安のためにも，臨床上妥当な血圧の基準値が必要となる．日本高血圧学会による高血圧治療ガイドライン2019年版(JSH 2019)に基づいた血圧分類を示す(図7-40)．血圧上(収縮期血圧)が140 mmHg，血圧下(拡張期血圧)が90 mmHgを境に高血圧とされ，血圧上が20増えるないしは血圧下が10 mmHg増えるごとに程度が上がる．また，高血圧症による心血管危険因子として，喫煙，脂質代謝異常，糖尿病，60歳より高齢，男性であることなどが知られている．閉経前の女性は女性ホルモンによる血管拡張作用，悪玉コレステロール(LDL)低下作用もあり，動脈硬化や高血圧になりにくい．

Advanced Studies

老人は**収縮期高血圧**になりやすい．大動脈に年余の動脈硬化に伴う石灰化が広がるために，大動脈の弾性力が損なわれ，血圧を緩衝できなくなるためである．ほかにも，甲状腺機能亢進症でも収縮期高血圧となる．これは，甲状腺ホルモンによって代謝が亢進し，特に交感神経β作用が優位になり，心臓は収縮力が強まって収縮期血圧が上昇する一方，末梢血管は拡張するためである．

良性高血圧症 benign hypertension，**悪性高血圧症** malignant hypertension との分類が，臨床経過や病理所見から行われてきた．良性高血圧症の経過は長く，心血管の変化として左心肥大，大動脈粥状硬化症，全身の細小動脈硬化症などがみられ，腎は**良性腎硬化症** benign nephrosclerosis の変化が現れる．良性腎硬化症は腎表面の凹凸不整による細顆粒状変化，腎細動脈内膜の硝子

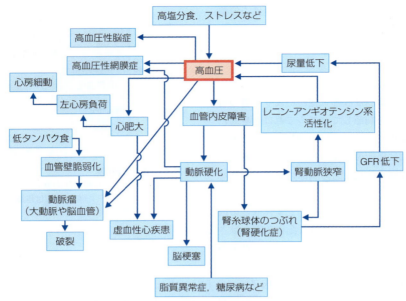

図 7-41 高血圧の合併症

表 7-7 二次性高血圧症の種類

腎性
① 腎血管性
　腎動脈狭窄・線維筋性増殖，大動脈炎症候群，動脈硬化症など
② 腎実質性
　急性および慢性糸球体腎炎，糖尿病性腎症，痛風腎，結節性多発性動脈炎，強皮症腎，多発性嚢胞腎など
③ 尿路閉塞性
　上部尿路結石，尿管圧迫，腫瘍など
④ その他
　レニン産生腫瘍（傍糸球体細胞腫），Wilms 腫瘍など
内分泌性
　原発性アルドステロン症，副腎皮質ステロイド合成酵素欠損症（11β- または 17α-hydroxylase 欠損症），Cushing 症候群，甲状腺機能亢進症，褐色細胞腫など
血管性
　大動脈弁閉鎖不全症，大動脈縮窄症など
神経性
　脳圧亢進，脳幹部障害（脳炎，脳腫瘍など）の一部
その他
　妊娠高血圧症候群（妊娠中毒症），経口避妊薬・甘草などの長期連用

〔松原 修：循環障害．坂本穆彦，他（編）：標準病理学 第 4 版，p187, 医学書院，2010 より〕

まって，眼底の乳頭浮腫や綿花様白斑といった，**高血圧性網膜症**や脳症状がみられる．良性高血圧症の約 5% が悪性高血圧症に移行するが，少数例では病初期より悪性高血圧症の像を呈する．

C 二次性高血圧症

二次性高血圧症の種類を表 7-7 に示す．従来は腎性高血圧の頻度が最も高く，次いで内分泌性のものが多いとされていたが，診断法の進歩によって**原発性アルドステロン症**が最多であると判明してきた．原発性アルドステロン症の多くでは副腎の腺腫により，自律的にアルドステロンが産生されるが，外科的にこの腫瘍を切除すれば高血圧も治る．クッシング Cushing 症候群や褐色細胞腫でも，原因となる副腎などの腫瘍を切除することで完治できる．また，腎血管性高血圧症では，狭窄した腎動脈をステントなどにより開存させると治癒する．このように，二次性高血圧症は原因に対して対処することで高血圧症を治癒しうる．

D 高血圧と心血管障害

高血圧症が長い経過で持続すると心臓血管系に種々の障害を引き起こす．なかでも高血圧性血管障害，高血圧性心疾患，高血圧性腎障害，脳血管障害などが重要である（図 7-41）．

化，糸球体硬化によって特徴づけられる．一方，悪性高血圧症は降圧薬でのコントロールが難しい高血圧で，腎は壊死性血管炎（壊死性細動脈炎，壊死性糸球体炎）を伴った**悪性腎硬化症** malignant nephrosclerosis の変化を示し，臨床的には尿毒症を伴う．さらに，動脈硬化と相

a 高血圧性血管障害

高血圧が血管内皮細胞を傷害するので，血管障害として粥状硬化症が発生し，ひいては**閉塞性動脈硬化症** arteriosclerosis obliterans（ASO），**大動脈瘤，大動脈解離**などを合併しやすい．高血圧以外の因子（例：加齢，糖尿病，脂質代謝異常など）も粥状硬化症発生を加速させる．

b 高血圧性心疾患

高血圧から心臓に対する慢性の負荷（後負荷）がかかり，左心室の**求心性肥大**を引き起こす．負荷を代償できなくなるとうっ血性心不全に陥る．左心室圧が慢性的に上昇すると左心房にも負荷を生じて，**心房細動**を合併しやすくなる．また，高血圧が持続すると全身性の粥状硬化が促進されるのと同じく，**冠動脈硬化症**が促進される．この場合，冠動脈狭窄から心筋への酸素供給が減るにもかかわらず，心肥大により酸素需要が高まっているため，狭心症や心筋梗塞といった虚血性心疾患を合併しやすい．

c 高血圧性腎障害

高血圧症では高率に腎硬化症を合併する．また，進行した腎硬化症は高血圧症を助長する．背景には，例えば高血圧による動脈硬化症が腎動脈に及ぶと，レニン-アンギオテンシン系が亢進してますます高血圧を助長するといった悪循環がある．腎硬化症が軽い場合は腎機能検査は正常であるが，高度となると腎不全を引き起こす．

d 高血圧性脳血管障害

高血圧症に脳卒中が起こりやすいことはよく知られている．高血圧症との関連が深いとされる順に並べると，高血圧性脳症，脳出血，くも膜下出血，脳梗塞となる．**高血圧性脳症**とは，普段から高血圧のある人が，心臓や腎臓の作用による悪化で急激に血圧が上昇すると，それに伴って頭痛，嘔気，意識障害が起こることをいう．これは脳血流量が急激に増加し，脳浮腫と頭蓋内圧亢進が起こるためと考えられる．**脳出血**の多くでは，高血圧症の持続による脳内小細動脈の硝子化や壊死，微小動脈瘤破裂によって，脳内に突然大きな出血が起こる．中大脳動脈の枝のレンズ核線条体動脈からの被殻出血と後大脳動脈視床穿通枝からの視床出血の頻度が高い．**くも膜下出血**は，先天的な血管の脆弱部位に高血圧が及んで同部を圧迫して瘤が形成され（脳動脈瘤），この瘤が突然破裂することによって生じる．血管壁はタンパク質なので，低タンパク食も脳血管障害を助長する．上杉謙信の死因で有名なように，東北や北陸の米どころに脳血管障害が多い理由の1つとして，ご飯とみそ汁と漬物といった

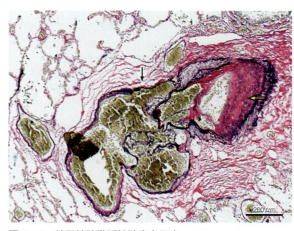

図 7-42　特発性肺動脈性肺高血圧症
肺動脈内膜の肥厚（➡）と，毛細血管が網目状に発達した叢状病変（→）がみられる．EVG染色で血管壁の弾性線維が黒く染められる．

高塩分・低タンパクの食事が主体であったことも関与すると推察される（ただし，腎不全時は低タンパク食にして腎への負荷を減らすべきである）．また，高血圧が脳動脈硬化症を促進するので，**脳梗塞**も関連が深いといえる．

3 肺高血圧症 pulmonary hypertension

通常は，肺動脈圧は低く，大動脈圧の1/7ほどである．この肺動脈圧が上昇する疾患が肺高血圧症である．肺高血圧症の多くは，肺気腫，肺線維症，肺水腫，肺塞栓症などの肺の障害，あるいは先天性心疾患による左右シャントが引き起こす肺血流増加，ないしは僧帽弁狭窄症や左心不全に伴って生じる．これらを二次性肺高血圧症と呼ぶ．一方，肺の血管自体に問題があって肺高血圧症となるものが，**肺動脈性肺高血圧症** pulmonary arterial hypertension（PAH）である．PAHには遺伝性のもの，膠原病など他疾患に合併するもののほか，以前は原発性肺高血圧症と呼ばれた**特発性肺動脈性肺高血圧症**がある．特発性PAHは原因不明であるが，血管収縮物質のエンドセリン-1（ET-1）が正常レベルより多く産生され，血管壁のエンドセリン受容体に結合し，肺動脈を過度に収縮させることが関与している．PAHでは，肺動脈の中膜肥厚・内膜の過形成に加え，叢状病変 plexiform lesion が特徴的な組織像である（図7-42）．肺高血圧症では一般に，右心室に圧負荷がかかり，全身うっ血などの右心不全症状がみられる．PAHでは肺の血流低下から低酸素血症となり労作時の息切れや失神も伴う．

表 7-8 低血圧の分類

本態性低血圧症
二次性(症候性)低血圧症
① 内分泌障害によるもの：副腎不全，下垂体不全など
② 心血管障害によるもの：大動脈弁狭窄，頸動脈洞症候群，アダムス-ストークス Adams-Stokes 症候群など
③ 神経障害によるもの(主として交感神経)：神経梅毒，糖尿病性神経障害，Shy-Drager 症候群など
④ その他：各種のショック，重症感染症，中毒，栄養障害，降圧薬の効果など

〔松原 修：循環障害．坂本穆彦，他(編)：標準病理学 第4版．p188，医学書院，2010 より〕

表 7-9 ショックの原因による分類

ショックの型	病的な状態・疾患
1. 低容量性	大出血，内出血，嘔吐・下痢・熱傷による体液喪失，糖尿病，尿崩症，血腹腔，血胸
2. 心(臓)原性	心筋梗塞，心臓破裂，心タンポナーデ，不整脈，肺塞栓症，大動脈解離
3. 敗血症性	グラム陰性桿菌による敗血症(エンドトキシンショック)，グラム陽性菌による敗血症
4. 神経原性	麻酔中，脊髄損傷
5. アナフィラキシー	薬剤アレルギー
6. その他	アジソン Addison 病，粘液水腫，低酸素状態

〔松原 修：循環障害．坂本穆彦，他(編)：標準病理学 第4版．p180，医学書院，2010 より〕

低血圧 hypotension

A 定義と分類

低血圧とは，体循環系の動脈圧が異常に低い状態をいい，正確には定義されていないが収縮期圧が100 mmHg 以下とすることが多い．しかし，低血圧に自覚症状が必ずしもあるわけでなく，臨床上問題とならないことも多い．低血圧の分類も高血圧の場合と同様に本態性と二次性(症候性)に分ける(表 7-8)．

B 起立性低血圧

低血圧に病的意義があり，臨床上問題となるものの代表が**起立性低血圧**である．急に立ち上がったときに，血圧低下とそれに伴う脳虚血により，めまい，眼前暗黒，失神などが起こる．健常人でも起立時には，血液が重力の関係で下肢に向かい，脳虚血になる傾向があるが，それを最小限にとどめるために，起立した瞬間に自律神経が感知して，交感神経系のノルアドレナリンを分泌することなどにより下肢の血管を収縮させる．この機序がうまく働かなくなって起立性低血圧を生じる疾患に，何らかの誘因で副交感神経系が優位になってしまう**血管迷走神経反射**がある．**糖尿病**や**シャイ-ドレーガー** Shy-Drager **症候群**で自律神経が障害されている場合も起立性低血圧をきたす．**褐色細胞腫**は高血圧をきたすが，常に交感神経系のノルアドレナリンなどにより下肢の血管を収縮させているため，起立時の調整ができなくなり起立性低血圧を合併する．

ショック

1 概念，定義

ショック shock とは，広範に起こる**組織灌流** tissue perfusion の著しい減少状態であり，種々の組織の代謝に必要な血液(主として酸素)の供給が不十分となり臓器や組織が障害される．そのため，ショックはしばしば**心血管性虚脱** cardiovascular collapse とも定義される(図 7-4 および図 7-9 の前毛細血管圧＝細動脈静水圧が 35 mmHg を大きく下回った状態をイメージ)．しかし，敗血症などではこうした循環動態の異常に加えて，微小循環での血管内皮細胞傷害により多臓器にわたる障害の悪化がもたらされる．ショックのときには必ずといっていいほど血圧低下を起こすが，ショックと低血圧は同義語ではない(ショックにまで至らない血圧低下も多い)．したがって，血圧低下と他の所見を併せてショックと診断しなければならない．

2 分類

ショックの原因によって分類すると，表 7-9 に示すようになる．循環を保つためには，① 血液量，② 心拍出，③ 末梢血管抵抗(血管が収縮すること)が保たれている必要があるが，③ が侵されるのが下記の c〜e である．通常のショックでは代償性にノルアドレナリンなどの作用で皮膚血管の収縮が生じる(d と e でも ③ が侵されるのは皮膚以外の局所のため)．ところが敗血症性

ショック(特に初期)では，局所ではなく全身の末梢血管拡張のため末梢皮膚は温かく，**warm shock** ともいわれる状態になる．同時に，末梢血管抵抗の低下を代償すべく心拍出量は増加するため **hyperdynamic shock** ともいわれる．

a 低容量性ショック hypovolemic shock

外傷などによる大出血，骨折などによる内出血，嘔吐・下痢・熱傷などによる体液喪失，体腔への血液漏出，胸水・腹水の貯留，多尿などのために，有効な循環血液量が著しく減少すると，血管容積との不均衡や心拍出量の減少を起こし，ショックとなる．

b 心(臓)原性ショック cardiogenic shock

心筋梗塞，心臓破裂，心タンポナーデなどのために起こった急激な心拍出量の減少によるショックである．

c 敗血症性ショック septic shock

ブドウ球菌，肺炎双球菌，連鎖球菌などのグラム陽性菌による重症感染でも起こるが，ことにエンドトキシン endotoxin 産生性のグラム陰性桿菌の感染の場合に多い．*Escherichia coli, Klebsiella pneumoniae, Proteus mirabilis, Pseudomonas aeruginosa, Serratia marcescens* などの感染によって生じることが多く，エンドトキシンショックとも呼ばれている．高サイトカイン血症が循環動態をより悪化させる．

d 神経原性ショック neurogenic shock

麻酔，脊髄損傷，起立性低血圧症などで生じるショックである．交感神経系の失調により，血圧低下のほか，徐脈を伴うことも特徴である．

e アナフィラキシーショック anaphylactic shock

摂取した食物，投与された薬剤，昆虫刺咬などの抗原が以前に産生されていた(感作されていた) IgE に対して反応し，肥満細胞が活性化されてヒスタミンなどのケミカルメディエータが放出され，血管壁の透過亢進が進行し，ショックが発生する．

Advanced Studies

f その他

アジソン Addison 病や粘液水腫では，主に血圧を上げるホルモンなどの低下によるショックを呈するが，それを修飾する要因もあり複雑である．Addison 病ではアルドステロン低下からくる低容量性ショック類似となるが，コルチゾール低下による低血糖や末梢血管拡張も修飾する．粘液水腫では交感神経β作用を含む代謝の低下から，心原性ショック類似となるが，中枢神経への作用(意識障害，呼吸抑制など)も関わる．一方，低酸素状態ではさほどの低血圧でなくても体内の各細胞への酸素供給下から症状としてのショックを呈する．

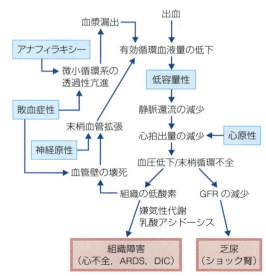

図 7-43　ショックの病態生理
出血(低容量性)，心原性，敗血症性，アナフィラキシー，神経原性の原因によって起こるショックの病態生理を示す．

3 ショックの病態生理

A 病態生理

ショックの種類によって多少病態も違うが，共通した循環動態の変化に限って述べると，次のようになる．何らかの原因(末梢循環に血液が貯留するなど)があって，有効循環血液量の減少をきたすと，心拍出の低下，血圧低下，そして組織・細胞への低灌流が起こるという一連の出来事がショックであり，低酸素状態の細胞は嫌気性代謝から乳酸を産生し，血液は**乳酸アシドーシス**を呈する．ショックの病態生理をシェーマ化したものが図7-43 である．

Advanced Studies

敗血症性ショックのときは，エンドトキシンや細菌の産生物に対して，白血球などの細胞膜のホスホリパーゼが活性化されてアラキドン酸を産生し，ロイコトリエン，プロスタグランジン，トロンボキサン，**血小板活性化因子** platelet activating factor (PAF) が放出される．エンドトキシンはまたマクロファージに作用して，インターロイキン 1α(IL-1α)，TNF-α を放出させる．これらの炎症性メディエータ(**サイトカイン**)は微小循環の透過性を亢進させる一方，好中球の酵素ラジカルの産生を促して血管内皮障害を進める．敗血症病態においては，好中球が自己破壊を経て **neutrophil extracellular traps (NETs)** を放出し，血小板と複合体を形成し，細菌を捕捉・殺菌するが，NETs は血管内皮細胞をも傷害する．また，細菌そのものやエンドトキシンが補体系を活性化し，その結果生じた C3a と C5a は血管透過性を亢進させて白血球の動員を助ける．エンドトキシンや好中球により血管内皮細胞が傷害を受けると，凝固

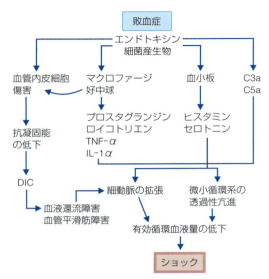

図7-44 ショックの病態に働くケミカルメディエータ
敗血症のときの病態をシェーマ化して示す．

系が活性化され，DICなどを伴う局所の虚血から組織障害を進行させる．その結果，末梢循環に血液が貯留し，微小循環の透過性亢進から組織への水分漏出が起こり循環有効血液量が著しく減少し，心拍出量の減少と血圧低下がさらに進行する．敗血症におけるショックの病態を図7-44に図示した．

B 時期による変化

原因にもよるが，ショックの初期では代償機構も働くものの，代償機構の許容範囲を超えてショックが進行すると，不可逆になり生命維持が困難になる．

Advanced Studies

出血性ショックを例にとって自然経過を説明する．3つの時期stageを経過する．

第1期は失血量も少なく，症状もなく経過する．健常者で全血液量の10%までの急な失血であれば，直ちに細動脈の収縮，心拍数の増加，副腎からのカテコールアミン分泌，また緩徐に抗利尿ホルモンの増加，レニン-アンギオテンシン-アルドステロン系の賦活化が起こり，循環血液量を十分に維持してホメオスタシスを保つことができる．

第2期は15〜25%の急な失血の場合で，心拍出量は著明に減少する．血流は心，脳，肝に重点的に送られ，消化管や皮膚などには最低量が供給される．全身性に血管収縮が起こり，血圧を維持しようと細胞間隙の水分は血管内に移動し，ヘマトクリットは低下する．頻拍，呼吸数増加，皮膚血管の強い収縮と蒼白，四肢末端の冷却などカテコールアミン分泌増加に関連した症状が出現する．組織レベルでの酸素供給が低下し，**嫌気性解糖系** anaerobic glycolysis，乳酸増加，代謝性アシドーシスが始まる．

第3期はほぼ代償が不可能な極限の状態である．心拍出，血圧，組織灌流が著しく低下し，血圧維持のために血管はますます収縮し，中心部の血液量を確保しようとするが，これはますます末梢の

組織灌流を減少させ，組織細胞傷害が不可逆性のものとなる．無酸素血症，高二酸化炭素血症，乳酸血症が進行する．細胞傷害が血管内皮細胞に出現すると毛細血管の透過性の亢進が起こり，ますます循環有効血液量が減少し，生命維持が不可能となる．

ほかにも原因は異なるが，凝固系，呼吸器系，腎臓の変化が起こり，ショックの病態を一層悪いものにしている．微小循環では，血小板の活性化およびDICが消化管や腎などに発生する．消化管への虚血とあいまって細菌や細菌の産生物が粘膜から侵入しやすくなる．肺循環でも同様のことが起こり，重篤な場合はARDSといった呼吸不全が引き起こされる．腎臓への低灌流が続くと急性尿細管壊死が起こり，腎不全に陥る．

4 各臓器のショック

ショックによる形態学的な変化は，基本的に急激に発生した虚血性障害であり，多くの臓器に広がる広範なものである．

Advanced Studies

a 心臓
心内膜や心外膜の点状ないし斑状出血，心筋内の微小な巣状の壊死巣などがみられる．顕微鏡的には心筋に早期の虚血性変化(例：心筋線維の**収縮帯壊死** contraction band necrosis など)が微小病変としてみられる．ただこれは死戦期などカテコールアミンの投与，手術操作などのときも出現する．

b 肺
水分含量が増えて肺重量は増加する．顕微鏡的には肺胞内に漏出液や赤血球などが充満し，好中球が肺胞毛細血管内に貯留している像が認められる．こういった肺の変化を**ショック肺** shock lung や**湿潤肺** wet lung と呼ぶ．肺自体は虚血に強いほうであるが，敗血症などに伴って毛細血管が傷害され臨床的なARDS，病理学的には硝子膜形成性肺炎からなるびまん性肺胞障害 diffuse alveolar damage(DAD)を引き起こす．

c 腎
血圧低下により腎糸球体濾過の減少，尿細管の虚血・壊死が起こる．組織挫滅の強いときや尿毒性物質の存在下では，尿細管が標的となって変性・壊死が起こる．病理学的には**急性尿細管壊死** acute tubular necrosis(ATN)といい，近位尿細管と遠位尿細管のどの部位も巣状に壊死に陥ることを特徴とする．ほかには糸球体にフィブリン血栓をみたり，腎皮質壊死を合併したりすることもある．

d 副腎
皮質の網状層と束状層の細胞のリポイドが消失する変化がみられ，これをストレス反応という．これは機能消失ではなく機能の亢進を意味している．重症なショックのときは皮質深部に出血が起こる．より広範に起こって副腎全体が出血性壊死に陥った場合はWaterhouse-Friderichsen症候群という．

e 脳
大脳と小脳の主要な動脈の境界帯に虚血性変化による貧血性梗塞の変化が起こる．

f 胃腸管
びらんや粘膜出血などがみられる．潰瘍についてはストレス潰瘍やカーリング Curling 潰瘍などの名前も使われる．ショックのときには，腸管の微小循環にカテコールアミンが増加して血管収縮を生

じるため，びらんや潰瘍ができると考えられる．

g 肝

　肝細胞の脂肪変性，小葉中心性の肝細胞壊死がみられる．重症なショックのときは地図状に広がる広範な肝の出血性と貧血性の混合した壊死が起こる．

5 臨床との関連

　ショックの症状や経過は原因によって異なる．心原性・出血性ショックでは低血圧，顔面蒼白，四肢末端の冷感，微弱な脈拍，意識状態の低下，心拍数と呼吸数の増加などが短時間のうちに生じる．続いて，急性腎不全が始まり，無尿，電解質異常，代謝性アシドーシスが出現する．適切な治療で血管透過性の亢進がおさまり，漏出した水分が血管内に戻ってくると，腎機能も改善して利尿期に入る．このように回復する場合もある一方，敗血症ショックや高度の心原性ショックのときはおおむね，腎，肺，肝，心，消化管など複数の臓器に種々の障害が出現し，臓器不全状態が起こり，**多臓器不全** multiple organ failure(MOF)と呼ばれる状態に陥り，死亡率も高い．

●参考文献

1) London GM, et al : Influence of arterial pulse and reflected waves on blood pressure and cardiac function. Am Heart J 138 : 220-224, 1999
2) Kurata A, et al : Thromboangiitis obliterans: classic and new morphological features. Virchows Arch 436 : 59-67, 2000
3) Noble S, et al : Epidemiology and pathophysiology of cancer-associated thrombosis. Br J Cancer 102 : S2-S9, 2010
4) von Herbay A, et al : Pulmonary tumor thrombotic microangiopathy with pulmonary hypertension. Cancer 66 : 587-592, 1990
5) Angus DC, et al : Severe sepsis and septic shock. N Engl J Med 369 : 840-851, 2013
6) 川名正敏，他(編)：カラー版 循環器病学—基礎と臨床．西村書店，2010
7) 國分眞一朗，他(監訳)：ハマー＆マクフィー 疾患の病態生理—臨床医学入門．丸善出版，2019

第8章 染色体・遺伝子および発生の異常

> **A．染色体・遺伝子の基本概念** ················▶ 202頁
> - 次世代にその素因の受け継がれる可能性のある疾患を遺伝性疾患と呼ぶ．

> **B．発生異常** ················▶ 218頁
> - 形成異常とは，胎生期のさまざまな障害により諸臓器の形成・形態異常が起こることである．生殖細胞形成〜受精の間に発生する配偶子病，受精後〜出生の間に発生する胎芽病・胎児病に区別する．特に器官形成の時期である受精後3〜10週の胎芽期は催奇形性の外因が作用しやすく，形成異常発生の可能性が高い．
> - 形成異常の原因は，染色体・遺伝子の異常による内因性のもの，感染・化学物質・ホルモンなどによる外因性のものがある．
> - 発生異常の形式は，①発育抑制，②癒合不全，③異常癒合，④位置異常，⑤遺残に分けられる．

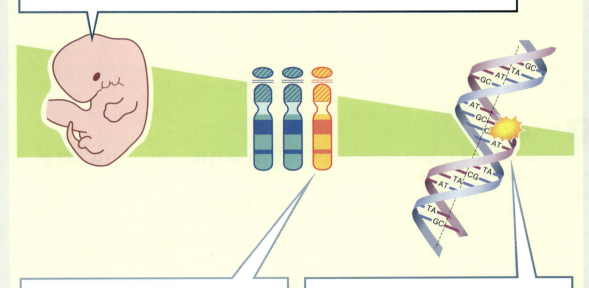

> **C．染色体異常による疾患** ················▶ 227頁
> - 染色体異常は，①染色体数の異常，②モザイクとキメラ，③構造異常に大きく分類される．
> - 染色体数の異常では，異数体と多倍体がある．異数体は染色体の分離の失敗によって起こると考えられ，ダウン症候群では21番染色体が3本（トリソミー）存在する．
> - 性染色体異常はX染色体，Y染色体の数や構造の異常だが，Y染色体短腕の精巣決定因子（TDF）があれば，表現型は男性となる．
> - 腫瘍の染色体を調べると，転座や増幅・欠失などの構造異常がみられる．

> **D．遺伝子異常による疾患** ················▶ 231頁
> - 遺伝子異常による疾患のなかには，わずか1塩基の変化で発症する疾患もある．
> - 常染色体顕性（優性）遺伝疾患の標的遺伝子は，構造タンパク質や受容体をコードしていることが多い（例：筋ジストロフィー）．
> - 常染色体潜性（劣性）遺伝疾患の標的遺伝子の大部分は酵素であり，代謝できなかった有害基質の蓄積により発症する（例：フェニルケトン尿症）．
> - 伴性潜性遺伝は性染色体の遺伝子病で，X染色体連鎖の場合はほとんど男性のみに出現する（例：血友病）．

第8章 染色体・遺伝子および発生の異常

次世代にその素因の受け継がれる可能性のある疾患を**遺伝性疾患** genetic disease と呼ぶ．本章では先天性疾患，特に遺伝性疾患を理解するための基盤となる**染色体** chromosome および**遺伝子** gene の基本概念を述べる．そして，その異常によって起こると考えられる発生異常・形成異常をはじめとする諸疾患について概説する．なお，歴史的には「奇形」という医学用語も使用されてきたが，臨床現場で患者や家族の尊厳を損ねる恐れがあることから「形成異常」への言い換えが検討されており，本章もその流れに沿う．また，発展の著しい周辺分野に関しても言及する．

1 先天異常

先天異常は，胎生期における全個体や臓器系の形成異常である．遺伝子や染色体の異常が，父母の**配偶子**から**伝搬**されて起こるものと，胎生期に加わる環境的な要因により起こる**非遺伝性**のものがある．胎児の健全な成長は，両親から受け継ぐ遺伝子群がその発生途上の決まった時期に特異的な順序で活性化され，あるいは抑制されることで制御されている．したがって，発生初期における遺伝子の構造や活性化の異常は，結果として先天異常につながることがある．

2 遺伝形質（表現型）

遺伝を伴い，次世代以降に伝えられる形質を**遺伝形質** genetic trait と呼ぶ．**表現型** phenotype とも呼ばれ，マクロ・ミクロの構造，生理学的性質，行動など多彩な内容を含む．

遺伝形質は，遺伝子の寄与の程度により大きく2つに分けられる．遺伝形質を決定する単一遺伝子が存在し，2本の相同染色体の**対立遺伝子（アレル）** allele と呼ばれる同等の1対の遺伝子の内容により表現型が決定される場合，その病態を**単一遺伝子疾患**（単因子性遺伝病）monogenic disease と呼ぶ．しかし，多くの遺伝性疾患は単一遺伝子異常としては説明ができない．さらに，ヒト遺伝子座の約1/4には複数の**多型アレル**が存在するという事実から，多くの遺伝性疾患は複数の遺伝子異常かそれらと環境要因の総和により発生すると考えられる．これを**多因子性遺伝** multifactorial inheritance と総称する．例えば，糖尿病，高血圧，肥満などの生活習慣病の多くは多因子性に遺伝し，遺伝因子と環境因子を同じくする家族という場で高率に発症がみられる．先天異常のなかにも多因子性遺伝を示すと考えられるものがある．

A 染色体・遺伝子の基本概念

1 染色体 chromosome

A 染色体の基本構造と命名法

1 ● 染色体とは

細胞は，増殖のための細胞周期において，間期 interphase と分裂期 mitotic phase（M期）に分けられる．間期は DNA 合成の準備をする $G(gap)_1$ 期，DNA 合成が行われる S（synthesis）期よりなり，S期終了から M期開始までの期間を G_2 期と呼ぶ．増殖をしない細胞は細胞周期からはずれた G_0 期にある．

染色体はヘマトキシリンに好染する多数の細かい紐のような構造物として分裂期のみに認識される．細胞周期の各段階で染色体は構造を変えている．最近では，染色体の姿が見えない間期においても，ある染色体に対応する**ゲノム** DNA の領域は，核の中央や核膜近縁などの核内のある程度定まった領域にあることがわかってきている（**染色体領域** chromosome territory，図 8-1）．

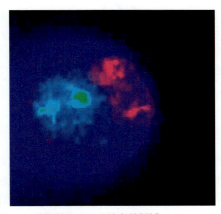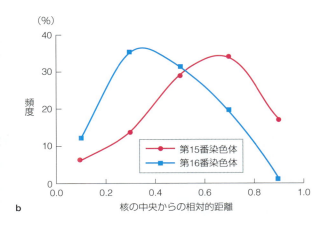

図 8-1　間期核における染色体領域
a. マウスの腎近位尿細管細胞の1つの核（紫色）．第16番染色体の領域（青緑色）は核の中心部に存在し，第15番染色体の領域（赤色）は核膜の近くに存在する．
b. 細胞100個におけるデータを統計的に処理した結果．
〔Akatsuka S, et al：Am J Pathol 169：1328-1342, 2006 より〕

染色体の骨格としてのDNAは$3×10^9$塩基対が1対（$n=2$）よりなるが，ヒトの全ゲノムDNAの長さは伸ばすと99 cm（$n=1$：ハプロイドあたり）にもなり，その情報量は本書で換算すると145万ページ分に相当する．

染色体物質 chromatinは，間期に分散して分裂期に凝縮するという周期を繰り返す**ユークロマチン** euchromatinと，細胞周期に関係なく凝縮したままの**ヘテロクロマチン** heterochromatinに分類される．ヘテロクロマチンは，発生のある時期より常時凝集している構成的ヘテロクロマチン constitutive heterochromatinと，細胞の置かれた状況に応じて変化する機能的ヘテロクロマチン facultative heterochromatinよりなっている．短い塩基の反復配列よりなるサテライトDNA satellite DNAはヘテロクロマチン領域に局在している．

構成的ヘテロクロマチンの複製はユークロマチンよりも遅い時期になされ，S期後半に比較的短時間で終了する．哺乳動物のDNAは毎秒約50塩基対のスピードで複製することが知られているが，ヒトの平均的な染色体が端から端まで連続的に複製されるとすると，S期開始から終了までには多大な時間がかかってしまう．実際，複製は同一染色体上の多くの開始点から同時に進行するため約10時間で終了する．

2 ● 体細胞分裂と成熟分裂

染色体は細胞分裂に伴って複製され，2つの細胞に均等に分配されていく．**細胞（有糸）分裂**には**体細胞分裂** mitosisと**減数分裂** meiosisがある．体細胞分裂では各染色体の姉妹染色分体が均等に分離し，親細胞と遺伝的に全く同じ2倍体の細胞を新たに形成する．このDNAの複製はきわめて正確な機構であり，通常では1,000～10,000回の分裂で1塩基の誤りが発生するレベルである．したがって，出生時にはヒト体細胞は基本的に遺伝的に同一である．一方，成熟分裂では形成された細胞の染色体数は親細胞の半分となる（減数分裂）．その過程で2つのアレルの**遺伝情報の組換え** recombinationが起こるため，配偶子（卵，精子）における遺伝子情報は細胞ごとに異なっている．この配偶子の組換えはヒトのような線状のゲノムでのみ起こり，大腸菌のような環状のゲノムDNAでは起こらないため，世代あたりの進化速度を上げる戦略と理解されている．

性別を決定する染色体は**性染色体**と呼ばれ，**X染色体**がXクロマチン（バー小体 Barr body），**Y染色体**がYクロマチン（F-body）として間期核で見いだされ，このことはヒトにおける性染色体異常を簡単に検出する手段として重要である．

3 ● 染色体の基本構造

染色体検査には一般的に末梢血リンパ球や皮膚の線維芽細胞が用いられる．細胞骨格の機能を阻害する薬剤（コルヒチンやコルセミド）の存在下に細胞培養を行うと，分裂中期で細胞分裂を停止させることができる．精巣，骨髄，胎児組織，腫瘍組織などの細胞分裂のさかんな新鮮組織標本であれば直接的に標本を作製できる．分裂中期のヒト染色体の一般的形態と各部の名称を図8-2に示す．染色体の形態は顕微鏡下で**染色体のくびれ**（一次狭窄 primary constriction）として認識され，動原体

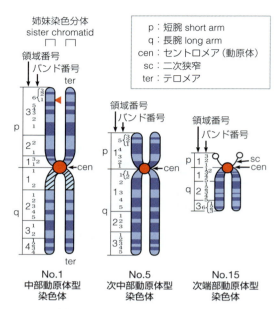

図 8-2　染色体の形態とバンド命名法
◀は 1p36.1 と記載する.

kinetochore ができる．**セントロメア（動原体）**centromere の位置により，中部動原体型 metacentric type，次中部動原体型 submetacentric type，次端部動原体型 acrocentric type，端部動原体型 telocentric type（ヒト染色体にはなく，マウス染色体はほとんどこのタイプである）に分類される．長腕・短腕の動原体に近い部分を近位 proximal 部，末端に近い部分を遠位 distal 部と呼ぶ．染色体によっては，セントロメア以外の特定の位置に小さなくびれまたは染色性の弱い部位を有するものがあり，これを**二次狭窄** secondary constriction と呼ぶ．

各染色体の両端部には**テロメア** telomere 領域が存在し，ヒトのテロメア DNA は 5′-TTAGGG-3′ の 3～20 kb からなる反復配列から形成されている．テロメアは染色体の端の目印，いわば絶縁体のようなものであり，このことは染色体に切断が生じた場合に修復の必要な切断部を特異的に認識する手がかりとなる．また，通常の細胞は DNA の複製を行うたびにテロメアの短縮を伴い，このことが細胞の分裂回数の制限，すなわち細胞老化に関与しているとされる．腫瘍細胞のように細胞が不死化することは，細胞分裂に際してテロメア DNA の伸長が可能になっていることを意味している．テロメアを伸長する酵素が**テロメラーゼ**である．

ヒト分裂中期細胞の染色体の数と形態を図式的に示したものを**核型** karyotype といい，図 8-3 のように分類したものを指す．ヒト体細胞における染色体数は 46 で，22 対の常染色体と 2 個の性染色体からなる．常染色体は長いものから短いものに向かって番号がつけられている．性染色体には X 染色体と Y 染色体とがあり，男性の性染色体構成は XY 型，女性の性染色体構成は XX 型である．

B 分染法の進歩と実際

分染法とは，染色体の縦軸方向に沿って，一定の濃淡または明暗の横縞模様を描出したり（Q，G，R 染色法），染色体の特定部位を染め分けたり（C，NOR 染色法）する方法である．分染法をもとにした標準核型と検出されるバンドについての命名法は，パリ会議（1971 年）ではじめて討議され，ヒト染色体のそれぞれに検出されるサブバンドの標準パターンについては，International System for Human Cytogenetic Nomenclature として公表されている．バンド命名法の表記規則を図 8-2 に示す．染色体の短腕（p；フランス語の petit より）と長腕（q；尻尾を意味する queue）はその特徴的なバンドを境界にいくつかの領域に区分され，さらに領域内のバンドにセントロメアからそれぞれのテロメアに向かって順に番号がつけられている．識別の可能な場合は，3 段階低位の分類がされており（サブバンド，サブサブバンド），その結果数字部分は 2～4 桁となっている（図 8-3）．濃色のバンドが G 染色法による濃染バンドに相当する．したがって，染色体上の部位は染色体の番号，長腕・短腕の別，領域番号で表記することができる．分裂初期細胞の細長い染色体では，良好な G バンド標本でより詳細な分染像を検出することができ，通常では 1 本と思われた個々のバンドをさらに大小のいくつかのバンドに分け，より高精度に解析することが可能である．図 8-3 に示すような国際基準の核型（ISCN2020）が公表されている．

C 染色体異常の分類

ヒトの染色体数を記載する場合は，染色体数の次に性染色体構成を記載する．**正常男性は 46，XY**，女性は **46，XX** であり，**ダウン Down 症候群**のように常染色体数の増減がある場合は 47，XY，+21，**クラインフェルター Klinefelter 症候群**のように性染色体の増減のある場合は 47，XXY と記載する．数の異常や構造異常をこのように記載することができる．また，分染法のデータを基盤として，構造異常はバンド命名法に基づく切断点を表示す

A. 染色体・遺伝子の基本概念 ● 205

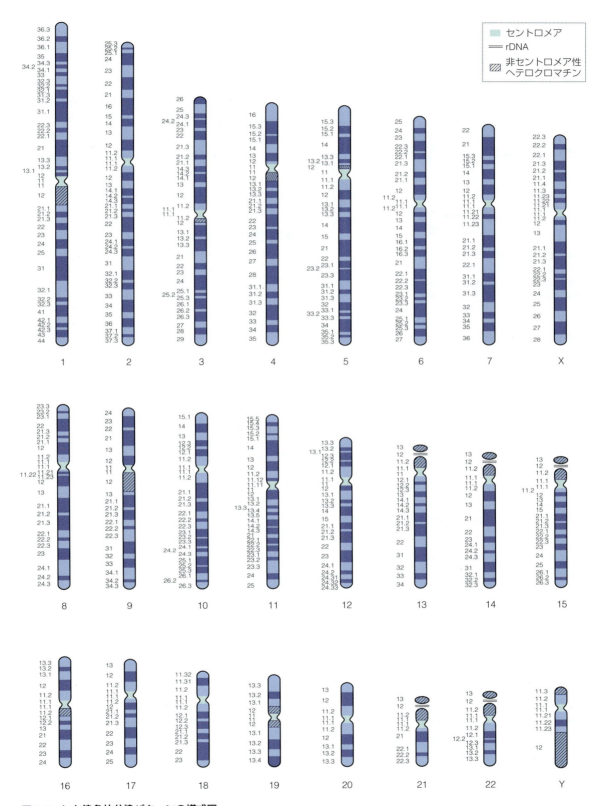

図 8-3　ヒト染色体分染パターンの模式図

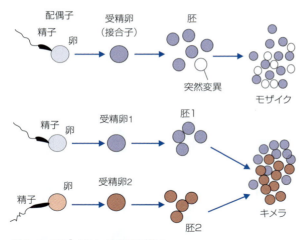

図 8-4　モザイクとキメラの違い
モザイクは1つの受精卵由来の個体のなかで，遺伝的に異なる細胞が混在することを指す．キメラでは遺伝的に異なる部分が別の個体（受精卵）を起源とするところに違いがある．

ることによって，それぞれの染色体上に起こった欠失，逆位，転座，挿入，重複，環状染色体などを万国共通に記載できる．染色体の異常は染色体数の異常，モザイクとキメラ，構造異常に大きく分類される．

1 ● 染色体数の異常

染色体数の異常としては，**異数体** aneuploidy と**多倍数体** polyploidy がある．異数体とは特定の染色体に関して，基本数の整数倍より1本から数本増減しているものをいう．臨床的には1本の染色体が過剰な**トリソミー**（18トリソミー，21トリソミーなど）や1本少ない**モノソミー**〔20モノソミー，ターナー Turner 症候群（XO）など〕が重要である．異数体の発生機構として**染色体不分離**が考えられ，特にある種の異数体の発生が**母体年齢とともに増加**することから，高齢の母親の配偶子形成過程における染色体不分離が原因と考えられている．多倍数体は染色体数の基本数の3倍以上の個体をいう．染色体数の異常のほとんどの場合は妊娠早期に流産となるため，出生には至らない．

2 ● モザイクとキメラ

モザイク mosaic とは1つの個体が染色体構成の異なる2種類以上の細胞系から成り立っているものをいい，**キメラ** chimera とは異なる配偶子由来の2種類以上の胚細胞が分化し混在して1個の個体を形成している場合をいう．モザイクは1つの胚に由来している点でキメラと区別される（図8-4）．ノックアウトマウスを作製する過程では通常キメラを扱う．ヒトのキメラの報告例は体外受精に伴う例があるがきわめてまれである．

3 ● 構造異常

染色体に切断が起こり，その断片が消失した欠失 deletion と，染色体の2か所以上で切断が起こりそれぞれ異なった断片と再結合して生じる染色体再構成（**逆位** inversion，**環状染色体** ring chromosome，**重複** duplication，**ロバートソン** Robertson **転座**，**相互転座** translocation など）がある．構造異常の例を図8-5に模式図として示す．

Advanced Studies

a 欠失 deletion（核型記載記号：del）
　DNA上に起こった切断や修飾など何らかの損傷が修復されずに細胞分裂が起こったために，染色体の一部が複製されず欠失したものである．欠失症候群には4p-，5p-，18p-，4q-，5q-，13q-，18q-，21q-などがある．どのような疾患が存在するかの詳細はWeb上のデータベースである https://www.ncbi.nlm.nih.gov/omim （OMIM®：Online Mendelian Inheritance in Man）に最新のデータが網羅されており容易に検索することができる．

b 逆位 inversion（核型記載記号：inv）
　同一染色体内で2か所に切断が起こり，それにより生じた中間の染色体部分が逆転して再結合したものである．逆位染色体では遺伝子の量的均衡が保たれるため，表現型の異常を伴わないのが通例である．

c 環状染色体 ring chromosome（核型記載記号：r）
　染色体の長腕と短腕のそれぞれに切断が生じ，テロメアのなくなった遠位端同士が再結合して生じる．切断部より遠位の断片は消失し，長腕・短腕の断端より遠位はモノソミーをきたす．

d Robertson 転座（核型記載記号：rob）
　2本の非相同染色体間で染色体長腕・短腕のすべてを交換し合う特殊な腕交換である．例えば，次端部動原体型染色体は短腕を失い，長腕同士が互いにセントロメア部分を癒合した形で転座する．この場合，その細胞に含まれる染色体総数は1つ少なくなる．当事者の表現型は正常であるが，次世代で Down 症候群などの原因となることがある．

e 相互転座 translocation（核型記載記号：t）
　染色体の2か所以上の切断により生じた染色体断片が，他の染色体に結合転座する現象で，2本の非相同染色体間に生じた転座を相互転座という．後述の悪性腫瘍（特に白血病や軟部肉腫）でよくみられる．

f 同腕染色体 isochromosome（核型記載記号：i）
　切断点はセントロメア近傍にあり，短腕もしくは長腕がセントロメア中心に対称になっている．図8-5fではX染色体の長腕同士よりなる．

g 重複 duplication（核型記載記号：dup）
　同一染色体内の部分過剰を重複という．重複には当該染色体内で直列に増幅が起こる場合と，染色体とは独立して増幅が起こる場合がある．後者の場合は，染色体検査で通常の染色体から離れた場所に微細な染色質を多数認めることがあり，これをダブルマイニュート double minute と呼ぶ．ほとんどの場合は，悪性腫瘍においてがん遺伝子や薬剤抵抗性遺伝子が増幅したものである．

h 染色体不安定性 chromosomal instability
　細胞全般の染色体構成に異常はないが，通常の染色体標本作製の

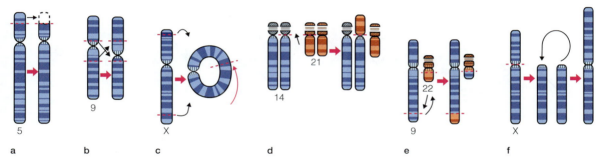

図 8-5　種々の染色体構造異常の模式図
a. 欠失（5p-，猫鳴き症候群）．
b. 逆位（表現型は正常）．
c. 環状染色体（環状X染色体）．
d. Robertson転座（この構造異常例では表現型は正常だが，次世代でDown症候群の原因となる）．
e. 相互転座（慢性骨髄性白血病9；22転座）．
f. 同腕染色体（X染色体長腕の同腕染色体）．

条件下で染色体に間隙gap・断裂breakや二次狭窄が頻繁にみられたり，リンパ球，線維芽細胞，羊水細胞を培養すると転座や逆位が高頻度に出現する病態を**染色体不安定（断裂）症候群**と総称している．これには，ブルームBloom症候群，ファンコーニFanconi貧血，毛細血管拡張性運動失調症ataxia-telangiectasia，脆弱X症候群（後述）などが含まれる．これらの症候群の多くは高発がん性であり，DNAが損傷を受けたときの修復過程に病因があることが判明している．

2　遺伝子 gene

A　遺伝子の基本概念

1 ● ゲノムとセントラルドグマ

ゲノムgenomeとは，すべての**遺伝子**と遺伝子間領域を含む細胞全DNA情報のことであり，現在ヒトのゲノムは約22,000個のタンパク質をコードする遺伝子を含んでいるとされる．ゲノムは，細胞核内に存在する約$3.2×10^9$塩基対の**核ゲノム**と16,569塩基対の**ミトコンドリアゲノム**とに大別される．ただし，1つの細胞には約1,000個のミトコンドリアが存在する．ミトコンドリアのゲノムは1981年にすでに解読されている．核ゲノムについては，ヒトゲノム計画により国際協力で取り組みはじめてからほぼ15年を経て，2003年4月にヒトゲノムの解読がついに完了した．この偉業はワトソンWatsonとクリックCrickによる1953年のDNA二重らせん構造モデルの発見に端を発している．それ以後，DNA（遺伝子）からRNA，RNAからタンパク質というわゆる**セントラルドグマ**の概念が確立されるに至った（図8-6）．

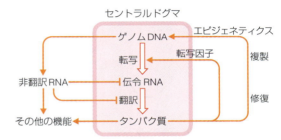

図 8-6　セントラルドグマとその周辺
ゲノムDNAの情報がRNAを介してタンパク質になるという概念がセントラルドグマである．しかし，近年それだけではすべてを説明できないことがわかってきた．

酵素，イオンチャネル，シグナルアダプタ，細胞内外の構造分子などを構成するタンパク質はアミノ酸のポリマーよりなり，タンパク質の三次元構造はアミノ酸の配列により規定されている．このアミノ酸の配列を決める遺伝情報はゲノムDNAに刻まれ，1つのタンパクの構造を作るための情報を含んだDNA構成の最小単位が遺伝子である．DNAの遺伝情報はアデニン（A），グアニン（G），シトシン（C），チミン（T）の4種類の塩基が規定しており，AとT，GとCがそれぞれ2本あるいは3本の水素結合により特異的な**塩基対**base pairを形成する．その結果，**二重らせん構造**が維持され，次世代細胞への正確な情報伝達を行っている（図8-7）．

アミノ酸の配列を決定する遺伝情報は，3個の連続したDNA塩基が1つのアミノ酸に対応するが，この単位を**遺伝暗号（コドン）**codonと呼ぶ．遺伝子はコドンの集合体であり，染色体の縦軸方向に沿って直線的に配列し

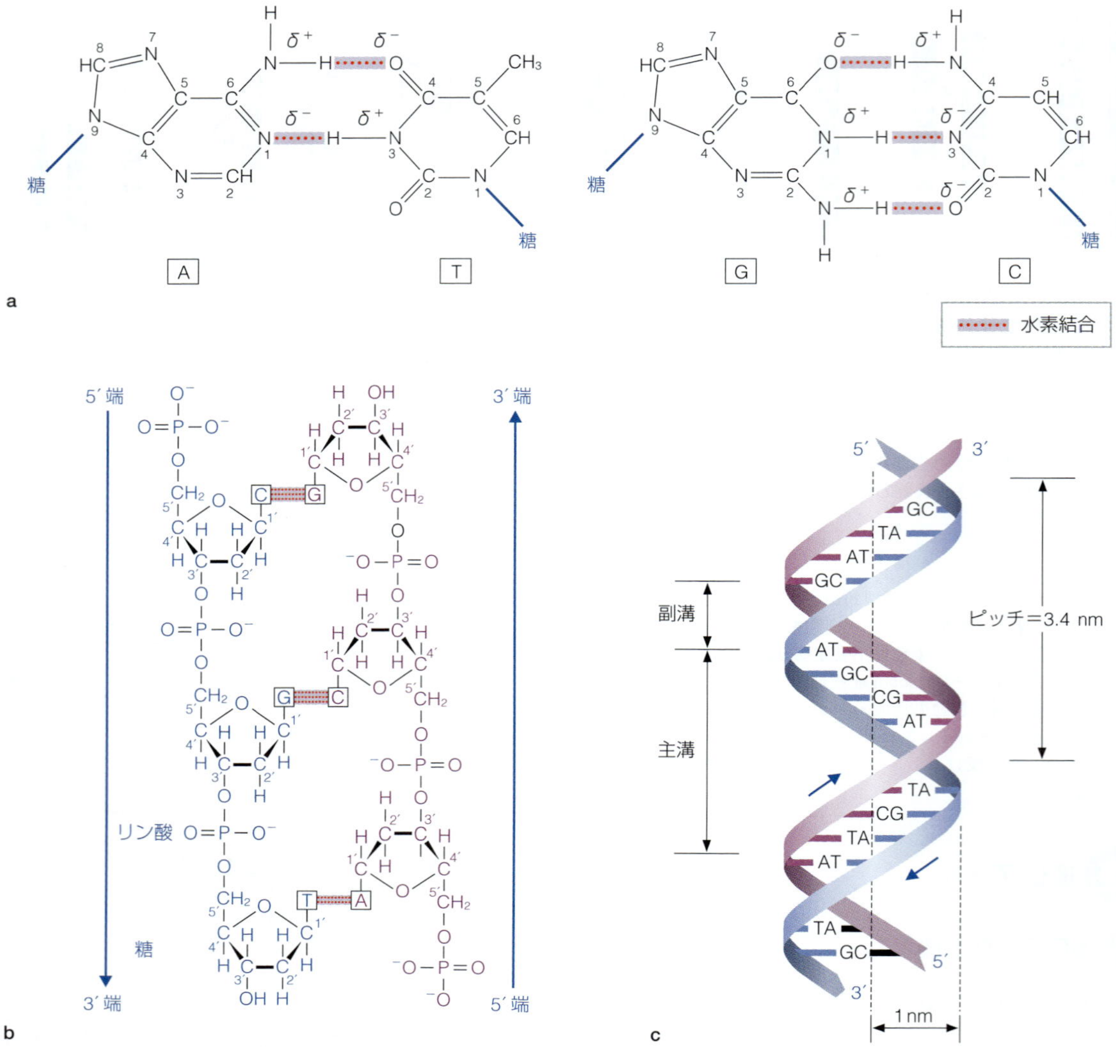

図 8-7　DNA 二重らせん構造と塩基特異的水素結合
A：アデニン，G：グアニン，C：シトシン，T：チミン．
a．アデニンは 2 つの水素結合でチミンと，グアニンは 3 つの水素結合でシトシンと対合する．DNA の骨格は糖とリン酸結合である．
b．DNA の情報は 5′ → 3′ の方向に読まれる．
c．DNA は約 10 塩基対で二重らせんを 1 巻きしている．

ている．遺伝子は，細胞分裂や配偶子形成の過程で対応する染色体と行動をともにし，成熟分裂においては両親からきた同一遺伝子の遺伝情報のシャッフリングを可能にしている．ゲノムにおいてアミノ酸を実際にコードしている**エクソン** exon 部分の比率はその 2% 未満ときわめてわずかであり，ゲノム情報の多くは**イントロン** intron ならびに単純な塩基配列の繰り返しよりなる配列である．

2　遺伝子座と遺伝子地図

染色体やゲノム上でそれぞれの遺伝子が占める位置を**遺伝子座** gene locus と呼ぶ．個々の遺伝子の遺伝子座が染色体内でどの位置にあるか，またどのような順序に並んでいるかなどを直線的に表したものが**遺伝子地図** gene map である．染色体分染法によって染色体の特定部位を記号で表すことができるようになり，ゲノムプロジェクトの完了と併せて遺伝子座を正確に位置づけすることが可能となった．最新のものを常時，カリフォルニア大学サンタクルーズ校(UCSC)のゲノムブラウザ

表 8-1　ヒトの核ゲノムとミトコンドリアゲノムの相違点

	核ゲノム	ミトコンドリアゲノム
大きさ	3,200 Mb	16.6 kb
異なる DNA 分子の数	23(in XX), 24(in XY)；すべて線状	1つの環状 DNA 分子
1 細胞あたりの DNA 分子数	46	数千
共存タンパク質	ヒストン，非ヒストンタンパク質	ほとんど共存タンパクはない
遺伝子数	～22,000	37
遺伝子密度	～1/150 kb	1/0.45 kb
繰り返し配列	50% 以上	ほとんどない
転写	ほとんどの遺伝子は個別に転写される	重鎖・軽鎖より多数の遺伝子が同時に転写される
イントロン	ほとんどの遺伝子にあり	なし
コドンとなる DNA の %	～1.5%	～93%
組換え	成熟分裂で組換えが起こる	不明
遺伝形式	Xと常染色体はメンデルの法則に従う Yは父親由来	母親由来

(https://genome.ucsc.edu/)でみることができる．解析の進展に伴い，タンパク質をコードする遺伝子数は当初より減り，2022 年 9 月 16 日現在，19,417 個の遺伝子がヒト染色体上に map されている．

　遺伝子のゲノム上の局在は以下のような種々の方法で同定されてきた．このような方法は，ゲノムプロジェクトが完了した現在においても新規疾患関連遺伝子の同定や疾患の診断に有用である．それには，メンデルの法則に基づいて当該疾患の集積する家系を遺伝学的に分析し遺伝子の**連鎖解析** linkage mapping により各遺伝子間の距離を算出して地図を作製する方法，特定のゲノム部位から得た DNA を制限酵素で切断した後に当該遺伝子をプローブとしてハイブリダイゼーションを行い制限酵素地図を作製する方法，ヒトのゲノム DNA の小断片を含む他種の細胞（ハイブリッド）を使用した遺伝子マッピング法，**蛍光 in situ ハイブリダイゼーション（FISH）法**により遺伝子断片を染色体上の特定バンド領域に map する方法などがある．

3　ミトコンドリアゲノム

　ミトコンドリア内にあるミトコンドリア DNA はほとんどすべてが母親由来であると考えられており，16,569 塩基対の環状二本鎖 DNA で，1 細胞あたり平均数千コピーのミトコンドリア DNA が存在すると考えられている．表 8-1 に核ゲノムとミトコンドリアゲノムの違いを要約した．

　ミトコンドリア遺伝子異常症は，異常ミトコンドリア DNA が細胞中に蓄積したときに初めて発症する．ヒトのミトコンドリア DNA には，2 種の rRNA，22 種の tRNA と電子伝達系酵素複合体を構成する 90 数個のサブユニットのうち 13 個のサブユニットをコードする遺

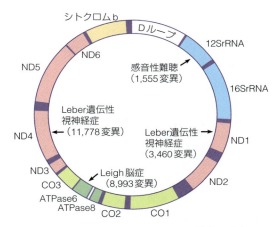

図 8-8　ヒト・ミトコンドリア DNA の構造と疾患
ミトコンドリアのマトリックスに存在する DNA は 16,569 塩基対の二本鎖環状 DNA である．

伝子があり，独自の転写・翻訳様式が維持されている．例えば，核とミトコンドリアでは 64 のコドンのうち 3 つの暗号が異なり，ミトコンドリアゲノムにはイントロンがない．これがミトコンドリアの起源が細菌の細胞内寄生に起因するとする**細胞内共生説**の根拠の 1 つである．ミトコンドリアの機能に関する残りすべてのタンパク質は，核 DNA にコードされ細胞質で生産されてから，ミトコンドリア内に輸送され利用される．**筋肉および神経系細胞**においては，ミトコンドリアで行われる酸化的リン酸化によるエネルギー産生がきわめて重要であり，**先天的なミトコンドリア遺伝子異常は筋肉および神経の機能低下につながる**ことが多い．ヒトのミトコンドリア DNA の構造と，その異常と関連する代表的な疾患を図 8-8 に示す．ミトコンドリア遺伝子異常は，卵細胞由来の点突然変異あるいは挿入・欠失による変異であ

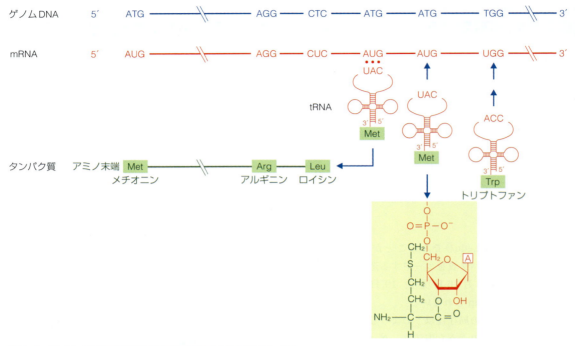

図 8-9　ゲノムの遺伝子情報の転写と翻訳による発現のしくみ
ゲノム DNA の遺伝子部分は mRNA に転写される．このとき T（チミン）の代わりに U（ウラシル）が使用される．mRNA の 3 塩基 1 組のコドンは tRNA のアンチコドンに水素結合による対合で対応し，必要なアミノ酸が順に呼び集められ，それらはペプチド結合によりポリマーを形成しタンパク質となっていく．tRNA においては，各アミノ酸はアデノシンの 3′ 端に共有結合している．

り，挿入・欠失による変異の多くは新しい変異である．代表的なミトコンドリア遺伝子異常症には，視力低下で 10〜30 歳くらいに発症するレーバー遺伝性視神経症 Leber hereditary optic neuropathy（日本人患者のほとんどは ND4 遺伝子の 11,778 番変異 G＞A）と乳幼児期から精神運動発育遅滞が起こるリー脳症 Leigh encephalopathy（代表的なものは 8,993 番変異 T＞G, C）やミトコンドリア脳筋症がある．詳しくは，参考文献を参照．

B　遺伝子の発現と変異

1　遺伝子発現

　遺伝子の情報は以下のように利用される．DNA の二重らせん構造の一部が解けて，一本鎖になったどちらか一方の塩基配列に相補的な塩基配列をもつように RNA を作ることにより，遺伝情報を写しとった発注書である**伝令 RNA** messenger RNA（mRNA）が合成される．これを遺伝情報の**転写** transcription という．mRNA は細胞質に移動し，細胞質内に存在する多種類の**運搬 RNA** transfer RNA（tRNA）と結合したアミノ酸が mRNA の指定する順序で配列することにより，ゲノム DNA の設計図による特定のタンパク質がリボソームで合成される（図 8-6）．この過程を遺伝情報の**翻訳** translation と呼び，図 8-9 に模式的に示す．

　1 個の受精卵は，個体発生の過程で 10 億個もの細胞に増殖し，数の増加のみでなく種々の異なる性質の細胞に分化する．しかし，どの細胞も基本的に同じ遺伝子構成によりなっているのであるから，細胞の性質はそれぞれの分化方向に向かう遺伝情報の発現によって規定され，これは mRNA への転写すなわち異なるタンパク質合成の結果により遺伝子発現レベルで調節が行われていると考えられる．その証拠として，4 つというきわめて少数の遺伝子の導入により，**線維芽細胞**を**多能性幹細胞**に転換することができることが 2006 年に示された（**iPS 細胞** induced pluripotent stem cell）．これは，2012 年にノーベル生理学・医学賞を受賞した山中伸弥博士の仕事である．

2　ヒト遺伝子の構造

　ヒト遺伝子は図 8-10 のような構造をしており，翻訳領域のエクソンと介在配列のイントロンの組み合わせよりなり，上流（5′ 側）に調節領域が，下流（3′ 側）に非翻

A. 染色体・遺伝子の基本概念 ● 211

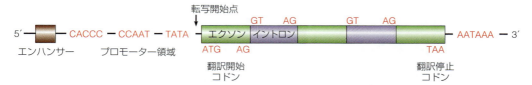

図 8-10　ゲノムにおけるヒト遺伝子の基本構造
ほとんどの遺伝子は複数のエクソンを有する．タンパク質に対応する塩基配列以外に転写やスプライシングの制御にかかわる塩基配列群が多数存在する．

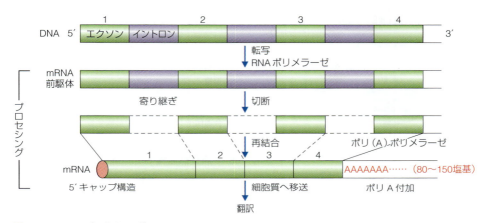

図 8-11　RNA プロセシング

訳領域およびポリA配列がある．図 8-11 に示すように，核ゲノム DNA の転写によって作られる mRNA は，初期には遺伝子の周辺の配列やイントロンなどを含めた広い範囲の塩基配列よりなっているが，転写後に**スプライシング** splicing と呼ばれる機構により，はじまりを GU 配列，終わりを AG 配列で規定されたイントロンを除去し，各エクソンの 3′ と 5′ の翻訳配列部分のみが順序よく継ぎ合わされ，ポリAを尾部に付加することにより完成品ができあがる（図 8-11）．5′末端へのキャップ構造の付加，3′末端へのポリAの付加とあわせ，この過程を**プロセシング** processing と呼ぶ．

最近は，遺伝子の概念を明確に規定することが困難になってきている．これまでに述べたのは古典的な遺伝子の概念であるが，mRNA の大規模で網羅的な解析により，ゲノム DNA の多くの部分が RNA にまで転写されていること，センス・アンチセンス鎖の両方が読まれていることなどが明らかにされてきている．さらに，タンパク質にはならず tRNA でも rRNA でもない機能的な RNA が存在することが明らかにされた（**非翻訳 RNA**，図 8-6）．その代表的なものが**マイクロ RNA** miRNA である．この RNA はタンパク質になる mRNA の 5′端や 3′端に付着することにより，タンパクへの翻訳を抑制したり，mRNA を速く分解されるようにしたりと，遺伝子ネットワークの緻密な調整をしていると考えられている（図 8-12）．今後の数年で，遺伝子自体の概念も劇的に変わっていくことが予想される．実際，ヒトゲノムの遺伝子数はタンパク質をコードする 22,000 個に，RNA を最終産物とする遺伝子数約 18,000 個と，進化上の化石と考えられる偽遺伝子 pseudogene 数約 11,000 個を加えると 5 万を超えるのである．

3　ゲノムの維持と変異

ゲノム DNA 情報の維持機構は相当精緻である．ゲノム DNA に傷害が発生し，**変異** mutation（遺伝情報の改変）を起こしそうになると，もう一組の正常ゲノム情報を鋳型とした組換え修復により正常なゲノム情報に修復する機能をもっている．これを**除去修復** excision repair という．ここで，遺伝子変異は直ちに疾患に結びつくわけではなく，遺伝子外領域に変異が起こった場合には何の機能変化もない場合が多い．一方，最近ではエクソンの変異配列だけでなく，ヒトの遺伝子にはスプライシング時に重要な役割を果たす調節領域が存在し，この調節

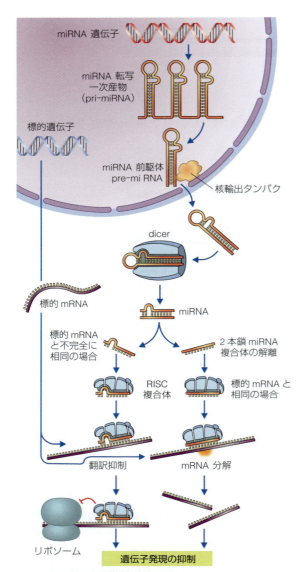

図 8-12 miRNA の発現とその作用
miRNA は当初は 2 本鎖だが，細胞質で dicer に切断され，最終的に約 22 塩基対の 1 本鎖 RNA が，標的となる遺伝子 mRNA の 5′端または 3′端に付着することにより，翻訳を阻害したり分解を促進したりして，その遺伝子発現の抑制を行うものである．現在，ヒトで 2,500 種類程度のものが知られている．

領域に変異が発生すると異常な mRNA を作ることが知られている．ヒトの遺伝子変異のパターンを図 8-13，14 に模式的に示す．

4 ● 遺伝子の組換え

染色体レベルの解析では正常であっても遺伝子レベルでは変異が起こっていることもある．DNA 鎖の二重らせん構造に種々の傷害による切断が生じると，修復再結合するときに入れ替わって**組換え** recombination が起こる．このとき，不均等な組換え（不等位交差）が発生しやすく，遺伝子の欠失や増幅などが起こる．

Advanced Studies
① **欠失** deletion：遺伝子の塩基配列から，ある長さの塩基配列が失われた場合をいう．
② **挿入** insertion：遺伝子の塩基配列に，ある長さの塩基配列が挿入された場合をいう．
③ **逆位** inversion：遺伝子配列内で，ある塩基配列の 5′から 3′の向きが変わった場合をいう．
④ **対立遺伝子交換**：ある対立遺伝子が DNA 上で近接して存在する場合，不等位の交換により同じ遺伝子同士が 1 対 pair になることがある．
⑤ **重複** duplication：遺伝子の一部または全部が重複して染色体に組み込まれた場合をいう．この特殊な形として相同性の高い遺伝子間あるいは DNA 配列で癒合して新しい遺伝子を形成する**融合遺伝子** fusion gene を形成することがある．

5 ● 点突然変異 point mutation

ゲノム DNA 傷害後の修復や組換えのときに間違った塩基が挿入されてゲノム情報が変化する．中でも**点突然変異**と呼ばれる**一塩基置換**がよく知られている．以下のように分類されている．

Advanced Studies
① **トランジション** transition：塩基対の変化として，プリン基(A または G)が別のプリン基に，あるいはピリミジン基(C または T)が別のピリミジン基に変わる変異をいう．
② **トランスバージョン** transversion：プリン基がピリミジン基に，あるいはピリミジン基がプリン基に変わる変異をいう．
③ **フレームシフト** frameshift：塩基の付加または欠失によりコドンの読み枠がずれることにより，変異より 3′側のタンパク質のアミノ酸が連続的に変化する変異をいう．
④ **ミスセンス変異** missense mutation：3 塩基配列のどれかに変異が生じて，その 1 つのコドンにおいて正常とは異なるアミノ酸をコードすることになった変異をいう．
⑤ **ナンセンス変異** nonsense mutation：変異の結果として当該コドンが停止コドンとなってしまい，通常より短いタンパク質を合成する異常をきたす変異である．
⑥ **イントロン-エクソン結合部変異**：イントロンの塩基配列は必ず GT で始まり AG で終わる．これを GT-AG ルールという．この部位に変異が入るとそれ以降のエクソンの長さやアミノ酸が変化することがある．

染色体の量的異常(**モノソミー**や**トリソミー**)においては，正常個体における 1 対の相同染色体に比較して遺伝子量が半分または 1.5 倍となる．遺伝子のコードするタンパク質が酵素の場合，その生産量が通常，遺伝子量に比例して増減すると考えられている．いわゆる**遺伝子の量的効果**である．また，遺伝子はそのゲノム内での存在位置により発現が変化する．がん細胞で多くの例が実証されている．どのようなプロモーター配列が遺伝子の

A. 染色体・遺伝子の基本概念 213

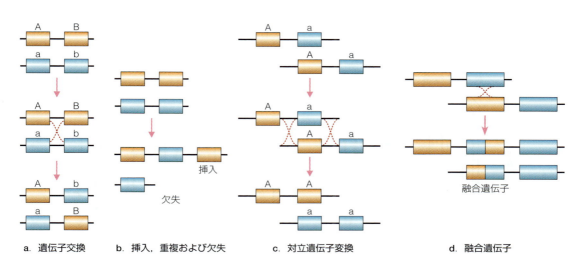

図 8-13　遺伝子の組換えについての模式図
等位交差：遺伝子交換（a），挿入，重複および欠失（b）．
不等位交差：対立遺伝子変換（c），融合遺伝子（グロビンβ，δ-鎖融合遺伝子）（d）．

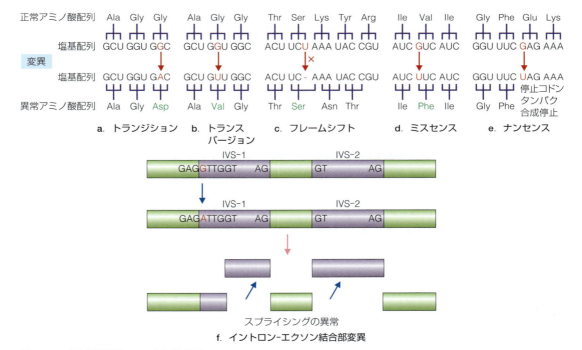

図 8-14　点突然変異についての模式図
a. トランジション（例：*ras* 遺伝子変異コドン 13）
b. トランスバージョン（例：*ras* 遺伝子変異コドン 12）
c. フレームシフト（例：異常ヘモグロビン症α-鎖遺伝子コドン 138）
d. ミスセンス変異（例：家族性 Alzheimer 病 *APP* 遺伝子コドン 717）
e. ナンセンス変異（例：Duchenne 型筋ジストロフィー *DMD* 遺伝子エクソン 26）
f. イントロン-エクソン結合部変異（例：サラセミア症β-鎖遺伝子変異 GT → AT），IVS：intervening sequence（イントロン）

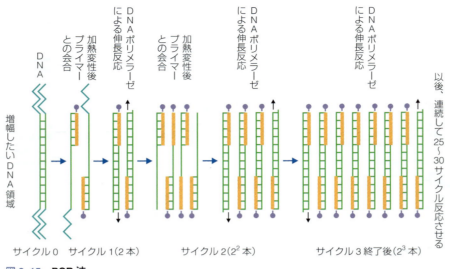

図 8-15　PCR 法

近傍に来るかが重要である．ある細胞系で常に活性化されているような遺伝子の近傍に，染色体転座により新たに遺伝子が挿入された場合，その遺伝子の発現は高くなると考えられる．

C 最新の遺伝子工学技術の病理学への応用

1970 年に，テミン Temin とボルチモア Baltimore は個別に**逆転写酵素** reverse transcriptase（EC2.7.7.49）を発見し，この酵素により mRNA から**相補性 DNA** complementaryDNA（cDNA）を合成できるようになった．セントラルドグマを逆行することが可能になったのである．RNA と DNA の構造上の違いはわずかに糖の部分の水酸基 1 つであるが，その差により RNA は著しく分解されやすい．RNA の情報を DNA として保管できることの意義はきわめて大きい．

一方，DNA の分画は細菌のもつ**制限酵素**の発見により可能となった．この酵素は細菌がもともと自己防御のために備えているものである．制限酵素は DNA 分子内の特定の配列を認識して切断できるので，ゲノム DNA を特異的に断片化することができる．このようにして分画した DNA から調整した数百〜数千塩基対の DNA 断片は，遺伝子を認識する**プローブ** probe として解析に用いられる．ただし，一塩基置換や小さな構造変化を認識するためにはまだ断片が大きすぎるため，数十塩基対の**オリゴヌクレオチド** oligonucleotide と呼ばれる短い DNA 鎖が必要である．これは化学合成することにより簡単に使用することができるようになった．また，遺伝子操作のめざましい進歩には，核酸を分離・解析するのに必要なアガロースゲルやポリアクリルアミドゲル電気泳動法の技術，ポリマーを充塡したキャピラリーやマイクロアレイを使用した新規解析法などの遺伝子工学技術の著しい発展が貢献している．

現在，使用されている解析方法について簡単に触れておく．**サザン** Southern **法**は制限酵素により切断した DNA 断片を分画後，ニトロセルロースやナイロンのメンブレンに移行（ブロット）する方法である．この方法は現在でも血液系悪性腫瘍の解析に使用されることがある．**ノザン法**はサザン法と同じ原理で RNA を解析する方法である．ノザン法は後述する定量的リアルタイム PCR 法の普及に伴ってほとんど使用されなくなっている．**ウェスタン法**（イムノブロット法）はタンパク質を電気泳動で分画し，PVDF メンブレンに転写し，特異抗体で検出する方法であり，現在でも汎用される重要な技術である．また，電気泳動後に銀染色によって分離可能なタンパク質は田中耕一博士の開発したマススペクトロメトリー（質量分析）の技術で，インターネット上のデータベースと照らし合わせることによって同定できるようになっている．

PCR（polymerase chain reaction）**法**は，一本鎖 DNA を鋳型にして，特異的な一組のプライマー DNA により挟まれた領域の DNA を合成するという DNA ポリメラーゼの性質を利用した技術である（図 8-15）．高温による二本鎖 DNA の一本鎖 DNA への解離，プライマーとの特異的会合（アニーリング），相補鎖合成というサイクルの繰り返し（通常 30 回程度）により希望する DNA

図 8-16　PCR 装置
a．標準的 PCR 装置．b．定量的 PCR 装置．

断片のみを量的に増幅することができる．温泉に存在する細菌が保有する耐熱性の DNA ポリメラーゼの発見が本手法開発の機転となった．ゲノム情報の普及と併せ特定部位の DNA 解析が大変容易になった．さらに，PCR の反応を常時モニターできる定量的 PCR 装置により mRNA の定量化を放射性同位元素を使わずに容易に行うことができるようになった意義は大きい（図 8-16）．

これらの方法を使用した遺伝子異常の基本的な解析法を，現在使用されているものを中心に以下に述べる．

Advanced Studies

a 制限酵素断片長多型性の解析

restriction fragment length polymorphism（RFLP）

制限酵素は遺伝的多型性を分析する際にも有用である．患者の遺伝子上の変異を制限酵素による切断パターンの変化として健常者と比較検討する方法で，差が著しい場合は制限酵素断片長多型性と呼ぶ．病因となる遺伝子の近傍に起こった遺伝子の挿入・欠失や点突然変異などを検出できるが，適切な制限酵素認識配列上で起こらないと検出できず，疾患に無関係な長さの多型性もあり，直ちに異常とは判断できない欠点もある．

b PCR-SSCP 法

PCR-single strand conformation polymorphism

変異が認められる遺伝子がクローニングされていても，患者により変異点が異なっている場合や変異個所が特定できていない場合には有用な方法である．アイソトープ（^{32}P）や蛍光またはビオチン標識された適切なプライマーを用いて患者試料 DNA を PCR 法により増幅した後，加熱変性して一本鎖 DNA とする．一本鎖 DNA はその塩基配列により特異的な三次元構造をとる．非変性ポリアクリルアミドゲルで電気泳動してバンドパターンを読み取り，解析中の DNA 断片に変異が含まれているかどうかを検出する．

c FISH 法

FISH（fluorescent in situ hybridization）法は染色体上の特定遺伝子配列の存在を，蛍光色素で標識したプローブにより，細胞核内あるいは分裂期の染色体上に検出する方法である．最近，細胞のみならず組織でもこの方法が応用され，異なる標識をした複数のプローブを混合して，同遺伝子の数的情報のみならず複数遺伝子の染色体上の位置関係を明らかにすることも可能となった．特に，**軟部肉腫の病理診断**の確定に多用されている．

d シークエンス法

DNA の塩基配列を直接決定する技術である．ゲノム情報のわずか 1 塩基の違いでも疾病が発生することがあるため，塩基配列の決定はきわめて重要な技術となっている．塩基特異的な化学反応を利用する**マクサム-ギルバート** Maxam-Gilbert **法**から始まり，次にはダイデオキシヌクレオチドでポリメラーゼの伸展反応をランダムに停止させる**サンガー** Sanger **法**が開発された．その第 2 世代では蛍光色素とポリマーを組み合わせることにより飛躍的に塩基配列決定の効率が上昇し，30 分で 500 塩基程度を読めるようになっている．

2008 年が第 3 世代のシークエンサーの黎明期であったが，2022 年現在かなり普及している．これは，PCR とビーズ上の反応あるいはリポソーム内の反応を組み合わせて，きわめて多数の塩基配列を同時に読む原理を利用している．この方法では 1 つの反応で 100 塩基程度までしか読めないが，すでに得られているゲノム情報ならびに 10 倍程度を重複してきわめて多数の反応を読むことにより，個体の全ゲノムを数週間で解読することを目指すものである．実際には種々の手法があるが，総じて**次世代シークエンス法** next generation sequencing（NGS）と呼ばれる．現在では，シークエンス解析が，がんゲノム医療の遺伝子パネル検査に応用されるようになっている．1 人ひとりが自分のゲノム情報をカードで持ち歩く時代が数年以内には来ると予想される．

e マイクロアレイ法

病理標本の作製に使用されるガラスのプレパラート 1 枚に，数十塩基からなるオリゴヌクレオチドを 20 万個，インクジェット技術などにより精密に貼りつけたものである．グローバルな遺伝子解析に使用される．この方法においては，プローブではなくサンプルの DNA を蛍光色素でラベルするのが特徴である．ゲノムならびに発現両方の解析に汎用されるようになっている．数年前までは，1 枚のチップが数十万円したが，2022 年現在は数万円にまで安くなっている．今後，ますます普及する技術であると考えられる．**1 塩基多型** single nucleotide polymorphism（SNP）の解析も可能である．図 8-17 にはゲノム増減解析用のマイクロアレイである CGH（comparative genome hybridization）の例を示す．この方法によって，全ゲノムの増幅・欠損の情報をきわめて高密度に，しかも数日という短時間で解析できる．悪性腫瘍のがん遺伝子増幅やがん抑制遺伝子欠損の解析に多用されている．

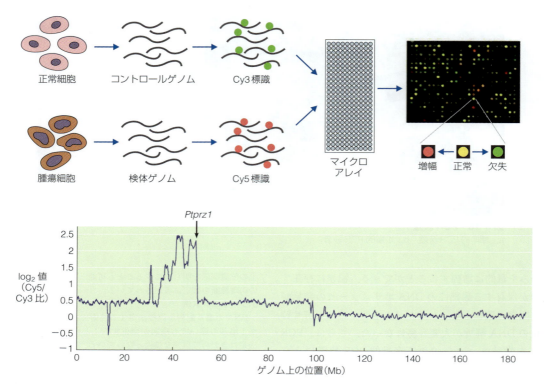

図 8-17　CGH アレイの原理とデータの１例（ラット腎臓癌）
断片化した検体ゲノムを Cy5 で，コントロールゲノムを Cy3 で標識し，アレイ上のプローブとハイブリダイズすると，検体で増幅しているゲノム領域は赤色蛍光が強く出て log$_2$ 値（Cy5/Cy3 比）はプラスになり，欠失している領域は緑色蛍光を示して log$_2$ 値はマイナスとなる．正常２倍体の場合は赤と緑の混ざった黄色となり，log$_2$ 値は０となる．本例では *Ptprz1* 遺伝子を含めた領域で著明なゲノムの増幅があることが一目でわかる．

f　SNP の検出

ヒトはゲノム上で多くの遺伝情報が互いに異なっており，ヌクレオチド１個の違いが，疾患感受性に影響を与えることがある．このようなヌクレオチド１個の違いを**１塩基多型**（SNP）と呼ぶ．特に疾患感受性や薬剤効果に影響を与える SNP は重要で，現在これら個体に多大な影響を与える SNP の網羅的な解析が進行中である．解析はマイクロアレイ法あるいはシークエンス法による．

3　遺伝の基本様式

遺伝性疾患を考える場合，今日においても**メンデルの法則**が原則となる．ミトコンドリアゲノム以外の遺伝情報は 22 対の常染色体と２本の性染色体上にあり，個々の遺伝子は特定の遺伝子座に乗っている．各細胞には１つの形質について２つの遺伝子〔**対立遺伝子（アレル）**allele〕が存在し，その組み合わせを**遺伝子型** genotype といい，その遺伝子型による形質発現を**表現型** phenotype という．１つの遺伝子座において，全く同じ遺伝子の接合を**ホモ接合体** homozygote と呼び，遺伝情報の異なる同一遺伝子の接合を**ヘテロ接合体** heterozygote と呼ぶ．対立遺伝子がなく単一遺伝子のみの存在を**ヘミ接合体** hemizygote と呼ぶ．

ヘテロ接合体のとき，両アレルの形質が発現される場合を**共優性** codominance といい，両形質の中間型を示す場合を**不完全優性** incomplete dominance と表現する．遺伝形式には常染色体顕性遺伝（優性遺伝），常染色体潜性遺伝（劣性遺伝），伴性遺伝があり，それぞれの遺伝形式をとる主な疾患を**表 8-2** に示す．詳細は OMIM® を参照されたい．

A　常染色体顕性遺伝（優性遺伝）
autosomal dominant inheritance

ある形質を支配する常染色体上の遺伝子座の対立遺伝子 A と a があるとすると，３種類の遺伝子型 AA，Aa，aa が生じる．AA と Aa の表現型が同じで aa の表現型が異なっていれば，A 遺伝子が１つあれば形質が発現す

表 8-2　種々の遺伝子異常による代表的な遺伝病

疾患名	原因遺伝子名	染色体上の遺伝子座位置
常染色体顕性遺伝病		
色素性乾皮症	XPB/ERCC3	2q14.3
	XPD/ERCC2	19q13.2-q13.3
エーラス-ダンロス Ehlers-Danlos 症候群		
古典型	COL5A1	9q34.3
血管型	COL3A1	2q32.2
多発関節弛緩型	COL1A2	7q21.3
フォン・ヒッペル-リンドウ von Hippel-Lindau 症候群	VHL	3p25.3
ハンチントン Huntington 舞踏病	HD/IT15	4p16.3
遺伝性脊髄小脳運動失調症	SCA1	6p22.3
結節性硬化症	TSC1	9q34.13
	TSC2	16p13.3
鎌状赤血球症	HBB	11p15.4
ベックウィズ-ウィーデマン Beckwith-Wiedemann 症候群	BWS	11p15.4-5
急性間欠性ポルフィリン症	HMBS/PBGD	11q23.3
プラダー-ウィリー Prader-Willi 症候群	PWCR	15q11.2
マルファン Marfan 症候群	FBN1	15q21.1
サラセミア α	HBA1	16p13.3
遺伝性多発性嚢胞腎	PKD2	4q22.1
	PKD1	16p13.3-13.12
ディジョージ DiGeorge 症候群	DGCR	22q11.21
常染色体潜性遺伝病		
ゴーシェ Gaucher 病	GBA	1q22
アッシャー Usher 症候群	USH2A	1q41
G_{M1}-ガングリオシド蓄積症	GLB1	3p22.3
ウェルトニッヒ-ホフマン Werdnig-Hoffmann 病（脊髄筋萎縮症）	SMN1	5q13.2
ザントホフ Sandhoff 病	HEXB	5q13.3
若年性ミオクローヌスてんかん	EJM1	6p12.2
嚢胞性線維症	CFTR	7q31.2
ガラクトース血症	GALT	9p13.3
フリードライヒ Friedreich 運動失調症	FXN	9q21.11
	FRDA2	9p23-p11
色素性乾皮症	XPA	9q22.33
毛細血管拡張性運動失調症	ATA, AT1, ATM	11q22.3
フェニルケトン尿症	PAH	12q23.2
ウィルソン Wilson 病	WND, ATP7B	13q14.3
テイ-サックス Tay-Sachs 病	HEXA/TSD	15q23
チロシン血症	FAH	15q25.1
	TAT	16q22.2
先天性ミエロペルオキシダーゼ欠損症	MPO	17q22
先天性血小板無力症	ITGA2B	17q21.31
	ITGB3	17q21.32
ポンペ Pompe 病	GAA	17q25.3
ホモシスチン尿症	CBS	21q22.3
ヘモクロマトーシス	HFE	6p22.2, 20p12.3
伴性遺伝病		
先天性魚鱗癬	STS, SSDD	Xp22.31
デュシェンヌ Duchenne-ベッカー Becker 型筋ジストロフィー	DMD, BMD	Xp21.2-p21.1
ウィスコット-オルドリッチ Wiskott-Aldrich 症候群	WAS/IMD2	Xp11.23
メンケス Menkes 病	MNK, ATP7A	Xq21.1
アルポート Alport 症候群	COL4A5, ATS	Xq22.3
ファブリ Fabry 病	GLA	Xq22.1
レッシュ-ナイハン Lesch-Nyhan 症候群	HPRT	Xq26.2-q26.3
血友病 B	F9/HEMB	Xq27.1
脆弱 X 症候群	FRAXA, FMR1	Xq27.3
先天性色覚異常	CBBM/BCM, GCP/CBD/OPN1MW, RCP/CBP/OPN1LW,	Xq28
エメリ-ドレフェス Emery-Dreifuss 型筋ジストロフィー	EMD/EDMD1	Xq28
血友病 A	HEMA/F8	Xq28

代表的なものを掲載し，臨床上，特に重要な疾患を**太字**で示した．

（つづく）

表 8-2　種々の遺伝子異常による代表的な遺伝病(つづき)

疾患名	原因遺伝子名	染色体上の遺伝子座位置
常染色体遺伝，伴性遺伝の両様式をとる遺伝病		
シャルコー-マリー-トゥース Charcot-Marie-Tooth 病	CMT1B/MPZ	1q23.3
	CMT4A	8q21.11
	CMT1A/PMP22	17p12
	CMTX2	Xp22.2
色素性網膜炎	RHO/RP4	3q22.1
	RDS/RP7	6p21.1
	RP1	8q11.23-q12.1
	RP2	Xp11.3
	RP6	Xp21.3-p21.2
	RP3	Xp11.4
慢性肉芽腫症	NCF2	1q25.3
	CYBA	16q24.2
	CYBB，CGDX	Xp21.1-p11.4
高度複合免疫不全症	ADA	20q13.12
	SCIDX1/IMD4	Xq13.1

代表的なものを掲載し，臨床上，特に重要な疾患を**太字**で示した．

ることになり，A遺伝子は**顕性遺伝**することになる．完全顕性であれば，両親の少なくとも一方はこの形質をもち，この形質は毎世代現れる．

B 常染色体潜性遺伝（劣性遺伝）
autosomal recessive inheritance

潜性遺伝子を2個有することで潜性遺伝形質は現れる．この場合，潜性遺伝子を1個だけ有するヘテロ個体は表現型は正常であるが，潜性遺伝子を次世代に残す可能性があるので**保因者** carrier という．同胞以外の血縁に患者が出現することは少なく，**近親婚**である場合に多くみられる．

C 伴性遺伝 X-linked inheritance と その他の遺伝様式

通常，**伴性**という言葉はX染色体上の遺伝子の遺伝様式に使われる．

1 伴性顕性遺伝 X-linked dominant inheritance

X染色体上の顕性遺伝子1つのみで，ある形質が発現する遺伝である．父親がX染色体に該当遺伝子をもつ場合は娘がすべて患者となる．母親のみの場合は息子と娘ともに半数が患者となる．この遺伝形式はまれであり，腎障害と難聴を表現型とするアルポート Alport 症候群の一部がこれにあたる．

2 伴性潜性遺伝 X-linked recessive inheritance

男子が対立遺伝子を1個だけもつヘミ接合となるので，常染色体遺伝とは異なる遺伝形式を示すことになる．女子は潜性遺伝子がヘテロの場合には**保因者**となり，ホモの場合には形質が現れる．したがって，例外を除き男子の患者は保因者の母親から生まれ，患者のほとんどは男子である．

3 その他の遺伝様式

このほかに，Y連鎖遺伝 Y-linked inheritance，限性遺伝 sex-limited inheritance，従性遺伝 sex-controlled inheritance などがある．このようなメンデルの法則に従った遺伝様式に加えて，遺伝子内外に存在する**3塩基配列の繰り返し数**が世代を経るに従って増えることにより，発症につながる病態がある(→236頁参照)．常染色体顕性のハンチントン Huntington 舞踏病や常染色体潜性のフリードライヒ Friedreich 運動失調症がこの種の疾患にあたる．

B 発生異常

1 発生異常の原因

A 形成異常とその発生時期

形成異常 malformation とは，胎生期の種々の障害によって全身諸臓器に形成および形態異常が起こることを

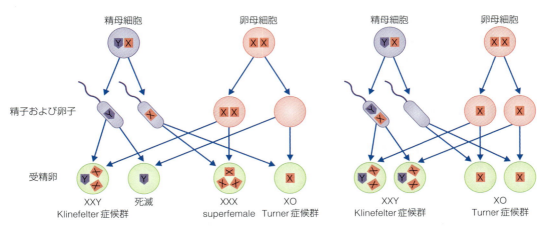

図 8-18 性染色体の不分離による染色体異常
性染色体の増減により，種々の病態が発生する．
〔提供：植田規史先生〕

いう．WHOによる形成異常の定義では「出生時すでに存在し肉眼的に確認されうる**形態異常**」と記載されている．ヒトの発生を時期別に分けると，生殖細胞が形成されて受精に至るまでの配偶子期と，受精後から出生までの胎芽期・胎児期からなる．これらの時期に発生する障害をそれぞれ**配偶子病** gametopathy，**胎芽病** embryopathy，**胎児病** fetopathy に区別する．受精後約2週までの胚子発生の初期は催奇形的な外因が作用すると，致死となるか完全に修復されて出生時の問題とはならない．一方，**受精後第3～10週までの期間の胎芽期**では，この時期が**器官形成期**にあたることから，外界にする細胞感受性が高い．そのため，催奇形的な外因が作用する何らかの障害を受けた場合，致死的に至らずに形成異常が発生しやすい．胎児期は形成された器官が成長していく時期であり，細胞感受性は低く形成異常発生の可能性は少ないが，脳や生殖器，感覚器にはまだ形成異常の起こる可能性がある．このように，形成異常発生の原因の多くは胎芽期に集中しており，形成異常成立の**臨界期** critical periods と呼んでいる．

B 先天異常の発生原因

先天異常発生の原因は，**内因**としての遺伝的要因と**外因**としての環境要因（感染，薬剤を含む化学物質，ホルモン，放射線など）が考えられている．しかし，異常誘発因子を明確に区別することは多くの場合容易ではない．形成異常発生は種々の要因の相互作用および**母体・胎盤・胎児の三者間の複雑な相互作用**にもよる．催奇形性因子の効果には**量依存性**と**閾値**がある．しかし，知識が確かでないときには妊婦は服薬を避けるべきである．

1 内因

遺伝的要因であり，染色体異常または遺伝子異常に伴い発生する形成異常である．

a 染色体異常

染色体異常の大部分は，成熟分裂時の配偶子の形成過程と受精後の分裂の異常により生じることが知られている．成熟分裂は46染色体をもつ**2倍体** diploid の細胞が2回の分裂を経て，染色体数23の**1倍体** haploid になる過程である．この成熟分裂の過程で染色体の**不分離** non-disjunction が起こると，配偶子（精子または卵子）は染色体数が1つ多い24，または1つ少ない22となる．この配偶子がそのパートナーである配偶子と接合すると，染色体数47または45の接合子（受精卵）となる．1対の相同染色体に関してみれば，**トリソミー**または**モノソミー**を生じ，このことは染色体の数的異常による形成異常の原因となる．

精子形成に比べて卵子形成で異数性の出現頻度が高いことが知られ，特に母親が高齢になると染色体の不分離が起こりやすいとされている．例として，図8-18に性染色体の不分離による染色体異常の出現を示す．

初期発生の時期では，配偶子の染色体異常とともに受精後の接合子での染色体異常の発生が想定されているが，いずれも頻度に関しては推定の域を出ない．しかし，妊娠早期に自然流産した胎児においては50％以上もの高率で染色体異常が報告されていることは注目に値

する．すなわち，配偶子形成の過程で生じた染色体異常細胞の大部分は，受精前に淘汰され，もし染色体異常をもつ配偶子が受精に成功しても，着床前後に死亡して排除されてしまう．さらに発達した段階では自然流産として排除され，残ったごく少数の染色体異常児のみが出生する．出生期前後では死産胎児の染色体異常率はほぼ5％，新生児のそれは0.6～1％と推定されている．

染色体異常は常染色体異常と性染色体異常に大別され，常染色体異常は器官の小奇形や精神発達の異常を伴った先天異常が主に認められ，性染色体異常では性分化の異常が認められる．

b 遺伝子異常

遺伝子異常は，先天性代謝異常などの疾患を引き起こす原因となる頻度は高いが，形成異常の原因としてはまれである．

常染色体顕性遺伝による形成異常としては，象牙質形成不全症 dentinogenesis imperfecta，**軟骨無形成症** achondroplasia，下顎顔面骨形成不全症 mandibulofacial dysostosis（Treacher Collins トリーチャー・コリンズ症候群），**骨形成不全症** osteogenesis imperfecta，多指症 polydactyly，**多発性囊胞腎** polycystic kidney（成人型）などがある．

常染色体潜性遺伝による形成異常はまれで，近親婚に関連してみられ，小頭症 microcephaly，先天性軟骨異栄養症 chondrodystrophia foetalis，先天性緑内障 congenital glaucoma，男性偽半陰陽 male pseudohermaphroditism，多囊胞性卵巣 polycystic ovary などがある．

伴性遺伝による形成異常としては，病的遺伝子がX染色体で伝えられるものに限り存在し，体性遺伝性魚鱗癬 X-linked ichthyosis，先天性エナメル質形成不全 amelogenesis imperfecta，遅発性脊椎骨端異形成症 spondyloepiphyseal dysplasia tarda が知られている．

2 外因

a 感染

形成異常の原因となる感染としてはウイルスが主体であり，特に風疹とサイトメガロウイルスが重要である．そのほかに，トキソプラズマ症や梅毒などの感染も形成異常の原因となる．まとめて，**TORCH症候群**ともいわれる〔T：toxoplasmosis，O：others（syphilis, tuberculosis, EB virus, varicella-zoster virus, HIV），R：rubella，C：cytomegalovirus，H：herpes simplex virus〕．

【トキソプラズマ症】

トキソプラズマ原虫 *Toxoplasmosis* は200種類以上の**哺乳類・鳥類に寄生**する．ネコの糞やブタの生肉などによって媒介されて妊婦に感染する．妊娠中の初感染の30％程度で経胎盤胎児感染が起こるとされている．胎内死亡，流産，網脈絡膜炎，小眼球症，小頭症，水頭症，脳内石灰化，肝脾腫などを起こす．

【梅毒 syphilis】

梅毒による先天異常には，出生時には貧血，骨軟骨炎，肝脾腫，神経発達遅延が知られている．2歳以降に発症すると，ハッチンソン Hutchinson 三徴候（実質性角膜炎，Hutchinson 歯，内耳性難聴），リンパ節腫脹，ゴム腫，神経梅毒症状などを引き起こす．胎盤の形成される妊娠4か月までに抗菌薬による梅毒の治療を行うことが重要である．

【風疹 rubella】

妊娠初期に妊婦が罹患すると，胎児に形成異常が発生する頻度はかなり高く，30～50％にもなる．形成異常の種類としては，白内障，緑内障，小眼球症，**聴覚障害**，心奇形，歯の欠損などがある．2006年以降は満1歳以上で2回の予防接種が行われている．**生ワクチン**のため，妊娠予定の女性は接種後2か月間は妊娠しないよう指導が必要である．

【サイトメガロウイルス cytomegalovirus】

日和見感染に関連したウイルスである．胎内感染は初感染および再活性化の場合があるが，母体のサイトメガロウイルス感染症の5～10％のみに経胎盤感染により症候性胎児が発生し，新生児の予後は不良である．小脳症，水頭症，小頭症などを起こす．最近は，免疫グロブリン投与による胎児治療が行われる．

【ヘルペスウイルス herpes simplex virus】

1型（**口唇ヘルペス**）も2型（**性器ヘルペス**）も胎児に感染すると，小頭症，小眼球症，精神発達遅延などの形成異常を引き起こす原因となる．性器ヘルペスウイルスは，出産時の産道感染にも注意する必要がある．垂直感染で産まれた児は重篤な全身性感染症を呈することがある．

b 薬剤などの化学物質

【ニコチン nicotine】

喫煙妊婦には低出生体重児が発生しやすく，ニコチンの血管収縮作用による酸素欠乏に起因すると考えられている．

【サリドマイド thalidomide】

サリドマイドは催奇形作用をもつ薬剤で，妊婦が妊娠28～50日目に服用することにより，胎児に重篤な四肢欠損症である**アザラシ肢症** phocomelia を引き起こす．

かつて，**睡眠薬**として使用されていた本薬剤の服用により形成異常が多発して社会問題化したため，現在は妊婦への使用は禁止されている．サリドマイドによる形成異常は，protocollagen-proline hydroxylase の活性の抑制によるコラーゲン合成障害と考えられ，四肢以外に耳などにも形成異常を起こす．現在，サリドマイドおよびその誘導体は多発性骨髄腫の治療に使用されることがある．

【炭酸リチウム lithium carbonate】
炭酸リチウムは双極性障害の躁状態や躁病の治療に使われるが，妊婦に投与すると心臓や大血管系の形成異常を起こす．

【抗菌薬 antibiotics】
抗菌薬においては**テトラサイクリン**やサルファ剤などで催奇形作用があることが疑われており，少なくとも動物実験では実証されている．妊婦が歯牙の形成期にテトラサイクリンを使用すると，児の乳歯や**永久歯**を黄色く**着色**する．

【有機水銀 organic mercury】
有機水銀中毒例は**胎児性水俣病**として知られ，メチル水銀を多量に含む魚介類を摂取した母体から出生した新生児に発生する．四肢の痙攣性麻痺などの**脳性麻痺**症状や視力障害がみられ，発育障害や精神発達障害を伴う．母親には重篤な障害を与えず，胎児に重い障害を与える胎児性水俣病の発見は環境汚染を考えるうえで重大な意味をもった．

【その他】
上記以外で，薬剤としては抗がん剤や抗てんかん薬が催奇作用を有している．また，**アルコール使用障害** alcohol use disorder の妊婦から生まれた子どもには発育障害や精神発達遅延などが起こることが知られている．

c ホルモン

黄体ホルモンは妊娠中の流産防止のために用いられるが，妊娠初期の8週以降に大量連用すると女性胎児の生殖器の男性化を招く恐れがある．エストロゲン経口避妊薬による催奇形作用も疑われている．副腎皮質の先天性過形成あるいは腫瘍性増殖による**副腎性器症候群**では，**女性仮性半陰陽**(性腺は女性であるが第一次性徴における性別の判定が困難な状態)がみられる．

胎児の甲状腺機能低下症により**先天性クレチン病**が生じ，知的障害や骨格系異常などを認めることがある．わが国では考えにくいが，妊婦のヨード摂取不足で発生することがある．妊婦が**糖尿病**に罹患していると，代謝障害による死産が多く，**巨大児**の出生がみられる．

d ビタミン欠乏

水溶性ビタミンに分類される**葉酸**は十分量があると，血清中のホモシステイン量を下げることにより**神経管閉鎖異常を減少**させることがわかっている．ホモシステインは中枢神経系と心臓に対する催奇形因子である．5,10-methylenetetrahydrofolate reductase の活性低下と関連する．がんや自己免疫疾患の治療に使用されるメトトレキサートや抗菌薬のスルファメトキサゾール・トリメトプリム(ST)合剤は葉酸の代謝を阻害するので，葉酸欠乏に注意する必要がある．

e 放射線

放射線は増殖の旺盛な生殖細胞の突然変異を誘発したり，器官形成中の胎児に形成異常を発生させたりする．しかし，通常は妊婦とわかればX線照射は避けるので問題とはならない．妊婦が妊娠の自覚のないときのX線照射が問題となることがある．

2 発生各時期の異常

A 発生異常の形式

形成異常は次のような発生異常の形式によって生じることが知られている．

1 発育抑制 arrest of development

器官の形成が抑制されると器官発育が不十分で，正常より発育の悪い**低形成** hypoplasia，場合によっては**無形成** aplasia となる．無形成は何らかの痕跡が残っている場合をいい，**無発生** agenesis は関連細胞が全くない場合をいう．

2 癒合不全 incomplete fusion

顔面や頸部は2個あるいは数個の原基より形成され，胎生期にその適切な癒合によって成立するが，この癒合機転が障害されると形成異常が発生する．**唇裂**，**口蓋裂**などがこれにあたる．

神経管の癒合は妊娠25～35日くらいに起こるが，その癒合不全に関連して多種類の形成異常がある．**二分脊椎**，髄膜瘤，無頭蓋症，**無脳症**，頭蓋披裂などがこれにあたる．

3 異常癒合 abnormal fusion

発生時期に隣接する原基が融合することにより異常が起こるもので，四肢の癒合や指趾の癒合などがある．た

だし，**指趾の癒合**はアポトーシス apoptosis (programmed cell death) の不全とも考えられる．

4 ● 位置異常 dislocation

臓器の位置異常の例では，心臓が右に位置する右心症 dextrocardia や内臓全体の左右が逆になる**内臓逆位症** situs inversus（完全内臓転位 complete visceral inversion）などがあり，原因は胎児臓器の回旋異常によるものである．ある組織の他部位組織への混入（位置異常）は**迷入** stray germ aberration と呼ばれ，これには異所性膵 ectopic pancreas などがある．腫瘍などとの鑑別診断として重要である．

5 ● 遺残 persistence, remnant

胎児期に一過性に出現し，正常では退化・消失すべき胎児の構造が残存するものを遺残という．尿膜管遺残や臍腸間膜管遺残などがある．心臓での卵円孔開存，動脈管開存，甲状舌管の残存した正中頸瘻などもこれにあたる．

B 形成異常の種類

1 ● 単体形成異常 single malformation

1個体において全身または局所の臓器組織の発生異常を起こしたものが単体形成異常である．1種類の形成異常が単独に起こる単独形成異常といくつかの形成異常が1個体に多発する合併形成異常がある．

形成異常の種類および発生機序を**表 8-3** に，形成異常の一部の実例を**図 8-19〜29** に示す．

a 全身の発育異常

先天的に全身が発育不全である場合は先天性成長ホルモン分泌不全症（低身長症 dwarfism）という．これに対し，全身が発育過剰のため巨大になる個体を巨人症 gigantism という．前者の原因は内分泌腺の先天性発育異常が考えられ，後者は母親の糖尿病によるものが多い．

b 局所あるいは臓器組織の発生異常

【頭頸部，顔面】

顔面および咽頭の発生は妊娠第4〜6週の間に鰓弓が形成されることにより始まる．顔，舌，口唇，口蓋，咽頭，顎，頸部の形成は鰓性器官の発育変化に関係し，顔面および咽頭に起こる形成異常はこの過程で発生する．

【呼吸器】

下部呼吸器の発生は第4週半ば頃より起こり，気管支から末梢細気管支までは第5〜17週に形成され，呼吸細気管支と肺胞管は第16〜25週に，原始肺胞は第24週〜出生までに形成される．いずれの時期にも異常は起こりうるが，呼吸器の形成異常は第4〜5週に集中している．

【循環器】

心血管系は，第3週中に**臓側中胚葉**から発生し，第4〜5週の間に心臓は4室に分割され，第7週にほぼ完全に形成される．したがって，この間に心奇形が発生しやすい．また，卵円孔や動脈管が胎生期には大きな役割を果たし，生後は循環動態の変化により退化するが，心血管奇形のため生後の循環動態の変化が正常に起こらないと開存する．

【消化管】

消化管の原基となる原始腸は，第4週中に発生し，原始腸の前腸の一部は呼吸器に分化し，中腸からは肝臓や膵臓なども発生する．後腸の終末部では一部が第7週頃に尿生殖洞に分かれたのち，直腸となる．消化管は第10週中に腹腔内に移動するが，その過程において回旋運動が起こる．この回旋運動の異常により形成異常が発生したり，腸管の再管状化の異常や卵黄茎の遺残によって形成異常が発生したりすることが知られている．また，排泄腔が肛門直腸部と尿生殖部とに分かれるときの異常によっても形成異常が発生する．

【骨格系】

骨格系は間葉系組織が軟骨化して，胎芽期の末までに骨化点（骨化中心）が現れ，軟骨内骨化によって骨格が発生する．この骨化機序の異常により多くの形の骨格形成異常が発生する．四肢は第4週の末にかけて外方の隆起として現れ始める．しだいに腹側方に突出し，上肢と下肢は逆の方向に異なった角度で回旋する．四肢の形成異常は多く認められるが，原因を特定できるものは少なく，遺伝子の異常と環境要因の相互作用の結果により起こると考えられる．

【中枢神経系】

中枢神経系は第3週の半ば頃に現れる**神経板**から発生し，内側に巻き込まれ**神経管**と**神経堤**を形成する．神経管からは脳と脊髄が形成され，脳神経・脊髄神経などは神経堤より形成される．通常，中枢神経系の形成異常は神経管の閉鎖不全により起こる．無脳児などの重症形成異常は生存不能である．神経の形成異常も遺伝子の異常と環境要因の相互作用の結果として起こる．

表 8-3　遺伝子異常を除く局所あるいは臓器組織の発生異常

発生部位	形成異常の種類	異常発生の機序
頭頸部, 顔面	外耳形成異常, 耳介嚢腫, 小下顎症	第一鰓弓の形成異常
	鰓洞, 外側頸洞	第二鰓弓の形成異常
	鰓嚢腫, 外側頸腫	第二鰓弓および第二咽頭嚢の形成異常
	先天性胸腺無形成症, 上皮小体欠損, 頸部胸腺	第三・第四咽頭嚢の分化異常
	甲状舌管嚢腫	甲状舌管の遺残
	舌瘉着症, 舌裂, 二裂舌	正中および外側舌隆起の癒合不全
	唇裂	上顎隆起と内側鼻突起の癒合不全
	口蓋裂	外側口蓋突起の癒合不全
	顔面裂	上顎突起と下顎突起の発生異常・癒合不全
神経系	無脳症	血流の遮断
	脳ヘルニア	頭骨欠損
	無頭蓋症, 頭蓋披裂(無脳児)	神経管の頭方端の閉鎖不全
	小頭症	脳の発育不全
	脳脊髄髄膜瘤	頭蓋冠の発生異常, 二分脊椎
循環器	心臓脱	胸骨の胸郭領域での癒合不全
	心房中隔欠損	一次中隔の過剰吸収, 二次中隔の発生異常
	心室中隔欠損	室間孔の不完全閉鎖, 膜様中隔の発生障害
	ファロー Fallot 四徴症	円錐動脈幹中隔の前方偏位
	大血管転位	円錐動脈幹の直線的下降
	動脈幹分隔異常	大動脈・肺動脈中隔の発生異常
	大動脈狭窄・閉鎖	動脈幹の分割不平等, 弁尖の発育時癒合
	重複上大静脈	左右の原始静脈の吻合不全
	嚢腫性リンパ管症	頸リンパ嚢の分離またはリンパ腔の主要リンパ網への連絡不全
呼吸器	気管食道瘻, 気管閉鎖症	前腸の各器官への分離不全
	肺形成不全, 先天性肺嚢胞	肺芽の発育不全
消化管	臍ヘルニア	胚子の横の折りたたみ(側屈)の閉鎖不全
	食道閉鎖	前腸の分離不全および食道再管状化不全
	左側結腸症	中腸の無回旋
	十二指腸閉鎖	中腸の異常回旋, 十二指腸再管状化不全
	横行結腸閉塞	腸の時計回りの回旋
	移動盲腸	上行結腸の不完全固定
	肝外胆管閉塞	肝臓憩室茎部発育不全, 管状化不全
	輪状膵	腹側膵臓芽の発生異常(二分腹側膵臓芽)
	腸狭窄・閉塞	腸再管状化異常, 血液供給の中断
	メッケル Meckel 憩室	卵黄腸管の遺残
	ヒルシュスプルング Hirschsprung 病	神経節細胞の移動不良
	膜性鎖肛	肛門膜の穿孔不全
	膜性以外の鎖肛	尿直腸中隔の発生異常
泌尿器	腎無形成	後腎中胚葉の無発生, 尿管芽の無発生
	嚢胞腎	尿集合細管の発生異常
	重複尿管	尿管芽の不完全分裂
	尿膜管嚢胞, 尿膜管瘻	尿膜管遺残
	膀胱外反症	前腹壁下部の正中癒合不全
	直腸尿道瘻	排泄腔が直腸と尿生殖洞への分離不全
生殖器	尿道下裂, 停留精巣	男性ホルモンの分泌障害
	先天性鼠径ヘルニア, 陰嚢水腫	精巣鞘膜と腹膜腔の連絡管の閉鎖不全
	陰茎無形成, 陰茎二裂	生殖結節の無発生・癒合不全
	重複子宮	左右中腎管の癒合不全
	単角子宮	一方の中腎傍管の発生不全

(つづく)

表 8-3 遺伝子異常を除く局所あるいは臓器組織の発生異常(つづき)

	発生部位と形成異常の種類	異常発生の機序
骨格系	短頸症 軟骨無形成症 先天性股関節脱臼 二分脊椎	頸椎の形成不全・癒合 長管骨の軟骨内骨化障害 寛骨臼の異常発育 椎弓の左右の癒合不全
感覚器	虹彩欠損 先天性緑内障 先天性白内障 先天性網膜剥離 無水晶体症 小眼球症 無眼球症 単眼症 先天性聾 外耳道閉鎖	眼杯の発育障害 強膜静脈洞あるいはシュレム管の発生異常 水晶体発生時の風疹感染 眼杯の2層が同率で発育しない 眼胞による水晶体形成不全 眼胞が眼杯に発達する過程の異常 眼胞の無発生 脳の正中部組織の発生異常 中耳伝音器官の異常，内耳知覚器官の異常 第一鰓弓の発生異常
皮膚	色素性母斑 多乳房症 歯エナメル質低形成 癒合歯 無毛症，多毛症	メラノサイトの良性腫瘍性増殖 乳腺堤の過剰腺芽 エナメル芽細胞の障害 歯原基の癒合 皮膚付属器の発生異常

【感覚器】
視覚器と平衡聴覚器は第4週中に発生を開始し，ほとんどの重症形成異常は第4～6週の間に起こるが，一部は胎児期に発生する場合もある．

【皮膚】
外皮系は第4週から発達し始め，第11週頃までに完成される．この期間に形成異常が発生するが，種類は皮膚の角化異常，色素異常，毛や爪の異常などがある．

c ポッター症候群 Potter syndrome
腎の無形成・尿路閉鎖などにより胎児の尿量が著しく少ないため羊水が少なくなり，そのために肺の形成不全や手足の内反・拘縮が起こる一連の形成異常を Potter 症候群と呼ぶ．

2 ● 二重体(重複形成異常) conjoined twins

二重体は一卵性双胎の場合にみられる現象で，双児が身体の一部を互いに共有しているものとそれぞれが独立して存在しているものがある．

Advanced Studies

a 対称性二重体
2つの個体が，いずれも発育が完全で独立して対称的に存在している場合は一卵性双生児であり形成異常ではない．双児が身体の一部で癒着する場合は，水平または垂直な面を境として対称的で，頭部，胸部，腹部の前面あるいは後面で対称的に結合する完全二重体や側面で結合する不完全二重体がある．

【完全二重体】
① 頭蓋結合体 craniopagus：頭蓋骨のみが共通であり，他の身体各部は完全に独立しているもので，癒合する部位により頭頂結合体 craniopagus parietalis，前頭結合体 craniopagus frontalis，後頭結合体 craniopagus occipitalis に分けられる．
② 頭胸結合体 cephalothoracopagus：2個体が頭部および胸部で癒合したものである．顔面が前面と後面の両方にある場合には，二対称性頭胸結合体 cephalothoracopagus dissymmetros と呼び，ヤーヌス Janus(ローマ神話の天国の門番の名)体 janiceps ともいう．しかし，実際には二対称性頭胸結合体はまれで，顔面の形成が不完全な，単眼，合耳，無顔などを示す単対称性頭胸結合体がほとんどである．
③ 胸部結合体 thoracopagus：2個体が胸部で癒合したもので，頭胸結合体と同様に二対称性と単対称性がある．胸腔は2個体で共有され，共有の心嚢腔にそれぞれの心臓が存在する．胸骨のみ癒合の場合を胸骨結合体 sternopagus と呼び，この場合は胸部臓器は互いに独立して存在している．比較的頻度は高い．図 8-27 に実例を示す．
④ 胸腹部結合体 thoracoomphalopagus：2個体が胸部と腹部で癒合したもので，胸骨はなく，心臓，肝，腸管などにも癒合がある．
⑤ 腸骨胸結合体 iliothroacopagus：2個体が胸部および腸骨で癒合したもので，腸骨と胸骨が癒合した腸骨胸骨結合体 iliosternopagus および腸骨と剣状突起が癒合した腸骨剣状突起結合体 ilioxiphopagus が含まれる．
⑥ 殿結合体 pygopagus：2個体が背面で向き合い，殿部の骨盤部で癒合したもので，骨盤や仙骨などが癒合し，性器，泌尿器および消化管の後端，すなわち肛門および陰門が共通となる．背面で結合して脊椎を共有する脊椎結合体 rachipagus や骨盤部で癒合して骨盤腔が互いに連絡する股結合体 ischiopagus もある．

【不完全二重体 duplicitas incompleta(側面二重体 duplicitas lateralis)】
双児の体軸が側面で一部重複するもので，双児の身体の上部が癒合した上部二重体 duplicitas superior と身体の下部が癒合した下部二重体 duplicitas inferior に分けられる．上部二重体には頭部が独立して存在する二頭体 dicephalus (図 8-28)，顔面が2つあるが他は1つである二顔体 diprosopus がある．それぞれ上肢や眼・耳の数により細分されることがある．下部二重体には二殿体 dipygus が

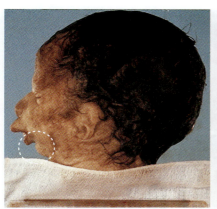
図 8-19　小下顎症*
下顎が発育不全のため，後退している.
〔*図 8-19〜26, 28〜34 の写真提供：植田規史先生〕

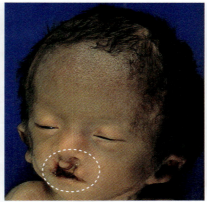
図 8-20　口唇口蓋裂*
上口唇の癒合不全による顔面裂であり，口蓋裂も伴っている.

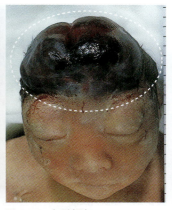
図 8-21　無脳児*
脳および頭蓋骨の完全欠損があり，頭蓋は血腫膜で覆われている.

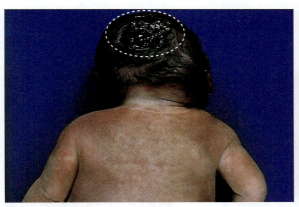
図 8-22　脳髄膜瘤*
後頭部の頭蓋骨欠損部から髄膜と脳実質が突出している.

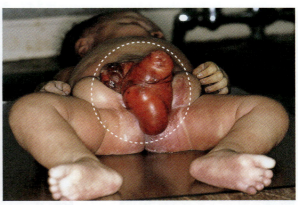
図 8-23　臍帯ヘルニア*
臍帯に連続する羊膜腔が残存し，内臓脱出がみられる.

あり，さらに四脚二殿体 dipygus tetrapus や三脚二殿体 dipygus tripus に分けられることがある.

b 非対称性二重体 duplicitas asymmetros

このタイプの形成異常では，2 個体が互いに独立して存在する場合，一方が胎内において発育不良で死亡すると，その胎児組織が吸収され，圧迫されてミイラ化 mummification を起こし，紙のようになったものを紙様児 papyraceous fetus という.一卵性双胎児の一方の発育が正常で，他方が極端に発育不完全である場合には，心臓の発生が行われず，無心体 acardius と呼ぶ胎児ができる.血液循環が悪いためさらに形成不全を増強させる.無心体は心臓の全く形成されない全無心児 holoacardius と心臓が不完全ながら形成される半無心児 hemiacardius に分けられる.

連絡癒合している二重体の場合では，一方の個体の発育分化がやはり悪いため，他方の個体に寄生したような状態となる.この場合，発育のよいほうを主体 autosite と呼び，他方を寄生体 parasite という.寄生体が主体に付着する部位によって寄生的頭蓋結合体 craniopagus parasiticus，寄生的胸結合体 thoracopagus parasiticus，寄生的殿結合体 pygopagus parasiticus という.寄生体が主体の上顎部付近に寄生しているものを上顎体 epignathus（図 8-29）と呼び，

開いた口から寄生体が吐き出された形となる.殿結合体のうち，仙骨部に寄生したものを仙骨部寄生体 sacral parasite という.寄生体の発育が悪いために奇形腫様になった場合は，仙骨部奇形腫 sacral teratoma と呼ぶことがある.

③ 出生前診断

出生前診断の目的は異常の診断ではなく，例えば胎児性別判定のように臨床サービスとして行うもの，染色体異常や重篤な遺伝子異常で妊娠中や出生後も治療不可能な疾患を妊娠早期に診断するために行うもの，さらに胎児治療を目指すときの基礎となるデータを得ることなどがあげられる.しかし，現在の出生前診断は治療不可能な疾患の早期発見にその意義が大きい.通常行われる出生前診断の材料としては，羊水穿刺や胎児採血により採取された細胞や絨毛が使用される.

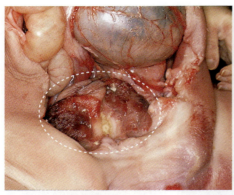

図 8-24 膀胱外反症*
泌尿生殖洞と骨格系の腹側が完全に欠損しているため，膀胱後壁が外反している．

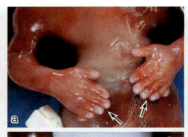
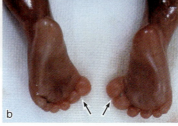

図 8-25 多指症(a)，多趾症(b)*
手指と足趾が6本ずつある．

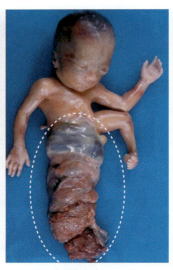

図 8-26 腹壁欠損*
腹壁が欠損し，腹腔内臓器が膜に覆われているのみで，右足も欠損している．

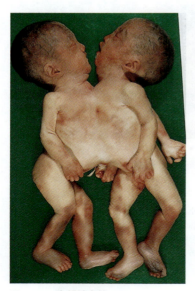

図 8-27 胸部結合体
2個体が胸部で癒着し，胸腔やその内部臓器を共有している．
〔写真提供：神戸大学第二病理〕

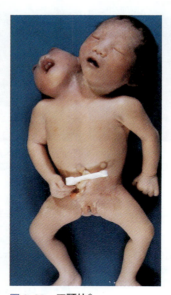

図 8-28 二頭体*
頭部のみが2個体分（片側は無脳症）独立して存在し，胸部以下は癒合して1個体である．

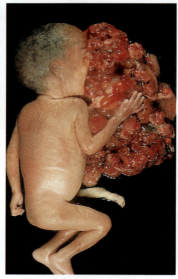

図 8-29 上顎体*
一方の個体の口から吐き出すように寄生体が認められる．

A 妊娠中の形成異常スクリーニング

神経管の閉鎖は妊娠25～35日で起こるが，この閉鎖に異常が起こると二分脊椎～無脳症・頭蓋披裂に至るさまざまな程度の形成異常が起こる．妊娠16～18週における母体の血清αフェトプロテインの測定は，これらの神経管閉鎖不全による形成異常ならびにDown症候群（次項）のスクリーニングにきわめて有効であり，すべての妊婦に勧められる．二分脊椎に関しては80％，無脳症に関しては90％，Down症候群に関しては25％を検出するとされる．陽性者では超音波検査や羊水・絨毛の採取による確定検査が必要である．

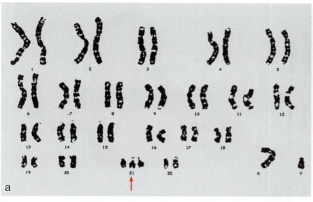

図 8-30　**Down 症候群（21 トリソミー）の核型（a）と特有顔貌（b）**＊
常染色体である第 21 番染色体が 3 本あり，特有の顔貌を認める．

Advanced Studies

a 性別判定

性クロマチン検査法ともいい，間期核でみられる X クロマチン（X 小体，Barr 小体）と Y クロマチンの性染色質を調べる方法で，性染色体異数の検査に用いられる．

① X クロマチン：スライドガラスに細胞を塗りつけ，5N HCl で 10 分間処理し，水洗後チオニン液で 30 分染色して鏡検する．X 染色体の和より 1 つ少なくみられる．

② Y クロマチン：キナクリン蛍光染色法で Y 染色体に由来する Y クロマチンの識別を行い，蛍光顕微鏡で観察する．

b 染色体分析

通常，羊水穿刺や絨毛生検により得られた細胞，または胎児採血で得たリンパ球を使用する．羊水細胞は培養シャーレ下面に付着させて単層培養する．約 1〜2 週間培養したのち，染色体標本を作製して染色体分析を行う．

c 遺伝性疾患の出生前診断

多くの遺伝病は，培養細胞中の酵素活性を測定することにより診断される．しかし，フェニルケトン尿症のように生後の肝臓で新たに作られる酵素の欠損によって起こる疾患や，Huntington 舞踏病のように中年以降に発病する疾患は，胎児期に直接診断することは不可能である．近年，分子生物学の進歩により遺伝病の本体がゲノム DNA レベルでとらえられるようになり，この DNA 分析法を応用して染色体上の遺伝情報をそのまま解析できることから，酵素タンパクの発現していない胎児細胞からも診断することが可能となった．ただし，このような診断の際には倫理的な観点を十分に考慮することが重要である．例えば，医療の発達により血友病の患者は十分に平均寿命を全うできるようになっている．

① 指標遺伝子による出生前診断法：疾患の原因となる病的遺伝子が存在する染色体上に隣接して存在する多型形質 polymorphic marker を指標として，胎児の異常を間接的に診断することができる．この場合，胎児期にも検出可能な多型形質であり，指標遺伝子 marker gene と病的遺伝子が密接して存在しており，交差率の低いものを選ぶ必要がある．例えば，伴性潜性遺伝する血液凝固第Ⅷ因子欠損による血友病 A hemophilia A は G6PD（グルコース-6-リン酸脱水素酵素）遺伝子と連鎖していることが知られている．G6PD タンパク質の電気泳動パターンの 2 種類の相違は羊水細胞を用いて検出できるので，間接的に血友病 A を出生前診断することが可能となる．実際には，胎児が男児であることの確認や，妊娠第 19〜20 週の胎児採血で第Ⅷ因子の活性がほとんどないことの確認まで行う．

② 雑種細胞形成法による出生前診断法：分化したある組織や細胞のみに合成される酵素やタンパクの異常により起こる代謝疾患は，羊水細胞からは直接診断できない．近年，羊水細胞と分化したマウスの組織から得た細胞とを融合させた雑種細胞に，検索目的とする酵素などのタンパク質を発現させることができるようになり，雑種細胞（ハイブリドーマ）形成法を使って遺伝子を活性化させることで遺伝性代謝異常症を直接診断することが可能になった．例えば，アルブミンを合成しないヒトの白血球とマウスの肝癌細胞とを融合させることにより，雑種細胞にヒトのアルブミンを合成させることができる．この方法を使って，肝臓などに分化した組織のみに発現する酵素による代謝異常症を羊水細胞から診断できる可能性がある．

③ その他：組換え DNA の技術の発展とともに，単離された遺伝子や遺伝子断片を容易に得られるようになった．この遺伝子クローニング技術が出生前診断にも利用されている．例えばヒト細胞から得た mRNA を逆転写することにより，cDNA を合成してその塩基配列を調べることができる．全ヒトゲノム情報の公開，DNA の特定の領域を増幅する PCR 法の普及に伴い，胎児診断の領域は大きく変貌を遂げつつある．

C 染色体異常による疾患

1 常染色体異常

a Down 症候群（21 トリソミー）

1866 年 Down が**特有の顔貌**をもつ**知的障害者**をはじめて記載し，1959 年 Lejeune が **21 トリソミー**による疾患であることを見いだした．ヒトの出生後の染色体異常で最も出現頻度が高く（出生 1,000 人に対して 1 人），患者は知的障害，外上り眼裂，内眼角開離を特徴とし，そのほかに，短頭，短頸，内眼角贅皮，扁平な鼻梁，耳介

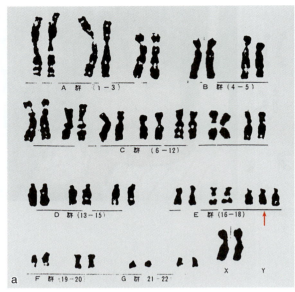
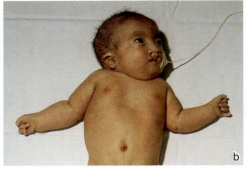

図 8-31　18 トリソミーの核型（a）と上半身像（b）*
独特の顔貌および口唇裂を認め，特有の指の握りをみる．

の変形などの特異的顔貌を示す．さらに指は短く，第 5 指の内彎，手掌の猿線などもみられ，筋緊張の低下や心奇形を伴うことも多い．

本症では染色体数 47 の標準型トリソミーのほかに転座型や正常と標準型トリソミーのモザイク型がある．第 21 番染色体の過剰は特に 21q22 部分が原因とされている．過剰染色体の約 80％ は母親由来と考えられ，高齢による卵細胞の染色体不分離が原因として疑われる．30 歳以上で Alzheimer 病様脳病変が起こる率が高い．出生前に診断可能である．染色体核型と顔貌を図 8-30 に示す．

b 18 トリソミー

1960 年 Edwards らが最初に 17 トリソミーと報告したが，その後 Smith らにより 18 トリソミーとして正しく定義された．頻度は出生約 3,500〜7,000 人に 1 人程度とされ，過剰な染色体は母親由来のことが多く，男児のほうが胎児内で淘汰されやすいため，出生後の性比は女児が多い．半数以上は死産か生後まもなく死亡し，出生児の寿命は長くても 1 年程度である．精神発達障害，指の屈曲拘縮，耳介の低位，心奇形，小顎症などがみられる．染色体数 47 で第 18 番染色体がトリソミーになる標準型が大部分であるが，正常細胞とのモザイクや転座により第 18 番染色体の長腕がトリソミーとなった部分トリソミーも報告されている．染色体核型と上半身外形を図 8-31 に示す．

c D1 トリソミー（13 トリソミー）

1960 年 Patau らにより報告された．当時は染色体の個々の区別は困難で，形態上 D 群染色体の 1 つとして扱われたため，D1 トリソミーと呼ばれたが，現在は分染法により 13 トリソミーとして取り扱われる．発生頻度は出生約 8,000 人に 1 人と推定されている．出生児の大半が生後 6 か月以内に死亡する．主な発生異常としては，無眼または小眼症，口唇裂，口蓋裂，耳介の形成異常，小頭症，心奇形などである．ただし，本症の顔面の形成異常には表現型にかなり幅があるとされている．

Advanced Studies

d その他

いずれも頻度は低いが，8 トリソミー，9 トリソミー，4q-モノソミー，5q-モノソミー，13q-モノソミー，18p-モノソミー，18q-モノソミーなどがある．モノソミーはトリソミーより症状が重く，モノソミーの大部分は発生早期に淘汰されると考えられている．したがって，出生する染色体異常者のモノソミーは染色体の一部分のみのモノソミーである．

① 8 トリソミー：知的障害，頭蓋変形，高口蓋，斜視，小顎，脊柱側彎，手掌および足蹠の深い溝がみられる．
② 9 トリソミー：小頭症，眼裂狭小あるいは無眼症，小顎症，耳介の変形および低位，短頸，性器の発育不全などをみる．
③ 猫鳴き症候群 cri du chat syndrome（cat cry disease）：1963 年 Lejeune により記載され，第 5 番染色体の 1 個の短腕に欠失がある．発育障害，小頭症，円形顔貌，皮膚紋理異常などがみられる．
④ 猫の目症候群 cat eye syndrome：G 群より小さい端部着糸型の過剰染色体（22pter-q11）が存在し，虹彩の下方欠損，鎖肛，耳介の形成異常を示す．過剰染色体は第 22 番の短腕と長腕の一部に由来する．

2 性染色体異常

性決定の機構は生物種によって異なるが，ヒトを含む哺乳類では**Y染色体**が男性決定因子であり，性染色体のヒト核型はXX型またはXY型である．Y染色体が存在しないと表現型は女性になり，Y染色体があれば**X染色体**がいくつあっても表現型は男性となる（例：XXXY）．さらに，Y染色体があっても，Y染色体長腕のイソ染色体やY短腕の欠失を有する個体がいずれも女性になるという事実から，Y染色体の男性決定因子は**短腕**上にあると推定されている．すなわちY染色体短腕には，**精巣決定因子** testis determining factor（TDF）があり，胎生期の未分化性腺を精巣に分化誘導する．分化した精巣のセルトリ Sertoli 細胞は**ミュラー管**の分化を阻止し，ライディッヒ Leydig 細胞はテストステロンを分泌して，内生殖器・外生殖器を男性化する．

これに対してY染色体が存在しない場合は，性腺細胞はその基本的設計に従って卵巣に分化する．分裂間期の細胞核には，X染色体，Y染色体に一致する**Xクロマチン，Yクロマチン**が存在し，通常Xクロマチンは女性の体細胞にある2本のX染色体のうち，遺伝的に不活性化している1本に由来し，Yクロマチンは男性のY染色体に由来している．したがって，性染色体に異常がある場合には，Xクロマチンは体細胞のX染色体の数から1を引いた数だけ認められ，Yクロマチンは男性のY染色体の数に一致して認められる．また，XクロマチンやYクロマチンの大きさは，X染色体やY染色体の構造異常，すなわち長さ・量に比例するとされている．

Advanced Studies

同一個体に男女両性の特徴を備えた異常は**半陰陽** hermaphroditism と呼ばれ，精巣と卵巣を備えた異常は**真性半陰陽**，性腺は男女いずれか一方の性に分化しているが，外生殖器が性腺とは異なる性の方向に分化している異常を**仮性半陰陽**と呼び，仮性半陰陽は性腺の性別に従って男性仮性半陰陽または女性仮性半陰陽と呼ばれる．真性半陰陽の性腺は男女中間型であり，しばしば尿道下裂，停留精巣，陰核肥大，陰唇癒合などを伴う．内生殖器は通常同側の性腺の分化に従って，それぞれ男女いずれかの方向に分化する．思春期になると異常な第二次性徴（男性では女性化乳房や月経，女性では髭の発生や無月経など）がみられる．

胎生期未分化性腺の精巣への分化は Y 染色体上の TDF により誘導され，ヒトの内外生殖器の分化が男女いずれの方向に進むかは，胎生期の精巣より分泌される男性ホルモンにより左右されると考えられる．したがって，この遺伝子を中心とした胎生期性腺分化決定機構の異常により，真性半陰陽は生じると考えられる．46, XX/46, XY のキメラによる染色体型の場合は，TDF をもつ XY から精巣が，TDF をもたない XX から卵巣が分化すると考えることができる．キメラでない性染色体型が XX のものの精巣の発生原因については，TDF の X 染色体への転座，突然変異による TDF 以外の精巣分化誘導能力の獲得などが考えられている．

男性仮性半陰陽は，テストステロン生合成障害や男性ホルモン作用機序異常などが原因と考えられている．中でも精巣女性化症候群は，男性ホルモン受容体異常に基づく男性ホルモン抵抗性のために男性型内外性器の分化が障害されたものと考えられる．男性ホルモン受容体遺伝子は X 染色体上に座位し，この遺伝子の突然変異が原因とみなされている．精巣女性化症候群は，外生殖器が女性型であるため女性として育てられ，思春期には原発性無月経を主訴に医師を訪れ，気づかれることが多い．ときには，ヘルニアやその他の手術の際に，偶然精巣を発見されて診断されることもある．外生殖器が女性型である完全型のほかに，外生殖器に男性化傾向がみられる不完全型もある．女性の内生殖器は認められない．性腺には Leydig 細胞や精細管を認めるが，精子形成は障害されている．女性仮性半陰陽では，代表的なものに先天性副腎過形成に基づく男性化症候群がある．

性染色体異常は，常染色体異常に比べて種類・頻度ともに多い．それは，X染色体の数の異常はX染色体不活性化によって代償されること，Y染色体は男性決定因子以外には重要な遺伝子をもっていないこと，すなわち自然流産という形式で排除される機会が少ないことによると考えられる．

a ターナー症候群 Turner syndrome

1959年に Ford により **45, XO** と核型観察された疾患で，正常個体と比べてXまたはY染色体が少ない．1938年に Turner が表現型をはじめて記載したことから Turner 症候群と呼ばれる．患者の外生殖器は女性型を示すが性的に未発達であり，発育不全によって先天性成長ホルモン分泌不全症となり，性腺は痕跡状で思春期以降では尿中ゴナドトロピンは高い．そのほかに，低身長，翼状頸，外反肘を伴う．女児の出生約2,000人に1人の頻度で出現する．

46, XX でも1つのX染色体は不活性化されるので，理論上は 45, XO と同じことのように思える．表現型が異なる理由として，46, XX の発生初期にはX染色体が両方とも活性をもって表現型に関与していること，不活性化してもX染色体の一部は活性を保持していることなどが考えられている．45, XO の胎児の性腺は卵原細胞をもち，成熟分裂も開始するが，完了に至らずに胎生後期には退化する．出生時の Turner 症候群患者の性腺は瘢痕化した組織しかもたず，思春期に達しても排卵せず，原発性無月経でエストロゲンは産生されないため，第二次性徴も欠くことになる．図 8-32 に染色体核型と全身像を示す．

b クラインフェルター症候群 Klinefelter syndrome

本症は1959年に Jacobs らにより **47, XXY** と染色体構成が確認された染色体異常症で，男児の出生500～700人に1人の頻度で出現する．身長が高く特に下肢が長い．身体は男性であるが女性様の体型を示し，髭，腋毛，陰毛の発育は不良で，精巣は小さく無精子症を呈

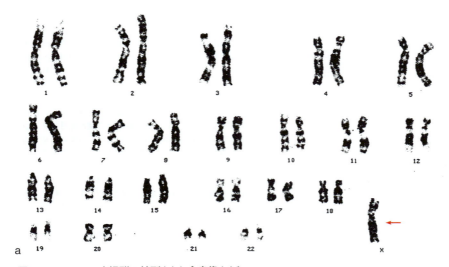
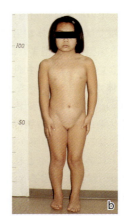

図 8-32　Turner 症候群の核型（a）と全身像（b）＊
核型では X 染色体が 1 本のみみられ，全身像では性的未発達や低身長が認められる．

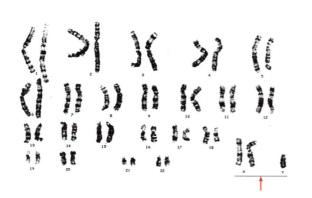

図 8-33　Klinefelter 症候群の核型＊
2 本の X 染色体と 1 本の Y 染色体が認められる．

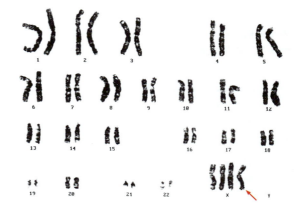

図 8-34　poly X 染色体症候群＊
X 染色体が 4 本存在している．

し，したがって男性不妊である．神経質，刺激性亢進，意志薄弱などの精神症状も伴う．X クロマチン，Y クロマチンともに陽性である．Klinefelter 症候群の出生例ではその母年齢が高い場合，母親の減数分裂時における染色体の不分離が主原因と考えられている．図 8-33 に染色体核型を示す．

Advanced Studies

c superfemale（3 倍体 X 染色体症候群）

1959 年，Jacobs らにより無月経や第二次性徴の発達不良などを認める染色体構成 47, XXX の女性が発見され，X 染色体が過剰なことを原因とする先天異常症と考えられた．XXX だけでなく XXXX（図 8-34）や XXXXX などもあるとされ，polyX 染色体症候群として一括されることもある．発生頻度は出生約 1,000 人に 1 人の割合と考えられている．半数は表現型正常，性機能，生殖器構造も正常であるが，性器の発育不全のほか，X 染色体の数が増えるにつれて精神発達障害が強くなり，そのほかに小奇形を伴うことがある．

d その他

① **47, XYY**：身長が高く言語障害をもつ傾向があり，知能指数はほかの家族よりやや低いことが多い．発生頻度は出生約 1,000 人に 1 人．原因は父親側の減数分裂時の Y 染色体の不分離によるものと推測されている．

② **46, XX male**：染色体構成が 46, XX であるのにもかかわらず男性であるものをいう．身体は正常男性よりやや小さく思春期以後では精巣が小さく無精子症がみられるが，知能は正常である．成因はまだ確定していないが，Y 染色体上の TDF が X 染色体へ転座した可能性，X 染色体上の性に関連した遺伝子の変異により生じた可能性が示唆されている．

③ **脆弱 X 症候群** fragile X syndrome：患者では，長い顔，大きな耳，関節の過伸展，陰嚢が大きいこと，情緒不安定，あるいは注意欠陥や多動性などの発達障害が特徴とされている．チミジ

ンまたは葉酸欠乏下での培養条件で患者のリンパ球を培養すると、染色体標本でX染色体を中心に脆弱部位の多発が認められる。遺伝によりもたらされる精神発達障害として唯一の、しかも最も頻度の高い疾患である。男性では約1,500人に1人、女性では約2,500人に1人と推測されている。FMR1遺伝子内のプロモーター領域とコドン開始部位の間における3塩基の繰返し配列(triplet repeat)の異常延長により、FMR1遺伝子が発現しなくなることが原因であることが判明した。

このほか、性染色体の異常による性分化の異常については46, XX/46, XYキメラによる真性半陰陽、45, X/46, XYモザイクなど表現型はさまざまである。

3 腫瘍における染色体異常

がんは基本的にゲノム情報の異常から生じる疾患である。がんの染色体異常の分析は、浮遊細胞である白血病細胞の染色体分析が比較的容易であったことから、白血病を中心に解析が進んできた。固形腫瘍でも最近は技術的な困難を解決して、染色体分析が精力的に行われている。

腫瘍における染色体異常で重要なものはがん化の引き金になる変化で、特定のがんの全細胞に恒常的に認められる相互転座や欠失が多い。もう1つの変化は二次的な変化で、がん化した細胞の増殖を促進する役割をする。この変化はがんの進行とともに変化または付加することが多い。染色体数の変化、染色体部分の付加・欠失、染色体の倍数化・半数化、遺伝子の増幅・組換えなどがあげられる。ヒト腫瘍の染色体変化全般については表8-4に示す。

白血病では転座を主体とした染色体異常が多くみられ、固形腫瘍では特定染色体領域の増幅・欠失を中心とした特異的変化が知られているが、二次的変化が加わることにより、全体として染色体数が正常に比べ多くなる特徴がある。こうした解析は現在、次世代シークエンサーの進歩により、クリニカルシークエンスとして臨床の現場にも取り入れられつつある(→第9章「腫瘍」、259頁参照)。

D 遺伝子異常による疾患

これまで述べてきた染色体異常は多大な数の遺伝子の作用に影響を及ぼす。染色体レベルでは異常がみられず、単一遺伝子の異常に基づく疾患も存在し、これまでに5,000以上が知られている。ゲノムの情報がわずか1塩基変化しただけで発症する疾患もある。これらの疾患は、多発家系において追跡が可能であり、基本的に優性、劣性、伴性劣性遺伝の遺伝様式に分けることができる。

以下、病理学で理解しておきたい主な単一遺伝子病を常染色体顕性遺伝疾患、常染色体潜性遺伝疾患、伴性潜性遺伝疾患、その他に分けて説明する。

1 常染色体顕性遺伝

片側のアレルが異常となっただけで、疾患の表現型が出現する遺伝様式であり、ヘテロだと50%の確率で遺伝する。病気でない子どもから子孫に遺伝することはない。ただし、表現型の**浸透率**(遺伝型該当者のなかで表現型の出現する個体の割合)や程度が違うことがあり、単純に説明できないケースも存在する。両方のアレルに疾患遺伝子がそろうことは滅多にない。一般に病気の発症は成人になってからと遅く、多くの場合で生殖可能である。

常染色体優性遺伝疾患の標的遺伝子は酵素ではなく、構造タンパク質や受容体をコードしている。これらの分子は複数のタンパク質で大きな複合体を作っているため、異常なタンパク質が部品として1つ入っただけですべてが台無しになってしまう。酸素の運搬に必須のタンパク質であるヘモグロビンの異常には実にさまざまな遺伝疾患があるが、このカテゴリーに入る。ただし、ヘテロ保因者は症状が軽いため劣性形質と認識される場合もある。代表的な疾患を5つ示す。

A 家族性高コレステロール血症
familial hypercholesterolemia (FH)

本疾患は遺伝疾患のなかで最も頻度が高いものであり、片側のアレルに関して500人に1人の頻度で異常が認められる。その本態は**低密度リポタンパク(LDL)受容体**の異常あるいは減少である。脂質であるコレステロールは、形質膜やステロイドホルモンの材料として重要なものであり、肝臓でLDLとしてパックされて全身の細胞に輸送されている。これを受け取るのがすべての細胞に存在するLDL受容体である。脂質を輸送するリポタンパク質にはさまざまなものがあるが、コレステロール含有率が最も高いものがLDLである。この受容体に異常があり、細胞内にコレステロールがうまく入っていかないと血清中のコレステロール値が上昇し、**動脈硬化症**を高度に促進する。これまでに900以上の異な

表8-4 ヒト腫瘍にみられる頻度の高い染色体異常とその関連遺伝子

腫瘍の種類	疾患遺伝子名	特異的染色体異常
肺癌　小細胞癌	SCLC1	del(3)(p21-23)
非小細胞癌	EGFR, ALK, ROS1, BRAF, MET, PD-L1	del(3p), del(9p21), del(13q)
胃癌	ARID1A, APC, TP53	−1, del(5q), del(13q), del(17p13)
家族性大腸ポリポーシス	APC(GF, FPC)	del(5)(q21-22)
	APC	t(5;10)(q22;q25)
大腸癌	MCC	del(5q21)
	TP53	del(17p), del(18q21-ter), del(22q)
肝細胞癌	PTEN(MMAC1)	del(10)(q22-24)
膵癌	CDKN2(MTS1, p16)	del(9p21)
腎細胞癌(乳頭状)	PRCC, TFE3	t(X;1)(p11.2;q21)
	VHL	del(3p)
家族性	RCA1(HRCA1)	t(3;8)(p21;q24)
ウィルムス Wilms 腫瘍	WT1	del(11)(p13;p13), t(5;11)(q11;p13)
前立腺癌	PTEN(MMAC1)	del(10)(q22-24), del(16q22-24)
子宮内膜癌	PTEN(MMAC1)	del(10)(q22-24)
悪性黒色腫	CMM(MLM, DNS)	del(1p36)
	MG50	del(2p25.3)
	CDKN2(MTS1, p16)	del(2)(p25-ter), del(9p21)
網膜芽細胞腫	RB1	del(13)(q14.1;q14.2)
神経線維腫症2型	NF2	t(4;22)(q12;q12.2)
ユーイング肉腫/PNET/Askin腫瘍	EWS-ETV1	t(7;22)(p22;q12)
	EWS-FLI1	t(11;22)(q24;q12)
	EWS-ERG	t(21;22)(q22;q12)
	EWS-FEV	t(2;22)(q33;q12)
淡明細胞肉腫	ATF1-EWS	t(12;22)(q13;q12)
脂肪肉腫(粘液性)	TLS(FUS)-CHOP	t(12;16)(q13;q11)
	EWS-CHOP	t(12;22)(q13;q12)
横紋筋肉腫(胞巣型)	PAX3(WS1)-FKHR	t(2;13)(q35;q14)
	PAX7-FKHR	t(1;13)(p36;q14)
滑膜肉腫	SYT-SSX1/SSX2	t(X;18)(p11;q11)
desmoplastic round cell tumor	WT1-EWS	t(11;22)(p13;q12)
隆起性皮膚線維肉腫	COL1A1-PDGFB	t(17;22)(q22;q13)
炎症性筋線維芽細胞腫	TPM3/ALK	2p23, rearrangement
粘液性軟骨肉腫	EWS-CHN(TEC)	t(9;22)(q22;q12)
	RBP56-CHN(TEC)	t(9;17)(q22;q11)
	TEC-TCF12	t(9;15)(q22;q21)
Beckwith-Wiedemann 症候群*	BWS(WBS)/p57(KIP2)	dup(11p15), trisomy(11p15), t(9;11)(p11.2-p15.5)
リ・フラウメニ Li-Fraumeni 症候群	TP53	del(17)(p13.1)
白血病	ETO(CBFA2T, AML1T11)-AML1	t(8;21)(q22;q22)
	PML-RARA	t(15;17)(q22;q21)
	ABL-BCR	t(9;22)(q34;q11)
悪性リンパ腫	TCRA	t(8;14)(q24;q11)
	BCL2/FVT1	t(14;18)(q32;q13)

* 肝芽腫，横紋筋肉腫，Wilms 腫瘍など胎児性腫瘤を多発．
構造異常を示す記号 del：deletion, dup：duplication, t：translocation, ter：terminal end of arm, −：monosomy.

る変異が報告されており，若年で心筋梗塞や脳梗塞を起こすのが特徴である．

B 筋ジストロフィー muscular dystrophy

筋ジストロフィーは骨格筋に変性・壊死を認める遺伝性進行性の筋萎縮症である．しかし，単一の疾患ではなく，臨床経過や罹患筋の分布および遺伝形式などの違いにより，常染色体顕性遺伝をとるものとして，筋強直性ジストロフィー（多系統疾患であり，筋緊張症候群に分類），顔面肩甲上腕型筋ジストロフィー，肢帯型ジストロフィー（5q22.3-q31.3，ほかに15q15.1や2q13.2に遺

伝子座をもつ潜性遺伝もある)などが知られ，X染色体潜性遺伝の形式をとるものとして，Duchenne型筋ジストロフィー(→235頁参照)，Becker型筋ジストロフィー，Emery-Dreifuss型筋ジストロフィー(Xq28)が知られている．

筋強直性ジストロフィー myotonic dystrophy は常染色体顕性遺伝をする多系統疾患で，原因遺伝子として1992年に第19番染色体長腕の19q13.2-q13.3に**MD遺伝子**(遺伝子名としては *DM*，*DMPK*と呼称されるキナーゼ)が明らかにされた．

このジストロフィーでは患者のほとんどで，正常の*DM*遺伝子領域をもつアレルとそれよりサイズの大きい変異*DM*遺伝子領域よりなる対立アレルを認める．変異した*DM*遺伝子のサイズは家族間のみならず，同一家族内においても一定せず変化に富んでいる．健常者では，遺伝子内3′非翻訳領域に存在するCTGの特徴的な**3塩基の繰り返し配列** triplet repeat が5〜30回程度であるのに対し，筋ジストロフィー患者では50〜2,000回も繰り返しがある．臨床的には*DM*遺伝子のサイズが長くなるほど疾患が重症である．

顔面肩甲上腕型ジストロフィーは同様に常染色体顕性遺伝をする進行性の筋ジストロフィーであり，網膜症や難聴を高率に伴うが，その原因である*FSHD*遺伝子は第4番染色体長腕(4q35)にあることが同定されている．

C マルファン症候群 Marfan syndrome

本疾患は構造タンパク質にかかわるものである．Marfan症候群は，**高身長**，クモ状指，長い手足，関節の過剰可動性などの骨格系異常，水晶体亜脱臼による眼の異常，**解離性大動脈瘤**，**皮膚の過伸展性**などの**結合組織異常**を特徴とする常染色体顕性遺伝疾患である．最近の研究では，第15番染色体長腕(15q21.1)にフィブリリン fibrillin (*FBN1*)**遺伝子**があり，塩基配列の239番目がG→Cに変異し，アミノ酸の1つがアルギニンからプロリンに変化したことが原因と考えられている．米国のリンカーン大統領がこの疾患であったとされている．フィブリリンは弾性線維を固定するタンパクであり，その異常により主として弾性線維にかかわる部位で障害が発生する．

類似の症状をきたす疾患に，膠原線維の合成や構造に関する異常を引き起こす**Ehlers-Danlos症候群**がある．大きく6つの病型に分かれるが，常染色体優性のみならず，その他の遺伝様式のものも存在する．

D 異常ヘモグロビン症 abnormal hemoglobin disease

ヒトのヘモグロビンは第16番染色体上にあるαグロビン遺伝子群にコードされるα様グロビン($\alpha \cdot \zeta$鎖)と第11番染色体上にあるβグロビン遺伝子群にコードされるβ様グロビン($\beta \cdot \delta \cdot \varepsilon \cdot \gamma$鎖)とが四量体を形成し，個体発生に伴い合成されるヘモグロビンの種類が変化する．通常成人のHbAは$\alpha_2\beta_2$で表現され，一部$\alpha_2\delta_2$のタイプもある．これに対して胎児のHbFは$\alpha_2\gamma_2$と表現される．

異常ヘモグロビン症については研究の歴史も古く，非常に多くの知見があり詳しくは成書に譲るが，現在約500種の異常ヘモグロビンが知られている．これは2つに大別される．グロビン鎖の一次構造の変化により引き起こされ，塩基配列の点突然変異によりアミノ酸の置換が起こった構造変異としての異常ヘモグロビン症(鎌状赤血球症，黒血病)と，1〜数個のグロビン鎖の合成低下によりグロビン鎖合成の不均衡をきたした異常ヘモグロビン症(サラセミア)とがある．

鎌状赤血球症や$\alpha \cdot \beta$サラセミアは胎児期に出生前診断を行い，出産のコントロールが試みられている．

a 鎌状赤血球症 sickle cell disease

臨床的に重要な疾患で，異常ヘモグロビンはHbSと呼ばれ，アフリカをはじめとしてアラビア，ギリシャ，イタリアなどにみられる．ヘモグロビンはβ鎖の6番目にあるグルタミン酸がバリンに置換されている．この異常遺伝子をホモ接合体にもつ患者は致死的であり，重症の貧血のため幼児期に死亡する．**ヘテロ接合体**をもつ場合は貧血の程度が軽く，健常者に比べて**マラリア感染に抵抗性**を示すため，特にアフリカで選択を受けて遺伝子が高率に残っているとされる．

b サラセミア thalassemia

地中海沿岸に多く，アフリカや中東から東南アジアまで広く分布し，**マラリア感染抵抗性**と関連している．どのグロビン鎖が障害を受けるかで$\alpha \cdot \beta \cdot \delta\beta \cdot \varepsilon\gamma\delta\beta$サラセミアに分類され，$\alpha \cdot \delta\beta \cdot \varepsilon\gamma\delta\beta$サラセミアは遺伝子欠失が原因で発生し，$\beta$サラセミアは点突然変異により起こるとされている．グロビン鎖には異常がないが，α鎖の合成が低下しているαサラセミア(Hb Bart 胎児水腫症，HbH)とβ鎖の合成が低下しているβサラセミア(β°，β^+)がある．過剰なグロビン鎖が蓄積し，**赤芽球の成熟障害**や**溶血**を引き起こし，**低色素性貧血**と組織への**鉄沈着**を起こす．

E 高発がん家系 familial cancer syndrome

悪性腫瘍はきわめてありふれた疾患であるが，ほとんどのものは遺伝しない．特定の腫瘍が血縁のある家系内に集積する場合のみを高発がん家系と認識する．その多くは**がん抑制遺伝子** tumor suppressor gene の片側のアレルが不活化されているものであり，がん抑制遺伝子の概念の確立に大いに貢献した．これまでに20程度が知られている．*RB*遺伝子は網膜芽細胞腫と，*BRCA1/BRCA2*遺伝子は乳癌や卵巣癌と，*p53*遺伝子（リーフラウメニ Li-Fraumeni 症候群）は小児期の肉腫，乳癌，白血病，骨肉腫と，*p16*遺伝子は悪性黒色腫と，密接に関連している．そのメカニズムは，すべての体細胞において正常ながん抑制遺伝子が1アレルしかないため，そのアレルに何らかの傷害が起こると，鋳型がないため適切に修復できず，その結果，発がんを抑制できなくなるためである．ゲノムDNAの修復や細胞回転のブレーキであるがん抑制遺伝子の機能は潜性形質であるが，**遺伝形式は顕性遺伝となる**（→第9章「腫瘍」，277頁参照）．

2 常染色体潜性遺伝

この遺伝形式の疾患は，疾患のアレルが2つそろってはじめて病気の表現型が現れる．両親ともに病気の表現型を示さないヘテロの保因者であり，1/4の確率で子どもが当該疾患となったものである．したがって，**近親婚**で起こりやすい．遺伝子がホモ接合の病気は重篤であり，生殖可能年齢までに死亡することが多い．**疾患遺伝子のほとんどは酵素をコードしている**が，酵素の場合は活性がゼロになってはじめて形質が出現する．その際，**代謝できなかった有害基質の蓄積が疾患の特徴となる**．

A フェニルケトン尿症 phenylketonuria

フェニルアラニン水酸化酵素（PAH）の欠損疾患で，フェニルアラニンからチロシンの代謝が阻害され，体内にフェニルアラニンが蓄積し，尿中に大量のフェニルピルビン酸が排泄される．痙攣や知的能力障害などの重篤な神経症状をきたす．*PAH*遺伝子は第12番染色体（12q23.2）に位置し，ほとんどが点突然変異に由来する．神経発達の重要な時期に，フェニルアラニンを除去したミルクを与えれば正常な成長が期待できる．

B ポンペ病 Pompe disease

糖原病 glycogen storage disease はグリコーゲン代謝関連酵素の欠損に由来する先天性糖代謝異常で，Ⅰ～Ⅷ型の8種に分類される．Ⅱ型に属する酸性α-グルコシダーゼ（GAA）異常がPompe病であり，生後6か月頃までに発症し，筋障害，心障害，肝腫大により2歳前後に死亡する．ほかに小児型と成人型もある．*GAA*遺伝子は第17番染色体（17q25.2-q25.3）に存在する．

C ゴーシェ病 Gaucher disease

グルコセレブロシダーゼの欠損によりグルコセレブロシドが蓄積する疾患で，この原因遺伝子である*GBA*遺伝子は第1番染色体（1q22）に存在する．点突然変異が主体で，第9エクソンのA→G変異や第10エクソンのT→A変異などが知られている．

D β-ヘキソサミニダーゼ欠損症 β-acetylhexosaminidase deficiency

β-ヘキソサミニダーゼ（α鎖β鎖のサブユニット）の欠損によりガングリオシドが脳に蓄積する疾患である．α鎖の異常がTay-Sachs病であり，β鎖の異常がSandhoff病である．α鎖遺伝子（*HEXA*）は第15番染色体（15q23-q24），β鎖遺伝子（*HEXB*）は第5番染色体（5q13）に存在する．両遺伝子の欠失や点突然変異が知られている．Gaucher病とともに**ライソゾーム病** lysosomal storage disease に属する疾患である．

E 色素性乾皮症 xeroderma pigmentosum

1歳未満で発症し，皮膚は**日光照射**に対して紅斑や水疱などの**過敏反応**を示し，皮膚乾燥，角化，色素沈着を伴い基底細胞癌，扁平上皮癌，悪性黒色腫などの皮膚癌を頻発する．DNA修復酵素異常症の1つである．A～Gの7つの相補性群とバリアント（V）に分類されており，原因遺伝子として*XPA*（9q22.33），*XPC*（3p25.1）などの遺伝子などが同定されている．皮膚疾患に加えて進行性の中枢神経障害や末梢神経障害を伴うケースがあり，このような場合には20歳までに死亡することもある．欧米の100万人に1人と比べると，2.2万人に1人と日本人に多い．

F 嚢胞性線維症 cystic fibrosis

上皮の**塩素イオンチャネル**の遺伝子に異常があるため，呼吸器と消化器を主とする全身の外分泌腺で機能不全を起こす疾患である．**粘液分泌物が粘稠**となるため，肺では気管支肺炎を起こし，消化管では胎便性イレウスや膵外分泌機能不全による消化吸収不良を起こす疾患である．日本人ではまれであるが，白人には 2,500 人に 1 人と多い．この原因遺伝子は *CFTR* 遺伝子と呼ばれ，第 7 番染色体長腕(7q31.2)に位置している．欠失が主な変異である．

3 伴性潜性遺伝

X 染色体連鎖の遺伝子病は，男性には X 染色体が 1 本しか存在しないという特性のため，疾患としてはほとんど男性のみに出現する．原因遺伝子は多くの場合，無症状ヘテロの母親あるいは患者の父親から子へ伝達され，男性では発症，女性は保因者となる．これに含まれる疾患は，筋肉低下が起こる Duchenne 型筋ジストロフィー，血液凝固異常が起こる血友病が有名である．

A デュシェンヌ型筋ジストロフィー Duchenne muscular dystrophy

Duchenne 型筋ジストロフィーはヒトの遺伝性疾患の中で最も数の多い伴性潜性遺伝病であり，欧米では約 3,500 人の出産例に 1 例の割合で発症し，その約 1/3 は新たな突然変異であると考えられている．**ジストロフィン** dystrophin の異常のために起こる疾患で，原因遺伝子は X 染色体短腕(Xp21.2)に存在し，*DMD* 遺伝子と呼ばれている．ジストロフィンをコードする遺伝子は全長約 200 万塩基対にも及ぶ大きさで，その中に少なくとも 70 ものエクソンがあるとされている．ジストロフィン遺伝子をプローブとして多くの患者を解析した結果，患者の約 60% にエクソン領域の欠失，約 10% に重複があることが判明した．ベッカー型筋ジストロフィー Becker muscular dystrophy はジストロフィンの分子量とタンパク量に異常が見いだされる同じ遺伝子のヘテロな疾患である．

B 血友病 hemophilia

凝固第VIII因子ないし第IX因子活性低下のため止血がう まく行われず，**出血性素因**の原因となる．血友病 A は伴性劣性遺伝で男児に出現し，女児の発症はきわめてまれである．約 1 万人に 1 人の割合でみられる．第VIII因子遺伝子は X 染色体(Xq28)に存在し，患者の家系に遺伝子の点突然変異と欠失が見つけられている．血友病 B は凝固第IX因子の活性低下があり臨床的には同一の症状を示すが，頻度は少ない．第IX因子遺伝子は X 染色体(Xq27.1-q27.2)に存在し，同様に遺伝子の点突然変異と欠失が見つけられている．

C レッシュ-ナイハン症候群 Lesch-Nyhan syndrome

ヒポキサンチン・グアニン・ホスホリボシルトランスフェラーゼ(HPRT)が欠損した疾患で，知的能力障害，不随意運動，指先を噛みちぎる自傷行為，高尿酸血症などを示す．*HPRT* 遺伝子は X 染色体(Xq26-q27.2)に位置している．遺伝子の欠失・点突然変異やスプライシング変異が知られている．伴性潜性遺伝病で患者は男児のみである．

D 色覚異常 achromatopsia

色の感知はヤング-ヘルムホルツ Young-Helmholtz の**三原色説**で説明されているように，**赤・緑・青**の色の強さにより行われている．色覚異常は，色弱と呼ばれる異常 3 色覚，1 つの色が識別できなくなる 2 色覚，1 色覚に区別される．異常 3 色覚と 2 色覚は伴性潜性遺伝形式をとり，赤(RCP，CBP)，緑(GCP，CBD)視色素遺伝子はともに X 染色体(Xq28)に位置しているが，青視色素遺伝子(BCP，CBT)は第 7 番染色体(7q31.3-q32)に位置している．赤・緑視色素遺伝子はともに X 染色体の近傍に位置しているため連鎖を起こしやすい．赤緑色覚異常では赤・緑視色素遺伝子両方の欠失がみられる．

E 慢性肉芽腫症 chronic granulomatous disease

好中球や単球などの貪食細胞の **NADPH 酸化酵素**による**活性酸素産生機能の欠損**のため殺菌作用が低下し，乳児期より重症の細菌感染症をきたす疾患である．NADPH 酸化酵素を構成する複数のタンパク質のどれに変異が生じているかによって伴性劣性あるいは常染色体劣性の遺伝形式をとるが，X 染色体上(Xp21.1)にある

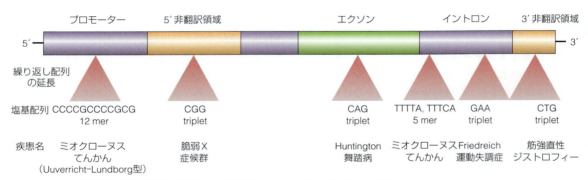

図 8-35 塩基繰り返し部位における繰り返し数の増加により発症する遺伝性疾患
遺伝子のどの部位で繰り返し数が増加しているかを要約した．

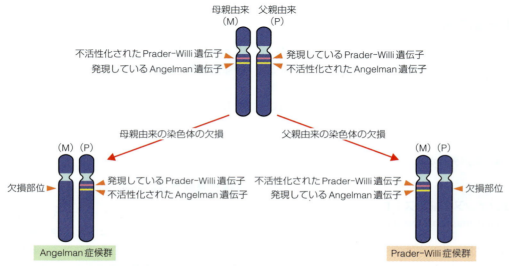

図 8-36 Angelman症候群とPrader-Willi症候群の遺伝と発症の仕組み

原因遺伝子による伴性潜性遺伝の場合が多い．遺伝子欠失によりNADPH酸化酵素欠損が起こる．

4 その他

ここでは単純な常染色体顕性・潜性あるいは伴性潜性遺伝としては認識しにくい遺伝機構を列記する．これまでに記載したものも含めて以下にまとめる．

A 3塩基繰り返しtriplet repeat部位に変異が起こる遺伝性疾患

遺伝子関連部位に存在する3塩基繰り返しの数が増加することによって，その遺伝子産物の量が減ることや，異常なタンパク質ができることで，疾患を引き起こす．疾患の有無や重症度は繰り返し数に依存する．配偶子形成時の**DNAポリメラーゼがスリップ**することによって，世代を重ねる度に反復数が増加していくと考えられている．代表的な疾患を図8-35にまとめた．

B ミトコンドリア遺伝子に変異が起こる遺伝性疾患

受精卵のミトコンドリアはそのほとんどが**卵子由来**であるため，**母親**を通じてのみ遺伝していく．ミトコンドリア脳筋症やLeber遺伝性視神経症が代表的な疾患である．

C ゲノムインプリンティング（不活性化）genomic imprinting に関連する遺伝性疾患

ある種の遺伝性疾患は，原因遺伝子が母親から受け継がれたものか，父親から受け継がれたものかで全く異なる表現型を呈する．これには配偶子が形成される過程で，特定の遺伝子に関して母親から受け継いだ遺伝子が不活性化を受け（insulin-like growth factor 2；IGF2 など），別の遺伝子では父親から受け継いだ遺伝子が不活性化を受ける（H19, cyclin-dependent kinase inhibitor 1C など）という現象が関連している．このような現象を，**ゲノム情報は同じであるが，その利用方法が異なる**という意味で**エピゲノム**あるいは**エピジェネティクス** epigenetics と呼ぶ．その本質は遺伝子プロモーター領域の CpG 配列の多い部位（CpG island）における**シトシンのメチル化**であると理解されている．同様の変化は，細胞の分化の過程や発がん過程でも認められる．

代表的な疾患は，染色体 15q12 に責任遺伝子があるプラダー-ウィリー Prader-Willi 症候群とアンジェルマン Angelman 症候群である．Prader-Willi 症候群の遺伝子は母親で不活性化されており，父親のアレルに変異が起こると発症する（図 8-36）．知的能力障害，低身長，低緊張，肥満，性的未熟が特徴である．Angelman 症候群の遺伝子は父親で不活性化されており，母親のアレルに変異が起こると発症する．知的能力障害，運動失調，痙攣，不適切な笑いなどが特徴である．

D 疾患感受性遺伝子

生活習慣病などの多くの疾患は多因子性遺伝をすることを前述した．疾患感受性遺伝子とは，疾患の有無の決定には関係しないが，その**疾患へのかかりやすさを決定**している 1 つあるいは複数の遺伝子のことを指す．疾患遺伝子と共存することで，その疾患の表現型を出しやすくしたり，逆に出しにくくしたりする．遺伝性疾患の**浸透率** penetrance を決定していると考えられる．SNP（single nucleotide polymorphism）に伴う酵素活性や分子機能の個人差がその本態の 1 つと考えられており，現在さかんに研究が進められている．

● 参考文献

1) 菊池韶彦，他（訳）：遺伝子 第 8 版．東京化学同人，2006
2) Strachan T, et al：Human Molecular Genetics 4th ed. Garland Science/Taylor & Francis Group, 2010
3) Watson JD, et al：Molecular Biology of the Gene 7th ed. Pearson, 2013
4) Sadler TW：Langman's Medical Embryology 12th ed. Lippincott Williams & Wilkins, 2011
5) 瀬口春道，他（監訳）：ムーア人体発生学 原著第 8 版．医歯薬出版，2011
6) Nelson DL, et al：Lehninger Principles of Biochemistry 6th ed. WH Freeman, 2013
7) ヒトの遺伝性疾患のデータベース OMIM（Online Mendelian Inheritance in Man）https://www.ncbi.nlm.nih.gov/omim（2022 年 5 月閲覧）
8) 梶井 正，他（編）：新 先天奇形症候群アトラス．南江堂，1998
9) Vogelstein B, et al：The Genetic Basis of Human Cancer 2nd ed. McGraw-Hill, 2002
10) 押村光雄，他（編）：クロマチン・染色体実験プロトコール．羊土社，2004
11) 日本臨牀社（編）：ミトコンドリアとミトコンドリア病．日本臨牀社，2002
12) ゲノムデータベース http://genome.ucsc.edu/（2022 年 5 月閲覧）
13) Beers MH：メルクマニュアル 第 18 版日本語版．日経 BP 社，2006
14) 榊 佳之，他（編）：ゲノム医学・生命科学研究総集編 ポストゲノムの 10 年は何をもたらしたか．羊土社，2013
15) 田中伸哉，他（編）：がんゲノム病理学．文光堂，2021

第9章 腫瘍

A．定義 ▶ 240頁
- 腫瘍は，最初の増殖刺激がなくなってからも自律的，半自律的に細胞増殖し続ける病変である．このうち悪性のものを「がん」と呼ぶ．

B．良性および悪性腫瘍の特徴 ▶ 245頁
C．多段階発がん ▶ 255頁
- 良性腫瘍は，変異が少なく遺伝的に安定しており，ゆっくり増殖し局所に留まる．
- 悪性腫瘍は，細胞構造や機能の分化が失われ（脱分化），増殖が非常に早く，浸潤や転移を起こす．
- 異形成（細胞や構造の異型をもつこと）は，しばしば悪性腫瘍に隣接してみられるが，軽度〜中等度の場合，誘因を排除すると正常状態に戻ることもできる．

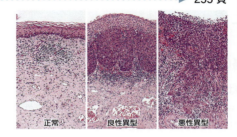
正常　良性異型　悪性異型

D．腫瘍の診断と治療・予後 ▶ 256頁
- 形態観察（組織診，細胞診）による病理診断が中心だが，近年では遺伝子検査と分子病理学的診断，さらには分子標的治療が行われるようになってきている．

E．腫瘍の生物学 ▶ 260頁
- 腫瘍細胞の生物学的特徴は，細胞周期・細胞死の制御が破綻した盛んな増殖，浸潤・転移，DNA損傷と修復機構の異常，腫瘍抗原の産生などである．

F．腫瘍の発生 ▶ 268頁
- 腫瘍は，年齢・性・遺伝などの内因，あるいはウイルス・化学物質などの外因が原因で発生する．

G．がん遺伝子とがん抑制遺伝子 ▶ 275頁
- がん細胞では，がん遺伝子の活性化とがん抑制遺伝子の不活性化により，無秩序な増殖が起こる．

H．腫瘍と宿主 ▶ 279頁
- 宿主の免疫系は腫瘍に対する防御機構として働くため，免疫療法の開発も進んでいる．

I．疫学 ▶ 281頁

第9章 腫瘍

A 定義

1 腫瘍の定義

1 ● がんとは何か？

　一生のうちにがんと診断される確率は，日本人男性は65.5％，女性は51.2％である（国立がん研究センターがん統計，2019年）．がんで死亡する確率は男性は26.2％，女性は17.7％である（同，2021年）．ホジキンHodgkin リンパ腫のようにかなりの程度治癒可能なものがある一方で，膵癌のように事実上ほぼ致命的なものもある．がんは単一の疾患ではなく，細胞増殖の制御異常を伴うさまざまな障害を引き起こす疾患群である．がん患者にとっては，がんで死亡すること以上に，それによって引き起こされる精神的，肉体的な苦痛が耐えがたいものとなっている．

2 ● 腫脹と腫瘍の違い

　歴史的に，腫瘍は，外表から観察できる腫れて膨れあがった病変を称していたため，古来，腫瘍には炎症による腫脹 swelling も含まれていた．炎症による腫脹の場合は，その原因である炎症がなくなれば異常な腫れは治るが，腫瘍の場合は，細胞増殖が正常な調節機構から逸脱しているため，原因が消失しても異常な増殖が維持される．

　現在の腫瘍は，最初の増殖刺激がなくなったのちも続く自律的，半自律的細胞増殖の結果生じた病変と定義される．ある種の腫瘍ではホルモン依存性があり，栄養および血液の供給を宿主に依存している腫瘍も多い．このように，増殖の自律性は決して完全なものではなく，抗ホルモン療法や血管新生阻害剤など，半自律的な増殖依存性が治療に活かされている腫瘍もある．

2 用語の定義

　新生物 neoplasia は，文字通り"新たな増殖"を意味する．正常な細胞において機能している制御機構の影響を受けずに自身を複製し続けることから，腫瘍細胞は"形質転換した transformed"と表現される．

　一般的な医学において新生物は腫瘍 tumor と呼ばれ，それを対象とした学問はギリシャ語の oncos（腫瘍）と logos（学問）を組み合わせて腫瘍学 oncology と呼ばれている．

A 良性腫瘍 benign tumors の命名法

　一般的に良性腫瘍では，その腫瘍の由来する細胞の種類に接尾語の腫-oma をつけることで命名される（表9-1）．例えば，線維性組織由来の良性腫瘍は線維腫 fibroma，良性の軟骨性腫瘍は，軟骨腫 chondroma である．この他に，あるものでは顕微鏡下での特徴に基づき，別のあるものでは肉眼的な所見に基づいて命名される．

a 腺腫 adenoma

　腺構造の有無にかかわらず腺組織由来の良性の上皮性腫瘍を指す．大腸の上皮細胞由来で腺様構造をもつ良性上皮腫瘍（図9-1a）や，腺構造を形成しない副腎皮質由来の良性上皮腫瘍などが腺腫に分類される．

b 乳頭腫 papilloma

　さまざまな組織の表面に形成される良性上皮腫瘍である．顕微鏡下で，あるいは肉眼的に観察可能な指状の突出を示す．

c 囊胞腺腫 cystadenoma

　囊胞状の腫瘍で，卵巣の囊胞腺腫が代表的である．

d ポリープ polyp

　消化管などの粘膜表面に突出した，肉眼で観察できる腫瘍である．ポリープという用語は一般的には良性腫瘍

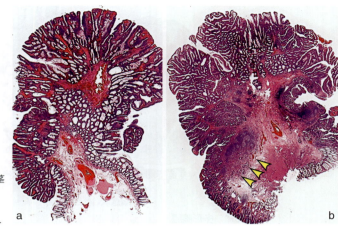

図 9-1　大腸ポリープ
a, b のいずれも大腸の内腔に突出しており，粘膜に明瞭な茎を介して接着している腫瘤．
a. 大腸の上皮細胞由来の腺様構造をもつ大腸腺腫．
b. 腺腫内腺癌．浸潤する大腸腺癌の成分が認められる（▷）．

表 9-1　1種類の実質細胞からなる腫瘍：上皮由来の腫瘍

発生母地	良性	悪性
重層扁平上皮	扁平上皮乳頭腫	扁平上皮癌
皮膚および附属器の基底細胞		基底細胞癌
腺管および導管の上皮	腺腫	腺癌
	乳頭腫	乳頭癌
	囊胞腺腫	囊胞腺癌
気道	気管支腺腫	気管支原性癌
腎上皮	腎尿細管細胞腺腫	腎細胞癌
肝細胞	肝細胞腺腫	肝細胞癌
尿路系（移行）上皮	尿路上皮乳頭腫	尿路上皮癌
胎盤上皮	胞状奇胎	絨毛癌
精巣上皮（胚細胞）		セミノーマ
		胎児性癌

表 9-2　上皮性・非上皮性の良性・悪性腫瘍

	上皮性	非上皮性
良性	上皮性良性腫瘍 adenoma papilloma	非上皮性良性腫瘍 leiomyoma fibroma
悪性	上皮性悪性腫瘍 carcinoma	非上皮性悪性腫瘍 sarcoma

表 9-3　1種類の実質細胞からなる腫瘍：非上皮由来の腫瘍

結合組織および派生組織		
発生母地	良性	悪性
線維	線維腫	線維肉腫
脂肪	脂肪腫	脂肪肉腫
軟骨	軟骨腫	軟骨肉腫
骨	骨腫	骨肉腫
内皮および関連組織		
発生母地	良性	悪性
血管	血管腫	血管肉腫
中皮		中皮腫
硬膜	髄膜腫	浸潤性髄膜腫
血球および関連細胞		
発生母地	良性	悪性
造血細胞		白血病
リンパ組織		リンパ腫
筋肉		
発生母地	良性	悪性
平滑筋	平滑筋腫	平滑筋肉腫
横紋筋	横紋筋腫	横紋筋肉腫

に用いられるが，悪性腫瘍のなかにはポリープ様の形態を示すものがある（図 9-1b）．また，鼻腔に発生する鼻茸は腫瘍性変化ではなく炎症性変化に伴うポリープである．

B　悪性腫瘍 malignant tumors の命名法

　悪性腫瘍の命名法は，細かい差異はあるが原則的には良性腫瘍と同様である．上皮細胞由来の悪性腫瘍はその組織学上の起源に関係なく，癌腫 carcinoma と呼ばれる（表 9-1, 2）．内外の表面を覆う上皮細胞は，強固に接着しているためにバリアを形成し，外部から身体を守る役目をもつ．このように上皮細胞は内外の環境に曝されているため，タバコの煙，食品中の変異原物質，活性酸素，炎症などによって，常に傷害を受けている．ヒトのがんの約 90 % は上皮細胞から発生する「carcinoma」で

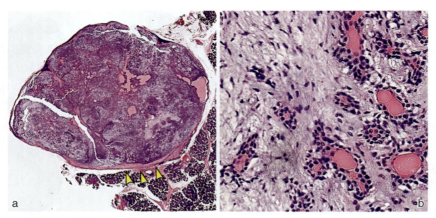

図 9-2　多形腺腫
a. 唾液腺に発生した腫瘤が認められる．▷の部分では皮膜の形成も認められる．
b. 紫色の軟骨性間質中に明瞭な上皮性の腺管形成が認められる．

表 9-4　複数のタイプの腫瘍細胞で構成されるもの：混合腫瘍，一般に単一胚葉由来

発生母地	良性	悪性
唾液腺	多形腺腫	唾液腺悪性混合腫瘍
腎原基		Wilms 腫瘍

表 9-5　多胚葉由来で複数のタイプの腫瘍細胞で構成されるもの：テラトーマ

発生母地	良性	悪性
生殖腺あるいは胚性組織の遺残における全能性細胞	成熟テラトーマ	未熟テラトーマ
	皮様嚢腫	

あり，消化器のがんが全体の 60％ を占めている．

　中胚葉が起源である腎尿細管上皮の悪性腫瘍，外胚葉由来の皮膚の悪性腫瘍，内胚葉由来の腸管上皮の悪性腫瘍はすべて癌と呼ばれる．また，腎細胞癌など，由来となった組織・臓器をもとに命名される場合や，腺癌 adenocarcinoma や扁平上皮癌 squamous cell carcinoma といった，組織学的特徴により命名される場合もある．さらに，腫瘍の分化度により，高分化型 well-differentiated，中分化型 moderately-，低分化型 poorly-，および未分型 undifferentiated と分類されることもある．

　"硬い"間葉系組織および，その派生組織より発生した悪性腫瘍は肉腫 sarcoma と呼ばれ，血液の間葉細胞から生じたものは白血病やリンパ腫と呼ばれる．肉腫は自身を構成する細胞，発生起源と推定される細胞から命名される．線維組織由来の悪性腫瘍は線維肉腫 fibrosarcoma，軟骨細胞によって構成される悪性腫瘍は軟骨肉腫 chondrosarcoma と呼ばれる（表 9-3）．

C 混合腫瘍 mixed tumor

　良性であれ悪性であれ，多くの場合，腫瘍の形質転換細胞は 1 つの祖先に由来する点で似通っている．これは腫瘍が単一のクローンを起源としていることと，つじつまが合う．しかし，がん細胞がさまざまに分化 divergent differentiation し，いわゆる混合腫瘍 mixed tumor を形成する例も，まれに存在する（表 9-4）．

a 多形腺腫 pleomorphic adenoma

　この腫瘍では線維粘液間質中に明瞭な上皮性の成分が認められ，時に軟骨や骨を伴う（図 9-2）．これらの多様な成分は，唾液腺の上皮もしくは筋上皮の細胞，またはその両者から生じたものと考えられている．

b 線維腺腫 fibroadenoma

　乳腺の良性腫瘍には線維腫からなる線維組織と，それに埋まるようにして増殖性の導管成分である腺腫が含まれている（図 9-3）．線維成分のみが腫瘍性であるが，現在でも線維腺腫という用語が一般的に用いられている．

c テラトーマ teratoma

　混合腫瘍の特殊な型の 1 つで，複数のあるいは時にすべての胚葉由来の特徴を示す，成熟ないし未熟な細胞や組織によって構成される腫瘍である（表 9-5）．通常は卵巣や精巣に存在し，時に異常に残された胚性残存組織に存在する全能性胚細胞 totipotential germ cell に由来している．胚細胞は成人の体に存在するあらゆる種類の細胞への分化能をもつため，当然のことながら骨，上皮，筋肉，脂肪，神経やその他の組織に似た成分を含む腫瘍を形成する（図 9-4）．

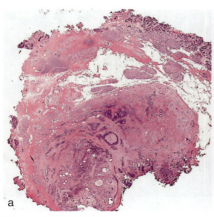
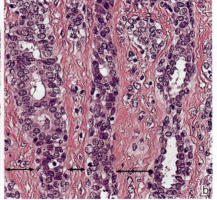

図 9-3　乳腺線維腺腫
a. 乳腺に発生した腫瘍性病変．好塩基性（ピンク）に染色される線維成分が多い腫瘍である．
b. 線維性成分（↔）の増生により，本来は楕円形である腺管が扁平になっている．

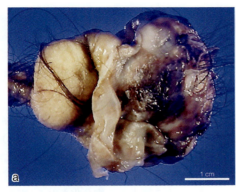
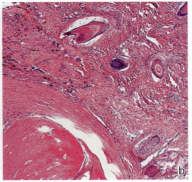

図 9-4　成熟奇形腫
a. 卵巣に発生した囊胞性病変．内容物は皮脂様物質で，毛髪の形成が認められる．
b. 組織学的に骨（左下），毛囊（左上）が認められる．未熟な成分は認められなかった．

D 命名法の矛盾点

リンパ腫 lymphoma，中皮腫 mesothelioma，黒色腫 melanoma，精上皮腫 seminoma などは組織・細胞名＋-oma であるにもかかわらず悪性腫瘍に用いられている．腫(-oma)という名称が腫瘍であるかのような印象を与え，通常はさほど重要ではない病変に対して非常に重大な疾患であるという誤解を抱かせる．なお，これら以外にも表 9-6 のような呼称がある．

a 過誤腫 hamartoma

臓器や器官に固有の細胞や組織成分が無秩序に腫瘤を形成したものである．肝臓の過誤腫では，成熟した肝細胞や血管，時には胆管が無秩序にみられる．また肺の過誤腫性結節では島状の軟骨，気管支，血管を含んでいる．過誤腫は，従来発生異常と考えられていたが，遺伝

表 9-6　その他の癌の呼称

早期癌 early cancer	適切な診断をもとに，有効な治療が行われれば完全治癒が，かなり期待できるがん
微小癌 microcarcinoma	小さいがん．その大きさの定義は臓器ごとに異なっている
進行癌 advanced cancer	早期の段階を超えて，局所での進展あるいは遠隔転移を示すがん
末期癌 end-stage cancer	きわめて進展したがんで，回復不能の段階に陥ったもの
オカルト癌 occult carcinoma	転移巣が先行して発見され，その後，原発巣が同定されるがん
偶発癌 incidental carcinoma	術前にがんの診断がなされておらず，偶然，顕微鏡的に発見されたがん
潜在癌 latent carcinoma	生前にはがんの存在が認められておらず，剖検によって見つかったがん．前立腺癌や甲状腺癌で見つかることが多い

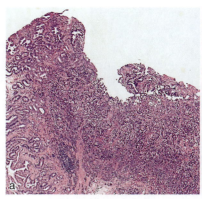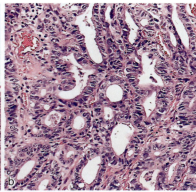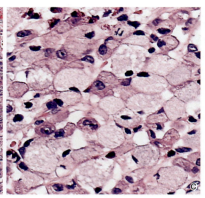

図 9-5　胃の腺癌
a. 胃潰瘍の弱拡大．潰瘍の周堤が隆起し（左側），潰瘍部分は密な腺管形成が認められる（右側）．
b. 潰瘍部分の組織の強拡大では，小型で類円形〜不整形な腺管構造を示す．
c. 印環細胞癌の組織像．がん細胞の核は貯留した粘液に圧排されて三日月状となっている．指輪型の印章に類似するため印環細胞癌と呼ばれる．

子学的研究により後天的な転座の存在が示され，腫瘍起源であることが示唆されている．

b 分離腫 choristoma

細胞の異所性遺残 heterotopic rest からなる先天性発生異常である．胃や十二指腸，小腸の粘膜下にみられる正常に発達した膵組織の小結節は分離腫である．この異所性遺残には完全な形態のランゲルハンス島や外分泌腺が備わっている場合もある．

3　腫瘍組織の構成成分

腫瘍組織は，増殖の主体である実質 parenchyma（＝腫瘍細胞）と，実質間に介在して周囲を取り巻く間質 stroma から構成されている．実質と間質の比率は腫瘍によりさまざまである．ある種のがんでは，高密度かつ多量の線維性間質を形成 desmoplasia することで腫瘍が硬くなり，硬癌 scirrhous tumor と呼ばれる．

これまで間質は，一般組織の間質と同様と考えられてきた．現在は，腫瘍間質は腫瘍細胞により誘導され，腫瘍の特性を維持するため機能的に働いていることがわかってきた．腫瘍間質には，がん関連線維芽細胞 cancer-associated fibroblast（CAF）や腫瘍随伴マクロファージ tumor-associated macrophage（TAM），腫瘍随伴好中球 tumor-associated neutrophil（TAN）が存在することが知られている．これらの間質細胞は，腫瘍細胞と相互に作用することで（tumor-stromal interaction），腫瘍微小環境 tumor microenvironment（TME）を形成し，腫瘍細胞の増殖に有利な環境に変化させるのみならず，血管新生，浸潤・転移にも関与している．

4　悪性腫瘍の組織型

1　腺癌 adenocarcinoma

腺腔（腺管）構造の形成，または粘液産生のどちらかが確認されれば腺癌とされる（図 9-5a, b）．腫瘍細胞の形質（個々の細胞の特徴），組織構築（模倣する器官），細胞の由来（発生母地），間質の多寡（腫瘍成分との相対的比較）などの観点から細分化される（表 9-7）．このほか，粘液産生が著しい場合に，それが細胞内であれば粘液細胞性，もしくは印環細胞 signet ring cell（図 9-5c），細胞外の貯留であれば粘液結節性 muconodular と呼ばれる．

腺癌はこれらの所見のなかで最も目立つ組織像，すなわち組織標本上に占める面積が最も広い組織像によって細分類される．すなわち乳頭状構造が著明な癌は乳頭(状)腺癌 papillary adenocarcinoma，管状構造が主体の場合は管状腺癌 tubular adenocarcinoma などに呼称される．これらは原則的な命名法で，臓器ごとに慣習があり例外もある．腺癌の発生が多い臓器は胃，腸，肺，乳腺，子宮内膜，卵巣などである．

腎癌と肝癌は腺癌のカテゴリーに属しているが，細胞形態がその臓器特有の像を呈しており，それぞれ腎細胞癌 renal cell carcinoma，肝細胞癌 hepatocellular carcinoma と呼ばれる．

2　扁平上皮癌 squamous cell carcinoma（図 9-6）

扁平上皮癌は固有扁平上皮由来のものとして皮膚，口

腔，食道などにみられる．また，腺上皮領域あるいは扁平上皮化生の起こりやすい部位から発生するものとして肺癌などがある．また膀胱，胃，胆嚢・胆道，尿管などからも発生することがある．わが国の皮膚科領域では扁平上皮癌を有棘細胞癌と称することもある．

扁平上皮癌の組織学的特徴として，以下のものがあげられる．

a シート状配列 sheet-like arrangement

扁平上皮癌は，腺癌のような腺腔構造をもたずに，ぎっしりと細胞を敷き詰めたような，充実性・シート状の細胞集塊（胞巣）を形成する（図 9-6a）．シート状の充実胞巣の中心にしばしば壊死がみられる．分化度が下がれば胞巣も小さくなり，浸潤性の傾向が強くなる．

b 角化 keratinization

角化は細胞質におけるケラチンの蓄積によるもので，角化の程度ががんの分化度の指標となる．角化の豊富なものを高分化型，目立たないものを低分化型とする（図 9-6b）．HE（ヘマトキシリン・エオジン）染色標本上，角化細胞は赤色（エオジン好性）に染まり，角化細胞集塊は周囲と異なる好酸性円形病変となる．

c 細胞間橋 intercellular bridge

正常皮膚の表皮有棘層にみられるような細胞間橋が，扁平上皮癌にも出現することがある（図 9-6c）．

3 ● 尿路上皮癌 urothelial carcinoma
（移行上皮癌 transitional cell carcinoma）

尿路上皮癌は主として尿路上皮に発生する（図 9-7）．尿路上皮は偽重層を示す重層扁平上皮と腺上皮の中間の性質をもつ移行上皮の一型である．尿路上皮癌は多層化した異型移行上皮から構成され，尿路内腔に乳頭状に隆起する増殖パターンを形成することが多い．

4 ● 肉腫およびその他の組織型

肉腫は，線維や筋肉などを構成する細胞，発生起源と推定される細胞に肉腫（-sarcoma）を付して命名する．脂肪細胞由来の悪性腫瘍であれば脂肪肉腫 liposarcoma（図 9-8），骨芽細胞由来の悪性腫瘍であれば骨肉腫 osteosarcoma となる（表 9-3）．

それ以外の非上皮性腫瘍には，①リンパ球を含む造血細胞から発生する白血病 leukemia やリンパ腫 lymphoma，②神経外胚葉由来とされる神経膠腫 glioma，神経膠芽腫 glioblastoma，神経芽腫 neuroblastoma，神経線維腫 neurofibroma や髄芽腫 medulloblastoma などがある．

表 9-7　腺癌の種類と特徴

腫瘍細胞の形質	
粘液性 mucinous	粘液産生能を有する上皮からなる．通常は胞体内より細胞外に粘液が貯留し，そこに浮遊する癌細胞巣をみることが多い
漿液性 serous	卵管上皮あるいは卵巣表層上皮に類似性を示す癌細胞からなる
明細胞性 clear cell	グリコーゲンや脂質などに富んでいるため，豊かな胞体に透明性が増す
組織構築	
管状 tubular	腺癌に分化した腫瘍の基本的構築を模す
腺房状 acinar	分泌機能に特化した腺終末構造を模す
濾胞状 follicular	分泌物を貯留する袋状の構造をとる内分泌腺の構造を模す
乳頭状 papillary	外向性あるいは腺管の中に突出する形をとる（図 9-3）．乳頭部内に間質を伴うものを乳頭状，間質を伴わず上皮細胞のみの突出を微小乳頭状と区別する場合もある．時に乳頭状と管状の混在・混成からなる構造 papillo-tubular pattern がみられる
篩状 cribriform	管腔内を突出した乳頭状構造が癒合しながら増生し，充満すると篩の目状の構造をとる
索状 trabecular	1 個〜数個の癌細胞が紐状に並んだ状態．細い紐状からラグビーボール状までさまざまな太さを示す
硬性 scirrhous	実質から誘導される間質が相対的に多い型の癌
髄様 medullary	硬癌とは対照的に，がん胞巣が量的に優勢な型
細胞の由来（発生母地）	
導管癌 ductal carcinoma	乳腺癌や膵臓癌のほとんどが導管由来で，管状・乳頭状構造をとる
小葉癌 lobular carcinoma	乳腺では小葉癌，膵癌では腺房癌の名称が使われる
腺房癌 acinar carcinoma	

B 良性および悪性腫瘍の特徴

腫瘍は臨床的な性質に基づいて良性と悪性に分類される．腫瘍の顕微鏡下および肉眼的な特徴が，比較的正常に近い場合に良性 benign と判定される．一般に良性腫瘍は，悪性腫瘍と比べて変異も少なく，遺伝的に安定しており，時を経ても遺伝子型がほとんど変わらない．脂肪腫や平滑筋腫といった良性腫瘍が，例外はあるにしろほとんど悪性転換しないのは，おそらくこの遺伝的安定

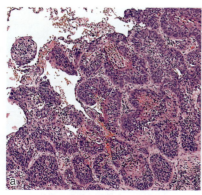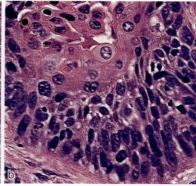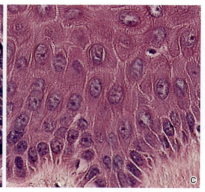

図 9-6 肺の扁平上皮癌
a. シート状配列．腺癌のような腺腔構造をもたずに，ぎっしりと細胞を敷き詰めたような，充実性・シート状の細胞集塊（胞巣）を形成する．シート状の充実胞巣の中心にしばしば壊死がみられる．
b. 角化．HE 染色標本上，角化細胞は赤色（エオジン好性）に染まる．角化細胞集塊は中央から左上にかけて認められ，周囲と異なる好酸性病変となる．
c. 細胞間橋．正常皮膚の有棘層にみられた細胞間橋．細胞壁間に細かい線状のものが隣の細胞との間に橋がかかっているようにみえる．扁平上皮癌にも出現することがあるが，見つけるのは簡単ではない．

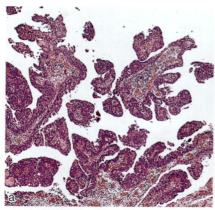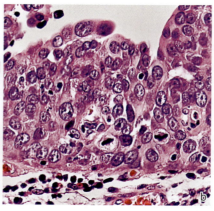

図 9-7 尿路上皮癌
a. 尿路上皮癌は主として尿路上皮に発生し，尿路内腔に乳頭状に隆起する増殖パターンを形成することが多い．
b. 尿路上皮癌は多層化した異型移行上皮から構成される．

性による．実際には，この良性・悪性の判定は長年にわたって確立された臨床的・病理学的な基準に基づいて診断されるため，多くの例においてこれらの予測は非常に正確である．しかし，ある部分の特徴は良性を示しているにもかかわらず，他の部分において悪性像を示す例もある．

 細胞異型，構造異型と異形成

炎症や代謝障害，腫瘍などによって正常組織と異なる形態的特徴を示すことを異型性 atypia という．細胞レベルの異型性は細胞異型 cellular atypia といい（表 9-8），組織構築の異型性は構造異型 structural atypia という．このような細胞異型，構造異型を伴う病変を異形成 dysplasia という．例をあげると，「高度の細胞異型と中等度の構造異型を伴う異形成」という表現を用いる．腺上皮および扁平上皮が正常，良性異型，悪性異型へと進展する様子をそれぞれ図 9-9，10 に示す．

異形成はしばしば悪性腫瘍に隣接してみられ，喫煙者の長期観察ではほとんどの例でがんの発生に先立って上

B. 良性および悪性腫瘍の特徴 ● 247

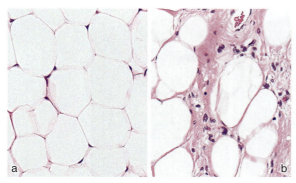

表 9-8 細胞異型（良性と悪性）

	良性	悪性
細胞の形状	やや大きめ，均一	大型，不整形，大小不同
核の大きさ	小さい，比較的均一	大きい，大小不同
核の形状	類円形，均一	核縁不整，溝や切れ込み，多核化など多様
クロマチン	増量は目立たない	増量，粗大な凝集，核膜肥厚，細顆粒状濃染など
核小体	目立たない	目立つことが多い
核/細胞質比	小さい	大きい
核分裂像	少ない，限局的	多い，異常分裂像

図 9-8 脂肪腫と脂肪肉腫
a. 脂肪腫．成熟した脂肪細胞から構成されている．脂肪細胞の核は脂肪細胞の辺縁に偏在しているが，大きさは揃っている．
b. 脂肪肉腫．大きさが不同の脂肪細胞から構成されている．間質には大型で腫大した核を認める．

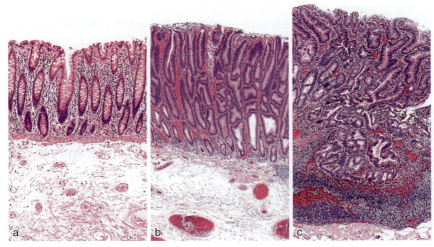

図 9-9 腺上皮の異型への進展
a. 正常．腺管は楕円形で，個々の細胞は基底膜に沿って整然と配列している．
b. 良性異型．正常に比べ粘膜が軽度肥厚し，腺管構造はやや不整形となっている．核の形状に多少の不整が生じ，配列にも乱れが認められるが，核はかろうじて基底側に位置している．
c. 悪性異型．さらに粘膜が肥厚し，腺管の構造は不整形が強くなっている．核の形状は著しく乱れ極性は保たれていない．粘膜下組織へ浸潤する像が認められる．

皮の異形成が現れることが示されている．しかし，異形成という用語はがんの同義語ではなく，上皮の全層に達しない軽度〜中等度の異形成で，特にその誘因となるものを取り除けた場合は，正常な状態の上皮へと完全に戻ることができる．

Advanced Studies

1 ● 上皮内腫瘍

異形成から，より異型が強いがんの所見に近づくと非浸潤性上皮内腫瘍として上皮内癌という概念で呼ばれる．上皮内癌では上皮内で癌細胞がとどまっている（図 9-11）．子宮頸部異形成の分類では，高度異形成と上皮内癌を同じカテゴリーで診断し，異形成を頸部上皮内腫瘍 cervical intraepithelial neoplasia：CIN1, CIN2, CIN3 とする分類法から，ヒトパピローマウイルス（HPV）による発がんの経緯が明確になり，治療方針に則したベセスダシステム〔2 分類：軽度/高度扁平上皮内病変 low/high-grade squamous intraepithelial lesion（LSIL/HSIL）〕へと移行している．

B 分化 differentiation と退形成 anaplasia

分化および退形成は，腫瘍組織中で形質転換した実質細胞においてのみ観察できる特徴である．実質細胞の分化とは，それらの細胞が発生母地となった正常細胞に，

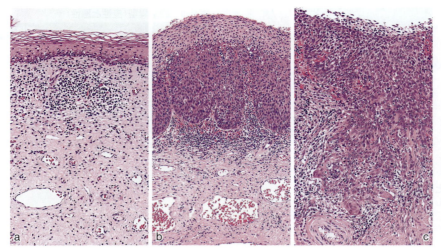

図 9-10　扁平上皮の異型への進展
a. 正常．基底膜に沿った整然とした層状配列を示している．
b. 良性異型．上皮層は肥厚し，傍基底細胞，有棘細胞層で核の腫大を伴いながら造成するが，表層の細胞にまで異型上皮は及んでいない．
c. 悪性異型．さらに粘膜が肥厚し，細胞の形状が不整で層状配列は崩壊する．上皮細胞は粘膜下組織へ浸潤している．

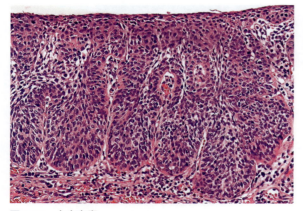

図 9-11　上皮内癌
異型細胞が上皮の全層で正常細胞と置き換わっている．正常の扁平上皮細胞で認められる秩序だった分化は認められない．基底膜は保たれており，上皮下の間質には腫瘍細胞は認められない．

形態的，機能的にどの程度類似しているかということを表す言葉である．良性腫瘍は発生母地となった正常細胞によく似た高分化の細胞により構成されている．脂肪腫 lipoma は，成熟した脂肪細胞から構成されており（図 9-8a），軟骨腫 chondroma は，正常な軟骨基質を構成する成熟した軟骨細胞から構成されている．高分化な良性腫瘍では核分裂像を示すものはきわめてまれであり，正常な形態を呈する．

良性の腫瘍の特徴として局所にとどまり，外科手術による局所的な切除によって治癒できることがあげられる．また，ほとんどの場合患者の生命に影響はない．しかし良性腫瘍であっても，単に局所的に腫瘤を形成するだけでなく，時として重大な病態を引き起こしうることに留意しなければならない．

悪性腫瘍は，周辺の組織を浸潤・破壊し，遠隔部位へと拡がって患者に死をもたらす．悪性腫瘍の実質細胞では非常に高分化なものから，未分化のものまで幅広い分化度を示す．高分化や未分化といった極端な腫瘍の中間的な像を呈するものは，おおまかに中等度分化と呼ばれる．甲状腺における高分化型の腺癌では，正常な外見の濾胞がみられ，時に良性増殖との鑑別が困難な場合がある．未分化細胞によって構成される悪性腫瘍は退形成腫瘍 anaplastic tumor と表現される（図 9-12）．

腫瘍における分化の欠如，あるいは退形成は悪性化の指標とみなされている．退形成 anaplasia とは「後退」を意味しており，脱分化もしくは正常細胞の構造や機能における分化の喪失を意味する．しかし，少なくともいくつかのがんについては組織の幹細胞に由来することが知られており，これらの腫瘍では組織の未分化な風貌は，分化した細胞が脱分化したというよりも分化の失敗に起因すると考えられている．最近の研究ではいくつかの症例において，実際にがんが発生する際に外見上成熟した細胞の脱分化が起こることも報告されている．退形成したがんでは著しい多形性 pleomorphism，すなわち

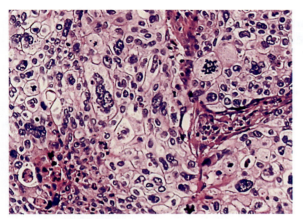

図 9-12　退形成腫瘍 anaplastic type（扁平上皮癌）
細胞質および核の著明な多形性，核の濃染，巨細胞型の腫瘍細胞が認められる．写真右上では，異常な分裂像も認められる．

表 9-9　良性・悪性の鑑別ポイント

	良性腫瘍	悪性腫瘍
発見時の大きさ	小>大	さまざま
肉眼所見 （局所での増殖様式）	圧排性	浸潤性
	境界明瞭	境界不明瞭
	出血・壊死は少ない	出血・壊死を伴うことが多い
異型性	弱い	強い・多形性を伴うこともある
分化度	よく分化	境界不明瞭

表 9-10　代表的な腫瘍マーカー

腫瘍マーカー	血中濃度が上昇する腫瘍
胎児性がん関連物質	
AFP（α-fetoprotein）	肝細胞癌，卵黄嚢腫瘍
CEA（carcinoembryonic antigen）	消化器，肺，子宮，卵巣，乳腺などの腺癌
がん関連抗原	
CA125（carbohydrate antigen 125）	卵巣，子宮，胆道，膵臓などの腺癌
CA19-9（carbohydrate antigen 19-9）	消化器，肺，子宮，卵巣，乳腺などの腺癌
SCC 抗原（squamous cell carcinoma antigen）	食道，子宮頸部，肺などの扁平上皮癌
腫瘍産生抗原	
PSA（prostate-specific antigen）	前立腺癌
PIVKA II	肝細胞癌
hCG（human chorionic gonadotropin）	絨毛癌
カルシトニン	甲状腺髄様癌
酵素・アイソザイム	
NSE（neuron specific enolase）	神経内分泌癌，褐色細胞腫，神経芽細胞腫など
がん遺伝子産物	
erbB2（HER2）タンパク	乳癌

大きさおよび形態における不規則さがみられる（表9-9）．

C　腫瘍マーカー

　腫瘍細胞の分化度が高いほど，その正常組織での機能がより完全な状態で保たれている．内分泌腺の良性腫瘍や高分子がんでは，高頻度に発生母地において分泌されるホルモンの産生がみられる．例えば，高分化型扁平上皮癌はケラチンを，高分化型肝細胞癌は胆汁をそれぞれ産生する．一方で，ある種のがんでは成人では産生されない胎児性のタンパク質を産生する．また，非内分泌由来のがんにおいても，いわゆる異所性ホルモンを産生するものがある．

　腫瘍が産生するタンパク質で，正常（宿主細胞）ではほとんど産生がみられない物質を腫瘍マーカー tumor marker として利用している（表9-10）．これらのタンパクの多くは，胎児期の組織あるいは幼若細胞などで産生されるもの，ホルモンや酵素として細胞内で産生されているものである．マーカー物質がある特定の腫瘍にだけ発現している（特異度が高い）場合，マーカー発現は診断的価値が非常に高い．多くのマーカーは，組織特異性は低く，組織像の特定は難しいが，がん細胞の多寡を類推できる．

Advanced Studies

　血液凝固因子のうち第Ⅱ，Ⅶ，Ⅸ，Ⅹ因子は肝臓で産生されるが，その生理活性のためにはビタミンKが必要である．ビタミンKが欠乏すると機能をもたない異常血液凝固因子が血中に産生される．これらを総称してPIVKA（protein induced by vitamin K absence or antagonist）と呼ぶ．ビタミンKが欠乏しているときには正常肝細胞でも産生されるが，肝細胞癌の多くは正常な凝固因子を作れず，PIVKA-Ⅱを産生する．この性質を利用して，肝細胞癌を診断する目的でPIVKA-Ⅱを測定する．PIVKA-Ⅱは，もう1つの腫瘍マーカーであるAFPとの関連性がなく，AFPが陰性の肝細胞癌でも陽性を示すので，AFPとPIVKA-Ⅱを組み合わせて検査を行うことで，肝細胞癌の診断がより正確となる．一方，肝硬変，慢性肝炎，肝外性閉塞性黄疸や肝内胆汁うっ滞でも上昇することがある．

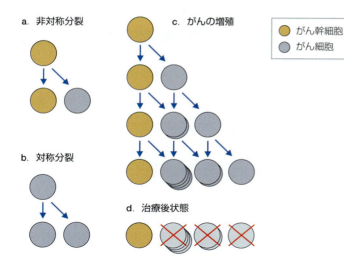

図9-13 がん幹細胞の非対称分裂
a. 非対称分裂．がん幹細胞は，分裂すると1個のがん幹細胞と1個のがん細胞となる．
b. 対称分裂．がん細胞は，2個のがん細胞に分裂する．
c. 1個のがん幹細胞を起始として，数回の分裂を繰り返すことで，腫瘍組織内の大部分はがん細胞で構成されるが，わずかにがん幹細胞も認められる．
d. 細胞分裂を標的とした化学療法薬により治療が行われると，分裂活性の高いがん細胞は死滅するが，低いがん幹細胞は生き残ってしまう．がん幹細胞から再びがん細胞の増殖が開始されると，再発や転移として顕在化する．

D がん幹細胞と系統

　血液の血球成分や消化管・皮膚の上皮細胞など，寿命の短い細胞を含む多くの組織を持続的に維持・成長させるためには，長寿命で自己複製能を有する組織幹細胞が一定数絶えず存在することが必要となる．組織幹細胞は，幹細胞を維持する因子をパラクリン分泌する支持細胞によって作り出されるニッチに存在している．組織幹細胞は非対称分裂によって限られた増殖能を有し，特定の組織を形成するよう最終分化していくことになる細胞と，幹細胞性を保った細胞の2種類の娘細胞を生み出す．同様に，がん幹細胞も非対称分裂することで，1個のがん幹細胞と1個のがん細胞を作り出す．がん細胞は対称分裂することで2個のがん細胞を作り出す．がん幹細胞を起点として増殖した結果，腫瘍組織内の大部分は，対称分裂で増殖したがん細胞であるが，少数派ながら非対称分裂によってがん幹細胞が認められるはずである（図9-13）．このように，がん幹細胞仮説では，正常組織との類推から，がん幹細胞とがん細胞が存在すると推定されている．がんは不死化しており，無限の増殖能を有するので，正常の組織のようにがん組織も幹細胞のような特徴を有する細胞を含んでいるはずである．

Advanced Studies
　腫瘍の存続にがん幹細胞が必須であるならば，がん患者を治療するうえで，これらの細胞は取り除かれなければならない．化学療法薬の効果を減弱させる$MDR1$（multiple drug resistance-1）といった遺伝子の発現や，低い増殖性などの理由から，がん幹細胞も正常の幹細胞と同様に通常の治療に対して抵抗性を有していると考えられている．従来の化学療法剤は，がん細胞の細胞分裂を標的としているので，分裂の盛んながん細胞は死滅することになる．一方，分裂の遅いがん幹細胞は生き残る．現在の治療法によって限定的な治療成績しか得られていないのは，がんの根幹をなす悪性化した幹細胞を根絶できていないことに起因するという説明も成り立ちうる（図9-13）．

E 増殖速度 rate of growth

　腫瘍の増大する速度はそれぞれ異なることに注意する必要はあるが，一般的な認識として，良性腫瘍は月単位あるいは年単位の時間をかけてゆっくりと増大していく（図9-14）．ある種の良性腫瘍はがんよりも速い増殖を示すことがある．子宮の平滑筋腫（良性平滑筋腫瘍）の増殖速度は血中エストロゲン濃度による影響を受ける．エストロゲン濃度の高まる妊娠中は急激な増殖を示すが，閉経後には増殖が停止し，線維化や石灰化を起こす．

　ほかにも血液供給の状態や圧力などによっても良性腫瘍の増殖は影響を受ける．トルコ鞍内の下垂体腺腫は，突如として収縮することがあるが，これはおそらく腫瘍の増大に伴って血液の供給が阻害されたためと考えられる．急速に増殖する悪性腫瘍ではしばしば中心部に虚血性の壊死がみられるが，これは宿主からの血液の供給が途絶えたことにより，増殖に必要となる酸素が不足するためである．例外的なものとして，絨毛癌のように全体に壊死をきたすことで自然に消滅し，転移巣のみが残される原発性がんもある．

　多くの良性腫瘍がゆっくりと増殖する一方で，がんの増殖は非常に速く，いずれは局所への浸潤や遠隔部位への転移を引き起こして死をもたらす．ある腫瘍では数年間ゆっくりと増殖した後に，形質転換した悪性のサブクローンが現れて急激な増殖期に移行する（図9-14）．

B. 良性および悪性腫瘍の特徴 ● 251

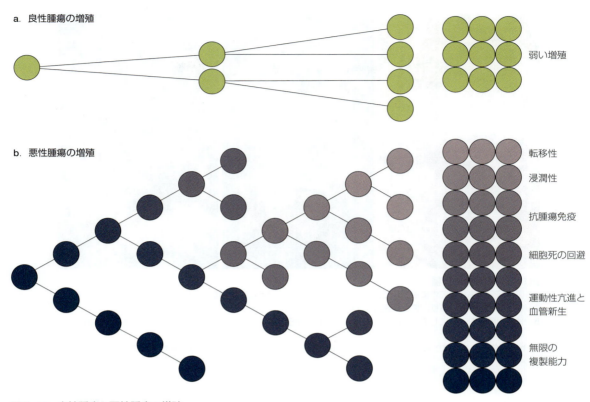

図 9-14 良性腫瘍と悪性腫瘍の増殖
a. 良性腫瘍の増殖．同じ形質（色）をもつ腫瘍細胞が，ゆっくり増殖する．
b. 悪性腫瘍の増殖．無限の複製能力をもったがん細胞が，非常に早い増殖を繰り返すなかで，さまざまな形質を獲得したがん細胞が出現する．最終的には初期の形質とは異なる形質をもつがん細胞に置き換わっていく．

F 局所浸潤 local invasion

局所浸潤性は転移巣の形成に次いで最も信頼のおける悪性腫瘍と良性腫瘍の鑑別点である．線維腫や腺腫はゆっくりと増大し，周囲の組織との間に線維性の被膜を形成する．

すべての良性腫瘍が被膜を形成するわけではなく，腫瘍自身の間質が被膜を形成している可能性もある．子宮平滑筋腫は周囲の平滑筋とは圧迫されて萎縮した子宮筋層によって隔てられているが，被膜はみられない．また，皮膚の良性血管腫は境界もはっきりしない良性腫瘍である．がんは，周囲の組織に対して浸潤し，組織を破壊しながら増殖する．がんは発達した被膜をもたないが，増殖の遅い悪性腫瘍では一見周囲の正常組織の間質に覆われているようにみえることがある．しかしながら，顕微鏡下では小さな周辺組織への浸潤像がみられる（図 9-9c, 10c）．

がんは浸潤性に増殖するため，外科的に切除する際に周辺の正常組織まで広く取り除く必要がある．このため，外科病理医ががん細胞が残っていないことを確認するために，切除断端を注意深く観察する必要がある．

G 浸潤・転移

1 ● 転移とは？

転移 metastasis とは，原発巣から隔絶した遠隔組織に二次的な腫瘍の増殖（転移巣）がみられることを意味する．新たに固形癌（黒色腫以外の皮膚癌を除く）の診断を受けた患者の約 30％で臨床的に明らかな転移がみられ，その他の 20％の患者では診断時に不顕性転移がある．極端に小さいがんが転移を起こすこともあれば，逆に一見悪性にみえる大きながんでも転移しないものもある．転移は，がんの治癒の可能性を著しく低下させる．悪性腫瘍は，① 体腔への播種，② リンパ行性転移，③ 血行性転移の 3 つの経路を介して転移する．

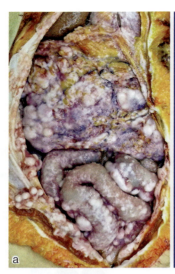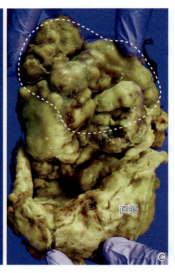

図 9-15　腹腔内の播種
a. 卵巣原発腫瘍が腹腔内に播種した病理解剖症例．腹腔を開けると，大網から小腸の腸間膜に，白色結節性病変が無数に拡がっており，癌性腹膜炎の状態であった．
b. 骨盤内臓器を一塊にして取り出したところ，最も下から直腸，腟，膀胱の内腔側には腫瘍の増殖巣は認められなかった．
c. bの部位を上から見た図．写真下側の直腸が認められ，直腸子宮窩にまで播種性結節が及んでいる（点線）．

2　播種 spread by seeding

播種は腫瘍が体腔へと浸潤した際に生じる．特に卵巣癌において典型的にみられ，がんはしばしば腹膜の表面を広範囲に覆う（図9-15）．この播種巣は腹膜表面全体に進展するものの，腹部臓器への浸潤はみられない．髄芽腫や上衣腫のような中枢神経系腫瘍は脳室内へ侵入し，脳脊髄液により脳や脊髄の髄膜の表面へと播種する．
直腸子宮窩の播種巣は直腸指診で触知可能であり，癌性腹膜炎の存在を示唆する所見である（図9-15a）．この部位への播種巣をシュニッツラー転移 Schnitzler metastasis という．胃癌などの卵巣への転移・播種病巣をクルーケンベルグ腫瘍 Krukenberg tumor という．

3　リンパ行性転移

リンパ管の流出経路を介して生じる．腎臓に発生した腎細胞癌では，腎臓周囲の局所リンパ節へと転移した後に，肺門リンパ節へと転移する（図9-16）．
乳癌は通常，乳腺の外側上部に発生し，最初に腋窩リンパ節へと転移する．一方，乳腺の内側に発生した場合，胸壁を通って内側乳腺動脈に沿ったリンパ節へと転移する．いずれの場合でも，その後は鎖骨上あるいは鎖骨下リンパ節へと転移する．
センチネルリンパ節 sentinel lymph node は原発巣からのリンパ流が最初に到達するリンパ節のことであり，原発巣に青色の色素あるいは放射性同位体を注入することで同定できる．乳癌の術中迅速生検では，センチネルリンパ節への転移を調べ，がんがどの程度広がっているのかを推定し，リンパ節郭清の範囲を決めている．
原発巣の近傍におけるリンパ節腫大は，腫瘍の転移を強く疑わせる．しかし，腫瘍の壊死産物や腫瘍抗原がしばしばリンパ節における濾胞の腫大や過形成（リンパ節炎）の原因となることや，被膜下（辺縁洞）のマクロファージの増殖など，腫大したリンパ節において鑑別が必要となり，腫瘍の組織病理学的検査が必要となる．

4　血行性転移 hematogenous spread

動脈は静脈よりもがんの浸潤が起こりにくい．門脈へ流れる血流は肝臓を通過し，またすべての大静脈の血流は肺を通過するため，肝臓や肺では最も高頻度に血行性の転移巣が形成される．大腸癌はしばしば粘膜下の脈管に浸潤を起こし（図9-17a），静脈内部での増殖がみられる（図9-17b）．しばしば肺転移を形成することがある（図9-17）．脊柱の近傍に発生したがんは，しばしば傍脊椎静脈叢に塞栓をつくる．この経路はおそらく甲状腺癌や前立腺癌の脊椎への転移に関与していると考えられる．

B. 良性および悪性腫瘍の特徴 ● 253

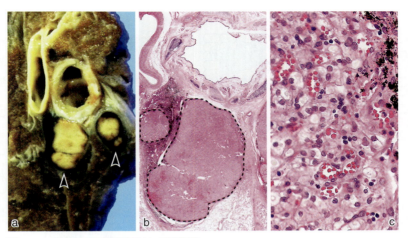

図 9-16　腎細胞癌の肺門部リンパ節転移
a. 肺門部の弱拡大像．気管支の下側に白色結節病変が認められる（►）．
b. 同部位の組織標本のルーペ像．白色結節病変はリンパ節を置換した腫瘍性の変化（点線）であることがわかる．
c. 強拡大．炭粉沈着が認められたリンパ節（右）に透明な細胞質をもつ腎細胞癌（明細胞癌）が増殖していた．

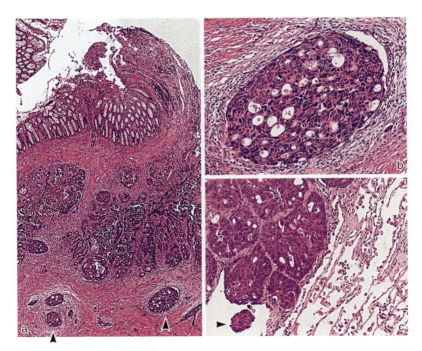

図 9-17　大腸癌の血行性転移
a. 大腸癌の原発巣での増殖．粘膜下で増殖する大腸癌が，粘膜下の脈管内へ浸潤する像が認められる（►）．
b. 脈管内の増殖像（強拡大）．脈管内に不整な腺管が篩状に増殖する像が認められる．
c. 同じ症例の肺転移巣．肺組織内部で，原発巣と類似した篩状構造を示す腺癌が増殖している．拡張した血管内腔に癌細胞の集塊が認められる（►）．

254 ●第9章 腫瘍

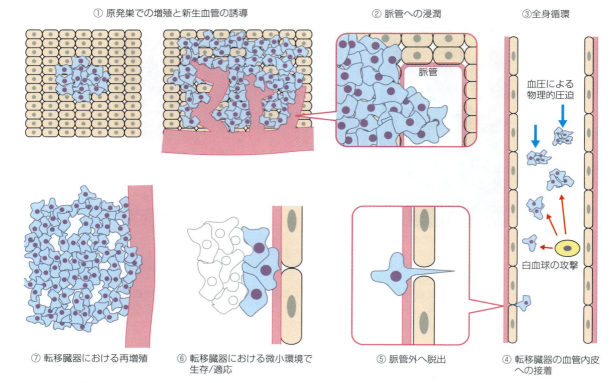

図 9-18　がん転移のメカニズム
① 原発巣での増殖/新生血管の誘導：原発巣において増殖する腫瘍は，一定以上の大きさになると血管新生因子を放出し，新生血管が誘導される．
② 脈管への浸潤：原発巣から離脱離脱したがん細胞は，血管あるいはリンパ管などの脈管に到達し，脈管内に浸潤する．
③ 脈管循環中での生存：脈管内ではさまざまなストレスに曝され，ごくわずかながん細胞が血管内皮に到着する．
④ 転移臓器の血管内皮への接着：集塊を形成し全身循環したがん細胞は，血管内皮に接着する．
⑤ 脈管外への脱出：がん細胞は内皮細胞間の接着に割り込み，その下層構造である基底膜成分のコラーゲンやラミニンを分解し，血管外に移動する．
⑥ 転移臓器における生存/適応：転移先の臓器にたどり着いたがん細胞は，さまざまな物質を産生し，周囲の間質組織に影響を与える．
⑦ 転移臓器の微小環境における再増殖：間質細胞と相互作用することで，微小環境をがん細胞の増殖に適した環境に整え，微小環境に適応したがん細胞が再増殖する．

5 ● がん転移のメカニズム

a 転移のカスケード

　現在では，原発巣で増殖するがん細胞が標的臓器で転移巣を形成するには，転移のカスケードを経ること，このカスケードはさまざまなステップで構成されていること，それぞれのステップの調節因子は独立して働くため転移のカスケードは全く独立したステップで構成されていることが明らかとなっている（図9-18）．

① 原発巣での増殖/新生血管の誘導
　原発巣において増殖する腫瘍は，一定以上の大きさになると血管新生因子を放出し，新生血管が誘導される．

② 原発巣からの離脱/移動/脈管への浸潤
　原発巣から離脱するがん細胞は，がん細胞同士の結合能力が低下して原発巣から離脱する．さらに周囲を取り巻く組織を分解し，自由に移動することができるがん細胞は，血管あるいはリンパ管などの脈管に到達し，脈管内に浸潤する．

③ 脈管循環中での生存：上皮間葉転換（EMT）の関与
　脈管内では，血流の機械的ストレス（血圧）やナチュラルキラー（NK）細胞を中心とした免疫系の攻撃に曝される．そこでがん細胞は，上皮様から間葉の状態へ変化し対応している〔上皮間葉転換 epithelial-mesenchymal transition（EMT）〕．

④〜⑥ 転移臓器の血管内皮への接着/脈管外への脱出
　集塊を形成し全身循環したがん細胞は，血管内皮に接着し，内皮細胞間の接着に割り込み，その下層構造であ

る基底膜成分のコラーゲンやラミニンを分解し，血管外に移動する．

⑦転移臓器における再増殖

　転移先の臓器にたどり着いたがん細胞は，さまざまな物質を産生し，周囲の間質組織，すなわち炎症細胞，免疫細胞のほか，血管／リンパ管の構成細胞，線維芽細胞や細胞外マトリックスに影響を与える．影響を受けた間質細胞は，がん細胞の生存／分裂に関与する．

b 微小環境における腫瘍間質相互作用

　転移巣を形成する臓器を決定するメカニズムとして，原発巣から離脱したがん細胞が解剖学的にみてどの臓器の毛細血管に機械的にトラップされるのかが転移標的臓器の決定に重要であるという考えがある．

　しかし，臨床的には，胃癌や大腸癌では肝転移の頻度が高く，前立腺癌や乳癌では骨転移の頻度が高い．このように，ある種のがんは特定の臓器に高頻度に転移する傾向があり，必ずしも解剖学的関係のみでは説明できない．Pagetは，がん細胞が転移した臓器で増殖するのを，植物の種を土壌に蒔くと種と土壌が適合した場合にのみ芽を出し成長することにたとえ，転移標的臓器の特異性はがん細胞(seed)が自らの生育に適した環境(soil)を見いだした結果であると主張した(→266頁参照)．

　すなわち，①転移標的臓器にたどり着くことができたがん細胞は，原発巣と異なる微小環境で生存し，②転移標的臓器の間質細胞と相互作用することで，微小環境をがん細胞の増殖に適した環境に整え，③微小環境に適応したがん細胞が再増殖する．これらのステップに関与するメカニズムが，転移の臓器特異性を規定すると考えられる．

多段階発がん

A 前がん病変

　がんは，表現型の変化を引き起こす多様な変異を積み重ねた結果として生じる．多くのがんは，非腫瘍性の病変がもととなって生じる．その病変は，がんを起こすのに必要な遺伝子変異を既に起こしていることが分子解析によって示されている．

　現在は臨床的にも，がんは先行する異型病変を前がん病変 preneoplastic lesion（前駆病変 precursor lesion）から漸次，悪性化／がん化の過程を経ていくものが多いと考えられている．前がん病変は，発がん因子に曝露された状態や先天的／後天的に発がん遺伝子の異常を有するが，細胞の形態学的な異常が軽微あるいは認められない病変である．

　前がん病変は，がんと共存（隣接／移行）する頻度が高く，がんが存在する前からしばしば遭遇する正常とは異なる増殖・形態異常を示す病変で，悪性腫瘍と共通の遺伝子異常を一部に有することが報告されている．

B がんの進展

　悪性腫瘍は過剰な成長，局所浸潤，転移を起こすなどの表現型上の特性を示す．さらに，時間が経つにつれて多くのがんは，より悪性転化する可能性が高まることが確認されている．この現象は"がんの進展 tumor progression"と呼ばれているが，単純にがんのサイズが増大するだけの変化ではない．

　分子レベルでは，がん組織中のがん細胞のそれぞれに複数の遺伝子変異が蓄積する．遺伝子変異には致死的な変異もあれば，がん原遺伝子やがん抑制遺伝子に影響を与えて細胞に増殖させるよう働きかける変異もある．

　このように，大半の悪性腫瘍は，もともとは単一細胞由来であっても，臨床的にがんが明らかになる頃には非常に多くの異なる特徴を有したがん細胞によって構成されることになる（がん不均一性 tumor heterogeneity）．臨床的には，浸潤性，増殖性，転移性，ホルモンへの反応性，抗がん剤への感受性などの特徴が異なる細胞が生じる．

C 選択圧 selective pressure

　前がん病変からがんへと進行する過程を，生体は黙って見過ごしてはいない．生体防御機構を担う免疫的あるいは非免疫的細胞が攻撃することで，そのほとんどは死滅する．

　一方，前がん病変やがん細胞は，増殖活性が高く形質不安定であることから，さまざまな形質のクローンを作り出すことで対応する．こうして，生体の防御機構による攻撃を受けながらも増殖を繰り返すことにより，長い年月をかけて，ある種の生存競争を突破できる遺伝子変異を獲得したがん細胞が作り出される．これらの変異をもつがん細胞は増殖を続けるなかで，増殖や生存において利点となるような変異をさらに獲得し，細胞集団のなかで優勢となっていく．

　経験的に，化学療法の後に再発したがんは，ほとんど

薬物療法に耐性であることが知られている．この耐性の獲得は選択圧の結果である．薬剤耐性を与える遺伝子変異あるいはエピジェネティックな変異を偶然もつサブクローンが生き残り，そのサブクローンによってがんの再発が引き起こされたと考えられる．また後で述べるように，この「選択」とも言えるメカニズムは，がんの進行や再発においても重要な役割を果たしている．

D がん全般について共通する分子病理学的な特徴

がんは，genetic disorderによる疾患であり，自発的に獲得した，あるいは環境因子から損傷を受けることで生じたDNA変異により引き起こされる．さらにエピジェネティック変異が加わることが多く，遺伝子発現量が修飾あるいは調節されている．これらの変異の集積によって，がんは，その特徴とされる以下の形質を獲得する．

(1) 増殖シグナルに関して自給自足が成立し，生理的な制御を受けずに自律的となる．
(2) 過形成などの非腫瘍性の細胞増殖をコントロールする増殖抑制シグナルに対して反応しなくなる．
(3) 免疫系を逃れる能力を獲得する．
(4) 制限なしに細胞分裂できるように，がん細胞が不死化する．
(5) 炎症細胞と相互作用することで，がん細胞の増殖が促進される．
(6) 局所組織に浸潤し，離れた場所まで広がる能力を獲得する．
(7) がん細胞の増殖を維持するように血管新生を発達させる．
(8) ゲノムが不安定となり，増殖を続けることで新たな変異が入りやすくなる．
(9) 細胞死を免れ，正常細胞がアポトーシスを誘導されるような環境下でもがん細胞が生存できるようになる．
(10) 代謝経路を再構築し，特に酸素が豊富にある状況でも解糖系を用いるように変化する（好気的解糖）．
(11) 増殖や生存，老化といった重要な遺伝子発現をエピジェネティック変化により制御・調節する．
(12) 腸，肺，口腔，子宮頸部，皮膚などの微小環境において，多様な微生物と協調して増殖する．
(13) 老化細胞がオートファジーで分解されるメカニズムを，がん細胞自身の増殖に用いる．
(14) 形質の可塑性：一方方向にしか分化しないがん細胞が，逆向きに脱分化する．

これらのがんの形質を生じさせる遺伝子変異は，がん細胞自身の増殖が早いことと，ゲノムの不安定性によって維持・有効化され，火に油を注ぐような状況となる．これらの分子的基盤の詳細については後述する．

D 腫瘍の診断と治療・予後

腫瘍の診断は，まず検査・画像にて腫瘍が疑われ，次に侵襲的な検査である病理検査に進む．腫瘍の病理診断では，治療法決定や予後予測に役立つ，腫瘍の組織分類が重要である．本項では，病理学的検査を中心に述べるが，光学顕微鏡による形態観察以外に，将来の診断体系に影響を与える遺伝子診断についても概説する．

A 組織診

一般的に組織診では，まず生検biopsyが行われる（図9-19）．生検の結果が悪性だった場合は手術となる．手術中は，迅速診断によって切除範囲が適切かを見きわめることが可能で，迅速診断の報告ごとに手術の進め方を組み立て直すことができる．迅速診断に使用された生検体は，迅速診断後，ホルマリン固定パラフィン包埋切片が作製され，永久標本として再度診断される．両者の診断一致率は94～97％との報告がある．外科医は術中迅速診断の適応と限界を熟知し，術中迅速診断はあくまで暫定的で，最終診断ではないことを認識する必要がある．

手術材料では病変の術前・術中診断の再確認・病変の拡がりや取り残しの有無を再度確認する．特に切除断端の評価，リンパ節転移の有無は重要である．また，消化管のような管腔臓器の場合，壁の層構造のどの深さまで浸潤しているか評価する．このほか，リンパ管や血管への侵襲の有無の評価も重要で，がんの拡がりの評価に加え，がん細胞が宿主体内に残存している可能性が指摘できる（図9-20）．

現在のがん診断は，HE標本による形態と複数の免疫組織化学のパネルによる細胞特性を総合的に判断して行われる．例えば，低分化かつ退形成を示す肺大細胞癌を，免疫組織化学にて，扁平上皮系か腺系，あるいは神経内分泌系に大別できるかが試みられる．神経内分泌顆粒に含まれるクロモグラニンAが確認できれば神経内分泌系への分化の可能性が高い．原発不明癌の原発巣の類推・確定も，腫瘍に発現しているタンパクを免疫組織化学で確認し行われている．骨髄転移病巣で前立腺特異

D. 腫瘍の診断と治療・予後 ● 257

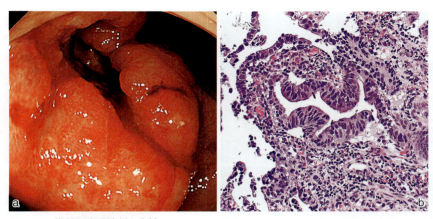

図9-19　術前の病理診断：生検
a. 内視鏡で直腸に腫瘍性病変が認められた．この組織から一部組織を採取した．
b. 生検した結果，中〜低分化型腺癌の浸潤性増殖が認められた．Group 5 adenocarcinoma と診断した．

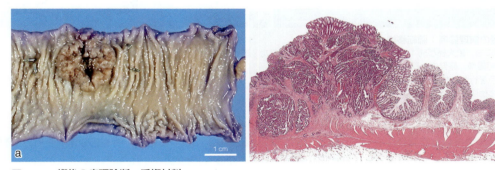

図9-20　術後の病理診断：手術材料
a. 先の診断結果に基づいた手術検体．腫瘤形成型の腫瘍が認められた．
b. 組織像では固有筋層へ浸潤する像が認められた．

抗原 prostate specific antigen（PSA）の発現細胞と確認されれば，原発巣は前立腺の可能性が高く，臨床上有益な情報となる．

悪性リンパ腫の診断には，血球系マーカー CD（cluster of differentiation：分化抗原）シリーズの検索が必須である．増殖する異型リンパ球が B 細胞性なのか，T 細胞性なのかの判別，複数の B・T 細胞の分化段階マーカーの発現を総合的に判断し，濾胞胚中心（B：胚中心細胞，T：濾胞ヘルパー細胞など）などを基軸に，どの段階まで分化した細胞なのかを CD シリーズを主体に検討していくことで診断確定につながっていく．

B 細胞診

細胞診は元来，病変（特にがん）のスクリーニングの手段として広まった検査法である．現在でもがんの集団検診に引き継がれている．細胞診は確定診断にいたる所見の情報量が組織診に比べると少ないため，一般に補助的診断とされる．

剝離細胞診は病変の外表を擦過したり，貯留している液状物を回収したりして，細胞をスライドガラス上に塗抹（薄く塗り広げ）し，染色を行って検鏡するものである．患者への負担や侵襲が少なく，繰り返し行えるなどの利点があるが，細胞は病変部から剝がれたものであるため，変性が加わっている可能性が高い．主として細胞の形状と細胞相互の結合状態などの所見から，腫瘍病変の有無や病変が悪性かどうかを判断し，スクリーニング的に用いられることが多い．この判定は直接的な病名診断は行わず，良性か悪性か，それとも両者の中間的な所見かを，異型性を基準にして判断する．

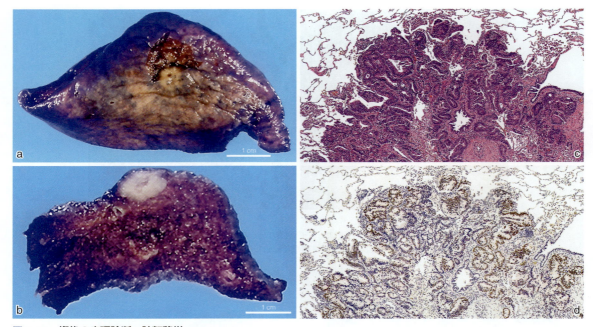

図 9-21 術後の病理診断：肺転移巣
a, b. 肺転移巣にも，最大径が約 1 cm の白色結節性病変が認められた．肉眼的には中心部に壊死が認められた．
c. 腫瘍部分の組織像．原発巣と同じ腺癌の増殖巣が認められた．
d. TOPO1 染色を行なった結果，再発巣ではびまん性に陽性であったが，陽性を示す部分と陰性を示す部分が混在しており，抵抗性を示すクローンが存在することが明らかとなった．

　穿刺吸引細胞診の検体は穿刺針を病変部に刺し入れ，針につけてある注射管のピストンを引き，病変内に急激に陰圧をかけることによって，病変部の細胞を針の中に吸い取るものである．これを直ちにスライドガラスに塗抹し，固定・染色を施し，細胞診標本とする．細胞の変性が少なく，原形がよくとどめられており，また針の径を通ることが可能な細胞の塊として採取されるため，ある程度は組織構築に近似する立体構築所見が得られる．
　最近は，採取された細胞検体を液状検体処理法 liquid based cytology（LBC）で取り扱うことが増えている．検体を採取したブラシや針を溶液に入れた検体びんに移すだけでよく，細胞回収効率がよく，不適切検体の減少につながっている．追加検索，遺伝子や染色体検査への検体提供も可能で，細胞診の意義を高めている．

C 病理学的検査の実際

　実際に行われる病理診断のプロセスを症例提示をして示す．
　症例は 50 歳代の男性．下血を主訴に来院．内視鏡で直腸に腫瘍性病変が認められた．この組織から一部組織を採取し，生検した結果，中〜低分化型腺癌の浸潤性増殖が認められた（図 9-19）．
　この診断結果に基づいて手術が行われた．断端および腹水の術中迅速検査が行われたが陰性であった．摘出された検体を固定後に観察すると，肉眼的には腫瘤形成型の腫瘍が認められた．組織学的には生検と同じ中分化型腺癌の増殖像が認められた．正常粘膜とは比較的境界明瞭な腫瘍であったが，固有筋層へ浸潤する像が認められた．大腸癌に対する化学療法薬の 1 つであるイリノテカンに対して感受性を示す topoisomerase 1（TOPO1）染色を行った結果，すべての癌細胞が陽性であり，感受性があることが判明した（図 9-20）．
　半年後に肺に結節性病変が認められた．手術後の摘出検体では，肺にも最大径が約 1 cm の白色結節性病変が認められた．肉眼的には中心部に壊死が認められた．組織学的には，原発巣と同じ腺癌の増殖巣が認められ，大腸癌の転移が示唆された．TOPO1 染色を行なった結果，陽性細胞と陰性細胞が混在しており，肺転移巣ではイリノテカンに感受性を示さないがん細胞が存在することが判明した（図 9-21）．

D 臨床病期

がんの進行の程度の評価は患者の生命に大きくかかわるため、治療に欠かせないものである。わが国では、国際対がん連合 Union Internationale Contre le Cancer（UICC）が提唱した TNM がん病期分類 TNM cancer staging system と、わが国の各学会が作成している独自の癌取扱い規約分類（各部位別）が主に使用されている。

判断基準は腫瘍の発生した臓器によって異なるが、共通して用いられる判定項目は以下の項目である。
① 腫瘍径（大きさ）
② 局所増殖・浸潤の程度
③ リンパ節転移の有無
④ 遠隔転移の有無

TNM 分類では、"T=tumor" で原発巣の大きさや周囲への浸潤の程度を、"N=node" は所属リンパ節の転移の存在と程度を、"M=metastasis" は遠隔転移の存在と程度を指す。N 因子はリンパ節転移のない場合は N0、転移がある場合はその数、大きさ、部位、程度によって N1～N3 に分けられる。M 因子は遠隔転移のないものは M0、あるものは M1 と表現する。

T・N・M 因子の総合評価として臨床進行分類が用いられ、これは 0～Ⅳ期に分けられている。0 期は非浸潤癌、Ⅰ期は原発巣にとどまる浸潤癌である。Ⅱ～Ⅳ期はさらに広がりの進んだものである。細目は臓器ごとに定められている。

消化管発症のがんの予後は、深さとより相関するため、胃癌と大腸癌の T 因子は大きさではなく深達度で評価する（表 9-11）。なお、中枢神経系や悪性リンパ腫などは N の記載がなく、他の病期分類（SEER 分類や Ann-Arbor 分類）を転用して分類されている。

これらの病期分類は臨床分類 clinical classification と病理分類 pathological classification に大別される。それぞれ接頭辞 c, p を用いて cTNM や pTNM と表記する。

術前の臨床分類は治療法の決定の基礎となり、術後には病理組織学的に確定された病理（病期）分類が、治療法の再検討や転帰・予後を予測する大きな指標となる。最近は、再発例の治療や術前化学療法などが行われる症例もあり、TNM 分類前に r（=recurrence：再発）や y（=yield：治療によって得られた）をつけて、さまざまな臨床状態を反映させた病期分類となっている。

図 9-20 の症例では、固有筋層に浸潤する腫瘍（pT2）、領域リンパ節に転移なし（pN0）、肺への遠隔転移あり（pM1）であったので「pStage Ⅳa」と診断された。

表 9-11 大腸癌の TNM 分類

T-原発腫瘍の深達度	
Tx	原発腫瘍の評価が不可能
T0	原発腫瘍を認めない
Tis	上皮内癌：粘膜固有層に浸潤
T1	粘膜下層に浸潤する腫瘍
T2	固有筋層に浸潤する腫瘍
T3	漿膜下層、または腹膜被覆のない結腸もしくは直腸周囲組織に浸潤する腫瘍
T4	漿膜腹膜を貫通する腫瘍、および/または他の臓器または構造に直接浸潤する腫瘍
N-リンパ節転移	
NX	領域リンパ節の評価が不可能
N0	領域リンパ節の転移なし
N1	1～3 個の領域リンパ節転移
N2	4 個以上の領域リンパ節転移
M-遠隔転移	
M0	遠隔転移なし
M1	遠隔転移あり

E がんゲノム医療（網羅的がん遺伝子検査）と分子病理学的診断

近年、一定条件のパラフィン包埋組織から、RNA や DNA を採取できるようになってきた。これに伴い、直接の発生原因となる固有の遺伝子を検出し、診断に役立てようとしている。

軟部腫瘍や悪性リンパ腫、肺癌などでみられる腫瘍固有の染色体転座や点突然変異が詳細に解明されており、相互転座で生じるキメラ遺伝子（融合遺伝子）を、病理検体から DNA や RNA を抽出して確認する方法、標本上で異常な染色体の分離や接合を蛍光で可視化できる fluorescence in situ hybridization（FISH）法などが利用されている。また、発がんに関連するウイルスの DNA や RNA を FISH 法を用いて腫瘍細胞内に確認することもある。大量の検体を必要としない PCR 法を応用した検出法も応用され、組織像だけでは診断が困難な症例について、分子病理学的なアプローチにより、より正確な病理診断が可能となってきた。

前述のように「がん」は多段階的にさまざまな遺伝子の異常が積み重なることで発症し、発症臓器が同じでも、その遺伝子の異常の積み重なり方は患者ごとに異なる。このため同じ臓器・組織型であっても、治療効果や特性が異なると予想される。そこで、患者 1 人ひとりの腫瘍ごとの遺伝子異常を網羅的に解析し、がんの個別

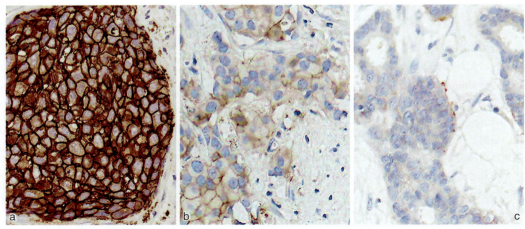

図 9-22 乳癌の HER2 免疫染色像
a. スコア 3．陽性，トラスツズマブ（抗 HER2 療法）の適応．
b. スコア 2．境界例（equivocal），同じ検体で ISH 法で確認するか，新しい検体で免疫染色か ISH 法を実施する．
c. スコア 0．トラスツズマブの適応外．なお，スコア 1 も適応外．

化医療 personalized medicine が実施されている．

がんゲノム医療推進のため，次世代シークエンサー next generation sequencer（NGS）などを使用し，網羅的にがん遺伝子の検討を行えるような施設や制度も整備され，組織学的・解剖学的なものから，分子レベルの変異へと向けられた分子病理学的診断が開始されている．この分子病理学的解析で明らかとなった特定の変異を標的とした薬物が次々と上市されている．

このようなアプローチはがんの分類と治療におけるパラダイムシフトをもたらし，中枢神経系腫瘍の WHO 分類など，組織分類に分子生物学的情報が加味された，新しい分類が用いられている．

F 分子標的治療とコンパニオン診断

がんの病理診断は形態学的な分化度や進行度だけではなく，タンパクの発現や染色体の相互転座，遺伝子の異常などを含めて多層的・総合的に診断されるようになってきている．分子標的治療はがんの発生や増殖に重要な特定遺伝子（ドライバー遺伝子）がコードするタンパクの機能を分子レベルで抑えることにより，疾患（特にがん）に対して効果を狙った治療法である．このドライバー遺伝子を標的とした分子標的薬が開発されてきた．

代表的なものとしてチロシンキナーゼ阻害薬であるイマチニブ（慢性骨髄性白血病，消化管間質腫瘍など）やゲフィチニブ（非小細胞肺癌），あるいはモノクローナル抗体であるリツキシマブ（抗 CD20 抗体，B リンパ腫）やトラスツズマブ（抗 HER2 抗体，乳癌/胃癌）がある．また腫瘍免疫に関する分子に対する分子標的薬も開発されており，免疫チェック機能関連分子に対する抗体である抗 PD-L1 抗体など，多種多様な分子標的薬が開発されている．

分子標的治療は，治療効果が期待できる症例にのみ保険診療が適用され，腫瘍マーカーの発現や遺伝子診断は，分子標的治療における治療前の効果予測判定に用いられている．この治療前効果判定診断をコンパニオン診断と呼ぶ．

よく知られている例として，乳癌での上皮増殖因子受容体（HER2）に対する分子標的薬トラスツズマブ（ハーセプチン®）のコンパニオン診断として HER2 の免疫組織化学（図 9-22）や FISH（図 9-23）がある．

HER2 陽性乳癌では，HER2 タンパクの過剰発現と *HER2* 遺伝子の増幅がみられるため，これを指標として抗 HER2 療法の適応対象となる症例を判定する．

E 腫瘍の生物学

腫瘍細胞は，正常細胞とは異なる多くの特徴を有している．がん細胞がどのようにして異常な増殖・浸潤・転移を示すのか，今もなお多くの研究がなされている．以下に示す特徴の組み合わせにより，腫瘍は多様な臨床像を示すと考えられる．

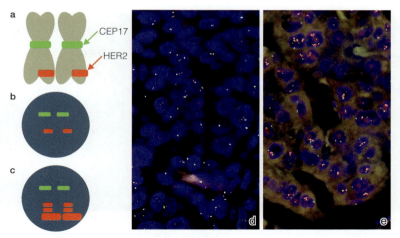

図 9-23　乳癌の FISH による HER2 の染色像
a. 第 17 番染色体を模式的に示す．セントロメア(CEP17)を緑色で，17q21 に存在する HER2 を赤色で示す．
b. 増幅がない場合の腫瘍細胞の核には，CEP17 は 2 つ，HER2 は 2 つ認められる．
c. 増幅がある場合の腫瘍細胞の核には，CEP17 は 2 つ認められるが，HER2 は増幅しているため，copy number が増えたり，大型の HER2 が認められる．
d. 増幅がない場合の FISH の図：CEP17 の発現が目立つものの，わずかに HER2 も認められる．増幅がない場合は HER2/CEP17 の値は 1.0 以下となる．
e. 増幅が認められた場合の FISH の図：CEP17 は認められるが，増幅した HER2 が目立つ．増幅が認められる場合は，HER2/CEP17 の値は 2 以上となる(デュアルプローブによる ISH)．

1 腫瘍細胞の生物学的特性

　腫瘍は腫瘍細胞そのものと，後述する血管などの間質から成り立っているが，腫瘍細胞のみを取り出して試験管内で培養することが可能であり，腫瘍の理解に大きく貢献してきた．

A 培養腫瘍細胞の基本的特性

　試験管内で増殖・維持が可能な腫瘍細胞の株が多数樹立され，研究に用いられてきた．これら腫瘍細胞は以下のような特有な生命現象を示す．

1 無限増殖能

　正常細胞は，組織から分離して試験管内で培養すると，一定期間しか維持できない．多くの上皮系の細胞は，試験管内で分裂増殖する能力は低いが，線維芽細胞や血管内皮細胞などは数十回にわたる細胞の倍加，いっぱいになった培養皿から次の培養皿へと移して増殖させる継代が可能である．それでも，正常細胞は一定の分裂回数の後に増殖をやめ，**老化** senescence と呼ばれる状態に入る(図 9-24)．これに対して，腫瘍細胞は無制限

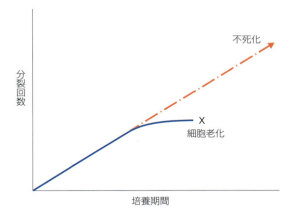

図 9-24　細胞分裂，老化と不死化
正常細胞は，一定の分裂回数に到達すると増殖をやめ細胞老化の状態になるが，不死化した細胞は無限に分裂増殖する．

に増殖し，継代を繰り返したり凍結保存後に再び試験管内で増殖させたりすることが可能である．また，正常細胞でも，発がん物質で処理したりがんウイルスに感染させたりすることにより，またはまれに正常細胞を継代する過程で自発的に，無限に継代できる形質転換(トランスフォーム)した細胞が出現し，これを**細胞の不死化** immortalization(図 9-24)という．

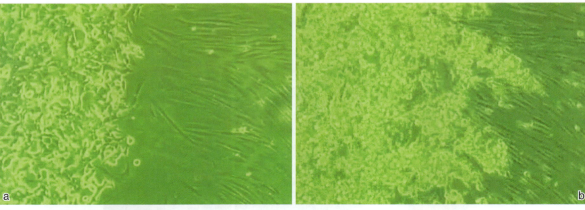

図9-25　がん細胞と正常細胞の増殖
それぞれ右側にみられる線維芽細胞（正常細胞）は，紡錘形で，試験管の底に単層に増えた状態で維持されている．一方，左側にみられる大腸癌細胞は，aからbへと時間が経過するにつれ，より重層化して重なり合いながら増殖する．最終的には正常細胞を完全に押しのけてしまう．

2 ● 接触阻止の喪失

正常細胞は，試験管内で培養すると試験管の底に接着してシート状に増殖し，ついには底をすべて覆ってコンフルエントな状態になり，増殖を停止する．コンフルエントな状態では，細胞は相互に秩序正しく接触し単層のシートを形成しており，その後に増殖を停止することを**接触阻止**と呼ぶ．これに対して，腫瘍細胞はコンフルエントになって互いに接触しても増殖が止まらず，接触阻止の喪失がみられる．接触阻止が起こらない結果，細胞の配列は乱れ，相互に重なり合いながら増殖したり，**重層化 piling up** を示したりする（図9-25）．

3 ● 足場依存性の喪失

正常細胞が増殖するためには，試験管の底のような硬い基質に接着していることが必要であり，このことを**足場依存性増殖**という．これに対して，腫瘍細胞は，軟寒天ゲルのなかに浮遊させても増殖し，数十〜数百の細胞からなるコロニーを形成して増殖する．これを足場依存性の喪失ないし**足場非依存性増殖**という．

B ● 細胞膜・細胞骨格の変化

腫瘍細胞同士は相互に集まって，腫瘍腺管やシート状の腫瘍胞巣を形成し，組織型や分化度の判定の指標となる組織構造を形成する．正常の組織構造に比して，腫瘍では種々の程度に構造の異常，相互の関係の喪失がみられるが，細胞膜とその裏打ちを形成する細胞骨格の変化が，その生物学的な機序として重要である．

細胞膜表面は，糖鎖をもった種々の糖タンパクや糖脂質で覆われているが，腫瘍では糖鎖合成の変化によって量的ないし質的な変化が生じ，その一部はがんに特徴的な糖鎖抗原として，腫瘍マーカーに応用されている．

細胞膜上には，増殖因子受容体や接着分子など細胞間の相互作用に重要な役割を果たす分子が多く存在するが，腫瘍ではそれらも量的ないし質的に変化する．**Eカドヘリン**を主たる構成分子とする**アドヘレンス結合**や**タイト結合**からなる細胞細胞間の接着装置の異常は，細胞同士の相互の接着性の低下の原因となる．また**インテグリン**を主たる構成分子とする**細胞基質間接着装置**の異常は，細胞が基底膜などの基質から離れたり，基質上を移動したりする原因となる．これらの接着装置は，細胞骨格の特に**アクチン**を主成分とする**マイクロフィラメント**により裏打ちされており，細胞骨格系の変化も接着性の変化をきたし，これらが合わさって，組織構造の変化が生じる（図9-26）．

上皮細胞は，中間径フィラメントの1つであるケラチンを発現するが，腫瘍化することで上皮性の性格が失われるとともにケラチンの量は減少し，間葉系細胞に存在するビメンチンが増加する現象がみられる．

C ● 腫瘍の移植

がん細胞やがん組織を動物に移植すると，その場所に生着・増殖して腫瘍を形成する．移植腫瘍として樹立され研究に用いられている多数の腫瘍があるが，腹水腫瘍として樹立された**吉田肉腫**もその1つである．

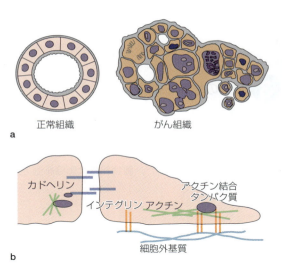

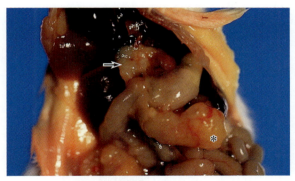

図 9-27　がん組織の可移植性
膵癌組織を，免疫不全マウスの膵臓に移植した同所性移植モデルでは，がん組織が膵臓で増殖する（＊）．さらにこの例では，胆管周囲のリンパ節に転移を伴っており（→），転移の広がりも実際の臨床像を忠実に模倣している．

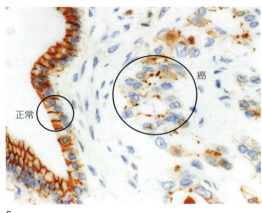

図 9-26　細胞間接着・細胞骨格と組織構造
a, b．細胞間接着と細胞骨格は相互に関連して組織の構築を形成するが，がん細胞ではその異常を認める．c．E カドヘリンの免疫組織化学では，図左側の正常の膵管上皮は，隣接する細胞と細胞の間の接着面に一致して，E カドヘリン陽性像を櫛の歯状に認め，細胞同士秩序正しく配列している．右側の低分化腺癌の部分では，E カドヘリンの染色性は減弱し，ドット状を呈し，細胞同士不規則に配列する．

1　同系移植

発がん実験に広く用いられるマウスやラットのがんの場合，その由来した動物と同じ系統の動物への移植は成立しやすく，よく行われている．

2　異種移植

担がん動物と異なった種の動物への移植は一般には成立しないが，ヌードマウスに代表される免疫不全動物を用いることで，異種移植が可能である．特にヒトのがんは免疫不全マウスに移植することで，元のがん組織の形態を生体内である程度再現することができるため，がんの増殖・転移の研究，薬剤の評価などに広く応用されている．移植の部位は，一般には観察が容易な皮下移植が行われているが，がんが発生したのと同じ組織に移植する同所性移植も，より生体に近い系として用いられる（図 9-27）．

3　可移植性

形質転換した細胞が移植可能かを評価することは，がん化の指標の 1 つとなるが，がんのすべてが移植可能というわけではない．また，同じがんであっても部位によって移植の可否が異なることもよくみられる．

2　腫瘍細胞の増殖

正常細胞では，細胞分裂に至る細胞周期と細胞死は厳密に制御され，恒常性が維持されているが，腫瘍ではそれらの脱制御が生じている．

A　増殖因子 growth factor

多細胞生物においては，細胞は周囲の細胞と絶えずコミュニケーションをとっており，それを担う主要な分子が，増殖因子あるいは増殖抑制因子である．最初に発見された増殖因子である上皮成長因子 epidermal growth factor（EGF）は，さまざまなタイプの上皮細胞に対して分裂促進効果をもつ．増殖因子は，刺激される細胞の表面にある受容体に特異的に認識されて結合することで，細胞内に増殖のシグナルを伝える．これまでに多くの増

表 9-12　自己分泌性増殖因子を産生するヒト腫瘍の例

増殖因子	受容体	腫瘍の種類
HGF	Met	種々の内分泌腫瘍，浸潤性乳癌・肺癌，骨肉腫
IGF-2	IGF-1R	結腸・直腸癌
IL-6	IL-6R	骨髄腫，頭頸部扁平上皮癌
IL-8	IL-8R A	膀胱癌
NRG	ErbB2*/ErbB3	卵巣癌
PDGF-BB	PDGF-Rα/β	骨肉腫，膠芽腫
PDGF-C	PDGF-Rα/β	ユーイング Ewing 肉腫
SCF	Kit	Ewing 肉腫，肺小細胞癌
VEGF-A	VEGF-R(Flt-1)	神経芽腫，前立腺癌，カポジ Kaposi 肉腫
TGF-α	EGF-R	肺扁平上皮癌，乳癌，前立腺癌，膵癌，中皮腫

* HER2 または Neu 受容体としても知られている．

殖因子とその受容体が見いだされており，正常細胞の再生にかかわるとともに，多くの腫瘍細胞の増殖に関与している．腫瘍細胞は，体内の離れた組織の細胞や近傍の別の細胞から送られる増殖因子を受け取るだけでなく，腫瘍細胞自身も増殖因子を合成・分泌する(表 9-12)．

B 細胞内シグナル intracellular signaling

　増殖因子のシグナルを受け取る細胞表面受容体の多くは，チロシンキナーゼ活性を有し，タンパク質のチロシン残基をリン酸化することでシグナルを細胞内に伝える．細胞内シグナル伝達経路は複数のシグナル伝達ネットワークから成り立つが，その主たるものは，**マイトジェン活性化プロテイン(MAP)キナーゼ経路とホスホイノシトール 3 (PI$_3$)キナーゼ経路**である．そして，このシグナル伝達経路の活性化に続いて，新しい遺伝子の転写が誘導され，細胞周期が進行する．細胞内シグナルのネットワークと細胞周期の調節機構はきわめて複雑で，促進的に働く機構と抑制的に働く機構により厳密に制御されているが，腫瘍ではそれらの制御が破綻することで，自律性の異常な増殖が生じる．

C 細胞老化 cell senescence

　前述したとおり，正常細胞は無制限には増殖できないため，限られた回数しか分裂できずに増殖を停止し**細胞老化・分裂寿命**に至る(図 9-24)．老化した細胞ではテロメアが短くなるとともに，細胞周期停止にかかわる**キナーゼインヒビター**の p16 および p21 タンパク質が増加する．しかし，がんではテロメアの伸長にかかわるテロメラーゼ活性化が生じるなど，老化のメカニズムが抑制されている．

3 腫瘍の増殖・成長

　腫瘍細胞はさかんに増殖し，腫瘍が増大する．一般に，悪性腫瘍の増殖はさかんで，良性腫瘍の増殖は緩やかである．腫瘍細胞の増殖は，細胞分裂と細胞死のバランスによって決まる．また，腫瘍組織は腫瘍細胞と間質組織から形成される．

A 腫瘍の顕在化

　腫瘍は，約 10 億個の細胞を含むおよそ 1 g の大きさに成長して，はじめて臨床的に見いだされることが多い．腫瘍が 1 個の細胞から発生しているとすると，すべての細胞が約 30 回分裂を繰り返すことが必要である．腫瘍の成長する速さを，一般に腫瘍の倍加時間で表す．腫瘍の径が 0.5 cm から 1 cm に成長すると，体積は 2^3 で 8 倍になる．腫瘍が臨床的に顕在化する前の状態を観察することは難しく，小さい腫瘍の実際の成長については推測しかできないが，臨床的な腫瘍の観察では，腫瘍の倍加時間は数十日～数年まで大きな違いがみられる．

B 血管新生 angiogenesis

　がんはさかんな増殖を維持するために多くの栄養や酸素を必要とし，がんの成長とともにその周囲の血管から血管が新生する(図 9-28)．血管新生は血管新生促進因子と血管新生抑制因子とのバランスにより制御されているが，がんでは血管新生スイッチが入り，血管新生が刺激される．血管新生促進因子としては，**血管内皮細胞増殖因子 vascular endothelial growth factor (VEGF)** などが重要である．血管新生の機序は，発生過程や創傷治癒過程におけるものと類似するが，腫瘍血管の構造は正常組織とは異なり，過剰に不完全な血管網が形成され，漏出性となっている．

C 腫瘍間質形成 (formation of) tumor stroma

　腫瘍間質は，結合組織と多くのタイプの間質細胞から構成される(図 9-29)．間質細胞には，線維芽細胞，筋線維芽細胞，内皮細胞，平滑筋細胞，マクロファージ・

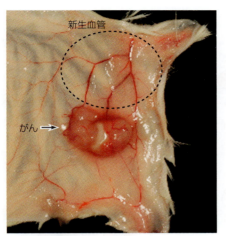

図 9-28 血管新生
免疫不全マウスの皮下に移植したヒトのがん組織に向かって，多数の血管の形成を認める．

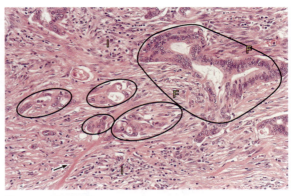

図 9-29 腫瘍間質
円で囲んだ部分は，がん細胞の集塊．大腸癌のがん細胞を取り巻く間質は，コラーゲン（→）や線維芽細胞（F）・炎症細胞（I）などの間質細胞からなり，相互に影響しあっている．

リンパ球などの炎症細胞などが含まれる．腫瘍細胞と腫瘍間質は相互にシグナルを交換して影響を与えている．代表的なシグナルとして，**肝細胞増殖因子（HGF）**，**形質転換増殖因子β（TGF-β）**，**血小板由来増殖因子（PDGF）**などの増殖因子，コラーゲンやラミニンなどの細胞外マトリックスは，細胞表面の受容体を介して相互作用を及ぼす．また，細胞を取り囲む基底膜も，増殖因子が結合し貯蔵されており相互作用に寄与する．腫瘍間質は，腫瘍の発生・増殖，さらには次に述べる転移に積極的に関与していることがわかってきている．

4 がんの転移 metastasis（of cancer）

がんの生物学的特徴の1つは，浸潤・転移を示すことであり，がんを治療困難にしている最大の原因でもある．

A 転移の成立過程

転移は，以下に示す一連の段階を経て成立する（図9-30）．

1 原発巣からの離脱

がんが最初に発生した原発巣から離れて周囲の間質内へ浸潤する過程では，種々のタンパク分解酵素（特に**マトリックスメタロプロテアーゼ**）による細胞周囲の基底膜の破壊および結合組織の分解が起こる．この分解により放出されたシグナル因子も加わって，がん細胞の運動

性が亢進し，がん細胞はより周囲へと浸潤する．

2 脈管内侵入と移動

がんが血管やリンパ管に接触すると，その基底膜や壁を壊して内腔へと侵入する．がん自体により新生された血管はその構造も不完全であり，より侵入が起こりやすいと考えられる．脈管内に侵入したがん細胞は，血流やリンパ流に乗って，離れた部位へと散布される．この過程でがん細胞は，多くの免疫担当細胞や液性因子の攻撃を受けることになる．また，血液中を浮遊した状態は，がん細胞が基底膜や間質と接着した状態に比べて，がん細胞の生存にとっては不利な状態にあり，これらの困難な状況を生き延びたがん細胞のみが転移形成へと至る．

3 着床と管外遊走

がん細胞は，毛細血管において物理的に引っかかったり，特定の刺激を受けて内腔表面に接着分子を出した内皮細胞と相互作用したりすることによって，離れた部位に着床する．がん細胞が塊で存在したり，その場で血栓が形成されたりすると，着床はより強固に完成する．着床したがん細胞は，内皮細胞とその周囲の基底膜を破壊し，脈管外へと遊出する．

4 転移臓器での増殖

血管外に遊出したがん細胞は，その場で増殖し，最終的に転移巣を形成する．転移臓器は，がんが発生した部位と比べて，異なる細胞・結合組織・シグナル因子が存在するため，がん細胞にとって有利な環境であれば転移

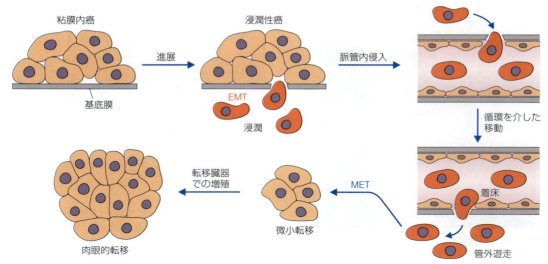

図 9-30　がんの浸潤転移
がんの転移は多段階のプロセスから成り立つ．EMT：epithelial-mesenchymal transition（上皮間葉転換），MET：mesenchymal-epithelial transition（間葉上皮転換）．

臓器での増殖は促進され，臨床的にもより早く顕在化する．原発巣における腫瘍の増殖と同様に，血管新生や腫瘍特有の間質が誘導され，転移巣が完成する．

B 浸潤・転移の機序

頻度が高いことに加えて，腫瘍の発生部位である上皮内が明瞭に認識できることなどから，浸潤・転移の機序の研究の多くは，上皮性悪性腫瘍である癌腫を対象に行われ，本項でも癌腫に焦点を当てて述べる．

1 ● 上皮間葉転換
　　　epithelial-mesenchymal transition（EMT）

正常の上皮に限らず，癌腫においても，上皮性の性格はある程度保たれていることが多く，腫瘍細胞同士は相互に接着してシート状ないし管状の胞巣を形成する．このような腫瘍細胞が，浸潤・転移の過程で必要な運動性・浸潤性を獲得するために，上皮性の性格を一時的になくし，間葉細胞に特徴的な性格を有するようになる．このような現象を上皮間葉転換（EMT）と呼ぶ．EMT は胚発生の過程で確立された概念であり，原腸陥入の段階で外胚葉から中胚葉が形成されたり，神経堤から間葉細胞が形成されたりする現象に関与している．癌腫の浸潤過程では，部分的なあるいは一過性の EMT がみられ，上皮細胞間接着分子 E カドヘリンの発現抑制（図 9-31）と間葉細胞の中間径フィラメントであるビメンチンの発現促進を認める．間質と接する浸潤の先進部において EMT をしばしば認める一方で，転移巣においては再び上皮性の腫瘍胞巣を形成することが多い．この現象は間葉上皮転換 mesenchymal-epithelial transition（MET）と呼ばれ，EMT の可逆性を認める（図 9-30）．

2 ● 「種と土壌 seed and soil」仮説

1889 年，英国の病理学者パージェット Stephen Paget により提唱された**種と土壌仮説**は，播種したがん細胞が転移巣を形成する能力は，転移臓器ががん細胞の生存・増殖に適した環境を提供できるか否かに依存するというものである．すなわち，解剖学的に脈管を経て散布されるがん細胞は，ランダムに転移巣を形成するのではなく，それぞれのがんで転移する組織向性がみられる．例えば，前立腺癌は骨への転移傾向が強く，大腸癌は肝臓へ転移する傾向が強い（図 9-32）．このような転移向性の機序は，がん細胞が組織の微小環境に適応することに加えて，組織特異的な誘導物質ケモカインにより，脈管中を移動しているがん細胞を積極的に組織内に引き寄せている場合や，組織の毛細血管に組織特異的な分子を発現して特定のがん細胞の着床を誘導する場合もある．しかし，この仮説はすべての転移パターンを説明できるものではない．

3 ● 微小転移 micrometastasis

がん細胞が血液中に存在していても，必ずしも転移巣

E. 腫瘍の生物学 267

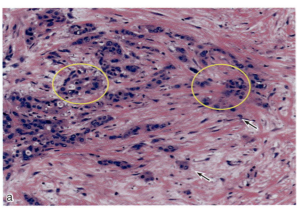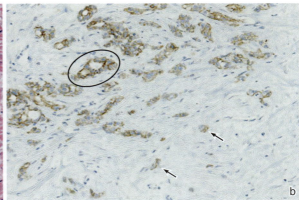

図 9-31　がん浸潤部にみられる EMT
a. 膵癌の HE 染色像．浸潤先進部に相当する図の右側では，腺管構造が不明瞭化し，がん細胞が一列に並んだり分散したりしている（→）．左側の円では腺管構造が保たれて，E カドヘリン発現も線状にはっきり認める．
b. E カドヘリンの免疫組織化学において，図の右側の浸潤部で染色性が弱くなっており，E カドヘリン発現の減弱を認める．

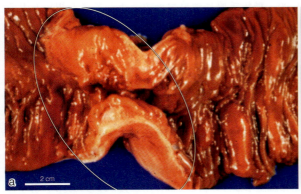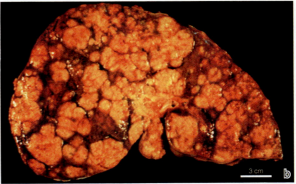

図 9-32　大腸癌の肝転移
a が原発巣である大腸癌（白線），b がその肝転移で，ほぼ全体を占拠している．大腸癌は門脈を経て肝臓に転移しやすいという解剖学的な機序に加えて，この画像のように転移巣が原発巣よりも大きくなることがよく経験される．これは，肝臓の環境（土壌）が大腸癌（種）の発育に適していることを示唆している．

が顕在化せずに長期に生存できることがある．これは前述の転移向性に加えて，がん細胞にとって発生した場所と異質の環境で増殖する過程が最も困難であることを示唆している．転移しようとするがん細胞が単独の細胞または顕微鏡で検出できる程度の小さな細胞塊として存在している状態を微小転移と呼ぶ．微小転移は長期間にわたり増殖せずに存続する休眠状態のものが多いと考えられ，一部のみが臨床的に検出される転移巣へと成長する．

C 転移促進因子・転移抑制因子

転移という現象はきわめて複雑で，がん細胞と宿主の環境因子との相互作用で成立することを述べてきたが，がん細胞株やがん組織の中には，転移性の高い細胞株や癌腫がみられたり，逆に転移性の低いものもみられる．そのような転移性を制御する因子（遺伝子）として，**がん遺伝子・がん抑制遺伝子**に対応して転移促進遺伝子・転移抑制遺伝子が同定されている（表 9-13）．最初に同定された転移抑制遺伝子 *NM23* は，メラノーマや乳癌において，発現量と転移能との間に逆の相関がみられる．

5 腫瘍細胞の染色体変化・DNA 修復

がんでは，異常な核型が存在することが古くから知られており，その後 DNA 損傷と修復の異常の詳細が解明されてきた．

表 9-13 転移抑制遺伝子の候補

遺伝子名	細胞での局在	作用機序
BRMS-1	核タンパク	染色質再構築に関与
XEAP3	核タンパク	転写因子
KAI1/CD82	膜貫通タンパク	細胞-細胞会合(?)
KISS1	分泌タンパク	Gタンパク共役型受容体
NM23	細胞質キナーゼ	MAPK連鎖の調節器(?)
RhoGDI-2	細胞質タンパク	Rho作用の負の調節器
SseCKs	細胞質	細胞骨格付随タンパク
VDUP1	細胞質	MAPK連鎖の調節器(?)
CDH1(=カドヘリン)	細胞表面接着タンパク	上皮細胞層の形成促進
TIMPs	分泌タンパク	メタロプロテアーゼの阻害タンパク
MKK4	細胞質	MAPK連鎖のタンパク・キナーゼ要素

〔Adapted in part from Steeg PS, Nat Rev Cancer 3：55-63, 2003 より〕

A 腫瘍の染色体異常

染色体異常には，数的異常と構造的異常がある．がん細胞は，**染色体不安定性**と呼ばれる状態にあることが多く，その結果，染色体数の変化がしばしば起こる．正常の2倍体(染色体数46)から逸脱した異常を**異数体** aneuploid と呼ぶ．染色体の一倍体が増えた多倍体(3倍体など)に加えて，広義には染色体の構造の変化も含めて使われる．異数性はがん細胞がより悪性のものに変化した結果として観察されるというとらえ方と，がんの発生に必要な変化とする考えとがある．構造的異常としては，転座，逆位，欠失，重複，切断などがある．例えば，慢性骨髄性白血病におけるフィラデルフィア染色体と呼ばれる第9番・第22番染色体の相互転座などが有名である．

B 腫瘍とDNA修復異常

細胞において最も安定的に維持調節されているのがDNAである．このゲノム安定性の機構は，DNA複製過程のエラーの修復，損傷した塩基を除去する修復，切断されたDNAの組換え修復，さらにはDNA修復を補う機構としての細胞周期チェックポイント，アポトーシスによる除去機構から成り立っている．がんでは，そのようなDNA修復の異常がみられ，それらにかかわる遺伝子の異常は，がんの発生に重要な役割を果たしているため，表 9-14 に示すようながんを発症しやすい症候群の原因となっている．一方，染色体の末端にみられるテロメアと呼ばれる構造は，染色体の安定性維持に重要で，

正常細胞は分裂するごとにテロメアの短縮が生じ，細胞老化へと至るが，がんではテロメア長を維持するテロメラーゼの活性化により，細胞増殖が維持される．

6 腫瘍抗原と腫瘍の診断

腫瘍においては，量的ないし質的に異なる抗原の産生がみられる．その代表的なものは，腫瘍マーカーとしてがんの診断に用いられている(→ 249頁参照)．

胎児性抗原は，元来胎児期には存在し，出生後に減少・消失した抗原が，がん化により再び産生されるようになったもので，AFP, CEAがその代表である．AFPは胎児期には卵黄嚢や肝で合成されており，肝細胞癌や卵黄嚢腫の際に高率に合成され，陽性を示す．前述したように，がん化に伴い細胞膜の糖鎖構造が変化するため，**糖鎖抗原**は腫瘍マーカーとしてよく用いられる(→ 262頁参照)．膵癌などで陽性を示すCA19-9がその代表である．

7 がんの生物学的特性と治療

これまで述べてきたとおり，がんは正常と異なる生物学的特性を有しており，そのような特異的な経路を抑制するように設計された治療が分子標的治療である．従来の抗がん剤治療は，がん細胞の増殖を抑えるため，正常の細胞増殖も抑制して副作用が強くみられたが，**分子標的治療**では正常細胞への影響は少ないことが期待されている．がん細胞の増殖に必要な上皮増殖因子受容体EGFRに対する阻害薬や，成長に不可欠な血管新生の阻害薬など，新しい分子標的薬が開発されている．

F 腫瘍の発生

腫瘍は，年齢・性・遺伝などの内因あるいはウイルス・化学物質などの外因が原因で発生する．(職業癌については，283頁参照)．

1 内因-宿主因子

A 年齢

がんの発生は，後述する遺伝的な要因が強い小児期の腫瘍を除くと，加齢とともに増加する傾向がある．一般

表 9-14 DNA 修復異常とがん傾向の強いヒトの症候群

症候群	異常をきたしている修復経路	異常タンパク質	主要なゲノム損傷のタイプ	発症しやすい主要ながん
色素性乾皮症（XP）	ヌクレオチド除去修復	XP, CS	点突然変異	紫外線による皮膚癌
毛細血管拡張性運動失調症（AT）	2本鎖 DNA 切断応答	ATM	染色体異常	悪性リンパ腫
遺伝性乳癌・卵巣癌	相同組換え	BRCA1, BRCA2	染色体異常	乳癌，卵巣癌
ウェルナー Werner 症候群	相同組換え	WRN ヘリカーゼ	染色体異常	種々のがん
ブルーム Bloom 症候群	相同組換え	BLM ヘリカーゼ	染色体異常（姉妹染色分体組換え）	白血病，悪性リンパ腫ほか
遺伝性非ポリポーシス大腸癌（HNPCC）	ミスマッチ修復	MLH1, MSH2	マイクロサテライト不安定性	大腸癌
ファンコーニ Fanconi 貧血症	DNA 架橋修復	FANC-D2	染色体異常	悪性リンパ腫ほか

には，成人期後半から老年期にかけて増加するため，生活習慣病の代表的な疾患にあげられている．生物学的な要因・環境要因などが複雑に影響し，その蓄積ががんの発生に関与しているためと考えられる．

B 性

　一般的に，がんの発生頻度は男性が女性よりも高い．その一因は，ホルモンの相違によると解釈されており，例えば，閉経後の女性と男性とでは発生頻度に差がみられなくなることは，ホルモンの関与を示している．それ以外に，喫煙・飲酒・食生活などのライフスタイルの違いが間接的に影響している．

C ホルモン

　女性では乳癌，男性では前立腺癌はそれぞれ発生頻度の高いがんであるが，その発生・成長に**エストロゲン**と**アンドロゲン**が関与している．エストロゲンとアンドロゲンは，それぞれ核内・細胞質内の受容体との結合後，核において遺伝子の転写を促進して標的細胞の増殖や分化を調節している．エストロゲンは正常の乳腺の発達に必要であるが，その過剰な曝露にかかわる高齢の閉経や肥満は乳癌発生のリスクを増加させ，逆に若年での妊娠や複数回の妊娠などはリスクの軽減に関与している．乳癌組織では，エストロゲン受容体が陽性となることが多く，抗エストロゲン製剤のタモキシフェンによる治療（ホルモン療法）が臨床的に応用されている（図 9-33）．逆に，外因性に投与されるステロイドホルモン製剤（経口避妊薬や筋肉増強剤など）は，腫瘍を発生させることも知られている．

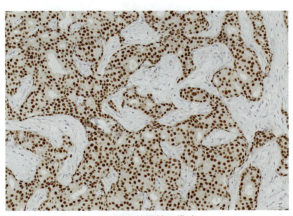

図 9-33 エストロゲン受容体陽性の乳癌
針生検でとられた乳癌組織で，乳癌細胞の核がほぼ 100％ 陽性に染色されている．

D 遺伝

　一般のがんは，複数の外的要因・内的要因がかかわって発生することから，明らかな遺伝性を示さないことが多い．しかし，古くからがんが 1 つの家系に多発することも知られており，遺伝性がみられることもある．小児癌である網膜芽腫やウィルムス Wilms 腫瘍，DNA 修復異常を本態とする色素性乾皮症や末梢血管拡張性運動失調症などにおけるがんの高率な発生は，顕性（優性）遺伝様式や潜性（劣性）遺伝様式を示す．

E 人種

　がんの発生頻度は国によって違いがみられ，人種による素因が関与している．例えば，皮膚を紫外線から守るメラニン色素が少ない白人では悪性黒色腫の発生頻度が高いのに対して，日本人をはじめとする有色人種ではそ

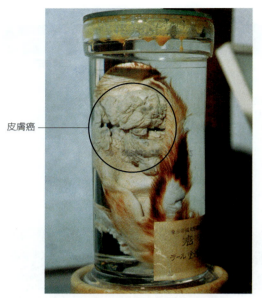

図 9-34　外的因子により誘発された最初の腫瘍
1915年，山極勝三郎らにより，ウサギの耳に繰り返しコールタールを塗布することで皮膚癌を誘発できることが証明された．
〔写真は東京大学医学部のご厚意による〕

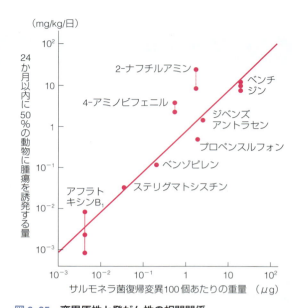

図 9-35　変異原性と発がん性の相関関係
発がん物質の変異原性と発がん性には相関関係がみられるが，各々の物質の能力には大きな違いがみられる．

の頻度は低い．一方で地理的な要因がむしろ生活習慣などの違いによる場合も知られている．日本人の胃癌が減り，大腸癌，乳癌，前立腺癌が増加している背景には，生活習慣の欧米化が関係している．

2 化学発がん

A 化学発がんの歴史

ある種のがんは，特定の物質への曝露と関係しているという観察は18世紀からなされており，英国の内科医ジョン・ヒルによる鼻腔癌と嗅ぎタバコとの関連や外科医パルシヴァル・ポットによる陰嚢癌と煙突掃除との関連などが報告された．

20世紀に入って，**山極勝三郎**らは，ウサギの耳にコールタールを繰り返し塗布することで，塗布した部位に皮膚癌を発生させることに成功し，外的因子が発がんを引き起こしうること，そして人為的にがんを作れることを世界ではじめて証明した（図9-34）．その後，英国の科学者らによりコールタール中の発がん物質の同定が進み，ベンゾピレン benzopyrene やジベンズアントラセン dibenzanthracene が見いだされた．これらの炭化水素化合物はタバコの煙中にも見つかり，アゾ化合物や

N-ニトロソ化合物によるラット肝癌発生など，化学発がん研究は一挙に開花した．

B 化学発がんの過程

Advanced Studies

1　発がん物質の変異原性

第一次世界大戦で使用されたマスタードガスに含まれるアルキル化剤などの化学薬品がハエなどに対して変異原性を示すこと，それらの薬品の中に実験動物に発がん性を示すものがあることが見つかり，がんを起こす物質（がん原物質）は遺伝子を変異させることでがんを誘発する変異原物質であると考えられるようになった．

エイムズ試験は，サルモネラ菌を用いることで化学物質の変異原性を評価する方法として広く用いられている．変異原性の強い化学物質は強力な発がん物質であり，変異原性の弱い化学物質は発がん性も弱いといった相関関係がみられる．例えば，強力な発がん物質であるカビ毒のアフラトキシンとベンチジンとでは発がん性および変異原性に約1万倍の違いがある（図9-35）．しかし，後述する発がんプロモーターなど，すべての発がん物質が変異原とは限らないのも事実である．

2　発がんの二段階説

発がん物質の投与による発がん過程の研究から，発がんの二段階説が提唱され，その後この説が後述する多段階発がん説へと発展していく．

発がん物質をマウスの皮膚に少量塗布し，その後クロ

トン油を繰り返し同部位に塗布すると腫瘍が発生するが，どちらか一方だけの塗布では腫瘍は発生せず，また発がん物質とクロトン油の塗布の順番を変えても腫瘍の発生を認めなかった．このことから，発がんの過程には質的に異なる2つの段階，すなわち**イニシエーション** initiation と**プロモーション** promotion があり，それらを経てがんが発生すると提唱された（図9-36）．そしてイニシエーションおよびプロモーションに働く物質はそれぞれ**イニシエーター**および**プロモーター**と名付けられた．

イニシエーションでは，イニシエーター（発がん物質）がDNAと反応して，発がん物質・DNA付加体を形成し，DNAの損傷・突然変異を起こした変異細胞が出現する．発がん物質は直接DNAと結合することもあるが，多くは生体内で**チトクロムp450**という薬物代謝酵素により活性化されることでDNAと結合する．損傷したDNAの大半はDNA修復酵素の働きにより修復されるが，一部では未修復のまま残るか修復の誤りを起こし，DNA塩基配列の変化（突然変異）を生じる．イニシエーションは不可逆的な変化であるが，すべての変異細胞が腫瘍になるのではなく，多くはアポトーシスによって除去されると考えられる．

プロモーションは単一の機序としては説明できないが，一般にはイニシエーションされた細胞が，選択的に増殖した状態と考えられ，がんあるいは前がん病変・良性腫瘍が形成される．プロモーターの例としては，クロトン油の成分で，**12-o-tetradecanoylphorbol-13-acetate（TPA）**という**ホルボールエステル**が知られている．TPAは皮膚における強力なプロモーターであり，イニシエーターとは異なりDNAと直接結合したり短期間で突然変異を生じさせたりすることはないが，プロテインキナーゼCの活性化による細胞内シグナル伝達を介して，変異細胞の増殖を誘導する．

これらの二段階発がんにより増殖した細胞集団からなる腫瘍は，さらなる悪性化（プログレッション）を経て，より増殖能が増し，さらには浸潤・転移能を獲得した悪性度の高いがんへと進展していく．プログレッションには複数の遺伝子の突然変異の蓄積を伴っている．

c 化学発がん物質の種類

前述したが，化学発がん物質の中にはそれ自体で核酸を修飾しうる直接型発がん物質もあるが，大部分は間接型発がん物質あるいは前発がん物質といわれるものであ

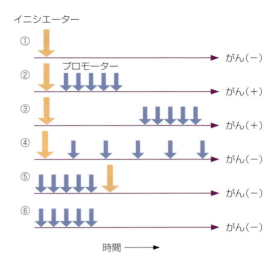

図9-36　発がんの二段階説
イニシエーションとプロモーションを経てがんが発生する．① イニシエーションのみではがんは生じないが，② イニシエーションとプロモーションを経てがんが発生する．イニシエーションは不可逆的であるため，プロモーションが ② より遅く生じる ③ の場合でもがんは発生する．一方，プロモーション自体の変化は可逆的であるため，繰り返されるプロモーションの間隔が長すぎる ④ ではがんは発生しない．イニシエーションとプロモーションの順番が逆の ⑤ やプロモーションのみの ⑥ ではがんは発生しない．

り，体内で代謝を受けて活性型である最終発がん物質となって発がん性を発揮する．同じ発がん物質に曝露されてもがんになる人とならない人がいる理由の1つとして，この薬物代謝酵素の遺伝子の多型による活性の違い・個人差によるところが大きいと考えられている．以下には，化学構造に基づく代表的な発がん物質を示す．

Advanced Studies

a 芳香族炭化水素

ベンゾピレン，ジベンズアントラセンは，コールタールから分離された発がん物質として有名である．タバコの煙や自動車の排気ガスにも含まれており，環境発がん物質の1つにもなっている．ラットやマウスに乳癌を発生させる 7, 12-dimethylbenzanthracene（DMBA），皮膚癌や線維肉腫を発生させる 3-methylcholanthrene（3-MC）は，発がん研究に用いられる．

b 芳香族アミン

職業癌の原因として，染料に含まれる 2-naphthylamine は膀胱癌を発生させる．魚や肉の動物性タンパク質の焼け焦げに含まれる heterocyclic amine には，トリプトファンの加熱産物である Trp-P-1 と Trp-P-2 およびグルタミン酸の加熱産物である Glu-P-1 と Glu-P-2 などがあり，ラットやマウスの肝臓などにがんを発生させる．

c その他

芳香族アゾ化合物である o-aminoazotoluene，Butter yellow としてマーガリンの着色材に用いられた 4-dimethylaminoazobenzene は，ラットに肝癌を発生させる．

表 9-15　ヒトのがんウイルス

ウイルス	タイプ	発生がん	がんウイルスタンパク	主な感染経路
ヒトパピローマウイルス	DNA ウイルス	子宮頸癌	E6, E7	性交渉
EB ウイルス，ヒトヘルペスウイルス 8 型	DNA ウイルス	バーキットリンパ腫　鼻咽頭癌	EBNA-LP, LMP1	接触
B 型肝炎ウイルス	DNA ウイルス	肝細胞癌	X	血液
ヒト T 細胞白血病ウイルス	RNA ウイルス	ヒト T 細胞白血病	TAX	母乳，性交渉
C 型肝炎ウイルス	RNA ウイルス	肝細胞癌	Core, NS3	血液

　N-ニトロソ化合物は強い発がん性を示すものが多く，dimethylnitrosamine（DMN）は肝癌を，N-methyl-N′-nitro-N-nitrosoguanidine（MNNG）は胃癌をラットに発生させる．N-ニトロソ化合物は体内でも生成されるが，この反応はアスコルビン酸によって抑制される．

　殺虫剤に用いられた有機ハロゲン化合物には，環境汚染が問題となった polychlorobiphenyl（PCB）などがあり，マウスに肝癌を発生させる．

　無機化合物では，中皮腫の原因としてアスベストが特に注目されているが，ほかに，ニッケルとクロムは肺癌を，カドミウムは精巣腫瘍を発生させる．

　カビ毒であるアフラトキシンは，*Aspergillus flavus* が産生する毒素で，なかでもアフラトキシン B1 は発がん性が強く，中国やアフリカにおける肝細胞癌の原因として重要である．特に，*p53* 遺伝子の 249 番目のコドンに，G から T へのトランスバージョン型変異を特異的に起こすことが報告され，アフラトキシン曝露との関連を示す分子レベルのパターンとして注目されている．

3　ウイルス

　ウイルスは感染症などのさまざまな疾患をヒトに起こすが，多くのウイルスでは，感染した宿主細胞の中でウイルスが増殖してその細胞を殺し，そして放出されたウイルスが近傍の宿主細胞に新たに感染することを繰り返して障害を及ぼす．それに対して，一部のウイルスでは，感染した宿主細胞を変化させることができ，その中で腫瘍を作ることができるウイルスが見つかってきた．

　少数の単純なゲノムしかもたない**腫瘍ウイルス**がどのようにしてがんを発生させるかという研究により，がんは遺伝子の疾患として認識されるようになる．その第一歩は，20 世紀初頭にペイトン・ラウスがニワトリの肉腫から抽出した細胞破砕液を濾過器に通し，濾過液を別のニワトリに注入することで肉腫を発生させることから始まり，濾過器を通り抜ける小さな病原体であるウイルスにより腫瘍が発生することを示し，後に**ラウス肉腫ウイルス（RSV）**と呼ばれるようになった．20 世紀後半になり RSV は，試験管内で培養した線維芽細胞に感染させると，感染細胞はがん細胞の特徴である形質を多く有していることが見いだされ，試験管内で異常な増殖を示す形質転換細胞の研究により，がんの分子生物学的研究が大きく前進することになる．

　ウイルス性がん遺伝子については後述するが（→ 275 頁参照），ここではヒトのがんウイルスとして知られている DNA ウイルス〔ヒトパピローマウイルス（HPV），EB ウイルス（EBV），B 型肝炎ウイルス（HBV）〕と RNA ウイルス〔レトロウイルス，C 型肝炎ウイルス（HCV）〕について述べる（表 9-15）．

A　DNA ウイルス

1　ヒトパピローマウイルス
　human papillomavirus（HPV）

　パポバウイルス科には，パピローマウイルス以外にマウスのポリオーマウイルスそして SV40 といった DNA 腫瘍ウイルスが属する．HPV は上皮細胞に感染して，**疣贅・乳頭腫**や**扁平上皮癌**を引き起こす．特に**子宮頸癌**の原因として注目されている．HPV が有するタンパクのなかでも，**E6 と E7 タンパク**が，がん抑制遺伝子である **Rb** および **p53 タンパク**と結合し，それらの作用を阻害することにより，がん化に結びつくと考えられている．

2　EB ウイルス Epstein-Barr virus（EBV）

　EBV は B 細胞や上皮細胞にも感染して細胞増殖をもたらす．アフリカに多くみられる上・下顎部に発生する**リンパ腫（悪性リンパ腫）**である**バーキット Burkitt リンパ腫**の原因として重要である．しかし，日本人のほとんどが EB ウイルスには感染していることから，Burkitt リンパ腫の発生にはアフリカ特有の外的因子の関与が必要だと考えられている．EBV と同じくヘルペスウイルスに属する**ヒトヘルペスウイルス 8 型（HHV8）**は，免疫抑制状態で発症する日和見腫瘍に関連し，特にエイズ患者に高率に陽性で，Kaposi 肉腫を発症する．

3　B 型肝炎ウイルス hepatitis B virus（HBV）

　HBV に感染した場合は，不顕性感染で経過する場合

と，慢性肝炎から肝硬変および肝細胞癌へと進行する場合とがある．HBV の DNA は，肝細胞のゲノム中に組み込まれることから，間接的にがん化を起こす場合と，HBV の X タンパクがプロモーターとして関与する機序が考えられている．

B レトロウイルス retrovirus

RNA ウイルスであるレトロウイルスは，逆転写酵素を有し，基本的には，群特異的タンパクをコードする **gag**，逆転写酵素をコードする **pol**，ウイルス粒子外被膜をコードする **env** の 3 つの遺伝子をもつ．

ヒト T 細胞白血病ウイルス（HTLV-1）は T 細胞に感染し，インターロイキン-2 およびその受容体の産生・発現を活性化させることで T 細胞の増殖を促進し，成人 T 細胞性白血病を発症させる．

C C 型肝炎ウイルス hepatitis C virus（HCV）

RNA ウイルスに属する HCV は，HBV と同様に肝細胞に感染し，高率に慢性肝炎を発症し，肝硬変および肝細胞癌へと進行する．コア遺伝子を強制発現させたトランスジェニックマウスでは，脂肪肝を経て肝細胞癌が発生することが示されている．

4 放射線 radiation

放射線曝露による発がんは，放射線技師や医師などの職業被曝，放射線治療や放射性造影剤による医療被曝，チェルノブイリなどの事故による被曝，そして広島・長崎における原子爆弾による被爆において，多くの事例や情報が集められてきた．原爆や事故による急性の曝露では，特に白血病や甲状腺癌の発生率の増加が報告されている．慢性の曝露では，長期の皮膚への曝露により皮膚癌が，放射性造影剤の肝への蓄積により肝内胆管癌および肝血管肉腫が発生する．

実験的にも，化学発がんと同様に，放射線がラットやマウスにがんを発生させることが示されている．放射線は DNA の突然変異を直接的に誘導し，変異細胞を生じさせる．

5 紫外線 ultraviolet rays，その他の外因

紫外線も放射線と同様に DNA の損傷による突然変異

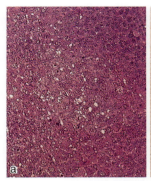

図 9-37　ラット肝の前がん病変
化学発がん物質により肝臓に出現した前がん病変．
a．HE 染色では，細胞が密在した小胞巣を中央に認める．
b．GST-P の免疫組織化学にて，同部は周囲とは異なる細胞集団として明瞭に認識される．
〔写真提供：福島昭治先生〕

を誘発し，発がんの要因となる．皮膚癌は，紫外線に曝露される顔面や上肢に好発する．遺伝子変異の除去修復に異常がある色素性乾皮症では皮膚癌のリスクが高い．

その他，細菌感染などによる慢性の炎症も発がんにかかわる．ピロリ菌の感染による胃リンパ腫や胃癌の発生および炎症性腸疾患における大腸癌の発生などがある．好中球やマクロファージなどの炎症細胞から放出される活性酸素が DNA を損傷するためと考えられている．

6 腫瘍の組織発生

腫瘍がどのような組織から発生するかを正確に把握することは，特にヒトにおいてはきわめて難しい．正常の組織から直接がんが発生する場合を **de novo 発がん**，腺腫や異形成といった前がん病変を経て発生する場合を**多段階発がん**と大きく区別されるが，慢性炎症に伴う再生上皮，化生，過形成といった前がん状態からの発がんも含めると，多くのがんは多段階的に発生すると考えられる．

ヒトでの観察に対して，マウスやラットを用いた実験では，均一な宿主に対して化学発がんやがん遺伝子の強制発現などの特定の外的要因を組み合わせて，経時的にがんの発生を観察することが可能である．そのような実験からも，変異細胞の増殖巣が出現し，良性腫瘍結節を経てがんが発生することが示されている．ラット肝発がんにおける**グルタチオン S-トランスフェラーゼ（GST-P）陽性細胞巣**（図 9-37），大腸発がんにおける **aberrant crypt foci（ACF）**などが，初期の前がん病変と

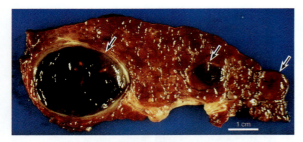

図 9-38　がんの多中心性発生
手術にて切除された肝臓の割面．3つのがん(肝細胞癌)結節を認め，いずれも別々に発生したがんと診断された．

して有名であるが，ヒトでも同様な病変があるかに関しては結論は得られていない．

7 がんの単中心性発生と多中心性発生

　がんが1つの組織に発生した状態である単中心性発生に対して，複数の原発巣が発生した状態を多中心性発生と呼ぶ(図9-38)．多中心性発生には，摘出された手術標本などで同時期に認められる同時性多中心性発生と，1つ目の原発巣を切除した後に別の原発巣が発生する異時性の多中心性発生がある．がんが発生しやすい状態(**前がん状態**)にある組織において多中心性発生はしばしば認められる．肝硬変からの肝細胞癌の発生，慢性胃炎からの胃癌の発生，アルコール多飲・喫煙を背景にした口腔・食道領域の扁平上皮癌の発生などでみられる．多中心性発生とは同じ組織内でのがんの転移と鑑別する必要がある．

8 腫瘍の単クローン発生，がん幹細胞仮説

　腫瘍がどのような組織から発生するかということをさらに突き詰めると，1個あるいは複数のどのような細胞に由来するのかという問題に行きあたる．

A 単クローン発生

　理論的には，腫瘍の起源は単クローン性か多クローン性のいずれかと考えられる．単クローン性では1個の細胞ががん化して1つの腫瘍の全細胞の祖先となるが，多クローン性では複数の細胞ががん化していくつかの遺伝的に異なる小集団を作ってそれらが集まって1つの腫瘍を作る(図9-39)．現在では，ヒトの腫瘍のほとんどが単クローン性であると考えられている．ただし，腫瘍は段階的に新たな変異を獲得してプログレッションしていくと考えられ，完成された腫瘍は多くの場合で不均一な集団からなっており，腫瘍の表現型や遺伝子マーカーは腫瘍内で不均一なパターンを示すことが多く，腫瘍の起源を評価することは難しい場合が多い．プログレッションの過程は多段階発がん(→ 279頁参照)としても理解される．

Advanced Studies

　単クローン性であることを示す証拠としては，女性の腫瘍におけるX染色体の不活化パターンや抗体産生能を有する多発性骨髄腫における免疫グロブリン遺伝子再構成のパターンを調べることから証明されてきた．前者について簡単に説明すると，雌の胚は発生後まもなく，母由来もしくは父由来のX染色体のどちらかが細胞ごとにランダムに不活化され，成体になってもその不活化のパターンを維持している．X染色体上にコードされる遺伝子で高率にヘテロ接合性を示す遺伝子として，グルコース-6-リン酸脱水素酵素 *G6PD*遺伝子のヘテロ接合体の出現パターンを電気泳動にて調べる．ヘテロ接合体を有する正常の組織では，2つのバンドが検出されるが，腫瘍においては1つのバンドのみが認められることから単クローン性と判断される．

B がん幹細胞仮説

　がんが**幹細胞**に由来するという考えは，特に血液系の腫瘍において古くから存在していた．現時点では必ずしも多くのがんが幹細胞に由来するとは考えられていないが，乳癌などの固形癌において，がん細胞の一部に幹細胞と類似の性格を有する集団が存在する証拠が示されるようになってきた．すなわち，腫瘍の不均一な細胞集団を分離解析することで，そのごく一部をなす少数の細胞集団のみが幹細胞と同様に，より未分化で自己複製能と無限増殖能を有し，分化した子孫細胞からなる腫瘍を形成できるとするデータが示されてきている．このような，腫瘍・がんを作りうる細胞(tumor initiating cell)の概念は，がんの治療を考えるうえでも重要な示唆を与えている．すなわち，抗がん剤や放射線による治療によって，仮にがんが縮小したとしても，腫瘍形成能をもつ幹細胞集団を根絶できていなければ腫瘍は再発する．不都合なことに，分化した子孫細胞は高い治療反応性を示しやすいのに対して，幹細胞は抗がん剤耐性などのストレス抵抗性を有しており一般に治療抵抗性であることが多く，新たな治療戦略が求められている．

9 腫瘍の発生・進展

　1個の細胞に変異が誘導され，その変異が形質転換を起こしうるような変異であり，淘汰されることなく優位性を獲得すると，クローンの増幅が生じる．動物実験では，比較的短い時間でこのような変化を経てがんが形成される過程を観察できるが，ヒトにおいては，例えば，放射線被曝による場合は5〜15年後に，C型肝炎ウイルス感染やアスベスト曝露の場合は30〜40年後にピー

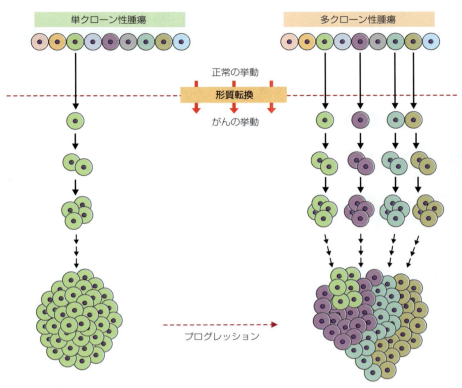

図 9-39　腫瘍の発生
単クローン性では腫瘍の起源は1個の細胞のがん化によると考えられるが，多クローン性では複数の細胞ががん化して，複数の小集団を形成する．

クがみられ，実際には長い期間を経て臨床的に顕在化するがんへと進展する．この間に，増幅した細胞集団の中にさらに変異が加わった亜集団(サブクローン)が出現することを繰り返しながら，多彩に分化した組織像，異なる浸潤転移能，さらには異なる治療反応性を示す複雑な集団から成り立つ臨床癌へと至ると考えられる．

がん遺伝子とがん抑制遺伝子

がんは遺伝子の体細胞突然変異により生じる．正常細胞においては，細胞の増殖・分化は複数の遺伝子ネットワークにより制御され，恒常性が維持されているが，がん細胞では，がん遺伝子の活性化，がん抑制遺伝子の不活性化により，無秩序な増殖が生じる．ゲノムの安定性を維持する遺伝子の不活化も，突然変異の蓄積を介して癌の発生にかかわる．がんにおける遺伝子変異の解析はがん発生のメカニズム解明につながるとともに，臨床における診断，さらには治療への応用へと向かっている．

1 がん遺伝子の種類と活性化機構

がん遺伝子 oncogene の単離は，1977年のヴァーマス Varmus とビショップ Bishop による **c-src** の同定に始まる．すなわち，レトロウイルスの保有する**ウイルス性がん遺伝子** viral oncogene(v-onc)である **v-src** と相同性を示す遺伝子 **c-src** が正常細胞に存在することを示した．このような相同性を示す遺伝子は，**細胞性がん遺伝子** cellular oncogene(c-onc)あるいは**がん原遺伝子** proto-oncogene と呼ばれている．c-onc は後述するように，突然変異によって活性化されて発がん性を示すようになる．

A がん遺伝子の種類と機能

がん遺伝子は，細胞の増殖のシグナル伝達に関与する遺伝子と，**アポトーシス** apoptosis に抑制的に作用する遺伝子からなる(図 9-40)．細胞の増殖は，増殖因子のレセプタ(受容体)への結合により細胞内のシグナル伝達系が活性化され，転写因子の活性化，細胞分裂周期の回

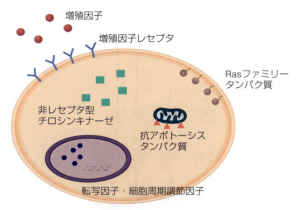

図 9-40　がん遺伝子産物の機能
がん遺伝子産物は、細胞の増殖・抗アポトーシスに関与する.

転へと進むが，がん遺伝子もこれに対応して分類できる．表 9-16 に代表的ながん遺伝子の分類と機能についてまとめた．

1 ● 増殖因子

増殖因子は特異的レセプタに結合して細胞の増殖を誘導する．サル肉腫ウイルス simian sarcoma virus (SSV) のがん遺伝子 v-sis の産物の構造が**血小板由来成長因子** platelet-derived growth factor (**PDGF**) の B 鎖と高い相同性を示すことが見いだされ，それ以来，hst-1 や int-2 などの増殖因子そのものをコードするがん遺伝子が多数発見されている．がん細胞自身が増殖に必要な因子を分泌し，同時にそれを受容して増殖するという，オートクリンの概念を引き出した．

2 ● 増殖因子レセプタ

増殖因子と特異的に結合するレセプタの多くは細胞内ドメインにチロシンキナーゼ活性（チロシン残基を特異的にリン酸化する）を有し，自己リン酸化を基点に細胞内に情報を伝える．v-erbB-1 の相同遺伝子 c-erbB-1 は **epidermal growth factor (EGF)** のレセプタをコードする．c-erbB-2 (her2/neu) は EGF レセプタに類似するタンパクをコードしており，乳癌などでその増幅および過剰発現が報告されている．幹細胞増殖因子のレセプタでもある c-kit の突然変異は，胃消化管間質腫瘍 gastrointestinal stromal tumor (GIST) を生じる．**グリア細胞由来神経栄養因子** glial cell line-derived neurotrophic factor (GDNF) のレセプタ Ret は多発性内分泌腫瘍症 2 型，肝細胞増殖因子 hepatocyte growth factor (HGF) のレセプタ Met は遺伝性乳頭状腎細胞癌それぞれの家系で変異

表 9-16　がん遺伝子の分類

がん遺伝子	機能
増殖因子	
sis	PDGF-B 鎖
hst-1	FGF ファミリー
int-2	FGF ファミリー
TGF-α	がん細胞が産生
増殖因子レセプタ	
erbB1	EGF レセプタ
erbB2	EGF 関連因子レセプタ
kit	マスト細胞増殖因子レセプタ
met	HGF レセプタ
ret	グリア細胞由来神経栄養因子
sam	FGF レセプタ
細胞内シグナル伝達	
src	非レセプタ型チロシンキナーゼ
abl	非レセプタ型チロシンキナーゼ
crk	アダプタ分子
ras (H-ras, K-ras, N-ras)	低分子量 G タンパク
raf	MAPKKK
核内調節	
fos	転写因子
jun	転写因子
myc (c-myc, N-myc, L-myc)	転写因子
cyclin D1	細胞周期制御
アポトーシス抑制	
bcl-2	アポトーシス抑制

がみられる．

3 ● 細胞内シグナル伝達

増殖因子レセプタの活性化に引き続いて，細胞内タンパク質の活性化が起こる．v-crk の産物は，リン酸化チロシンを認識する SH2 ドメインを有するアダプタタンパクであり，活性化したレセプタから細胞内へシグナルを伝える．ras は，ヒト腫瘍の遺伝子をマウス線維芽細胞に遺伝子導入し，トランスフォームした細胞から得られた最初のがん遺伝子であり，H-ras, K-ras, N-ras の 3 種からなる．その遺伝子産物 Ras は p21 とも呼ばれ，低分子量 G タンパクに属し，細胞膜からの増殖シグナルの伝達に重要な働きを担っている．特に MAP キナーゼ (MAPK) 経路の活性化を誘導するが，その構成成分の 1 つ Raf (MAPKKK) もがん遺伝子 c-raf の産物である．また，細胞内でチロシンキナーゼ活性を示す非レセプタ型チロシンキナーゼをコードするがん遺伝子として，c-src とそのファミリー遺伝子および c-abl が存在し，abl は慢性骨髄性白血病で変異がみられる．

4 ● 核内調節

細胞内のシグナルは核内に移行し，増殖に関連する他の遺伝子の発現を調節する転写因子の活性化と，細胞周期の回転を誘導する．*c-fos*，*c-jun*，*c-myc* がん遺伝子は転写因子をコードする．これら転写因子は，増殖刺激により，早期に一過性に発現が誘導される．*myc* ファミリー分子として，*c-myc* 以外に，*N-myc*，*L-myc* などが存在する．*c-myc* の転写標的遺伝子として，細胞周期制御にかかわる *cyclin D1*，*Cdc25*，テロメア伸長にかかわる *TERT* などが同定されている．また，*cyclin D1* 自体もがん遺伝子として知られ，多くのがんで発現の異常がみられる．

5 ● アポトーシス抑制

アポトーシスを阻害することでがん化にかかわっている．濾胞性B細胞性リンパ腫では，アポトーシス抑制的に働く *bcl-2* の過剰発現がみられる．

B がん遺伝子の活性化機構

本来正常な遺伝子であるがん遺伝子は，その活性化によりがん化にかかわるが，その機序としては，がん遺伝子の構造の変化によるものと，がん遺伝子の発現の増加によるものに大きく分けられる．前者は遺伝子の突然変異により，後者は染色体転座ないしは遺伝子増幅によって起こる．

1 ● 突然変異 mutation

がん遺伝子の特定の部位に突然変異が起こると，その産物の構造が変化して恒常的に活性化し続けるような変異体が生じる．Ras のコドン 12 あるいは 61 の変異は，GTPase 活性の喪失により増殖シグナル非依存性に活性化が生じる．EGF レセプタや c-kit などの増殖因子レセプタの変異も，増殖因子非依存性に活性化を生じる．

2 ● 染色体転座 chromosome translocation

染色体の相互転座により，遺伝子の**再構成** rearrangement が起こり，がん遺伝子の発現増加・活性化が生じる．最もよく知られている例は，フィラデルフィア染色体であり，慢性骨髄性白血病において，*c-abl* が局在している第 9 番染色体と *bcr* 遺伝子が局在している第 22 番染色体の転座による再構成の結果，*c-abl* が活性化する．また Burkitt リンパ腫では，*c-myc* が局在する第 8 番染色体長腕と免疫グロブリン遺伝子が局在する第 14 番染色体との間に転座があり，*c-myc* が活性化する．

3 ● 遺伝子増幅 gene amplification

染色体の変化により遺伝子のコピー数増加を招く変化であり，遺伝子の発現増加を伴う．神経芽細胞腫にみられる *N-myc* の増幅，乳癌にみられる *erbB2* の増幅などが知られている．

2 がん抑制遺伝子の種類と不活化機構

細胞のがん化を抑える働きをする遺伝子をがん抑制遺伝子 tumor suppressor gene という．がん遺伝子が，腫瘍形成に対して優性の遺伝子変化であるのに対して，がん抑制遺伝子は，腫瘍形成を抑制する正常遺伝子産物の欠損であり，両側アレルの変異や欠失が必要である．がん抑制遺伝子は，その欠損が直接増殖異常を引き起こす gatekeeper 型と，ゲノム不安定性や遺伝子変異の蓄積を介して間接的にがん化を促進する caretaker 型に大きく分類される．前者はがん化の入口を制御していることから，後者は遺伝子の安定性を調節していることから，このように呼ばれる．がん抑制遺伝子の代表例を表 9-17 に示す．

表 9-17 がん抑制遺伝子とがん

がん抑制遺伝子	遺伝子異常がみられる主な腫瘍
gatekeeper 型	
RB	網膜芽腫，骨肉腫，肺小細胞癌
p53	大腸癌，胃癌，肝細胞癌，肺癌など多くの悪性腫瘍
WT1	腎芽腫（Wilms 腫瘍）
p16(INK4a)	食道癌，膵癌
APC	大腸癌，家族性大腸ポリポーシス
NF1	神経鞘腫，神経線維腫症 1 型
Smad4(DPC4)	膵癌，大腸癌
PTEN	子宮体癌
caretaker 型	
BRCA-1	乳癌，卵巣癌
BRCA-2	乳癌
hMSH2	大腸癌
hMLH1	大腸癌

A gatekeeper 型がん抑制遺伝子

gatekeeper 型がん抑制遺伝子産物の多くは，細胞周期制御にかかわっている．

1 ● *RB* 遺伝子

網膜芽腫 retinoblastoma の原因遺伝子で，最初に見いだされたがん抑制遺伝子である．第 13 番染色体の長腕に存在する．**RB タンパク**は核に存在し，リン酸化により制御を受けて，細胞周期が G_1 期から S 期に入るのを調節している．ほかに，骨肉腫や肺小細胞癌などで高率に変異がみられる．

クヌードソン Knudson は網膜芽腫家系の解析から，劣性のがん遺伝子としてのがん抑制遺伝子を想定し，家族性では生殖細胞において対立遺伝子の片方に変異をもち，そこに何らかの原因でもう片方の正常 *RB* 遺伝子に変異が入り腫瘍化すると説明した．これが Knudson の two-hit 説であり，非家族性の場合では両方のアレルに変異が生じることが必要である．

2 ● *p53* 遺伝子

p53 遺伝子は第 17 番染色体の短腕に存在する．*p53* 遺伝子の変異は，ヒトのがんの約 50％と最も高頻度に認められる．p53 片側アレルの生殖細胞変異をもつ家系はリ-フラウメニ Li-Fraumeni 症候群と呼ばれ，若年性にさまざまながんを高頻度に発症する．p53 タンパクは，γ線，紫外線，抗がん剤などによる DNA の損傷に応答してその発現量が増大する．p53 タンパクは，アポトーシスに関連する因子を誘導する一方で，サイクリン依存性キナーゼの阻害タンパクである p21 を誘導して，RB タンパクのリン酸化を阻害することにより G_1 停止を引き起こす．これによって細胞は DNA 損傷を次世代へ残すことを回避し，がん化は抑制される．一方，p53 の変異・欠損を有する細胞では，G_1 停止が機能せず，細胞の増殖および DNA 変異の蓄積が進行し，がん化へと進む．

3 ● *APC* 遺伝子

APC 遺伝子は，第 5 番染色体の長腕に存在する．*APC* 遺伝子変異は家族性大腸ポリポーシス familial adenomatous polyposis（FAP）の原因となる．FAP では大腸に多発性の腺腫が生じ，これを基盤に大腸癌が高率に発生する．APC タンパクは，細胞内で Wnt シグナルの重要なエフェクターである β カテニンの分解を制御している．APC に変異があると β カテニンは分解されず，過剰に蓄積した β カテニンは核内に移行し，TCF 依存的に *cyclin D1* や *c-myc* などの転写を促進する．APC 変異は非遺伝性の大腸癌でも高率にみられるが，APC に変異をもたない大腸癌では β カテニンに変異がみられ，同様に分解の抑制，蓄積がみられる．

4 ● その他のがん抑制遺伝子

腎芽腫 nephroblastoma（Wilms 腫瘍）にかかわる *WT1*，腎細胞癌 renal cell carcinoma にかかわる *VHL* は，転写制御にかかわるがん抑制遺伝子である．細胞内シグナルにかかわるがん抑制遺伝子としては，神経線維腫症 1 型 neurofibromatosis type 1 に関与する *NF1*，TGFβ シグナル系の *Smad4*（*DPC4*），PI_3 キナーゼ系を抑制する *PTEN* などがある．

B caretaker 型がん抑制遺伝子

caretaker 型がん抑制遺伝子はゲノム安定性や DNA 修復にかかわっている．

家族性乳癌 familial breast cancer では，DNA の相同組換えにおけるゲノム安定性にかかわっている *BRCA-1/2* の変異がみられる．ポリポーシスを伴わない遺伝性非ポリポーシス大腸癌 hereditary non-polyposis colorectal cancer（HNPCC）では，DNA 修復，ミスマッチ修復遺伝子 *hMSH2*，*hMLH1* などの異常がみられ，マイクロサテライト不安定性が出現する．その他，色素性乾皮症 xeroderma pigmentosum（XP）では，DNA 損傷を修復する遺伝子の変異により紫外線による皮膚癌の発症が若年でみられる．ブルーム Bloom 症候群とウェルナー Werner 症候群では，ヘリカーゼの欠損による染色体不安定性がんを高率に発症する．

Advanced Studies

C がん抑制遺伝子の不活化機構

がん抑制遺伝子の不活化には両方のアレルの変異が必要であり，以下に述べる遺伝子欠失，突然変異およびエピジェネティック変異の組み合わせにより起こる．染色体欠失は，一定の染色体の部分的な欠失で，その指標として，相同染色体が異なるアレルを有するヘテロ接合性の消失 loss of heterozygosity（LOH）が用いられている．逆に LOH を示す部位にはがん抑制遺伝子が存在している可能性が高い．機能ドメインの突然変異によってもがん抑制遺伝子は不活化される．一方，これらゲノムの塩基配列の変化を伴うことなく遺伝子発現を後天的に制御する機構として，DNA のメチル化，ヒストンのアセチル化からなるエピジェネティック変異が存在する．

3 がん遺伝子・がん抑制遺伝子の診断への応用

がん遺伝子の診断への応用としては，遺伝子の検索によるものと，異常な産物を免疫組織学的に診断するものとがある．

erbB-2 の遺伝子増幅は，DNA コピー数の増加や erbB-2 タンパク発現の増加として認められ，遺伝子増幅がみられる症例ではみられない症例よりも予後が不良であることが示されている（図 9-41）．神経芽腫 neuroblastoma における *N-myc* の遺伝子増幅でも同様の

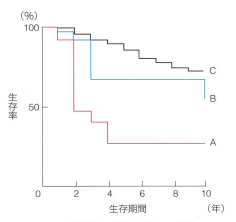

図 9-41　c-erbB-2 遺伝子の増幅と乳癌の予後
c-erbB-2 遺伝子の増幅のある乳癌患者（A：5 倍以上の増幅，B：4 倍以下の増幅）は，c-erbB-2 遺伝子に増幅のない患者（C）に比較して生存率が悪い．
〔Tsuda H, et al：Cancer Res 49：3104, 1989 より〕

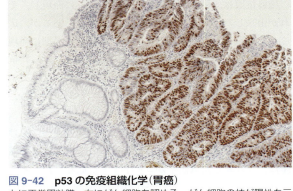

図 9-42　p53 の免疫組織化学（胃癌）
左に正常胃粘膜，右にがん細胞を認める．がん細胞の核が陽性を示す（茶色に染色される）．

関係が認められる．アポトーシス抑制に働く Bcl-2 タンパクの過剰発現は，濾胞性リンパ腫の診断に用いられている．p53 の遺伝子変異は，p53 タンパクの分解抑制による核内蓄積を生じるため，免疫組織学的に検出することで，がんの補助診断や悪性度診断に用いられる（図 9-42）．体液やリンパ節中の微量のがん細胞を検出するために，ras や p53 などの遺伝子変異の検出も試みられている．

さらに，近年注目を集めている分子標的治療の適応の決定にも用いられており，例えば乳癌では erbB-2 の発現がみられる症例に対して，その機能を阻害するモノクローナル抗体を投与する治療が行われている．

4　がん遺伝子・がん抑制遺伝子と多段階発がん

　細胞のがん化には複数の遺伝子異常の蓄積が必要であることが，細胞，マウス，ヒトの材料を用いた解析から示されてきた．細胞は，細胞増殖能，増殖抑制への不応性，不死化，アポトーシス抵抗性，血管新生能，そして浸潤転移能を獲得して，最終的にヒトを死に至らしめるがんになると考えられる．

　また，実際のヒトの腫瘍の詳細な観察や，画像診断・手術手技などの進歩により，がん発生の初期病変が多数経験・解析され，多段階発がん過程が明らかになり，発がん過程に対応したがん遺伝子やがん抑制遺伝子の変化の蓄積が示されてきた．例えば，腺腫を経てがんが発生する大腸発がんの場合は，APC の変異（不活性化）により初期（低異型度）の腺腫が発生する．そこに K-ras の変異（活性化）が加わり後期（高異型度）の腺腫が生じ，さらに p53 の変異（不活性化）が加わりがんとなる．がんはさらに DPC の変異（不活性化）などが加わり，より悪性のがんへと進行する．また，大腸発がんでは，腺腫を経ない発がん（de novo 発がん）もみられ，その際は初期より APC や p53 の不活化が生じると考えられている．一般にがん遺伝子やがん抑制遺伝子の変化が発がんのどの過程で起こるかは，がんの種類や組織型，背景病変などによって異なり，遺伝子の組み合わせも異なっている．

H　腫瘍と宿主

　細胞の異常な増殖を本体とする腫瘍は，宿主に対して局所的ならびに全身的な影響を及ぼす．逆に宿主の免疫系は腫瘍に対する防御機構として寄与している．

1　腫瘍免疫 tumor immunity

　腫瘍は，ヌードマウスなどの免疫不全マウスに移植することが可能である．また，実験発がんにて生じた腫瘍は，同系のマウスで移植継代できる．しかし，同系マウスへの移植後に腫瘍を摘出し，再び元の腫瘍を移植すると腫瘍は形成しない．すなわち 2 回目の腫瘍は，最初の腫瘍の移植時に獲得された免疫系により拒絶されたと考えられる．腫瘍免疫の機構は，基本的には微生物や臓器移植などの非自己に対する免疫機構と同じと考えられるが，未解明の点も多い．

A 腫瘍抗原 tumor antigen

腫瘍抗原は，腫瘍特異的にがん細胞のみに発現し，それが由来した正常細胞には発現しないものであるが，広くがん細胞において量的に増加した抗原，胎児期に発現していたものががん細胞で再度発現するようになった抗原などを含む．しかし，これらの抗原が実際にヒトの中でどれだけの免疫原性や免疫応答を示すかを予測することは非常に難しい．

ヒト腫瘍抗原の例としては，ウイルス関連腫瘍におけるウイルス遺伝子にコードされる抗原，遺伝子変異や転座により変異した遺伝子がコードする抗原などがある．これらの抗原は，ペプチドとして腫瘍細胞表面のMHCクラスⅡタンパクに結合して免疫原性を示す．悪性黒色腫などの研究からは，ある種のMHC結合ペプチド抗原には，成人ではほとんど認められないが，精巣などの生殖細胞あるいは発生過程では多く存在するタンパクの一群(がん精巣抗原などと呼ばれる)があることも示されている．

B 宿主によるがん免疫応答

宿主による免疫応答のメカニズムには，以下のような機序が考えられている．

① 細胞傷害性T細胞 cytotoxic T lymphocyte (CTL)：移植された腫瘍に対する拒絶反応を惹起する能力をもつ．AIDS患者や臓器移植後の免疫抑制状態においては，CTLの欠如がEBウイルス感染による悪性リンパ腫の発生に関与していると考えられている．

② ナチュラルキラー natural killer (NK)細胞：事前の感作を必要とせずに高い殺腫瘍活性をもつ．IL-2により活性化されたNK細胞は，**リンホカイン活性化キラー lymphokine activated killer (LAK)細胞**と呼ばれる．

③ マクロファージ：腫瘍細胞を殺し，異物である腫瘍の抗原を細胞内に取り込み，細胞表面に抗原情報を提示し，あるいはサイトカインを放出して免疫系を活性化させる．しかし，腫瘍に随伴するマクロファージの機能はより複雑であると考えられており，血管新生や腫瘍の浸潤などにも促進的にかかわっていることが示されている．

④ 抗体依存性細胞媒介性細胞傷害 antibody-dependent cell-mediated cytotoxicity (ADCC)：腫瘍抗原に対する抗体を介した液性免疫は，ADCC活性により，エフェクター細胞の動員や補体の活性化を生じる．

C 免疫応答からの回避

このようにがんに対する免疫防御機構が存在するにもかかわらず，がんが実際は生存して増殖を続けることから，腫瘍細胞は免疫機構からさまざまな方法で回避していることが考えられている．例えば，より進行した浸潤性のがんにおいては，MHCクラスⅠタンパクの発現が低下しており，発現の低下は予後の悪さと相関していることが報告されている．MHCクラスⅠタンパクによる抗原提示の低下は，CTLによる免疫応答を回避する．また，がん細胞はCTLによるアポトーシスに対して抵抗性を獲得したり，逆に周囲の免疫細胞にアポトーシスを誘導する．制御性T細胞を腫瘍に引き寄せることで抗腫瘍免疫から回避していることも報告されている．

D がんの免疫療法

以上のような腫瘍免疫の研究から，ヒトのがんに対する免疫療法の開発が進んでいる．受動免疫療法としては，腫瘍特異的CTLや，乳癌の腫瘍抗原HER2などに対する抗体の投与があげられる．一方，能動免疫療法としては，腫瘍抗原による全身性の抗腫瘍免疫応答の惹起(がんワクチン療法)などが試みられている．

2 宿主に及ぼす腫瘍の影響

がんは宿主に対して直接的ないし間接的に障害を与え，最終的に個体を死に至らせる．

A 局所的影響

腫瘍は増殖局所において腫瘤を形成することにより周囲組織を圧排し，さらにがんでは浸潤性増殖により周囲組織を破壊する．その結果，周囲組織は変性・壊死・萎縮に陥る．その影響は腫瘍の発生部位や解剖学的な特徴によりさまざまである．消化管の壊死による潰瘍の穿孔では腹膜炎などを合併する．頭蓋内腫瘍は圧迫により重篤な神経症状をきたしうる．腫瘍による尿管や胆管の閉塞は，通過障害に伴って水腎症や黄疸などをきたすのみならず，感染症を生じやすくなる．血管への浸潤は出血をきたし，神経への浸潤は疼痛の原因となる．

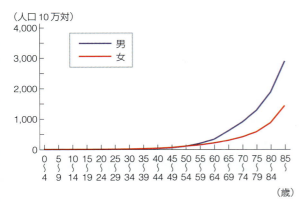

図 9-43　がん死亡率の年齢による変化
年齢階級別死亡率（全がん　2019 年）
〔出典：国立がん研究センターがん情報サービス「がん統計」（厚生労働省人口動態統計）〕

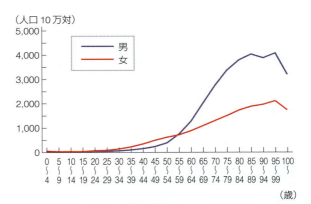

図 9-44　がん罹患率の年齢による変化
年齢階級別罹患率（全がん　2018 年）
〔出典：国立がん研究センターがん情報サービス「がん統計」（全国がん登録）〕

全身的影響

　ここでは**悪液質**について述べる．悪液質は一般にがんの後期に起こり，がん患者のさまざまな組織の進行性の消耗をきたす．そのため，宿主の体重減少（るい痩），体力減退，低タンパク血症，浮腫あるいは脱水，皮膚の色素沈着や乾燥などを呈する．その機序はまだよく解明されていないが，がんが直接産生する因子あるいは間接的に宿主で変化する因子などの複合的な要因が影響していると考えられている．動物実験の系では，TNF-α や IL-6 などの関与が示されている．

I　疫学

　疫学は，がんの分布やリスクを明らかにすることで，がんの予防や早期発見，がんの原因究明に役立つ．

1　日本人のがんの疫学

　ここでは，特に日本人のがんの疫学について述べるが，地理的な分布の違いを比較することで，日本人のがんの特徴もより明確になってくる．

A　がんの罹患と死亡

　現在，がんは死因の第1位であり，日本人の約3人に1人ががんで死亡している．がんによる死亡は，高齢化と相まって年々増加傾向にあり，2020年にがんで死亡した人は37万8千人（男性22万人1千人，女性15万7千人）にのぼる．年齢別に死亡率の変化をみると，およそ60歳代から男女とも増加し，高齢になるほどより高くなるが，特に男性が女性よりも顕著に高い（図9-43）．

　一方，2018年に新たにがんと診断された人は98万1千人（男性55万9千人，女性42万2千人）である．がんの罹患率はおよそ50歳代から増加し，高齢になるほど高くなるが，30歳代後半から50歳代では女性が男性よりやや高く，その後60歳代以降は男性が女性より顕著に高くなっている（図9-44）．

B　部位（臓器）別の罹患と死亡

　がんの部位別の罹患数（2018年）は，男性では前立腺が1位で，次いで胃，大腸（結腸＋直腸），肺，肝臓の順である．女性では乳房が1位で，次いで大腸，肺，胃，子宮の順である（図9-45）．男性では前立腺癌，女性では乳癌の罹患数の増加がみられる．

　一方，部位別の死亡数（2020年）は，男性では肺が1位で，次いで胃，大腸，膵臓，肝臓の順であり，女性では大腸が1位で，次いで肺，膵臓，乳房，胃の順である（図9-46）．罹患率と死亡率の比較からは，前立腺癌や子宮癌などは早期発見や治療により治癒可能なことが多く，一方で肺癌や膵癌などは治癒困難なことが多いと考えられる．

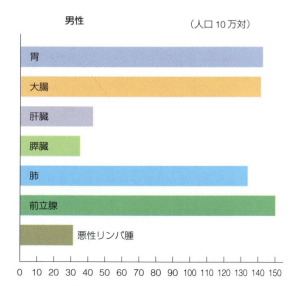
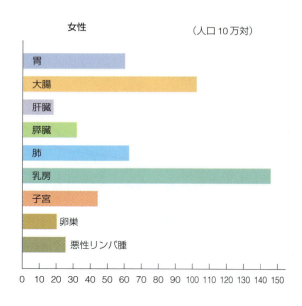

図 9-45　部位別のがん罹患率(2018年)
〔出典：国立がん研究センターがん情報サービス「がん統計」（全国がん登録）〕

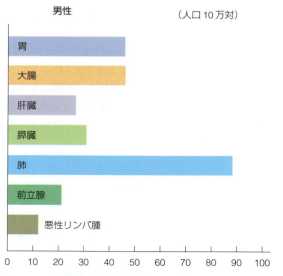
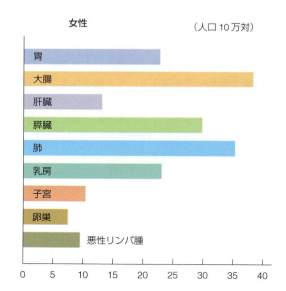

図 9-46　部位別のがん死亡率(2020年)
〔出典：国立がん研究センターがん情報サービス「がん統計」（厚生労働省人口動態統計）〕

2　日本人のがんの特徴・地理的特徴

わが国では，男女とも胃癌が最も多かったが，ライフスタイルの変化や高齢化に伴ってその特徴も変化してきている．

A　乳癌，前立腺癌

乳癌は欧米では女性で最も多いがんであるのに対して，わが国での発生率は1/5以下と少ないが，近年増加傾向を示している（→ 第19章「乳腺」，618頁参照）．ハワイに住んでいる日系人は日本人より乳癌の発生率が3倍高いことなどから，罹患率の違いは，人種や遺伝的な背景よりも，環境要因が大きいと考えられている．食習

慣の欧米化による脂肪摂取量の増加によるエストロゲンなどのホルモン環境の変化が，罹患率増加に関与していると考えられている．前立腺癌も同様に日本人では少なかったが，高齢化に伴う影響を超えて，罹患率が増加している．

B 消化器癌

大腸癌は，乳癌・前立腺癌と同じような傾向を示しており，欧米に比して少なかった罹患率が増加する傾向を示している．一方，胃癌はわが国での発生率が高いが，その反対の傾向を示している．また，肝癌はその原因となるB型肝炎・C型肝炎の罹患率が高いわが国を含む東南アジアやアフリカで高く，欧米では低いが，欧米における慢性C型肝炎の増加は，肝癌の増加をもたらしつつある．

C 白血病，リンパ腫

一般に，白血病やリンパ腫はわが国では欧米に比して発生頻度は低い．成人T細胞性白血病（ATL）は，HTLV-1ウイルスが病因であり，西日本で多くみられ，抗体陽性率の高い地域性との一致がみられる．Burkittリンパ腫は，ウガンダではじめて発見された小児の悪性リンパ腫であるが，EBウイルスに加えてマラリアの関与が示されており，マラリアの流行地域で高い発生率を認める．

3 多重癌 multiple cancer

複数の原発癌が，同一臓器内あるいは複数の臓器に，別々に独立して発生した場合を多重癌と呼ぶ．同時性に複数認める場合と，異時性に認める場合とがある．同一臓器に同じ組織型のがんが複数別々にみられる場合を多発癌とも呼ぶが，肝硬変や慢性胃炎のような発がんのリスクの高い状態を背景に肝細胞癌や胃癌が多発性に認められる．異なる組織型のがんが複数みられる場合は重複癌として区別して呼ぶこともある．家族性腫瘍のような遺伝的な背景，高齢化とがんの治癒率の向上などが背景にあり，重複癌症例も増加している．

4 職業癌 occupational cancer

特定の職業に従事しているものに特定のがんが発生す

表 9-18 職業癌と化学物質

化学物質	発生するがん	職業
ベンチジン	膀胱癌	染料関係
β-ナフチラミン		
4-アミノビフェニル	膀胱癌	ゴム工業
マスタードガス	肺癌	マスタードガス労働者
塩化ビニル	肝血管肉腫	塩化ビニル製造
ヒ素	肺癌，皮膚癌	農薬その他の化学工場
ベンゼン	白血病	ベンゼン使用職種
ベリリウム	肺癌？	ベリリウム精錬と使用
クロム	肺癌	クロム製造
ニッケル	肺癌，副鼻腔癌	ニッケル精錬
アスベスト	中皮腫	坑夫
ジクロロプロパン（メタン）	胆管癌	印刷機洗浄

ることをいう．「化学発がん」（→270頁参照）で触れた通り，特定の集団における特定の物質への曝露とがんの発生を疫学的に調査し，さらに実験的に検証することで，ヒトのがんの発生過程が明らかになってきた（表9-18）．発がん物質への曝露量とがん発生との間に用量反応関係がみられ，曝露量が少ない場合はがん発生までの潜伏期が長い傾向がみられる．

5 医原性癌

多重癌のなかでも1つ目のがんの発生後に2つ目のがんが発生する場合，二次癌という用語も用いられる．二次癌の中で，特に化学療法や放射線療法などのがんの治療後に医原性に二次癌の発生をみる場合を医原性癌と呼ぶ．

6 がんの予防

ヒトのがんは，複数の外的あるいは内的因子が関与し，多段階を経て発生進展し，複雑な細胞集団からなる臨床的ながんが形成される．このようながんをいかに効率よく適切に予防できるかを明らかにすることが，がんの疫学研究の目的の1つである．がんの生物学的なメカニズムの全体像が完全には解明されていないが，リスク要因の除去による予防や，リスクが高い人に対する早期発見・早期診断への取り組みなど，がん予防の果たす役割は大きい．

● 参考文献

[E 腫瘍の生物学〜I 疫学]
1) Stevens A, et al : Pathology 2nd ed. Mosby-Year Book, 2000
2) Rubin E, et al : Rubin's Pathology 4th ed. Lippincott Williams

& Wilkins, 2004
3) Kumar V, et al : Robbins & Cotran Pathologic Basis of Disease 7th ed. Saunders, 2004
4) Chhabra A, et al : Pathology Recall. Lippincott Williams & Wilkins, 2002
5) Slauson DO, et al : Mechanisms of Disease : A Textbook of Comparative General Pathology 3rd ed. Mosby-Year Book, 2002
6) Stewart BW, et al : World Cancer Report, WHO. International Agency for Research on Cancer, IARC Press ; Oxford University Press, 2003
7) Kitchin KT : Carcinogenicity. Marcel Dekker, 1999
8) Fearon ER, et al : A genetic model for colorectal tumorigenesis. Cell 61 : 759-767, 1990
9) Weinberg RA : The Biology of Cancer. Garland Science, 2006
10) Tannock IF, et al : The Basic Science of Oncology 4th ed. McGraw-Hill, 2005

各論

第 10 章　血液・造血器・リンパ節
第 11 章　循環器
第 12 章　呼吸器
第 13 章　口腔・唾液腺
第 14 章　消化管
第 15 章　肝・胆・膵
第 16 章　腎
第 17 章　尿路（尿管・膀胱・尿道）
第 18 章　内分泌
第 19 章　乳腺
第 20 章　女性生殖器
第 21 章　男性生殖器
第 22 章　脳・神経
第 23 章　軟部組織
第 24 章　骨・関節
第 25 章　皮膚・感覚器
付録 1　病理実習のてびき
付録 2　セルフアセスメント

13章　口腔・唾液腺

- A　発生・発育異常 ········▶ 417頁
- B　歯の病変 ············▶ 419頁
- C　顎骨内病変 ··········▶ 420頁
- D　口腔粘膜病変 ········▶ 422頁
- E　顎口腔領域の腫瘍 ·····▶ 426頁
- F　唾液腺の病変 ········▶ 428頁
- G　顎関節症 ············▶ 431頁
- H　口腔の加齢と老化 ·····▶ 431頁

22章　脳・神経

- A　構造 ················▶ 663頁
- B　先天異常 ············▶ 664頁
- C～I　脳・神経の疾患 ····▶ 666頁
  脳血管障害，頭部外傷，感染性疾患，神経変性疾患，脱髄，代謝・中毒性疾患，腫瘍
- J　末梢神経疾患 ········▶ 687頁
- K　神経筋接合部・筋疾患 ··▶ 688頁

12章　呼吸器

- A　発生・構造・機能 ·····▶ 375頁
- B　上気道の病変 ········▶ 377頁
- C　肺の病変 ············▶ 381頁
- D　胸膜の病変 ··········▶ 410頁
- E　縦隔と胸腺の病変 ·····▶ 411頁

18章　内分泌

- A　下垂体 ··············▶ 581頁
- B　甲状腺 ··············▶ 587頁
- C　副甲状腺 ············▶ 600頁
- D　副腎 ················▶ 602頁
- E　膵（内分泌腺）········▶ 609頁
- F　その他の神経内分泌腫瘍 ▶ 611頁
- G　多発性内分泌腫瘍症 ···▶ 611頁

19章　乳腺

- A　構造・機能・発生とその異常 ▶ 613頁
- B　炎症 ················▶ 614頁
- C　乳腺症・その他の非腫瘍性病変 ▶ 615頁
- D　腫瘍 ················▶ 617頁

11章　循環器

【血管】
- A　構造 ················▶ 339頁
- B～F　血管の疾患 ·······▶ 341頁
  動脈硬化，末梢動脈疾患，大動脈瘤，大動脈解離，血管炎

【心臓】
- A　構造 ················▶ 353頁
- B～G　心臓の疾患 ·······▶ 353頁
  先天性疾患，虚血性疾患，心筋炎，心筋症，弁膜疾患，腫瘍

14章　消化管

【消化管の基本構造・機能・発生】▶ 433頁

【食道】
1. 構造・機能 ············▶ 433頁
2,3. 形成異常・形態異常 ···▶ 434頁
4. 循環障害 ··············▶ 435頁
5,6. 食道の疾患 ··········▶ 436頁
   食道炎，腫瘍

【胃】
1. 構造・機能 ············▶ 440頁
2,3. 形成異常・形態異常 ···▶ 440頁
4. 循環障害 ··············▶ 441頁
5～7. 胃の疾患 ···········▶ 441頁
   胃炎，潰瘍，腫瘍

【十二指腸】 ·············▶ 457頁

【小腸・大腸】
- A　構造・機能 ··········▶ 459頁
- B　形成異常 ············▶ 461頁
- C～F　小腸・大腸の疾患 ··▶ 462頁
  吸収不良症候群，循環障害性疾患，機械的障害，炎症性疾患，腫瘍，消化管ポリポーシス

【虫垂】 ················▶ 479頁

15章　肝・胆・膵

【肝臓】
- A　構造・機能 ··········▶ 481頁
- B　細胞障害と再生 ······▶ 483頁
- C　代謝障害 ············▶ 484頁
- D　循環障害 ············▶ 487頁
- E～N　肝臓の疾患 ·······▶ 488頁
  ウイルス性肝炎，肝硬変，胆管の非腫瘍性疾患，アルコール性肝障害，NAFLD，薬物性肝障害，腫瘍，肝移植，肝不全

【肝外胆管および胆嚢】
- A　構造・機能 ··········▶ 514頁
- B～E　肝外胆管および胆嚢の疾患 ▶ 515頁
  胆石症，胆管炎，胆嚢炎，腫瘍類似病変，腫瘍

【膵臓】
- A　解剖・組織・発生 ·····▶ 519頁
- B　先天異常 ············▶ 520頁
- C　代謝障害 ············▶ 521頁
- D, E　膵臓の疾患 ········▶ 521頁
  膵炎，腫瘍

17章　尿路（尿管・膀胱・尿道）
- A　概論 ▶571頁
- B　炎症性疾患 ▶571頁
- C　腫瘍性疾患・非腫瘍性増殖性疾患 ▶574頁
- D　形態異常性疾患 ▶579頁
- E　その他の疾患 ▶579頁

16章　腎
- A　構造・機能 ▶535頁
- B　腎疾患 ▶538頁
- C　糸球体腎炎 ▶539頁
- D　腎生検による糸球体疾患の診断 ▶541頁
- E　原発性糸球体病変 ▶542頁
- F　二次性糸球体病変 ▶549頁
- G　尿細管・間質病変 ▶558頁
- H　嚢胞性疾患 ▶563頁
- I　移植腎 ▶564頁
- J　腎腫瘍 ▶566頁

20章　女性生殖器
- A　発生・構造・機能・発生異常 ▶627頁
- B　外陰の病変 ▶627頁
- C　腟の病変 ▶629頁
- D　子宮頸部の病変 ▶629頁
- E　子宮体部の病変 ▶635頁
- F　卵管の病変 ▶641頁
- G　卵巣の病変 ▶641頁
- H　妊娠に関連する疾患 ▶646頁

24章　骨・関節
【骨】
- A　構造・発生 ▶709頁
- B　発生・形態異常 ▶711頁
- C〜G　骨の疾患 ▶711頁
  代謝性疾患，骨折，循環障害，感染症，骨腫瘍

【関節】
- A　構造 ▶725頁
- B〜F　関節の疾患 ▶725頁
  変性疾患，炎症性疾患，代謝異常と関連する疾患，感染性関節炎，腫瘍・腫瘍類似疾患

21章　男性生殖器
- A　精巣・性腺 ▶649頁
- B　精管・精索・精嚢・射精管 ▶655頁
- C　前立腺 ▶656頁
- D　陰茎・陰嚢 ▶660頁

25章　皮膚・感覚器
【皮膚】
- A　正常組織 ▶729頁
- B　発疹学 ▶730頁
- C, D　皮膚の疾患 ▶731頁
  炎症性疾患，腫瘍性病変

【感覚器】 ▶755頁

23章　軟部組織
（軟部組織：筋肉，脂肪，線維性組織，血管・末梢神経など）
- A　非腫瘍性病変 ▶691頁
- B　腫瘍性病変 ▶692頁

10章　血液・造血器・リンパ節

【血液・造血器】
- A　序論 ▶288頁
- B　赤血球系の異常 ▶293頁
- C　白血球の非腫瘍性疾患 ▶302頁
- D　血小板系異常と出血性疾患 ▶305頁
- E　骨髄系腫瘍 ▶307頁
- F　その他の骨髄病変 ▶318頁
- G　脾臓 ▶318頁

好中球　赤血球　大顆粒リンパ球　T細胞　好酸球　血小板　形質細胞　単球　好塩基球　B細胞

【リンパ節】
- A　構造・機能 ▶320頁
- B　リンパ節腫脹 ▶321頁
- C　組織球関連病変 ▶336頁
- D　樹状細胞関連病変 ▶336頁
- E　転移性腫瘍 ▶337頁

第10章 血液・造血器・リンパ節

血液・造血器

序論

1 骨髄における造血細胞の分化

A 人体における骨髄由来の細胞の比率と産生される細胞

人体における細胞の総数は約37兆個と考えられている．そのうち，赤血球が84％，血小板が4.9％と全体の約90％を占め，これら以外の有核細胞では，残りの10％のうち骨髄細胞が20〜25％程度，リンパ球が13〜14％を占め，いずれも出生後は主に骨髄で作られる（図10-1）．また日々作られる細胞も，骨髄に由来する細胞が全細胞数の80％以上を占め，赤血球が全体の65％，好中球が18％，リンパ球が2.2％，単球が0.5％となっている（図10-2）．こうしてみると，人体の構成細胞ならびに日々作られる細胞のうち，骨髄から作られる細胞の多さと，その役割の重要性をあらためて認識させられる．

末梢血に流れている細胞は赤血球，白血球，血小板であり，これらは主に骨髄で作られ，全身に張り巡らされた血管網により，その機能を発揮する．それでは，これらの血液細胞はどのように日々骨髄で作られているのだろうか．

骨髄ではすべての血液細胞に分化できる**造血幹細胞**が存在し，末梢血の状況に応じて多種多様な血液細胞を産生し，恒常性の維持に努めている（図10-3）．造血幹細胞は骨髄全体の約0.05％とごくわずかしか存在しないが，赤血球，白血球，血小板に分化できる多分化能をもつとともに，それ自身が多分化能を維持できるような自己複製能も併せもっている．

造血幹細胞は骨髄球系幹細胞とリンパ球系幹細胞に分化すると，まずは顆粒球・単球，赤血球，血小板を産生する巨核球への分化能をもつ共通骨髄系前駆細胞 common myeloid progenitor cell（CMP）と，リンパ球への分化能をもつ共通リンパ系前駆細胞 common lymphoid progenitor cell（CLP）に分かれる．CMPとCLPはそれぞれ骨髄球系，リンパ球系に分化の舵を切る．

CMPは，図10-3のように顆粒球・単球コロニー形成ユニット colony-forming unit-granulocyte/monocyte（CFU-GM），赤血球コロニー形成ユニット colony-forming unit-erythroid（CFU-E），巨核球コロニー形成ユニット colony-forming unit-megakaryocyte（CFU-Meg）などの各細胞系統に限定された単能性前駆細胞に分化する．各CFUはさらにさまざまなサイトカインなどの刺激によって分化・成熟していく．種々のサイトカインがどのレベルの細胞に寄与し，細胞が分化していくかを知ることは，各疾患の病態を知るうえでも重要である．

赤血球分化では，**エリスロポエチン** erythropoietin（EPO）がCMPから分化した巨核球・赤芽球前駆細胞に作用すると，赤芽球に分化が偏り赤血球の産生を促す（CFU-E）．EPOは赤芽球にも作用し，赤血球への成熟にもはたらく．一方，巨核球・赤芽球前駆細胞に**トロンボポエチン** thrombopoietin（TPO）が作用すると，EPOの場合と異なり，巨核球分化を促す（CFU-Meg）．さらに血小板産生までの種々の分化段階にも作用し，血小板産生を促す．

CMPに顆粒球マクロファージコロニー刺激因子 granulocyte macrophage-colony stimulating factor（GM-CSF）が作用すると，顆粒球・マクロファージ系に分化

血液・造血器—A. 序論 ● 289

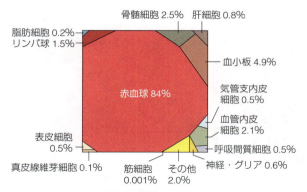

図 10-1 からだを構成する細胞の数
健常な成人男性の場合，人体を構成する細胞の84％が赤血球，4.9％が血小板で，これらでおよそ9割を占める．さらに残りの約10％のうち，骨髄細胞が2.5％，リンパ球が1.5％などとなっており，身体を構成する細胞の割合のうち，骨髄に由来する細胞の多さがわかる．

〔Sender R, Fuchs S, Milo R : Revised estimates for the number of human and bacteria cells in the body. PLoS Biol 14 : e1002533, 2016 より改変〕

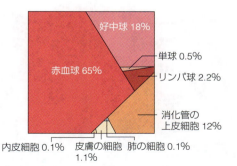

図 10-2 1日に作られる細胞の種類とその割合
1日に作られる細胞のうち，赤血球が全体の65％を占め，続いて好中球が18％，リンパ球が2.2％，単球が0.5％程度となっている

〔Sender R, Milo R : The distribution of cellular turnover in the human body. Nat Med 27 : 45-48, 2021 より改変〕

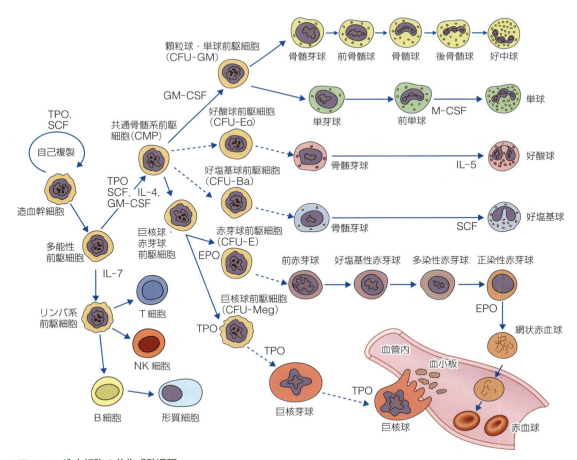

図 10-3 造血細胞の分化成熟過程
SCF：造血幹細胞因子．

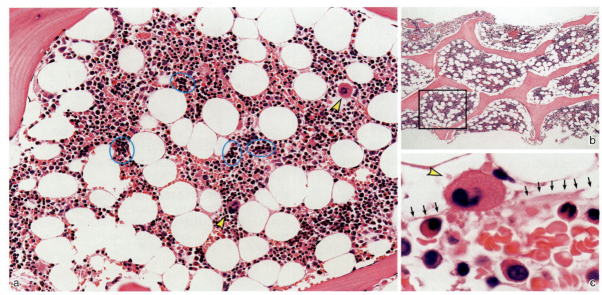

図 10-4　骨髄組織内での造血細胞の分布と分化
正常の骨髄組織（骨髄生検組織）．
a. 巨核球（▷）が散見され，赤芽球島（○）も散在性に骨髄内に分布している．その他の有核細胞の多くは骨髄系細胞である．
b. 骨髄生検の弱拡大像．骨梁とその間に存在する骨髄がみられる．a は黒枠の拡大．
c. 血管（→）内に巨核球（▷）が血小板を分泌しているのがわかる．

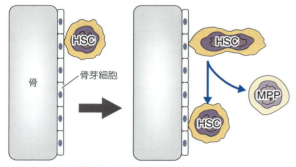

図 10-5　造血幹細胞の恒常性の維持機構
造血幹細胞（HSC）は骨髄中の骨に接して，骨芽細胞から産生されるトロンボポエチンなどのサイトカインによって未分化能を維持している．HSC が分裂した際，骨芽細胞（ニッチ）に接していないほうの細胞は自己複製能を有さない多能性前駆細胞（MPP）に分化し，ニッチに接している細胞は多分化能と自己複製能を維持し続けると考えられている．

が限定される顆粒球・単球前駆細胞 granulocyte/monocyte progenitor cell（GMP）に分化する（CFU-GM）．CFU-GM に顆粒球コロニー刺激因子 granulocyte-colony stimulating factor（G-CSF）が作用すれば顆粒球系に分化が規定された細胞に，マクロファージコロニー刺激因子 macrophage-colony stimulating factor（M-CSF）が作用すれば単球・マクロファージに分化が規定された細胞に分化していく．

　多能性前駆細胞は IL-7 の作用により CLP へと分化し，B 細胞，T 細胞ならびに NK 細胞にそれぞれ分化する（→第 5 章「免疫とその異常」，98 頁参照）．

　こうした造血サイトカインは，種々な治療などに用いられている．EPO は貧血の際に治療に用いられるが，EPO や EPO と同様の作用を示す物質がドーピングで用いられ問題となっている．G-CSF は悪性腫瘍において抗がん剤投与によって白血球（好中球）が低下した患者に対して，好中球を増加させ感染症を抑える目的で投与される．一方，EPO や G-CSF は腎細胞癌や肺癌など，ある種のがん細胞で産生されることがあり，二次的に赤血球増多や好中球増多を示すことがある．

B 骨髄の微小環境と幹細胞

　正常の骨髄組織は多様な細胞から構成され，最初は各細胞を同定し，全体像を把握するのが難しいかもしれない（図 10-4）．しかしながら，骨髄内では個々の細胞や細胞系譜の集団はある程度秩序だって集まり，それぞれの場所で分化・成熟していく．

　造血幹細胞は骨髄中の微小環境である**ニッチ** niche を形成し，その多能性を維持していると考えられている．

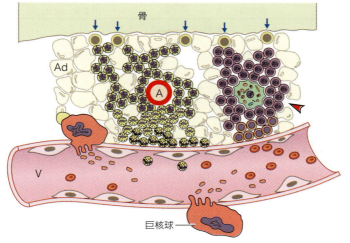

図 10-6　骨髄組織内での造血細胞の分布と分化
骨梁付近の造血幹細胞(→)は静脈洞(V)に向かうに従って、骨髄球系、赤芽球系の細胞に分化していく。赤芽球島(▶)ではマクロファージが赤芽球によって取り囲まれている。ここで赤血球の成熟に必要な鉄の供給や脱核された核の貪食などが行われる。骨髄球系の幼若な細胞は骨梁付近とともに細動脈(A)周囲に分布している。巨核球は静脈洞付近に存在し、細胞質の一部を断片化し、血管に供給し血小板を産生する。有核細胞を取り巻くように脂肪細胞(Ad)が多数みられ、さまざまなサイトカインを分泌することで骨髄の微小環境の恒常性の維持に努めている。

造血幹細胞は骨髄中の骨に接して、骨芽細胞から産生されるトロンボポエチンなどのサイトカインによって未分化能を維持している。造血幹細胞が分裂した際、ニッチに接していないほうの細胞は自己複製能を有さず、ニッチに接している細胞は多分化能と自己複製能を維持し続けると考えられる(図10-5)。

次に、造血3系統(顆粒球、赤芽球、巨核球)の骨髄組織内での分布と、形態的特徴についてみていく(図10-6)。

顆粒球の幼若な細胞は骨梁や動脈周囲に存在し、成熟が進むにつれて骨髄内の静脈である静脈洞近くへと移動し、末梢に供給されていく。一部は静脈洞の壁にとどまり、必要に応じて末梢へと出ていく(好中球プール)。顆粒球は形態的に前骨髄球の段階まで好中球系、好酸球系、好塩基球系の区別はできない。その後はそれぞれの分化系統で細胞質顆粒の色調で区別できるようになる。好中球系は形態的に骨髄芽球、前骨髄球、骨髄球、後骨髄球、桿状核球、分葉核球の6段階に区別され、この順に分化していく。

赤芽球は顆粒球系と異なり、骨から離れた静脈洞近くで、マクロファージを中心とした赤芽球島と呼ばれる塊を形成する。マクロファージは赤血球の成熟に必要な鉄を供給するとともに、脱核した核を貪食する役割があ

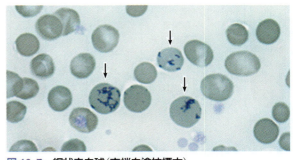

図 10-7　網状赤血球(末梢血塗抹標本)
脱核した赤血球内に残存したRNAが、網目状に濃青色に染まっている。メチレンブルー染色。

る。赤芽球はその細胞質の性状で赤芽球、好塩基性赤芽球、多染性赤芽球、正染性赤芽球に分類され、正染性赤芽球が脱核すると網状赤血球reticulocyteになり、静脈洞に入って末梢循環に流れていく。網状赤血球をメチレンブルーなどの色素で染色すると細胞質に残存したリボソームが網状にみられるため、このように呼ばれる(図10-7)。網状赤血球は末梢血に出て、1, 2日ののちにリボソームやミトコンドリアが取り除かれ、成熟赤血球となる。したがって、末梢血における網状赤血球の割合は骨髄における赤芽球造血に比例するため、骨髄での赤血球産生能をみるよい指標になっている。

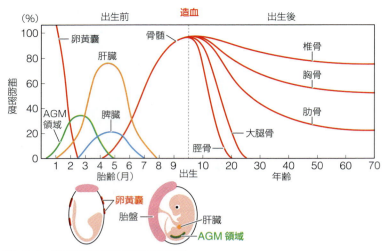

図 10-8　造血臓器の発生段階での推移
発生の初期段階では，卵黄嚢での造血が主体で，一次造血と呼ばれる．その後出生するまでは，AGM領域，肝臓，脾臓，骨髄と続き，出生後は骨髄が主体であるが，骨髄でも特に椎骨や胸骨が主な造血の場となる．

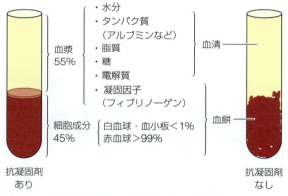

図 10-9　末梢血の血漿，血清と各成分の内訳

巨核球は骨梁間，特に静脈洞近傍に散在性に単独で存在している．静脈洞に接した巨核球は，静脈洞内皮の間から静脈洞内に細胞質を出して，細胞質の一部を断片化して，血小板を産生する．

C 造血細胞の発生

造血は胎生初期に卵黄嚢の血島で始まる．血島は血管芽細胞の集まりで，この細胞は造血細胞と血管内皮細胞の両方に分化できる前駆細胞である．この時期は一次造血とよばれ，赤血球を主に産生する．一方，これ以降の胚体で行われる造血は二次造血と呼ばれ，胎生中期の大動脈 Aorta，生殖隆起 Gonads，中腎 Mesonephros に囲まれた **AGM領域** に造血細胞が出現することで始まる．その後，造血の場は肝臓に移り，さらに脾臓，妊娠後期の骨髄へと移行していく（図 10-8）．骨髄でも，各骨における造血は異なり，脛骨や大腿骨では若年で造血能が消褪していくが，椎骨や胸骨などでは最後まで造血が維持され，血球産生の主な場となっている．肝臓や脾臓は胎児期に造血を担っていたこともあり，生後何らかの原因で骨髄での造血機能が損なわれた場合，肝臓や脾臓がその役割を担うことがあり，髄外造血 extramedullary hematopoiesis とよばれる．

2 血液検査

骨髄と末梢血の検査方法と，その意義について解説する．

A 末梢血検査

採血によって得られた血液を抗凝固剤存在下で遠心すると，細胞成分（赤血球，白血球，血小板）と **血漿** plasma に分けられる（図 10-9）．一方，採血した血液をそのまま放置すると，フィブリノーゲンなどの凝固因子と血球の固まりからなる血餅と凝固因子を含まない血漿成分に分離し，後者を **血清** serum という．

採血された血液の細胞成分の内訳などを調べる検査は

全血球計算（血算）とよばれ，末梢血中の赤血球，白血球，血小板の数や内訳，赤血球の大きさ，ヘモグロビン濃度が算出される．血算で算定される主な項目を表10-1に示す．成人の正常赤血球数は男性が435万～555万/μL，女性が386万～492万/μLと男女差がある．表には示されていないが，加齢とともにこれらの数値は低下する．白血球数は3,300～8,600/μL，血小板数は15.8万～34.8万/μLが日本人の基準範囲となっている．

B 血液形態検査

採血された末梢血をスライドガラスに載せて，その形態を観察する検査である．末梢血の白血球の形態から感染症の原因や造血器腫瘍を診断したり，赤血球や血小板の形態から貧血の原因や血栓症の可能性について推測ができる．

C 骨髄検査

骨髄の検査には，骨髄から細胞を吸引する骨髄穿刺と針などで骨髄の組織を採取する骨髄生検がある．骨髄穿刺では，個々の細胞の観察が可能な塗抹標本を作製できるため，細胞形態の観察とともに各系統の分化段階や比率などが主に算出される．骨髄穿刺で採取された検体は，塗抹標本のほか，後述するフローサイトメトリーFCMや染色体検査なども同時に検査されることがある．

骨髄生検で採取された検体はホルマリンで固定され，病理組織学的に検索される．生検では骨も含めて採取されるため，骨梁の状態や線維化や骨髄細胞の密度，個々の細胞の検体内での分布などの評価に向いている．

骨髄穿刺と骨髄生検の両者はともに一長一短あり，骨髄穿刺では線維化や高度の過形成を伴うような骨髄の状態では検体が採取されにくく（dry tap），生検でのみ検索可能となる．一方，骨髄生検検体はホルマリン固定され，検体内に骨があるため脱灰操作が必要となり，検索可能なことも限定され，困難なことも多い．したがって，それぞれの採取検体で可能な検索がそれぞれ行われるため，両方での採取が望まれる．

D フローサイトメトリー法 flow cytometry（FCM）

フローサイトメトリー法は，細胞を水流の中に流し，個々の細胞にレーザー光を当て反射する光を測定し，その光の強さによって細胞の特性を知る方法である．血液検体の検査では，細胞の大きさは前方散乱光 forward scatter（FSC）で，細胞内部構造の複雑さは側方散乱光 side scatter（SSC）に反映されるので，FSCとSSCの組み合わせで顆粒球，単球，リンパ球の識別が可能となる．さらに採取された細胞をさまざまなモノクローナル抗体で染色し，細胞表面マーカーを検索することにより白血病やリンパ腫の診断が可能となる．細胞表面マーカーは細胞膜表面に発現している抗原で，FCMで用いられる細胞表面マーカーの多くはCD（cluster of differentiation）抗原である．FCMで検索されるマーカーは，細胞表面の抗原とともに一部は細胞質や核内の抗原〔TdT（terminal deoxynucleotidyl transferase）やMPO（myeloperoxidase）など〕も対象となっている．造血器・リンパ系腫瘍で用いられるCD抗原を主体としたマーカーを表10-2に示す．

B 赤血球系の異常

ここでは腫瘍以外に伴う赤芽球系統の病態について述べ，腫瘍性疾患は「骨髄を増殖の場とする腫瘍性疾患」（→307頁）で述べる．

赤血球の非腫瘍性疾患は主に貧血症と多血症に分けられ，日常的に遭遇する疾患の多くは貧血症に属する．貧血症の理解には，赤血球の分化とともに鉄代謝の理解が欠かせない．まずは生体での鉄利用について述べる．

表10-1 末梢血の検査と基準値

項目（略称）	単位	基準値 男性	基準値 女性
白血球数（WBC）	$\times 10^3/\mu L$	3.3～8.6	
赤血球数（RBC）	$\times 10^6/\mu L$	4.35～5.55	3.86～4.92
ヘモグロビン濃度（血色素濃度）（Hb）	g/dL	13.7～16.8	11.6～14.8
ヘマトクリット（Ht）	%	40.7～50.1	35.1～44.4
平均赤血球容積（MCV）	fL	83.6～98.2	
平均赤血球ヘモグロビン量（MCH）	pg	27.5～33.2	
平均赤血球ヘモグロビン濃度（MCHC）	g/dL	31.7～35.3	
網状赤血球（Ret）	%	0.2～2.0	
血小板数（PLT）	$\times 10^3/\mu L$	158～348	

MCV＝Ht×10/RBC，MCH＝Hb×10/RBC，MCHC＝Hb×100/Ht．MCV，MCH，MCHCの3つを赤血球指数と呼ぶ．
〔日本臨床検査標準協議会による共用基準範囲より許諾を得て転載〕

表10-2 主な表面マーカー

細胞系統	マーカー
造血幹細胞	CD34, CD117
骨髄球系	CD13, CD33, MPO
単球・組織球系	CD11b, CD11c, CD13, CD14, CD33, CD68, CD163
赤芽球系	CD71, CD235a, Hemoglobin, Spectrin
巨核球系	CD41, CD42b, CD61
前駆リンパ球	CD34, TdT
B細胞系	CD19, CD20, CD22, CD79a
T細胞系	CD2, CD3, CD4, CD5, CD7, CD8
NK細胞系	CD2, CD7, CD16, CD56

MPO：myeloperoxidase，TdT：terminal deoxynucleotidyl transferase．

表10-3 赤血球恒数による貧血の分類

分類	MCV (fl)	MCHC (%)	主な鑑別疾患
小球性低色素性貧血	≦80	<31	鉄欠乏性貧血，鉄芽球性貧血，サラセミア
正球性正色素性貧血	80〜100	31〜36	溶血性貧血，再生不良性貧血，腎性貧血，出血
大球性正色素性貧血	>100	>36	巨赤芽球性貧血，再生不良性貧血

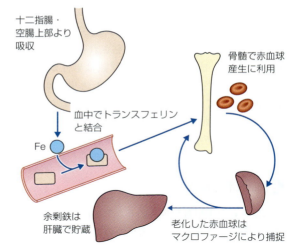

図10-10 生体内での鉄動態
食物として摂取された鉄は，胃で Fe^{3+} から Fe^{2+} に還元され，十二指腸で吸収され，血中に移行する．血中ではトランスフェリンと結合し，骨髄に運ばれ赤血球産生に利用される．一方，循環する赤血球はその寿命が尽きると脾臓で捕捉され，マクロファージに貪食され，赤血球中の鉄は再び血中のトランスフェリンに結合し，骨髄に運ばれ赤血球の産生に利用される．過剰な鉄は肝臓で貯蔵される．

1 生体内の鉄動態

健常人の生体内に存在する鉄は3〜4g程度で，2/3がヘモグロビン鉄として赤血球に存在する．次いで，20〜30%が**フェリチン** ferritin やヘモジデリン hemosiderin などの貯蔵鉄として蓄えられている．このほか，筋肉のミオグロビンなどの組織鉄としても存在する．1日の鉄の吸収量は1mg程度であり，失われる量もほぼ同等である．したがって，人体の総鉄保有量が3〜4gであることを考えると，鉄の出入量はごくわずかであり，少量の出血が持続することは赤血球産生に必要な貯蔵鉄が少なくなることを意味し，ひいては貧血に陥る．

生体内での鉄の動態を図10-10に示す．生体内への鉄の取り込みは十二指腸や空腸上部で行われ，吸収された鉄は血中で**トランスフェリン** transferrin と結合し，骨髄に運ばれ赤血球の主要なタンパク質であるヘモグロビンの産生に用いられる．一部の鉄は肝臓などに運ばれ，アポフェリチンと結合し，フェリチンなどの貯蔵鉄として蓄えられる．一方，寿命を終えた赤血球は脾臓をはじめとする網内系でマクロファージに捕捉され，ヘモグロビンは分解され，ヘムの中の鉄はトランスフェリンと結合し，再び骨髄に運ばれヘモグロビン合成を通じた赤血球産生に再利用される．余剰な鉄は肝臓に運ばれ，フェリチンの形で蓄えられる．

2 貧血症 anemia

貧血症は末梢血中のヘモグロビン濃度が正常以下に減少した状態である．WHOの基準では成人男性では13g/dL未満，成人女性では12g/dL未満，妊婦や幼児（6歳未満）では11g/dLと定義されている．貧血症はヘモグロビン濃度低下に基づく酸素運搬能の低下によってもたらされる症候の総称で，主な原因は①赤血球がうまく産生されない場合（赤血球産生の低下），②産生された赤血球が破壊される場合（赤血球破壊の亢進），③赤血球が失われる場合（赤血球の喪失）の3つに分類される．

臨床実地上，貧血を含めた赤血球系の病態の評価は末梢血中の赤血球数（RBC），ヘモグロビン濃度（Hb），ヘマトクリット（Ht）から導きだされる**赤血球指数**に基づき分類され，疾患の鑑別に用いられる（表10-1）．**平均赤血球容積** mean corpuscular volume（MCV）は赤血球の大きさを表しており，基準値は83.6〜98.2 fLである．正常範囲であれば正球性，80以下であれば小球性，100より大きければ大球性となる．平均赤血球ヘモグロビン mean corpuscular hemoglobin（MCH）と**平均赤血球ヘモ**

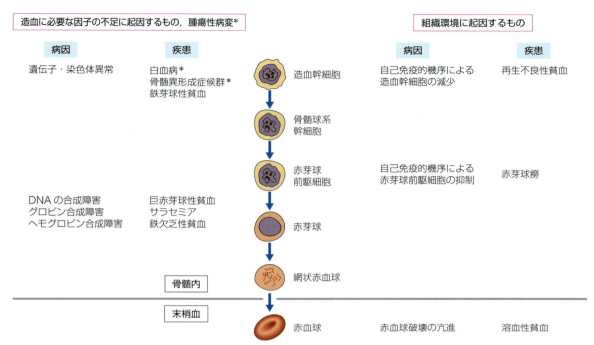

図 10-11　造血に必要な各種因子の不足に起因するものと腫瘍性病変*

グロビン濃度 mean corpuscular hemoglobin concentration (MCHC) はそれぞれ赤血球内のヘモグロビンの量や濃度を表しているが，臨床的に用いられる貧血の分類は主に MCV と MCHC の組合せで運用されている(表10-3)．MCHC は赤血球の単位容積あたりのヘモグロビン量を表していて，31%未満が低色素性，31～36%が正色素性に分類される．

③ 赤血球産生の低下

赤血球産生の低下に起因する貧血には，赤芽球の分化・成熟過程において造血に必要な各種因子の不足に起因するもの，造血の組織環境に起因するもの，および造血細胞の遺伝子・染色体異常に伴う腫瘍性変化に伴うものに主に分けられる．ここでは腫瘍性病変以外のものについて述べる．

1 ● 貧血症の主な疾患と赤血球分化の関係

赤血球は先に述べたように，多能性を有する造血幹細胞が，骨髄球系幹細胞，赤芽球系 CFU を経て前赤芽球，赤芽球に分化していく(図10-3)．その過程で必要な構成要素が不足すると分化が停止したり，異常な赤血球が産生されたりして，本来の酸素運搬能を有する赤血球が産生されずに種々の貧血が生じる．この原因としては，上記構成成分の不足とともに染色体・遺伝子異常，ウイルス感染，免疫異常などがある．赤血球の分化過程と貧血の関係を図10-11に示す．

2 ● 鉄欠乏性貧血 iron deficiency anemia

貧血のなかで最も多いのが**鉄欠乏性貧血**で，全貧血症の 50～75%と考えられている．鉄欠乏に陥る要因はさまざまで(表10-4)，鉄欠乏性貧血はこうした結果生じる表現型といえる．鉄が不足するとヘモグロビンの構成タンパク質の 1 つであるヘムが合成できずに，ヘモグロビンの合成障害が生じ，貧血に陥る．症状は動悸や息切れ，顔面蒼白とともに，さじ爪 spoon nail，舌がしみる感覚，嚥下困難などの症状が生じることもある．鉄欠乏性貧血では，ヘモグロビンの合成が低下するので，小球性低色素性貧血を呈する．末梢血の血液像では，赤血球は大小不同で，変形した赤血球も目立ち，標的赤血球の出現をみることもある(図10-12)．標的赤血球は赤血球の体積に比べて表面積が大きいため膜に歪みが生じ，赤血球の中央部が隆起するためにこのような形態を示す．一方，骨髄では末梢での貧血を反映し過形成となり，赤芽球系の増加がみられることがある．

表 10-4　各成長段階における鉄欠乏性貧血の主な原因

1. 乳幼児
未熟児
食事の摂取不良
2. 思春期
急速な成長や月経開始に伴う鉄需要の増加
3. 成人
栄養不良や偏食による鉄不足
妊娠・出産・授乳
月経異常
慢性疾患による貧血（消化管出血など）
4. 高齢者
食事の摂取不良
慢性疾患による貧血（消化管出血など）

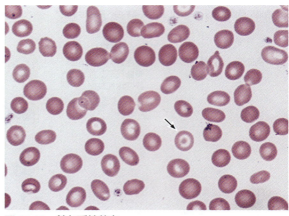

図 10-12　鉄欠乏性貧血
赤血球は全体に小型で細胞膜が薄くなったものが比較的目立ち，標的赤血球（→）もみられる．末梢血ギムザ染色．

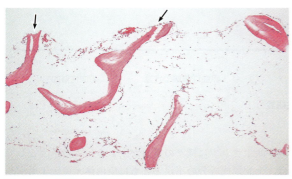

図 10-13　再生不良性貧血
骨梁（→）と脂肪成分がほとんどで，造血細胞がはっきりしない．

3 ● 再生不良性貧血 aplastic anemia（AA）

何らかの原因で造血幹細胞が減少し，骨髄内で造血が抑制され，末梢血では汎血球減少をきたす疾患である．骨髄病理像では造血細胞がほとんどみられない低形成髄ないしは脂肪髄の像を認める（図 10-13）．

原因別に先天性と後天性に分けられ，先天性の病因としては**ファンコーニ** Fanconi **貧血**や dyskeratosis congenita があげられる．Fanconi 貧血は *FANC* 遺伝子群の異常に伴う常染色体潜性（劣性）遺伝で，通常は 5〜8 歳までに起こる．汎血球減少のほか，皮膚の色素沈着，低身長，性腺機能不全，骨格系の形成異常などとともに悪性腫瘍が年齢とともに増加する．*FANC* 遺伝子群は 22 種類知られており，これらの遺伝子は複合体を形成し，放射線や紫外線などにより損傷した DNA を修復する．Fanconi 貧血では *FANC* 遺伝子群の異常により DNA 修復異常がみられるため種々の悪性腫瘍の頻度が年齢とともに増加する．

一方，後天性は，原因不明の一次性（特発性）と薬剤性（クロラムフェニコールなど），放射線，化学物質（ベンゼンなど）への曝露が原因の二次性が知られている．わが国では 80〜90％が一次性で原因不明とされているが，何らかのウイルス感染や環境因子を背景とする免疫学的機序（特に自己免疫）が病因と考えられている．このことは抗胸腺細胞グロブリンやシクロスポリンなどの免疫抑制剤の投与によって症状が改善することや CD8 陽性の細胞傷害性 T 細胞が骨髄中にみられること，再生不良性貧血の罹患率と HLA-DR 抗原（DR15）との間に相関がみられることなどが理由である．

骨髄は汎血球減少を認めるため，貧血，易感染性，出血傾向をみるが，症状の個体差も大きい．治療は年齢と重症度により異なり，軽症〜中等症では経過観察ないし免疫抑制薬投与が行われるが，重症例では造血幹細胞移植などが行われる．

Advanced Studies

再生不良性貧血（AA）の 10〜20％が経過中に骨髄異形成症候群（MDS）（→309 頁参照）に移行することが知られている．近年のゲノム解析からこうした症例では HLA 領域を含む第 6 番染色体短腕のゲノム異常や *HLA* 遺伝子そのもの変異が報告された．このことは再生不良性貧血の原因が造血幹細胞の HLA を標的とした免疫学的機序によるもので，AA から二次的に MDS に移行する症例では HLA の発現喪失に伴って，造血幹細胞が細胞傷害性 T 細胞の標的から逃れられ，HLA 関連因子以外の遺伝子変異も加わり，複合的に MDS に進展していくことを示している．

4 ● 赤芽球癆 pure red cell aplasia

赤芽球癆は赤芽球系前駆細胞が選択的に抑制される疾患で，高度の貧血を認める．単系統（赤血球系）のみの異常で，白血球と血小板は保たれる．

赤芽球癆は，その原因により先天性と後天性に分けられる．先天性赤芽球癆であるダイアモンド-ブラックファン Diamond-Blackfan 貧血（DBA）はリボソームタンパクをコードする RPS 遺伝子群に変異を有する遺伝性疾患である．RPS19 遺伝子の異常が全体の 1/4 程度と最も多い．DBA の 6 割程度は生後 3 か月以内に発症し，貧血の他，40％程度に先天異常を生じる．

後天性は急性と慢性に分けられ，急性型はパルボウイルス B19 感染によるものが多く，パルボウイルス B19 が赤芽球系前駆細胞に感染することにより発症する．この他，薬剤によるものなどが知られている．急性型ではその原因であるウイルス感染の終息や薬剤投与の中止により症状は改善し，予後は良好である．

一方，慢性型は，原因不明の特発性と原因の判明している二次性に分類される．二次性のものでは胸腺腫を合併する一群があり，胸腺腫の摘出によって 1/3 で症状が改善する．また免疫抑制剤の投与によって症状が改善されることなどから，病因として免疫学的機序が考えられている．

5 ● 骨髄占拠性病変による貧血

骨髄占拠性病変は，がんの転移，リンパ腫の骨髄浸潤，骨髄原発の造血性疾患（急性白血病，骨髄線維症，多発性骨髄腫，リンパ腫）などによって正常の造血機能が損なわれるもので，貧血とともに他系統（白血球，血小板）の抑制も生じ，汎血球減少が伴うことが多い．こうした状況では，脾臓や肝臓での代償性の造血である髄外造血がみられる．通常は正球性貧血を示すが，赤血球が正常に流出できないため，形態異常（大小不同，涙滴状など）を示す．

6 ● 慢性疾患による貧血
anemia of chronic disease（ACD）

ACD は血液疾患以外の全身性疾患によって生じる貧血で，慢性感染症（結核，敗血症，胆道感染症など），慢性炎症（膠原病が主体で，関節リウマチ，全身性エリテマトーデスなど），悪性腫瘍が主な原因である．ACD は，慢性炎症に伴う炎症性サイトカインの産生亢進に伴う種々の病態がある．炎症性サイトカインのうち IL-1，TNFα，IFNγ などは赤血球系前駆細胞の分化・増殖を抑制し，貧血をもたらす．炎症性サイトカインである IL-6 は肝臓でのヘプシジン hepcidin 産生を促す．ヘプシジンは鉄輸送タンパクであるフェロポルチンと結合しその分解を促進するため，フェロポルチンの発現する主な細胞である腸管上皮やマクロファージでは鉄の取込みが阻害され，結果として腸からの鉄吸収や老廃赤血球からの鉄の再利用が阻害され，鉄が有効に利用されずに貧血に陥ると考えられる．

ACD の主な原因として慢性感染症，膠原病などによる慢性炎症，悪性腫瘍などをあげたが，これらの原疾患そのものが上記メカニズム以外の理由でも貧血を起こす．例えば骨髄以外で生じる悪性腫瘍の骨髄浸潤によって造血機能は抑制され，前述のとおり骨髄占拠性病変による貧血が生じることもある．

7 ● 巨赤芽球性貧血 megaloblastic anemia

骨髄で巨赤芽球の出現を認める貧血で，本態は DNA の合成障害による赤芽球の成熟異常であり，主な原因は**ビタミン B_{12} や葉酸欠乏**による．図 10-2 でも示されるように，ヒトの 1 日の産生細胞の約 2/3 は赤血球であるので，DNA 合成障害は最も産生されている赤血球の生成に直結し，貧血が生じる．しかしながら，DNA 合成は当然のことながら分裂するすべての細胞で起こるため，本症では顆粒球系や血小板系でも成熟障害が生じ，骨髄中では無効造血が生じ，結果として末梢血は汎血球減少を呈する．巨赤芽球性貧血では，赤芽球の成熟過程で DNA 合成障害が生じ，核の成熟（赤芽球は分化とともに核は小さくなっていく）が進まないが細胞質は成熟していくため，大きな核をもったままの巨赤芽球が生じる（図 10-14）．したがって，本症では大球性正色素性貧血を呈する．

DNA 合成障害の主な原因はビタミン B_{12} や葉酸の体内への吸収障害である．ビタミン B_{12} は動物性食品に主に含まれ，胃の壁細胞から分泌される内因子と十二指腸で結合し，回腸末端で体内に吸収される（図 10-15）．したがってビタミン B_{12} 欠乏は，ビタミン B_{12} の不足そのものとともに内因子の産生低下がもたらされる状態でも起こる．悪性貧血（自己免疫性萎縮性胃炎）は，抗内因子抗体や抗壁細胞抗体（実際は胃壁細胞にある H^+/K^+-ATPase に対する抗体）産生を認める自己免疫疾患であり，こうした自己抗体の産生によって内因子の産生障害や破壊がもたらされ，ビタミン B_{12} の吸収が阻害される．また胃癌などで胃をすべて摘出された患者でも内因子の欠乏によって本症を生じるが，ビタミン B_{12} は肝臓で貯蔵されており，それが欠乏するまでは症状は出ず，通常その期間は 5 年程度とされている．また内因子の吸収される回腸末端に病変を生じる病態（吸収不良症候群，クローン Crohn 病や回腸切除をされた場合）も，本

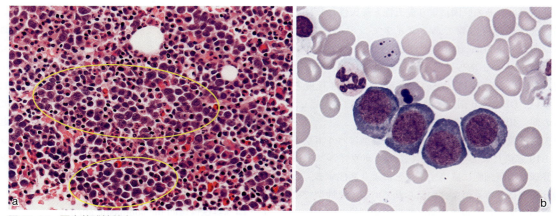

図10-14 巨赤芽球性貧血
a. 脂肪の少ない過形成性の骨髄組織である．半分近くが大型で繊細な核をもつ巨赤芽球（一部を黄色円で囲む）からなる．通常，骨髄球系と赤芽球系の細胞比率は3〜4:1と骨髄球系優位であるが，この症例では赤芽球系が増加しているのがわかる．骨髄HE（ヘマトキシリン・エオジン）染色．
b. 大型の巨赤芽球が4つならび，周囲には過分葉を呈する好中球もみられる．骨髄スメアギムザ染色．

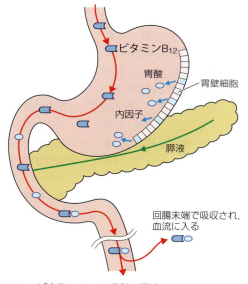

図10-15 ビタミンB_{12}の吸収の機序
食物として採取されたビタミンB_{12}は胃酸と膵液によって，ビタミンB_{12}と結合したタンパクが分解され，胃壁で作られた内因子と結合することができるようになる．ビタミンB_{12}-内因子の複合体は回腸粘膜上皮の内因子の受容体を介して血中に取り込まれる．

疾患の原因となる．葉酸の吸収も回腸で行われるため，回腸に病変を生じる吸収不良症候群や回腸切除などで本疾患の原因となるが，実際は菜食主義やアルコール中毒などによる摂取不足が原因の多くを占める．頻度は悪性貧血が約60%，胃切除後のビタミンB_{12}欠乏症1/3程度と，本疾患の大部分はビタミンB_{12}欠乏が原因である．

8 ● サラセミア thalassemia

ヘモグロビンを構成するグロビンの異常によって生じる遺伝性疾患である．ヘモグロビンはヘムとグロビンが1つのサブユニットを形成し，これらが四量体を形成し，ヘモグロビンとなる（図10-16）．成人のヘモグロビンはαグロビンとβグロビンをそれぞれ2分子ずつ含むHbA（$\alpha_2\beta_2$）からなる．サラセミアはαグロビンかβグロビンかの異常によって，αサラセミアないしは**βサラセミア**と呼ばれる．わが国ではβサラセミアの頻度が1/1,000人とαサラセミアの1/3,500人より多い．また世界的にはマラリアの流行地で保因者が多く，これらの保因者はマラリア感染に対して抵抗性をもつものと考えられる．本症ではグロビンの産生異常によってヘモグロビン合成に不均衡が生じ，無効造血や脾臓の破壊亢進が生じ脾腫を伴うが，無症状から重症例までその症状はさまざまである．ヘモグロビンの生成異常があるので小球性低色素性貧血を呈する．

9 ● 鉄芽球性貧血 sideroblastic anemia

鉄芽球性貧血は骨髄中に環状鉄芽球の出現（図10-17）をみる貧血の総称で，その原因は遺伝性によるもの，薬剤やアルコールによる二次性のものと骨髄異形成症候群による原発性が主のものである．環状鉄芽球 ringed sideroblast はミトコンドリアでの鉄の異常な集積に伴って認められ，核周囲の1/3以上にわたり，5個以上の鉄顆粒がみられる赤芽球をいう．

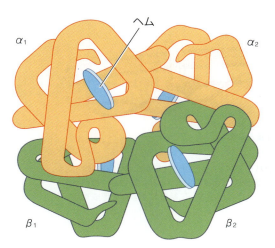

図 10-16　ヘモグロビン分子の構造
ヘモグロビンは2種類のグロビン鎖（αとβ）がそれぞれ2つ，合計4つ会合したタンパク質である．各グロビン鎖の中には鉄とポルフィリン環が結合したヘムを含み，この鉄が酸素運搬にかかわる．

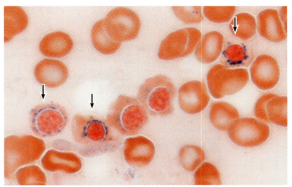

図 10-17　環状鉄芽球
核の周囲に青色の鉄顆粒がみられる（→）．骨髄塗抹標本．

骨髄異形成症候群において環状鉄芽球の出現は診断的価値が高いとされ，詳しくは➡309頁で述べる．

4　末梢での赤血球破壊亢進

赤血球が何らかの原因により通常の寿命（120日）より早く破壊されることを溶血 hemolysis と呼ぶ．原因として赤血球そのものの異常による先天性溶血と自己免疫，薬剤，脾腫，機械的要因による後天性溶血に分けられる．溶血に伴って起こる溶血性貧血では，貧血とともに赤血球の破壊に伴う黄疸，異常赤血球の補足に伴う脾腫が共通してみられるが，その程度はさまざまである．黄疸に伴って胆石を生じることもある．

溶血の起こる場所により血管内溶血と血管外溶血に分けられ，病型を推定し鑑別していくうえで重要である．血管内溶血は文字通り血管の中で溶血が起こることである．一方，血管外溶血は脾臓や骨髄，肝臓などで赤血球がマクロファージによって捕捉・破壊されることである．

A　先天性溶血

1　遺伝性球状赤血球症 hereditary spherocytosis

赤血球膜を構成する膜タンパク分子の先天的な異常によって生じる遺伝性疾患．わが国の先天性溶血の70％ほどを占める．赤血球は，細胞骨格タンパクであるスペクトリンが細胞内で網目状の構造を構築し，この構造を細胞膜タンパクであるバンド3やグリコフォリンCがアンキリンや4.1，4.2タンパクなどを介して赤血球の安定な構造を形作っている（図10-18）．本症では，これらの細胞骨格やそれに結合するタンパク質の異常により赤血球の構造的安定性が低下し，変形能も低下するため，脾臓のなどの微小血管網を通過する際に膜が喪失し，次第に小さくなり球状を呈するようになる（図10-19）．こうした異常な赤血球は脾臓のマクロファージに捕捉され溶血する．

2　グルコース-6-リン酸脱水素酵素欠損症 glucose-6-phosphate dehydrogenase（G6PD）deficiency

G6PDの酵素異常に伴う遺伝性疾患で，G6PDをコードする遺伝子はX染色体上にあるため，伴性潜性遺伝形式をとる．G6PDは解糖系の分枝路の1つであるペントースリン酸経路の最初の反応であるグルタチオンを還元型グルタチオンに変換する酵素で，抗酸化作用に重要である．したがってG6PD欠損症では，赤血球内のタンパク質や脂質が酸化され，細胞骨格の変性などにより変形能が低下し，脾臓などでマクロファージに捕捉され，溶血をきたす．末梢血中にはヘモグロビンの変性によってハインツ Heinz 小体が形成される．本遺伝子変異を有する患者や保因者はアフリカや地中海などに多く，ヘテロ接合性をもつ赤血球がマラリア感染に対して耐性をもつことと関係している．

3　鎌状赤血球症 sickle cell anemia

βグロビンの6番目のアミノ酸のグルタミン（Glu）がバリン（Val）に置換されることで生じる異常ヘモグロビン症である．わが国ではきわめてまれであるが，全世界ではG6PD欠損症，サラセミアとともに最も多い先天

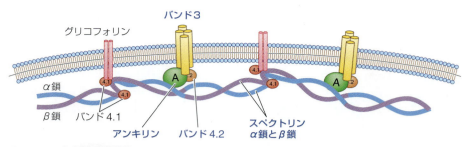

図10-18 赤血球の膜構造
バンド3とグリコフォリンは赤血球の膜を貫く主要なタンパクである．バンド3はHCO^-とCl^-の陰イオン交換チャネルとして働く．バンド4.1はグリコフォリン，アクチンそしてスペクトリンをつなぐ役割を果たす．スペクトリンはα鎖とβ鎖からなる2量体タンパクで，これらがさらに結合し4量体を形成する．遺伝性球状赤血球症で変異のみられるタンパクを青字とする．

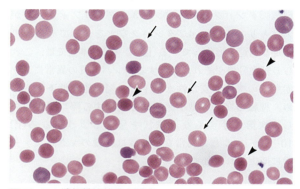

図10-19 遺伝性球状赤血球症
正常の赤血球の形態は(→)は中央部に凹みを認めるが，遺伝性球状赤血球症の赤血球は変形能が低下しているため，機械的ストレスによって次第に膜がちぎれて小型化した球状の赤血球(▶)が目立つ．

性貧血症の1つで，アフリカ人，特にマラリアの流行地で多い．成人ヘモグロビンの大部分はHbA($α_2β_2$)からなるが，本症は原則，上記遺伝子異常をホモ接合体で有するHbS($α_2β^S_2$)からなる．HbSは酸素を解離すると，HbS同士が重合化し，細胞内でポリマーを形成するため鎌状の形態を呈する．この形態を有する赤血球は変形能に乏しいため脾臓で捕捉され溶血性貧血(血管外溶血)を引き起こすとともに，変形能を失った赤血球は毛細血管の閉塞をもたらし，種々の臓器に梗塞をきたし，肺機能障害や中枢神経発作などの死因を呼び起こす．本症は遺伝子異常をホモ接合体でもち，ヘテロ接合体のほとんどは無症状である．またHbSをもつ赤血球内でマラリアは発育できないため，マラリアに対する抵抗性をもち，マラリアの流行地で保因者が多い理由の1つとなっている．

B 後天性溶血

1 自己免疫性溶血性貧血

autoimmune hemolytic anemia(AIHA)

赤血球膜上の抗原に対する自己抗体によって生じる自己免疫性疾患．自己抗体は温式抗体と冷式抗体があり，それらの分類は赤血球と結合する至適温度である37℃と4℃に基づく．わが国のAIHAの90%は温式抗体型で抗体のクラスはIgGである．一方，冷式抗体を産生する病型は，抗体の種類によって寒冷凝集素症 cold agglutinin disease(CAD)と発作性寒冷ヘモグロビン尿症 paroxysmal cold hemoglobinuria(PCH)に分けられる．

温式抗体型のAIHAでは自己抗体として産生されたIgGが赤血球表面に結合し，自己抗体の結合した赤血球がⅡ型アレルギーである抗体依存性細胞媒介性細胞傷害(ADCC)(➔第5章「免疫とその異常」，117頁参照)によって脾臓でマクロファージによって捕捉され，溶血を起こす．原因としては，原因不明である特発性が全体の60%程度と最も多く，そのほか自己免疫疾患(SLE, RAなど)，白血病やリンパ腫に続発するもの，薬剤性などがあげられる．免疫性血小板減少性紫斑病(ITP)を合併するものをエヴァンス Evans 症候群という．

冷式抗体型ではCADが全体の8%程度，PCHはまれとされ，CADで生じる寒冷凝集素の多くはIgMで，寒さに曝された状況(四肢末端など)ではIgMが赤血球と結合し，補体の活性化によって補体第3成分(C3b)も赤血球表面に結合する．寒冷下(末梢部位)から37℃の体幹に戻ってきた赤血球では，寒冷凝集素であるIgMは離れるがC3bはそのまま結合しているため，脾臓のマクロファージによって捕捉される(血管外溶血)．CADの原因は感染症(マイコプラズマ，EBウイルス，サイト

メガロウイルスなど）やリンパ腫に続発することが多い．なお，診断は赤血球に反応する抗体を証明することでなされる．臨床的に自己抗体をCoombs試験で調べる．

2 ● 同種免疫性溶血性貧血

同種（ヒト同士の個体間）の赤血球膜に対する抗体による溶血性貧血で，新生児溶血性貧血と血液型不適合輸血がある．新生児溶血性貧血は母親と胎児の血液型が異なり，母体に存在しない抗原を胎児がもっていた場合に生じる．臨床上，特に問題となるのがRh式血液型不適合妊娠である．Rh（－）の母親が最初の妊娠でRh（＋）の胎児を妊娠した場合，母体内で抗体ができる．同じ母親が再びRh（＋）の胎児を妊娠した場合，Rh（＋）に対する抗体はIgGであるため胎盤を通過でき，胎児内に侵入し胎児赤血球を破壊し，溶血をもたらす．感作予防として抗D抗体（D抗原については Advanced Studies 参照）に対する免疫グロブリン製剤を妊娠中から分娩時にかけて投与されることがある．

血液型不適合輸血は，ABO血液型の異なる交差適合試験が陽性の血液を輸血してしまって起こる．

Advanced Studies

Rh式血液型：現在まで49種類の抗原が発見されているが，基本的にはC, c, D, E, eの5つの抗原の組み合わせを輸血の際に調べることが多い．D抗原は抗原性が強いためD抗原の有無が問題となり，Rh（＋）はD抗原をもつ場合，Rh（－）はD抗原をもたない場合を表す．わが国でのRh（－）の頻度は約0.5%である．

3 ● 物理的溶血性貧血（赤血球破砕症候群

red cell fragmentation syndrome）

赤血球そのものに異常がなく，何らかの物理的・機械的刺激により，循環する心血管内で赤血球が破壊され，溶血に至る病態である．心臓や大血管に生じるものと小血管あるいはそれ以下の微小血管で生じるものに大別される．前者は人工弁・人工血管の置換や弁膜症などによる局所的な血流障害によって赤血球が破壊される場合が多い．後者の原因は微小血管内で血栓が形成されることで通過する赤血球が損傷し，破壊されることである．こうした病態としては，播種性血管内凝固症候群 disseminated intravascular coagulation（DIC）（→第7章「循環障害」，180頁参照），血栓性血小板減少性紫斑病（TTP）（→306頁参照），溶血性尿毒症症候群（HUS）（→306頁参照），行軍ヘモグロビン尿症などがある．行軍ヘモグロビン尿症ではマラソンなどの長距離の行軍，あるいは激しい運動などによって赤血球が損傷する病態である．

4 ● 発作性夜間ヘモグロビン尿症

paroxysmal nocturnal hemoglobinuria（PNH）

赤血球表面の膜タンパクの欠損により，活性化した補体を抑制することができず，補体を介して起こる溶血性貧血である．本疾患では造血幹細胞が*PIGA*遺伝子の異常をもつため，グリコシルホスファチジルイノシトール（GPI）アンカータンパクの合成障害が生じ，GPIアンカータンパクに属する補体制御因子であるCD55（decay accelerating factor：DAF）やCD59（membrane inhibitor of reactive lysis：MIRL）の発現低下ないしは欠損が起こる．その結果，赤血球は補体の攻撃により溶血する．本症では血管内溶血とともに血栓形成，造血不全が三徴とされる．疾患名である"夜間"に溶血が起こる機序としては，夜間に末梢血が酸性に傾き，酸性環境下では赤血球への補体の付着が促進されるためと考えられている．しかしながら，実際に本症の夜間での溶血は一部にとどまっている．

Advanced Studies

再生不良性貧血（AA）にしばしば合併ないしは相互移行する．AAでは免疫学的機序によって造血幹細胞が攻撃されるが，GPIアンカータンパクの合成障害が生じているPNHの血球では免疫学的な攻撃から回避されるため，相対的に*PIGA*遺伝子変異を有するクローンが増加し，PNHの症状が顕在化していくものと考えられている．PNHでは骨髄異形成症候群（MDS）や白血病に進展する場合があるが，PNHにおける異常クローンにさらなる遺伝子異常が付加されることによって引き起こされるものと考えられる．

5 ● マラリア感染症

マラリア感染症はマラリア原虫*Plasmodium*属の感染によって起こる溶血性貧血で，ハマダラカの雌が媒介し，ヒトに感染する（図10-20）．蚊の唾液腺に棲息するマラリア原虫は，蚊がヒトを刺すことでスポロゾイトの形で体内に入る．体内に入ったスポロゾイトは血中に入り，肝臓に到達し，肝細胞に感染する．肝細胞内で増殖し，メロゾイトとなって赤血球に侵入・増殖し，トロホゾイトとなり赤血球が破裂し溶血する．この溶血とともに放出されるトロホゾイトにより発熱などの症状が生じる．三日熱マラリア，四日熱マラリアの名前の由来は赤血球内でのマラリアの増殖とそれによって溶血するサイクルと関連している．

5 赤血球喪失（出血）による貧血

出血は貧血の原因として重要である．外因性の要因である外傷とともに，内因性の要因である消化管出血や性器出血が頻度として高い．外傷は一過性の出血であるた

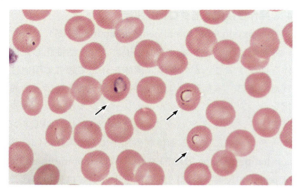

図 10-20　マラリア感染症
赤血球内にマラリア原虫が観察される(→)．末梢血ギムザ染色．

め，正球性正色素性貧血であるが，内因性要因の経過が慢性であれば鉄欠乏性貧血をきたす．

6 赤血球増加症 erythrocytosis （多血症 polycythemia）

　末梢血中の赤血球が増加した状態で，男性で Ht ＞ 49％，Hb ＞ 16.5 g/dL，女性では Ht ＞ 48％，＞ Hb 16.0 g/dL のいずれかの所見があれば赤血球増加症と考えられる．Ht 値が 50％を超えると血液の粘稠度が上昇し，心機能や末梢の血流に障害が起こる．赤血球増加症は循環血漿量が低下したことによる相対的なものと，赤血球そのものが絶対的に増加するものに大別される．

　相対的赤血球増加症は，嘔吐・下痢，発汗などによる脱水が主な原因である．一方，絶対的赤血球増加症は，造血幹細胞の腫瘍性増殖に伴って赤血球が増殖する原発性の真性多血症（→312頁参照）と，何らかの原因に伴ってエリスロポエチン（EPO）の産生が亢進する状態と EPO の受容体が恒常的に活性化する状態の二次性赤血球増加症がある．二次性赤血球増加症の原因として，慢性肺疾患，喫煙，左右シャントなどの基礎疾患や酸素濃度の薄い高地での生活，EPO を産生する腫瘍（腎細胞癌，肝細胞癌など）があげられる．なお，EPO は腎臓で産生されるサイトカインで，低酸素などによって誘導された HIF1（hypoxia inducible factor 1）によって発現が増加する．

表 10-5　好中球増加症の主な原因

非腫瘍性疾患
感染症（特に細菌感染）
薬剤性（ワクチン接種など）
骨髄性以外の悪性腫瘍
脳血管障害（脳出血，脳梗塞，くも膜下出血など）
心筋梗塞
外傷（火傷など）
腫瘍性疾患
急性白血病
骨髄増殖性疾患

白血球の異常 （非腫瘍性主体の疾患）

　本項では白血病などの腫瘍性疾患以外の病態での白血球の異常について述べ，腫瘍性疾患は「骨髄を増殖の場とする腫瘍性疾患」（→ 307 頁）で述べる．

A 好中球異常

　好中球は正常では 1,500〜7,500/μL の範囲内にあるが，さまざまな要因で増減する．

1 好中球増多症 neutrophilia

　臨床的に末梢血中の好中球数が ≧ 7,500/μL となった場合を指し，原因はさまざまである（表 10-5）．さらに ≧ 50,000/μL となった場合は類白血病反応 leukemoid reaction と呼ばれ，慢性骨髄性白血病（CML）の鑑別を要する病態である．類白血病反応は白血病あるいはその類縁疾患以外で，反応性に白血球数が著増する．**好中球アルカリホスファターゼ** neutrophil alkaline phosphatase（NAP）スコアは CML と類白血病反応を鑑別するよい指標となっている．NAP は成熟した好中球の細胞内に多く含まれる酵素で，この酵素染色を行い好中球 100 個の成熟度合い（活性）を指数化したものを NAP スコアという．NAP は骨髄の間質細胞やマクロファージから産生される G-CSF によって誘導され，重症感染症などによる類白血病反応では G-CSF の作用により，好中球産生能が上がり NAP スコアも増加するが，CML では腫瘍性に好中球が増加するため，ネガティブフィードバック機構により G-CSF は低下し，その結果 NAP スコアは低下する．

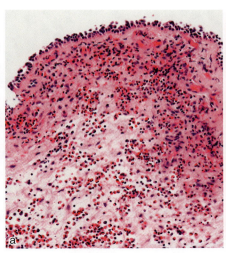
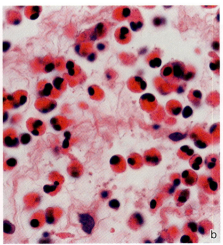

図 10-21　好酸球性副鼻腔炎(副鼻腔生検)
a. 副鼻腔粘膜下には多数の好酸球がみられる．
b. 強拡大では細胞質に好酸性の顆粒を伴った好酸球がみられる．

2 ● 好中球減少症 neutropenia

臨床的に末梢血中の好中球数が≦1,500/μLとなった場合で，その原因は骨髄での好中球産生能の低下，好中球破壊の促進，循環好中球プールの減少のいずれかである．好中球数が<500/μLとなった場合は，特に無顆粒球症 agranulocytosis と呼ばれ，感染症の危険性が非常に高くなる．

3 ● 好中球の機能異常

末梢血中の好中球数が正常の範囲内にあっても好中球の機能異常によって感染などのリスクが増す．この病態を引き起こす原因としては，先天性免疫不全症に属する慢性肉芽腫症やチェディアック-東 Chédiak-Higashi 症候群，白血球粘着不全症などがあげられる(→第5章「免疫とその異常」，130頁参照)．

B 好酸球増多症 eosinophilia

末梢血中の好酸球数が≧500/μLとなった場合をさす．好酸球増多は寄生虫感染やアレルギー性疾患などでみられる．好酸球増多に伴って，好酸球がもつ好酸球性ペルオキシダーゼが活性酸素とともに放出され，組織傷害を引き起こす．特に原因不明で6か月以上，末梢血中で好酸球数が 1,500/μLを超える病態を原発性好酸球増多症 primary eosinophilia とよばれ，さまざまな臓器に障害がもたらされる．また日常的には好酸球性副鼻腔炎などでみられる(図 10-21)．

C 好酸球減少症 eosinopenia

末梢血中の好酸球数が≦40/μLとなった場合をさす．臨床的には急性感染症，特に腸チフスによる原因が重要である．

D 好塩基球増多症 basophilia

好塩基球は末梢血中 1％未満と少ないが，さまざまな原因により増加する．主な原因として即時型(Ⅰ型)アレルギーによるものがあげられる．

E 肥満細胞異常

肥満細胞は骨髄で前駆細胞より分化し，結合組織内の血管に近い領域に分布する．好塩基球と肥満細胞は形態的には区別がつかないが，系統的には別であるとの見解が強い．

肥満細胞の異常として肥満細胞が増殖する**肥満細胞症** mastocytosis がある．肥満細胞症は小児に多くみられ皮膚に限局する皮膚肥満細胞症 cutaneous mastocytosis (CM，図 10-22)と，成人に多くみられ他臓器を侵す全身性肥満細胞症 systemic mastocytosis (SM)に分類される．CM は 2/3 が自然軽快し，多くは反応性と考えられる．一方，SM の多くは **KIT** 遺伝子に変異をもつ腫瘍性疾患で，以前は骨髄増殖性疾患に分類されていた．肥満細胞も他の顆粒球同様，細胞内に顆粒をもち，腫瘍性に

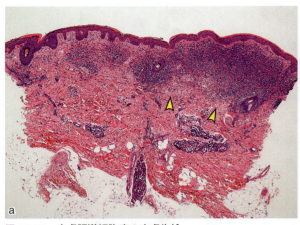
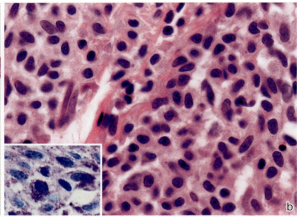

図 10-22 皮膚肥満細胞症の皮膚生検
a. 弱拡大では表皮直下の真皮上層（特に中央から右側にかけて）に密な細胞増殖がみられる（▷）．HE 染色．
b. 強拡大では淡い赤紫色の細胞質と不明瞭ながら顆粒がみられる．挿入図はトルイジンブルー染色．メタクロマジー（異染性）を起こし，赤紫色の色素がみられる．

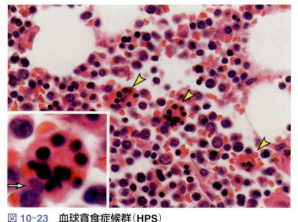

図 10-23 血球貪食症候群（HPS）
赤血球や赤芽球を貪食したマクロファージがみられる（▷）．拡大した挿入図でマクロファージの核が左下（⇒）に押しやられているのがわかる．本例は EBV 関連リンパ増殖性疾患に続発した HPS である．

増殖した肥満細胞から顆粒が放出され，組織・臓器障害を引き起こす．

F リンパ球異常

1 リンパ球増多症 lymphocytosis

末梢血中のリンパ球数が≧4,000/μL となった場合をさす．ウイルスや細菌などの感染症，薬剤性，心筋梗塞，外傷などでみられる．特に伝染性単核球症 infectious mononucleosis などのウイルス感染症では大型のリンパ球が出現する．またリンパ球の最終分化形である形質細胞も種々の病態で増加する．

2 リンパ球減少症 lymphocytopenia

末梢血中のリンパ球数が≦1,500/μL となった場合をさす．リンパ球減少の主な原因はリンパ球の主たる成分であるヘルパーT細胞の減少によるもので，ウイルス・細菌感染，ステロイド・抗がん剤投与，放射線治療，自己免疫疾患など多様である．

G 単球異常

単球増加症は末梢血中の単球数が≧1,000/μL となった場合をさす．単球の増加する非腫瘍性疾患としては結核，原虫・リケッチアなどの感染症，潰瘍性大腸炎などがあげられる．一方，単球数＜200/μL とされる単球減少症の原因は甲状腺機能低下症，アレルギー反応の急性期，放射線照射後，ステロイド投与後などである．

H 血球貪食症候群 hemophagocytic syndrome（HPS）

活性化したマクロファージが自己の血球を貪食する病態である．原疾患は家族性（一次性）と Epstein-Barr ウイルス（EBV）などのウイルス感染，リンパ腫，自己免疫疾患などに伴って生じる二次性がある．マクロファージ活性化の原因は，ウイルス感染や腫瘍が産生するサイトカイン（TNF-α，IFN-γ，IL6 など）によって抗原提示細胞や T 細胞が制御不能になるためと考えられている．活性化したマクロファージは骨髄，肝臓，脾臓，リンパ

節などの全身の諸臓器で血球を貪食する像が観察される（図 10-23）．診断基準は持続する発熱（38.5℃以上），脾腫，2 系統以上の血球減少，空腹時の高トリグリセリド血症ないしは低フィブリノーゲン血症，血球貪食像，NK 細胞の活性低下ないしは消失，血清フェリチンの上昇，可溶性 IL-2 レセプター高値の 8 つのうちの 5 つ以上を満たすことである．

D 血小板系異常と出血性疾患

本項では，腫瘍性疾患以外の血小板の異常によって生じる病態と出血をもたらす原因となる事項について記載する．まず止血のメカニズムについて述べる．何らかの原因によって出血した場合，血管の内腔を覆っている血管内皮が傷害され，血管壁を構成する膠原線維（コラーゲン）が露出し，von Willebrand 因子（vWF）が膠原線維と結合する．これにより血小板の表面に発現している GPⅠb と vWF が結合し，傷ついた血管内皮に血小板が粘着凝集する．これを一次止血という．一次止血はいわば応急処置的なものであり，次に続く凝固因子を介したより強固なフィブリン網の形成によって止血は完成する（二次止血）．止血後，生じた血栓は線溶系によって溶解される（→第 7 章「循環障害」，176 頁参照）．

以上からもわかるように，出血性疾患の原因は，血小板の異常，血管の異常，血液凝固の異常に分けられる．

1 血小板の異常

血小板の主な機能は止血することである．したがって血小板の異常は止血に影響を与える．血小板の異常は，量的異常（減少あるいは増加）と質的異常に分けられる．

A 血小板減少症

血小板の末梢血での基準値は 15 万～40 万/μL で，15 万/μL を下回る状態を血小板減少症という．5 万/μL 以下では外傷後の出血の危険が増し，1 万/μL 以下では自然出血（特発性出血）の危険性が増す．血小板減少をきたす原因としては主に血小板産生の低下と破壊の亢進に分けられる．臨床的には皮膚や粘膜の点状出血から始まり，血小板数の低下に伴って，より広範な出血になっていく．

1 血小板産生低下

原因として先天性と後天性があり，前者は遺伝性血小板減少症であるウィスコット-オルドリッチ Wiskott-Aldrich 症候群（→第 5 章「免疫とその異常」，128 頁参照），後者は巨核球数の減少をきたす病気（再生不良性貧血，白血病や薬剤性など）や骨髄内での無効血小板産生に伴う巨赤芽球性貧血があげられる．

2 血小板破壊の亢進

血小板の破壊が亢進する機序として，特発性血小板減少性紫斑病のほか，SLE やリンパ増殖性疾患による二次性血小板減少症，薬剤による免疫学的機序によるもの（ヘパリンなど）がある．

a 特発性血小板減少性紫斑病
idiopathic thrombocytopenic purpura（ITP）

血小板に対する自己免疫疾患で，末梢血では血小板数は 10 万/μL 以下となる．急性 ITP と慢性 ITP が知られており，急性 ITP は小児に多く，ウイルス感染に引き続いて起こり，一般に自然治癒する．急性 ITP ではウイルス感染によって血小板の膜タンパクが変化し，自己応答性を獲得するものと考えられる．一方，慢性 ITP では患者の 80% 以上で血小板の膜糖タンパクである GPⅡb/Ⅲa や GPⅠb/Ⅸ に対する抗体が検出されている．これらの抗体が結合した血小板は脾臓でマクロファージによって貪食されるため，脾臓の摘出は本症で効果的である．また ITP では末梢血での血小板数の低下を反映し，骨髄中では巨核球数の増加がみられる．さらに慢性 ITP では H. pylori の感染がみられることがあり，除菌によって約半数例が寛解する．

B 血小板増加症

血小板増加をきたす原因は，真性多血症，本態性血小板血症などの骨髄増殖性腫瘍のほかに，骨髄増殖性腫瘍でない悪性腫瘍に伴うもの，関節リウマチやサルコイドーシスなどの慢性の炎症性疾患，結核などの感染症，鉄欠乏性貧血や溶血性貧血，脾摘などがあげられる．

C 血小板機能異常

血小板の機能異常には先天性と後天性のものがある．先天性としては血小板の接着能にかかわる糖タンパクである GPⅡb-Ⅲa の異常に伴う血小板無力症 thrombasthenia や vWF 受容体（GPⅠb-Ⅴ-Ⅸ）の欠損によるベル

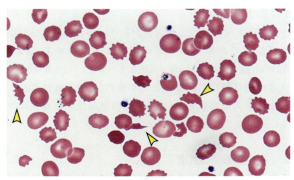

図 10-24 血栓性血小板減少性紫斑性（TMA）
血栓によって物理的に赤血球が破壊され，大小不同やヘルメットの形状（▶）を示す赤血球がみられる．

ナール-スーリエ Bernard-Soulier 病などがある．一方，血小板の機能異常をきたす割合は圧倒的に後天性のものが多く，薬剤性や全身性疾患（尿毒症，造血器腫瘍，SLE などの自己免疫疾患）などさまざまである．

2 血管障害

出血性疾患をもたらす血管障害の原因としては，血管壁の脆弱性をきたす病態があげられる．

A 血管の機能異常

アミロイドーシスやクリオグロブリン血症では，血清中に不可溶性の成分が増加し，血管に沈着するため血管の脆弱性が増し，出血性疾患の原因となる．ビタミンC欠乏症（壊血病）も血管の機能異常により出血の原因となる．**ビタミンC（アスコルビン酸）**はコラーゲン線維の生成において重要で，コラーゲンへヒドロキシプロリンを付加する反応を補う役割を果たすため，ビタミンC欠乏症はコラーゲンの成熟障害をきたし，血管脆弱性をもたらす．

B 遺伝性出血性毛細血管拡張症（オスラー-ウェーバー-ランデュ Osler-Weber-Rendu 病）

血管形成に関与する遺伝子 *ENG*（Endoglin），*ACVRL1*/*ALK1*，*SMAD4* の異常によって起こる常染色体顕性遺伝疾患である．組織学的には小血管壁の内弾性板や平滑筋などが欠損し，血管はきわめて脆弱となり出血傾向に陥る．繰り返される鼻出血によって気づかれることが多く，このほか，皮膚や粘膜の毛細血管拡張，動静脈奇形などがみられる．

C アレルギー性紫斑病 allergic purpura（IgA 血管炎，ヘノッホ-シェーンライン Henoch-Schönlein 紫斑病）

何らかの原因によって生じた IgA と補体 C3 が血管壁に沈着し，Ⅲ型アレルギーによって血管炎が生じ，出血をもたらす病態である．小児ではウイルス感染後に，成人では薬剤投与後に生じやすい．組織学的には，血管壁および周囲には好中球・好酸球が浸潤し，壁内にはフィブリノイド壊死や血栓形成をきたし，白血球破砕性血管炎の像を呈する（➡第25章「皮膚・感覚器」，733頁参照）．本症では皮膚の紫斑，腎臓の IgA 腎症とともに消化器症状，関節症状も頻度が高い．

D 血栓性微小血管症 thrombotic microangiopathy（TMA）

毛細血管や微小動脈レベルの血管内皮に傷害が生じることで，血栓形成，溶血性貧血，血小板減少をきたす疾患群である．ここでは代表格である血栓性血小板減少性紫斑性と溶血性尿毒症症候群について述べる．

1 血栓性血小板減少性紫斑病 thrombotic thrombocytopenic purpura（TTP）

ADAMTS13 の先天的欠損あるいは後天的にその活性が低下することによって，血小板の過剰な凝集が引き起こされ，血栓が生じる病態である．正常で ADAMTS13 は，vWF を切断し，適度な大きさの vWF にして止血にはたらく．しかしながら ADAMTS13 の欠損ないしは機能が低下すると，vWF は切断されずに巨大な vWF が形成され，血小板の活性化と血栓傾向にはたらく．臨床的に TTP では血小板減少，微小血管症性溶血性貧血，腎障害，発熱，動揺性精神神経症状を五徴とする症状を呈する．形態的には，血栓によって物理的に赤血球が破壊され，大小不同の赤血球やヘルメットの形状を示す赤血球がみられる（図 10-24）．

2 溶血性尿毒症症候群 hemolytic uremic syndrome（HUS）

HUS では腸管出血性大腸菌 O-157 や赤痢菌感染に伴って産生される **Vero 毒素**により，腎臓の血管内皮が傷害され，vWF の放出とそれに続く血小板の活性化・

血栓形成が生じ，病態が形成される．こうした病態を基盤として HUS では血小板減少，微小血管症性溶血性貧血，腎障害を三徴とする臨床症状が生じる．HUS は TTP と類似し鑑別を要するが，HUS は乳幼児や小児に多く，臨床的に精神神経症状を欠くことが TTP との鑑別の1つとされる．しかしながら，実臨床では両者の鑑別困難な例がみられることも事実である．

❸ 凝固異常

凝固は二次止血の中心をなす止血機構である(→第7章「循環障害」，176頁参照)．

1 ● von Willebrand 病

vWF の量的・質的異常による常染色体顕性遺伝性疾患であり，vWF が減少する Ⅰ 型，まったくない Ⅲ 型，そして vWF 複合体の質的異常を呈する Ⅱ 型の3型に分けられる．vWF 因子は血管内皮傷害に際して，血小板の粘着・凝集にはたらくため，vWF の量的・質的異常のいずれも出血傾向をもたらす．幼少期より鼻出血や皮下出血などを反復する．

2 ● 血友病 hemophilia

血液凝固因子の量的異常に伴う，伴性潜性遺伝形式をとる出血性疾患である．第Ⅷ因子の欠乏による血友病 A と第Ⅸ因子の欠乏に伴う血友病 B の2つが知られている(→詳細は第8章「染色体・遺伝子および発生の異常」，235頁参照)．

3 ● 後天性凝固障害

凝固因子の多くは肝臓で産生されるため，肝硬変などの肝機能障害をきたす病態は後天的な凝固障害を引き起こす．また第Ⅱ(プロトロンビン)，Ⅶ，Ⅸ，Ⅹ因子の合成に必須であるビタミン K の欠乏も凝固障害を引き起こす．DIC は他項参照のこと(→第7章「循環障害」，180頁参照)．

E 骨髄を増殖の場とする腫瘍性疾患

本項では造血細胞を起源とする腫瘍性疾患を扱う．これらには白血球系とともに，赤血球系，巨核球系や一部のリンパ球系の腫瘍性疾患も含まれる．

表 10-6　主な骨髄性腫瘍の病態

	MDS	MPN	AML
成熟性	あり	あり	なし
骨髄	過形成	過形成	過形成
末梢血	血球減少	血球増加	芽球の増加

❶ 概論

骨髄を増殖の場とする腫瘍性疾患の分類は WHO 分類に則っており，骨髄系腫瘍は**骨髄異形成症候群** myelodysplastic syndrome (MDS)，**骨髄増殖性腫瘍** myeloproliferative neoplasm (MPN)，骨髄異形成症候群/骨髄増殖性腫瘍(MDS/MPN)，**急性骨髄性白血病** acute myeloid leukemia (AML)，リンパ系腫瘍は**急性リンパ芽球性白血病** acute lymphoblastic leukemia (ALL) と**慢性リンパ性白血病** chronic lymphocytic leukemia (CLL) が主な病型である．

まず，骨髄を主な増殖の場とする骨髄系腫瘍のうち，MDS，MPN，AML について，骨髄で何がどのように増え，結果としてどのような症状が生じるかを理解することが重要である．いずれの病型も多くの場合，骨髄の腫瘍性疾患であるため，基本的には骨髄内の細胞数が通常より増加し過形成となる(表 10-6)．これらの病型の正常での分化段階の細胞をに示す．

MDS は，造血幹細胞レベルの細胞に染色体・遺伝子異常を有するもので，骨髄幹細胞から分化した造血3系統(赤血球系，白血球系，血小板系)のうち1つないし2以上の系統に異常細胞が出現する．骨髄幹細胞レベルの異常細胞から生じた細胞は，分化能は保たれているものの，アポトーシスの亢進も同時に起こっているため，無効造血により末梢への成熟細胞の供給は低下し血球減少が生じる．

MPN は，造血3系統のうち1系統ないしは複数系統の血球増加を伴う造血幹細胞の腫瘍性病変である．これらの細胞は分化能をもつため，分化した細胞は末梢血中に流れ，1系統以上の血球増加を認める．

AML は，造血3系統のいずれかの分化段階にある芽球の分化がその段階で停止し，異常に増殖する病態である．これらの芽球は骨髄内とともに，末梢血にも出現する．骨髄では正常の造血細胞は芽球の増殖により圧排されるため，末梢血では血球減少を生じる．定義上，芽球の割合は骨髄内あるいは末梢血で20％以上である．

以上，骨髄を基盤とする主な腫瘍性疾患を概説したが，これらの病型は進展とともに，二次的に他の病型に

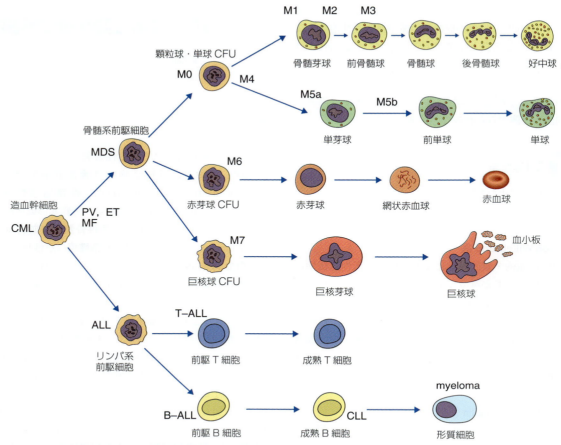

図 10-25　血球分化と造血器腫瘍/白血病の対応細胞の関係
疾患の略称については本文を参照のこと．

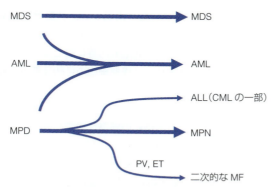

図 10-26　骨髄の腫瘍性疾患の進展の概要
MDS は終生 MDS のままのこともあるが，一部は AML に進展する．MPD の一部は AML に急性転化したり，CML の一部は ALL にも進展する．MPN のうち PV や ET は病勢の進展とともに二次的な MF に移行するものもある．
ALL：急性リンパ芽球性白血病，AML：急性骨髄性白血病，CML：慢性骨髄性白血病，ET：本態性血小板血症，MDS：骨髄異形成症候群，MF：骨髄線維症，MPN：骨髄増殖性腫瘍，PV：真性多血症．

移行する（図 10-26）．MDS は終生 MDS のままで終わる場合もあるが，一部は AML に進展する．MPN も慢性骨髄性白血病（CML）の一部は AML や ALL に進展し，真性多血症（PV）や本態性血小板血症（ET）の一部は AML や二次的な骨髄線維症（MF）に移行することが知られている．詳細は各病型の項を参照してほしい．

Advanced Studies

クローン性造血とは，血液系の腫瘍を発症していない人にみられる，ある特定のゲノムや遺伝子異常を有する造血細胞の集団である．加齢などによって，経年的にゲノム異常や遺伝子変異が生じ，異常なクローンが蓄積していくと考えられており，血液の"しみ"ともいわれる．クローン性造血は血液系腫瘍の前がん病変と考えられており，一定の頻度で白血病やリンパ腫などに進展していく．また近年の解析から，クローン性造血の存在は動脈硬化などの進展にもかかわっていることがわかってきた．

以下，骨髄造血細胞およびリンパ系細胞の腫瘍性病変について述べていくが，いずれも WHO 分類改訂第 4 版に則った記載で，その診断基準もそれによる．分類は

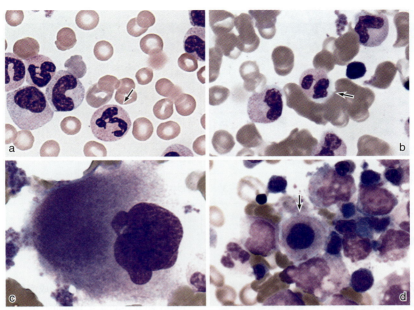

図 10-27　骨髄異形成症候群でみられる異常細胞（骨髄塗抹標本．すべて同じ倍率）
a. 正常の好中球（→）．
b. 2つに分葉したに偽 Pelger 核好中球（→）．
c. 正常の巨核球．
d. 単核の小型巨核球（→）

時代の変化とともに変容し，基準も変わっていく．したがって，細かな基準を知り，それに従って診断していくことは実臨床においては重要であるが，ここでは疾患の概念や分子基盤，臨床病態について主に述べる．

2 骨髄異形成症候群
myelodysplastic syndrome（MDS）

骨髄幹細胞での染色体・遺伝子異常によって腫瘍化した細胞が骨髄で異常増殖し，無効造血によって破壊されるため，末梢では貧血などの1系統以上の血球減少を生じる病態である．MDS にみられる形態異常として次にあげるものは特異性が高く，診断価値が高いとされる．顆粒球系では好中球における分葉の乏しい核である**偽ペルゲル-フェット** Pelger-Huet **核異常**（単に Pelger 核異常ともいう）や顆粒の乏しい脱顆粒好中球などがある（図 10-27）．赤芽球系では**環状鉄芽球**（図 10-17），巨核球系では**小型の巨核球**である微小巨核球の存在は，診断的価値が高い．

MDS を一言で表現すると上述するようにシンプルであるが，実際は"症候群"となっていることからもわかるように，さまざまな原因によって起こる骨髄の腫瘍性病態で，骨髄における芽球や鉄芽球の割合，染色体・遺伝子異常によって6型に分類される（表 10-7）．

MDS の原因としては，原発性/一次性と二次性に分けられ，原発性は原因の特定できないもので，二次性は何らかの原因がわかっているものである．二次性の多くは悪性腫瘍に対して用いた抗がん剤投与（特にアルキル化剤やトポイソメラーゼⅡ阻害剤）や放射線治療で生じたDNA 傷害がもとで損傷したゲノムの異常によって起こる．他にも危険因子として，ベンゼン曝露，ファンコニ Fanconi 貧血，喫煙などがあげられる．

MDS はさまざまな病態を含んでいるため，改訂国際予後スコアリングシステム（IPSS-R）に基づいて，予後予測とともに治療法の選択がなされている．IPSS-R は染色体異常，骨髄芽球の割合（%），ヘモグロビン濃度，血小板数，好中球数の5項目で点数化される．染色体異常も予後良好なもの（11q の欠失など）から非常に予後不良なもの（複雑核型：3つ以上の染色体異常を示すもの）までさまざまである．

a 一系統異形成を伴う骨髄異形成症候群
MDS with single lineage dysplasia（MDS-SLD）

骨髄では1系統の10% 以上の異形成，末梢血では1〜2系統の血球減少がみられる．高齢者に多く，MDS

表10-7 骨髄異形成症候群

疾患名	好発層	頻度(%)	異形成の系統数	鉄芽球*	芽球の数 骨髄/末梢血	その他
一系統異形成を伴う不応性血球減少症 MDS-SLD	高齢者	7～20	1	<15% <5%	<5%/<1%	
多系統の異形成を伴う不応性血球減少症 MDS-MLD	高齢者	30	2～3	<15% <5%	<5%/<1%	
環状鉄芽球を伴う不応性貧血 MDS-RS/RARS	高齢者	10	1～3	≧15% ≧5%	<5%/<1%	SF3B1の遺伝子変異が多い
5q単独欠失を伴う骨髄異形成症候群 MDS with 5q⁻	中年女性	2～3	1～3	問わない	<5%/<1%	5qの欠失
芽球増加を伴う不応性貧血 MDS-EB	高齢者	40	1～3	問わない	5～20%/ 2～20%	芽球の割合によって，MDS-EB1，MDS-EB2に分けられる
分類不能型骨髄異形成症候群 MDS-U		不明	1～3	問わない	<5%/≦1%	

* 下段はSF3B1に遺伝子異常をもつ場合の鉄芽球の割合を示す．

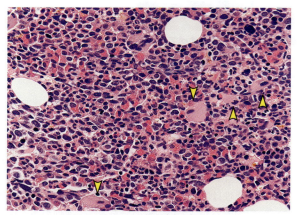

図10-28　骨髄異形成症候群（多系統に異形成をもつ）
過形成性の骨髄で脂肪が乏しい．小型の巨核球がやや目立ち，さらに単核である（▷）．好中球分化もやや乏しくなっている．赤芽球島もはっきりせず，3系統のいずれにも異形成を伴っている．

の7～20%を占める．定義上，芽球の増加や環状鉄芽球の増加はみられない．骨髄は通常過形成で，赤芽球系細胞の増殖がみられるが，無効造血のため末梢血では貧血をもたらす．以前は不応性貧血 refractory anemia と呼ばれていたが，これは最も多い貧血である鉄欠乏性貧血に行われる鉄投与でも改善しないことによる．

b 多系統の異形成を伴う骨髄異形成症候群
MDS with multilineage dysplasia（MDS-MLD）

骨髄では2系統以上の造血細胞に10%以上の異形成を認め，末梢血では無効造血を反映して，2系統以上の血球減少がみられる（図10-28）．

c 環状鉄芽球を伴う骨髄異形成症候群
MDS with ringed sideroblast（MDS-RS）

骨髄中に鉄芽球（図10-17）が15%以上出現することが診断基準となる．

d 芽球増加を伴う骨髄異形成症候群
MDS with excess blast（MDS-EB）

骨髄中の芽球が5%以上，20%未満がこの病型の定義である．芽球の割合が20%以上であると，急性骨髄性白血病に分類される．本病型は芽球の割合が他のMDSに比べて高いことから，AMLへの進展も多く，予後不良である．

e 5q単独欠失を伴う骨髄異形成症候群
MDS with 5q⁻（MDS-5q⁻）

MDSは高齢者に多い病態であるが，本病型は中年の女性に多い．5q⁻の中でも，特に5q33.1に存在する40Sリボソームサブユニットを構成するタンパクをコードする RPS14 遺伝子の欠失が重要視されている．他のMDSと同様，貧血がみられるが，1/3～1/2の症例で血小板増加がみられる．

3 骨髄増殖性腫瘍
myeloproliferative neoplasm（MPN）

骨髄増殖性腫瘍は造血幹細胞に生じた染色体・遺伝子によって，骨髄で多系統の造血細胞が腫瘍性（クローナル）に増殖する病態である．このため骨髄は過形成を示し，これらの細胞は分化し，末梢血にも出現するため，種々の程度に血球増加をもたらす．骨髄が腫瘍性細胞に占拠された結果，骨髄では正常造血が行われず，骨髄に

表 10-8　主な骨髄増殖性腫瘍の特徴

	CML	PV	ET	PMF
骨髄所見	過形成（顆粒球優勢）	過形成（赤芽球優勢）	過形成（巨核球優勢）	過形成＋線維化
脾腫	+++	+	+	+++
染色体・遺伝子異常	Ph^+，t(9;22)(q34;q11)，BCR-ABL	JAK2；95%	JAK2；50%，CALR；30%，MPL；5〜10%	JAK2；50%，CALR；30%，MPL；5〜10%

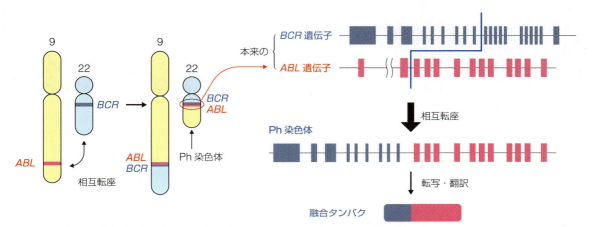

図 10-29　慢性骨髄性白血病の染色体異常とその融合タンパクの形成に至る過程
9番染色体の ABL 遺伝子と 22 番染色体の BCR 遺伝子が相互転座を起こし，9 番染色体の小さな断片が 22 番染色体に転座したほうをフィラデルフィア（Ph）染色体とよび，病因タンパクを産生する．BCR，ABL 遺伝子の厳密な切断点はいくつかのバリエーションがある．

代わって脾臓や肝臓での髄外造血がみられ，これにより脾臓や肝臓は腫大する（肝脾腫 hepatosplenomegaly）．骨髄増殖性腫瘍は，進展とともに急性白血病への進展（急性転化）や骨髄の線維化などをきたし，骨髄不全に移行する．現在，多くの病型で原因遺伝子が特定され，治療薬の開発も進んでいる．

現行の分類では，CML，ET，PV（真性赤血球増加症），原発性骨髄線維症（PMF），慢性好中球性白血病（CNL），慢性好酸球性白血病（CEL），骨髄増殖性腫瘍分類不能型があるが（表 10-8），本章では代表的病型である前 6 者を中心にみていく．いずれの病型も基本的には WHO 分類によって疾患が定義され，診断・治療が行われている．各病型の診断は，臨床検査所見，病理所見，遺伝子・染色体検査の結果からなされる．

1 ● 慢性骨髄性白血病 chronic myeloid leukemia（CML）

CML は多能性幹細胞に生じた染色体異常によって，顆粒球系統を中心とした血球増多を伴う MPN である．本疾患の根幹は t(9;22)(q34;q11) である**フィラデルフィア染色体**（Ph）によって生じた融合遺伝子（キメラ遺伝子）が合成する融合タンパク（キメラタンパク）による腫瘍化である（図 10-29）．相互転座によって，9q34 と 22q11 に位置する ABL 遺伝子と BCR 遺伝子が融合し，新たな融合タンパクが産生される．この融合遺伝子によって生じた融合タンパクは ABL 遺伝子のチロシンキナーゼドメインをもち，多能性幹細胞の腫瘍化に寄与している．図 10-3 に示したように，造血細胞の分化は各種サイトカインを含めた増殖因子により制御されている．一方，BCR-ABL 融合タンパクは増殖因子による制御からはずれるため，腫瘍の根幹にかかわる自己増殖能を獲得することになる．BCR-ABL 融合タンパクは分化を阻害しないため，多能性幹細胞は自律的に増殖し，特に顆粒球を中心とした血球産生が顕著になる．CML は多能性幹細胞の異常で，顆粒球優位の分化を示すが，急性転化を起こした際に AML とともに ALL も生じることから，CML はリンパ球系へも分化することのできる造血幹細胞の異常と考えられている．

CML はその経過として慢性期，進行期，急性転化期（芽球期）からなる．いずれの病理組織像も，骨髄では著明に細胞が増加する過形成性骨髄で，脂肪細胞のみられ

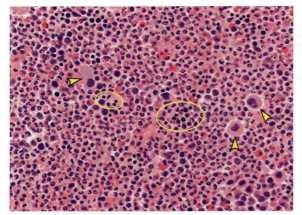

図 10-30　慢性骨髄性白血病
脂肪細胞のみられない細胞髄．巨核球（▷），赤芽球島（黄色円内のN/C比の高い赤芽球の集簇）がみられる．その他の領域では分葉核を有する好中球が広く増生し，好酸球や幼若な顆粒球も散見される．骨髄 HE 染色．

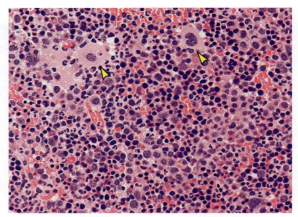

図 10-31　真性多血症
脂肪細胞のみられない細胞髄．幼若な赤芽球系の細胞とやや分化した赤芽球がみられ，その隙間には成熟した分葉核をもつ好中球がみられる．骨髄球系と赤芽球系の比率の違いや分葉核を有する好中球の割合の違いを CML（図 10-30）と比較すると，骨髄球系が少ないことがわかる．巨核球（▷）もみられる．骨髄 HE 染色．

ない細胞髄を示すこともよくある．慢性期の骨髄像では分化した分葉核を主体とする顆粒球の過形成を認める（図 10-30）．末梢血では骨髄で増殖した腫瘍性の分化した白血球や血小板によって，いずれも高値を示し，時に白血球は 10 万/μL，血小板は 100 万/μL を超える．CML は病期の進行とともに芽球が次第に増加し，20％を超えると急性転化（急性白血病への移行）したものとみなされる．急性転化した症例の 70％は AML であるが，30％は B-ALL である

治療は，CML の分子基盤である BCR-ABL 融合タンパクのチロシンキナーゼ活性を阻害するイマチニブによって劇的に変化し，イマチニブの登場以前 70％であった 5 年生存率が 90％となり予後が大きく変わった．しかしながらイマチニブの投与によって寛解に入った患者の一部に再発がみられ，こうしたケースではイマチニブが結合しチロシンキナーゼ活性を抑制する部位に遺伝子変異が加わることで治療抵抗性となることがある．このような例に対しては，第一世代であるイマチニブに代わって，現在では第三世代の BCR-ABL 阻害薬を投与するなどの治療戦略がとられる．

2　真性多血症（真性赤血球増加症）
polycythemia vera（PV）

PV は CML 同様，多能性造血幹細胞のクローナルな疾患で，赤芽球系が増殖の主体であるが，造血 3 系統のいずれもが増加する（図 10-31）．CML との区別が難しい場合もあるが，CML は Ph 染色体の存在によって定義され，PV では Ph 染色体はもたず，*JAK2* 遺伝子の異常によって定義されている．しかしながら *JAK2* 遺伝子の異常は，後述する骨髄線維症や本態性血小板血症でもみられるため，実際は WHO 分類の定める診断基準によって MPN の診断は進められる．

JAK2 遺伝子の変異によってエリスロポエチン受容体 erythropoietin receptor（EPOR）の恒常的活性化が起こり，赤芽球系の自律的増殖の結果，末梢血での赤血球増加がみられる．血清の EPO はネガティブフィードバック機構により低下する．この点は，反応性多血症との鑑別となる．末梢血での赤血球増加により，赤ら顔，四肢の発赤などがみられ，血液の粘稠度が増すことにより高血圧や血栓症や塞栓症が生じ，心筋梗塞，脳梗塞がもたらされることもある．

PV の治療法としては増加した赤血球を含めた血液を捨て去る瀉血や化学療法に加え，PV の病態の根幹である JAK2 の機能阻害を目的とした JAK2 阻害剤投与による分子標的療法も適応され，一定の効果が認められている．

PV は進行すると骨髄の線維化が次第に顕著になり，後述する原発性骨髄線維症に類似した状態になる．また稀ながら一部の分化段階にある芽球の増加をみる急性転化に進み，急性白血病に進展することもある．

3 ● 本態性血小板血症
essential thrombocythemia(ET)

ET は他の MPN 同様に多能性造血幹細胞のクローナルな疾患で，巨核芽球系の増加が主体の骨髄増殖性疾患である．診断基準では末梢血の血小板数は＞45万/μLであるが，100万/μLを超えることも珍しくない．診断基準にもあるように，他の骨髄増殖性疾患を除外する必要があるが，鑑別の難しい場合もある．また血小板増多に伴って，心筋梗塞，脳梗塞など，血栓形成に伴う症状が各臓器でみられることもある．ET では PV でみられる *JAK2* の変異のほかに，*CALR*(calreticulin)や *MPL*(thrombopoietin receptor)の遺伝子変異もみられる(表10-8)．

4 ● 原発性骨髄線維症 primary myelofibrosis(PMF)

PMF も多能性造血幹細胞の腫瘍性増殖を示す MPN の 1 つである(図 10-32)．PV や ET では赤芽球系や巨核球系統の増生に伴う病態から始まるが，PMF では初期から骨髄で線維化が起こることが特徴である．線維化の機序は腫瘍性の巨核球から産生される血小板由来成長因子(PDGF)やトランスフォーミング増殖因子β(TGFβ)によって線維芽細胞が刺激されたことによるもので，二次的な変化である．骨髄での線維化とともに造血能が低下し，肝臓，脾臓などで髄外造血が起こり，肝脾腫が生じる．PMF では ET と同様に *JAK2* の変異のほかに，*CALR* や *MPL* の遺伝子変異がみられる．

5 ● 慢性好中球性白血病
chronic neutrophilic leukemia(CNL)

末梢血の白血球増多(＞2.5万/μL)を伴う骨髄増殖性疾患で Ph 染色体(*BCR-ABL* 融合遺伝子)を認めない骨髄増殖性疾患である．末梢血の白血球の 80％以上が成熟した好中球(分葉核球・桿状核球)で，骨髄芽球や幼若な顆粒球は限定的である．骨髄は過形成性で，一般的に肝脾腫がみられる．

6 ● 慢性好酸球性白血病
chronic eosinophilic leukemia(CEL)

好酸球前駆細胞の腫瘍性増殖に伴う骨髄増殖性疾患である．末梢血では好酸球増加症(＞1,500/μL)がみられ，好酸球が放出するサイトカインにより，多臓器に障害が生じる．

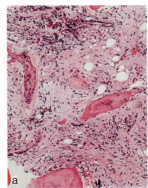

図 10-32　骨髄線維症
a．骨髄 HE 染色では，細胞成分が乏しく周囲に好酸性の間質成分が目立つ．
b．鍍銀染色によって線維が増えていることがわかる．

4 急性骨髄性白血病
acute myeloid leukemia(AML)

AML は種々の段階の幼若な骨髄球系細胞が分化能を停止し，その分化段階の芽球が腫瘍性に増殖した病態である．そのため，骨髄内はもとより末梢血にも異常芽球である白血病細胞が出現する．現在，骨髄あるいは末梢血に異常芽球が 20％以上みられることが AML の基準となっている．現行の WHO 分類では AML の主な病型としては，①頻度の高い遺伝的異常を伴う急性骨髄性白血病，②治療関連急性骨髄性白血病，③ MDS からの進展に伴う急性骨髄性白血病，④非特異性急性骨髄性白血病があげられている．先に述べたように，AML はある特定の分化段階にある芽球の腫瘍性増殖であるため，**FAB**(French-American-British)**分類**をもとに理解するとわかりやすい．FAB 分類は 1976 年にフランス，アメリカ，イギリスの研究者によって提唱された分類で，形態像とともに酵素染色(MPO やエステラーゼ)，細胞表面マーカーなどをもとに骨髄球系 Myeloid(M)では M0-M7 に，リンパ球系 Lymphoid(L)では L1-L3 に分類され，造血細胞の分化段階ともよく相関しているため，現在でも広く用いられている．

A 非特異性急性骨髄性白血病

ここに分類されるものは，①頻度の高い遺伝的異常を伴う急性骨髄性白血病，②治療関連急性骨髄性白血病，③ MDS からの進展に伴う急性骨髄性白血病に入らない AML である．特定の染色体異常・遺伝子異常，治

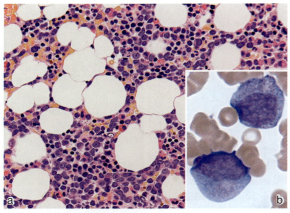
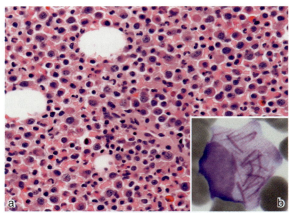

図10-33　急性骨髄性白血病（M2）
a. 年齢からすると脂肪の少ない過形成性の骨髄組織である．核小体の目立つ大型の異型細胞が全体の半分程度の細胞でみられる．骨髄HE染色．
b. 大型の核とともに，細胞質には赤紫色のアズール顆粒がみられる．骨髄スメアギムザ染色．

図10-34　急性前骨髄球性白血病（M3）
a. 脂肪の少ない過形成性の骨髄組織である．大型の核と好酸性の細胞質をもつ前骨髄球が広く増殖している．骨髄HE染色．
b. Auer小体が束状となったファゴット細胞がみられる．骨髄スメアギムザ染色．

療歴などによって除外されたさまざまな病型，病態，遺伝子・染色体異常を有するがここに含まれるため，雑多なカテゴリーとなっている．上述の通りAMLを理解するうえで，分化段階と相関したFAB分類を理解することは全体像を把握には便利であるため，まずは非特異性急性骨髄性白血病の説明をする（図10-25）．

a M0（分化傾向のみられないAML）

増殖する芽球は未熟な骨髄芽球で，成熟した前骨髄球以降の分化段階にある骨髄系細胞への分化は明らかでない．通常はFCMや免疫組織化学染色で未分化マーカー（CD34, KIT）の発現がみられるが，骨髄系統への分化を示すMPO産生はほとんどみられないため，酵素抗体法でも分化傾向ははっきりしない．

b M1（成熟のみられないAML）

成熟した前骨髄球以降の分化段階にある細胞が10％未満であるもので，AMLの15％程度を占める．一部の芽球は分化しているため，その部分ではMPO産生がみられる．**アズール顆粒**がみられる細胞も存在する．

c M2（成熟したAML）

成熟した前骨髄球以降の分化段階にある細胞が10％以上を占めるもので，AMLの30〜40％程度を占める（図10-33）．アズール顆粒とともに半数程度で**アウエル小体** Auer bodyが出現する．Auer小体はアズール顆粒が融合し，棒状ないしは針状を呈した細胞質内の封入体である．「頻度の高い遺伝的異常を伴う急性骨髄性白血病」のうち，t(8;21)(q22;q22)の転座をもつものの多くはM2に相当する．

d M3〔前骨髄球性白血病 acute promyelocytic leukemia（APL）〕

前骨髄球の形態を示す細胞が増殖の主体である．前骨髄球は形態的には粗大なアズール顆粒を有し，Auer小体とともにこれらが束状になったファゴット細胞がみられる（図10-34）．M3はAMLの10％程度を占め，M3と診断される90％以上は t(15;17)(q22;q12)転座をもつ．この転座をもつものは「頻度の高い遺伝的異常を伴う急性骨髄性白血病」に分類され，後述する．

e M4〔急性骨髄単球性白血病 acute myelomonocytic leukemia（AMMoL）〕

骨髄球系と単球系の双方への分化を示す急性白血病である．末梢血では単球増加がみられ，髄外への白血病細胞の浸潤がしばしばみられる．エステラーゼ染色には特異的エステラーゼ染色と非特異的エステラーゼ染色があり，前者は顆粒球系に，後者は単球系に陽性となる．本例では両者への分化を反映し，特異的エステラーゼ染色と非特異的エステラーゼ染色に陽性となる白血病細胞の集団が存在する．骨髄の20％以上に好中球とその前駆細胞を認めるとともに20％以上に単球とその前駆細胞がみられることが定義とされる．単球分化を示す細胞ではCD68, CD163など表面マーカーが陽性となる．

f M5〔急性単芽球／単球性白血病 acute monoblastic/monocytic leukemia（AMoL）〕

単球分化を示す急性白血病で，AML全体の5％程度である．末梢血あるいは骨髄中に20％以上の芽球を認めることは他の急性白血病同様であるが，M5では80％

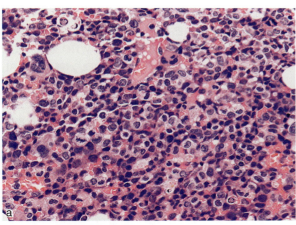
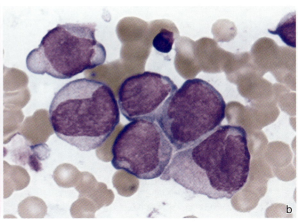

図 10-35　急性単球性白血病(M5)
a．脂肪の少ない過形成性の骨髄組織である．大型の核と明るい細胞質を伴った白血病細胞が広く増殖している．骨髄 HE 染色．
b．核に切れ込みのある芽球の増加がみられ，細胞質にアズール顆粒はほとんどみられない．骨髄スメアギムザ染色．

以上が単球系(単芽球，前単球，単球)からなる．単球分化の程度によって未熟型(M5a)と成熟型(M5b)に分けられる．単球系の細胞は，豊かな細胞質と核の切れ込みをもつ(図 10-35)．M5 の白血病細胞の主体は単球系であるため，非特異的エステラーゼ染色に陽性となり，単球分化を示す表面マーカーである CD68，CD163 が陽性となる．M5 は組織浸潤傾向が高く，皮膚，歯肉，中枢神経系に特に浸潤しやすい．

g M6〔赤芽球性白血病 pure erythroid leukemia(PEL)〕

未熟な赤芽球が増殖する急性白血病で，AML の 2％程度とされる．骨髄の 80％を超える細胞が赤芽球で，30％以上が前赤芽球と定義される．同義語として急性赤芽球性白血病 acute erythroid leukemia，赤白血病 erythroleukemia などがある．赤芽球系のマーカーである CD71，スペクトリン，E-カドヘリンなどが芽球に陽性なる．高度な貧血がみられ，予後はきわめて悪い．

h M7〔急性巨核芽球性白血病 acute megakaryocytic leukemia(AMKL)〕

主として巨核球系への分化を示す急性白血病で，AML の 1～2％程度と考えられる．特定の染色体異常〔inv(3)，t(3;3)〕や Down 症に合併するものも M7 の形態を示すが，前者は頻度の高い遺伝的異常を伴う急性骨髄性白血病に，後者は Down 症に関連した骨髄増殖症に分類される．診断基準は AML の定義である芽球が ＞20％かつ巨核球分化＞50％が診断要件となる．巨核球系のマーカーである CD41，CD42b，CD61 が芽球に陽性となる．

Advanced Studies

B 頻度の高い遺伝的異常を伴う急性骨髄性白血病

この項では，頻度の高い遺伝子異常を伴う AML について扱うが，以下の 3 つの AML はいずれも FAB 分類のある特定のタイプに相当する．このことは，生じた遺伝子異常がある特定の分化段階での白血病発生に重要な役割を果たしているといえる．

a t(8;21)(q22;q22)；RUNX1-RUNX1T1 を伴う AML

この型は FAB 分類の M2 に相当するものが多い．RUNX1 は正常の造血細胞の分化に重要で，この転座によって生じる融合タンパクは，RUNX1 が本来の機能を阻害し，分化の停止と腫瘍化にはたらくと考えられている．

b inv(16)(p13.1q22) あるいは t(16;16)(p13.1;q22)；CBFβ-MYH11 を伴う AML(異常好酸球増多を伴う)

この型は FAB 分類の M4 でも好酸球増多を伴う M4e(M4 with eosinophilia)に多い．CBFB の遺伝子産物である CBFβ は RUNX1 と協調し造血細胞の分化にはたらくが，inv(16)によって生じる融合タンパク(CBFB-MYH11)は RUNX1 の機能を阻害し，白血病発生にはたらくと考えられている．

c t(15;17)(q22;q21)；PML-RARA を伴う APL

この病型は，以前は FAB 分類の M3 に属していたが，現行の WHO 分類では「頻度の高い遺伝的異常を伴う急性骨髄性白血病」に分類されている．t(15;17)(q22;q21)の転座によって生じる PML-RARα 融合タンパクは正常の RARα の機能を阻害することで，白血病細胞の分化を前骨髄球の段階で止め腫瘍化に働いていると考えられている．白血病細胞はビタミン A の誘導体である全トランス型レチノイン酸 all-trans retinoic acid(ATRA)によって好中球へと分化する．このように特定の化合物によって分化の停止した腫瘍細胞を成熟・分化に導く治療は，分化誘導療法と呼ばれ，APL における ATRA の投与はその先駆けである．APL の 70〜80％では DIC が生じる脳内出血が大きな問題となっていたが，ATRA 投与によって白血病細胞が好中球に分化し，その寿命を迎えるとともに DIC も防がれる．

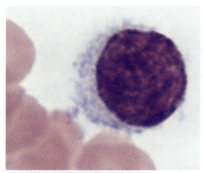

図 10-36 有毛細胞白血病
中央のリンパ球の周囲には毛が生えたような突起がみられる．末梢血ギムザ染色．

C 治療関連骨髄性腫瘍
therapy-related myeloid neoplasms (tMN)

　この病型は，先行する腫瘍に対して化学療法や放射線療法を施行された患者に二次性に起こる骨髄性腫瘍で，AML 全体の 10〜20% を占める．抗がん剤は，特にアルキル化剤やトポイソメラーゼ阻害剤などである．骨髄性腫瘍となっているのは，骨髄中や末梢血中での芽球の割合によって MDS, AML, MPN に分けられるからである．先行する腫瘍は，固形癌，血液系腫瘍がそれぞれ 70%，30% で，乳癌と Hodgkin リンパ腫がそれぞれの群の上位に位置する．治療関連 AML (tAML) の 90% は，治療関連でない AML と同様の遺伝子異常を伴うが，tAML のほうが予後不良で，その理由はわかっていない．

5 急性リンパ芽球性白血病
acute lymphoblastic leukemia (ALL)

　ALL は未熟な分化段階にあるリンパ芽球が骨髄で増殖し，末梢に出現する病態である．急性白血病の 30% を占め，増殖能が非常に高く，悪性度の高い腫瘍である．主に小児や若年成人に生じる．リンパ球には B 細胞，T 細胞と NK 細胞があり，ALL にもそれぞれの細胞系統に対応する B-ALL, T-ALL, NK-ALL がある．ALL の 85% は B-ALL, 15% が T-ALL で，NK-ALL はきわめてまれである．ALL とリンパ芽球性リンパ腫 lymphoblastic lymphoma (LBL) はともに未熟な分化段階にあるリンパ芽球が増殖する病態であるが，ALL は増殖の主体が骨髄で，末梢血中に芽球が出現する白血病であるのに対し，LBL は髄外で腫瘍を形成する病態である．定義上は骨髄中の芽球が 25% 以上で ALL となるが，両者はともに未熟な分化段階にあるリンパ芽球の増殖する病態であることに変わりなく，WHO 分類では急性リンパ芽球性白血病/リンパ芽球性リンパ腫 ALL/LBL とまとめられている．

　形態的に ALL の腫瘍細胞は N/C 比の高い芽球で，小型リンパ球よりもやや大きい．ALL は未熟な分化段階にあるリンパ球からなる腫瘍であるため，免疫グロブリン遺伝子や T 細胞受容体の遺伝子再構成にかかわるタンパクである**ターミナルデオキシヌクレオチジルトランスフェラーゼ (TdT)** の発現がみられ，リンパ球の未熟な性格を表している．

　B-ALL の多くは白血化し，髄外に腫瘍を形成するリンパ腫型が少ないのに対し，T-ALL/LBL は白血化する T-ALL に加えて，髄外に腫瘍を形成するリンパ腫型の T-LBL が多く，特に縦隔（胸腺）で多くみられる．これは T 細胞が骨髄を出たあと，胸腺で分化・成熟するためと考えられる．

6 慢性リンパ性白血病/小リンパ球性リンパ腫 chronic lymphocytic leukemia/small lymphocytic lymphoma (CLL/SLL)

　本疾患は，分化成熟した小型の B リンパ球の腫瘍性疾患で，高齢者に多い．また欧米に多いが，わが国では少ない．CLL/SLL となっているのは，増殖する細胞の形態や表面マーカーなどが同じであるが，CLL は骨髄で増殖する白血病型の病態をとるのに対し，SLL はリンパ節などの髄外で増殖するリンパ腫としての病像を示すからである．したがって症状も CLL はほかの白血病同様，骨髄占拠性の病変であるため，進行すると貧血や血小板減少，易感染性をきたし，また異常リンパ球の腫瘍性増殖であることから，自己免疫疾患やほかのがんの合併を伴うこともある．慢性という言葉からもわかる通り緩徐な経過をたどり，無症状で経過することもあるが，時に悪性度の高いリンパ腫に形質転換することもある．

Advanced Studies

　CLL は成熟小型リンパ球の単クローン性増殖で，末梢血でこれらの腫瘍細胞が増加し（>5,000 個/dL），細胞表面マーカーである CD5 と CD23 がともに陽性となることによって診断される．しかしながら，CLL の遺伝子異常の背景は多様で，TP53 の異常や表面マーカーである ZAP70, CD38 などの発現が予後不良因子となっている．

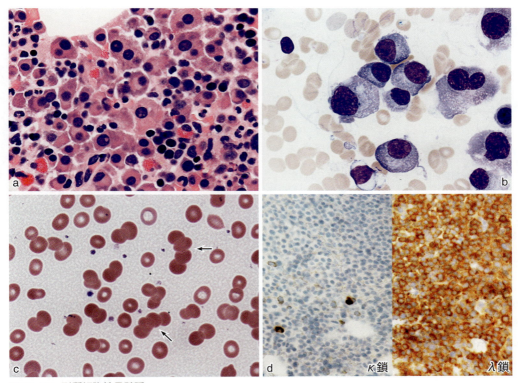

図 10-37　形質細胞性骨髄腫
a. 偏在核を伴った形質細胞が広く増殖する像がみられ，大小不同も目立つ．骨髄 HE 染色．
b. 形質細胞の増生がみられ，2 核の細胞もみられる．骨髄スメアギムザ染色．
c. 骨髄腫細胞によって産生された免疫グロブリンによって血液の粘稠性が増し，赤血球の連銭形成（→）がみられる．末梢血スメアギムザ染色．
d. 免疫グロブリンの軽鎖（κ，λ）に対する免疫組織化学染色によって，増殖する形質細胞の大部分が λ 鎖のみを発現し，単クローン性増殖であることがわかる．

7 ヘアリー（有毛）細胞白血病
hairy cell leukemia

まれな成熟 B 細胞性白血病で，腫瘍細胞はメモリー B 細胞由来と考えられている．疾患名の通り，形態的に白血病細胞の表面に毛が生えたように突起を出している（図 10-36）．悪性黒色腫，肺癌，大腸癌などで知られている BRAF 遺伝子の 600 番目のアミノ酸であるバリン Val(V) がグルタミン酸 Gln(E) に変異する（BRAF V600E と表記される）のが特徴で，この遺伝子変異が他の白血病やリンパ腫との鑑別に重要である．

8 形質細胞腫瘍 plasma cell neoplasms

形質細胞腫瘍は B 細胞の最終分化段階である形質細胞の腫瘍で（図 10-25），高齢者に多い．骨髄を増殖の場とし，多発性に病変を形成する形質細胞性骨髄腫 plasma cell myeloma（多発性骨髄腫，図 10-37）と骨髄や髄外で限局性に増殖する形質細胞腫 plasmacytoma に分けられる．骨髄に広く腫瘍性に形質細胞が増殖していても，骨髄細胞全体に占める単クローン性の形質細胞の割合が 10% 未満であれば意義不明の**単クローン性γグロブリン血症** monoclonal gamma globulinemia（MGUS）と呼ばれる．MGUS は形質細胞性骨髄腫の前駆病変で，1 年で 1% の確率で形質細胞性骨髄腫に進展する．

多発性骨髄腫ではさまざまな症状が生じる（図 10-38）．単クローン性に形質細胞が増殖するため，これらの形質細胞からは同じ単クローン性の抗体（**M タンパク**とよばれる免疫グロブリン）が産生され，血中や尿中に分泌される．血清や尿の電気泳導で M タンパクが検出され，これは多発性骨髄腫の診断に用いられる（M は当初 Myeloma に由来していたが，現在は Monoclonal の意味で用いられる）．M タンパクは IgG や IgA が多いが，免疫グロブリンの軽鎖のみからなる Bence-Jones

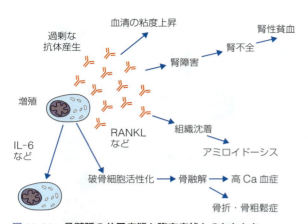

図 10-38　骨髄腫の分子病態と臨床症状とのかかわり
骨髄腫細胞は自身が分泌する IL-6 により，オートクリン・パラクリン作用により，腫瘍の増殖効果を促す．また骨髄腫細胞が産生する免疫グロブリンにより種々の病態をもたらす．

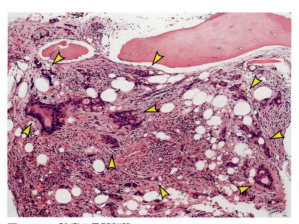

図 10-39　肺癌の骨髄転移
腺管構造を呈した多数の腫瘍細胞(▷)が骨髄内で増殖している．このため，既存の造血巣は圧排され，わずかにみられる程度である．

タンパクと呼ばれる異常な免疫グロブリンを産生する骨髄腫もある．血清Mタンパクの産生によって血清の粘性が増し，過粘稠症候群と呼ばれる病態を生じる．粘性が増すことで赤血球の連銭形成 rouleaux formation（図10-37）や赤沈の亢進がみられる．Bence-Jones タンパクは分子量が小さいため糸球体で濾過されやすく，尿細管内で尿円柱を形成し，尿細管障害を起こす．これを骨髄腫腎と呼ぶ．また軽鎖が全身の組織に沈着するとアミロイドーシスを生じ，骨髄腫全体の約15%にみられる．

骨髄腫細胞は RANKL などのタンパクを産生し，破骨細胞に作用して骨融解をもたらし，骨折などを生じる．また融解した骨から Ca が遊離するため高 Ca 血症となる．骨髄は骨髄腫細胞に占拠されるため汎血球減少をきたす．

F　その他の骨髄病変

ここでは造血細胞そのものの異常以外で生じる骨髄の病変について述べる．

感染症による骨髄病変として知っておくべきものは結核である．骨髄結核は脊椎カリエスとも呼ばれ，以前のように結核の治療法がない時代ではまれではなかった．現在，結核の治療法は確立されているが，高齢者や免疫能の低下した状態では陳旧性結核が再活性化し，時に骨髄結核をみることある．組織学的には乾酪壊死を伴う類上皮細胞肉芽腫の形成が特徴である．

肉芽腫を形成する疾患としてサルコイドーシスも重要である．本疾患は原因不明で，病理組織学的にも壊死を伴なわない類上皮細胞肉芽腫を形成するのが特徴である．

がんの転移による骨髄性病変も重要で，貧血をはじめとした骨髄占拠性病変による症状を生じる（図10-39）．

慢性消耗性疾患（低栄養，感染症，悪性腫瘍など）は成人の造血障害の原因として最も多い．しばしば汎血球減少を示し，骨髄では脂肪細胞の変性と粘液性物質の沈着を伴う膠様髄 gelatinous marrow を示す（図10-40）．

アミロイドーシスに伴って骨髄にアミロイド沈着を認めることがある．骨髄腫に伴うものや他の原因の全身性アミロイドーシスが主な原因で，骨髄間質や血管壁にアミロイド沈着を認める．

G　脾臓

A　正常の構造と機能

脾臓は成人で平均120g程度の臓器で（図10-41），主な機能は，循環血液に対する免疫装置と循環する老廃血球を補足し，処理することである．肉眼的に割面において，1mmに満たない白色の結節が点在している（図10-42）．これが白脾髄で，組織学的にはリンパ組織に相当する．白脾髄の周囲は赤色調（ホルマリン固定を行うと黒褐色調）を呈し，これが赤脾髄である．赤脾髄は脾索と静脈洞から構成され，赤血球が脾索から静脈洞に移動する際に，老廃した赤血球は通過できずにマクロ

血液・造血器—G. 脾臓 319

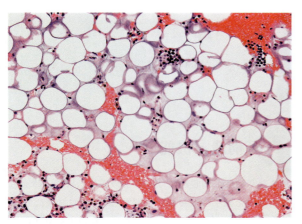

図 10-40 骨髄の膠様変性
造血細胞のほとんどみられない脂肪髄で，脂肪細胞周囲に脂肪変性に伴う沈着物がみられる．本例は膵癌術後に汎血球減少を認め，骨髄生検が行われた．

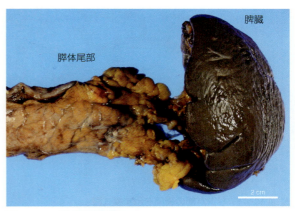

図 10-41 脾臓の肉眼像
膵尾部に隣接して脾臓がみられる．

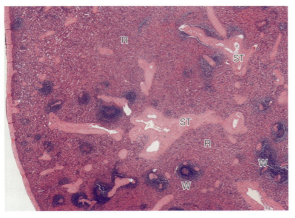

図 10-42 脾臓の組織像
表面を被膜（C）に覆われた脾臓がみられ，脾臓の骨格ともいえる脾柱（ST）とその内部を張り巡らされている．脾柱内部には脾動静脈の走行がみられ，脾柱からでた血管は脾髄に入る．脾髄には青味の強いリンパ球の集簇巣からなる白脾髄（W，肉眼的に白くみえることからこのように呼ばれる）とそれ以外の赤い領域が赤脾髄（R）からなる．脾柱から出た血液は脾動脈から中心動脈への分かれ，白脾髄に接して走行し，体循環の免疫装置としての役割を果たす．ここから次に血流は赤脾髄に流れ，赤血球は脾索から脾洞に移行する際に血液の濾過機能を得て，体循環に戻る．

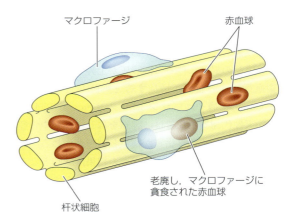

図 10-43 赤脾髄の微細構造
脾洞周囲の脾索を流れる赤血球は杆状細胞と呼ばれる血管内皮細胞の隙間を通って再び体循環に戻るが，老廃した赤血球は柔軟性を欠くためこの隙間を通過できず，マクロファージによって貪食される．

ファージにより貪食される（図 10-43）．

B 先天異常

　脾臓の先天異常として，脾臓の形成されない無脾 asplenia，2個以上の脾臓を認める**多脾** polysplenia，脾門部や膵尾部付近に1個ないしは複数の数 cm 大までの脾臓組織を認める**副脾** accessory spleen がある．無脾や多脾は種々の先天奇形に伴ってみられる．

C 脾の萎縮と腫大

　脾臓は先に述べたように成人では120 g 程度であるが，加齢とともに萎縮し，高齢者では1/2程度にまでなる．病的な脾萎縮は鎌状赤血球症や本態性血小板血症などでみられる．

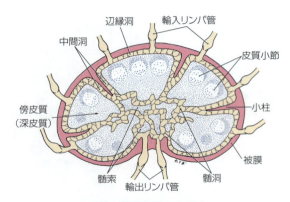

図 10-44 リンパ節の構築を示す模式図
〔岩永敏彦, 他：標準組織学 各論 第6版. p42, 医学書院, 2021〕

脾臓が腫大した病態は**脾腫** splenomegaly あるいは巨脾とよばれる. 脾腫の原因はさまざまであるが, 主なものとしては門脈圧亢進症, 感染症, 代謝異常症, 全身の炎症性疾患, 血液疾患などがある. 肝硬変などでは肝内の血管構築の異常に伴って門脈圧が上昇し, 脾臓などの側副血行路への血流が増加すると脾腫が生じる. ゴーシェ Gaucher 病やニーマン-ピック Niemann-Pick 病などの先天性代謝異常症では, 脾臓をはじめ肝臓や骨髄などの臓器にスフィンゴ脂質が蓄積し脾腫が生じる. 感染症では免疫装置としての機能亢進の結果, 脾腫となる. 血液疾患では, 特に赤血球破壊亢進がもたらされるような病態では脾機能が亢進し脾腫をきたす. また骨髄で本来の正常造血機能が破綻して, 髄外造血が起こった場合でも脾臓は腫大する. なお, 髄外造血は脾臓に限ったものではなく, 骨髄以外で代替的にみられる造血機能のことである.

D 脾臓の腫瘍性疾患

脾臓には脾臓原発の腫瘍と転移や浸潤に伴う腫瘍がみられる. 脾原発の良性腫瘍としては血管腫が最も多い. 一方, 脾原発の悪性腫瘍はリンパ腫が最も多く, 次いで頻度は低いが血管肉腫が多い.

littoral cell 血管腫は赤脾髄の静脈洞内皮細胞に由来する血管腫である. littoral cell は貪食能を有する内皮細胞で, 赤脾髄やリンパ節にみられる.

リンパ節

A 構造・機能

リンパ節は, 肉眼的にはそらまめ様の形状で, 暗赤色調の割面を呈する軟らかい小器官(長径はおおむね1 cm以下)であり, 免疫系臓器に属する. その主な分布部位は頸部全周囲, 四肢付着部, 縦隔, 後腹膜, 腸間膜などであるが, 輸入・輸出リンパ管を介して全身にきめ細かなネットワークを形成している. 総数は数百～千個程度と幅があり, 総重量も 200 g 程度ないし体重の1%前後とされている.

組織学的には, リンパ節は薄い線維性の被膜に包まれ, 実質とリンパ洞(辺縁洞 → 中間洞 → 髄洞というリンパ液流を伴う)からなる(図 10-44). リンパ節の実質は皮質, 傍皮質(深皮質), 髄質の3つに分けられ, 被膜直下の皮質にはB細胞の密な集簇巣である類円形のリンパ濾胞(皮質小節)が多数みられ, それらはリンパ濾胞樹状細胞によって骨格が形成されている. リンパ濾胞は一次濾胞(抗原刺激を受けていない小型B細胞のみからなる)と二次濾胞〔抗原刺激を受けて形成される胚中心とその周囲の暗殻(マントル層)からなる〕の2種類に区別される. 胚中心では特定の抗原と親和性の高い遺伝子再構成を示すリンパ球が選択(それ以外はアポトーシスで除去)され, 胚中心の外でメモリーB細胞や免疫グロブリンを産生する形質細胞へと分化する. 暗殻は小リンパ球の集簇巣からなり, その外側に濾胞辺縁帯がみられることがある(図 10-45). 傍皮質には主にT細胞が密在しており, 髄索からなる門部付近の髄質には多数の形質細胞が存在してリンパ節における抗体産生部位となっている.

血管系については門部から動脈が入り, 傍皮質において細動脈 → 毛細血管 → 高内皮細静脈(後毛細血管細静脈) → 細静脈となって門部から出る. その中で, 高内皮細静脈は静脈血中に入ったリンパ球が再びリンパ節内に遊出するための再循環経路になっている.

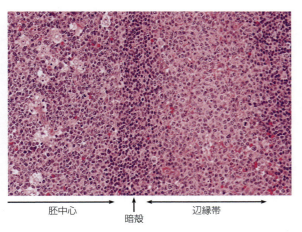

胚中心　暗殻　辺縁帯

図 10-45　トキソプラズマリンパ節炎の際にリンパ濾胞の外側にみられる辺縁帯

B　リンパ節腫脹

　リンパ節はきわめて多様な抗原に対する免疫反応の場である．それによって生体を防御する機構の一翼を担っているが，遂にその結果として，時に病的な腫脹*をきたすことがある．その原因となる抗原が病原体の場合はリンパ節炎と表現し，それ以外（内因性抗原や非自己物質）の場合はリンパ節症として区別することが多い．

　リンパ節の腫脹は，一般的に画像上で直径 10 mm 以上になった場合を指すが，それ未満の大きさであっても球状になってコロッとした腫瘤として触知される場合も含められる．リンパ腫（悪性リンパ腫）の場合，リンパ節や節外性病変の腫脹がかなり目立つことがあり，特に最大径が 5〜10 cm 以上の腫瘤や胸郭との横径比が 1/3 以上の胸腔内腫瘤はかさばり病変 bulky mass と称される．また，鼠径部のリンパ節は骨盤内や下肢の感染の影響を受けやすいので，同部のリンパ節腫大は必ずしも真の病状を反映しないこともある．

　腫脹したリンパ節の組織像は基本的に①リンパ濾胞の増生，②傍皮質や髄質の拡張，③リンパ洞の拡張と洞内の組織球増生である．しかしながら，それらが単独で生じることは少なく，病因となる抗原によって異なり，さまざまな程度に混在した像を呈する．

　表 10-9 にリンパ節腫脹をきたす疾患をまとめた．以

---

*大きさが増すことを意味する「腫大」とおおむね同義だが「腫脹」のほうが病的な意味がより強まる．

表 10-9　リンパ節腫脹（成因と病態による分類）

非腫瘍性腫脹
① 反応性
　1）感染性（リンパ節炎）
　　病原体の直接感染
　　・非特異的（化膿性を含む）：ブドウ球菌などの細菌だが不明のことが多い
　　・特異的：肉芽腫性（サルコイドーシス，ネコひっかき病，結核，非結核性抗酸菌症，梅毒，エルシニア感染症，ハンセン Hansen 病，トキソプラズマ症，野兎病，鼠径リンパ肉芽腫症など）
　　免疫応答
　　・ウイルス性（EBV/伝染性単核球症，サイトメガロウイルス感染症，麻疹，風疹，帯状疱疹，水痘，HIV 感染症など）
　　その他
　　・組織球性壊死性リンパ節炎（菊池-藤本病）[*1] など
　2）非感染性の反応性（リンパ節症）
　　膠原病（全身性自己免疫疾患）
　　・関節リウマチ，全身性エリテマトーデス，皮膚筋炎など
　　薬剤・環境因子
　　・抗てんかん薬，抗菌薬，ベリリウム曝露など
　　その他
　　・皮膚病性リンパ節症，ロサイ-ドルフマン Rosai-Dorfman 病，血球貪食症候群，人工補綴物，入れ墨など
② 蓄積性：脂質代謝異常，アミロイドーシスなど
③ その他：IgG4 関連疾患，迷入（唾液腺や甲状腺，乳腺などの正常上皮，子宮内膜，色素性母斑），vascular transformation of sinuses

境界病変
　孤在性キャッスルマン Castleman 病，多中心性 Castleman 病，クロウ-深瀬 Crow-Fukase 症候群（POEMS 症候群，高月病，PEP 症候群と同義），progressively transformed germinal centers など

腫瘍性腫脹
① リンパ節原発性腫瘍
　悪性リンパ腫，各種の樹状細胞腫瘍，組織球腫瘍など
② リンパ節への浸潤
　形質細胞腫[*2] や白血病[*2]
③ 転移性腫瘍
　癌腫・肉腫（造血器系以外の悪性腫瘍）

[*1] 病原体は同定されていないが，臨床症状や組織像などから感染性の可能性が高いとした．
[*2] リンパ節原発もありうる．非リンパ球系白血病が固形腫瘍として初発する場合は骨髄球肉腫ないし単球肉腫と呼ばれる．

下にその主な項目について記載する．日常的に，非腫瘍性腫脹においては非特異的なリンパ節炎が最も多く，次いでサルコイドーシスや組織球性壊死性リンパ節炎，皮膚病性リンパ節症，膠原病や IgG4 関連疾患などに伴う腫脹をみることがあるが，それら以外は概してまれである．一方，腫瘍性腫脹に関しては，臨床的にみられやすいがんのリンパ節転移を除けば，診断目的で生検された検体の大半を占めるのはリンパ腫である．また，時に原

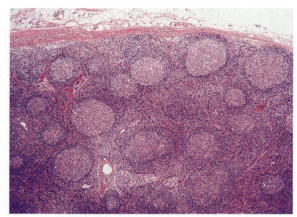

図 10-46 反応性リンパ節
リンパ濾胞(類円形構造)の過形成.

発巣が特定されていないリンパ節への転移性腫瘍が，リンパ腫との鑑別目的で生検されることもある．

A 非特異的リンパ節炎 non-specific lymphadenitis

急性の非特異的リンパ節炎は細菌感染によって起こる急性炎症であり，リンパ濾胞の増生や胚中心の腫大がみられやすい(図10-46)．化膿菌が直接感染して実質に多数の好中球浸潤や膿瘍の形成を認めると，化膿性リンパ節炎と呼ばれる．慢性化すると傍皮質領域の拡張とともに，免疫芽球や形質細胞などの反応がみられ，高内皮細静脈が目立つようになり，被膜は線維性に肥厚して硬度が増す．

B 肉芽腫性リンパ節炎 granulomatous lymphadenitis （特異的リンパ節炎と同義）

肉芽腫性リンパ節炎は，類上皮細胞(時に多核巨細胞を混じる)による肉芽腫を形成することが大きな特徴であり，一般の慢性増殖炎と区別される．その種類は表10-9に示すが，特徴的なものとして，虫垂炎と酷似する臨床症状を呈するエルシニアによる腸間膜リンパ節炎や，小さな肉芽腫形成とリンパ濾胞増生，辺縁帯における単球様B細胞反応が特徴的なトキソプラズマ症にみられるリンパ節炎(図10-45)などがあげられる．

C 伝染性単核球症 infectious mononucleosis (IM)

【概念，臨床像】

Epstein-Barr virus(EBV)による急性感染症であり，幼少時に不顕性感染の既往がない思春期・青年期の若年者において，唾液を介して感染・発症する．臨床的には，発熱，咽頭痛，リンパ節腫脹を三徴とするが，末梢血中に異型リンパ球(細胞傷害性T細胞やNK細胞natural killer cell)の出現をみることも特徴的であり，また半数程度に肝脾腫がみられる．診断の確定には臨床症状に加えて，EBV関連の血清学的検査(特に初感染を示すIgMの高値)が重要である．本症は数週間で自然に軽快するが，まれに遷延化して慢性活動性EBV感染症に移行し，予後不良の転帰をとる(時に劇的な経過で死に至る)ことがある．

【病理形態像】

組織学的には，リンパ濾胞の胚中心の腫大や傍皮質の拡張がみられ，中にしばしば中等大型〜大型のリンパ球や免疫芽球が混在し，EBV陽性細胞はEBV-encoded RNA(EBER)の in situ hybridization によって確認できる．ただ，しばしば悪性リンパ腫との鑑別が困難な組織像を呈することがあるため，臨床的に本症が疑われる場合，リンパ節生検は避けたほうがよい．

Advanced Studies

サイトメガロウイルスでも類似した臨床症状を示すことがあるため，EBVとともに「単核球症症候群 IM syndrome」としてまとめることがあり，EBV関連はその6割程度を占める．さらに，それらよりかなり低頻度ではあるものの，HHV6やHIVの感染症，トキソプラズマ症でも同様の臨床症状をきたすことがあるが，その場合は「単核球症様症候群 IM-like syndrome」として区別される．

D 薬剤アレルギーに続発するリンパ節症 lymphadenopathy secondary to drug-induced hypersensitivity syndrome

【概念，臨床像】

薬剤アレルギーによって惹起されるリンパ節腫脹であり，頻度の高い原因薬剤は抗てんかん薬(フェニトイン，カルバマゼピン，フェノバルビタールなど)や抗菌薬(ミノサイクリン，ペニシリン，サルファ剤など)である．臨床的には皮疹，発熱，全身リンパ節腫脹および好酸球増多症が出現する．

【病理形態像】

組織学的には，リンパ節に多彩な炎症細胞浸潤と高内皮細静脈の増生がみられ，リンパ濾胞は一般に萎縮して

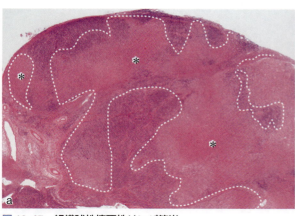
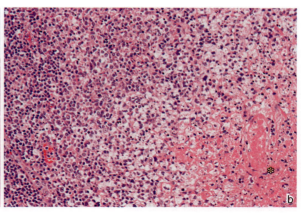

図 10-47　組織球性壊死性リンパ節炎
a. リンパ節の大枠は保たれているものの，実質には地図状に広がる好酸性の"壊死巣"（白点線で囲んだ＊の領域）が認められる．
b. 左端に正常部がみられるが，その右側からいわゆる"壊死巣"が広がっており，病勢が強い場合には右端のような凝固壊死（好酸性）（❋）をみることもある．

いる．時に血管免疫芽球性 T 細胞リンパ腫（→334 頁参照）と鑑別が困難なこともある．

E 膠原病に伴うリンパ節症
collagen disease-related lymphadenopathy

関節リウマチや全身性エリテマトーデスなどの膠原病患者はしばしばリンパ節腫脹を認める．組織学的には，さまざまな程度にリンパ濾胞や傍皮質の拡張が認められ，後者ではヘマトキシリンに強染する沈着物（ヘマトキシリン体）がみられることがある．また，いずれにおいても悪性リンパ腫が続発することがあり，特にメトトレキサートで治療を受けた関節リウマチ患者でホジキン Hodgkin リンパ腫や B 細胞性リンパ腫（いずれも EBV 陽性のことが多い）を発症することがある．

F 組織球性壊死性リンパ節炎 histiocytic necrotizing lymphadenitis（菊池-藤本病）

【概念，臨床像】
壊死性リンパ節炎，菊池-藤本病と同義である．原因不明ながらも何らかの感染の可能性もうかがわれる反応性疾患であり，若年者（やや女性優位）に好発する．臨床的には感冒様症状の不明熱とリンパ節腫脹（主に頸部だがまれに全身性），白血球減少を主徴とする．治療は対症療法であり，概して予後良好なものの，時に遷延化する．

【病理形態像】
組織学的には，特徴的な壊死像が地図状にみられることが特徴である（図 10-47a）．その壊死像はアポトーシス相当の核崩壊物とそれを貪食する組織球，大型のリンパ球からなるが，基本的に顆粒球は混ざらない．時に多数の泡沫細胞や凝固壊死のような強い壊死像を示すこともある（図 10-47b）．

G 皮膚病性リンパ節症
dermatopathic lymphadenopathy

【概念，臨床像】
さまざまな良性ないし悪性の慢性皮膚疾患（アトピー性を含む剝離性ないし湿疹など）の際，その下流域に存在する表在リンパ節が腫脹することがある．

【病理形態像】
組織学的には，傍皮質領域の淡明な結節性病変を多数認めることが特徴的であり（図 10-48a），同病変には組織球，ランゲルハンス細胞あるいは指状嵌入細胞の増生がみられ，組織球の細胞質には褐色のメラニン色素をみることが多い（図 10-48b）．

H IgG4 関連疾患 IgG4-related disorder

【概念，臨床像】
血清高 IgG4 血症（135 mg/dL 以上）を認め，単一または全身複数の臓器にびまん性ないし限局性の腫脹・腫瘤形成・壁肥厚を認めるという本態不明の疾患である．罹

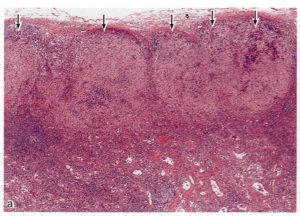
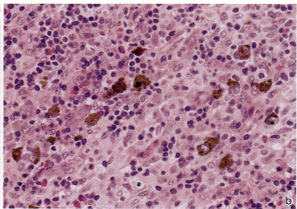

図 10-48　皮膚病性リンパ節症
a. 被膜直下に淡明な結節性病変（→）を多数認める．
b. a における結節性病変部（左半分）の近傍（右半分）には褐色色素（メラニン相当の色素）を貪食した組織球が多数みられる．

患臓器は下垂体，膵臓，胆管，涙腺，唾液腺，中枢神経，甲状腺，肺，肝臓，消化管，腎臓，前立腺，後腹膜，皮膚，乳腺，リンパ節と，かなり多彩である．ステロイドへの反応性が良好である．

【病理形態像】

組織学的には，時にリンパ濾胞の形成を伴って，リンパ球や高度の IgG4 陽性形質細胞浸潤と線維化，閉塞性静脈炎がみられるが，リンパ節の場合は血管病変が目立たないこともある．IgG4 陽性形質細胞については，多クローン性で IgG 陽性細胞との比が 40％以上であり，かつ顕微鏡の高倍率視野で 10 個以上の IgG4 陽性形質細胞が存在することが診断確定のための条件となる．

I 孤在性キャッスルマン病 Castleman disease

【概念，臨床像】

Castleman リンパ腫や巨大リンパ節過形成 giant lymph node hyperplasia と同義である．硝子血管型 hyaline-vascular type（HV 型）と形質細胞型 plasma-cell type（PC 型）があり，いずれも縦隔や腹腔内などに孤立性の腫瘤性病変を形成する．成因は不明である．基本的に全身症状は伴わないが，PC 型のごく一部は次項に示す多中心性 Castleman 病の初期像を見ている可能性もありうる．年齢的には 20〜60 歳代に好発する．通常は外科的切除によって治癒する．

【病理形態像】

組織学的に HV 型では萎縮性の胚中心を有する多数のリンパ濾胞がみられ，暗殻のリンパ球は同心円状に配列する像（図 10-49a）や壁の硝子化した血管が胚中心部に向かう像を特徴とする（図 10-49b）．PC 型はリンパ濾胞の増生とともに，それらの間の形質細胞の著しい反応を特徴とする（図 10-50）．しかし，両者の組織像が多少とも共存することもあり，まれには混合型または移行型とせざるをえないこともある．

J 多中心性キャッスルマン病
multicentric Castleman disease

【概念，臨床像】

PC 型の孤在性 Castleman 病と同様の組織像を示すリンパ節病変が全身性にみられる疾患である．ただ，孤在性と大きく異なり，臨床的に発熱や浮腫，肝脾腫，白血球減少，高 IL-6 値などの全身症状を伴うなど，進行性である．免疫系に異常のある患者においては HHV8 が関与して生じることが多く，また，Crow-Fukase 症候群と密接な関係がある．年齢的にも，孤在性よりも高い 50〜60 歳代に好発する．さらに，リンパ腫（Hodgkin リンパ腫や B 細胞性ないし T 細胞性リンパ腫）に移行することもまれでない．

【病理形態像】

組織学的には，PC 型の孤在性 Castleman 病に類似した像を呈するが，HV 型の像を一部にみることもある．HHV8 陽性症例においては同ウイルス陽性の B リンパ球を暗殻に認める．

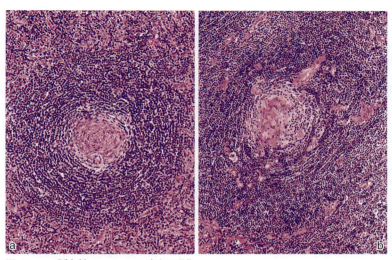

図 10-49　孤在性 Castleman 病（HV 型）
a. 萎縮性の胚中心を同心円状に取り囲むように小リンパ球が配列している．
b. 胚中心に入り込む，やや硬化した壁を有する動脈がみられる．

K リンパ腫 lymphoma
（悪性リンパ腫 malignant lymphoma）

【概念，定義】

　リンパ腫（悪性リンパ腫）とは，全種類のリンパ球〔未熟ないし成熟過程のリンパ球（B 細胞，T 細胞，NK 細胞）〕を発生母地（正常対応細胞）とする固形腫瘍の総称である．リンパ節などの造血器のみならず，全身の諸臓器・部位に発生し，時に白血化することもある．「良性リンパ腫」という疾患名はない．

　ちなみに，同様の腫瘍細胞が骨髄血や末梢血を主体として増殖する場合は急性または慢性のリンパ球性白血病であり，双方の経過中に腫瘍細胞が固形化（腫瘤を形成）することがあるが，それをリンパ腫とは呼ばない．また，最終分化段階である形質細胞由来の腫瘍は形質細胞腫瘍と総称される．

　一般的に，代表的な造血器悪性腫瘍は白血病（リンパ球以外の骨髄球/単球由来も含む），リンパ腫，骨髄腫の 3 種類であり，割合はそれぞれ約 24 %，60 %，16 %（2008 年の罹患率から算出）と，リンパ腫が半分以上を占めている．

　リンパ腫の腫瘍細胞が原発臓器・部位から他の遠隔臓器・部位に及ぶ場合，「転移」という用語は使われず，「浸潤」ないし「involvement」と表現される．それはどのような亜型であってもリンパ腫は白血病と同じ全身性疾患だからであり，その点が他の固形腫瘍と大きく異なる概念である．

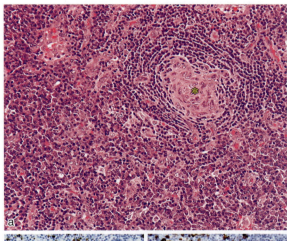

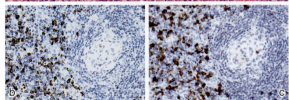

図 10-50　孤在性 Castleman 病（PC 型）
a. リンパ濾胞（❋）の左下に形質細胞が充満している．
b, c. 免疫組織化学的に免疫グロブリン κ 鎖陽性形質細胞（b）と λ 鎖陽性形質細胞（c）が混在しているため，腫瘍性増殖ではないことがわかる．

【疫学】

　2019 年の全国推定罹患率は人口 10 万人あたり男性 31.4 人，女性 26.8 人（男女計 29.0 人）であり，全国推計値としての年間新規発症数は男性 19,311 人，女性

表10-10 リンパ腫の亜型分類における各種基準

① 発症臓器・部位
  ・リンパ節原発(節性)nodal(50数%)
  ・リンパ節以外の臓器原発(節外性)extranodal(40数%)
    中枢神経，眼窩，鼻腔，口腔，扁桃，唾液腺，甲状腺，消化管，乳腺，脾臓，肝臓，副腎，精巣，卵巣，皮膚，軟部組織，骨など
② 発症年代
  ・加齢性
  ・成人
  ・小児
③ 病理組織学的所見や生物学的特性
  ・ホジキンリンパ腫 Hodgkin lymphoma(約4%)
  ・非ホジキンリンパ腫 non-Hodgkin lymphoma(90数%)
    附記） a. 増殖様式
              濾胞性，結節形成性，びまん性
           b. 腫瘍細胞の大きさ
              小細胞型，大細胞型，未分化大細胞型
           c. 背景の所見(Hodgkinリンパ腫のみ)
              リンパ球優位，硬化，混合細胞，リンパ球豊富，リンパ球減少
④ 腫瘍細胞の分化段階
  ・前駆(未熟)リンパ球(3〜5%)
  ・成熟リンパ球(90数%)
⑤ 腫瘍細胞の免疫学的表現型
  ・B細胞性(70数%)
  ・T細胞性(20%弱)
  ・NK細胞性(数%)
⑥ ウイルスの関与
  ・HTLV-Ⅰ関連(3%程度：非感染地域，12%程度：九州などの感染地域)
  ・EBV関連(1〜3%)

括弧内はわが国における頻度を示す．

17,325人(計36,638人)である．最近の精密な調査では，人口10万人あたり男性18.8人，女性16.8人(男女計17.8人)という罹患率になっている．

かつてわが国のリンパ腫の頻度は米国〔1年間の罹患率(2005〜2009年平均)：男性23.3人，女性16.2人〕よりかなり低いとされていた．しかしながら，近年，わが国においてもがんの登録事業が進み，現在は両者間に極端に大きな差はない．ただ，その亜型の頻度に関しては異なり，わが国ではEBV関連の鼻型NK/T細胞リンパ腫や成人T細胞白血病/リンパ腫の発生頻度が欧米に比して高く，逆に欧米では慢性リンパ性白血病/小リンパ球性リンパ腫や濾胞性リンパ腫，Hodgkinリンパ腫の発生頻度が高い．また発生部位に関しても，わが国では節外性リンパ腫が比較的多いのに対し，米国では節性リンパ腫が多い傾向にある．

【亜型分類の方法】
リンパ腫を分類する基準はいくつかあり，それらを表10-10に示す．現在，国際的に用いられている2017年発行のWorld Health Organization(WHO)分類(改訂第4版，表10-11)ではリンパ腫だけではなく，白血病や形質細胞腫瘍を包括したリンパ球系腫瘍全体を，表10-10の各項目に臨床病態，腫瘍細胞の正常対応細胞，染色体分析，遺伝子解析などの情報を加味して総合的に体系化している．その結果，表10-11に示すように，細かなものまで含めると90近い項目数があり，ほかの腫瘍に比べてかなり多い．

【病理診断とそれに至るための検索方法】
前項のような多岐にわたる背景があるため，次の3点が他臓器・部位の疾患とは異なる大きな特徴としてあげられる．
① リンパ腫の診断や治療は血液内科が主体ながら，疑診や生検施行を含めればどの臨床科の医師でも何らかの形でかかわりうる状況にある．
② リンパ腫の病理組織学的診断や亜型分類の確定は，一般的に概して煩雑かつ難しい．
③ そのため，リンパ腫疑いで生検された組織の病理診断は，肉眼観察に加えて光学顕微鏡による組織学的観察という形態像がその基盤にあるものの，WHO分類の理念に基づいて表10-12に示すような多角的な解析の併用が求められるようになってきている．

上記③のなかで，病理組織学的観察と免疫組織化学はホルマリン固定組織で対応するが，それら以外では原則として未固定(生)組織が必要である．

リンパ腫の組織(図10-51)は癌腫と異なって概してより軟らかく，肉眼的に未固定の割面は癌腫に比して透明感のあるみずみずしさを有している(図10-51b, c)．ただ，線維成分が多い亜型(特にHodgkinリンパ腫の結節硬化型)では白色調となり，硬度も増してくる(図10-51d)．

免疫学的表現型検索とは，抗原抗体反応という免疫現象を応用してタンパク質レベルで腫瘍細胞の特性を見いだすことであり，現在，フローサイトメトリーと免疫組織化学の双方を併用する方法が一般化しつつある．前者は蛍光標識した液中浮遊細胞の陽性シグナルを専用機器でデジタル化・図式(二次元展開図)化する方法であり(図10-52)，後者はパラフィン切片上で可視化した陽性像を光学顕微鏡で観察する方法である(図10-53)．検索対象となる主な抗原を表10-13に示すが，基本的にB細胞性，T細胞性，NK細胞性のリンパ腫細胞は，それぞれの正常対応細胞と共通の抗原を発現する．しかしながら，腫瘍細胞という特性上，共通する抗原の1つな

表 10-11　リンパ球系腫瘍

前駆リンパ球系腫瘍
1. B 細胞リンパ芽球性白血病/リンパ腫，非特定型
2. 反復性遺伝子異常をもつ前駆 B 細胞リンパ芽球性白血病/リンパ腫
    - BCR-ABL
    - MLL rearranged
    - TEL-AML1
    - hyperdiploidy
    - hypodiploidy
    - IL3-IgH
    - E2A-PBX1
3. T 細胞リンパ芽球性白血病/リンパ腫

成熟 B 細胞腫瘍
1. 慢性リンパ性白血病/小リンパ球性リンパ腫
2. B 細胞前リンパ球性白血病
3. 脾 B 細胞辺縁帯リンパ腫
4. 有毛細胞白血病
5. 脾臓リンパ腫/白血病，分類不能型
    - びまん性赤脾髄小細胞型 B 細胞リンパ腫
    - 有毛細胞白血病亜型
6. リンパ形質細胞性リンパ腫
    - ワルデンシュトレーム・マクログロブリン血症
7. 重鎖病
    - α鎖　・γ鎖　・μ鎖
8. 形質細胞腫瘍
    - 意義不明の単クローン性γグロブリン血症
    - 形質細胞骨髄腫
    - 骨の孤立性形質細胞腫
    - 骨外性形質細胞腫
    - 単クローン性免疫グロブリン沈着病
9. 粘膜関連リンパ組織型節外性辺縁帯 B 細胞リンパ腫（MALT リンパ腫）　455 頁
10. 濾胞辺縁帯 B 細胞リンパ腫
    - 小児節性辺縁帯 B 細胞リンパ腫
11. 濾胞性リンパ腫
    - 小児型濾胞性リンパ腫
    - 腸管原発濾胞性リンパ腫
    - その他の節外性濾胞性リンパ腫
    - in situ 濾胞性リンパ腫
12. 皮膚原発濾胞中心リンパ腫
13. マントル細胞リンパ腫
14. びまん性大細胞型 B 細胞リンパ腫，非特定型
15. T 細胞/組織球豊富型大細胞型 B 細胞リンパ腫
16. 中枢神経原発びまん性大細胞型 B 細胞リンパ腫
17. 皮膚原発びまん性大細胞型 B 細胞リンパ腫，下肢型
18. EBV 陽性びまん性大細胞型 B 細胞リンパ腫，非特異型
19. EBV 陽性粘膜皮膚潰瘍
20. 慢性炎症に伴うびまん性大細胞型 B 細胞リンパ腫
21. リンパ腫様肉芽腫症
22. 前縦隔（胸腺）原発大細胞型 B 細胞リンパ腫
23. 血管内大細胞型 B 細胞リンパ腫
24. ALK 陽性びまん性大細胞型 B 細胞リンパ腫
25. 形質芽細胞性リンパ腫
26. HHV-8 関連キャッスルマン病に発生する大細胞型 B 細胞リンパ腫
27. 浸出液原発リンパ腫
28. バーキットリンパ腫
29. B 細胞リンパ腫，分類不能型：びまん性大細胞型 B 細胞リンパ腫とバーキットリンパ腫の中間型
30. B 細胞リンパ腫，分類不能型：びまん性大細胞型 B 細胞リンパ腫と古典的ホジキンリンパ腫の中間型

成熟 T 細胞および NK 細胞腫瘍
1. T 細胞前リンパ球性白血病
2. T 細胞大顆粒リンパ球性白血病
3. NK 細胞慢性リンパ増殖異常症
4. アグレッシブ NK/T 細胞性白血病/リンパ腫
5. 小児 EBV 陽性 T リンパ球増殖性疾患
    - 小児期全身性 EBV 陽性 T 細胞リンパ球増殖異常症
    - 種痘様水疱症類似リンパ腫
6. 成人 T 細胞白血病/リンパ腫
7. 節外性鼻型 NK/T 細胞リンパ腫
8. 腸管症関連 T 細胞リンパ腫
9. 単形性上皮向性腸管 T 細胞リンパ腫
10. 肝脾 T 細胞リンパ腫
11. 皮下脂肪組織炎様 T 細胞リンパ腫
12. 菌状息肉症　753 頁
13. セザリー症候群
14. 原発性皮膚 CD30 陽性 T 細胞リンパ増殖異常症
    - リンパ腫様丘疹症
    - 皮膚原発未分化大細胞型リンパ腫
15. 皮膚原発末梢性 T 細胞リンパ腫，まれな準疾患単位
    - 原発性皮膚γδT 細胞リンパ腫
    - 原発性皮膚 CD8 陽性アグレッシブ表皮向性細胞傷害性 T 細胞リンパ腫
    - 原発性皮膚 CD4 陽性小/中 T 細胞リンパ腫
16. 末梢性 T 細胞リンパ腫，非特定型
17. 血管免疫芽球性 T 細胞リンパ腫
18. 濾胞性 T 細胞リンパ腫
19. 未分化大細胞リンパ腫，ALK 陽性
20. 未分化大細胞リンパ腫，ALK 陰性
21. 豊胸術関連未分化大細胞リンパ腫

ホジキンリンパ腫
1. 結節性リンパ球優位型ホジキンリンパ腫
2. 古典的ホジキンリンパ腫
    - 結節性硬化型古典的ホジキンリンパ腫
    - リンパ球豊富型古典的ホジキンリンパ腫
    - 混合細胞型古典的ホジキンリンパ腫
    - リンパ球減少型古典的ホジキンリンパ腫

免疫不全関連リンパ増殖異常症
1. 原発性免疫異常症に関連するリンパ増殖症
2. HIV 感染関連リンパ腫
3. 移植後リンパ増殖異常症
4. 他の医原性免疫不全関連リンパ増殖異常症

本章で説明されている亜型を青字で，他項で記載されている亜型は参照頁を青字で示した．
〔WHO 分類 改訂第 4 版．2017 より〕

表 10-12 リンパ腫疑い症例の生検組織で推奨される検索内容

① 病理学的観察
　・肉眼的観察（図 10-49）
　・組織学的観察
② 免疫学的表現型検索
　・フローサイトメトリー（図 10-50）
　・免疫組織化学（図 10-51）
③ 染色体分析
　・G（Giemsa）分染法（図 10-52）
　・fluorescence in situ hybridization（FISH）法（図 10-53）
④ 遺伝子解析
　サザンブロット法：IgH, TCRβ鎖, HTLV-I, EBV（図 10-54, 55）
　PCR：IgH, TCRβ鎖, 結核菌・非結核性抗酸菌・HHV8 などの病原体

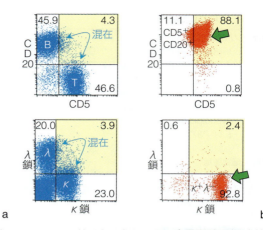

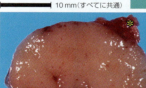 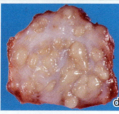

図 10-52 フローサイトメトリーの二次元展開図（反応性病変の場合は黄色部分の象限に有意な群がみられない）：1つの dot は細胞1個に相当する

a. 反応性リンパ節症例：構成している細胞は上図では CD5 陽性（CD20 陰性）T 系細胞群（T）と CD20 陽性（CD5 陰性）B 系細胞群（B）がおおむね同程度の割合で混在性，すなわち反応性パターンであること，同下図では免疫グロブリン軽鎖において，κ鎖陽性群（κ）とλ鎖陽性群（λ）で，前者がやや多めなものの混在性，すなわち反応性パターンであることがわかる．
b. CD5 陽性のびまん性大細胞型 B 細胞リンパ腫症例：上図では CD5 と CD20 がともに陽性という，反応性リンパ節症例ではみられない異常細胞群（➡）が出現している．また，反応性リンパ節でみられた反応性のT，B両群がほとんど認められない．しかも，同下図ではκ陽性細胞群側に大きく偏っている（＝light chain restriction が存在する：➡）ため B 細胞性の腫瘍であることが確定できる．

図 10-51 腫脹リンパ節の割面像（✽は脂肪組織で多少とも出血が加わっている）

a. 反応性リンパ節腫脹：3個の反応性リンパ節．全体に暗赤色調であるが一部はやや乳白色を示す．
b. 濾胞性リンパ腫：径1mm 程度までの濾胞様構造が肉眼的にも観察可能．
c. びまん性大細胞型 B 細胞リンパ腫：いわゆる"ホタテの貝柱"様の光沢・透明感とみずみずしさを呈する．
d. 結節硬化型古典的 Hodgkin リンパ腫：白色調の束状線維による乳白色の結節（細胞成分に富む）形成．

いし複数が欠失したり，他系列の抗原が異常に発現したりすることがあり，逆にそれが腫瘍性であることの根拠にもつながりうる．また，B細胞性については2種類ある免疫グロブリン軽鎖（κ鎖・λ鎖であり，反応性病変ではおおむね 1.5～2：1 程度の割合で混在）のうち，一方に大きく偏れば腫瘍性であることが示唆されることになる（図 10-52）．

染色体分析では，培養で得られる分裂中期像の染色体を，ギムザ染色 Giemsa stain で染め分けられる濃淡のバンドを観察して染色体の構造異常（転座や欠失，付加など）や数的異常（モノソミー monosomy，トリソミー trisomy など）を見いだす方法（G 分染法）が一般的である（図 10-54）．同一の構造異常や数的な獲得異常（トリソミーなど）が2細胞以上にみられる場合，あるいは同一の数的な欠失異常（モノソミー，ただし性染色体は除く）を3細胞以上にみる場合，クローンが存在する，すなわち腫瘍性であると判断する．G 分染法では分裂中期像が得られないと分析できない点が最大の弱点であるが，その場合は目的の遺伝子と相補的配列を有する蛍光標識プローブをハイブリダイゼーションさせて蛍光顕微鏡で検出する手法（fluorescence in situ hybridization：FISH 法）で補い，その結果が亜型分類に寄与することも多い（図 10-55）．悪性リンパ腫にみられやすい相互転座において切断点となる代表的な遺伝子座を表 10-14 に示す．

遺伝子解析は，主に免疫グロブリン重鎖遺伝子とT細胞受容体 T-cell receptor（TCR）β鎖遺伝子のサザンブロット解析が対象となり，通常は3種類の制限酵素を

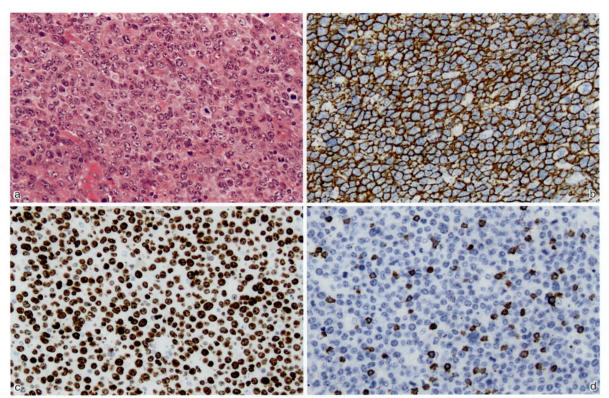

図 10-53　びまん性大細胞型 B 細胞リンパ腫の組織像と免疫組織化学（同倍率）
a．HE 標本．大型のリンパ腫細胞がびまん性に増殖している．
b．リンパ腫細胞の膜に CD20 が陽性を示す．
c．Ki-67/MIB1 が核に陽性（褐色）を示す腫瘍細胞がほとんどを占めることは，それらの増殖能がかなり高いことを示している．
d．混在する CD3 陽性の T 細胞は，反応性のためリンパ腫細胞（b）に比べてかなり小さいことがわかる．

表 10-13　リンパ腫の免疫学的表現型検索で対象となる抗原など

1.	白血球共通抗原	CD45
2.	前駆（未熟）リンパ B/T 球	terminal deoxynucleotidyltransferase（TdT）[#]，CD34
3.	前駆（未熟）T 細胞，Langerhans 組織球	CD1a
4.	前駆（未熟）リンパ B/T 球，胚中心 B 細胞	CD10
5.	B 細胞	CD19，**CD20**，CD22，CD79a[*]，細胞膜の免疫グロブリン（軽鎖・重鎖）
6.	形質細胞	**CD38**，CD138，細胞質内の免疫グロブリン（軽鎖・重鎖）[*]
7.	T 細胞	CD2，**CD3**，CD5，CD7，T 細胞受容体（$\alpha\beta/\gamma\delta$）
8.	T 細胞サブセット	CD4，CD8
9.	NK 細胞	CD56
10.	骨髄球／顆粒球	CD13，CD33，ミエロペルオキシダーゼ[*]
11.	単球／マクロファージ	CD68[*]
12.	濾胞樹状細胞	CD21，CD23，CD35
13.	マントル細胞リンパ腫	cyclinD1[#]
14.	Hodgkin リンパ腫	CD30，CD15 ［EBV[#]］
15.	未分化大細胞リンパ腫	CD30，ALK，上皮性細胞膜抗原（EMA），T 系抗原の一部
16.	細胞周期関連	Ki-67/MIB1（増殖率）[#]

1～12，16 は正常細胞と腫瘍細胞に共通しているが，13～15 は当該亜型の腫瘍細胞に特徴的な発現抗原．
太字は特に重要なものを示す．
[*]細胞質，[#]核に陽性を示す（ほかはすべて細胞膜），［　］内は in situ hybridization による．

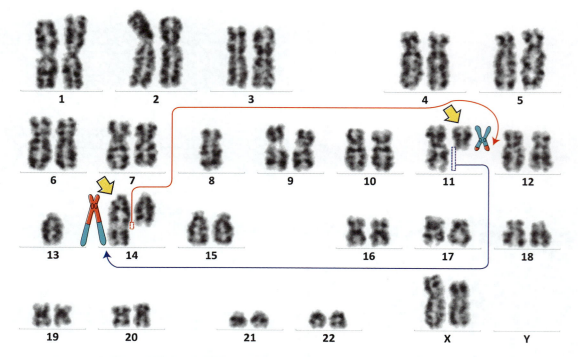

図10-54 マントル細胞リンパ腫の染色体分析（G分染法）結果：46, XX, t(11;14)(q13;q32), −8, −13
⇨が相互転座が生じている異常染色体であることを示している．本来，第11番染色体長腕にあるべき青い部分と第14番染色体長腕にあるべき赤い部分が，異常染色体においてはそれぞれの切断点で分断し，互いに入れ替わっている．また，第8番と第13番染色体の一方が欠失してともにモノソミーとなっている．

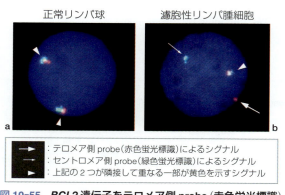

図10-55 *BCL2* 遺伝子をテロメア側 probe（赤色蛍光標識）とセントロメア側 probe（緑色蛍光標識）で反応させた split FISH

a. 正常リンパ球では2本の第18番染色体上にあるそれぞれの *BCL2* 遺伝子が，赤色と緑色の融合シグナル（両者の重なる部分が黄色）として観察される．
b. 濾胞性リンパ腫細胞において，一方は正常と同様の融合シグナルだが，赤色と緑色のシグナルが離れて1個ずつのシグナルとして観察される．これは *BCL2* 遺伝子内で転座を示す分断が生じていることを意味している（ただしこれのみでは転座相手不明）．

用いる（図10-56）．いずれにおいても2つないしすべての制限酵素処理によって有意な再構成バンドが検出された場合，それぞれB細胞性，T細胞性の腫瘍性病変が存在することになる（1種類のみの場合は保留ないし疑い扱い）．同様の方法はpolymerase chain reaction（PCR）でも可能であり，一般的にその感度は高いものの，NK細胞性腫瘍ではいずれにおいても再構成バンドは検出されない．また，EBVやHTLV-Iがclonalであるか否かについてもサザンブロット解析が有用であり（図10-57），結核菌や非結核性抗酸菌などの病原体の検出にPCRを使用することもある．

以下に，リンパ節が病変の主座になりうるリンパ腫のうち，主な亜型（表10-11において青字で示す）を記載する．節外性リンパ腫についてはそれぞれの項目を参照されたい．また，頻度はリンパ腫全体に占める割合（%）として示す．

表 10-14 リンパ腫（成熟リンパ球由来）における染色体転座で切断点となる代表的な遺伝子座

① B 細胞性リンパ腫における免疫グロブリン（Ig）の遺伝子座
  2p11.2   軽鎖：κ
  14q32   重鎖
  22q11   軽鎖：λ

② Ig 以外の遺伝子座，遺伝子名，関連の深い亜型，代表的な転座例

遺伝子座	遺伝子名	関連の深い亜型	代表的な転座例
1p22	BCL10	MALT リンパ腫	t(1;14)(p22;q32)
2p23	ALK	未分化大細胞リンパ腫*	t(2;5)(p23;q35)
3q27	BCL6	びまん性大細胞型 B 細胞リンパ腫	t(3;14)(q27;q32)
8q24	c-MYC	Burkitt リンパ腫	t(8;14)(q24;q32)
9p13	PAX5	リンパ形質細胞性リンパ腫	t(9;14)(p13;q32)
11q13	CCND1	マントル細胞リンパ腫*	t(11;14)(q13;q32)
18q21.1	MALT1	MALT リンパ腫*	t(14;18)(q32;q21.1)
18q21.3	BCL2	濾胞性リンパ腫	t(14;18)(q32;q21.3)

③ 他の染色体異常
  第 3 番，第 18 番染色体のトリソミー   粘膜関連リンパ組織節外性濾胞辺縁帯リンパ腫
  第 12 番染色体のトリソミー   慢性リンパ球性白血病/小リンパ球性リンパ腫

* 当該染色体異常が認められる場合はそれぞれの亜型分類が確定する．それ以外については比較的頻度が高いものの，亜型分類と 1 対 1 で対応するものではない．

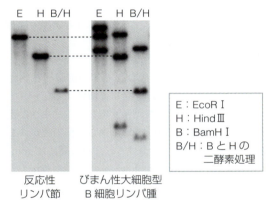

図 10-56 免疫グロブリン重鎖（IgH）遺伝子のサザンブロット解析（ラジオアイソトープ法）

反応性リンパ節（左）においては，それぞれのレーンに germ line configuration としてのバンドを 1 本ずつ認める（それら以外はスメアの状態で感度以下のためバンドとして検出されない）．一方，びまん性大細胞型 B 細胞性リンパ腫（右）では，特定の遺伝子再構成を示す腫瘍細胞がクローン性に増殖しているため，各レーンには germ lines（左図と点線で結ばれているバンド）以外に多数の再構成バンドを認識することができる．すなわち，遺伝子レベルでも B 細胞性の腫瘍性増殖が確定したことになる．

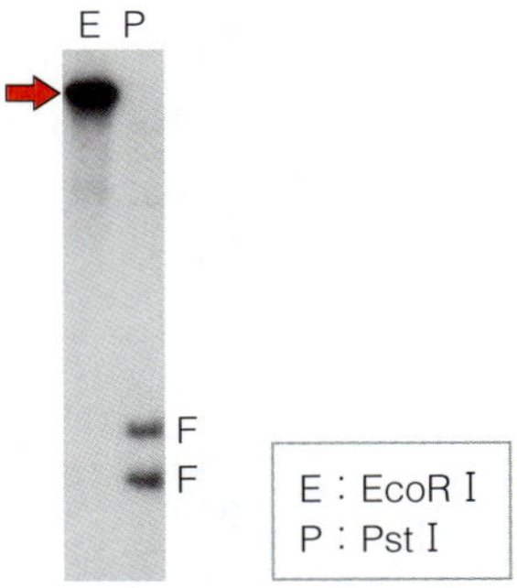

図 10-57 HTLV-I ウイルスに対するプローブによるサザンブロット解析（ラジオアイソトープ法）

HTLV-I の感染（非腫瘍化）状態において，同ウイルスは T 細胞の DNA にランダムに組み込まれている．それゆえ，EcoR I（E）による切断部位をもたない同ウイルスの EcoR I 消化産物は個々の感染細胞によって断片長が異なり，その結果として同ウイルスのサザンブロット解析ではスメア状態となる（感度的にバンドとして検出されない）．ところが 1 つの感染細胞由来の細胞が腫瘍化してモノクローナルに増殖した場合，EcoR I 消化によって一定の断片長をもつ DNA が大量になるため図のようなバンド（➡）として認識されることになる．また，HTLV-I は Pst I（P）では消化されるので，2 本のバンド（F）が検出される．

1 ● 濾胞辺縁帯リンパ腫 marginal zone lymphoma

【概念，臨床像】

リンパ濾胞の最外層に出現することがある濾胞辺縁帯 B 細胞（図 10-45）由来とされる亜型である（頻度：10% 程度）．リンパ節原発 nodal，脾臓原発 splenic，そして粘膜関連組織原発の 3 種類があるが，リンパ節原発のものは後二者に比してまれである．粘膜関連組織原発のものは特に extranodal marginal zone lymphoma of mucosa associated lymphoid tissue type（通称 MALT リンパ腫）と呼ばれるが，それについては関連臓器（消化管，唾液腺，甲状腺，眼，肺，胸腺，皮膚など）を参照されたい．いずれも低悪性度で，予後は比較的良好である．

【病理形態像】

典型例の場合，リンパ濾胞の外層に分布する腫瘍細胞は小型～中型で，細胞質がやや広めで明るいが，概して核異型に乏しいため，形態学的な観察のみでは診断に苦

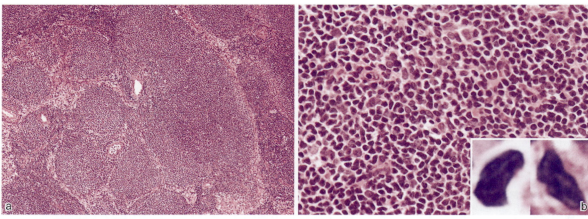

図 10-58　濾胞性リンパ腫 grade1
a. 大小不同の濾胞様構造がみられる．
b. ほとんどを占めている腫瘍細胞は小型で，核にはややくびれがみられる（挿入図：双方の長径は 8μm 程度）．

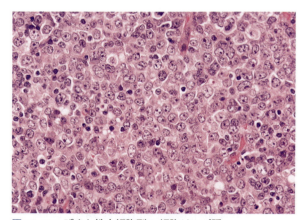

図 10-59　びまん性大細胞型 B 細胞リンパ腫
大型で中心芽細胞様の異型細胞の増殖がみられる．

慮することも少なくない．B 系抗原以外に特徴的な抗原発現はみられないが，しばしば核内偽封入体（ダッチャー Dutcher 小体）や好塩基性細胞質といった形質細胞に分化する傾向を示す．そのような場合には細胞質の免疫グロブリンが陽性となるため，特に軽鎖（κ 鎖・λ 鎖）の偏りを免疫組織化学的に見いだすことによって診断が確定することもある．

2 ● 濾胞性リンパ腫 follicular lymphoma
【概念，臨床像】
　リンパ濾胞の胚中心 B 細胞（図 10-45）由来とされる腫瘍である（頻度：16% 程度）．無症状にて年単位で進行し，リンパ節腫脹のみを初発症状とすることが多いが，初診時で 7〜8 割の症例が全身性腫脹であり，骨髄浸潤が併存することも多い．節外性臓器や部位が原発となることは少ないが，逆に十二指腸原発の大部分は濾胞性リンパ腫である．

【病理形態像】
　腫瘍細胞が濾胞様構造（CD21 などの濾胞樹状細胞の網目状分布で形成される）を呈して増殖する（図 10-58）が，種々の程度でびまん性増殖が混在する．小さな腫瘍細胞がほとんどすべての grade 1 から大型細胞がほとんどを占める grade 3B まで分けられ，その間には grade 2 と grade 3A が入る．grade 1，grade 2 は低悪性度だが，特に grade 3B は臨床的にびまん性大細胞型 B 細胞リンパ腫（後述）に準じて扱われる．腫瘍細胞の多くは B 系抗原のほかに，CD10 や bcl-2 タンパクが陽性であり，前者は正常胚中心細胞と同じだが，後者は正常で陰性なのに比して腫瘍細胞では陽性となるため，診断学的価値が高い．
　本亜型でリンパ腫細胞は 70% 程度の症例で *BCL2* 遺伝子を巻き込む染色体転座がみられ，次いで *BCL6* 遺伝子が多い．

3 ● マントル細胞リンパ腫 mantle cell lymphoma
　リンパ濾胞のマントル層を構成する B 細胞（図 10-45）由来とされる亜型である（頻度：2% 程度）．全身性にリンパ節ないし節外臓器を広く侵し，脾臓や骨髄に浸潤しやすく，白血化もみられることがある．緩慢な経過をたどることも多いが，治療抵抗性で予後が不良な傾向を示すことも少なくない．
　中等大の腫瘍細胞はびまん性あるいは結節性に増殖するが，時に芽球様ないし大小不同の多形性を示す．腫瘍

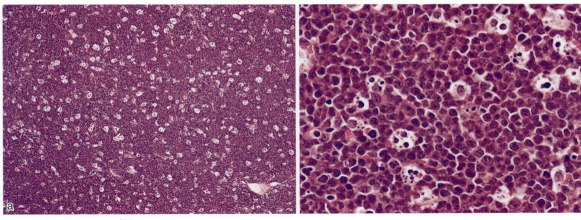

図 10-60　Burkitt リンパ腫
a. starry sky 像を示す.
b. 濃染する核を有する類円形の腫瘍細胞が押し合うような形で接している．明るく抜けてみえる細胞質を有する細胞はマクロファージ（核片を貪食）であり，これがあたかも"星"のようにみえることになる．

細胞は B 系抗原のほかに，汎 T リンパ球系抗原の 1 つである CD5 が陽性である．また，CCND1 遺伝子を巻き込む染色体転座の結果として，腫瘍細胞の核に cyclin D1 タンパクが陽性となる．

4 ● びまん性大細胞型 B 細胞リンパ腫，非特定型
diffuse large B-cell lymphoma, not otherwise specified（NOS）

【概念，臨床像】

全リンパ腫のなかで最も頻度が高い（頻度：38% 程度）．おおむね進行性の経過を示すが，抗 CD20 抗体（リツキシマブ）を加えた化学療法で治癒を期待できるようになった．ただ，B 系抗原以外に CD5（汎 T リンパ球系抗原の 1 つ）が陽性になる症例は予後不良の傾向があり，また染色体の転座様式（特に c-MYC 遺伝子を軸にした BCL2 遺伝子ないし BCL6 遺伝子との dual hit や triple hit）によっては高悪性度とされる．

【病理形態像】

腫瘍細胞はびまん性に増殖し，大型（小型リンパ球の 2 倍以上程度の直径）で中心芽細胞様（図 10-59）・免疫芽球様・未分化細胞様の形態を示すが，それらは混在して観察されることが多い．非特定型とは別にびまん性大細胞型 B 細胞リンパ腫には，T 細胞/組織球豊富型大細胞型 B 細胞リンパ腫，原発性中枢神経系びまん性大細胞型 B 細胞リンパ腫，EBV 陽性びまん性大細胞型 B 細胞リンパ腫，慢性炎症関連びまん性大細胞型 B 細胞リンパ腫，原発性縦隔（胸腺）大細胞型 B 細胞リンパ腫，血管内大細胞型 B 細胞リンパ腫などの独立した entity も存在するが，非特定型はそれらを除外したものである．また，ほかに本亜型を明確に規定する要素が乏しく，前述の遺伝子などを巻き込む染色体転座をみることなどから，非特定型は不均一な型の集合体（wastebasket 的）であるともいえる．

5 ● バーキットリンパ腫 Burkitt lymphoma

【概念，臨床像】

本亜型（頻度：1% 未満）はその発見に関する歴史的な経緯が有名である．1958 年に英国の Burkitt 氏によってはじめて，アフリカの小児に多発する上顎ないし下顎の進行性「肉腫」として地理的・臨床病理学的な報告がなされ，その後リンパ腫の一亜型に分類された．本亜型は臨床病態や EBV の感染，染色体異常などの面から，アフリカやニューギニアに多発する endemic 型と欧米やわが国などにみられる sporadic 型，免疫不全関連型（特に HIV 感染関連）の 3 つに分けられる．EBV の感染率はそれぞれ 90% 超，10 数%，30% 程度である．臨床的にはきわめて進行が速いが，適切な治療によって治癒を期待できる亜型でもある．

【病理形態像】

胚中心暗調部由来とされる腫瘍細胞は単調かつ押し合うような形でびまん性に増殖するが，その中に多数散在するマクロファージ（広めで明るい細胞質には貪食した核片をみる）があたかも深夜の空に輝く星のようにみえるため starry sky（星空）像と呼ばれる（図 10-60a）．腫瘍細胞はほぼ均一な中等大で細胞質に乏しい像を呈し，濃染傾向の強い類円形核には好塩基性の小さな核小体を数

個程度みる(図 10-60b). 多数の核分裂像を伴う. 捺印ギムザ染色標本で, 腫瘍細胞には細胞質内に脂肪空胞(小滴)をみることが特徴的である.

定型的な染色体異常例では c-MYC 遺伝子が巻き込まれ, 免疫グロブリン各遺伝子(重鎖との転座が大部分を占める)との転座の結果, 細胞増殖に関与する c-MYC が活性化される.

6 ● 成人 T 細胞白血病/リンパ腫
adult T-cell leukemia/lymphoma (ATLL)

【概念, 臨床像】

本亜型はヒト T 細胞白血病ウイルス I 型 human T cell leukemia virus type I(HTLV-I)の感染により引き起こされる成熟 T 細胞腫瘍であり, レトロウイルスがその発症にかかわることがヒトではじめて明らかにされた点で注目される.

HTLV-I 感染地域(ほとんどが母乳を介した垂直感染だが性行為による水平感染もある)である九州・沖縄出身の成人に好発する(表 10-10 の⑥)が, 狭い範囲での好発地域は全国各地に点在しており, 感染者数としては首都圏内も少なくない. HTLV-I キャリアからの ATLL 生涯発症率は 5% 程度とされており, 発症年齢の中央値は 65 歳超である. 臨床的にはくすぶり型, 慢性型, 急性型, リンパ腫型の 4 病型があり, 皮膚症状, リンパ節腫脹, 肝脾腫, 高カルシウム血症がみられる. 末梢血液中の白血病細胞は花弁状あるいは分葉状の核を有する細胞(flower cell)である. 急性型やリンパ腫型は予後不良であるが, 近年は抗体療法が開発され, 治療成績の向上が期待されている.

【病理形態像】

腫瘍細胞はびまん性に増殖し, 種々の大きさと形態を示すが, 概して核異型が目立つ傾向にあり, 時にかなり大型の細胞も混在する. 腫瘍細胞は汎 T 系抗原(CD2, CD3, CD5, CD7, TCRαβ)のうち, 1 つないし複数を欠失することが多く, また CD4 陽性が多いが, CD8 が陽性になったり, ともに陽性ないし陰性になったりすることもある. CD25 や HLA-DR を発現することも特徴的である.

腫瘍細胞の DNA には HTLV-I が単クローン性に組み込まれている(clonal integration). 一般的に HTLV-I 感染症で非腫瘍性の段階にある場合, HTLV-I が組み込まれる T 細胞の染色体番号や部位は一定していないが, 腫瘍化すると HTLV-I が同一の遺伝子部位に組み込まれた細胞のみが増殖することになる. そのため, ATLL という診断を確定するためにはサザンブロット解析によって HTLV-I の clonal integration を示すバンドを検出する必要がある(図 10-57).

7 ● 節外性鼻型 NK/T 細胞リンパ腫
extranodal NK/T-cell lymphoma, nasal type

かつて致死性正中肉芽腫 lethal midline granuloma あるいは進行性壊疽性鼻炎 progressive gangrenous rhinitis と呼ばれていた疾患の一部である(頻度:1.5% 程度). 本亜型は EBV が陽性であり, リンパ節や皮膚を巻き込むこともある.

8 ● 末梢性 T 細胞リンパ腫, 非特定型
peripheral T-cell lymphoma, not otherwise specified

どの疾患単位にも分類できない節性・節外性の成熟 T 細胞リンパ腫であり, "wastebasket"的な意味合いが強い(頻度:4.5% 程度). 全身性リンパ節腫脹で発症することが多く, 諸臓器・部位への浸潤を認めやすい. 腫瘍細胞の大部分は CD4 陽性である.

9 ● 血管免疫芽球性 T 細胞リンパ腫
angioimmunoblastic T cell lymphoma

【概念, 臨床像】

本亜型の臨床症状は多彩(発熱, 全身性のリンパ節腫脹, 肝脾腫, 皮疹, 多クローン性高 γ グロブリン血症, 自己抗体, 溶血性貧血, 胸腹水など)であることが特徴である(頻度:1.7%).

【病理形態像】

病理組織学的には, リンパ節構造は消失して, 多彩な炎症細胞浸潤や高内皮細静脈の樹枝状増生, 濾胞樹状細胞の不規則な網目状分布を背景として, 広くて明るい細胞質を有する腫瘍性の異型細胞(pale/clear cell:汎 T リンパ球系抗原以外に CD4 や濾胞性ヘルパー T 細胞抗原が陽性)が孤在性ないし少数集簇する形でみられる(図 10-61). ただ, 時に pale/clear cell は数的にかなり少ないため, 病理診断の確定に苦慮することがあるが, その場合は濾胞樹状細胞の不規則な網目状分布や点在する EBV 陽性細胞, TCRβ 鎖の遺伝子解析などの所見を参考にする.

10 ● 未分化大細胞リンパ腫
anaplastic large cell lymphoma

【概念】

本亜型には染色体 2p23 に存在する anaplastic lym-

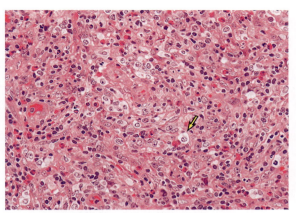

図 10-61　血管免疫芽球性 T 細胞リンパ腫
リンパ球や好酸球などの多彩な炎症性細胞浸潤と血管成分（赤血球が入っている）の増生を背景として，細胞質が広くて明るい異型細胞（pale/clear cell：典型的な 1 細胞に➡を付与）が孤在性または少数集簇して多数混ざっている．

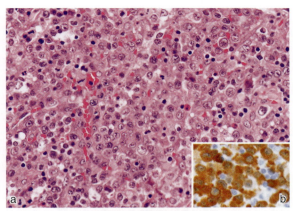

図 10-62　ALK 陽性未分化大細胞型リンパ腫
a．大型で細胞質が広い腫瘍細胞がびまん性に大部分を占めている．
b．ALK タンパクの免疫組織化学で細胞質（強）と核（弱）の双方に陽性像（褐色）を示す．

phoma kinase（ALK）遺伝子の転座が関与して同キメラタンパクが陽性となる ALK 陽性型と ALK 陰性型の 2 つがある（双方合わせた頻度：1％ 程度）．ALK 陽性型のほうが相対的に予後良好である．

【病理形態像】
　腫瘍細胞の形態に特徴がある．かなり大型で豊富な細胞質を有し，核は勾玉様ないし腎形を呈し（図 10-62），未分化癌や黒色腫との鑑別が困難なことがある．最も特徴的な抗原発現は CD30（Hodgkin リンパ腫と共通）であり，次いで上皮性細胞膜抗原 epithelial membrane antigen（EMA）である．T 細胞性リンパ腫ながら汎 T リンパ球系抗原を欠くことが多い．
　ALK 遺伝子は nucleophosmin 遺伝子との転座である t(2;5)(p23;q35) が代表的であるが，それ以外の転座相手も複数ある．

11　ホジキンリンパ腫 Hodgkin lymphoma

　Hodgkin リンパ腫（頻度：4％ 程度）は，悪性リンパ腫のなかで最も長い歴史をもつ亜型である．まず，1832 年 Hodgkin が肉眼的な観察のみ（当時は現在のような組織標本作製技術や複式顕微鏡は存在しなかった）によってリンパ節腫脹と脾腫を伴う 7 症例を報告した．その後の 1865 年に Wilks が Hodgkin 病と命名し，続いて Sternberg（1898 年）と Reed（1902 年）が Hodgkin リンパ腫で観察される，2 核ないし多核の巨大異型細胞の組織学的所見を記載した（リード-ステルンベルグ Reed-Sternberg 細胞）．近年，PCR 解析によってモノクローナルな増殖を示すリンパ球系腫瘍であることが明らかにされたことから，現在は Hodgkin リンパ腫と呼ばれ，結節性リンパ球優位型 Hodgkin リンパ腫（頻度：約 4％）と古典的 Hodgkin リンパ腫 classical Hodgkin lymphoma（CHL，頻度：約 96％）の 2 つに大別される．後者ではしばしば EBV との関連が示唆されている．

a　結節性リンパ球優位型 Hodgkin リンパ腫
　境界不鮮明な結節性病変を示す反応性小リンパ球の中に，ポップコーン様ないしリンパ球優位型細胞〔LP 細胞：以前は L&H（lymphocytic and histiocytic）細胞と呼ばれていた〕と称される，分葉核を有する巨大細胞が散在性に認められる．LP 細胞は CD20 と CD45 が陽性，CD15 と CD30 が陰性であり，それらが CHL と大きく異なる点である．予後は Hodgkin リンパ腫のなかで最もよい．

b　古典的 Hodgkin リンパ腫
　年齢分布は若年者〜中年者層（15〜35 歳）と高齢者層との二峰性を示す．通常は頸部リンパ節に発生することが多く，病変は連続性に進展するのが特徴的であるが，脾臓や肝臓に及ぶこともある．臨床症状（B 症状と呼ばれる）として，発熱（ペル-エプスタイン Pel-Epstein 型），盗汗，体重減少，倦怠感などが出現する．細胞性免疫の異常を伴って感染を合併しやすいこともある．
　組織学的には，特有の Reed-Sternberg（RS）細胞などの出現とさまざまな程度の線維化や壊死を伴い，背景に多彩な炎症細胞浸潤をみることが特徴的であり，浸潤するリンパ球に異型をみないことが診断に必須である．

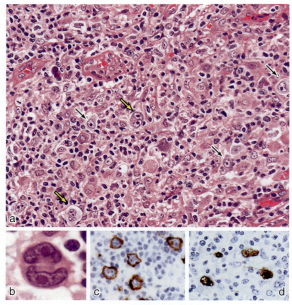

図 10-63　Hodgkin リンパ腫（混合細胞型）
a. 多彩な炎症細胞を背景にして単核のホジキン細胞（→）や多核の Reed-Sternberg 細胞（➡）が孤在性にみられる．
b. 定型的な 2 核の Reed-Sternberg 細胞．
c. CD30 陽性像（褐色：細胞膜）．
d. EBV 陽性像（褐色：核）．

RS 細胞はかなり大型（20〜50 μm 径）で多核（小リンパ球程度の核小体とその周囲の明庭を認め，2 核の場合は鏡面対称像を呈する）であり，診断学的に最も価値が高い．RS 細胞は単核の Hodgkin 細胞と区別されるが，いずれも基本的に CD30 の陽性像が特徴的であり（未分化大細胞型リンパ腫と共通），さまざまな割合で CD15 や EBV が陽性である（図 10-63）．一方，CD45 は陰性であり，CD20 はまれに弱陽性を示す程度である（免疫グロブリンの転写因子である Oct.2 や Bob.1 はいずれかまたは双方が陰性）．そのほとんどは B 細胞性であるが，まれに T 細胞性のこともある．

【結節硬化型】
本型は縦隔リンパ節に原発性に発生することが多く，CHL のなかで最も発生頻度が高い（50% 前後）．組織学的には，線維性に肥厚した結節性病変（図 10-64a）に多彩な炎症細胞がみられ，窩内細胞 lacunar cell（過分葉の不整核と豊富で淡明な細胞質を有する巨細胞）が孤在性ないしやや集簇してみられるが，RS 細胞は少ない（図 10-64b）．

【リンパ球豊富型】
本型（CHL の 5〜10% 程度）は萎縮性の胚中心とかなり肥厚したマントル層からなる結節性病変を示し，後者あるいはびまん性病変の小型リンパ球を背景にして RS 細胞などが散見される．多彩さに乏しく，前出 2 型の初期病変とも考えられている．

【混合細胞型】
本型は CHL のなかで 2 番目に高い頻度である（40〜50% 程度）．多彩な炎症細胞浸潤からなるびまん性病変を背景として RS 細胞などが散在性にみられる（図 10-63）．EBV がほかの型よりも高率に検出される．

【リンパ球減少型】
CHL で最も少ない本型は多数の RS 細胞や多様性を示す単核ないし多核巨細胞のびまん性増殖からなり，背景の細胞が著しく減少している．CHL のなかで最も予後が悪い．

C　組織球関連病変

1　血球貪食症候群 hemophagocytic syndrome（HPS）

骨髄，肝，脾，リンパ節などの全身組織にリンパ球やマクロファージの浸潤を認め，後者において血球貪食像を示す疾患である．原発性と二次性があり，原発性は家族性で，常染色体潜性（劣性）遺伝によると考えられている．二次性の原因にはウイルス（特に EBV）感染や悪性リンパ腫に伴うものが多く，自己免疫疾患でも生じうる．いずれにおいても高サイトカイン血症を介する機序が考えられており，発熱や汎血球減少，肝脾腫などの全身症状をみる（→ 304 頁参照）．

2　組織球肉腫 histiocytic sarcoma

貪食能と抗原提示能の双方を有する成熟組織球由来のまれな腫瘍性増殖疾患である．皮膚や軟部組織などの節外性に発症することが多いが，全身性（リンパ節も巻き込まれることがある）に多発した場合は悪性線維性組織球腫と称されることもある．一般的に進行性かつ治療抵抗性で，予後も不良である．

D　樹状細胞関連病変

貪食能が乏しく抗原提示機能を主とする樹状細胞には濾胞性樹状細胞（リンパ濾胞に存在），指状嵌入細胞 interdigitating cell（IDC：傍皮質に存在），ランゲルハンス細胞 Langerhans cell（LC：粘膜や皮膚に存在）の 3 種

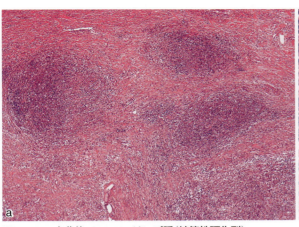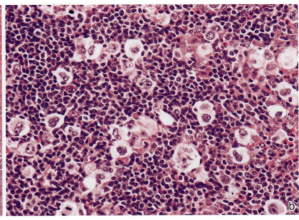

図 10-64 古典的 Hodgkin リンパ腫（結節性硬化型）
a．弱拡大．硝子化した線維成分によって細胞成分が結節状に（丸い島のように）みえる．
b．強拡大．小リンパ球を背景にして腫瘍細胞である窩内細胞 lacunar cell が多数，孤在性ないし少数集簇して認められる．

類がある．そのうちリンパ節に存在する FDC と IDC については，それらに由来するリンパ節原発腫瘍がまれながら存在し，それぞれ FDC sarcoma, IDC sarcoma と呼ばれる．一方，LC はリンパ節に移行して皮膚病性リンパ節症を引き起こし，また LC 由来の増殖性病変であるランゲルハンス細胞組織球症 Langerhans cell histiocytosis にはレッテラー–シーベ Letterer-Siwe 病，ハンド–シュラー–クリスチャン Hand-Schüller-Christian 病，骨の好酸球肉芽腫の 3 型があるが，それらの主座はリンパ節ではないので他項目で取り扱う．

E 転移性腫瘍

リンパ節はリンパ管とともに全身性にきめ細かなネットワークを形成しているが，逆に，そのリンパ流を介することによって全種類の悪性腫瘍（特に癌腫や悪性黒色腫）の転移を受けやすい状況に曝されている．それゆえ，臨床的に原発臓器や腫瘍の種類が確定している場合，通常はリンパ節生検を実施しない．ただ，原発性腫瘍が認識されていない場合や原発腫瘍とは別にリンパ腫の存在が疑われる場合，リンパ節生検がなされる．転移性腫瘍と診断されれば，リンパ節の部位や病理組織像，免疫学的表現型検索，臨床所見などから原発巣を推定ないし確定することも可能である．しかしながら，まれには臨床的にかなり精査しても原発巣を特定できないこともあり，そのような場合は「原発不明癌」とせざるをえない．

●参考文献
[血液・造血器]
1) Swerdlow SH, et al (eds)：WHO classification of tumours of haematopoietic and lymphoid tissues, revised 4th edition. IARC Press, 2017
2) 木﨑昌弘，他（編著）：WHO 分類改訂第 4 版による白血病・リンパ系腫瘍の病態学．中外医学社，2019
3) 平野正美（監修）：ビジュアル臨床血液形態学　改訂第 4 版．南江堂，2021
4) 宮内 潤，他（編著）：骨髄疾患診断アトラス―血球形態と骨髄病理　第 2 版．中外医学社，2020
5) 小澤敬也（編）：内科学書改訂第 9 版 vol.6 血液・造血器疾患．中山書店，2019

[リンパ節]
6) Jaffe ES, et al：Hematopathology. Saunders/Elsevier, 2011
7) Medeiros LJ, et al：Diagnostic Pathology-lymph nodes and spleen with extranodal lymphomas. Amirsys, 2011
8) がん種別統計情報　悪性リンパ腫．国立研究開発法人国立がん研究センター（https://ganjoho.jp/reg_stat/statistics/stat/cancer/25_ml.html）
9) Swerdlow SH, et al：WHO classification of tumours of hematopoietic and lymphoid tissues 4th ed. WHO press, 2008
10) 飛内賢正，他：悪性リンパ腫治療マニュアル　改訂第 3 版．南江堂，2009

第11章 循環器

血管

A 脈管の構造

血管 blood vessel とリンパ管 lymphatic vessel は全身に張り巡らされた脈管ネットワークで，生体の恒常性維持に必須の器官である．内腔面を内皮細胞が覆い，その外側に平滑筋細胞や細胞外基質〔細胞外マトリックス extracellular matrix（ECM）〕が配置される構造を基本とするが，脈管は臓器特異的な役割や発生学的な由来，血行力学，遺伝子発現の観点からも多様な集団であり，脈管疾患が領域性をもつことは容易に理解できる．

A 動脈

動脈壁は，血管内腔から**内膜** tunica intima，**中膜** tunica media，**外膜** tunica adventitia, tunica externa の3層から構成される．内膜と中膜の間には内弾性板 internal elastic lamina が，中膜と外膜の間には外弾性板 external elastic lamina が存在する．

動脈は，そのサイズと中膜の性状から3つに分類できる．大型動脈である大動脈や，その第一分枝の中枢側，肺動脈などは中膜に弾性線維と平滑筋細胞が交互に層をなしている**弾性動脈** elastic artery である（図11-1）．中型動脈である内頸動脈や冠動脈，腎動脈などは中膜の弾性線維が乏しい**筋性動脈** muscular artery で，小型の小動脈や腎糸球体の輸入・輸出細動脈などの**細動脈**を分枝する．細動脈は血圧調節に重要で，細動脈の内腔径の変化は血圧に大きな影響をもたらす．

いずれの血管でも中膜は平滑筋細胞に富み，平滑筋細胞は収縮力を発生するとともにECMを産生して構造や弾性などの物理特性を維持する．外膜は線維性結合組織や脂肪組織からなり，血管壁を栄養する小動脈である**血管栄養血管** vasa vasorum が存在する．胎生期には内膜は1層の内皮細胞のみからなるが，出生直後から内弾性板との間に平滑筋細胞が遊走して増殖し生理的に肥厚する．

B 毛細血管

内皮細胞 endothelial cell，**基底膜** basal lamina，**周皮細胞** pericyte からなり，内径は5～40 μm である．さまざまな組織における栄養吸収や老廃物の処理の場であるため，壁は薄く弾性板や中膜は存在しない．毛細血管はその構造から連続性毛細血管 continuous capillary，有窓性毛細血管 fenestrated capillary，非連続性毛細血管 discontinuous capillary の3種類に分類される（図11-2）．連続性毛細血管は体内で最も多く認められる毛細血管で，筋組織や中枢神経，皮膚などに存在する．有窓性毛細血管は薄い内皮細胞で，60～80 nm の孔によって開窓し，物質交換の盛んな腎糸球体，消化管（小腸粘膜），内分泌臓器などで認められる．非連続性毛細血管は内皮細胞の間に大きな間隙があり，肝臓の類洞や脾臓，骨髄などで認められる．

C 静脈

毛細血管から，径10～50 μm の**細静脈** venules，さらに中膜に平滑筋を認める径50～200 μm の**小静脈**へと移行する．細静脈には内皮細胞と基底膜，周皮細胞を認める．径が200 μm 程度になると平滑筋細胞が数層認められ，径1 mm 程度までの静脈を小静脈，径1 cm 程度までを**中型静脈**とよぶ．中型静脈の特徴は**静脈弁**を有する

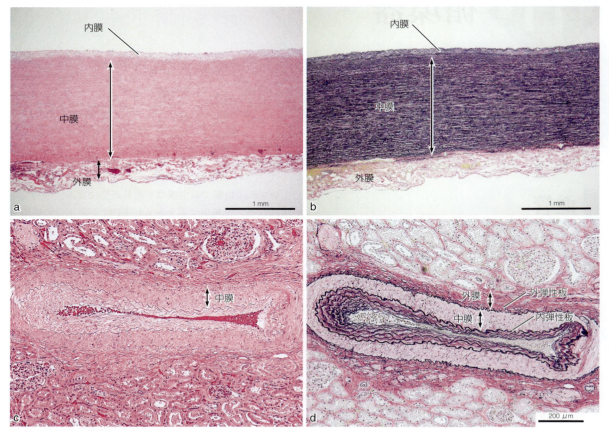

図 11-1　動脈の分類
a, b.　大動脈（弾性動脈）．a は HE（ヘマトキシリン・エオジン）染色，b はエラスチカ・ワンギーソン van Gieson 染色．
c, d.　腎動脈（筋性動脈）．c は HE 染色，d はエラスチカ・ワンギーソン染色．

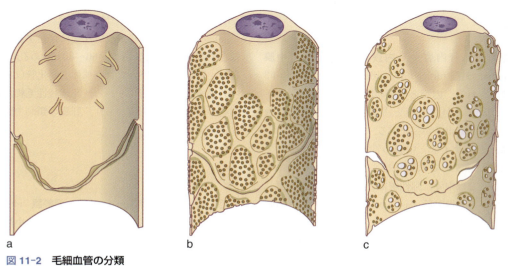

図 11-2　毛細血管の分類
a. 連続性毛細血管．b. 有窓性毛細血管．c. 非連続性毛細血管．

ことで，特に下肢の静脈で血液の逆流を防ぐ役割を果たす．静脈は同じサイズの動脈と比べると壁構造が薄いが大きな容量をもち，全身の血液の約2/3は静脈内にある．

D リンパ管

リンパ管は組織間の間質液を血液循環に灌流する脈管システムで，骨髄・内耳・胎盤以外のほぼすべての組織に分布している．免疫でも重要な役割を果たしており，リンパ液はフィルターや免疫細胞への抗原曝露の役割を果たすリンパ節を経て静脈系に合流する．リンパ液の輸送は周囲の骨格筋の収縮による筋ポンプ，動脈の拍動などに依存する．**毛細リンパ管** lymphatic capillary の構造は毛細血管と類似するが，血管と異なり，周皮細胞や内皮細胞間の密着結合 tight junction をもたない．リンパ微小循環は盲端で始まり，毛細リンパ管は合流して次第に壁が厚くなり，内皮細胞と基底膜からなる最内層，平滑筋細胞を含む中層，膠原線維と弾性線維からなる3層構造をもつ集合リンパ管 collecting lymphatic duct になる．集合リンパ管は最終的に胸管と右リンパ本幹を経由して鎖骨下静脈に合流する．

B 血管の病変

血管の疾患は，**内腔が狭窄・閉塞**する場合と，血管壁の脆弱化により**血管腔が拡張あるいは破裂**する場合の大きく2つに分けて考える．前者は動脈硬化に代表され，後者は大動脈瘤や大動脈解離に代表される．

大部分の狭窄性の血管疾患の原因は血管壁，特に**内皮細胞への傷害**である．内皮細胞は単に血管内腔を被覆するだけでなく，血管透過性，血管攣縮，抗凝固能，抗線溶活性，血小板凝集，血球の接着や遊走の制御など血管のホメオスタシス維持に重要な働きをしている．また正常中膜では平滑筋細胞が**分化型（収縮型）平滑筋細胞**として，血管のトーヌスおよび血圧の調整を行っている．

血行動態的なストレス，免疫複合体沈着，放射線照射，化学物質や血管形成術などの機械的手技など，さまざまな原因によって内皮細胞が傷害，消失あるいは機能障害をきたすと，中膜の平滑筋細胞が脱分化して内弾性板を超え，循環血中から動員される平滑筋前駆細胞とともに内皮に遊走する．**脱分化型（合成型）平滑筋細胞**は，収縮能が低く，高い細胞増殖能，遊走能，タンパク合成能を有し，周囲に豊富なECMを分泌して内膜肥厚をき

たし，**新生内膜**が形成される．血小板，内皮，病変部に動員されたマクロファージから放出される成長因子サイトカインに加え，凝固因子や補体は平滑筋細胞の遊走，増殖，合成を促進する．内皮細胞層の修復，正常化に伴い，新生内膜の平滑筋細胞は増殖しない状態へ戻る．

C 動脈硬化 arteriosclerosis

1 病型分類

動脈壁の肥厚と弾性の低下を総称し，病理学的に4つの病型に分けられる．

1 ● 細動脈硬化 arteriolosclerosis

小動脈や細動脈にみられ，組織学的に硝子様細動脈硬化と過形成性細動脈硬化の2つに分ける．

a 硝子様細動脈硬化 hyaline arteriolosclerosis

血漿成分の漏出と平滑筋細胞によるECM過剰産生・沈着により，細動脈壁の微細構造が不明瞭化して均質なピンク色の硝子様に肥厚してみえ，内腔が狭窄する．腎臓でみられることが多く，びまん性の血流障害の原因となり，その結果，**腎硬化症** nephrosclerosis を引き起こす．加齢性変化の1つであるが軽症高血圧や糖尿病性細動脈障害でよくみられる．

b 過形成性細動脈硬化 hyperplastic arteriolosclerosis

重症高血圧患者の腎臓で典型的な組織像がみられることが多く，平滑筋細胞と肥厚した基底膜が，玉ねぎの皮様に**同心円状層状の壁肥厚**を示し，内腔が狭窄する．悪性高血圧では，血管壁の**フィブリノイド壊死**がみられることがあり，背景にIgA腎症が存在することがある．

2 ● メンケベルグ型動脈硬化

Mönckeberg medial sclerosis

筋性動脈の内弾性板付近に**石灰沈着**が起こる（図11-3）が，血管内腔には影響せず臨床的意義は少ない．50歳代以上の人に起こることが多い．

3 ● 線維筋性内膜過形成

fibromuscular intimal hyperplasia

筋性動脈の動脈炎後，移植関連動脈病変，ステントやバルーン血管形成術後の治癒過程にみられる**非アテローム性病変**で，ECMに富む新生内膜が形成され血管内腔を著しく狭窄することがある（図11-4）．

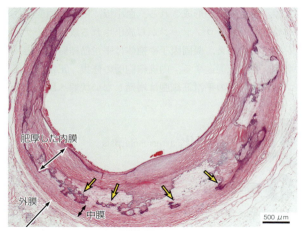

図 11-3　**Mönckeberg 型動脈硬化**
内弾性板付近の石灰化（→）．HE 染色．

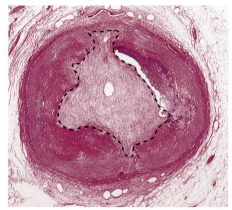

図 11-4　**経皮的古典的バルーン血管形成術後の再狭窄**
新生内膜（点線）．

4　アテローム（粥状）性動脈硬化

最も頻度が高く臨床的に重要であるため，次項に詳細に述べる．

2　アテローム（粥状）性動脈硬化
atherosclerosis

【概念，定義】

アテローム（粥腫）atheroma またはアテローム性プラーク／アテローム硬化性プラークと呼ばれる**内膜病変**を特徴とする．アテローム性プラークは，**線維性被膜**に覆われた軟らかくもろい半固体の**脂質性コア**からなる隆起性病変である．脂質性コアはコレステロールおよびコレステロールエステルと壊死細胞の残骸からなる．アテローム性プラークは血管内腔に突出して内腔狭窄の原因になるだけでなく，破綻しやすく，血栓形成や突然の血管閉塞をきたすことがある．また，アテローム硬化性病変に続発する炎症や ECM の変化により，中膜が脆弱化して動脈瘤形成の原因になることもある．アテローム性動脈硬化は大型の弾性動脈や，大型・中型の筋性動脈，特に腎動脈より下の腹部大動脈や，冠動脈，内頸動脈，ウィリス Willis 動脈輪に起こりやすい．その結果，**虚血性心疾患**や**脳血管障害**といった重篤な合併症を生じる．

【リスク因子】

高齢，男性，多因子の遺伝形質からなる高血圧や糖尿病などの家族歴はリスク因子である．そのうち，脂質異常症（高脂血症），高血圧，喫煙，糖尿病は，治療や生活習慣の改善で介入可能なリスク因子とされる．付加的リスク因子として，炎症，**メタボリックシンドローム**が注目される．メタボリックシンドロームは脂肪細胞から放出されるサイトカインによって誘発される炎症促進状態と理解され，インスリン抵抗性，高血圧，高トリグリセリドと低高比重リポタンパク（HDL），凝固能亢進などによって特徴づけられる．

【病態】

アテローム性動脈硬化は，内皮細胞傷害に対する血管壁の慢性炎症と考えられ，リポタンパク，単球由来マクロファージ，T リンパ球，動脈壁の平滑筋細胞の相互作用によって病態が説明されている．さまざまな原因による内皮細胞損傷と機能障害は，透過性の亢進，白血球や血小板接着，血栓の形成を促進し，内膜肥厚の引き金となる．高コレステロール血症も，局所的なフリーラジカルの産生を引き起こし，内皮機能を傷害し，ICAM-1 や VCAM-1 などの接着分子の発現を上げ，単球や T 細胞の接着，内皮下への浸潤を促進する．内皮下に浸潤した単球はマクロファージに分化して貪食能を獲得し，**リポタンパク**や**コレステロール**を取り込んで泡沫化する．

アテローム性動脈硬化病態の特徴の 1 つはリポタンパクとコレステロール結晶の蓄積である．通常，脂質は特異的リポタンパクと結合して血中を運搬され，コレステロールは低比重リポタンパク（LDL）に結合して末梢組織に輸送されるが，慢性の脂質異常症に伴い，リポタンパクは内膜に蓄積する．

さらに，炎症が病態進展を促進する．局所の内皮細胞によって産生されたフリーラジカルは LDL を酸化する．マクロファージは，CD36 などのスカベンジャー受容体を介して酸化 LDL を取り込んで泡沫化し，活性化して増殖因子，サイトカイン，ケモカインを放出し，単

図 11-5　脂肪線条
a. 肉眼像．黄色調の小隆起（→）．
b. 組織像．泡沫細胞浸潤（→）．

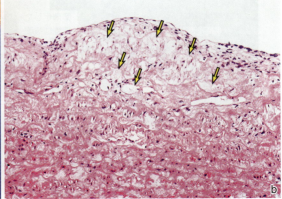

球をさらに動員する．酸化 LDL は内皮細胞や平滑筋細胞に対する傷害性をもつ．また，マクロファージがコレステロール結晶を取りこむと NLRP3 インフラマソームが活性化し，IL-1β の分泌が促進される．マクロファージから放出される種々のサイトカイン，ケモカイン，増殖因子は，内皮下に動員された活性化 T 細胞から産生されるインターフェロン γ などとともにポジティブフィードバックループをつくって炎症を増強してマクロファージや T リンパ球を動員，中膜平滑筋細胞の内膜への遊走と増殖を促進し，病変を進展させ，合併症の発生に関与する．

病態進展後半の主体は，**平滑筋細胞の動員・増殖と ECM の産生**である．マクロファージ，内皮細胞，血小板，平滑筋細胞から放出される血小板由来成長因子（PDGF）などの増殖因子は，中膜平滑筋細胞の内膜への動員，増殖，プロテオグリカンやコラーゲンなどの ECM の合成・沈着を促し，アテローム硬化病変の増大，成熟を促進する．ECM のうち特にコラーゲンは厚い線維性皮膜を形成して，アテローム硬化性プラークを安定化させるが，プラークで炎症が活性化すると，ECM の分解が起こって**不安定プラーク**となる．

【病理形態像】

a 脂肪線条 fatty streak

肉眼的に黄色調を示す，3〜5 mm 程度のごく軽い隆起性病変で，大動脈では小児期から出現し，10 歳以上ではほぼ全員にみられる．脂質が細胞質に充満したマクロファージである**泡沫細胞**で構成されている（図 11-5）．すべての脂肪線条がアテローム硬化性プラークになるわけではない．

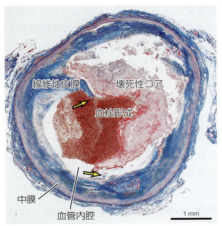

図 11-6　プラーク破裂
線維性皮膜の断裂（→）．マッソン Masson トリクローム染色．

b アテローム硬化性プラーク atherosclerotic plaque

斑状の病変で，動脈壁の一部に偏心性にみられることが多い．血液の乱流により血管分岐部に形成されやすい．プラークは細胞，ECM，細胞内外の脂質という 3 つの構成成分からなるが，その割合や組織構築は病期によって多彩である．通常は，表層は平滑筋細胞と密なコラーゲン線維からなる皮膜によって覆われ，深部には壊死性コアが形成される（図 11-6）．**壊死性コア**はコレステロールおよびコレステロールエステル，壊死した細胞の残骸，泡沫細胞，フィブリンなどの血漿タンパクなどからなる．コレステロール結晶は標本作製時に溶出するため，標本上はコレステロール裂隙 cholesterol cleft として認められる．線維性皮膜とコアとの境界部には炎症

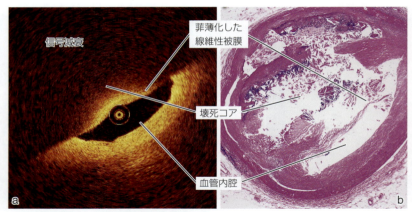

図11-7 冠動脈イメージングと病理組織像
a. 光干渉断層法.
b. 病理組織像.

細胞，血管新生，石灰化が，線維性皮膜と血管壁の接合部にはマクロファージ，T細胞など炎症細胞がみられる．プラーク深部の中膜は，虚血によって平滑筋細胞が消失して線維化し，菲薄化する．

c 線維性プラーク fibroatheroma

平滑筋細胞と線維性結合組織からなる．血管形成術による治療（後述）を行うと，アテローム硬化性プラークやプラークのない健常部は引き伸ばされるが，線維性プラークの部分は硬く治療抵抗性であるため，不均一な拡張が起こり，軟らかい部分に解離を起こすことがある．

【臨床像】

1 ● アテローム硬化性狭窄 atherosclerotic stenosis

アテローム硬化性プラークは数十年かけてゆっくり発達し増大する．病変形成の初期は，血管壁のリモデリングにより血管径が増加して内腔径を維持するが，アテローム病変が進行すると慢性狭窄，閉塞により血流が低下し，虚血性腸炎，慢性虚血性心疾患，四肢末梢の閉塞性動脈硬化症 arteriosclerosis obliterans（ASO）による**間欠性跛行** intermittent claudication（虚血性下肢疼痛，冷しびれ感，筋疲労など），壊疽をきたす．

2 ● 急性プラーク変化 acute plaque change

急性プラーク変化は，血栓症の引き金となって血管閉塞をきたし，しばしば灌流域の梗塞を引き起こす．破裂・亀裂や，びらん・潰瘍形成は，血栓形成性の高いプラーク構成成分や内皮下基底膜を露出し，アテロームへの出血はアテローム容積を増大させる（図11-6）．冠動脈のプラークは有意な内腔狭窄を起こしていなければ無症状であることが多いが，そこに急性プラーク変化による血栓形成が起こると，心筋梗塞やその他急性冠症候群など**急性心血管イベント**の引き金となることが知られる．特に破裂するリスクの高い不安定プラークは脆弱性プラークとも呼ばれ，薄い線維性皮膜と大きな脂質コア，平滑筋細胞がほとんどみられず多数の炎症細胞が集簇するという特徴がみられる．不安定プラークを診断するために，**血管内超音波** intravascular ultrasound（IVUS），**光干渉断層法** optical coherence tomography（OCT）や**冠動脈内視鏡** coronary angioscopy（CAS）などの血管内イメージングが利用されている．IVUSでは脂質成分に富む壊死コアを有する領域は低エコー領域として，OCTでは信号減衰，CASでは黄色調プラークとして描出される（図11-7）．すべてのプラーク破裂が致死的閉塞性血栓を引き起こすわけではないが，無症候性のプラーク破裂，それに続く血小板凝集と血栓形成が反復的に起こることにより，アテロームプラークが増大する．

3 ● 経皮的冠動脈インターベンション後の冠動脈

急性冠症候群に対する治療として**経皮的冠動脈インターベンション** percutaneous coronary intervention（PCI）が行われる．わが国では1980年ごろから，経皮的古典的バルーン血管形成術 percutaneous old balloon angioplasty（POBA）が行われたが，治療直後の動脈解離，攣縮，血栓形成による突然再閉塞や，治療操作による内皮細胞傷害による新生内膜形成のため再狭窄が問題となり，ステント留置術が行われるようになった．ステントは金属メッシュのチューブで，血管腔を広げて一定の大きさに保ち，血管形成術中に起こる解離を仮止めしたり，攣縮を機械的に抑制する．初期に使われた従来型

金属ステント bare-metal stent (BMS) では，平滑筋細胞の増殖による**再狭窄率**が高く，現在では金属製ステントに細胞増殖抑制効果をもつ抗がん剤や免疫抑制剤などを塗布した薬剤溶出性ステント drug-eluting stent (DES) が PCI の主流である．

D 末梢動脈の狭窄・閉塞性疾患

1 閉塞性動脈硬化症 arteriosclerosis obliterans (ASO)

【概念，臨床像】

　四肢末梢の比較的太い動脈に生じるアテローム性動脈硬化による狭窄・閉塞のため循環障害の症状（下肢疼痛，冷しびれ感，壊疽など）をきたす．高齢化に伴い増加傾向にあり，日本人高齢者の有病率は 1〜3％ である．リスク因子として高齢，喫煙，高血圧，糖尿病，高コレステロール血症があげられ，60 歳以上では急激に罹患率が上昇する．男性は女性に比べて 1〜2 倍リスクが高い．また**透析患者**の 20％ 程度は ASO を合併している．CT では**石灰化**が高吸収域として描出され，血管の蛇行や狭窄が顕著である．

【病理形態像】

　ASO をきたす末梢動脈硬化病変は，脂質成分を含むプラークは比較的少なく，内膜には硝子化や石灰化が目立つ．特に透析患者においては強い石灰化を伴うことが多い．

2 急性動脈閉塞 acute arterial occlusion

　原因は**塞栓症**が約 80％，**血栓症**が約 20％ である（図 11-8）．塞栓症では側副血行路の発達がないため閉塞により劇的な臨床症状を呈する．心房細動や弁膜症，心筋梗塞など心臓内血栓が塞栓源となることが多い．塞栓症は再発することが多いため，塞栓源の同定と治療が重要である．閉塞部位によっては適切な治療を行わないと，生命を脅かす重篤な疾患である．ヘパリン投与，必要ならバルーンカテーテルによる血栓塞栓除去術や経皮的血栓吸引療法を行う．

3 閉塞性血栓性血管炎 thromboangiitis obliterans（バージャー病 Burger disease）

【概念，臨床像】

　上肢や下肢の末梢動脈，しばしば表在静脈にも血栓閉塞性の血管全層炎を生じ，虚血症状および足趾や手指の潰瘍・壊疽を引き起こす．若年〜中年の男性に多く，中

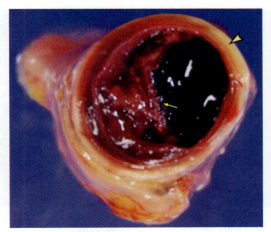

図 11-8　急性動脈閉塞
血栓性閉塞（→），動脈硬化や狭窄のない動脈（▷）．

東からアジアで頻度が高い．**喫煙**との関係がよく知られ，大量喫煙者が多く，受動喫煙を含めるとほとんどの患者に喫煙歴があるとされる．

【病理形態像】

　血管内腔を閉塞する血栓に，好中球やリンパ球などの強い炎症細胞浸潤がみられ，内弾性板の構造は保たれるのが特徴であり，真の血管炎とは組織像が異なる．

E 大動脈瘤と大動脈解離

　動脈瘤は先天性または後天性に動脈径が異常に増大した状態を指し，大動脈，冠動脈，脳血管など全身のさまざまな動脈に発生する．動脈瘤のリスク因子としてはアテローム性動脈硬化と高血圧があげられる．これに対し，動脈解離は動脈壁が一部裂けて壁内に血流が入り込む状態を指し，しばしば血管径の拡大を伴うが必ずしも動脈瘤形成がみられるわけではない．いずれも動脈壁を構成する**平滑筋細胞**や**結合組織**の破壊や先天的な異常によって組織脆弱性をきたし，そこに血行力学的負荷が加わって病変が形成される．

1 大動脈瘤 aortic aneurysm

　その肉眼形態から**紡錘状動脈瘤** fusiform aneurysm と**囊状動脈瘤** saccular aneurysm に分類される（図 11-9）．**紡錘状動脈瘤**は，直径 20 cm までの全周性に拡張した病変であり，通常，大動脈弓，腹部大動脈，または腸骨

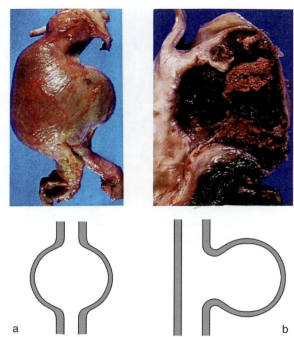
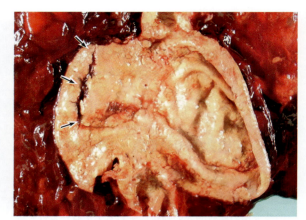

図 11-9 腹部大動脈瘤の形態による分類
a. 紡錘状動脈瘤.
b. 囊状動脈瘤.

図 11-10 腹部大動脈瘤破裂
瘤壁に亀裂(→)が認められる.

動脈が侵される．囊状動脈瘤は，袋状の突出であり，直径5〜20 cm でしばしば血栓を含有している．

1 腹部大動脈瘤 abdominal aortic aneurysm（AAA）
【概念，臨床像】

腹部大動脈瘤は無症状であることが多いが，破裂は致死的で重要な合併症である（図 11-10）．瘤壁の直径が 5 cm 以上の瘤は破裂の危険性が高く，約25％が5年以内に破裂する．腹部大動脈瘤は**アテローム性動脈硬化**による血管壁の変化を基盤とし，そこに血行力学的ストレスや免疫応答が加わり，血管壁に**慢性炎症**が引き起こされることで生じる．浸潤したマクロファージなどの炎症細胞は，炎症性サイトカインやプロスタグランジンなどの炎症メディエーターを産生して炎症反応を増強すると同時に，**マトリックス分解酵素** matrix metalloproteinases（MMPs）などの ECM 分解酵素を分泌し，弾性線維など線維性結合組織を分解する．また，アテローム硬化病変は血管内腔と動脈壁の間での栄養物や老廃物の拡散を阻害して，中膜平滑筋細胞の壊死・アポトーシスを引き起こすことで，血管壁の破壊・菲薄化，脆弱化をきたす．一部の患者では，アテローム性動脈硬化や高血圧とは独立した遺伝的素因が，腹部大動脈瘤のリスク要因である可能性もある．

【病理形態像】

腹部大動脈瘤は通常，多くは**腎動脈分岐部よりも末梢側**で認められ，囊状ないし紡錘状である．瘤壁は粥腫が内膜のみならず中膜内もしくは中膜を越えて存在し，中膜では平滑筋細胞が高度に萎縮，脱落し，弾性線維が高度に破壊されて断裂，消失している（図 11-11）．

2 炎症性腹部大動脈瘤
inflammatory abdominal aortic aneurysm
【概念，臨床像】

一部は，最近注目されている IgG4 関連疾患と考えられる．IgG4 関連疾患では IgG4 陽性形質細胞の浸潤を伴う線維化を特徴とし，膵臓，胆道系，甲状腺，唾液腺などさまざまな組織に病変が及ぶ．血管では大動脈炎や大動脈周囲炎がみられ，血管壁の脆弱化をきたして動脈瘤が形成されることがある．ステロイド治療に高い反応性を示すので，早期に診断することが重要である．また，比率としては比較的まれではあるが，感染性心内膜炎などで，病原性微生物が動脈瘤壁内や血栓に播種して化膿性炎症を起こす感染性腹部大動脈瘤 infected abdominal aortic aneurysm では，中膜の破壊が亢進して急速な拡張や破裂が起こる．

【病理形態像】

大動脈壁に多数のマクロファージや巨細胞，高度のリンパ球，形質細胞などの免疫細胞の浸潤を示す大動脈周囲の強い炎症と密な線維化を特徴とする．

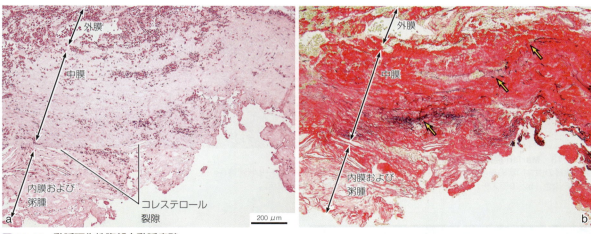

図 11-11　動脈硬化性腹部大動脈瘤壁
a．HE 染色．
b．エラスチカ・シリウスレッド染色．断片化した弾性線維の遺残(➡)．

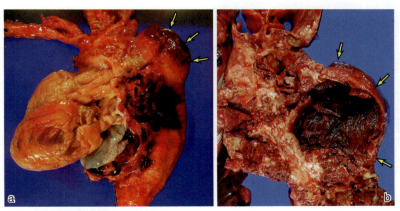

図 11-12　胸部大動脈瘤
a．左鎖骨下動脈分岐部直後にみられる囊状胸部大動脈瘤(➡)．
b．内腔に血栓形成がみられる(➡)．

3 ● 胸部大動脈瘤 thoracic aortic aneurysm

【概念，臨床像】

　胸部大動脈瘤は**上行大動脈と基部**に約 60％と最も多く，次いで下行大動脈に認められ，大動脈弓部には少ない．大動脈は左心室から総腸骨動脈分岐部まで連続した構造物であるが，各部位にかかる血行力学的負荷が異なり，また，構成細胞の発生学的由来が部位によって違うため，脈瘤径が増大すると縦隔構造を圧排し，呼吸困難や摂食障害，反回神経刺激による持続性の咳，嗄声などを引き起こすことがある．高血圧，動脈硬化，二尖弁（大動脈弁）や**マルファン Marfan 症候群**との関連が知られている．アテローム性動脈硬化による胸部大動脈瘤は，左鎖骨下動脈分岐直後の下行大動脈にみられることが多く，紡錘状および囊状のどちらの形態もとりうる（図 11-12）．Marfan 症候群の原因遺伝子として**フィブリリン 1**（*FBN1*）が知られるが，**transforming growth factor（TGF）-β のシグナル伝達路**における突然変異で類似の症状を起こす（ロイス-ディーツ Loeys-Dietz 症候群）．

【病理形態像】

　組織学的には，動脈硬化性腹部大動脈瘤と同様の所見がみられるが，上行大動脈の大動脈瘤ではしばしば**囊状中膜壊死**を認める．囊状中膜壊死では瘤壁の中膜に弾性線維の断裂や破壊および平滑筋細胞の変性・壊死，ヒアルロン酸，プロテオグリカンなどアルシアンブルー染色陽性の酸性ムコ多糖類の沈着がみられる（図 11-13）．囊

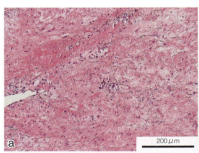
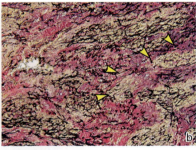

図11-13　Marfan症候群大動脈瘤壁の囊状中膜壊死
弾性線維の虫食い状の高度な破壊・断裂・消失(（▷）)と酸性ムコ多糖類のプール状沈着(⇒).
a. HE染色.　b. エラスチカ・ワンギーソン染色.　c. アルシアンブルー染色.

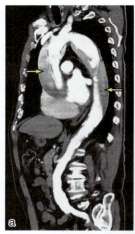
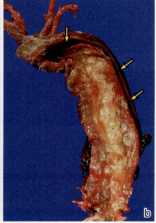

図11-14　大動脈解離
解離による偽腔(⇒).
a. CT画像.　b. 肉眼像.

状中膜壊死は軽度のものは加齢や高血圧でも認められるが，Marfan症候群に代表される結合組織病では，**酸性ムコ多糖類のプール状沈着**と**弾性線維の虫食い状の破壊・断裂・消失**がより高度に認められることが多い．

Advanced Studies
4　大動脈瘤に対する血管内治療
　腹部大動脈瘤および胸部大動脈瘤に対する治療として，開胸術や開腹術による人工血管置換術の代わりに，経カテーテル的にステントグラフトを内挿する**血管内治療**が広く行われるようになり，リスクの高い症例についても血管内治療による治療が可能となった．現在ステントグラフト内挿術の症例数は開胸・開腹による人工血管置換術件数を凌駕するが，治療後の瘤の再拡張が課題となっている．

2　大動脈解離 aortic dissection

【概念，臨床像】
　大動脈内膜から中膜に至る亀裂による流入部(**エントリー**)が形成され，血液が中膜内に形成された偽腔に流入する(図11-14)．救命率がきわめて低く，発症頻度は男性が女性の約2〜3倍高い．**Marfan症候群**などの結合組織病によるものを除くと，中高年者に多く，高血圧歴と密接に関連している．先天性大動脈二尖弁および先天性大動脈一尖弁の患者では発症リスクが高い．
　臨床症状は，典型的には突然胸や背中の激痛で始まり，解離が進行するにつれて下降する．
　大動脈解離のエントリー部位は約65％が上行大動脈に認められ，約30％が下行大動脈に，残りの約5％が大動脈弓部や腹部大動脈にみられる．解離の部位と範囲により予後および合併症が大きく異なる．最も重篤な合併症は，大動脈近位部から大動脈弓にかけての解離に伴うため，**スタンフォードStanford分類**では上行大動脈に解離があるA型と解離がないB型に分け，Stanford A型の急性大動脈解離には緊急手術が，Stanford B型の急性期には薬物療法が推奨される．また，**ドゥベイキーDeBakey分類**では解離の範囲とエントリーの位置によりⅠ型，Ⅱ型，Ⅲ型に分類している(図11-15)．

Advanced Studies
　DeBakey分類のⅠ型はエントリーが上行大動脈に始まり，上行大動脈〜下行大動脈〜腹部大動脈にまで広範囲に解離が及ぶタイプであり，Ⅱ型はエントリーが上行大動脈に始まり，上行大動脈に解離が限局するタイプである．Ⅲ型はa型とb型に分類され，Ⅲa型はエントリーが弓部大動脈遠位部に始まり，解離が下行大動脈に限局するタイプ，Ⅲb型はエントリーが弓部大動脈遠位部に始まり，解離が下行大動脈〜腹部大動脈に及ぶタイプである．

　最も多い死因は，解離の心膜腔，胸膜腔，腹膜腔への破裂による出血である．また，大動脈基部の解離は，大

図 11-15 大動脈解離の分類

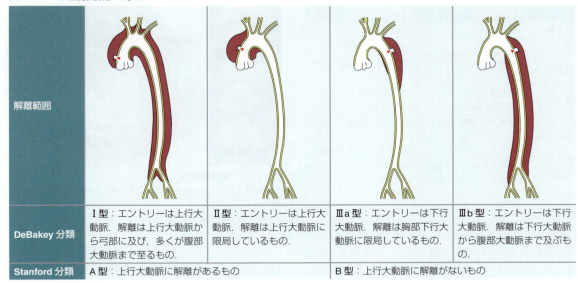

解離範囲				
DeBakey 分類	I型：エントリーは上行大動脈．解離は上行大動脈から弓部に及び，多くが腹部大動脈まで至るもの．	II型：エントリーは上行大動脈．解離は上行大動脈に限局しているもの．	IIIa型：エントリーは下行大動脈．解離は胸部下行大動脈に限局しているもの．	IIIb型：エントリーは下行大動脈．解離は下行大動脈から腹部大動脈まで及ぶもの．
Stanford 分類	A型：上行大動脈に解離があるもの		B型：上行大動脈に解離がないもの	

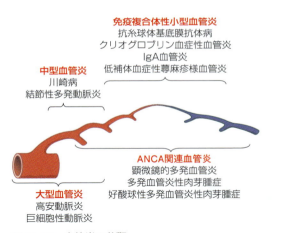

図 11-16 血管炎の分類
〔Jennette JC, et al：2012 revised International Chapel Hill Consensus Conference Nomenclature of Vasculitides. Arthritis Rheum 65：1-11, 2013 より改変して転載〕

表 11-1 CHCC2012 分類（一部）

大型血管炎	高安動脈炎 巨細胞性動脈炎
中型血管炎	結節性多発動脈炎 川崎病
小型血管炎	ANCA 関連血管炎 ・顕微鏡的多発血管炎 ・多発血管炎性肉芽腫症 ・好酸球性多発血管炎性肉芽腫症 免疫複合体性小型血管炎 ・抗糸球体基底膜抗体病 ・クリオグロブリン血症性血管炎 ・IgA 血管炎 ・低補体血症性蕁麻疹様血管炎

動脈弁の断裂や冠動脈解離・閉塞に続き心筋梗塞を引き起こし，心臓に病変が及ぶと，心タンポナーデ，大動脈弁閉鎖不全を引き起こす．頸部の大型動脈，腎動脈，腸間膜動脈，腸骨動脈などへも解離が進展することがあり，脊髄動脈の血流不全により脊髄梗塞を引き起こすこともある．

【病理形態像】
　大動脈解離の組織像として重要な所見は，胸部大動脈瘤同様，**嚢状中膜壊死**である（図 11-13）．

 血管炎

　血管壁に炎症細胞浸潤をきたし，血管壁を構成する内皮細胞や平滑筋に傷害が生じた状態である．リケッチアなどの感染によっても生じるが，非感染性血管炎では免疫学的機序の関与が知られる．血管は大きさにより，異なった組織構造，生理機能を有するため，血管炎は一般に，侵襲血管の大きさに基づき，大型血管炎，中型血管炎，小型血管炎の3つに分類される（図 11-16，表 11-1）．しかし，実際には，しばしばさまざまな大きさの血管に同時に病変がみられる．現在広く用いられている 2012 Revised International Chapel Hill Consensus

表 11-2　高安動脈炎と巨細胞性動脈炎

	高安動脈炎	巨細胞性動脈炎
発症年齢	比較的若年	比較的高齢
性差	女性に多い	やや女性に多い
地域差	日本を含めアジアに多い	欧米に多く，日本は少ない
炎症のタイプ	肉芽腫性炎症（実際は多彩）	肉芽腫性炎症（より顕著）
炎症の主座	中膜の外膜側，外膜	筋性動脈：内膜，中膜の内膜側 弾性動脈：中膜の中層
好発部位	上行大動脈から大動脈弓とそれらの分枝動脈	頸動脈と椎骨動脈の分枝動脈

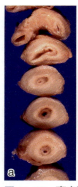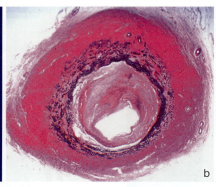

図 11-17　高安動脈炎
総頸動脈に外膜の線維性肥厚と内膜肥厚による高度の内腔狭窄が認められる．
a．肉眼像．b．組織像．エラスチカ・ワンギーソン染色．

Conference Nomenclature of Vasculitides (CHCC2012) では，血管の大きさによる分類のほか，主な罹患部位などにより血管炎を 7 つに分けて，それぞれ定義している．

A　大型血管炎 large-vessel vasculitis

大動脈とその主要分枝動脈が侵される血管炎で，**高安動脈炎**と巨細胞性動脈炎が属する．この 2 つは，侵襲血管の大きさと**肉芽腫性炎症**を呈する点で類似しているが，発症年齢，性差，地域差，組織像に違いが認められる（表 11-2）．

1　高安動脈炎 Takayasu arteritis
【概念，臨床像】
　大動脈とその主要分枝，特に鎖骨下動脈に病変をきたしやすい．そのため特徴的な上肢症状（左上肢のしびれや冷感，脈拍の触知不可，血圧の左右差など）の原因となり「脈なし病」といわれていたことがある．発症年齢は比較的若年，女性に多く，わが国を含むアジアで多い．遺伝的な要因としては，関連アレルとして HLA 型（HLA-B*52）が知られる．
【病理形態像】
　主に外膜と中膜の外膜側に多核巨細胞を伴う肉芽腫性炎症を呈する．炎症が内膜に波及すると新生内膜（内膜肥厚）が形成されて，血管内腔を狭窄する（図 11-17）．

2　巨細胞性動脈炎 giant cell arteritis
【概念，臨床像】
　大動脈とその主要分枝（弾性動脈），特に頸動脈や椎骨動脈の分枝が侵されやすいため，以前は側頭動脈炎と呼ばれていた．発症年齢は比較的高齢で，やや女性に多いが，わが国の発症頻度は欧米に比べ低い．遺伝的な要因としては，関連アレルとして HLA 型（HLA-DRB1*04）が知られる．内側頭動脈では下顎跛行，眼動脈とその分枝では視力障害，内頸動脈系では一過性脳虚血発作（TIA）や脳梗塞の原因となる．
【病理形態像】
　炎症の主座は，弾性動脈では中膜の中層，筋性動脈では内膜と中膜の内膜側で，組織像は高安動脈炎と類似呈する（図 11-18）．

B　中型血管炎 medium vessel vasculitis

中型の筋性動脈から小動脈が侵される血管炎で，川崎病と結節性動脈炎が含まれる．

1　川崎病 Kawasaki disease
【概念，臨床像】
　乳幼児に好発する原因不明の急性熱性疾患で，5 日以上の持続発熱，両側眼球結膜の充血，イチゴ舌などの口腔所見，発疹，リンパ節腫脹，四肢末端の病変の有無により臨床診断される．本態は全身の血管炎で，わが国はじめ東アジアに多く，遺伝的素因と感染により惹起された異常な免疫反応が原因と考えられる．20％の症例に**冠動脈病変**がみられ，動脈瘤を形成して急性期に破裂あるいは心筋梗塞の原因となったり，後遺症として残ることがある．
【病理形態像】
　組織学的には，動脈全層の汎血管炎で，炎症極期には

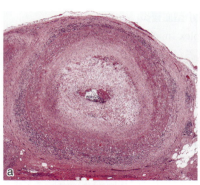
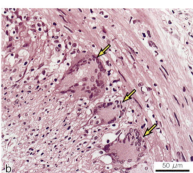
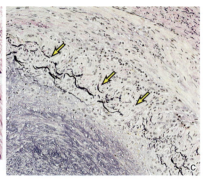

図 11-18 巨細胞性動脈炎
a. 生検された側頭動脈は求心性の内膜肥厚により内腔の高度狭窄が認められ，血栓の付着を伴う．HE 染色．
b. 外膜の炎症細胞浸潤とともに内弾性板近傍に多核巨細胞(→)や類上皮細胞，組織球の浸潤がみられる．HE 染色．
c. 内弾性板は破壊され(→)，断片化している．エラスチカ・ワンギーソン染色．

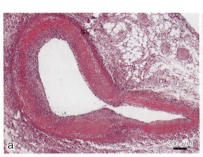
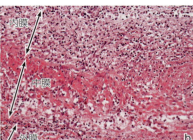
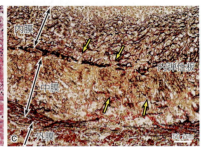

図 11-19 川崎病急性期における冠動脈
a. HE 染色．
b. HE 染色．a の強拡大像．
c. エラスチカ・シリウスレッド染色．断片化した弾性板と中膜弾性線維(→)．

単球，マクロファージ，リンパ球，好中球を交えた増殖性肉芽腫性炎症がみられ，強い炎症により弾性板，中膜の平滑筋細胞や弾性線維が破壊される(図 11-19)．

2 ● 結節性多発動脈炎 polyarteritis nodosa
【概念，臨床像】
中高年者，主として腹腔内の筋性動脈に好発する．肺，大動脈，細動静脈，毛細血管には炎症が波及しない．抗好中球細胞質抗体(ANCA)は陰性である．HBV，HCV 感染に続発することがあり，ウイルス感染との関連が推測されている．結節性多発動脈炎で主に傷害される臓器は，腎臓，消化管，神経，皮膚，筋肉などで，腎性高血圧や腎不全，腸管梗塞や消化管穿孔による腹痛，多発単神経炎をはじめとする末梢神経障害，紫斑，筋力低下などの臨床症状を呈する．

【病理形態像】
急性炎症期には，血管壁に炎症細胞浸潤，フィブリノイド壊死を認めることを特徴とし，血管内腔にしばしば血栓形成も認める(図 11-20)．

C 小型血管炎 small vessel vasculitis

細動脈，毛細血管，細静脈が優位に侵襲される壊死性血管炎である．組織学的には，血管壁や血管周囲に好中球の浸潤を認め，しばしば核破砕物を伴う(図 11-21)．小型血管炎は，**抗好中球細胞質抗体** antineutrophil cytoplasmic antibody(**ANCA**)**関連血管炎**と，**免疫複合体性小型血管炎**に大別される．

1 ● ANCA 関連血管炎 ANCA-associated vasculitis
【概念，臨床像】
好中球細胞質の myeloperoxidase(MPO)や proteinase 3(PR3)に対する**自己抗体 ANCA** が高頻度で認められる．顕微鏡的多発血管炎，多発血管炎性肉芽腫症，好酸

球性多発血管炎性肉芽腫症が属する．炎症性サイトカイン刺激により MPO や RP3 を細胞表面に発現した好中球に ANCA が結合することで，好中球が過剰に活性化し血管内皮が傷害される．

【病理形態像】

組織学的に，壊死性血管炎の像を呈し，血管壁に免疫複合体や補体などの免疫沈着を認めない．

Advanced Studies

a 顕微鏡的多発血管炎 microscopic polyangiitis

小型・中型血管が侵襲される壊死性血管炎で，肉芽腫性炎を認めない．わが国では，MPO-ANCA 陽性がほとんどである．腎臓と肺が高頻度で侵され，急速進行性糸球体腎炎や肺出血，間質性肺炎を呈する．

b 多発血管炎性肉芽腫症 granulomatosis with polyangiitis

以前はウェゲナー肉芽腫症 Wegener granulomatosis と呼ばれていた全身性壊死性血管炎で，欧米では大部分で PR3-ANCA 陽性である一方，わが国では MPO-ANCA 陽性例が多い．上気道と肺，腎臓などの臓器が侵され，多くは鼻腔，副鼻腔に病変をみる．鼻腔粘膜の潰瘍や鼻中隔穿孔から鞍鼻をきたす．中年者に多く，男女差はない．組織学的には，好中球や形質細胞，マクロファージ，多核巨細胞などの多彩な炎症細胞浸潤を伴った肉芽腫性炎を呈する．

c 好酸球性多発血管炎性肉芽腫症

eosinophilic granulomatosis with polyangiitis

小型から中型の血管が侵される壊死性血管炎で，以前はチャーグ-ストラウス Churg-Strauss 症候群やアレルギー性肉芽腫性血管炎 allergic granulomatous angiitis と呼ばれていた．約半数の症例で MPO-ANCA 陽性を示す．気管支喘息やアレルギー性鼻炎などのアレルギー疾患が先行し，末梢血中の好酸球増多を認める．組織学的には，多発血管炎性肉芽腫症と類似するが，好酸球浸潤が目立つことが特徴である．

2 ● 免疫複合体性小型血管炎
immune complex small vessel vasculitis

免疫複合体の沈着が関与する小型血管炎で，免疫複合体性小型血管炎には，抗糸球体基底膜抗体病，クリオグロブリン血症性血管炎，IgA 血管炎，低補体血症性蕁麻疹様血管炎が属する．

Advanced Studies

a 抗糸球体基底膜抗体病
anti-glomerular basement membrane disease

基底膜のⅣ型コラーゲンに対する自己抗体が，糸球体や肺毛細血管の抗原と結合し，免疫複合体 in situ immune complex を形成する．腎炎や肺出血をきたす．組織学的に，腎臓に免疫蛍光染色で線状の IgG 沈着を伴う半月体形成性糸球体腎炎を呈する．

b クリオグロブリン血症性血管炎 cryoglobulinemic vasculitis

クリオグロブリンは，血清を寒冷下に置くことで生じる沈殿物で，主に免疫グロブリンと補体成分からなる．多発性骨髄腫やマクログロブリン血症に伴うものと，感染症や自己免疫疾患に続発するものがあり，いずれも免疫複合体沈着により血管炎が起こる．紫斑などの皮膚症状，腎炎がみられる．最近，C 型肝炎ウイルス(HCV)関連の症例が多く見つかり，HCV に感染した B 細胞がクローナルに増殖して IgM 型リウマトイド因子を産生し，免疫複合体を形成するという機序が推定されている．

c IgA 血管炎 IgA vasculitis

以前，ヘノッホ-シェーンライン紫斑病 Henoch-Schönlein purpura と呼ばれていた小児に多い小型血管炎で，血管壁に IgA を含む免疫複合体が沈着する．約半数で上気道感染が発症に先行する．異常な糖鎖修飾を起こした IgA1 に対する IgG 抗体が免疫複合体を形成し，沈着する．皮膚，腎臓，消化管などが侵され，紫斑，腎炎，腹痛に加え，関節炎も高頻度で発症する．病変部の組織には，好中球を含む炎症細胞浸潤と小動脈の壊死がみられる．

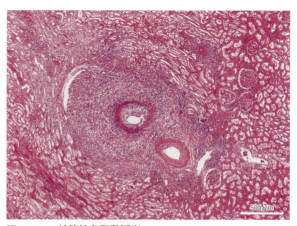

図 11-20　結節性多発動脈炎
腎，弓状動脈にフィブリノイド壊死のみられる動脈炎を認める．
〔写真提供：東邦大学医療センター大橋病院　大原関利章先生〕

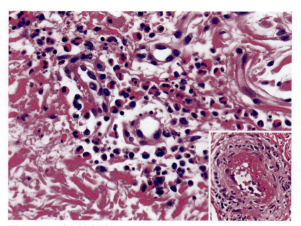

図 11-21　小型血管炎
著明な好中球浸潤や核破砕物を伴った細動脈を認める．挿入図はフィブリノイド壊死を示す．

心臓

 ## 構造

　心臓を包む袋状の線維性組織を**心嚢** pericardium といい，外層の弾性線維や密な膠原線維からなる線維性心膜と，内層の漿膜性心膜からなる．漿膜性心膜は表面を単層扁平上皮（中皮）で覆われ，心嚢壁を構成する**壁側心膜**と心臓の表面を覆う**臓側心膜（心外膜）**に分けられる（図11-22）．心嚢と臓側心膜（心外膜）の間にある空間を心膜腔といい，心臓が円滑に動けるよう少量の心嚢水が存在する．心臓は**心外膜**，**心筋層**，**心内膜**の3層で構成される．心臓表面を覆う心外膜と筋層との間には脂肪細胞や線維性結合組織が存在する．心内膜は心臓内皮細胞が被覆し，筋層との間には膠原線維，弾性線維が存在する．心筋層は心臓壁の体積の大部分を占め，心筋細胞が介在板を介して隣の細胞と結合し，その外側をコラーゲン線維などの線維性結合組織や毛細血管などが取り巻いて心臓の構造やホメオスタシスを維持する．

　光学顕微鏡では，心筋細胞内には**筋原線維**が横紋をもつ線維状構造物としてみられ，心臓の収縮力を発生する．筋原線維はミオシンからなる太いフィラメントと，アクチン，トロポニン，トロポミオシンなどからなるフィラメント，その相互作用を調節するミオシン結合タンパクCなどで構成され，ミオシンフィラメント部分をA帯，アクチンとの重なりがない部分をH帯，アクチンフィラメント部分をI帯，I帯の中央を分割する線をZ帯，Z帯と次のZ帯までの単位を**筋節サルコメア**

sarcomereと呼ぶ（図11-23）．
　心臓弁は，房室弁である僧帽弁と三尖弁，半月弁である大動脈弁と肺動脈弁は，いずれも表層を内皮細胞で被覆され，間葉系細胞とコラーゲンやプロテオグリカンからなる細胞外基質で構成されている．正常の弁組織は無血管組織で，血液と接触することで栄養供給を受けている（図11-24, 25）．

 ## 先天性心疾患
congenital heart disease（CHD）

　心臓は人体で最初にできる器官である．胎生20日頃に側板中胚葉の細胞が心臓形成細胞に運命づけられ，心筋細胞に分化し，**原始心臓管**を形成する．胎生27日頃に原始心臓管は右側に屈曲（**ルーピング**cardiac loop）して，心臓の大まかな外観が形成される．原始心臓管の内部では，4つの**心内膜床**が発達して房室弁と心室心房中隔を形成し，流出路を大動脈と肺動脈に分割して胎生50日頃には2心房2心室の心臓が形成される．先天性心疾患はこの過程で生じた形態的異常を指す．環境要因と

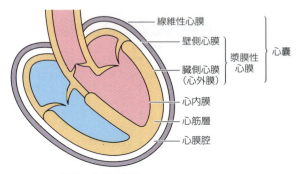

図11-22　心臓・心膜の構造

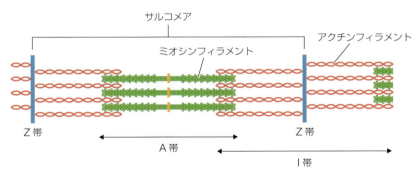

図11-23　心筋細胞の筋原線維のサルコメア構造

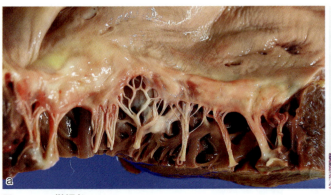
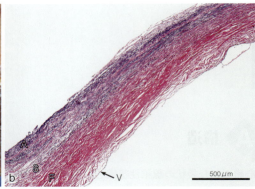

図 11-24　僧帽弁
a. 肉眼像.
b. 組織像. 左房側から左室側に向け，auricularis（A），spongiosa（S），fibrosa（F），ventricularis（V）の4層構造になっている．エラスチカ・ワンギーソン染色．

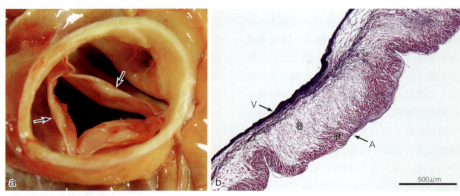

図 11-25　大動脈弁
a. 肉眼像. アランチウス Arantius 結節（→）．
b. 組織像. 左室側から大動脈に向け，ventricularis（V），spongiosa（S），fibrosa（F），arterialis（A）の構造になっている．エラスチカ・ワンギーソン染色．

遺伝的要因が関与すると考えられ，母体の風疹感染や糖尿病，サリドマイドのような催奇形性物質などが環境要因として知られている．遺伝的要因としては，ダウン Down 症候群，ターナー Turner 症候群や 22q11.2 欠失症候群など，染色体の転座や欠失などの染色体異常，発生制御遺伝子の異常によるものが知られる．しかし，発症原因が不明であることがほとんどである．

先天性心疾患は全新生児に対しておよそ1%の頻度で認められる．先天性心疾患の病型別頻度を**表 11-3** に示す．先天性心疾患は，血行動態から①**右-左シャント性の疾患**，②**左-右シャント性の疾患**，③**閉塞性の疾患**に分けられる．①右-左シャント性の疾患にはファロー Fallot 四徴症，大血管転位が該当し，「右心系圧＞左心系圧」となるために右心系から左心系へのシャントが生じる．②左-右シャント性の疾患には心房中隔欠損症，心室中隔欠損症，動脈管開存症があげられる．③閉塞性の疾患には肺動脈狭窄症，大動脈縮窄症が含まれる．また，チアノーゼの有無から，**チアノーゼ性心疾患**と**非チアノーゼ性心疾患**に分類される．右-左シャント性の疾患では，酸素飽和度の低い静脈血の一部が肺循環を経由せずに体循環に入るため，チアノーゼをきたす．左-右シャント性疾患は，初めはチアノーゼを伴わないが，シャントが大きいと徐々に肺高血圧症を起こし，右-左シャントへと移行して遅発性にチアノーゼが出現する．この左-右シャントから右-左シャントへと逆転した状態を**アイゼンメンジャー症候群** Eisenmenger Syndrome と呼ぶ．閉塞性の疾患では右心系と左心系に異常な交通はないためチアノーゼをきたすことはない．チアノーゼ性

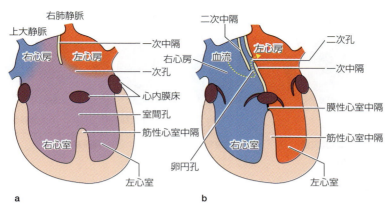

図 11-26　心室中隔，心房中隔のでき方

心疾患では慢性的な低酸素によって赤血球の産生が亢進して赤血球増加症がみられ，血液粘稠度が高くなるため，血栓を生じやすくなる．右-左シャント性の疾患では，静脈系由来の血栓がシャントを介して体循環に流れて脳梗塞など塞栓症を起こす**奇異性塞栓症**を合併することがある．また先天性心疾患があるとジェット血流によって心内膜が傷害を受けやすく，感染性心内膜症の発症リスクが高まる．

1 ● 心室中隔欠損症 ventricular septal defect (VSD)

先天性心疾患のなかで最も頻度が高い．心室中隔は，初め筋性心室中隔が心尖部から上行性に伸張するが，心内膜床との間に室間孔という隙間を残す(図 11-26a)．その後，心内膜床から下行性に膜性心室中隔が伸張，癒合して室間孔を塞ぐ(図 11-26b)．これらの形成異常や癒合不全により心室中隔欠損が生じる．欠損部位により，Ⅰ型(漏斗部)，Ⅱ型(膜様部)，Ⅲ型(流入部)，Ⅳ型(筋性部)に分類される．膜様部に生じる欠損が最も多く約 75％に認められる．心室中隔欠損症の約 2/3 は **Fallot 四徴症**などの他の先天性心疾患と合併している．症状の強さや，その出現時期は欠損孔の大きさにより異なる．小さな欠損は無症状で小児期までに自然閉鎖することが多い．小さい欠損であっても，ジェット血流により心雑音が容易に聴取され，感染性心内膜炎のリスクは上昇する．欠損が大きいと心不全や肺高血圧をきたして Eisenmenger 症候群へと移行するため，早期に外科的手術を要する．

2 ● 心房中隔欠損症 atrial septal defect (ASD)

先天性心疾患のうち，心室中隔欠損症に次いで多い．心房中隔は，まず，心房上部から発生した**一次中隔**が下

表 11-3　先天性心疾患の頻度と割合

	例	割合(%)
心室中隔欠損症	853	32.1
心房中隔欠損症	285	10.7
動脈管開存症	74	2.8
肺動脈狭窄症	98	3.7
Fallot 四徴症	301	11.3
完全大血管転位	115	4.3
房室中隔欠損症	61	2.3
三尖弁閉鎖症	53	2.0
大動脈縮窄症	50	1.9
大動脈弁狭窄症	39	1.5
総肺静脈還流異常症	36	1.4

1990 年 4 月～1999 年 7 月，2,654 家系の調査より．
〔表中の数値は「日本小児循環器学会疫学委員会，他：先天性心血管疾患の疫学調査―1990 年 4 月～1999 年 7 月，2,654 家系の報告．日本小児循環器学会雑誌 19：606-621, 2003」より引用〕

行性に伸びて(図 11-26a)，心内膜床と接着して**一次孔**が閉鎖するが，一次中隔の中央部分にアポトーシスにより複数の小孔が生じ癒合して**二次孔**を形成する．ついで一次中隔の右房側に，**二次中隔**が心内膜床に向かって伸展し(図 11-26b)，**卵円孔** foramen ovale を残して二次孔を閉鎖する．胎生期には右房の血液は，卵円孔から一次中隔と二次中隔の間を通り，二次孔から左房に流れるが，肺循環が始まり動脈管が閉鎖して左房圧が高まると，一次中隔が二次中隔に押しつけられて融合し，卵円孔は閉鎖して痕跡は右房側に卵円窩として残る．この形成過程で異常な欠損孔が生じ，生後にも残存するのが心房中隔欠損である．欠損部位により ① **二次孔欠損**(卵円窩型)(75％)，② **一次孔欠損**(心内膜床欠損型)(20％)，③ 上位あるいは下位静脈洞型欠損，④ 冠静脈洞型欠損などに分ける(図 11-27)．卵円孔の癒合不全である**卵円孔開存症**は成人の 20～25％にみられる．心房中隔欠損症は小児期には自覚症状がほとんどみられず，成人まで

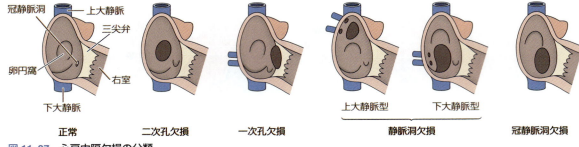

図 11-27　心房中隔欠損の分類

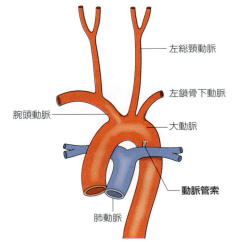

図 11-28　動脈管索

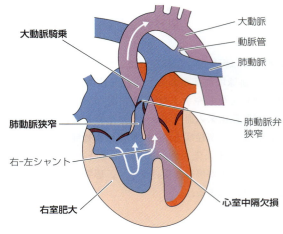

図 11-29　Fallot 四徴症

無症状であることが多く，成人になって発見される先天性心疾患のなかでは最も多い．症状がある場合は，カテーテル治療による閉鎖栓の留置を行う．

3 ● 動脈管開存症 patent ductus arteriosus（PDA）

胎生期，右心室へ流入した血液の大部分は，肺動脈へ送り出されるものの，ほとんどは肺に流れず，動脈管を経由して肺循環を迂回し，大動脈へと流れる．動脈管は通常，出生直後の肺呼吸の開始による動脈血の酸素飽和度の上昇，血管拡張作用をもつプロスタグランジンの胎盤からの供給途絶などにより収縮して閉鎖し，後に線維性の動脈管索となる（図 11-28）が，動脈管開存症では自然閉鎖がみられない．妊娠初期における母体の風疹感染が発症原因の 1 つとなることはよく知られる（**先天性風疹症候群**）．90％ は単独で存在するが，**左心低形成症候群** hypoplastic left heart syndrome など他の重症の先天性心疾患と合併することがある．

4 ● 肺動脈狭窄症 pulmonary stenosis（PS）

先天性心疾患の約 10％ を占める比較的頻度の高い疾患であり，**閉塞性**の疾患では最も多い．先天性風疹症候群の部分症のことがある．肺動脈弁を起点とする狭窄部位によって，弁狭窄，弁下狭窄（漏斗部狭窄），弁上狭窄（末梢性肺動脈狭窄）の 3 つに分類されるが，約 9 割は弁狭窄である．卵円孔開存を合併している重症例では右-左シャントによりチアノーゼを生じるが，軽症〜中等症では通常は無症状で経過する．カテーテルによる狭窄部のバルーン拡張が有効である．

5 ● Fallot 四徴症 teratology of Fallot（TOF）

① **心室中隔欠損**，② **肺動脈狭窄**，③ **大動脈騎乗**，④ **右室肥大** の 4 つを特徴とする（図 11-29）．チアノーゼ性の先天性心疾患のなかでは最も頻度が高い．流出路の分割期における円錐中隔の前方偏位（右室側への偏位）のため筋性心室中隔との間にずれが生じて閉鎖できず，大動脈と肺動脈の不等な分割を生じて肺動脈が狭窄し，大動脈が右室側に位置して心室中隔欠損部の真上に騎乗

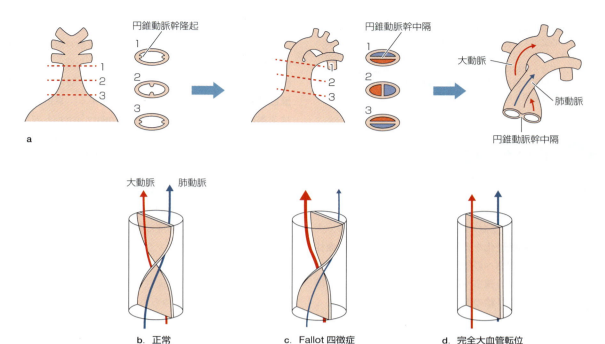

図 11-30　正常な円錐動脈幹の分割とその異常
a. 胎生5週から6週にかけて円錐動脈幹が円錐動脈幹中隔によりらせん状に分割される．
b. 正常なねじれ状の分割を示す模式図と分割の異常．
c. 肺動脈が狭い不均等な分割（Fallot 四徴症）．
d. 非らせん状の分割（完全大血管転位）．

する（図 11-30c）．右室肥大は肺動脈狭窄による二次的なものである．肺動脈狭窄により肺循環血液量の減少と右-左シャントを生じ，狭窄が高度であるほど肺循環血液量は低下して強いチアノーゼを伴う．チアノーゼが続くと**ばち状指**が認められる．啼泣，排便，運動時に無酸素発作を起こすことがあり，その際しゃがむ（**蹲踞**）**姿勢**をとることが知られる．この姿勢では大腿動脈を圧迫して下半身の体血管抵抗を上昇させるため，相対的に肺動脈に血液が流れやすくなるためと考えられる．

6　完全大血管転位症

complete transposition of great arteries（TGA）

右室から大動脈が，左室から肺動脈が出る形態異常である（図 11-31）．流出路を大動脈と肺動脈に分割する円錐動脈幹中隔は，本来らせん状に発生する（図 11-30a）が，本疾患は直線状に発生することで発症する（図 11-30d）．この形成異常単独では，体循環と肺循環が分断されるため生存できない．そのため，心房中隔欠損，心室中隔欠損や動脈管開存などの形成異常を合併し，酸素量の多い肺循環血が右心系に流入することで，出生後の生存が可能となる．

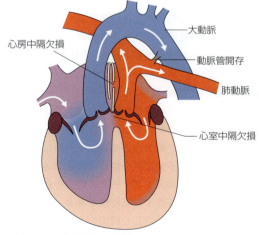

図 11-31　大血管転位Ⅱ型

Advanced Studies

心室中隔欠損のないⅠ型，心室中隔欠損を合併するⅡ型，心室中隔欠損＋肺動脈狭窄合併のⅢ型に分類される．Ⅰ型は最も重症であり，出生直後から強いチアノーゼをきたす．Ⅱ型はチアノーゼは軽いが心不全症状が強い，Ⅲ型は肺動脈狭窄が適度であればチアノーゼも心不全症状も軽体循環が保たれやすく最も軽症である．どの病型であっても外科的治療介入が必須でⅠ型，Ⅱ型では大血管スイッチ術を行う．

7 ● 修正大血管転位 corrected transposition of great arteries

　左右の心室が入れ替わり，右房→解剖学的左室(右側)→肺動脈へつながり，左房→解剖学的右室(左側)→大動脈が起始する．血液の流れは，正常と同様に，静脈血は肺動脈へ，動脈血は大動脈へ流れるが，心室中隔欠損や心室中隔欠損＋肺動脈狭窄の合併が多く，それぞれの血行動態と臨床症状を呈する．

虚血性心疾患
ischemic heart disease(IHD)

　虚血性心疾患は，心筋への酸素供給と心筋細胞の酸素需要の不均衡(心筋虚血)を原因とする心疾患である．大部分は，**粥状動脈硬化**を背景とした冠動脈の狭窄や血栓症により，心筋細胞への酸素供給の減少によって引き起こされる．冠動脈の狭窄や閉塞がなくても，貧血，一酸化炭素中毒も酸素供給の減少に起因する心筋虚血を起こしうる．また，大動脈弁狭窄症や高血圧症などの圧負荷による心筋肥大，甲状腺機能亢進症なども心筋の酸素需要量を増大し，心筋虚血の原因となる．

1 ● 狭心症 angina pectoris

　一過性で**可逆的**な心筋虚血によって起こる，胸痛や胸部不快感を特徴とする臨床症候群で，原則として心筋壊死は伴わない．冠動脈の動脈硬化性狭窄病変を基盤として運動時など心筋酸素需要量の上昇時に**相対的虚血**となり症状が出現する**労作性狭心症**と，冠動脈に器質的狭窄がなく一過性に異常収縮することにより起こる**血管攣縮性狭心症（異型狭心症）**に分けられる．

　また臨床像により，症状が数か月以上安定していて心筋梗塞への移行の心配が少ない**安定狭心症**と，症状の起こる頻度が増加し，軽労作あるいは安静時にも症状が出現するようになる**不安定狭心症**に分けられる．後者は器質的冠動脈狭窄に加えてプラークの破綻や血栓形成が関連し，心筋梗塞に移行する可能性がある．不安定狭心症から心筋梗塞までの一連の病態を包括して**急性冠症候群** acute coronary syndrome と呼ぶ．

2 ● 心筋梗塞 myocardial infarction
【概念，臨床像】

　心筋梗塞は心筋が虚血性壊死を起こした状態を指す．心臓表面を走行する冠動脈の分枝は，心外膜側から心筋層を貫き心内膜側に向かうため，心内膜側の心筋は虚血の影響を受けやすい．そのため，心筋梗塞は心内膜下から始まり心外膜に向かって進展する．梗塞が心内膜下に限局する場合を**心内膜下梗塞** subendocardial infarction と呼ぶが，最内側の数層の心筋は心内腔から直接，血液供給を受けるため保たれることが多い．心筋への血液供給が3〜6時間途絶すると，梗塞が心筋全層に及んだ**貫壁性梗塞** transmural infarction が完成する．貫壁性梗塞は3本の冠動脈(右冠動脈 right coronary artery，左前下行枝 left coronary artery，左回旋枝 left circumflex artery)のうち，いずれかの灌流域で認められることが多い．**右冠動脈**の閉塞は心基部側の左室後壁および心室中隔の後壁側に，**左前下行枝**の閉塞では左室前壁および心室中隔の前壁側に，**左回旋枝**の閉塞では左室側壁で梗塞を起こす．冠動脈に高度な粥状動脈硬化が徐々に進行し，長期間冠動脈血流が少ない状態が続いていると，心外膜側の心筋には側副血行が発達するため，梗塞は心内膜下に限局しやすい．全周性の心内膜下梗塞は，冠動脈の3枝に高度狭窄が認められる場合のほか，心臓に低灌流をきたす出血性ショックなどの場合にも起こる．

【病理形態像】

a 肉眼的変化(図11-32)

　心筋梗塞の発症から12時間以内は，肉眼的に病変の同定は困難である．36時間を経過すると，肉眼的に梗塞中央部で混濁がみられる．3日程度経過すると，梗塞領域の境界は明瞭に同定でき，梗塞部は灰黄色調となる(図11-33a)．1週間程度で心筋壁は次第に菲薄化する(図11-33b)．4週間程度経過すると，梗塞巣は瘢痕となり，明瞭な白色の線維化として同定可能となる(図11-33c)．

b 組織学的変化

　発症後数時間では，光学顕微鏡的には心筋細胞の壊死は同定できない．電子顕微鏡では，発症後30分後くらいから，心筋細胞膜の破壊，ミトコンドリアの不可逆的傷害の所見が認められる(図11-32)．光学顕微鏡像で最も早く出現する変化は心筋細胞の**波状変化** wavy change と，周囲間質の浮腫である．不可逆的傷害を起こした心筋細胞は収縮することができず，隣接する収縮能をもつ心筋に引き延ばされて波状変化を呈する(図11-34a)．その後24時間ごろまでに徐々に心筋細胞の細胞質は好酸性が増強し，核は核濃縮 pyknosis，核崩壊 karyorrhexis，核溶解 karyolysis を起こして消失，**凝固壊死**におちいる．梗塞後12時間後くらいから**好中球**が浸潤し(図11-34b)，やがてアポトーシスに陥って核塵 nuclear dust と呼ばれる断片化された核を残して消失する．

　3日以降には浸潤細胞は**マクロファージ**が優勢となり，死んだ心筋細胞，好中球，赤血球を貪食する．これ

図 11-32 心筋梗塞巣の形態学的変化

時間	0.5時間	4時間	12時間	24時間	36時間	3日	7日	10日	14日	4週	8週
肉眼											
梗塞中央部の変色(灰黄色), 混濁						→→→→→→					
境界部の明瞭化, 梗塞部軟化							→→→→→				
菲薄化										→→→→→→→	
瘢痕形成(灰白色)										→→→→→	
光学顕微鏡											
心筋細胞の波状変化, 間質浮腫		→→→→									
好酸性増強, 核濃縮, 凝固壊死			→→→→→→→								
好中球浸潤			→→→→→→→→→→→								
マクロファージ浸潤, 死細胞貪食							→→→→→→				
肉芽組織形成, 血管新生								→→→→→→			
膠原線維形成									→→→→→→→		
電子顕微鏡											
(可逆性変化)筋原線維の弛緩, グリコーゲン消失, ミトコンドリア膨張	→→→										
細胞膜の崩壊, ミトコンドリア内にアモルファスな高電子密度領域の出現		→→									

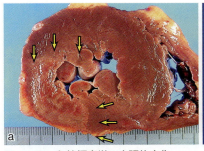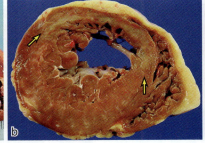

図 11-33 心筋梗塞巣の肉眼的変化
a. 急性期(発症から3日). 左室側壁(左回旋枝灌流域), 灰黄色調の梗塞部(→).
b. 急性期(発症から7日). 左室前壁(左前下行枝灌流域), 菲薄化した左室前壁(→).
c. 慢性期(発症から2か月). 左室後壁(右冠動脈灌流域), 白色に瘢痕化した梗塞巣(→).

らのマクロファージは, 被貪食細胞由来のヘモグロビン色素あるいはミオグロビン色素を細胞質内に含んでいる(図 11-34c). 7日目ごろからは血管が増生しはじめ, 壊死部位は徐々に**肉芽組織**で置換される(図 11-34d). 10日目以降は線維芽細胞による膠原線維形成がみられるようになり, 4週以降には, 細胞成分は減少して, 成熟した密な膠原線維からなる**瘢痕組織**となる(図 11-33 e, f).

【合併症】
a 収縮不全(ポンプ機能不全) contractile dysfunction
心筋梗塞では左室の収縮能が低下し, 心拍出量低下による低血圧や肺水腫が生じる. 梗塞範囲に比例して収縮能は低下し, 左室心筋が40%以上壊死に陥ると**心原性ショック**を起こす.

b 不整脈 arrhythmia
虚血は心筋に電気的不安定性あるいは易興奮性を生じさせるほか, 伝導路を障害し, 不整脈を発生させる. 虚血が原因となる不整脈は, 伝導ブロック, 徐脈, 上室性頻脈性不整脈, 心室期外収縮, 心室頻拍など多彩であるが, 心筋梗塞による突然死の大部分は, 心筋の易興奮性に起因する**心室細動** ventricular fibrillation による.

c 乳頭筋機能不全 papillary muscle dysfunction
左室乳頭筋は腱索によって僧帽弁とつながっており, 収縮時に僧帽弁が閉鎖する. 虚血によって乳頭筋収縮能が低下すると, 僧帽弁が閉鎖せず逆流が起こる. まれに心筋梗塞後に乳頭筋断裂が起こることがあり, 急性僧帽

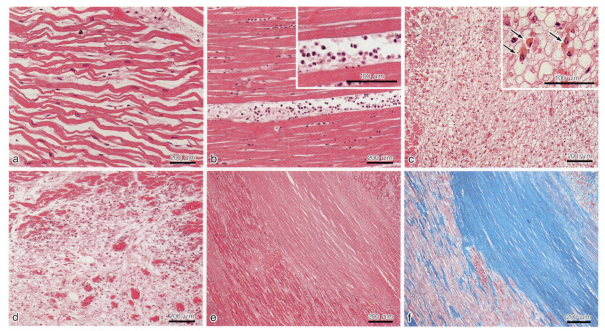

図 11-34　心筋梗塞発症後の組織学的変化
a. 発症後数時間．間質は浮腫状で，心筋細胞の核は残存しているものの，細胞の波状変化がみられる．
b. 12 時間〜数日．心筋細胞は核が消失し，凝固壊死している．浮腫状の間質に好中球が浸潤している．
c. 4 日〜7 日．壊死に陥った心筋細胞をマクロファージ（矢印）が貪食し，細胞質内には色素がみられる．
d. 7 日以降．新生血管が増生し，肉芽組織が形成されている．
e, f. 4 週以降．成熟した膠原線維が形成され，瘢痕化をきたしている．瘢痕巣には細胞成分をほとんど認めない．
a〜e は HE 染色，f はマッソントリクローム染色．

図 11-35　心破裂

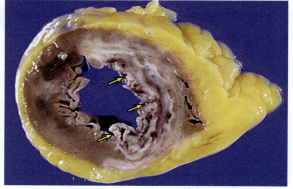

図 11-36　壁在血栓

弁閉鎖不全症による急激な左房圧上昇，肺うっ血が生じる．

d 心破裂 cardiac rupture

心破裂は梗塞で脆弱となった左室自由壁が破裂し，心嚢内血腫によって心タンポナーデを起こし，しばしば致死的である（図 11-35）．心破裂は，初回の心筋梗塞，高齢女性，梗塞発症数日以内の炎症極期で組織が脆弱な時期に起こりやすい．梗塞巣が瘢痕化すると線維増生が進み，壁の破裂は起こりにくくなる．

e 壁在血栓 mural thrombus

心筋梗塞による心内膜の炎症や局所的な壁運動異常に伴って，心内腔に壁在血栓の付着が認められることがある（図 11-36）．特に心尖部が梗塞に陥ると瘤化や血流のうっ滞から血栓が形成されやすい．心内腔の壁在血栓は

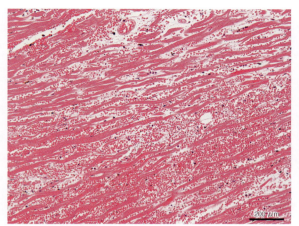

図 11-37　出血性梗塞
組織像．凝固壊死した心筋細胞の周囲に著明な出血が認められる．HE 染色．

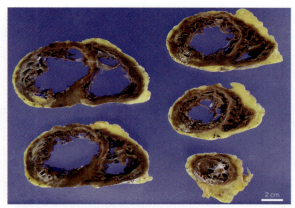

図 11-38　虚血性心筋症
心室内腔は拡張し，左室壁は全周性に菲薄化している．筋層内に白色の小線維化巣が散在性にみられる．

多臓器への全身性塞栓症をきたす．

f 心膜炎 pericarditis

貫壁性梗塞の発症後に炎症が心外膜側に波及し，心膜炎が起こることがある．一般には心筋梗塞発症後，2〜3日後に発生し，その後回復するが，重篤な心膜炎では高度の癒着を起こす．また心筋梗塞後 2〜10 週後に心膜炎が起こることがあり，ドレスラー Dressler 症候群といわれる．

g 再灌流傷害 reperfusion injury，出血性梗塞 hemorrhagic infarction

現在，心筋梗塞による壊死を最小限にするため，できるだけ早期にカテーテル治療や冠動脈バイパス術による血流再開が行われるが，血流回復後の再酸素化により好中球の活性化やフリーラジカルの産生が起こり，かえって心筋細胞傷害を増強することがある．このような現象を**再灌流傷害** reperfusion injury と呼ぶ．再灌流傷害が起こった組織では炎症が強いことが多く，しばしば高度な出血を伴う梗塞（**出血性梗塞** hemorrhagic infarction）がみられる（図 11-37）．

h 梗塞後心室リモデリング postinfarction ventricular remodeling

心筋梗塞後，数週から数か月後に，徐々に心室腔の拡張と収縮能の低下が進行し，心不全をきたす状態を指し，現在，臨床上，心筋梗塞の最も重要な合併症である．肉眼的には梗塞部が伸展，菲薄化し，組織学的には残存心筋細胞の肥大，線維化など非特異的所見がみられる．病態形成メカニズムとして，梗塞後組織修復期の不適切な炎症制御，MMP の過剰活性化などが示唆されている．

3 虚血性心筋症 ischemic cardiomyopathy

心筋虚血によって心室壁の著明な菲薄化と心内腔の拡張を起こした病態をいう．ほとんどの場合，臨床的に認知された心筋梗塞の既往があるが，明らかな心筋梗塞の既往がなくても，高度な冠動脈閉塞により，多発性顕微鏡的梗塞，広範な瘢痕形成を起こしている場合もある．肉眼的には，拡張型心筋症のような形態を呈する．冠動脈は 3 枝病変であることが多く，心内膜の肥厚や壁在血栓の付着を伴うことも多い（図 11-38）．著明な心機能低下に陥った場合の治療法は心移植であるが，わが国ではドナー不足から，虚血性心筋症に対する心移植はきわめて限られている．

D 心筋炎

心筋炎は心筋を標的とした感染症や炎症反応であり，虚血性心疾患などほかの要因による心筋傷害に対する二次的な炎症反応とは区別する．わが国での心筋炎の年間発症率は 10 万人に 20 人程度，男性に多く発症し，新生児を含む小児期と 20〜40 歳前後に有病率が高い．ウイルス，細菌，原虫などの病原体感染，アレルギー，自己免疫，薬物，化学物質などの原因によって起こる．最近，癌治療に用いる免疫チェックポイント阻害薬や，COVID-19 ワクチン接種に関連する心筋炎が注目されている．病理学的には，浸潤する炎症細胞の種類により

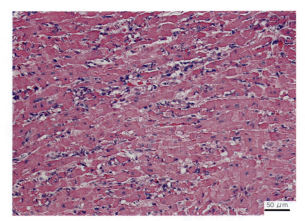
図 11-39　急性リンパ球性心筋炎
HE 染色.

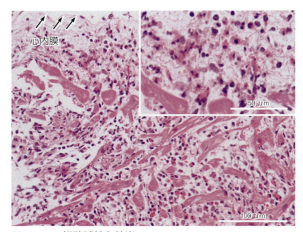
図 11-40　好酸球性心筋炎
HE 染色．挿入図では好酸球の集簇と，脱顆粒がみられる．

リンパ球性，巨細胞性，好酸球性，肉芽腫性に分ける．臨床的には，急性および慢性，劇症型に分類される．

1 ● リンパ球性心筋炎 lymphocytic myocarditis
【概念，臨床像】

心筋炎全体で最も頻度が高い．感染，薬物，自己免疫などさまざまな原因により生じる．"感冒症状などの先行感染に引き続く心不全症状"で発見されることが多いため，ウイルス感染によるものが最も多いとされてきた．原因ウイルスとして coxsackievirus B3（CVB3）が知られてきたが，最近では，adenovirus, parvovirus B19, human herpesvirus 6 が挙げられることのほうが多い．CVB を感染させたマウスモデル実験に基いて，リンパ球性心筋炎は，ウイルス感染をきっかけとした**細胞免疫性**を主体とする**自己免疫**によると理解されている．

Advanced Studies
ウイルスが特異的受容体を介して心筋細胞に侵入感染すると，抗原非特異的な自然免疫が発動してウイルスの増殖を抑える．次いでウイルス抗原特異的な獲得免疫が活性化し，感染細胞や抗原提示細胞の主要組織適合抗原（MHC）クラス I 分子上に，ウイルス抗原ペプチドが提示され，細胞傷害性 T 細胞（CD8 陽性 T 細胞）が感染細胞を攻撃する．また，マクロファージやウイルス抗原特異的ヘルパー T 細胞（CD4 陽性 T 細胞）が活性化して TNF-α，IL-6 などの炎症性サイトカインを産生し，CD8 陽性 T 細胞や B 細胞の活性化を促す．B 細胞はウイルスに対する中和抗体を産生し，ウイルス排除を促す．これに加え，ウイルスエピトープと自己抗原との分子相同性や，破壊された心筋細胞内抗原の露出により，自己反応性ヘルパー T 細胞が活性化して心筋炎の病態を修飾する．

臨床的には，心エコー，MRI などの画像モダリティと血液生化学的検査で心筋逸脱酵素の上昇によって診断し，心内膜筋生検で確定診断が行われる．

【病理形態像】

急性期の組織所見では，心筋内にリンパ球を主体とした炎症細胞浸潤と浮腫，心筋細胞の変性・壊死や脱落所見などがみられる（図 11-39）．特に，変性・壊死に陥った心筋細胞のごく近傍に炎症細胞が存在して，あたかも心筋細胞を攻撃しているような像（**近接効果**と記載される）は心筋炎診断の決め手となる．一般に浸潤細胞は，CD4 あるいは CD8 陽性の T 細胞，CD68 陽性のマクロファージが多く，CD20 陽性 B 細胞は少ない．免疫応答の収束に伴い，炎症細胞数は減少して組織破壊像はみられなくなり，傷害された心筋組織は肉芽組織で置換，最終的に線維化・瘢痕化する．

2 ● 好酸球性心筋炎 eosinophilic myocarditis
【概念，臨床像】

好酸球優位の炎症細胞浸潤をみる心筋炎である．アレルギー，薬剤，寄生虫感染が疑われるが，原因不明の症例が多い．胸痛，呼吸困難，動悸などの心症状に，末梢血中の好酸球数の増加（500/mm³），心筋逸脱酵素の上昇，心エコーで間質浮腫による左室壁肥厚や壁運動異常を認めるが，心内膜心筋生検で確定する．

【病理形態像】

心筋生検では好酸球の集簇，脱顆粒を特徴とする（図 11-40）．顆粒に含まれる eosinophilic cationic protein（ECP）や major basic protein（MBP）が心筋傷害を起こすと考えられ，心筋細胞の融解・変性，間質浮腫などがみられる．実際にはリンパ球浸潤も混在して，リンパ球性心筋炎と鑑別が難しいこともある．しばしば心内膜炎がみられ（**レフレル Loeffler 心内膜炎**），血栓形成の原因に

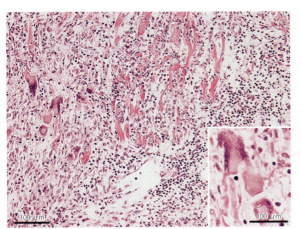

図 11-41 巨細胞性心筋炎
HE 染色．挿入図では多核巨細胞がみられる．

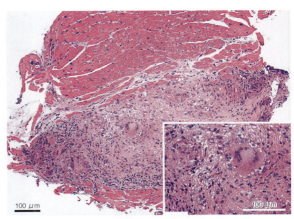

図 11-42 肉芽腫性心筋炎
HE 染色．

なることがある．**急性期のステロイド投与で多くは改善**する．

3 ● 巨細胞性心筋炎 giant cell myocarditis

【概念，臨床像】

　多数の多核巨細胞の出現と高度で広範な心筋傷害を特徴とするまれな疾患である．リンパ球性心筋炎や，好酸球性心筋炎に比べ重篤な経過をとり，臨床的には激症型症心筋炎であることが多い．アレルギーや自己免疫性疾患との関連が推定されている．ステロイドや強力な免疫抑制薬投与を必要とするが，予後は悪い．

【病理形態像】

　巨細胞はマクロファージ由来とされ，壊死領域や形質細胞，好酸球を交えた強いリンパ球浸潤部にみられる（図 11-41）．

4 ● 肉芽腫性心筋炎 granulomatous myocarditis

【概念，臨床像】

　心臓サルコイドーシスとほぼ同義語である．サルコイドーシスは，多臓器・組織に**非乾酪性類上皮細胞肉芽腫**を形成する全身性疾患で，一般には予後良好である．日本では，心臓に病変が及ぶ頻度が高く，心臓サルコイドーシスは心不全，致死的不整脈などを併発し予後不良とされている．肉芽腫病巣の好発部位は心室中隔基部であるため，心エコーや MRI で，心室中隔基部に菲薄化を認める．

【病理形態像】

　病理形態学的には，白色巣状の病変が，孤立性あるいは癒合しあって，多様な分布様式を示す．組織学的には**類上皮細胞** epithelioid cell，**多核巨細胞**（ラングハンス Langhans 巨細胞），リンパ球および線維性結合組織で構成される類上皮細胞肉芽腫形成がみられる．類上皮細胞は単球・マクロファージ系の細胞で，細胞質が広く形態的に上皮に類似し，巨細胞は類上皮細胞が癒合して形成される（図 11-42）．

5 ● 慢性心筋炎 chronic myocarditis

　心筋炎は一般に一過性経過をとるが，免疫制御機構の異常や，ウイルスの持続感染のために心筋炎が慢性化することがある．慢性心筋炎は，臨床的に拡張型心筋症と診断された症例のなかから心筋生検や剖検で偶発的に見つかることが多いが，遺伝子変異を原因とする他のタイプの拡張型心筋症とは異なり，免疫抑制薬によって進行を止めることが期待できる．

心筋症 cardiomyopathy

　心筋症は，元来，高血圧や冠動脈疾患，弁膜疾患などの明らかな原因を有さず心機能障害をきたす原因不明の進行性心筋疾患を指す．現在では，心筋症に関連した多くの遺伝子変異が同定され，心筋症の多くは既知あるいは未知の**遺伝子異常**または**自己抗体**によると考えられている．

　臨床的には，心室壁の肥厚や心腔拡大などの形態，収縮能および拡張能などの機能評価，家族歴や遺伝子変異の有無を検討し，全身疾患の心病変である二次性心筋症を鑑別して**特発性（原発性）心筋症**とし，それを臨床像か

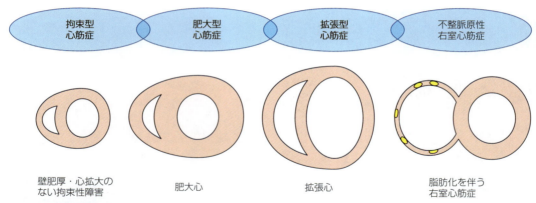

図11-43 特発性心筋症の分類

表11-4 拡張型心筋症との関連が報告されている主な遺伝子

遺伝子	遺伝子産物	染色体座位	遺伝様式
LMNA	ラミンA/C	1q21	AD
TTN	タイチン	2q31	AD
MYH7	β心筋ミオシン重鎖	14q11	AD
MYH6	α心筋ミオシン重鎖	14q12	AD
TNNI3	心筋トロポニンI	19q13	AR
ACTC	心筋アクチン	15q14	AD
SCN5A	心筋ナトリウムチャンネル	3p21	AD
DMD	ジストロフィン	Xp21	X-linked

AD：常染色体顕性，AR：常染色体潜性

ら拡張型心筋症，肥大型心筋症，拘束型心筋症，不整脈原性右室心筋症に分けている（図11-43）．

1 ● 拡張型心筋症 dilated cardiomyopathy（DCM）

【概念，臨床像】

左室のびまん性収縮障害と左室拡張を特徴とし，慢性心不全の急性増悪を繰り返す予後不良・進行性の疾患群である．拡張型心筋症の約20～30％は家族性（遺伝性）であり，その約20～40％に既知の遺伝子変異が検出されている（表11-4）．非遺伝性の拡張型心筋症ついても，まだ特定されていない遺伝子変異が関連すると予想されている．

【病理形態像】

病理形態学的には，左室腔の著しい拡張と壁の菲薄化を特徴とする．線維化がしばしばみられるが，虚血性心筋症では線維化が心内膜側に優位にみられるのに対し，DCMでは線維化は**冠動脈血流支配とは関係なく**みられることが特徴である．左室中層に円周状線維化がみられることがあり（図11-44），造影MRIでDCMに特徴的とされる心室中層のガドリニウム遅延像，**midwall fibrosis**（図11-45）に相当する．組織所見は病因，病期により多彩で，しばしば心筋細胞の変性・萎縮と残存心筋の代償性肥大が混在する心筋細胞の大小不同，核の腫大変性や種々のパターンや程度の線維化がみられる（図11-46）が，ほとんど組織変化を認めない症例もある．また最近，DCMのうちTリンパ球やマクロファージの有意な浸潤を認めるものは**炎症性DCM** inflammatory DCM（iDCM）として注目され，炎症を伴わないDCMより予後が悪いことが知られる．そのためリスク層別化，二次性心筋症の鑑別や心臓移植適応の判定申請のために心内膜心筋生検が行われる．

2 ● 肥大型心筋症 hypertrophic cardiomyopathy

【概念，臨床像】

心室壁の肥厚と心肥大に基づく左室拡張能低下を特徴とし，心エコーあるいはMRIにより最大左室壁厚15mm以上と定義される．有病率は，日本では500人に1人程度である．HCMの約60％に常染色体顕性（優性）遺伝に伴う家族歴を有し，そのうち40～60％で心筋ミオシン重鎖（MYH7）など心筋構成タンパクをコードする**遺伝子変異**を有する（表11-5）．無症状であることが多いが，左室拡張障害に伴う労作時呼吸困難や相対的心筋虚血に伴う胸痛や胸部絞扼を訴えることもある．初発症状が突然死であることもあり，HCMは若年者の，特に運動に関連した心臓突然死の原因の1つとして知られている．

【病理形態像】

病理学的には，典型例では心室壁の心室壁の不均一肥厚〔**非対称性中隔肥大** asymmetric septal hypertrophy（ASH）〕がみられる（図11-47）．流出路狭窄による駆出血流速度上昇のため僧帽弁前尖の収縮期前方運動 systolic anterior motion（SAM）を起こし，さらなる左室流

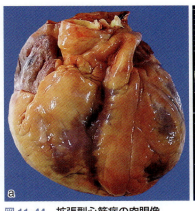
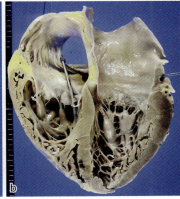

図11-44　拡張型心筋症の肉眼像
a. 前面．b. 冠状断．c. 水平断．

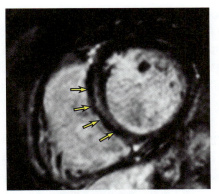

図11-45　拡張型心筋症の造影 MRI
心室中層のガドリニウム遅延像(➡)がみられる．
〔写真提供：三重大学循環器内科 中森史郎先生〕

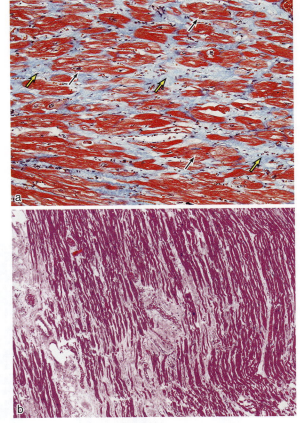

図11-46　拡張型心筋症の組織像
a. 肥大心筋(→)．線維化(➡)．マッソントリクローム染色．
b. 萎縮心筋．HE染色．

出路狭窄，圧較差を生じる原因の1つになるとされる．最も特徴的な病理組織学所見は心筋細胞肥大と錯綜配列である(図11-48)．前壁および後壁と左右心室中隔の合流部や乳頭筋付着部以外には生理的な錯綜配列がみられるが，HCMでは高位心室中隔や，前壁自由壁に広範囲にみられる．

> **Advanced Studies**

閉塞性肥大型心筋症(HOCM)，非閉塞性肥大型心筋症(non-obstructive HCM)，心室中部閉塞性心筋症(MVO)，心尖部肥大型心筋症(apical HCM)，拡張相肥大型心筋症(D-HCM)の5型に分類される(表11-6)．HOCMは安静時に流出路に圧較差を認めるもの，apical HCMはわが国に多く，自覚症状が軽微なものが多い．D-HCMはHCMの経過中に肥大した心室厚が減少・菲薄化し，心室拡大を伴う左室収縮力低下をきたして拡張型心筋症様病態を示す．

3 ● 拘束型心筋症 restrictive cardiomyopathy

【概念，臨床像】
　硬い心筋，左室拡大の欠如，ほぼ正常の左室収縮機能を特徴とする左室拡張障害で，心エコー，MRI，CT などの画像診断と心臓カテーテルにより診断される．臨床像は収縮性心膜炎と似ていることがある．アミロイドーシスなどの蓄積性心筋症，強皮症心などにより拘束型血行動態を示す二次性のものと，原発性拘束型心筋症に分けられる．最近，RCM の責任遺伝子として TNNI3 が報告されるなど，HCM とサルコメア遺伝子変異の同一スペクトラムにあると考えられている．

表 11-5 　肥大型心筋症の原因となる主なサルコメア関連遺伝子

遺伝子	遺伝子産物	頻度
MYBPC3	心筋ミオシン結合タンパク C	15〜30％
MYH7	β心筋ミオシン重鎖	10〜20％
MYL2	心筋ミオシン軽鎖	—
MYL3	心筋ミオシン軽鎖	1％
TNNT2	心筋トロポニン T	3〜5％
TNNI3	心筋トロポニン I	1〜5％
TPM1	αトロポミオシン	＜5％
TTN	タイチン	＜5％
ACTC1	心筋αアクチン	—
CSRP3	筋α LIM タンパク（Z 帯関連）	—
PLN	フォスフォランバン（Ca ハンドリングタンパク）	—

【病理形態像】
　病理像は壁異常のない小さな心室，高度な拡張障害による両心房拡大を特徴とし，組織学的には非特異的所見がみられるのみである．

4 ● 不整脈原性右室心筋症 arrhythmogenic right ventricular cardiomyopathy（ARVC）

【概念，臨床像】
　右室優位の心拡大と心機能低下，右室起源の重症心室性不整脈を基本病態とする．30〜50％程度の患者が家族歴を有し，プラコグロビン，プラコフィリン-2，デスモプラキン，デスモグレイン-2，デスモコリン-2 といったデスモゾームを構成するタンパクの遺伝子異常が報告されている．

【病理形態像】
　右室自由壁から徐々に心外膜面全体が脂肪織に覆われ右室が拡張する．デスモゾームの機能不全により心筋細胞が壊死あるいはアポトーシスを起こして脱落し，不規則で高度な脂肪化と線維化で置き換えられる（図 11-49）．

5 ● 二次性心筋症 secondary cardiomyopathy

　特定の原因，全身疾患との関連が明らかな心筋疾患を二次性心筋症あるいは特定心筋症という．虚血性心筋症，弁膜症性心疾患，高血圧性心疾患のほか，心アミロ

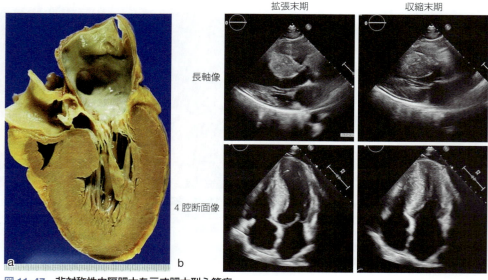

図 11-47　非対称性中隔肥大を示す肥大型心筋症
a．肉眼像．〔病理と臨床 39：969-974，2021 より転載〕
b．心エコー．〔写真提供：三重大学循環器内科　藤本直紀先生〕

イドーシス，心Fabry病，ヘモクロマトーシス，妊娠に伴う周産期心筋症，アドリアマイシンや免疫チェックポイント阻害薬など**癌治療関連心筋障害**，アルコールによる心筋障害，糖尿病や肥満に伴う心筋障害などが知られている．発症の分子メカニズムが解明され，新しい治療法が開発されているものもあり，的確な診断の重要性が増している．

a 心アミロイドーシス cardiac amyloidosis
【概念，臨床像】

心筋細胞間質，心内膜，冠血管などにアミロイドが沈着し，心室壁厚や硬さが進行性に増加し，拘束性障害により心不全，重篤な不整脈を起こす予後不良の疾患である．アミロイドーシスは，病態により異なるいろいろなタンパクが，不適切な折りたたみを受けて凝集して細線維を作り細胞外に沈着して臓器障害を起こす．アミロイドは肝臓，腎，皮膚などいろいろな組織に沈着するが，心臓はどのタンパク由来のアミロイドでも沈着しやすい臓器である．心室壁は厚くなり，内腔は正常あるいは，やや狭小化する(図11-50a)．

【病理形態像】

組織学的には，アミロイドはHE染色で間質に淡桃色の無構造硝子化物として認められ，**コンゴーレッド染色**やダイレクトファーストスカーレット direct fast scarlet (DFS)**染色**で赤染し，偏光顕微鏡で観察するとアップルグリーンの複屈折がみられる．心筋細胞にはしばしば萎縮，変性，脱落がみられる(図11-50b, c)．

Advanced Studies

遺伝性家族性アミロイドーシスでは，サイロキシン(T4)やレチノール(ビタミンA)の輸送担体であるトランスサイレチン trans-thyretin (TTR)の遺伝子変異のため折りたたみ不全を起こしやすい変異タンパクが産生されるが，野生型トランスサイレチン(老人性全身性アミロイドーシス)では正常なTTRに由来するアミロイドが沈着する．AL (amyloid light chain)型では単クローン性の形質細胞増殖に関連して免疫グロブリン軽鎖由来のアミロイドが，AA (amyloid associated)型では慢性炎症性疾患の際に肝臓で合成される血清アミロイドA serum amyloid-associated (SAA)タンパク由来のアミロイドが沈着する．最近，原発性AL型アミロイドーシスに対して自己末梢血幹細胞移植を併用した大量化学療法あるいはボルテゾミブ(プロテアソーム阻害剤)が，野生型および変異型トランスサイレチン心アミロイドーシスに対してタファミジスが治療薬として承認された．そのため，心筋生検検体の**免疫組織染色**やプロテオーム解析による**病型確定**が重要である．

b ファブリ病 Fabry disease

Fabry病ではライソゾームに存在する加水分解酵素の1つ**α-ガラクトシダーゼ活性の低下**により，その基質であるグロボトリアオシルセラミドGL-3が，血管内皮細胞，平滑筋細胞，心筋，汗腺，腎臓，自律神経節，角膜に蓄積して組織障害を起こす．**X連鎖性遺伝形式**をとるが，ヘテロ結合体の女性も種々の程度の臨床症状を示

表11-6 肥大型心筋症の分類

閉塞性肥大型心筋症 HOCM	
左室流出路に30 mmHg以上の圧較差を認める．	
非閉塞性肥大型心筋症 non-obstructive HCM	
30 mmHg以上の圧較差を認めない．	
心室中部閉塞性心筋症 midventricular obstruction (MVO)	
左室中部に著しい肥大，内腔狭窄を認め，砂時計様の左室形態を示す．	
心尖部肥大型心筋症 apical HCM	
心尖部に限局して肥大を認める．	
拡張相肥大型心筋症 dilated phase of HCM (D-HCM)	
肥大型心筋症の経過中に，肥大した心室壁厚が減少・菲薄化し，心室内腔の拡大を伴う左室収縮力低下をきたし，拡張型心筋症様病態を呈する．	

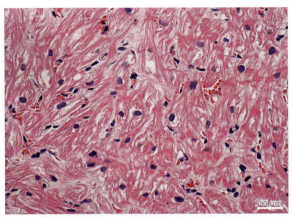

図11-48 肥大型心筋症にみられる心筋細胞の錯綜配列
HE染色．

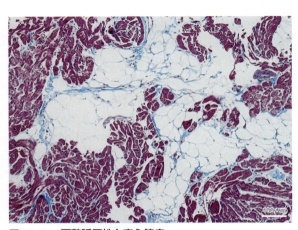

図11-49 不整脈原性右室心筋症
右室心筋生検組織．マッソントリクローム染色．

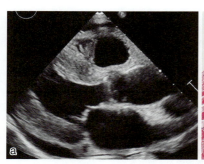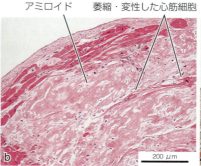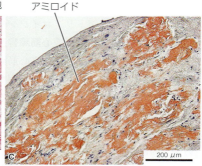

図 11-50　心アミロイドーシス
a．心エコー．〔写真提供：三重大学循環器内科　藤本直紀先生〕
b．心筋生検組織像．HE 染色．
c．心筋生検組織像．DFS 染色．

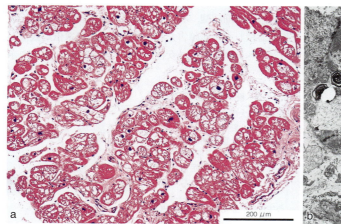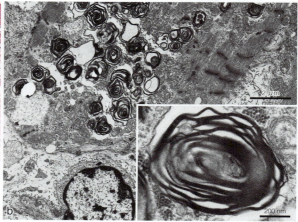

図 11-51　Fabry 病
a．心筋生検組織．光学顕微鏡像．HE 染色．
b．心筋生検組織．電子顕微鏡像．リソソーム内の myelin body．〔写真提供：日本医科大学　斎藤恒徳先生〕

す．小児期から四肢末端痛，低汗症や無汗症による体温の上昇を認め，その後，腎臓，心臓などの臓器障害を認めるようになる．障害が心臓に限局する場合を心 Fabry 病という．心 Fabry 病の初期では心室壁が肥厚して肥大型心筋症様であるが，病期の進行とともに左室壁運動が低下し，最終的には拡張型心筋症様となる．心筋組織では，HE 染色で心筋細胞の空胞化がみられ（図 11-51a），電子顕微鏡像で，リソソーム内に，**myelin body** あるいは zebra body と呼ばれる年輪状，層状の構造物の蓄積を認める（図 11-51b）．Fabry 病の根本治療として酵素補充療法や，ケミカルシャペロン療法が承認されている．

　弁膜疾患

弁の機能異常には，弁口の縮小や弁尖の可動性の低下による狭窄症 stenosis と弁尖の閉鎖が不十分なために起こる逆流症 regurgitation があるが，両者が併存することもあり，複数弁に病変が起こることもある．狭窄は，慢性炎症による弁尖の石灰化や瘢痕化が原因であることが多く，逆流は，弁や，弁輪，腱索，乳頭筋など弁尖の支持構造物の変形や破壊により起こる．先進国ではリウマチ性弁膜症 rheumatic valvular disease が減少し，高齢化に伴う弁組織の変性や石灰化による弁膜症が増加している．弁膜症では心臓に血行力学的な負荷がかかり，僧帽弁狭窄では左房が拡張し，進行すると二次性肺高血圧

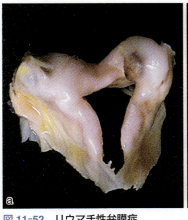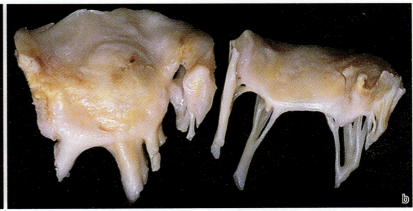

図 11-52　リウマチ性弁膜症
a. 大動脈弁．b. 僧帽弁．

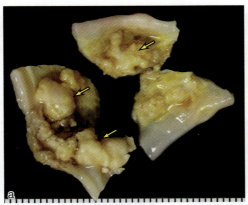

図 11-53　加齢性石灰化大動脈弁
結節状の石灰化（➡）．
a. 肉眼像．
b. マッソントリクローム染色．

を起こす．大動脈弁狭窄では左室が圧負荷により肥大し，進行すると左室腔が拡張する．僧帽弁逆流では左房と左室に，大動脈弁逆流では左室に容量負荷による内腔拡張が起こる．

1 ● リウマチ性弁膜症 rheumatic valvular disease

急性リウマチ熱 acute rheumatic fever は **A群β溶連菌感染**後に起こる多臓器炎症性疾患である．小児に頻度が高く，心臓にも炎症が及ぶ．先進国では減少したが，開発途上国では若年者の心疾患の死亡原因の重要な位置を占める．リウマチ性心疾患は溶連菌の菌体に対する抗体と，宿主の心臓の心筋，弁膜との交差反応によって起こると考えられるが，リウマチ熱の発症から15～40年が経過するまで症状が現れないことが多い．長期間の炎症のため，弁構造の高度な破壊，変形，瘢痕形成が起こる（図 11-52）．弁膜は肥厚し可動性が失われる．**交連部（弁尖の結合部分）の癒合**が目立ち，これらの変形が高度となると弁口面積が狭くなり，弁があたかも"魚の口"のような形態を呈する．僧帽弁では，腱索の癒合や短縮が起こる．弁の狭窄や逆流により二次的に心臓に形態変化を生じる．

2 ● 加齢性石灰化大動脈弁 senile calcified aortic valve
【概念，臨床像】

大動脈弁の流出側に**結節性の石灰化**が起こり，弁の可動性が低下する．わが国でも高齢化の進行とともに患者数が増えている．弁は肥厚するが，リウマチ性弁膜症とは異なり交連部の融合は認められない．

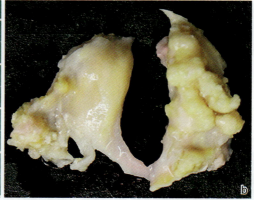

図 11-54　先天性大動脈二尖弁
a. raphe（→）．b. 高度の石灰化を呈した先天性大動脈二尖弁．

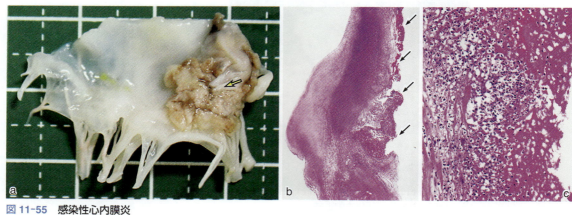

図 11-55　感染性心内膜炎
a. 僧帽弁の肉眼像．疣贅（→）．b. 弁の破壊と疣贅の付着（→）．c. 好中球浸潤による膿瘍形成．

図 11-56　感染性心内膜炎
陳旧化した感染性心内膜炎による僧帽弁の弁膜破壊．

【病理形態像】
　結節状の石灰化は弁腹部から弁基部に認められ，弁の閉鎖縁に沿って線維性肥厚が認められる（図 11-53）．石灰化結節内には動脈硬化巣で認められるコレステリン結晶やフィブリン，血管新生などがみられ，表層には血流のうっ滞や乱流によって壁在性血栓が付着することもある．

3　先天性大動脈二尖弁 congenital bicuspid aortic valve
【概念，臨床像】
　先天性大動脈二尖弁は人口の 1〜2％ にみられる．男性が女性の 3〜4 倍多い．幼少期に症状を呈することはまれで，中高年になってから狭窄を呈することが多い．加齢性石灰化大動脈弁と比較して 10 年以上早く弁の高度石灰化が起こる．

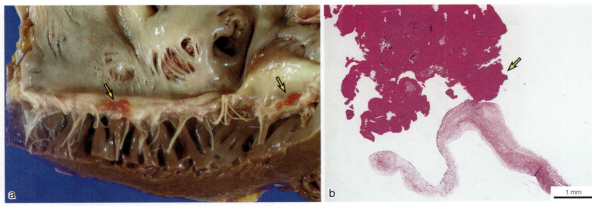

図 11-57　非細菌性血栓性心内膜炎
僧帽弁に付着した非細菌性血栓（→）．
a．肉眼像．b．HE 染色．

【病理形態像】
　大部分の先天性大動脈二尖弁は2つの弁尖がほぼ同じ大きさで，一側の弁尖に**縫合線** raphe と呼ばれる線維性結節が認められる（図 11-54a）．中高年以降では弁尖の線維性肥厚が顕著となり，弁尖のみならず raphe にも高度の石灰化を伴う（図 11-54b）．

4　感染性心内膜炎 infectious endocarditis
【概念，臨床像】
　感染性心内膜炎は，弁や心内膜に細菌集塊を含む**疣贅**を形成する全身性敗血症性疾患である．左心系に多く認められ，弁の破壊と疣贅の付着によって弁機能不全が生じ，炎症が波及すると乳頭筋や心筋内に膿瘍を結成する（図 11-55）．付着した疣贅は**塞栓子**として冠動脈や末梢の他臓器で塞栓を引き起こす．

【病理形態像】
　疣贅はフィブリンと血小板からなる血栓内に多数の好中球浸潤を認めるもので，細菌のコロニーが観察されることがある．病態が遷延すると疣贅内には組織球や多核巨細胞が認められる．炎症が沈静化しても弁膜の破壊が起こると，慢性期に逆流などの弁膜の機能異常をきたす（図 11-56）．

5　非細菌性血栓性心内膜炎
　　　nonbacterial thrombotic endocarditis（NBTE）
【概念，臨床像】
　NBTE は，正常の弁膜に病原体を含まない血栓性疣贅が付着するもので，**悪性腫瘍**，特に腺癌に認められる頻度が高い．その他，**播種性血管内凝固症候群** disseminated intravascular coagulation（DIC）や自己免疫疾患の合併が知られている．

【病理形態像】
　NBTE は大動脈弁や僧帽弁で高率に認められ，組織学的には，フィブリンと血小板からなる血栓塊からなる（図 11-57）．

G．心臓腫瘍

　心臓原発腫瘍の発症頻度は他臓器と比較すると低く，腫瘍全体の 0.001～0.3％である．腫瘍の約75％は良性腫瘍で，約25％が悪性腫瘍である．代表的な良性腫瘍は粘液腫，脂肪腫，乳頭状弾性線維腫，横紋筋腫などで，なかでも粘液腫は良性腫瘍の半数を占めるとされる．心臓原発の悪性腫瘍は，悪性中皮腫，リンパ腫，肉腫があり，肉腫のうち 40～50％が内膜肉腫，25％程度が血管肉腫，20％程度が未分化肉腫とされる．心エコー検査や MRI，CT などによって診断される．症状は，腫瘍部位や腫瘍径によるが，うっ血性心不全，不整脈，血栓塞栓症がみられることがある．

1　心臓粘液腫 cardiac myxoma
【概念，臨床像】
　心臓良性腫瘍のうち最も頻度の高い腫瘍で，約65％が左房の心房中隔に，約15％が右房の心房中隔に認められる．切除すれば再発はほとんど認められない．診断時の平均年齢は 50 歳代で，やや女性に多い．5～10％の症例では家族性発生し，**カーニー複合体** Carney com-

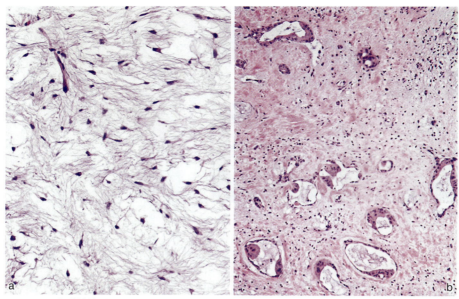

図 11-58　心臓粘液腫

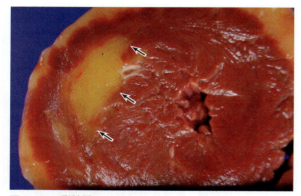

図 11-59　脂肪腫

plex（心臓および心外粘液腫，皮膚色素斑，内分泌機能亢進，神経鞘腫などの合併）と呼ばれる．腫瘍は表層が平滑な球体形を呈することが多い．約 1/3 の症例は表層が乳頭状あるいは被毛状を呈し，表面平滑なものより塞栓症を引き起こしやすい．組織学的には，粘液様の疎な細胞外基質の中に myxoma cell と呼ばれる異型に乏しい紡錘形状，星芒状の細胞が疎に分布している（図 11-58a）．一部の腫瘍細胞は血管内皮細胞や腺腔構造形成（図 11-58b）を示すことがある．

2 ● 脂肪腫 lipoma

成熟脂肪細胞からなる脂肪腫が発生する．どの年齢層にも発症し，男女差はない．多くは心外膜にみられるが，心筋壁内に腫瘤を認めることもある（図 11-59）．また，心房中隔脂肪腫様過形成 lipomatous hypertrophy of the atrial septum は心房中隔が脂肪細胞によって置換され肥厚するもので，肥満成人にみられることが多い．

3 ● 乳頭状線維弾性腫 papillary fibroelastoma

弁膜や心内膜表面から発生する良性腫瘍である（図 11-60a）．好発年齢は 60〜70 代で，男女差はない．以前は反応性病変あるいは過誤腫と考えられていたが，約 80％の症例で KRAS 変異を認めることから，最近では RAS/MAPK シグナル経路を介して増殖する腫瘍と考えられている．また血行力学的負荷の大きい半月弁閉鎖縁の Arantius 結節や，先行する手術侵襲やデバイス留置を受けた場所にも発生しやすいため，心内膜の細胞傷害が腫瘍発生にかかわる可能性も示唆される．組織学的には，表層は単層の内皮細胞で被覆されており，乳頭状構造には弾性線維の増生がみられる（図 11-60b, c）

4 ● 血管肉腫 angiosarcoma

血管肉腫は心臓原発腫瘍の約 10％弱を占め，悪性心臓腫瘍の中では約 37％と最も多い．40〜60 歳代，男性に多い．大部分が右房壁原発で，心外膜や心房壁内に多中心性に発生する．心囊内出血や心タンポナーデ，転移で見つかることが多い（図 11-61a）．分化度の高いものでは血管腔を形成する（図 11-61b）．

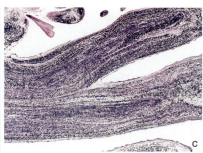

図 11-60　乳頭状線維弾性腫
b, c. エラスチカ・ワンギーソン染色.

5 ● 転移性腫瘍 metastatic tumor

　全悪性腫瘍の 10〜20% が心臓へ転移するといわれる．原発巣は肺癌，乳癌，悪性リンパ腫などで，最も多いのは肺癌である．また，白血病，悪性黒色腫は 40〜50% が心臓に転移する．心囊（壁側心膜）は最も多い転移先であり，心外膜，心筋層がこれに続く．壁側心膜に転移した場合は癌性心囊炎・心囊水貯留をきたし，胸部不快感や呼吸困難を訴えることもある．また臓側心外膜や心筋層に転移した場合は，胸痛や不整脈が出現しうる．

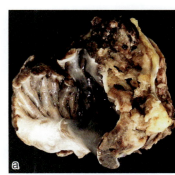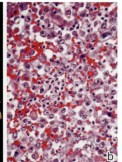

図 11-61　血管肉腫

●参考文献

1) 日本循環器学会，他：2020 年改訂版 大動脈瘤・大動脈解離診療ガイドライン．2020
2) 日本循環器学会，他：血管炎症症候群の診療ガイドライン（2017 年改訂版）．2018
3) 日本循環器学会，他：先天性心疾患並びに小児期心疾患の診断検査と薬物療法ガイドライン（2018 年改訂版）．2018
4) 日本循環器学会，他：心筋症診療ガイドライン（2018 年改訂版）．2019（2021 更新）
5) 山岸敬幸，他（編）：新　先天性心疾患を理解するための臨床心臓発生学．メジカルビュー社，2021
6) 心筋生検研究会（編）：診断モダリティとしての心筋病理．南江堂，2017

第12章 呼吸器

A 発生・構造・機能

A 発生

呼吸器系原器は胎生4週頃,前腸の頭方部に発生し,喉頭腹側壁の原始咽頭床部 primitive pharyngeal floor に喉頭気管溝 laryngotracheal groove として生じ,喉頭気管憩室 laryngotracheal diverticulum を形成する.喉頭気管憩室は腹側尾方に大きくなり,気管食道中隔という隔壁で食道から分離されて喉頭気管管 laryngotracheal tube となる.喉頭気管溝の隆起部の先端部は左右の肺芽 lung bud に分かれ,左右非対称的に分岐して左2本,右3本の肺葉芽 lobar bud を形成し,さらに肺区域芽 segmental bud が分かれて分岐を続け,気管支,葉気管支,区域気管支となる.この発育は原始胸膜腔 primitive pleural cavity 内に向かい,肺葉表面は中皮細胞からなる胸膜組織で覆われ胸膜腔が形成される.区域気管支はさらに2分岐ずつ枝分かれし,細管状の終末細気管支先端部で細葉 acinus がみられ,周囲毛細血管に接して終末囊 terminal sac の形成を始める.この終末囊には,扁平なⅠ型上皮細胞と立方状のⅡ型上皮細胞への分化が認められる.終末囊ではⅠ型上皮細胞がますます扁平となり,毛細血管と密に接して成熟肺胞となる.以後,肺胞の数は生後を通じて増加を続け,8歳で生下時の約10倍になる.その後肺胞数は増えないが,成長に伴いガス交換に関与する肺組織の表面積は増加し,最終的にはテニスコートの半分ほどの広さをもつ.

B 構造

鼻と副鼻腔の内面では,外鼻や鼻前庭部は重層扁平上皮に覆われ,ほかの大部分は多列円柱線毛上皮で被覆され,粘液腺や漿液腺が認められる.咽頭は上咽頭 epipharynx,中咽頭 mesopharynx,下咽頭 hypopharynx に分かれる.咽頭にはワルダイエル Waldeyer 輪と呼ばれる豊富なリンパ装置が発達しており,口蓋扁桃,咽頭扁桃(アデノイド),舌扁桃,耳管扁桃がみられる.喉頭 larynx は声門上部 supraglottis,声門 glottis,声門下部 subglottis に分かれる.大部分は多列円柱線毛上皮に覆われるが,声帯ひだと喉頭蓋前面は扁平上皮で被覆されている.

鼻腔や口腔から肺胞に至る気道では,口腔と咽頭は消化器系に,扁桃はリンパ組織系にも属する.気管 trachea は直径約2〜2.5 cm,長さ約10 cmで,食道の前に位置し,左右の主気管支に分かれる.肺 lung は枝分かれした**気管支** bronchus と**肺胞** pulmonary alveoli からなり,成人の正常肺は片側の重さが約300〜400 gである.枝分かれは二分割式に起こり,主気管支から平均23回の分岐で肺胞に至る.肺胞数は両肺あわせて約3〜5億で,肺胞の総表面積は約100〜140 m^2 に達する.気管の第一次分岐で左右の主気管支に分かれて両肺が形成され,それぞれの第二次分岐で葉気管支に分かれ,左が2葉,右が3葉の**肺葉** lobe となる.第三次分岐で区域気管支に分かれ,左が8区域,右が10区域の**肺区域** segment が生じる.**細気管支** bronchiole では径が約1〜2 mmと細くなり,壁の硝子軟骨組織や気管支腺組織が消失する.細気管支は結合組織の中隔に囲まれた**小葉** lobule(肺小葉 pulmonary lobule)に入り込み,さらに分岐を繰り返し**終末細気管支** terminal bronchiole,**呼吸細気管支** respiratory bronchiole に分かれ,数本の**肺胞管**(肺胞道)alveolar duct を経て**肺胞囊** alveolar sac で終わる(図12-1).終末細気管支は約0.5 mmの太さで,ガス交換に関与しない.一方,呼吸細気管支は約0.3 mmの太さで,ガス交換に関与する.呼吸細気管支以下では**肺胞**がみられ,特に肺胞管や肺胞囊ではすべての壁に肺胞が認められる.肺胞管からは20〜60個の肺胞が開いている.肺の小葉と細葉の定義には種々のものがある.

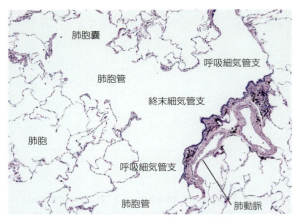

図 12-1　終末細気管支，呼吸細気管支，肺胞管，肺胞
終末細気管支，呼吸細気管支，肺胞管，肺胞が連続してみられる.

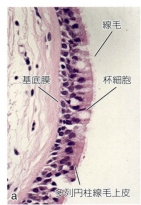 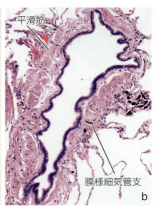

図 12-2　気管支，細気管支
a. 気管支では多列円柱線毛上皮がみられる.
b. 膜様細気管支では平滑筋の発達がみられる.

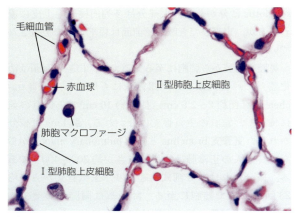

図 12-3　肺胞
肺胞壁には毛細血管が，肺胞腔の内面にはⅠ型肺胞上皮細胞やⅡ型肺胞上皮細胞がみられる.

Miller の**二次小葉**は薄い線維性組織からなる**小葉間結合組織（小葉間中隔）**で隔てられた区画をいい，肉眼でも認識可能な範囲（1〜2 cm³）である．**Aschoff の細葉** acinus of Aschoff は呼吸細気管支で支配される領域を指すが，終末細気管支に支配される領域をいう場合もある．

　組織学的に気管や気管支上皮は主に線毛細胞と杯細胞からなる（図 12-2a）．**線毛** cilium は異物を外部へ排出する働きがあり，**杯細胞** goblet cell から産生される粘液は気管支内腔を潤し，微生物や異物からの防御機能を有している．周囲には気管支腺や軟骨がみられ，軟骨は気道の虚脱を防いでいる．**細気管支**では**平滑筋線維**が発達しているため**膜様細気管支**とも呼ばれる（図 12-2b）．細気管支上皮では主に線毛細胞と**クラブ細胞** club cell がみられるが，呼吸細気管支へと細くなるにつれて線毛細胞は減少し，クラブ細胞の割合が増加する．肺胞には**Ⅰ型肺胞上皮細胞**と**Ⅱ型肺胞上皮細胞**があり，肺胞表面の大部分（90% 以上）はⅠ型肺胞上皮細胞で覆われている（図 12-3）．Ⅰ型肺胞上皮細胞とⅡ型肺胞上皮細胞の数の比は 1：3 であるが，占有面積の比は 9：1 である．Ⅰ型肺胞上皮細胞は肺胞腔と毛細血管との間の**ガス交換** gas exchange，Ⅱ型肺胞上皮細胞は**界面活性物質（サーファクタント）** surfactant の産生に関与している．肺胞上皮細胞が障害を受けるとⅡ型肺胞上皮細胞が再生し，その一部がⅠ型肺胞上皮細胞へ成熟する．サーファクタントの 90% はリン脂質からなり，主成分はジパルミトイルレシチン dipalmitoyl lecithin である．また 4 種の界面活性物質関連タンパク surfactant protein（SP）があり，SP-A と SP-D は糖タンパク，SP-B と SP-C は脂質親和性タンパクである．肺胞内腔面には界面活性物質が存在し，肺胞の表面張力を著しく低下させて**肺胞の虚脱** collapse を防いでいる．Ⅱ型肺胞上皮細胞中の層状封入体（サーファクタント前駆体）は胎生 20 週で出現し始め，同時に胎児の肺胞液や羊水中にリン脂質が証明されるようになる．その後，封入体数とⅡ型肺胞上皮細胞数の増加に伴い，サーファクタント量は胎生 35 週以降で最大となる．サーファクタントの欠乏は**新生児呼吸窮迫症候群**の原因となる（→ 388 頁参照）．肺胞内には単球由来の肺胞マクロファージが散見され，大気中のチリやホコリを貪食する．

　機能

　呼吸器の機能は**換気** ventilation，**ガス交換**，**肺循環**

pulmonary circulation に分けられる．ガス交換のためには空気が肺胞へ到達し，肺外へ呼出される動的な出入りが必要である．これを換気といい，主に終末細気管支までの伝達帯が関与して行われ，成人では1回換気量が約 500 mL である．特にガス交換には直接関与しない鼻腔から終末細気管支までの部分を解剖学的死腔といい，約 150 mL ある．呼吸細気管支は移行帯で，換気とガス交換の両方に関与する．ガス交換は主に肺胞管より末梢の呼吸帯で行われる．肺胞でのガス交換は**拡散** diffusion により酸素と二酸化炭素が空気と毛細血管との間の肺胞壁組織中を移動する．ガス交換には肺胞壁の血流状態も重要であり，ガス交換の効率は換気と肺循環における血流のバランスによる．

上気道の病変

Advanced Studies

A 鼻部の異常

顔面の先天異常である単眼症 cyclopia では全前脳胞症 holoprosencephaly を合併し，鼻を欠くか漏斗状構造しかみられない．後鼻孔閉鎖 choanal atresia では鼻腔の上咽頭への開口部が骨性あるいは膜性に閉鎖する．遺伝性で先天的なものが大部分を占めるが，梅毒や結核，アデノイド手術後の瘢痕形成による後天的なものもある．類皮嚢胞 dermoid cyst は前頭鼻骨縫合の部分から表皮成分が迷入したもので，鼻部の皮下や鼻中隔，副鼻腔に発生する嚢胞である．嚢胞壁には扁平上皮，毛嚢，皮脂腺，汗腺がみられ，内腔には角化物質を認める．鼻膠腫 nasal glioma は鼻根部皮下や鼻腔上部の粘膜下に生じる先天性の発育異常病変で，真の腫瘍ではなく異所性に残存した脳組織である．髄膜脳瘤 meningoencephalocele では頭蓋骨が欠損し，先天性に脳組織が頭蓋の外へ脱出する．

B 喉頭，気管の異常

喉頭の先天異常はまれで，喉頭軟骨の発育不全による喉頭軟弱症 laryngomalacia や声帯麻痺 vocal cord paralysis があるが自然治癒する．先天性声門下狭窄 congenital subglottic stenosis は粘膜組織や線維組織の肥大，輪状軟骨の肥大などにより生じる．
気管食道瘻 tracheoesophageal fistula は気管食道隔壁の形成不全で生じ，気管と食道の間に交通がみられる形成異常であり，食道が閉鎖し食道下部が気管に開口していることが多い．気管狭窄 tracheal stenosis は先天的な全輪状の気管軟骨によるものがあるが，後天的に人工換気後に発生した炎症や肉芽により起こる声門下狭窄 subglottic stenosis も重要である．骨軟骨形成性気管症 tracheopathia osteochondroplastica では，気管の粘膜下に多発結節状に骨化を伴いながら硝子軟骨が増生する．臨床症状を呈することはまれで，高齢者の剖検で発見される場合が多い．病変が気管支に及ぶ場合は骨軟骨形成性気管気管支症 tracheobronchopathia osteochondroplastica と呼ばれる．

2 炎症

A 鼻腔，副鼻腔，鼻咽頭の炎症

a 急性鼻炎 acute rhinitis

ウイルス性とアレルギー性がある．急性鼻炎は**かぜ症候群** common cold syndrome の部分症としてウイルス感染に伴って発症することが多い．咽頭炎や副鼻腔炎などを併発する．鼻粘膜では組織学的に充血や浮腫，炎症細胞浸潤がみられ，二次的に細菌感染が加わると高度の好中球が浸潤し，粘液膿性あるいは膿性の分泌物が増加する．**アレルギー性鼻炎**は IgE の関与する I 型アレルギーが原因であり，**花粉症**が代表的である．組織学的には好酸球の浸潤が目立ち，杯細胞の増加や基底膜の肥厚が認められる．

b 慢性鼻炎 chronic rhinitis

慢性鼻炎は慢性肥厚性鼻炎と慢性萎縮性鼻炎に分類される．**慢性肥厚性鼻炎**は急性鼻炎からの移行や慢性副鼻腔炎に起因し，鼻閉や粘液膿性鼻漏がある．局所的に粘膜肥厚が著しいものが**鼻ポリープ**（鼻茸）nasal polyp である．**慢性萎縮性鼻炎**では粘膜や骨の萎縮により痂皮や膿性鼻漏がある．組織学的に粘膜では浮腫，好酸球などの炎症細胞浸潤，線維化，粘液腺の増加を認める．

c 副鼻腔炎 sinusitis

急性副鼻腔炎 acute sinusitis の多くはウイルス感染などの急性上気道炎に続発する．細菌感染が加わると膿が貯留して**蓄膿症** empyema となる．**慢性副鼻腔炎** chronic sinusitis は急性副鼻腔炎に続発するが，細菌感染やアレルギーが関係する．組織学的には慢性鼻炎と同様に粘膜の炎症細胞浸潤，浮腫，線維化がみられ，アレルギーが原因の場合は好酸球が目立つ（図 12-4）．副鼻腔炎の合併症には周囲洞壁の骨髄炎，眼窩や頭蓋内の感染症などがある．**好酸球性副鼻腔炎** eosinophilic sinusitis では，鼻ポリープ組織中の好酸球数が強拡大 1 視野で 70 個以上あることが診断基準の 1 つである．

Advanced Studies

d 特異的感染症および類似病変

鼻硬化症 rhinoscleroma では，鼻粘膜に硬い結節性病変を形成する．**鼻硬腫菌** *Klebsiella rhinoscleromatis* の感染による肉芽腫性病変である．中南米，アフリカ，東南アジアに多い．組織学的に粘膜下では形質細胞や泡沫状の組織球が浸潤する．この泡沫状の組織球はミクリッツ細胞 Mikulicz cell と呼ばれ，細胞質内には多数の鼻硬腫菌が認められる．**リノスポリジウム症** rhinosporidiosis は真菌の一種である *Rhinosporidium seeberi* の感染による病変で，インドやスリランカに多い．単発あるいは多発性のポリープ状病変を形成する．組織学的には粘膜下に多数の胞子嚢 sporangia がみられる．

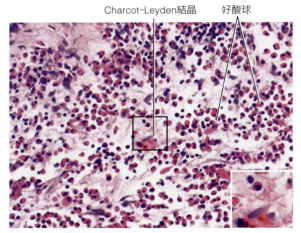

図12-4　副鼻腔炎
高度の好酸球やリンパ球の浸潤，浮腫がみられる．シャルコー-ライデン Charcot-Leyden 結晶がみられる（挿入図）．

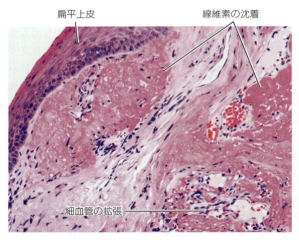

図12-5　喉頭結節
扁平上皮下には線維素の沈着や細血管の拡張がみられる．

ムーコル症 mucormycosis は，免疫不全状態時の鼻腔や副鼻腔を侵す．菌糸は血管への侵襲が強く血栓や梗塞を引き起こす．**アスペルギルス症** aspergillosis のアレルギー型では，副鼻腔に多数の好酸球と菌糸が認められる．**筋球体症** myospherulosis は鼻腔や副鼻腔の手術後に発生する異物肉芽腫で，骨格筋に生じる真菌類似の球状物は赤血球と油性基材による．

e 多発血管炎性肉芽腫症
granulomatosis with polyangiitis

【概念，定義】
　Wegener により指摘された壊死性肉芽腫と壊死性血管炎を特徴とする進行性の全身性疾患で，かつてはウェゲナー肉芽腫症 Wegener granulomatosis とも呼ばれた．上気道（鼻，副鼻腔，咽頭，喉頭），肺，腎臓が主に侵される．

【成因】
　原因不明の疾患であるが，最近では小血管を障害する血管炎症候群のなかに**抗好中球細胞質抗体** antineutrophil cytoplasmic antibody（ANCA）陽性の一群が同定され，**ANCA 関連血管炎**としてまとめられた．特に血管炎には**プロテイナーゼ 3-ANCA**〔cytoplasmic ANCA（c-ANCA）〕の関与が考えられている．

【病理形態像】
　上気道や肺では組織学的に壊死性肉芽腫炎が特徴的で，境界明瞭な不整形の壊死と周囲の類上皮細胞，多核巨細胞，組織球，リンパ球や形質細胞の浸潤，小・中血管の壊死性血管炎がみられる（図12-46 参照）．類似の壊死性病変を起こす結核や梅毒性病変とは，壊死性血管炎の有無で鑑別される．腎臓では免疫グロブリン沈着を伴わない壊死性半月体形成性腎炎を認める．

【臨床像】
　好発年齢は 60 歳代で，女性にやや多い．上気道あるいは肺に限局し，腎病変がみられないものを限局型，上気道，肺，腎のすべてに病変が認められるものを全身型という．3 つの病変の存在と程度により臨床症状は異なるが，持続性の鼻汁，副鼻腔炎，中耳炎，血痰，咳嗽，血尿，タンパク尿，腎不全などがみられる．血管炎による症状では，発熱，体重減少，関節炎などを認める．確定診断のためには鼻腔や上咽頭からの生検，c-ANCA の測定が重要である．以前は 2 年以内に 90% 以上が死亡していたが，現在ではシクロホスファミドの治療を中心とした免疫抑制療法により寛解例が増加した．

B 喉頭，気管の炎症

Advanced Studies

　急性喉頭炎 acute laryngitis は喉頭の非特異的急性炎症で，ウイルスや細菌感染などのかぜ症候群の部分症としてみられることが多い．**急性喉頭蓋炎** acute epiglottitis では呼吸困難が急激に増強し，窒息死することがある．**喉頭気管気管支炎** laryngotracheobronchitis は小児に発生し，喉頭・気管・気管支の粘膜が発赤腫脹し，急激な呼吸困難に陥り窒息死することがある．**急性声門下喉頭炎** acute subglottic laryngitis は仮性クループとも呼ばれ，パラインフルエンザウイルスなどの感染により急激な呼吸困難をきたす．
　慢性喉頭炎 chronic laryngitis では組織学的に慢性炎症，上皮の過形成，浮腫，うっ血などの非特異的な炎症像をみる．原因は反復する急性喉頭炎，大気汚染，喫煙，声帯の酷使，飲酒などである．現在，小児の喉頭にジフテリア菌が感染して呼吸困難を生じる**喉頭ジフテリア** laryngeal diphtheria（真性クループとも呼ばれる）や重症の肺結核に伴ってみられる**喉頭結核** laryngeal tuberculosis はきわめてまれである．

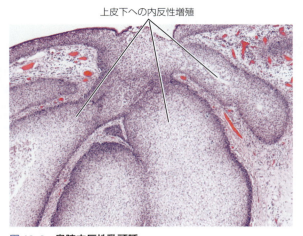

図 12-6　鼻腔内反性乳頭腫
多層化した腫瘍細胞が上皮下に陥入しながら内反性に増殖している.

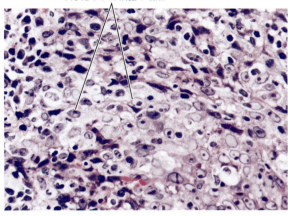

図 12-7　鼻咽頭癌
大型類円形の核を示す未分化がん細胞が充実性に増殖しており，反応性の小リンパ球が介在している.

喉頭結節 laryngeal nodule は**声帯ポリープ** vocal cord polyp や**声帯結節** vocal cord nodule とも呼ばれ，声帯膜様部に好発する非腫瘍性のポリープ病変である．成人に多く，喫煙や声帯の酷使により発症し，進行性の嗄声が主症状である．組織学的には扁平上皮下に著明な浮腫，細血管の拡張，線維素の沈着，膠原線維の増生，硝子変性などをみる（図 12-5）．喉頭潰瘍 laryngeal ulcer は声帯の酷使や挿管，逆流性食道炎により生じる．

3　腫瘍

A　鼻腔，副鼻腔，鼻咽頭の腫瘍

Advanced Studies

a 鼻の乳頭腫 nasal papilloma
　扁平上皮乳頭腫 squamous cell papilloma は，鼻前庭部に好発する良性上皮性腫瘍である．組織学的には過角化を示す重層扁平上皮が血管結合組織の芯を伴って乳頭状に増殖する．鼻腔や副鼻腔の呼吸上皮から発生する鼻腔副鼻腔乳頭腫 sinonasal papilloma には，外向性乳頭腫 exophytic papilloma，内反性乳頭腫 inverted papilloma，円柱細胞乳頭腫 columnar cell papilloma がある．外向性乳頭腫は鼻中隔から外向性に発育する良性腫瘍で，組織学的には呼吸上皮や扁平上皮および粘液産生細胞が混在してみられる．内反性乳頭腫では同様の上皮が粘液膜下方へ内反性の発育を示す（図 12-6）．再発率が高く約 10％ は悪性化する．しばしば多発するため**乳頭腫症** papillomatosis とも呼ばれており，ヒトパピローマウイルスとの関連性が着目されている．円柱細胞乳頭腫はまれな腫瘍で，組織学的には呼吸上皮や好酸性上皮が乳頭状あるいは葉状に増殖する．

b 鼻腔副鼻腔癌 sinonasal carcinoma
　鼻腔副鼻腔癌は鼻腔や副鼻腔の呼吸上皮から発生するがんで，大部分は扁平上皮癌 squamous cell carcinoma である．50 歳代の男性に好発し，ニッケル精錬業者では発症の危険性が高い．上顎洞，篩骨洞，鼻腔での発生が多いが，前頭洞や蝶形骨洞はまれである．まれに扁平上皮癌の亜型として疣状癌 verrucous carcinoma や紡錘細胞癌 spindle cell carcinoma が発生する．腺癌もまれに発生するが，木工家具職人で危険性が高い．

c 鼻咽頭癌 nasopharyngeal carcinoma

【概念】
　鼻咽頭のリンパ組織を侵す分化の乏しい扁平上皮癌である．特に未分化癌で豊富なリンパ球浸潤を伴うものは**リンパ上皮腫様癌** lymphoepithelioma-like carcinoma ともいう．

【成因】
　エプスタイン-バーウイルス Epstein-Barr virus（**EBV**）の感染と密接に関係している．

【病理形態像】
　組織学的には，角化扁平上皮癌，分化型非角化癌，未分化癌に分類される．未分化癌が最も多く，明瞭な核小体を有する大型腫瘍細胞が胞巣状に増殖しており，周囲には反応性の小リンパ球が浸潤している（図 12-7）．未分化癌は EBV の関連性が最も高い．

【臨床像】
　東南アジア（特に中国南部）の 50 歳代の男性に多いが，若年者にもしばしばみられる．頸部リンパ節転移を契機として発見される場合も多い．放射線感受性が高い腫瘍であり，放射線療法が奏効することが多い．

Advanced Studies

d その他の腫瘍
　嗅神経芽腫 olfactory neuroblastoma は鼻腔上部の嗅上皮より発生する悪性腫瘍で，10 歳代と 50 歳代に好発する．肉眼的には血管に富む軟らかいポリープ状腫瘤で，副鼻腔や周囲組織へ破壊性に浸潤する．組織学的には小型円形の核を有する腫瘍細胞が繊細な神経原

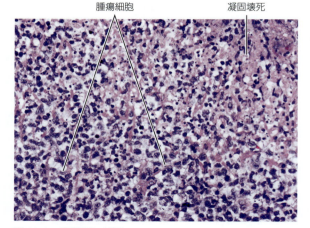

図 12-8　鼻腔リンパ腫
多形性を示す異型リンパ球様細胞がびまん性に増殖しており，凝固壊死がみられる．

線維を伴ってシート状に増殖しており，ホーマー・ライト Homer Wright 型ロゼットがみられる．全体には小葉状構造を示し，血管の豊富な結合組織により分画されている．放射線感受性があるため手術と放射線治療が行われる．小児の腫瘍では後腹膜神経芽腫の転移の可能性を除外する必要がある．

悪性黒色腫 malignant melanoma は粘膜上皮あるいは間質のメラノサイトに由来するきわめて悪性度の高い腫瘍で，鼻腔や前庭部に発生する．肉眼的にはポリープ状腫瘤を形成し，組織学的には皮膚原発の悪性黒色腫と同様で異型性が強い大型円形細胞が増殖し，明瞭な核小体が認められる．メラニン色素を有さない無色素性悪性黒色腫 amelanotic melanoma もある．

リンパ腫 lymphoma（悪性リンパ腫 malignant lymphoma）のなかで鼻腔や副鼻腔に好発するのが節外性 NK/T 細胞リンパ腫，鼻型 extranodal NK/T cell lymphoma, nasal type である．進行性の壊死を伴う組織破壊がみられるため，以前は致死性正中肉芽腫 lethal midline granuloma とも呼ばれていた．アジアやラテンアメリカに多く，EBV 感染との関係が注目されている．組織学的には種々の形態を示す異型リンパ球がびまん性に増殖し，血管壁の破壊や広範囲な壊死をみる（図 12-8）．ほかの臓器やリンパ節でよくみられるびまん性大細胞型 B 細胞リンパ腫 diffuse large B-cell lymphoma も鼻腔に好発する．

鼻咽腔血管線維腫 nasopharyngeal angiofibroma は思春期男性の鼻咽頭に発生するまれな腫瘍である．腫瘍はポリープ状を呈し，進行すると頭蓋骨などの周囲骨組織を破壊し，致死的になる場合もある．組織学的には良性の血管線維腫の像で，多数の小血管と線維組織の増生からなる．小血管は大小不同の種々の形態をとり，線維組織では硝子変性や粘液変性を認める．臨床的に出血しやすく，生検や手術時に大出血を起こすことがあるので注意が必要である．腫瘍はアンドロゲン受容体を有している．

横紋筋肉腫 rhabdomyosarcoma は鼻腔，副鼻腔，鼻咽頭に発生する肉腫のなかで最も多く，その胎児型は 10 歳以下の小児に好発する．ブドウの房状のポリープ状形態をとることからブドウ状肉腫 botryoid sarcoma とも呼ばれる．組織学的には種々の分化度の横紋筋芽細胞からなり一部の腫瘍細胞で横紋を認める．

B 喉頭，気管の腫瘍

Advanced Studies

a 喉頭乳頭腫 laryngeal papilloma

若年型と成人型があり乳頭状の腫瘤を形成する．成人型では単発例が多く，再発例は少ない．若年型は多発性であるため，**若年型喉頭乳頭腫症** juvenile laryngeal papillomatosis と呼ばれる．いずれも声帯付近に生じ，進行すると気管や気管支に広がる．ヒトパピローマウイルスの 6 型や 11 型の感染に関連する．組織学的には分化した扁平上皮が乳頭状に増殖し，軽度の核異型，核分裂像，コイロサイトーシスをみるが間質浸潤はない．摘除後に再発しやすい．悪性化はまれだが，放射線治療後に扁平上皮癌が生じることがあるので注意が必要である．

b 異形成 dysplasia，**上皮内癌** carcinoma *in situ*

中年男性に多く喉頭部の声帯前部に好発する．異形成では，子宮頸部と同様に種々の程度の異型細胞が扁平上皮内で増殖するが，その程度により軽度，中等度，高度に分類される．組織学的に軽度異形成 mild dysplasia では扁平上皮内の下 1/3 を，中等度異形成 moderate dysplasia では扁平上皮内の下 2/3 を主体に異型細胞の増殖がみられる．高度異形成 severe dysplasia では異型細胞が下 2/3 を越えて増殖するが，表層部付近では層分化が保たれている．上皮内癌 carcinoma *in situ* は高度の異型を示す細胞が上皮全層において増殖するもので極性の消失をみるが，基底膜を越える上皮下への浸潤は認められない．高度異形成と上皮内癌との鑑別が困難な場合もある．上皮内癌は独立して発生するものと浸潤癌の辺縁部にみられるものがある（図 12-9）．前者は予後良好であり，浸潤癌に進行するには数年を要すると考えられている．治療は内視鏡的なレーザーや手術が行われるが，異形成の程度が高いものほどがん化の頻度が高いので，治療後も長期的な経過観察が必要である．

c 扁平上皮癌 squamous cell carcinoma

喉頭原発の扁平上皮癌は上気道に発生する悪性腫瘍のなかで最も頻度が高く，喉頭原発の悪性腫瘍の大部分を占める．中高年の男性に多く，飲酒と喫煙は危険因子である．喉頭違和感や嗄声が主症状である．肉眼的に隆起性で表面には潰瘍形成をみることが多い．喉頭癌は解剖学的発生部位により声門癌，声門上部癌，声門下部癌の 3 つに分類される．声門癌が 60% 以上と最も多く，声門上部癌が 30%，声門下部癌はまれな発生頻度である．声門上部癌と声門下部癌ではリンパ節転移が多い．組織学的に扁平上皮癌は高分化，中分化，低分化に分類され，高分化では角化や細胞間橋が目立つが，低分化では不明瞭である．声門癌では高分化が多い．最も予後に影響するのはがんの広がりを示す病期である．扁平上皮癌

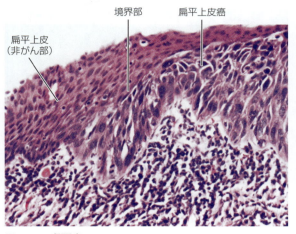

図 12-9　喉頭癌
扁平上皮癌．上皮内にがん細胞の増殖がみられ，非腫瘍性扁平上皮との間に境界がみられる．

の亜型としてきわめて高分化な扁平上皮癌で疣状に増殖して転移をしない疣状癌 verrucous carcinoma，肉眼的にポリープ状で組織学的に紡錘形細胞からなる肉腫様細胞が増殖する肉腫様癌 sarcomatoid carcinoma がある．

C. 肺の病変

1 発生異常と発育障害

A 肺低形成症 pulmonary hypoplasia

【概念，定義】
　肺が先天的に小さい病態で，肺葉の構造が保たれたまま肺の重量あるいは容積が減少した状態である．両肺が低形成の場合と片側のみ低形成の場合がある．通常，肺重量/体重比が 0.012 以下を低形成とする．

【成因】
　両肺低形成の原因としては次の5つがある．
① 外からの圧迫（横隔膜ヘルニア，胸椎や肋骨などの胸郭異常）
② 胎内呼吸運動の減少（無脳症）
③ 羊水の過少（腎の無形成や低形成，尿路の閉塞）
④ 肺の血流量減少（肺動脈弁狭窄症などの右心系の先天異常）
⑤ 特発性（原因不明）

　片側肺低形成の原因は**横隔膜ヘルニア**（図 12-10）と片側肺血管異常のほかは不明（特発性）である．ただし，肺

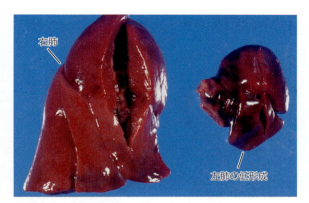

図 12-10　肺低形成症
左横隔膜ヘルニア修復術後の状態で，横隔膜ヘルニアに合併した左肺の低形成がみられる．

低形成は二次的に発生するとは限らず，ほかの形成異常（例：横隔膜ヘルニア）とは別に一次的に起こる場合もある．

【病理形態像】
　低形成肺では，気管支分岐・肺胞数・肺胞径の減少のいずれか1つか，あるいはこれらの複数の異常所見がみられる．

【臨床像】
　胎児診断される横隔膜ヘルニアの重症例では患側肺だけではなく，対側肺も低形成になる．新生児呼吸管理技術の進歩により，出生後の横隔膜ヘルニア修復術の成績は向上している．

B 肺分画症 pulmonary sequestration

　肺組織の一部が本来の気道から分離され，血液を大動脈などの大循環系から直接受ける異常な肺組織をいう．分画肺が正常肺と同じ臓側胸膜で囲まれるものを肺葉内型，正常肺と同一の臓側胸膜で囲まれないものを肺葉外型という（図 12-11，表 12-1）．肺分画症の発生はまれであるが，肺分画症のなかでは肺葉内型が多い．肺葉外型は先天性である．胸部X線では左下肺野に多発性囊胞や腫瘤影をみる．肺葉内型では感染を繰り返すため肺の線維化や気管支の拡張を伴う．反復する感染のため後天的に気管支と交通し，発熱，咳，喀痰などが出現する場合もある．肺葉外型は横隔膜ヘルニア，漏斗胸，心臓の先天異常などを合併することが多い．組織学的には気管支壁構造が主体，肺胞構造が主体，両者の混合型がある．確定診断のためには分画肺に流入する異常動脈を発見することが重要である．肺分画症は高率に感染症を合

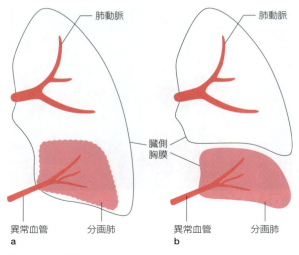

図 12-11　肺分画症のシェーマ

図 12-12　先天性肺気道奇形の肉眼所見
割面像．肺内には多数の大小不同の大きさを示す囊胞がみられる．

表 12-1　肺分画症

	肺葉内型	肺葉外型
好発部位	左肺下葉	左下胸腔
固有胸膜	なし	あり
症状	気道感染	生後呼吸困難
静脈還流	肺静脈	奇静脈
組織像	慢性炎症，線維化 囊胞化	炎症乏しい 未熟肺
合併奇形	少ない	多い

併するため，無症状でも感染予防のために手術治療が原則で，肺葉内型では分画肺を含めて肺区域切除または肺葉切除，肺葉外型では分画肺のみを切除する．

C　囊胞性病変

a　気管支原性囊胞 bronchogenic cyst
　先天性疾患で胎生期の肺芽の異常により肺内あるいは縦隔内に単房性の囊胞状病変が形成される．中縦隔の気管周囲に好発する．単房性の囊胞内は線毛円柱上皮で覆われ，内部は粘液で満たされている．囊胞壁内には気管支腺や軟骨，平滑筋をみることがある．治療は外科的切除である．

b　先天性肺気道奇形
　congenital pulmonary airway malformation
　以前は先天性囊胞性腺腫様奇形 congenital cystic adenomatoid malformation と呼ばれていたが，最近は先天性肺気道奇形と呼ばれている．まれな先天異常で，肺の形成過程における局所的な肺発育の障害であり，肺芽から肺葉への分化障害と考えられている．一肺葉に限局し，充実性や多房囊胞性の形態を呈する（図 12-12）．以前はストッカー Stocker らが先天異常の有無，肉眼や組織所見に基づいてⅠ～Ⅲ型に分類していたが，現在は type 0～4 の 5 型に再分類されている．組織学的には内面を立方上皮や円柱上皮で覆われた

大小種々の囊胞がみられ，一部は細気管支に類似している（図 12-13）．治療は外科的切除である．

D　囊胞性線維症 cystic fibrosis

【概念，定義】
　全身性の代謝異常疾患で，**粘液粘稠症** mucoviscidosis とも呼ばれる．気管や気管支，膵の粘液腺から異常に粘稠な粘液が分泌され，閉塞性病変を引き起こす．慢性気管支肺感染症，気道閉塞，膵外分泌機能不全，汗の電解質濃度異常を主症状とする．

【成因】
　常染色体潜性（劣性）の遺伝性疾患であり，白人では約 2,000 人に 1 人発生するが，アジアやアフリカでは少ない．第 7 番染色体長腕の cystic fibrosis transmembrane conductance regulation（CFTR）の遺伝子異常がある．囊胞性線維症では CFTR の異常により cAMP 依存性塩素イオン（Cl^-）チャネルの異常が起こり，上皮から気道内腔へ Cl^- の分泌が障害されることにより，間接的にナトリウムイオン（Na^+）と水の再吸収が増加するため粘液が異常なほど粘稠になる．皮膚の汗管では Cl^- チャネルの障害により Cl^- や Na^+ の再吸収が行われないため，汗の塩分は高濃度になる．

【病理形態像】
　肺では気管・気管支腺の粘液貯留，気管支の粘液栓による閉塞や線毛運動の低下により二次性の反復感染を引き起こし，細気管支炎，閉塞性気管支炎，気管支拡張症，肺膿瘍，囊胞の破裂による気胸をみる．特に黄色ブドウ球菌や緑膿菌が感染しやすい．膵臓では導管内に粘液が貯留し，導管の拡張，外分泌腺の萎縮，線維化を起こし，吸収不良症候群や脂溶性ビタミンの欠乏症を起こ

C. 肺の病変 ● 383

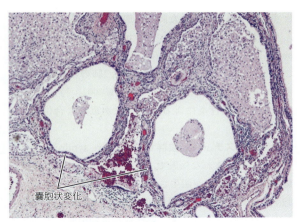

図 12-13　先天性肺気道奇形の組織所見
立方上皮で覆われた囊胞がみられ，細気管支に類似している．

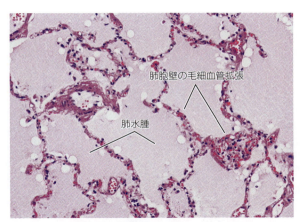

図 12-14　肺うっ血，肺水腫
肺胞腔内にはタンパク様の液体が漏出しており，肺胞壁の毛細血管には血液の貯留がみられる．

す．新生児では二次的な腸閉塞である胎便性イレウス meconium ileus がみられる．男性では精管の発育異常により不妊症が認められる．

【臨床像】
　気道内で Na^+ や水分が消失して細菌が付着しやすい状態になっているため，持続的な肺感染症が最も問題となる．治療は感染コントロールが主体であるが，欧米では正常 CFTR 遺伝子を気道上皮細胞内に導入する遺伝子治療が研究されている．

E カルタゲナー症候群 Kartagener syndrome

　気管支拡張症，内臓逆位症，慢性副鼻腔炎を三主徴とする先天性疾患で，全身の線毛運動の機能障害をきたす**線毛不動症候群** immotile cilia syndrome あるいは**線毛機能不全症** ciliary dyskinesia とも呼ばれている．1933 年に Kartagener により報告されたが，同一家系に発生することが多く常染色体潜性（劣性）の遺伝性疾患と考えられる．線毛の運動障害は周辺微小管のダイニン腕の欠損，radial spokes の欠損，中心微小管の欠損などの形態異常による．肺では気道の線毛運動障害により気道感染を繰り返し，気管支拡張症や慢性副鼻腔炎に至る．男性では精子鞭毛の運動障害により不妊症を合併する．

2 循環障害

A 肺うっ血 pulmonary congestion

　肺の毛細血管内圧が亢進した状態で，肺の毛細血管に血液が貯留している．急性肺うっ血は心筋梗塞などの急性左心不全で起こり，肺水腫に至る．慢性肺うっ血は僧帽弁狭窄症などの慢性左心不全で起こり，肺は肉眼的に褐色硬化 brown induration を示す．組織学的に肺胞間質は肥厚し，毛細血管が拡張する（図 12-14）．肺胞内には多数のヘモジデリンを貪食したマクロファージをみるが，**心不全細胞** heart failure cell とも呼ばれる．

B 肺水腫 pulmonary edema

【概念，定義】
　肺血管内の血漿成分が間質に漏出し，組織間液が増加した後，さらに肺胞内へ漏出した状態である．

【成因】
　毛細血管内圧が高度に亢進して肺胞内圧より高くなることにより発生するが，低酸素血症を生じてさらに肺水腫は悪化し，急性の呼吸不全を呈する．心筋梗塞や僧帽弁狭窄症，心筋症などの心原性肺水腫が多く，左心不全が原因となることが多い．ほかに過剰の輸液や輸血，外傷，ショックなどでも生じる．血漿膠質浸透圧の低下をきたすネフローゼ症候群や肝硬変などの肝疾患による低タンパク血症でも肺水腫が起こる．

【病理形態像】
　肉眼的には肺の重量が増加し，暗赤色，弾性硬となる．組織学的には肺胞腔内でびまん性にエオジンで淡く染まるタンパク様の液体が充満し，肺胞壁の毛細血管にはうっ血がみられる（図 12-14）．

【臨床像】
　左心不全症状である労作時呼吸困難，起坐呼吸，夜間

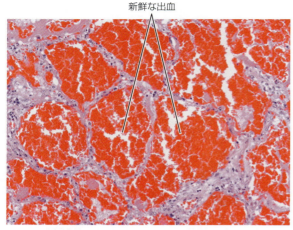

新鮮な出血

図 12-15　肺胞出血
肺胞腔内には新鮮な出血（赤血球）がみられ，肺胞構造は保たれている．

呼吸困難，ピンク色の泡沫痰が認められる．聴診で両側の肺野に水泡音 coarse crackles が聴かれることが特徴的である．急性の肺水腫は致死的なので，原因疾患を早期に発見して治療する必要がある．また，気胸や胸水の胸腔穿刺による治療後に肺水腫になることがあるので注意しなければならない．

C 肺胞出血 alveolar hemorrhage

肺胞出血では，肺の細動脈，細静脈，毛細血管の破綻により気道内に血液が漏出して喀血をきたす．肺疾患，全身性疾患，治療の合併症として発生する．組織学的に肺胞腔内への新鮮な出血がある場合には，赤血球やフィブリンの充満がみられる（図 12-15）．慢性出血で陳旧化した場合はヘモジデリンを貪食した多数のマクロファージがみられる．局所性の出血を起こす疾患には腫瘍や気管支拡張症があるが，びまん性の肺胞出血を起こす疾患には次のような病変がある．

a 血管炎に関連した肺胞出血

顕微鏡的多発血管炎 microscopic polyangiitis（MPA）や多発血管炎性肉芽腫症（→ 378 頁参照），好酸球性多発血管炎性肉芽腫症 eosinophilic granulomatosis with polyangiitis（EGPA）などの ANCA 関連血管炎などでみられる．多発血管炎性肉芽腫症では局所的な肺胞出血をみるが，びまん性の出血はまれである．MPA は多発血管炎性肉芽腫症よりびまん性肺胞出血の頻度が高く，MPO-ANCA〔perinuclear ANCA（p-ANCA）〕が陽性である．

b 免疫複合体に関連した肺胞出血

全身性エリテマトーデス systemic lupus erythematosus（SLE）や関節リウマチなどの全身性の膠原病に伴う二次的な変化としてまれにみられ，肺の細動脈，細静脈，毛細血管が障害される（→ 402 頁参照）．特に SLE では肺の毛細血管炎による肺胞出血が重篤な合併症の1つである．

c グッドパスチャー症候群 Goodpasture syndrome

男性に多いまれな疾患で，肺と腎に共通の**抗基底膜抗体（抗 GBM 抗体）**が産生される自己免疫疾患である．肺胞隔壁や糸球体の基底膜に抗 GBM 抗体が線状に沈着するため組織障害を起こす．臨床症状は肺出血による喀血や血痰などが先行し，急速進行性糸球体腎炎から腎不全を併発する．組織学的に，肺ではヘモジデリンを貪食したマクロファージを交える新旧の肺胞内出血と肺胞壁の肥厚・線維化がみられ，腎では**半月体形成**を認める．確定診断には末梢血中の抗 GBM 抗体の測定，糸球体や肺胞の基底膜での線状の抗 GBM 抗体（IgG）沈着の証明が必要である．治療はステロイドや免疫抑制薬，抗 GBM 抗体を除去するための血漿交換療法が行われるが，予後は不良である．

d 特発性肺ヘモジデローシス

小児や若年成人にみられるまれな疾患であり，慢性的に肺胞内出血を繰り返す．組織学的には陳旧性の肺胞内出血と肺胞隔壁の線維化がみられる．血管炎や抗 GBM 抗体は認められない．しばしば自然寛解する．

e その他

急性間質性肺炎や医原性の薬剤により肺胞出血を引き起こすことがある．診断には職業歴や薬剤投与歴などの問診が重要である．

D 肺塞栓症 pulmonary embolism

肺動脈には全身からの静脈血が注ぐため塞栓が起こりやすく，命にかかわることから臨床上きわめて重要である．塞栓子としては血栓が最も多く，ほかには脂肪，骨髄，腫瘍，空気，羊水，異物などがある．

a 肺血栓塞栓症 pulmonary thromboembolism
【概念，定義】

肺動脈血栓のほとんどは，下肢の静脈系で形成された血栓が血流に乗り，肺動脈に移動して閉塞したもので，肺血栓塞栓症という．塞栓ではない肺動脈硬化症などに合併する**肺動脈血栓症** pulmonary artery thrombosis はまれである．

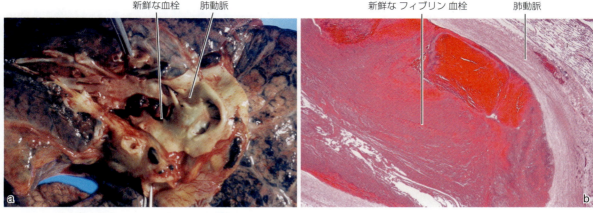

図 12-16 肺血栓塞栓症
a. 肉眼像. 肺動脈内には赤褐色を示す新鮮な血栓がみられる.
b. 組織像. 肺動脈内には新鮮なフィブリン血栓がみられるが，器質化は認められない.

【成因】

血栓塞栓子は心疾患や末期癌などの長期臥床患者の下肢深部静脈や骨盤静脈に由来することが多い．肥満や妊娠による血流の停滞，手術，外傷，骨折，中心静脈カテーテル留置による血管内皮障害，抗がん剤や経口避妊薬による血液凝固系の異常も原因となる．飛行機内などでの長時間の座位後に発生する**エコノミークラス症候群**，地震後の車中泊なども問題になっていいる．

【病理形態像】

発症時には肺動脈内で血栓を認めるが(図 12-16)，大部分が内因性の線溶活性により溶解する．溶解されない血栓は器質化により再疎通が起こる．うっ血性心疾患などの心臓疾患を有する状態で末梢の肺動脈に血栓が生じると梗塞が起こる．

【臨床像】

血栓の大きさや閉塞する肺動脈の大きさ・範囲により，種々の程度の呼吸困難と胸痛をきたす．肺塞栓の大部分では血栓が小さいため無症状であるが，大きな血栓や多発性の小血栓で肺動脈流の 60% 以上が閉塞した場合は突然死や急性右心不全を起こす．特に大きな血栓が左右の肺動脈分岐部にまたがる塞栓を**サドル塞栓** saddle emboli と呼ぶ．肺血栓塞栓症は臨床的に心筋梗塞，解離性大動脈瘤，気胸などと鑑別しなければならない．治療は酸素投与のほかにヘパリンなどの抗凝固療法が主体となる．

b その他

脂肪塞栓症 fat embolism は交通事故の外傷や骨折，熱傷により，脂肪が血中に出現することで起こる(→第 7 章「循環障害」，182 頁参照)．**骨髄塞栓症** bone marrow

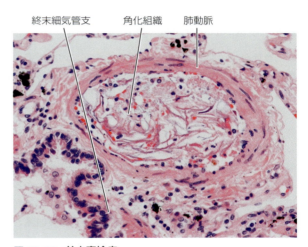

図 12-17 羊水塞栓症
肺動脈内には羊水中にある胎児由来の角化組織がみられる．

embolism は人工蘇生術施行後の肋骨骨折などの外傷で起こり，剖検時に判明することが多い．**空気塞栓症** air embolism は分娩中や肺の外傷，輸液・輸血時の事故などで起こり，一度に 100 mL 以上の空気が入ると肺塞栓症をきたす．

羊水塞栓症 amniotic fluid embolism は出産や分娩直後の非常にまれな合併症である．死亡率が高く母体の死因として重要である．羊水が胎盤や子宮静脈の損傷部を通して母体の血中に入ることが原因となる．組織学的には，肺の細動脈に胎児皮膚由来の扁平上皮，脂肪，粘液などがみられる(図 12-17)．肺水腫や播種性血管内凝固症候群 disseminated intravascular coagulation (DIC)を合併する．

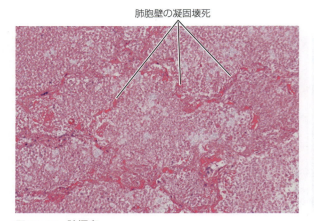

図 12-18　肺梗塞
梗塞巣内では肺胞壁の凝固壊死や肺胞腔内への出血がみられる.

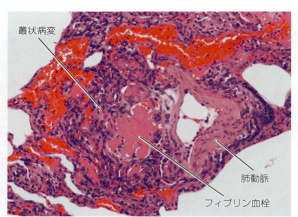

図 12-19　原発性肺高血圧症
細血管の密な増生がみられ，血管内の一部にはフィブリン血栓がみられる.

E 肺梗塞 pulmonary infarction

　肺動脈分枝の閉塞後にその血管の支配領域の肺組織が壊死に陥ることをいう．多くは肺血栓塞栓症による．頻度は肺塞栓症の約10%程度で肺下葉に好発する．急性に発症する胸痛と呼吸困難を主訴として，低酸素血症をきたす．肉眼的に，梗塞巣は肺動脈の閉塞部位を頂点として胸膜下でくさび型を呈する．組織学的には肺組織の凝固壊死をみるが，気管支動脈の血流量が増加することにより血管が破綻して出血を伴う（図 12-18）．いわゆる出血性梗塞を示すが，時間が経つとヘモジデリンを貪食したマクロファージを伴う肉芽組織や線維性瘢痕組織となる．

F 肺高血圧症 pulmonary hypertension

【概念，定義】
　肺高血圧症では安静時の肺動脈平均圧が 25 mmHg 以上に上昇している．

【成因】
　心疾患や肺疾患などにより生じる二次性の肺高血圧症が多く，原因不明の特発性 idiopathic や遺伝性 heritable はまれである．特発性と遺伝性は従来原発性肺高血圧症と呼ばれていた．
　二次性の肺高血圧症には，次のような疾患がある．
① 肺血管抵抗の増大（間質性肺炎，慢性閉塞性肺疾患，肺塞栓症）
② 肺血流量の増大（心室中隔欠損症，動脈管開存症，Fallot ファロー四徴症などの左右シャントを伴う心臓の先天異常）
③ 肺静脈圧の増大（僧帽弁疾患や冠動脈疾患などの左心不全）
④ 血管壁への免疫複合体沈着〔進行性全身性硬化症 progressive systemic sclerosis（PSS），SLE，混合性結合組織病 mixed connective tissue disease（MCTD）〕
　食欲低下薬（ダイエット薬）でも同様の肺病変を起こすことがある．

【病理形態像】
　特発性と二次性とも高血圧の期間と程度により肺動脈の組織学的な変化を認める．太い血管では軽度の粥状硬化をみるが，中小の肺動脈では中膜の筋性肥厚や血管内皮細胞の増生，内膜の線維性肥厚により内腔の狭小化がみられる．進行すると毛細血管の増殖による**叢状病変** plexiform lesion（図 12-19）や肺胞出血，壊死性動脈炎などを起こす．

【臨床像】
　特発性肺高血圧症は若年女性に多く，早期に肺性心から高度の呼吸不全に陥り死亡する．Raynaud レイノー現象の合併がみられる．プロスタサイクリンの持続静注療法が行われるが，根本的な治療法は確立されていない．二次性肺高血圧症は好発年齢がなく，原因となる基礎疾患の症状が主体となる．特発性と二次性とも右心不全をきたす（肺性心 cor pulmonale）．通常，肺性心は血管や換気障害によって起こる慢性肺性心のことを指し，肺血栓塞栓症による急性右心不全は急性肺性心と呼び，突然死の原因になる．

❸ 変性疾患

Advanced Studies

A 肺の石灰沈着症 pulmonary calcinosis

肺の石灰沈着症には肺胞微石症 pulmonary alveolar microlithiasis 以外に，異栄養性石灰化症 dystrophic calcinosis や転移性石灰化症 metastatic calcinosis がある．肺胞微石症はまれな病変で，肺全体の肺胞内でびまん性に微細な石灰沈着がみられる．進行すると線維化が起こり，拡散障害や拘束性障害をきたす．SLC34A2 を原因遺伝子とする常染色体潜性遺伝疾患である．

異栄養性石灰化症は陳旧化した結核性病変やヒストプラズマ症でみられる．転移性石灰化症は慢性腎不全，副甲状腺機能亢進症，多発性骨髄腫や転移性腫瘍で骨破壊の強いときなどの高カルシウム血症に伴ってみられる．組織学的には肺胞壁や血管壁に石灰が沈着するが，広範囲な石灰沈着は拡散障害から進行性の呼吸困難をきたす．

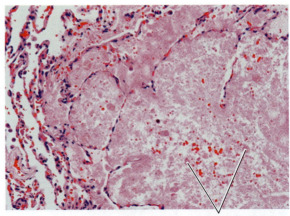

図 12-20　肺胞タンパク症
肺胞腔内にはタンパク様物質の貯留がみられる．

B 肺胞タンパク症 pulmonary alveolar proteinosis

肺胞腔内に多量の脂質を含むタンパク様物質が異常に貯留する疾患である．脂質を多く含むことから肺胞リポタンパク症 pulmonary alveolar lipoproteinosis とも呼ばれる．自己免疫性，続発性，先天性/遺伝性，未分類に分類されるが，大部分は自己免疫性で，血清抗GM-CSF抗体が陽性を示す．肺胞内にGM-CSF自己抗体が高濃度に存在するため，GM-CSFが中和されることにより，肺胞マクロファージの分化が障害される．肺胞内ではサーファクタントが処理できないため，タンパク様物質が異常蓄積する．組織学的には肺胞，肺胞管，細気管支内に好酸性の細顆粒状物質が充満しており（図12-20），PAS染色が陽性である．**気管支肺胞洗浄** bronchoalveolar lavage (BAL) で牛乳様に白濁した洗浄液がみられる．治療は気管支肺胞洗浄が行われるが，自然治癒することもある．

Advanced Studies

C アミロイドーシス amyloidosis

肺限局性のアミロイドーシスとしては気管気管支アミロイドーシス tracheobronchial amyloidosis と肺野に結節性のアミロイド沈着がみられる結節性アミロイドーシス nodular amyloidosis がある．限局性の沈着を示すアミロイドは免疫グロブリンのL鎖に由来するALタンパクである．気管気管支アミロイドーシスでは気管支粘膜下にびまん性あるいは小結節性の沈着がみられる．結節性には単発性や多発性のものがあり，アミロイド腫瘍 amyloid tumor とも呼ばれ，好酸性無構造基質（アミロイド）が結節状に沈着しているが，リンパ球や形質細胞の浸潤，多核巨細胞の浸潤，石灰化がみられることもある．肺胞壁にびまん性の沈着があるものは全身性アミロイドーシス systemic amyloidosis の一部として起こる．

❹ 拡張異常

肺の正常な呼吸を行うためには肺胞の適正な拡張が必須であり，拡張不全は無気肺，拡張過多は肺気腫で代表される．

A 無気肺 atelectasis

肺虚脱 pulmonary collapse とも呼び，肺内の空気が減少あるいは消失して肺組織の容量が減少した状態をいう．先天的なものには新生児無気肺があり，生後に低酸素血症を起こす．後天的なものには次の4種類がある．①閉塞性無気肺は肺癌，異物，喀痰などによる気道閉塞のため末梢に空気が入らなくなり無気肺となる．特に術後十分な呼吸ができないため気道内分泌物の閉塞により起こる無気肺は中高年の肥満女性に好発する．②圧迫性無気肺は胸水，肺癌，横隔膜挙上により肺が外側から圧迫されて起こる．③粘着性無気肺では急性呼吸窮迫症候群，高圧酸素療法などで肺胞のサーファクタントが減少して起こる．④瘢痕性無気肺では感染後の線維化や肺線維症により肺が拡張しないため無気肺になる．組織学的に肺胞含気は消失し，肺胞壁同士が接着する．

無気肺は瘢痕性のものを除いて基本的に可逆性の変化である．無気肺では感染の合併を防がなければならない．

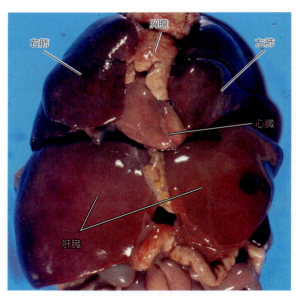

図12-21　新生児呼吸窮迫症候群の肉眼所見
両肺は全体に赤褐色調を呈し腫大しているが，形成異常はみられない．

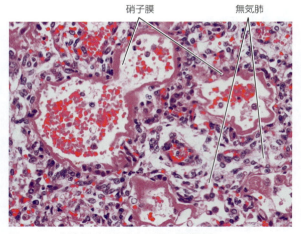

図12-22　新生児呼吸窮迫症候群の組織所見
開存する呼吸細気管支や肺胞管内には硝子膜がみられる．肺胞は無気肺に陥っている．

B 新生児呼吸窮迫症候群
neonatal respiratory distress syndrome（RDS）

【概念，定義】
新生児（特に低出生体重児）に起こる肺胞サーファクタントの欠乏による無気肺で，肺の末梢気腔に硝子膜がみられるため**硝子膜症** hyaline membrane disease とも呼ぶ．新生児の呼吸窮迫の原因として最も重要な疾患であり，在胎週数が小さくなるほど頻度が高くなる．低出生体重児以外では，母体が糖尿病，分娩開始前の帝王切開などの場合に発症しやすい．

【成因】
低出生体重児では，肺が未熟であるためサーファクタントが欠乏して無気肺となり呼吸困難をきたす．II型肺胞上皮からのサーファクタントの合成はコルチコステロイドにより促進されるが，インスリンに拮抗している．母体に糖尿病があると胎児も高インスリン血症になりやすいため，サーファクタントの合成は阻害される．陣痛はサーファクタントの合成を促進するために陣痛開始前の帝王切開はRDSを起こしやすい．

【病理形態像】
肺は肉眼的に赤褐色調で硬く重い（図12-21）．組織学的に肺は充実性で，肺胞の発達が悪いため無気肺様に虚脱している．空気を含む呼吸細気管支から肺胞管がみられ，内腔には硝子膜を認める（図12-22）．硝子膜は主にフィブリノーゲンやフィブリン，壊死した上皮細胞からなる．

【臨床像】
出生直後は正常であるが，数分〜数時間の間にRDSが発症し，低酸素血症により高度の呼吸困難やチアノーゼをきたす．脳内出血，動脈管開存による心不全，壊死性腸炎の合併にも注意しなければならないが，肺サーファクタントの経気道的投与や経鼻的持続気道陽圧による治療により救命率は改善されている．

RDSの発生を予防するためには低出生体重児での出産を減らさなければならない．胎児肺の成熟度を評価するため，羊水中のサーファクタント（リン脂質）を測定し，ステロイド薬を予防的に母体へ投与することもある．

気管支肺異形成 bronchopulmonary dysplasia は，新生児期に始まる慢性肺障害で，先天異常を除く肺の異常により妊娠32週未満に出生し，28日以上の酸素投与が必要な状態をいう．絨毛膜羊膜炎などによる出生前感染，酸素への曝露，人工呼吸管理などが発症と重症化にかかわっている．組織学的には気管支上皮の過形成，気管支周囲の線維化，細気管支の線維性閉塞，気腫状に拡張した肺胞などがみられる．

C 肺気腫 pulmonary emphysema

【概念，定義】
肺気腫は形態学的に終末細気管支より末梢の壁の破壊により気腔の拡張がみられるものをいう．壁の破壊を伴

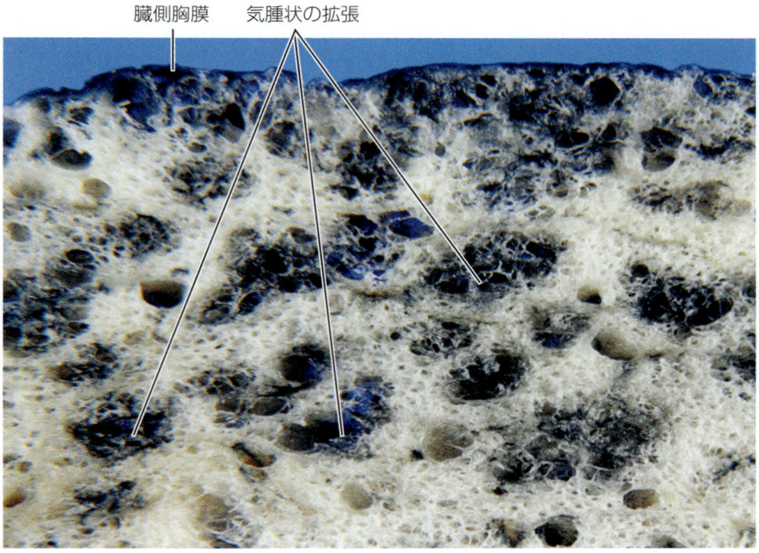

図 12-23　小葉中心性肺気腫
小葉中心部を主体に気腫状の拡張がみられ，黒色調の炭粉が沈着している．

わない気腔の拡張は**過膨張** overinflation である．

【成因】
　肺気腫の成因として，エラスターゼなどのタンパク分解酵素（プロテアーゼ）とその制御因子のバランスの破綻が重視されている．遺伝的に**α₁ アンチトリプシン（AAT）欠損症**では，エラスターゼ阻害物質である AAT 値が低いために肺気腫が生じる．
　肺気腫と喫煙は密接に関係している．喫煙により肺胞内へ好中球やマクロファージが著明に浸潤し，エラスターゼの分泌を促進する．また，喫煙により AAT の活性が阻害されるため，相乗効果により肺胞壁が破壊されて肺気腫が生じる．

【病理形態像】
　肺気腫は肉眼的に小葉単位で分類される．**小葉中心性肺気腫** centrilobular emphysema では，小葉中心部の呼吸細気管支を主体に破壊されて拡張するが，末梢の肺胞はほとんど障害されていない．進行すると末梢部も拡張する．肺上葉（特に肺尖部）にみられる．喫煙者や石炭の粉塵作業の経験者に多く，小葉中心部に黒色（炭粉）の色素沈着を認める（図 12-23）．**汎小葉性肺気腫** panlobular emphysema では，小葉全体が均一に破壊されて拡張がみられる．AAT 欠損症にみられ，肺下葉に比較的多く発生するが，わが国では頻度が低い．初期には肺胞管や肺胞が主体であるが，進行すると呼吸細気管支にまで及ぶ気腫状の拡張がみられる．**傍隔壁性肺気腫** paraseptal emphysema は，小葉間隔壁，あるいは胸膜に隣接して

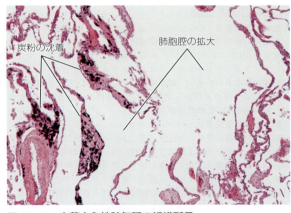

図 12-24　小葉中心性肺気腫の組織所見
肺胞壁の破壊により肺胞腔の拡大がみられる．

発生する．小葉末梢部の肺胞が破壊されて拡張するが，呼吸細気管支は保たれている．胸膜下に気腫性肺囊胞であるブラを形成しやすいため気胸の原因になることもある．
　組織学的には気腔が大部分を占めるが，肺胞壁は薄く断裂している．病変が進行すると融合して大きな肺胞腔がみられる（図 12-24）．

【臨床像】
　安静時の頻呼吸，呼吸困難，胸郭の増大（樽状胸）や口すぼめ呼吸をみる．肺機能検査では一秒量や一秒率の減少による**閉塞性換気障害** obstructive ventilatory impairment を示す．治療上禁煙が重要である．

肺気腫類似病変として，肺損傷後に残りの正常肺が代償性に拡張する代償性肺気腫，老化に伴う肺の生理的な変化である老人性過膨張，腫瘍や異物のため気道の閉塞により起こる閉塞性過膨張などがある．

5 炎症

A 気管支・細気管支の炎症

a 急性気管支炎 acute bronchitis

急性気管支炎は上気道炎に続く感染や有毒ガスの吸入で発生する．潰瘍性気管支炎はインフルエンザウイルスやアデノウイルスにより起こり，細気管支炎と合併する．偽膜性気管支炎はジフテリアにより起こる．化膿性気管支炎は黄色ブドウ球菌や肺炎球菌，マイコプラズマの感染が多い．百日咳では百日咳菌が気管支線毛上皮で増殖し，外毒素の産生により特有の臨床症状を引き起こす．

Advanced Studies

b 急性細気管支炎 acute bronchiolitis

乳幼児の疾患で通常の呼吸器症状に加え，急性の喘鳴を伴って発症する．RSウイルス，インフルエンザウイルス，パラインフルエンザウイルス，アデノウイルスなどのウイルス感染やマイコプラズマ感染によるものが多い．組織学的には急性気管支炎と同様に障害の程度によりカタル性から壊死を伴う潰瘍性のものまでみられるが，細菌感染では化膿性炎がみられる．

c 閉塞性細気管支炎 bronchiolitis obliterans

臨床的には細気管支の炎症性病変により気流制限のみられる病態であるが，組織学的には細気管支内腔にポリープ状の肉芽組織や線維組織により狭窄・閉塞する像を呈する非可逆的な病変である．ウイルスやマイコプラズマなどの感染，有害ガスだけではなく，過敏性肺臓炎，リウマチ様関節炎，骨髄移植，原因不明のものがある．最近は肺移植後の閉塞性細気管支炎の発症が問題となっている．確定診断は肺生検である．

d びまん性汎細気管支炎 diffuse panbronchiolitis

両肺の呼吸細気管支でびまん性に原因不明の炎症が起こる閉塞性肺疾患である．特に病変は両肺下葉に目立つが，高率に慢性副鼻腔炎を合併している．東アジアに多く，HLA-B54の保有率が高く，遺伝的な関与の高い疾患である．気道の感染防御機構が障害されているため，慢性的に細気管支の感染と炎症が生じる．組織学的には呼吸細気管支壁に強いリンパ球浸潤，上皮の剥離，リンパ濾胞，血管の増生，線維化が認められる．閉塞した細気管支内や肺胞道には泡沫状マクロファージの集簇がみられる．経過が長く進行性であり，緑膿菌の感染を伴って呼吸不全で死亡する例が多かったが，最近ではマクロライド系抗菌薬の少量長期投与療法により予後は改善されている．

B 慢性気管支炎 chronic bronchitis

【概念，定義】

慢性気管支炎では，多量の粘液分泌を伴う慢性あるいは再発性の咳や喀痰がみられる．この症状が1年に少なくとも3か月以上は毎日持続し，2年以上続くものを臨床的に慢性気管支炎とする．確定診断のためには同様の症状を示す肺結核，肺炎，肺化膿症，気管支拡張症，心疾患などを除外する必要がある．

【成因】

喫煙が最も重要な因子であり，二酸化硫黄や二酸化窒素などの大気汚染，粉塵，有毒ガスなどの職業性曝露が関与している．ウイルスやマイコプラズマ，細菌感染は慢性気管支炎の増悪因子である．

【病理形態像】

組織学的には，気管や気管支壁内の気管支腺の過形成が特徴的である．気道内腔面の気管支上皮内では杯細胞の増生があり，扁平上皮化生や異形成がみられる．細気管支でも同様に杯細胞化生が起こる．

【臨床像】

慢性気管支炎は臨床的な定義であり，肺気腫は形態学的な定義であることを認識しなければならない．すなわち，両者とも最も重要な原因が喫煙であり，両者が合併して存在することも少なくない．そのため**慢性閉塞性肺疾患** chronic obstructive pulmonary disease（COPD）として総称され，慢性気管支炎と肺気腫の2つの疾患を同一病変として扱うようになった．COPDでは喫煙歴があり，慢性的な咳嗽，喀痰，労作時呼吸困難をみる．共通する病態は気流制限であり，末梢気道の炎症が中枢側の気道あるいは末梢側肺胞に及び生じたものと考える．すなわち慢性気管支炎が主体のCOPD，肺気腫が主体のCOPDのように細分類される．

C 気管支拡張症 bronchiectasis

気管支内腔が不可逆的に拡張したもので，限局性とびまん性がある．原因として，先天的なものでは線毛機能不全症候群や囊胞性線維症などがある．後天的なものは乳幼児期の肺炎，気管支炎，百日咳，麻疹，マイコプラズマ感染に続発し，限局性の多くが含まれる．高齢者では肺結核や非結核性抗酸菌症に続発することがある．びまん性ではびまん性汎細気管支炎が進行すると気管支拡張症が生じる．関節リウマチやシェーグレンSjögren症候群などの膠原病でも気管支拡張症を呈する．腫瘍や異物誤嚥などによって気管支閉塞が限局性に起こり，気管支拡張症が生じる場合があり，外科的に切除されることがある．

D 気管支喘息 bronchial asthma

【概念，定義】
　慢性の気道炎症，気道の過敏性亢進，可逆性の気道狭窄を特徴とする．閉塞性の呼吸障害を発症し，発作性で反復性の咳嗽，喘鳴，呼吸困難が生じる．

【成因】
　外因性と内因性に分類されるが，両者の混合型も多くみられる．外因性はアレルギー性あるいはアトピー性と呼ばれ，主に小児や若年者に起こる．I型アレルギーを中心とした免疫反応が原因となる．ダニ，ハウスダスト，動物の毛，食物などの外来性抗原が肥満細胞表面のIgE抗体と結合することにより脱顆粒が起こり，ヒスタミンやロイコトリエン，プロスタグランジンなどが放出され，気道粘液の分泌促進や気管支平滑筋の収縮を引き起こす．また，RSウイルスやライノウイルス感染も重要な発症因子の1つである．

　内因性では血清IgEが正常で，主に成人に発症する．内因性の多くは上気道感染症（特にライノウイルスやパラインフルエンザウイルスなどのウイルス感染）を伴って発症するが，免疫学的な機序は不明である．外因性と内因性ともに寒冷，運動，精神的なストレス，職業環境などが喘息発作の引き金になることがある．

　アスピリンなどの非ステロイド性抗炎症薬（NSAIDs）によって発症するNSAIDs過敏喘息（アスピリン喘息）は，I型アレルギーの機序とは関連性がない．NSAIDsがアラキドン酸代謝のシクロオキシゲナーゼ経路を阻害し，リポキシゲナーゼ経路を亢進させることにより，ロイコトリエンの産生が増加し，気管支平滑筋を収縮させて喘息を引き起こす．

【病理形態像】
　組織学的に，気管支では気管支腺の肥大や杯細胞の増生による粘液の過剰分泌，上皮基底膜や平滑筋の肥厚，浮腫，好酸球などの炎症細胞浸潤，毛細血管の増生が特徴的である（図12-25）．好酸球に関連した**シャルコー－ライデン結晶** Charcot-Leyden crystal（好酸球中の顆粒が結晶化して特有な構造を呈したもの）や粘液の過剰産生に関連した**クルシュマンらせん体** Curschmann spiral（細気管支内の粘液栓がらせん形を呈したもの）がみられることもあるが，特異的な所見ではない．重症の喘息発作が持続した状態では，気管支や細気管支内に広範囲な粘液栓が認められる．

【臨床像】
　小児の喘息は外因性で治療しやすく完治する例が多い

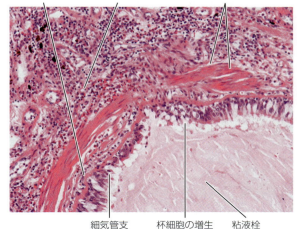

図12-25　気管支喘息
細気管支内腔には粘液栓がみられ，壁内では平滑筋の肥厚や好酸球の浸潤が目立つ．

が，大人の喘息は内因性で治療に抵抗して予後が悪い．治療は通常の慢性期であれば原因物質の除去などの日常教育が重要であるが，気道の過敏性を低下させるため，吸入ステロイドを中心とした治療により長期的な管理が行われる．発作時には強度に応じて酸素吸入，β_2刺激薬の吸入，ステロイド薬の全身投与などが必要になる．

E 肺炎 pneumonia

1 肺炎の形態学的分類と臨床との関連

　肺組織に起こる炎症のことであり，肺炎には肺胞性肺炎と間質性肺炎およびその混合型がある．通常は肺炎といえば**肺胞性肺炎**を指すことが多い．肺胞性肺炎は炎症の広がりにより，気管支肺炎と大葉性肺炎に分類される．原因としては細菌，ウイルス，真菌，原虫などの病原微生物，化学物質，薬剤，ガスなどがあげられる．特に細菌性肺炎では咳嗽，膿性痰，胸痛，呼吸困難，高熱がみられ，聴診で肺胞呼吸音の減弱と水泡音が認められる．血液検査では白血球やCRPが上昇し，胸部X線でair bronchogram（気管支透亮像）を伴う浸潤影がみられる．

a 気管支肺炎 bronchopneumonia

　肺炎球菌，インフルエンザ菌，黄色ブドウ球菌などの多くの細菌感染で起こり，細菌性の急性気管支炎・細気管支炎が肺胞まで進展した状態である．組織学的に，急性期では呼吸細気管支，肺胞管，肺胞にかけて巣状の滲出性病変がみられ，好中球や単核細胞の浸潤，上皮の剥

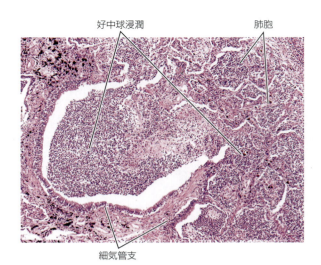

図 12-26　気管支肺炎
細気管支〜肺胞では，急性炎症を示唆する高度の好中球浸潤がみられる．

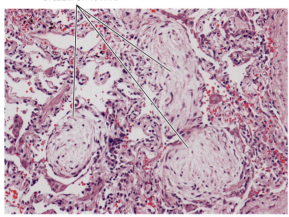

図 12-27　器質化肺炎
肺胞腔内には線維性の器質化（Masson 体）がみられる．

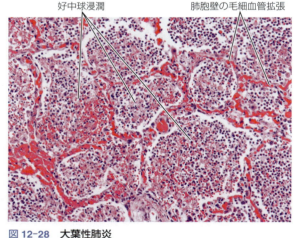

図 12-28　大葉性肺炎
肺胞腔内を充満するように高度の好中球浸潤がみられ，肺胞壁内ではうっ血が目立つ．

離，出血，フィブリンの析出を認める（図 12-26）．滲出性病変が拡大癒合して小葉性の分布を示すことがある．時間が経過して肺胞内滲出物が吸収されてしまうことを**融解** resolution という．融解されない場合は肺胞内滲出物が肉芽組織や線維組織に置換されて**器質化** organization を起こす．特に器質化病変は**器質化肺炎** organizing pneumonia と呼ばれる（図 12-27）．組織像では肺胞腔内にポリープ状の肉芽組織（Masson 体）が認められる．気管支肺炎の治療は起炎菌に有効な抗菌薬を選択することである．

b　**大葉性肺炎** lobar pneumonia

　大葉性肺炎は急速に炎症が一肺葉全体に広がり，びまん性にほぼ肺全体でみられるものをいう．原因は肺炎球菌のことが多いが，黄色ブドウ球菌，インフルエンザ菌，クレブシエラ，緑膿菌，レジオネラ菌でも起こる．組織学的には気管支肺炎と同様の像である（図 12-28）．現在では抗菌薬の進歩により大葉性肺炎はほとんどみられない．

　大葉性肺炎が典型的な経過をとる場合は，約 1 週間前後の間に充血期，赤色肝変期，灰色肝変期，融解期をとる．充血期では，細菌の急速な増殖，肺胞毛細血管の充血，肺胞腔内への血漿成分の滲出がみられる．赤色肝変期では，肺胞腔内にフィブリンを含む滲出液や多数の赤血球が充満することにより肝臓のような硬化を示す．灰色肝変期では高度の白血球浸潤により灰色に変化し，融解期では白血球やマクロファージのタンパク融解酵素の作用によりフィブリンが融解吸収されて発症前の肺胞に戻る（融解治癒）．フィブリンが完全に吸収されない場合は器質化治癒の過程をとる．気管支肺炎や大葉性肺炎では，早期に有効な抗菌薬で治療することにより融解治癒に導ける．

c　**間質性肺炎** interstitial pneumonia

　表 12-2 で示すように，原因は感染性，非感染性など種々のものがある．原因不明のものは特発性と呼ばれる．特発性以外のものでは感染性疾患（マイコプラズマ肺炎，ウイルス性肺炎），膠原病や血管炎などによる自己免疫性疾患，塵肺症や過敏性肺炎などの職業環境性が

表 12-2　間質性肺炎の原因

① 特発性
② 感染性（マイコプラズマ，ウイルス，ニューモシスチス，クラミジアなど）
③ 自己免疫性（膠原病，血管炎など）
④ 職業環境性（過敏性肺炎，塵肺症など）
⑤ 医原性（薬剤，放射線）
⑥ その他（サルコイドーシス，Langerhans 細胞組織球症，好酸球性肺炎など）

原因の疾患，薬剤や放射線による医原性疾患などがある．間質性肺炎では肺胞腔への滲出物の貯留は軽度で，病変の主体は肺胞壁にあり，拘束性換気障害のため肺は硬くなり，肺胞が広がりにくくなる．また，換気が不十分のため，拡散能が低下して低酸素血症をきたす．

組織学的に，急性期では肺胞壁が浮腫性に肥厚し，主としてリンパ球浸潤がみられる．肺胞壁には硝子膜を認める．亜急性期には肺胞壁に肉芽組織が形成され，慢性期には線維組織により置換され，呼吸細気管支が拡張する．不可逆性の線維化が進行すると下葉を中心に**蜂窩肺** honeycomb lung が形成される（図 12-29, 30）．

間質性肺炎の約半数は原因不明で，そのなかでは**特発性肺線維症**が最も多い．特発性間質性肺炎の分類は種々の説が提唱され，混乱して使用されてきたが，2013 年には米国胸部学会と欧州呼吸器学会が合同で臨床・放射線・病理学的な側面からコンセンサスをまとめ，主要なものを 6 種類に臨床分類した．

① **特発性肺線維症** idiopathic pulmonary fibrosis（IPF）
② **非特異性間質性肺炎** nonspecific interstitial pneumonia（NSIP）
③ **剝離性間質性肺炎** desquamative interstitial pneumonia（DIP）
④ **呼吸細気管支炎を伴う間質性肺疾患** respiratory bronchiolitis-interstitial lung disease（RB-ILD）
⑤ **特発性器質化肺炎** cryptogenic organizing pneumonia（COP）
⑥ **急性間質性肺炎** acute interstitial pneumonia（AIP）

① の IPF は原因不明の慢性進行性の線維化を特徴とする．組織学的には**通常型間質性肺炎** usual interstitial pneumonia（UIP）パターンをとり，時相の異なった多彩な間質性病変や蜂窩肺がみられるが，膠原病でも UIP 様パターンをとるので注意する必要がある．UIP は徐々に進行し，慢性呼吸不全，感染症，肺高血圧症，肺癌を合併するため予後は不良である．臨床症状として，乾性咳嗽，徐々に増悪する労作時呼吸困難がみられ，両側下

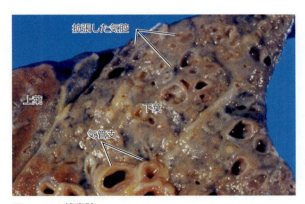

図 12-29　蜂窩肺
下葉を主体に蜂巣状に拡張した気腔がみられる．

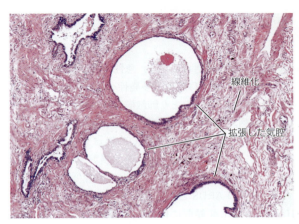

図 12-30　蜂窩肺の組織所見
間質の高度の線維化により残存した気腔が著明に拡張している．

肺野を中心に捻髪音 fine crackle を聴取する．急性増悪する例もある．② の NSIP では肺胞構築の破壊が軽度で，予後が比較的良好である．細胞浸潤性と線維化性に亜分類される．膠原病，過敏性肺炎，薬剤性肺炎などでも NSIP 様パターンをとるので鑑別する必要がある．病変は比較的均一でびまん性に分布し，進行の時相がそろっている．③ の DIP も喫煙に関連しているが，ステロイド治療への反応は良好で，UIP と比較して予後がよい．肺胞腔内ではびまん性にマクロファージが充満しているが，肺胞壁の慢性炎症や線維化は比較的軽度である．多数の肺疾患で DIP 様の組織像を示す．④ の RB-ILD の喫煙率はほぼ 100％ である．病変の分布は小葉中心性で，組織学的には呼吸細気管支から肺胞にかけてマクロファージの集簇やリンパ球などの炎症細胞浸潤がみられる．⑤ の COP は以前の**閉塞性細気管支炎器質化肺炎** bronchiolitis obliterans organizing pneumonia（BOOP）

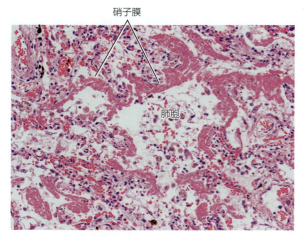

図 12-31　びまん性肺胞傷害
急性期像で肺胞内腔に沿って硝子膜の形成がみられる．

と同義語的に使用されており，急性から亜急性の経過を示し，胸部 X 線で移動性・多発性の陰影を示す．組織学的に器質化肺炎像をとり肺胞構造の破壊はみられないが，膠原病，薬剤性，放射線性，感染症などを含めて非常に多くの疾患が器質化肺炎（OP）様パターンを示す．ステロイドによく反応して予後が良好である．⑥の AIP は次項の ARDS で説明するが，急性肺障害を起こす原因不明の ARDS といえる．以前のハーマン-リッチ Hamman-Rich 症候群に相当し，発症から 1〜2 か月のうちに急速な呼吸不全に陥り，致命的な経過をたどる．

　その他にまれな発生ではあるが，特発性リンパ球性間質性肺炎 idiopathic lymphocytic interstitial pneumonia (LIP) がある．LIP では間質へびまん性に高度のリンパ球や形質細胞の浸潤をみるが，浸潤しているリンパ球はT細胞が多い．ウイルス感染症や Sjögren 症候群を中心とした膠原病など多くの疾患でも LIP 様の組織像を呈する．

d 急性呼吸窮迫症候群
acute respiratory distress syndrome (ARDS)

【概念，定義】
　急速に進行する重症の肺障害であり，**急性間質性肺炎**（AIP）の臨床像を総称する．名称や症状は新生児の RDS（→ 388 頁）に類似するが，成因は異なる．病理組織学的には，**びまん性肺胞傷害** diffuse alveolar damage (DAD) を意味し，ARDS と同義語的に使われる．

【成因】
　肺の広範囲で肺胞毛細血管を中心に炎症が生じ，血管透過性が亢進した後，血漿成分が肺胞に滲出し，急激に呼吸不全が起こる．特発性 ARDS の原因は不明であるが，それ以外の ARDS は次のような疾患で生じる．
　最大の原因は敗血症で，ほかには外傷，ショック，特発性肺線維症の急性増悪，薬剤性，放射線性，高濃度酸素曝露，膠原病などがある．

【病理形態像】
　第 1 週目の滲出期では肺胞壁が肥厚してうっ血や浮腫が目立つが，炎症細胞浸潤は軽度である．肺胞内腔の硝子膜が特徴的である（図 12-31）．第 1 週目〜第 3 週目の増殖期〜器質化期では，間質において線維芽細胞や筋線維芽細胞が増生し，器質化や II 型肺胞上皮の過形成がみられる．第 4 週目以降の線維化期では膠原線維の増生により肺胞虚脱と細気管支の拡張を示す．

【臨床像】
　急激に高度の呼吸不全が進行し，胸部 X 線や CT で両側性のびまん性間質性陰影をみる．DAD を呈する病態の多くは，急速進行性できわめて重症である．

e 肺膿瘍 pulmonary abscess
　肺実質が化膿性炎症により破壊されて壊死を伴う膿瘍形成を示したものである．**肺化膿症** pulmonary suppuration とも呼ぶ．肺炎や敗血症，抜歯後，扁桃手術後などで起こるが，高齢者では**誤嚥性肺炎** aspiration pneumonia が多い．特に嚥下機能低下や胃食道機能不全をきたす疾患を有している場合はハイリスクである．起炎菌は黄色ブドウ球菌，大腸菌，クレブシエラ，緑膿菌，嫌気性菌などである（図 12-32）．発熱，咳嗽，喀痰，胸痛などの症状を認める．

2 ● 肺炎の原因による分類
　肺炎の原因には炎症一般の原因と同様に生物学的，化学的，物理学的なものがある．患者の診断と治療のためには，肺疾患の原因と病理学的な形態像を合わせて的確に判断することが重要である．以下に項を改めて感染性肺炎（生物学的原因）と非感染性肺炎（化学的・物理学的原因）に分けて述べる．

3 ● 感染性肺炎
a 細菌性肺炎 bacterial pneumonia
　臨床的には**市中肺炎** community-acquired pneumonia と**院内肺炎** nosocomial pneumonia に分類される．市中肺炎の起炎菌には，**肺炎球菌** *Streptococcus pneumoniae*，**マイコプラズマ** *Mycoplasma pneumoniae*，**インフルエンザ菌** *Haemophilus influenzae*，**レジオネラ菌** *Legionella* spp. などがある．肺炎球菌は高齢者や新生児で感染を

受けやすい代表的な市中感染症によるものである．大部分は上気道感染後に咽頭細菌叢の吸引により起こる．悪寒や戦慄を伴う高熱を認める．喀痰や血液培養によるグラム染色での検出が有用で（グラム陽性双球菌），ペニシリン系抗菌薬によく反応する．**ペニシリン耐性肺炎球菌** penicillin resistant *Streptococcus pneumoniae*（PRSP）では，ペニシリン系抗菌薬が無効の場合もあるので注意しなければならない．マイコプラズマは原核生物としては最も小さく（125～150 nm），細胞壁がみられない．健常な若年者に生じ，激しく頑固な乾性咳嗽が出現する．ペニシリン系抗菌薬などの細胞壁合成阻害薬による治療は無効で，マクロライド系抗菌薬が有効である．インフルエンザ菌はグラム陰性桿菌で，小児の髄膜炎や成人の肺炎を引き起こす．慢性閉塞性肺疾患，アルコール依存，糖尿病などの患者に発症しやすい．レジオネラ菌は1976年の米国在郷軍人大会で集団発生した原因不明の肺炎から発見されたため，在郷軍人病と命名された．土壌中や水中で繁殖するグラム陰性桿菌で，冷房機や循環式風呂，貯水槽などの汚染が原因となっている．最近では免疫不全患者に院内肺炎として発症することがある．

院内肺炎では，**黄色ブドウ球菌** *Staphylococcus aureus* や**クレブシエラ** *Klebsiella pneumoniae*，**緑膿菌** *Pseudomonas aeruginosa* が重要である．院内肺炎は院内感染の中で最も死亡率が高く，患者は耐性菌を保有していたり，複数の菌に重複感染していたりすることがある．黄色ブドウ球菌はグラム陽性球菌で，皮膚や鼻腔，腸管にも常在している．気管支肺炎を起こし，組織破壊が強いため肺膿瘍や膿胸を合併しやすい．病院内では**メチシリン耐性黄色ブドウ球菌** methicillin-resistant *Staphylococcus aureus*（MRSA）が院内感染の病原菌として問題になっている．特に外科手術後，免疫不全，長期抗菌薬投与患者に感染する可能性が高い．この MRSA はメチシリンなどのペニシリン系抗菌薬を含めて多くの薬剤に耐性を示すが，バンコマイシンなど一部の薬剤は有効で，抗菌薬の乱用を避けて院内で感染を拡大させないことが大切である．また，**バンコマイシン耐性腸球菌** vancomycin-resistant *Enterococcus*（VRE）も問題となっており，尿路感染や腹腔内感染を起こす．クレブシエラはグラム陰性桿菌で，肺炎のほかに尿路感染，肝・胆道感染，敗血症，髄膜炎，腹膜炎などを起こし，抗菌薬の長期投与後に菌交代現象が現れて腸炎を引き起こす．緑膿菌は消毒薬や抗菌薬に抵抗性が強いため，感染防御機能の低下や抗菌薬長期使用患者に発症しやすい．代表的な日和見感染症で，膿瘍を伴う広範な気管支肺炎や敗血症

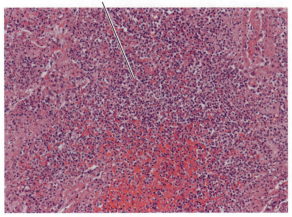

図 12-32　肺膿瘍（MRSA 肺炎）
高度の好中球浸潤や出血を伴う膿瘍形成がみられる．

を示す壊死性肺炎が認められる．**誤嚥性肺炎**では食物などを口腔内常在菌とともに下気道に吸引して発症するが，脳梗塞の患者や高齢者で起こりやすい．誤嚥性肺炎の起炎菌では複数の菌が関与することが多い．

b 肺結核 pulmonary tuberculosis
【概念，定義】
　世界的に結核は主要な死因の1つであり，貧困の目立つ開発途上国では顕著である．わが国や欧米では，結核治療薬の登場により，罹患率の著明な低下が認められた．しかし，最近では HIV 感染者，イソニアジド（INH）やリファンピシン（RFP）の両者に耐性の多剤耐性結核菌やさらに無効の治療薬が増えた超多剤耐性結核菌による感染者の増加がみられる．医療従事者を含む一般の結核に対する認識の低下に伴い，若年発症や集団感染など，発症様式の変化が認められる．

【成因】
　遅発育抗酸菌中の一菌種である *Mycobacterium tuberculosis* の感染により生じる．この結核菌は多量の脂質を有しており，チール-ネールゼン染色で赤色に染色される．また，感染は通常咳嗽時の飛沫中の菌の吸入や分泌物に曝露されることにより起こる．高齢者，低栄養や免疫抑制状態，糖尿病，ステロイド治療者，アルコール依存，慢性腎不全，悪性腫瘍などの患者は罹患しやすいので注意が必要である．好気性菌のため低酸素状態では発育できず，酸素の十分な肺尖部に病巣を作りやすい．

【病理形態像】
　肉眼的に結核病巣は灰白色，孤立性結節性あるいは多発結節性病変であり（図 12-33），中心部にチーズ様の乾

図 12-33 肺結核
灰白色で粟粒状の病変が散在性あるいは一部融合状にみられる．

粟粒状の病変

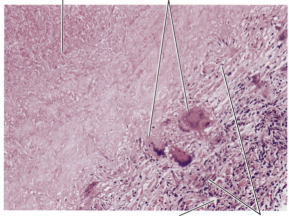

乾酪壊死　Langhans型多核巨細胞

リンパ球・形質細胞　類上皮細胞

図 12-34 肺結核の組織所見
乾酪壊死の周囲には類上皮細胞の増生や Langhans 型の多核巨細胞がみられる．

酪壊死が認められる．また石灰化，骨化，空洞化などがみられる．

　組織学的に結核菌の初感染時には多形核白血球やマクロファージの浸潤などの滲出性反応がみられる．マクロファージに貪食された結核菌は細胞内で増殖を続け，さらにマクロファージの動員を促す．このマクロファージには集合性があり，豊富な細胞質と核のため上皮様にみえることから類上皮細胞と呼ばれ，**肉芽腫性反応** granulomatous reaction をきたす．すなわち定型的な病変では肉芽腫の中心部には乾酪壊死がみられ，周辺部には類上皮細胞の増生，**Langhans 型多核巨細胞**や**異物型多核巨細胞**が散見される（図 12-34）．また，類上皮細胞の周囲にはリンパ球や形質細胞の浸潤がみられ，種々の程度の線維化を認める．

【臨床像】
　結核には一次結核症と二次結核症がある．**一次結核症**では気道から肺組織内に菌が定着した後，肺内リンパの流れに沿って肺門や縦隔リンパ節へと広がる．結核菌初感染時に生じる肺内病変とリンパ節病変を併せて初期変化群という．通常は病巣の中心部が乾酪壊死に陥り，それ以上は進展しない．しかし，栄養不良の小児や高齢者，AIDS などの免疫不全患者では，まれにそのまま結核が進行して経気道的あるいはリンパ行性に肺内病巣が播種をきたすことがあり，進行性一次結核という．粟粒結核を起こして血行性に全身播種することもある．

　二次結核症は長年休止状態にあった一次結核病巣の再燃によって発症するが，感染力の強い菌の大量吸引に伴う外因性の再感染の場合もある．二次肺結核は酸素分圧の高い肺尖部に発生し治癒する．しかし，進行性二次結核となり，肺尖部の乾酪病変が拡大した場合は空洞が形成される．血管が侵襲されると喀血を起こすことがある．感染が拡大した場合は，結核性胸水，胸膜炎，膿胸，粟粒結核がみられる．特に粟粒結核では，動脈を介して肝臓，骨髄，脾臓，副腎，髄膜，腎臓，卵管，精巣上体などの全身へ菌が散布される．

　結核の治療では，抗結核薬の内服治療が行われる．イソニアジド，リファンピシン，エタンブトール，ピラジナミドなどの抗結核薬が 6 か月間処方される．

　非結核性抗酸菌症 nontuberculous mycobacterial disease は，結核菌とらい菌以外の抗酸菌を総称した非結核性抗酸菌による感染症である．人から人への感染はしない．非結核性抗酸菌症のうち約 90％は *M. avium* と *M. intracellulare* の 2 種類の菌からなる MAC（*Mycobacterium avium* complex）症である．**MAC 症**は，陳旧性肺結核や COPD，免疫不全状態の患者に二次的に発症することが多く，抗結核薬が効きにくい．MAC 症の治療では，クラリスロマイシンと 2 種類の抗結核薬の内服療法が行われる．*Mycobacterium kansasii* によるものは重症喫煙者や男性に発生し，抗結核薬に対する感受性がよく，予後が良好である．喀痰や病変の組織内に抗酸菌を認めても結核菌との断定はできない．最終的な菌の同定のためには培養が必要であるが，時間もかかることから遺伝子学的検査として PCR（polymerase chain reaction）を用いた検査が行われる．

c **真菌性肺炎** fungal pneumonia
　肺カンジダ症 pulmonary candidiasis は皮膚粘膜に常

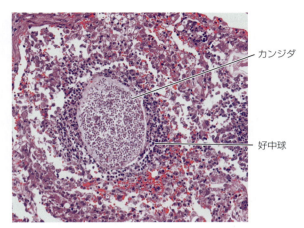

図 12-35　肺カンジダ症
カンジダの周囲には好中球の浸潤がみられる.

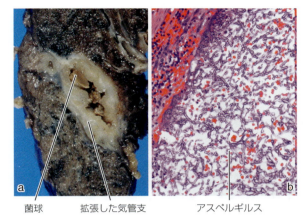

図 12-36　肺アスペルギルス症
a. 拡張した気管支内腔には真菌球 fungus ball がみられる.
b. 気管支内腔にはアスペルギルスの菌糸がみられる.

在するカンジダによる代表的な日和見感染症であり, 易感染状態の患者に発症しやすい. 特に好中球減少症や経静脈栄養法 intravenous hyperalimentation (IVH) は最大の危険因子であり, *Candida albicans* によるものが多い. 膿瘍形成性肺炎や敗血症時にみられる (図 12-35).

肺アスペルギルス症 pulmonary aspergillosis は日和見感染症を起こす深在性真菌症である. 通常は空中に浮遊する菌の吸入により経気道的な感染が起こる. 代表的なものに慢性肺アスペルギルス症 chronic pulmonary aspergillosis, 侵襲性肺アスペルギルス症 invasive pulmonary aspergillosis, アレルギー性気管支肺アスペルギルス症 allergic bronchopulmonary aspergillosis の 3 型があげられる. 慢性肺アスペルギルス症には, 肺結核症などの遺残空洞や気管支拡張腔, 肺囊胞でアルペルギルスが発育して真菌球 fungus ball をつくる単純性肺アスペルギローマ simple pulmonary aspergilloma と, アスペルギルスの感染が肺組織へ波及し, 進行性の状態である慢性進行性肺アスペルギルス症 chronic progressive pulmonary aspergillosis がある. 侵襲性肺アスペルギルス症はまれであるが急激に発症し, 血管壁を侵襲して血管の壊死や肺梗塞を認めるため重篤化する. アレルギー性気管支肺アスペルギルス症では, アスペルギルス抗原に対してアレルギー反応により喘息症状や好酸球増加を認める. 組織学的に菌糸は直径 2〜5 μm の隔壁を有し, Y字型の二分岐で分岐角は 45° である (図 12-36).

肺クリプトコッカス症 pulmonary cryptococcosis は土壌やハトの糞などに存在する *Cryptococcus neoformans* の経気道的な感染により起こる. 臓器移植後, 抗がん剤やステロイド投与などの免疫抑制患者に発症する続発性

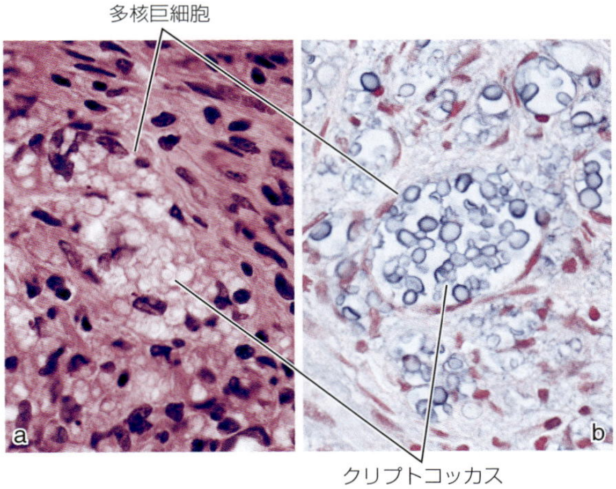

図 12-37　肺クリプトコッカス症
a. 多核巨細胞や組織球内にはクリプトコッカスの菌体がみられる.
b. アルシアンブルー染色で菌体の莢膜が青く濃染する.

では日和見感染症の形をとり, 菌は毛細血管内や粘液内, 組織球内に認められる. また, 健常者に発症する原発性では, 健診時の胸部 X 線検査で偶然に単発性の境界明瞭な coin lesion として発見され, 臨床的に肺癌との鑑別が問題となる (クリプトコッカス腫 cryptococcoma とも呼ばれる). 直径 5〜10 μm の大きさで円形を示す菌体は多数の組織球や異物型多核巨細胞に貪食され, クリプトコッカス肉芽腫を形成する (図 12-37). アルシアンブルー染色やムチカルミン染色などの粘液染色では, 莢膜が濃く染まるため菌体を確認しやすくなる. 播種が起こると中枢神経への親和性が高いため, 脳や髄膜に病巣を作りやすい.

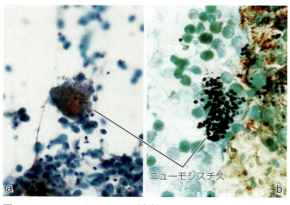

図 12-38 ニューモシスチス肺炎
a. 喀痰のパパニコロウ染色では菌体が赤く染まっている．
b. 喀痰のグロコット染色では黒色に染まる多数の菌体がみられる．

表 12-3 気道感染性の代表的なウイルス

RNA ウイルス
　オルトミクソウイルス
　　インフルエンザウイルス
　パラミクソウイルス
　　パラインフルエンザウイルス，麻疹ウイルス，RS ウイルス
　ピコルナウイルス
　　ライノウイルス，エコーウイルス，コクサッキーウイルス
　コロナウイルス
DNA ウイルス
　アデノウイルス
　ヘルペスウイルス
　　単純ヘルペスウイルス，水痘帯状疱疹ウイルス，サイトメガロウイルス

　肺ムーコル症 pulmonary mucormycosis は血液悪性腫瘍，臓器移植および重度の糖尿病などの基礎疾患に合併して発症する日和見感染症で，血管壁への侵襲が強く，出血性梗塞や大出血を起こしやすい．菌糸は幅が広いが隔壁はなく，ほぼ直角に分岐している．
　ヒストプラズマ症 histoplasmosis は米国中部に多く，感染は臨床的に肺結核と類似しており，一次性あるいは二次性の進行性病変を形成する．組織像も肺結核に類似しており，菌は組織球や多核巨細胞に取り込まれて肉芽腫性腫瘤を形成する．
　コクシジオイデス症 coccidioidomycosis は米国南西部に多い．感染者の大多数は軽度の急性呼吸器疾患の症状を呈するのみで自然治癒する．しかし，まれに全身性播種を起こして致死的となる．組織学的には肉芽腫性炎症と化膿性炎症が混在する．
　ニューモシスチス肺炎 Pneumocystis pneumonia は白血病，悪性腫瘍，長期にわたるステロイド治療，臓器移植後に合併する日和見感染症として重要である．以前は，原因が原虫だと考えられていたが，遺伝子解析により真菌の一種であることが有力視されている．現在はヒトに感染するのは Pneumocystis carinii ではなく P. jirovecii であることが判明したが，Pneumocystis carinii 肺炎はそのまま一般的な病名として使用されている．大多数の感染は不顕性感染であるが，AIDS などの免疫抑制状態にある患者ではほとんど肺に限局して発症し，間質性肺炎を呈する．組織学的には肺胞内に好酸性の泡沫状滲出物がみられる．免疫抑制状態の発症例では間質病変に乏しく，肺胞上皮の剝離と壊死，硝子膜形成，肺胞内へのマクロファージの集簇が特徴的で，急激な呼吸困難に陥ることが多い．喀痰や気管支肺胞洗浄液，経気管支肺生検により得られた検体中に菌体が証明されるが（図 12-38），PCR でも診断可能である．

d ウイルス性肺炎 viral pneumonia

　気道感染性のウイルスを表 12-3 に示す．ウイルス性肺疾患の大半はかぜ症候群として最も広く認知されている．多種類のウイルスが上気道から下気道までの呼吸器に感染して多彩な症状を呈する．多くのウイルスは発熱，咽頭痛，鼻汁などの上気道症状のみで終わるが，重症型の肺炎になると下気道へ炎症が波及するため，咳嗽，喘鳴，呼吸困難，チアノーゼが出現する．ウイルス性肺炎は間質性肺炎を起こすことが多く，出血性病変を伴うこともある．喀痰は粘液性～粘液膿性のことが多く，検査所見では白血球数が正常ないし減少する．診断はウイルスの分離や抗体価の上昇によって行う．
　罹患率と死亡率から最も問題となる RNA ウイルスは**インフルエンザウイルス**である．毎年冬を中心に流行するインフルエンザによる肺炎で臨床上問題となるのは，慢性の心・肺疾患や腎不全，糖尿病患者，高齢者などでの純粋なインフルエンザ肺炎に加え，ウイルス性肺炎に細菌感染が合併した混合性肺炎や二次性の細菌性肺炎である．原発性インフルエンザ肺炎では，間質性肺炎や肺水腫を，インフルエンザ関連細菌性肺炎では肺胞出血を伴う重症肺炎を引き起こす．また，**鳥や豚インフルエンザウイルス**のヒトへの感染も報告されている．パラインフルエンザウイルスや RS ウイルスは小児主体に感染する RNA ウイルスで，咽頭炎，クループ，気管支炎，肺炎などを起こす．麻疹ウイルスによる肺炎は免疫不全の小児や健常者に起こることがあり，巨細胞性肺炎を起こ

し，核内や細胞質内に封入体が認められる．コクサッキーウイルスは夏季に流行し，かぜ症候群を起こす．**コロナウイルス**は鼻かぜを引き起こす．新型コロナウイルス感染症 coronavirus disease 2019（COVID-19）は，**新型コロナウイルス（SARS-CoV-2）**によるものである．発熱，呼吸器症状，頭痛などのインフルエンザ様症状に加え，嗅覚や味覚異常が特徴的である．過剰な炎症反応により血管が閉塞し，肺梗塞，心筋梗塞，血栓症が生じる．

表12-3のDNAウイルスは下部気道感染を起こしうるが，上皮細胞などに特徴的な核内（一部細胞質内）封入体がみられる．アデノウイルスは通常小児にみられ，壊死性気管気管支炎や間質性肺炎を起こす．単純ヘルペスウイルスは特に1型が呼吸器へ感染し，壊死性気管気管支炎や壊死性肺炎，間質性肺炎を引き起こす．水痘帯状疱疹ウイルスでは小児や免疫不全患者で水痘性肺炎に罹患する．また，**サイトメガロウイルス**は代表的な日和見感染症で，乳幼児期に初感染後，終生潜伏感染し，免疫機能の低下により再活性化する．好酸性の封入体がⅡ型肺胞上皮細胞や血管内皮細胞で認められる（図12-39）．封入体は核内にみられ，周囲にハロー halo を伴うことが多いが，細胞質内に顆粒状でみられることもある．また，ニューモシスチス肺炎などのほかの菌と合併することも多いので注意する必要がある．

e その他の微生物による肺炎

リケッチアでは *Coxiella burnetii* のみが経気道的に感染し，肺炎（Q熱）を起こす．通常はほかのリケッチアは，ダニ，シラミ，ノミなどの媒介による経皮的な感染が主体である．しかし，Q熱では感染したウシやヒツジなどの家畜の排泄物を吸入することにより生じる．

クラミジアではオウム病クラミジア *Chlamydia psittaci*，肺炎クラミジア *C. pneumoniae*，トラコーマクラミジア *C. trachomatis* がクラミジア間質性肺炎などの呼吸器感染症を起こす．*C. psittaci* ではペットなど鳥類の排泄物や分泌物の付着した塵埃を，*C. pneumoniae* では飛沫によりクラミジアを吸入することにより感染し，気道粘膜での菌の増殖や組織障害が起こる．*C. trachomatis* では，罹患した妊婦からの産道感染により新生児に肺炎が発症するが，性行為感染症として発症する場合もある．

寄生虫ではウェステルマン肺吸虫や宮崎肺吸虫は幼虫を，エキノコックスは虫卵を経口摂取することにより感染し，肺に寄生する．イヌ糸状虫症 *Dirofilaria immitis* では，胸部X線やCTで偶然に円形腫瘤が発見され，

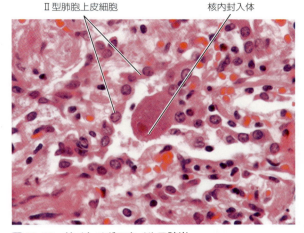

図12-39　サイトメガロウイルス肺炎
肺胞内の腫大したⅡ型肺胞上皮細胞には，好酸性の核内封入体がみられる．

肺癌と鑑別が必要な場合は切除される．病変は右肺下葉に多い．蚊を中間宿主としてまれにイヌからヒトへ感染し，皮下組織から血行性に肺動脈内へ幼線虫が移動して肺に梗塞を引き起こす．

4 非感染性肺炎

環境汚染（特に大気汚染）を含めた汚染物質の吸入により肺炎や肺線維症を起こす．ほかに治療薬による薬剤性の副作用などの化学的原因，放射線などの物理学的原因，原因不明のものがある．

a 無機の塵埃による肺病変

塵埃中の粒子の種類，大きさや量により肺病変が生じる．5〜10μmを超える大きな粒子は肺胞に到達するまでに除去される．0.5μm以下の小さな粒子は肺胞に沈着することなくガスと同様に呼出される．そのため，一般的に1〜5μmの粒子が末梢の気道に沈着しやすく有害である．高濃度の物質は気道の抵抗を増加させ，有害物質の除去能力を低下させる．また，曝露時間が長ければ肺への沈着は増加する．**塵肺症** pneumoconiosis は粉塵吸入による肺の線維増殖性変化を主体とする疾患であり，炭粉，シリカ silica，アスベスト（石綿），ベリリウムなどが代表的である．大部分の塵埃は粘液や線毛運動により除去されるが，一部は終末細気管支付近に付着し，肺胞マクロファージに貪食される．活性化されたマクロファージは刺激されて多形核白血球などの炎症細胞を増加させると同時に，フリーラジカルを遊離して肺組織を障害する．また，**線維芽細胞成長因子** fibroblast growth factor を産生して線維化を促進させる．

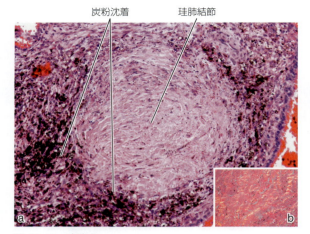

図12-40 珪肺症
a. 線維化を示す珪肺結節がみられ，周囲では炭粉沈着が目立っている．
b. 偏光顕微鏡下でシリカを認める．

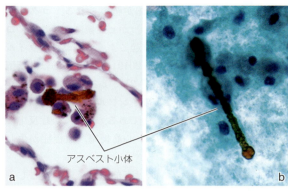

図12-41 アスベスト小体
a. 肺胞腔内に黄褐色のアスベスト小体がみられる．
b. 喀痰中に鉄アレイ状のアスベスト小体がみられる．

【炭坑夫塵肺症 coal miner's pneumoconiosis】
　炭坑夫塵肺症は，炭坑の環境下で鉱物性の粉塵やその他の物質を吸入し，線維化により引き起こされる肺疾患である．通常は10年以上の吸入歴のある場合に発症する．画像的には上肺野優位に樹状影が認められる．また，陰影の増悪に従って呼吸機能が低下する．

【珪肺症 silicosis】
　シリカ（SiO_2）のなかで石英が珪肺症と関係が深く，金属鉱山や採石場，研磨業などの従事者に多く発生する．比較的まれではあるが短期間に大量のシリカを吸引すると急性珪肺症を発症し，数か月から数年で呼吸困難が生じ，急速に進行する．通常の慢性珪肺症は数十年以上の曝露により徐々に進行していく．シリカを貪食したマクロファージは，線維芽細胞や膠原線維の産生を促進し，**珪肺結節** silicotic nodule を形成する．珪肺結節の中心部には同心円状に配列する硝子化した膠原線維がみられ，辺縁部を主体に黒色の色素沈着やマクロファージ，線維芽細胞，リンパ球が取り囲んでいる（図12-40a）．偏光顕微鏡で結節を観察すると重屈折性のシリカがみられる（図12-40b）．病変は肺実質や胸膜，肺門リンパ節などに1 cm以下の多発性の珪肺結節を形成するため，胸部X線ではびまん性の小粒状影が特徴的である．珪肺症の合併症には，肺結核，結核性胸膜炎，続発性気管支炎，続発性気管支拡張症，続発性気胸，肺炎，肺癌があげられる．

【石綿肺 asbestosis】
　石綿（アスベスト）は天然の繊維性の珪酸塩鉱物であり，断熱性，耐摩耗性，安定性を有するため建築材（屋根，外壁，柱，天井など）や自動車部品（ブレーキなど），造船などに広く使用された．アスベストには強い発がん性があるため，アスベスト使用建築物の老朽化による建て替え，製造工場の従業員や工場近隣住民の曝露被害が問題となっている．欧米に遅れてわが国でもアスベストの使用は原則禁止となったが，肺線維症や悪性腫瘍の発生には曝露後長時間（潜伏期間20～40年）を要するため，今後も患者数は増加すると予想される．
　アスベスト繊維にはクリソタイル chrysotile，アモサイト amosite，クロシドライト crocidolite などがあるが，最も頻繁に使用されたクリソタイルは上気道に付着して除去されやすく毒性も弱い．しかし，アモサイトやクロシドライトは針状で細長い形状のため，折れやすく肺胞まで到達しやすい．長期間排除されにくく，発がん性はクロシドライトが最も強い．そのためわが国ではまずアモサイトとクロシドライトが1995年に原則使用禁止となり，2006年からはアスベスト全体のほぼ全面禁止が施行された．
　石綿肺との関連疾患は，胸膜線維症，腫瘍（肺癌や悪性中皮腫）である．石綿肺は高濃度アスベスト長期間曝露者に起こり，石綿の発鉱や使用に従事した従業員に曝露後，通常は10年以上を経過して発生する．組織学的には石綿の吸入による細気管支中心性のびまん性間質性肺炎の像が特徴的である．マクロファージにより分解されなかったアスベスト繊維は，**アスベスト小体** asbestos body となって肺内に沈着し，間質の炎症や線維化を引き起こす．アスベスト小体はアスベスト繊維が鉄とタンパクで覆われたもので，黄褐色で鉄アレイ状の形状を呈する（図12-41）．胸膜肥厚や腫瘍は低濃度の曝

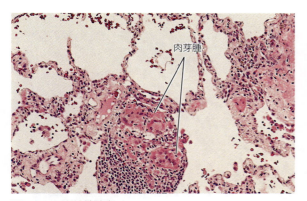

図 12-42　過敏性肺炎
肺胞壁の一部に微小な類上皮細胞性肉芽腫がみられる．

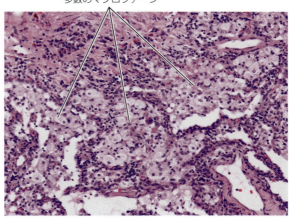

図 12-43　リポイド肺炎
肺胞腔内には脂質を貪食した多数の泡沫状マクロファージがみられる．

露でも起こり，アスベスト職業従事者の家族にも発生することが報告されている．胸膜線維症はびまん性のこともあるが，限局性で石灰化することが多いため**胸膜斑** pleural plaque と呼ばれる．腫瘍としては肺腺癌や悪性中皮腫の合併が多い（→ 411 頁参照）．

b 有機の塵埃による肺病変

直径約 5 μm の種々の有機粉塵の吸入により個体が感作され，粉塵の再吸入によりアレルギー反応が引き起こされ，間質性肺炎を起こす．わが国では**夏型過敏性肺（臓）炎** summer-type hypersensitivity pneumonitis が多く，高温多湿な夏季に発生する．本症の原因抗原は真菌の *Trichosporon asahii* と *T. mucoides* で，発症機序にはⅢ型やⅣ型アレルギーが関与している．急性の場合は 4〜8 時間で発熱，咳，呼吸困難などの身体症状が出現するが，慢性の場合は徐々に同様の症状が進行していく．ほかに過敏性肺炎を起こすものとしては，かびた干し草による農夫肺 farmer's lung，かびたサトウキビによる砂糖キビ肺 bagassosis，鳥類の糞による鳥飼い肺 bird-breeder's lung，空調設備や加湿器のカビによる空調肺 air-conditioner lung，加湿器肺 humidifier lung などがある．

組織学的にはびまん性肉芽腫性の間質性肺炎が特徴的で，間質にリンパ球，形質細胞，マクロファージの浸潤をみるが，2/3 では類上皮細胞性肉芽腫が認められる（図 12-42）．治療は抗原からの隔離や除去であるため入院が基本となる．

Advanced Studies

c 他の化学物質による肺病変
【吸入性毒性物質による呼吸器障害】

一酸化炭素 CO 中毒は火災によることが多く，呼吸障害を引き起こす．二酸化硫黄 SO_2 や二酸化窒素 NO_2 などは重要な大気環境汚染物質である．最近では 10 μm 以下の浮遊粒子状物質 suspended particulate matter（SPM）が問題となっている．この SPM は焼却炉，自動車や工場からの排気からなる粒子を総称して呼ぶ．これらの大気汚染物質により喘息，COPD，肺癌，感染症を引き起こす危険性がある．**シックハウス症候群** sick house syndrome では，新築などの建材の接着剤や断熱材から揮発する**ホルムアルデヒド**による気道粘膜の直接的な刺激により咳や喘息が起こる．

【薬剤による呼吸器障害】

抗痙攣薬，抗精神病薬，抗うつ薬，抗炎症薬，代謝拮抗薬，抗菌薬，抗がん剤，免疫抑制薬など非常に多数の薬剤が肺障害を引き起こす．特にブレオマイシン，ブスルファン，シクロホスファミド，メトトレキサート，ゲフィチニブなどの抗がん剤，あるいは分子標的治療薬，免疫チェックポイント阻害薬，インターフェロン，金製剤，小柴胡湯などが薬剤性の間質性肺障害を起こしやすい．臨床的に特異的な所見はないが，薬剤投与後から咳嗽，呼吸困難，発熱が生じる．間質性肺炎以外にも，肺胞出血，肺水腫，胸膜炎，喘息などが生じる．

d リポイド肺炎 lipoid pneumonia

リポイド肺炎には内因性 endogenous と外因性 exogenous がある．内因性は主にがんや感染異物が気管支を閉塞することで障害された肺組織から逸脱した脂質に伴う肺炎である．外因性は鉱物性油，食物性油，動物性油の誤嚥や吸入により起こる．肉眼的には両者とも黄色調の硬化性病変を形成する．組織学的には泡沫状の脂質を貪食したマクロファージが肺胞腔内に多量に存在する（図 12-43）．コレステリン結晶や異物型多核巨細胞を伴う肉芽腫が認められることもある．

e 放射線肺炎 radiation pneumonia

肺癌や食道癌，縦隔腫瘍，乳癌などの放射線治療（特に 20〜25 Gy 以上の照射）により発症するが，総線量，1 回照射線量，照射面積，治療期間，ほかの肺疾患の有無が影響する．照射後 1〜3 か月で発症する放射線肺（臓）炎と半年後以降にみられる放射線肺線維症がある．放射線肺炎では，組織学的に血管内皮の障害による間質の浮腫や炎症細胞浸潤，Ⅱ型肺胞上皮細胞の腫大，線維芽細胞の増生による線維化などが認められる（図 12-44）．放射線肺線維症では間質が線維性に肥厚し，Ⅱ型肺胞上皮細胞の腫大もみられる．

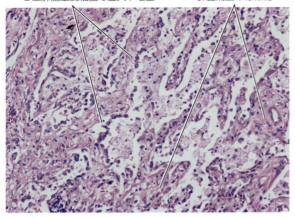

図 12-44　放射線肺炎
線維化を伴う間質性肺炎により肺胞壁の肥厚が目立ち，Ⅱ型肺胞上皮細胞の腫大や増生がみられる．

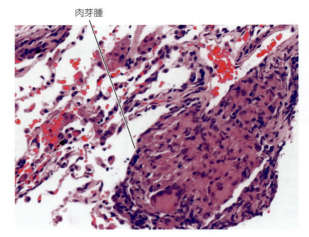

図 12-45　肺サルコイドーシス
類上皮細胞や多核巨細胞からなる肉芽腫がみられる．

f　全身性疾患と関連する肺病変

【サルコイドーシス sarcoidosis】

　全身臓器に類上皮細胞からなる非乾酪性肉芽腫がみられる疾患で，若年成人に多い．長い間原因不明であったが，最近では皮膚の常在菌である *Cutibacterium acnes* が有力視されている．ほかの肉芽腫と同様，遅延型のⅣ型アレルギーにより誘導される．肺病変以外にも眼（ぶどう膜炎），皮膚（結節性紅斑），リンパ節，心臓，唾液腺，神経，肝臓，骨，脾臓，筋肉，腎臓，胃などに肉芽腫が認められる．特に心臓における刺激伝導系障害は不整脈（完全房室ブロック）を起こし，突然死の原因となる．診断は組織学的に類上皮細胞性肉芽腫を証明することであるが，両側肺門リンパ節腫脹 bilateral hilar lymphadenopathy（BHL）などの臨床所見，ツベルクリン反応陰性，血清アンギオテンシン変換酵素 angiotensin converting enzyme（ACE）上昇なども併せて総合的に判断する．確定診断のためにリンパ節，肺，皮膚，肝臓，筋肉，神経，心筋，結膜などが生検される．組織学的に肉芽腫では類上皮細胞や異物型および Langhans 型多核巨細胞がみられる（図 12-45）．多核巨細胞内には星状小体 asteroid body やシャウマン体 Schaumann body をみることがある．電子顕微鏡的に星状小体ではビメンチン様のフィラメントや微小管構造がみられ，Schaumann 体ではカルシウムとタンパク質からなる層状の凝集物が認められる．自然治癒例を含めてステロイド薬や免疫抑制薬により予後良好であるが，進行性の肺線維症を起こし，予後不良な例もある．

【多発血管炎性肉芽腫症 granulomatosis with polyangiitis】

　本疾患はすでに詳述した（→ 378 頁参照）．組織学的に肺では壊死を伴う肉芽腫性炎や小・中血管の**壊死性肉芽腫性血管炎**が特徴的である（図 12-46）．特に肉芽腫では境界明瞭な不整形の壊死周囲に類上皮細胞や多核巨細胞が認められる．

【膠原病に合併する肺病変】

　膠原病には間質性肺炎や肺線維症がしばしば合併する．進行性全身性強皮症（PSS）では高率に肺線維症がみられ，肺高血圧症を伴う．多発性筋炎（PM）や全身性エリテマトーデス（SLE）でも肺線維症が合併する．関節リウマチにも間質性肺炎がみられるが，塵肺症を合併した場合は**カプラン Caplan 症候群**と呼ばれる．結節性多発動脈炎（PAN）では肺動静脈に壊死性血管炎がみられるが，間質性肺炎や肺線維症はほぼみられない．

【ランゲルハンス細胞組織球症 Langerhans cell histiocytosis】

　以前は histiocytosis X として呼ばれていた．肺内では Langerhans 細胞の増殖が認められる．発症年齢は 20～30 歳代が多く，男性優位で喫煙歴が高率に認められる．肺内だけではなく，骨，皮膚，下垂体などに病変がみられる場合もある．組織学的には呼吸細気管支壁で Langerhans 細胞の増殖がみられ，好酸球やリンパ球の浸潤，線維化を伴う肉芽腫がみられる．Langerhans 細胞の核には不規則な深い切れ込みがみられ（図 12-47），電子顕微鏡では細胞質内にテニスラケット状の封入体（バーベック Birbeck **顆粒**）を認める．免疫染色では CD1a が

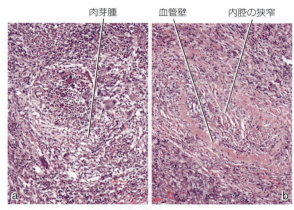

図 12-46 多発血管炎性肉芽腫症
a. 多核巨細胞を伴う壊死性肉芽腫がみられる．
b. 血管炎のため，内腔が狭窄した血管がみられる．

陽性である．治療は禁煙が優先されて経過は良好であるが，呼吸障害が進行して慢性呼吸不全に陥ることがある．

6 腫瘍

A 良性腫瘍

肺腫瘍に占める良性腫瘍の割合は少ないが，多くの組織型がみられる．

a 硬化性肺胞上皮腫 sclerosing pneumocytoma

以前は血管内皮由来のため硬化性血管腫と呼ばれていた腫瘍である．現在はⅡ型肺胞上皮細胞由来と考えられており，**pneumocytoma** と呼ばれている．無症候性であり，偶然に胸部X線で coin lesion として発見されることが多く，中年の女性，アジア人で頻度が高い．肺末梢に単発する境界明瞭な病変であるため，腺癌との鑑別が重要である．組織学的にはⅡ型肺胞上皮細胞に類似した立方状の表層細胞と円形細胞の2種類の腫瘍細胞が充実性・乳頭状・硬化性・出血性などの成分を種々の程度に混在しながら増殖し（図12-48），ヘモジデリンを貪食した多数のマクロファージがみられる．

b 肺過誤腫 pulmonary hamartoma

過誤腫は中年以降に胸部X線で偶然発見されることが多く，気管支中枢部の気管支腔内でポリープ状に発育するものや，肺野末梢に発生するものがある．気管支腔内発生例では，気管支を閉塞し肺炎を繰り返して無気肺を生じることがある．単発例が多いが，多発例がみられることもある．組織学的には硝子軟骨組織や線維性結合

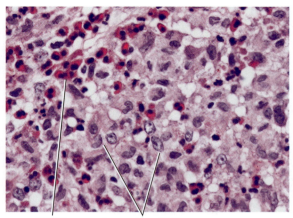

図 12-47 Langerhans 細胞組織球症
高度の核不整を示す Langerhans 細胞の増殖がみられ，好酸球の浸潤を伴っている．

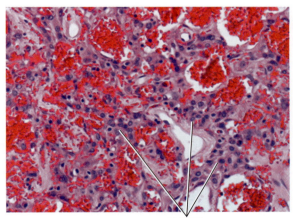

図 12-48 硬化性肺胞上皮腫
Ⅱ型肺胞上皮細胞に類似した腫瘍細胞の増殖がみられる．

組織，脂肪組織がみられる（図12-49）．

c 炎症性筋線維芽細胞腫
inflammatory myofibroblastic tumor

小児あるいは若年成人に多く発生し，胸部X線で偶然に境界明瞭な腫瘤影を認める．以前は肺の炎症性腫瘤という概念で命名され，炎症性偽腫瘍 inflammatory pseudotumor として報告されてきた．しかし，現在は悪性腫瘍として独立した．組織学的には，筋線維芽細胞の性質を有する紡錘形の腫瘍細胞の増殖が主体で，形質細胞やリンパ球などの炎症細胞浸潤が認められる（図12-50a）．*ALK*（anaplastic lymphoma kinase）や *ROS1* 融合遺伝子などの遺伝子異常を呈する（図12-50b）．

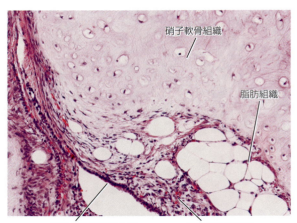

図12-49 肺過誤腫
硝子軟骨組織，脂肪組織，線維性結合組織がみられる．

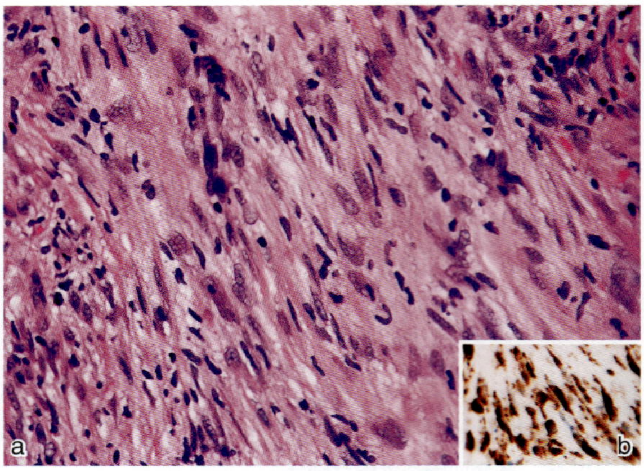

図12-50 炎症性筋線維芽細胞腫
a. 紡錘形の腫瘍細胞が束状に増殖している．
b. 免疫組織化学でROS1陽性である．

d その他の腫瘍様病変

小結節性肺胞上皮細胞過形成 micronodular pneumocyte hyperplasia は，結節性硬化症に合併する多発性の肺胞上皮増殖性病変である．組織学的にはII型肺胞上皮細胞の増生と肺胞内マクロファージの増生が目立つ．**リンパ管脈管平滑筋腫症** lymphangioleiomyomatosis（LAM）と合併することが多い．LAMではリンパ管に沿って未熟な平滑筋類似の紡錘形細胞がびまん性に増殖する．若年女性に発生するまれな病変で，肺気腫様の多嚢胞状病変がみられ，呼吸不全をきたし，予後不良である．女性ホルモンとの関連が示唆されている．

B 悪性上皮性腫瘍

【概念，定義】

肺に発生する悪性腫瘍の大部分は悪性上皮性腫瘍，すなわち**肺癌** lung carcinoma である．肺癌には原発性肺癌と転移性肺癌がある．原発性肺癌は肺（気管支～肺胞）の上皮細胞に由来し，気管支原性癌 bronchogenic carcinoma とも呼ばれる．肺癌の初期では，発生母組織の上皮内に限局して増殖するため上皮内癌という．また，上皮内に発生したがんが周囲間質組織へ浸潤・増殖したものが浸潤癌である．

肺癌の分類に関しては国際的にWHO分類が用いられてきたが，2021年に表12-4のように改訂された．また，わが国では独自に「肺癌取扱い規約」を作成し，肺癌の組織分類を行ってきたが，現在はWHO分類に準拠している．WHO分類では新たに**前駆病変** precursor lesions の項目が設けられたが，前がん病変や上皮内癌が含まれている．代表的な浸潤癌の組織型としては，腺癌，扁平上皮癌，小細胞癌，大細胞癌などがあげられ，肺癌の組織型は非常に多彩であることが特徴である．肺癌の分類では，一般的に最も分化した部分で組織型を決定するが，多数の組織型が混在することも多くみられる．組織型により好発部位や生物学的性状，遺伝子異常，予後が異なるため，治療法の選択において組織型の決定は重要である．

【成因】

肺癌の原因としては喫煙年数が非常に重要である．喫煙者は非喫煙者と比較して肺癌の発生率が約10倍である．また，大量の喫煙者は肺癌の発生率が約20倍になる．そして，喫煙者が禁煙を長年行うと肺癌の発生率が低下する．また，受動喫煙者も非喫煙者と比較して肺癌の発生率が約2倍であるため，社会的な問題となっている．ほかにアスベスト，ヒ素，クロム，ウラン，ニッケルなどを含む塵埃を扱う労働者では肺癌の危険性が高くなる．以前は扁平上皮癌と小細胞癌が喫煙と関連するといわれていたが，腺癌も関連していることが判明した．

肺癌では長時間の経過で複数のがん抑制遺伝子やがん遺伝子の異常が多段階的に蓄積された後，正常細胞からがん細胞へと変化し，浸潤や転移を起こす．

多数の悪性腫瘍で異常がみられるがん抑制遺伝子のp53では，小細胞癌の約80％に，非小細胞癌の約50％に異常が認められる．網膜芽細胞腫に関連した細胞の増殖や分化の調節を行うがん抑制遺伝子のRb遺伝子の異

常は，小細胞癌の大部分でみられるが，腺癌や扁平上皮癌では低率である．9p21に存在するがん抑制遺伝子である*CDKN2*遺伝子の異常は，肺癌など多くの悪性腫瘍で検出されるが，その遺伝子産物である p16 は細胞周期を制御している．小細胞癌では *p16* の異常はまれであるが，非小細胞癌では約30％に発現異常が認められる．第3番染色体短腕上のがん抑制遺伝子（*3p* 遺伝子）の欠失が，小細胞癌ではほぼ100％にみられ，非小細胞癌でも高頻度に認められる．

がん遺伝子の活性化は，肺癌の多段階発がんや浸潤，転移の過程で重要である．*KRAS* 遺伝子の点突然変異は，腺癌の約10％にみられるが，腺癌以外の組織型ではまれである．特に点突然変異は喫煙者に多くみられると同時に，*KRAS* 点突然変異陽性の腺癌症例は予後が不良である．小細胞癌では *myc* 遺伝子の異常がみられるが，特に *c-myc* の遺伝子増幅は小細胞癌の予後不良因子と考えられている．

最近では，手術不能な非小細胞肺癌では，*EGFR*（epidermal growth factor receptor）遺伝子や *ALK* 融合遺伝子，*ROS1* 融合遺伝子などのドライバー遺伝子の変異 driver mutation の検索が治療上，必須となっている．このドライバー遺伝子がある場合は，1つの遺伝子異常によりがん化が起こる．特に腺癌では *EGFR* の遺伝子変異が高率（約45％）に認められ，臨床上の予後や進展度と相関する．エクソン19の欠失変異とエクソン21の点突然変異で全体の約90％を占めている．東洋人の女性で，非喫煙者に *EGFR* の遺伝子変異陽性例が多く，*EGFR* のチロシンキナーゼを阻害する分子標的治療薬であるゲフィチニブやエルロチニブ，アファチニブ，オシメルチニブが有効である．また，腺癌の約4～5％では，染色体転座により融合した *ALK* 融合遺伝子がみられ，チロシンキナーゼ阻害薬であるクリゾチニブやアレクチニブが有効である．非喫煙の若年者に多い．*ROS1* 融合遺伝子は非小細胞肺癌の約1～2％にみられ，クリゾチニブやエヌトレクチニブが有効である．他に，*BRAF* 遺伝子変異，*NTRK* 融合遺伝子，*MET* 遺伝子，*RET* 融合遺伝子，*HER2* 遺伝子なども，治療のため検索され，いずれか陽性であれば分子標的治療薬が投与される．

最近では進行性の非小細胞肺癌の一次治療あるいは二次治療では，抗 PD-1 抗体薬であるニボルマブやペムブロリズマブなどの免疫チェックポイント阻害薬が使用され，著効例が認められる．

表 12-4　肺悪性上皮性腫瘍および前駆病変の分類

前駆病変 precursor lesions
① 異型腺腫様過形成 atypical adenomatous hyperplasia
② 上皮内腺癌 adenocarcinoma in situ
③ 扁平上皮異形成／上皮内癌 squamous dysplasia/carcinoma in situ
④ びまん性特発性肺神経内分泌細胞過形成 diffuse idiopathic pulmonary neuroendocrine cell hyperplasia

浸潤性悪性腫瘍
① 腺癌 adenocarcinoma
　微少浸潤性腺癌 minimally invasive adenocarcinoma
　浸潤性非粘液性腺癌
　invasive non-mucinous adenocarcinoma
　　置換型腺癌 lepidic adenocarcinoma
　　腺房型腺癌 acinar adenocarcinoma
　　乳頭型腺癌 papillary adenocarcinoma
　　微小乳頭型腺癌 micropapillary adenocarcinoma
　　充実型腺癌 solid adenocarcinoma
　浸潤性粘液性腺癌 invasive mucinous adenocarcinoma
② 扁平上皮癌 squamous cell carcinoma
③ 大細胞癌 large cell carcinoma
④ 腺扁平上皮癌 adenosquamous carcinoma
⑤ 肉腫様癌 sarcomatoid carcinoma
⑥ 肺神経内分泌腫瘍 lung neuroendocrine neoplasms
　カルチノイド腫瘍／神経内分泌腫瘍 carcinoid tumour/neuroendocrine tumour
　小細胞癌 small cell carcinoma
　大細胞神経内分泌癌 large cell neuroendocrine carcinoma

〔WHO 分類（2021年）をもとに医学生の知っておくべき疾患をまとめた．〕

【病理形態像】

a 前駆病変 precursor lesions

WHO 分類では表 12-4 のような4病変が認められる．異型腺腫様過形成（AAH）や上皮内腺癌は腺癌，扁平上皮異形成／上皮内癌は扁平上皮癌，びまん性特発性肺神経内分泌細胞過形成は肺神経内分泌腫瘍の前駆病変と考えられる．AAH は通常5mm以下の限局性病変で，多発例や腺癌の合併例がある．組織学的には軽度～中等度の異型を有する上皮細胞が，既存の肺胞壁や呼吸細気管支を置換しながら増殖する．しかし，腺癌とするほどの細胞密度の増加や乳頭状増殖はない．腺癌と同様に一部の症例では，*p53* の異常や *KRAS* の変異が認められる．上皮内腺癌は3cm以下の腺癌で，既存の肺胞構造を置換しながらがん細胞が増殖する（図12-51）．間質浸潤や脈管浸潤，胸膜浸潤はみられない．扁平上皮異形成や上皮内癌は上部気道や子宮頸部と同様の異常変化を示し，多列円柱線毛上皮の扁平上皮化生から発生し，浸潤性扁平上皮癌へと進展していく．また，異形成変化は軽度，中等度，高度異形成に分類される．この異形成変化では *p53* 遺伝子の異常，*3p* あるいは *3q* のヘテロ接合性の消失 loss of heterozygosity（LOH）などの扁平上皮癌と同様

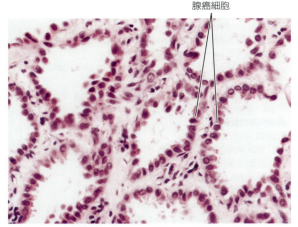

図 12-51　上皮内腺癌
非粘液性のがん細胞が肺胞壁に沿って増殖している．間質への浸潤は認められない．

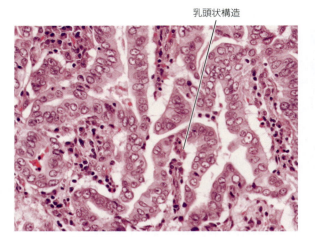

図 12-52　肺乳頭型腺癌
がん細胞が乳頭状管状に増殖している．肺胞構造は破壊されている．

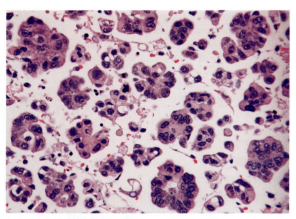

図 12-53　肺微小乳頭型腺癌
癌細胞が花冠状に増殖している．

の遺伝子異常がすでに認められる．びまん性特発性肺神経内分泌細胞過形成は，細気管支上皮内で神経内分泌由来の細胞が結節状あるいは線状にみられる．閉塞性の細気管支炎を伴うが，基礎疾患となるような炎症や線維化は認めない．末梢性カルチノイドに合併することが多い．

b 腺癌 adenocarcinoma

肺癌のなかで最も頻度の高い組織型であり女性に多い．末梢に発生することが多く，胸膜陥入像が認められる．組織学的に腺癌では腺管構造あるいは粘液産生がみられ，表 12-4 の通り，浸潤性非粘液性腺癌 invasive non-mucionous adenocarcinoma は置換型，腺房型，乳頭型，微小乳頭型，充実型に分類される．置換型はⅡ型肺胞上皮やクラブ細胞に類似したがん細胞が肺胞壁に沿って増殖する像が優位の腺癌である．腺房型はがん細胞が管状や融合管状，篩状に増殖する．乳頭型はがん細胞が肺胞上皮細胞を置換しながら二次性あるいは三次性の複雑な乳頭状構造を構築する場合と，線維血管性間質を有しながら乳頭状に浸潤増殖する場合がある（図 12-52）．微小乳頭型はがん細胞が花冠状に気腔内に浮遊して認められる（図 12-53）．充実型はがん細胞が乳頭状や管状構造をとらず，充実性に増殖する像が優位の浸潤性腺癌である．また，置換性増殖優位で 3 cm 以下の孤立性腫瘍のうち，浸潤部分が 5 mm 以下の場合には微少浸潤性腺癌 minimally invasive adenocarcinoma とされる．この微少浸潤性腺癌は上皮内腺癌と同様に予後が非常によい．浸潤性粘液性腺癌 invasive mucinous adenocarcinoma では，腫瘍細胞が高円柱状で，豊富な細胞質内粘液を認める．周囲の肺胞腔内にも豊富な粘液をみることが多い．KRAS 遺伝子変異を有する率が高い．本腫瘍は画像的に充実性陰影だけでなく，肺炎様陰影を呈することがある．ほかに ALK や ROS1 融合遺伝子に関連性がある印環細胞癌や腎細胞癌に類似した淡明細胞形態を示す腺癌は，細胞学的な亜型として所見に記載することが推奨されている．

c 扁平上皮癌 squamous cell carcinoma

発生部位には肺門型と末梢型がある．肺門型では気管支腔内にポリープ状あるいは多結節状に増殖する．腫瘍により気管支が狭窄・閉塞した場合は，末梢部の肺に二次的な閉塞性肺炎や無気肺を伴う（図 12-54）．末梢型では多結節状の境界明瞭な腫瘍がみられ，壊死を伴い空洞

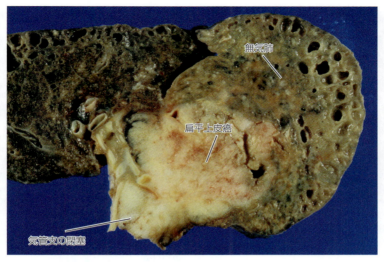

図 12-54　肺扁平上皮癌
気管支より発生した扁平上皮癌で，気管支が閉塞している．

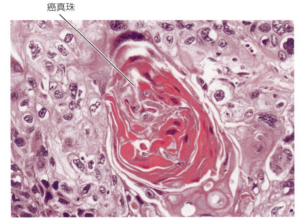

図 12-55　肺扁平上皮癌の組織所見
がん胞巣には角化（癌真珠）がみられる．

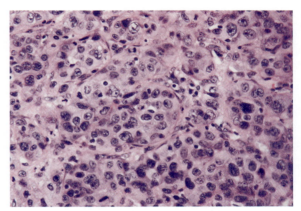

図 12-56　肺大細胞癌
大型のがん細胞癌が胞巣を形成しながら充実性に増殖している．

を形成することがある．組織学的にはがん組織中に**細胞間橋** intercellular bridge あるいは**角化** keratinization を認める．がん胞巣の中心部に同心円状の角化がみられるものを**癌真珠**という．扁平上皮癌は角化型，非角化型，類基底細胞型などに分類される（図 12-55）．角化型では角化，癌真珠，細胞間橋が認められる．非角化型では角化がみられないため腺癌との鑑別が難しい場合があり，腺癌のマーカーである TTF-1 と扁平上皮癌のマーカーである p40 による免疫組織化学的な追加検討が必要である．類基底細胞型ではがん胞巣周辺部に柵状配列がみられ，予後が不良である．

d 大細胞癌 large cell carcinoma

腺癌，扁平上皮癌，小細胞癌の組織学的な特徴を有さない未分化な悪性上皮性腫瘍であり，大型核や明瞭な核小体をもつ大型のがん細胞が増殖する（図 12-56）．大細胞癌は除外診断的な名称であり，手術材料で腫瘍全体を顕微鏡で見て，腺癌や扁平上皮癌，小細胞癌などの組織像がみられないことを確認して診断可能となる．また，大細胞癌の定義に免疫組織化学が導入され，組織像のみで鑑別が困難な場合は腺癌のマーカー（TTF-1）や扁平上皮癌のマーカー（p40），粘液染色での追加検討が必要である．そのため生検や細胞診で診断することはできない．

e 腺扁平上皮癌 adenosquamous carcinoma

腺癌と扁平上皮癌の両者が混在した腫瘍で，それぞれの組織型が少なくとも腫瘍全体の 10％以上みられる場

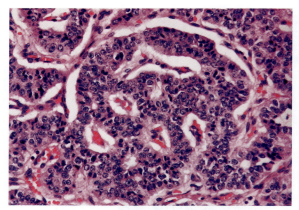

図 12-57　定型カルチノイド
類円形の核を示す腫瘍細胞が，血管周囲性にロゼット様構造をとりながら増殖している．

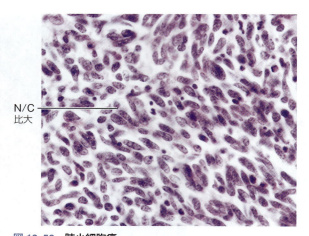

N/C比大

図 12-58　肺小細胞癌
N/C比の高い類円形あるいは紡錘形の核を示すがん細胞の増殖がみられる．

合をいう．両者のいずれかが10％未満の場合は優勢な組織型に分類される．

f 肉腫様癌 sarcomatoid carcinoma

紡錘細胞あるいは巨細胞を含むがん，癌肉腫 carcinosarcoma，肺芽腫 pulmonary blastoma などが含まれる．紡錘細胞あるいは巨細胞を含むがんの多くは多形癌 pleomorphic carcinoma で，組織学的に紡錘細胞あるいは巨細胞（10％以上）を含む扁平上皮癌，腺癌，大細胞癌である．まれではあるが紡錘形腫瘍細胞のみからなる紡錘細胞癌 spindle cell carcinoma や巨細胞性腫瘍細胞のみからなる巨細胞癌 giant cell carcinoma がある．

癌肉腫は成人に発生するまれな腫瘍で，太い気管支内でポリープ状に増殖する．組織学的に上皮性悪性腫瘍（癌腫）と非上皮性悪性腫瘍（肉腫）が混在する．通常，癌腫は扁平上皮癌や腺癌で，肉腫には軟骨，骨，横紋筋への分化が認められる．

肺芽腫は6歳以下の小児や成人に発生するまれな腫瘍である．組織学的には胎生期の肺組織に類似した腺癌成分と，未分化な間葉組織からなる肉腫様成分が混在する．特に後者の成分内には，骨肉腫や軟骨肉腫，横紋筋肉腫の像が認められる．

g カルチノイド腫瘍 carcinoid tumour/
神経内分泌腫瘍 neuroendocrine tumour

カルチノイドの大部分は主気管支や区域気管支に発生するが，末梢にも発生する．組織学的に腫瘍細胞は細顆粒状のクロマチンと類円形の均一な核を有しており，類器官 organoid，索状，島状 insular，柵状 palisading，リボン状 ribbon，ロゼット様 rosette-like などの神経内分泌形態を示す増殖パターンを認める（図12-57）．定型カルチノイド typical carcinoid は低悪性度の腫瘍で，10高倍視野あたりの核分裂像が2個未満で壊死はみられない．免疫組織化学的にはクロモグラニンA，シナプトフィジン，CD56などの神経内分泌マーカーが陽性である．異型カルチノイド atypical carcinoid では，組織学的に10高倍視野あたり2〜10個の核分裂像あるいは壊死が認められ，定型カルチノイドと比較して悪性度が高い．現在は小細胞癌や大細胞神経内分泌癌を含めて同じ神経内分泌腫瘍の中の一連のスペクトラムであり，定型カルチノイド，異型カルチノイド，大細胞神経内分泌癌，小細胞癌の順で悪性度が高いと考えられている．

h 小細胞癌 small cell carcinoma

小細胞癌は扁平上皮癌と同様に中枢側に発生することが多いが，末梢にも発生する．がん細胞は気管支粘膜下で深部方向に増殖するが，上皮内の置換性増殖はまれである．がん細胞は小型で細胞質に乏しく，核は円形あるいは紡錘形を呈し，核分裂像が非常に多く認められる（図12-58）．壊死がしばしばみられ，腫瘍内外の血管壁に壊死したがん細胞のDNAが沈着することにより好塩基性に染色される状態を Azzopardi 現象 と呼ぶ．小細胞癌以外に腺癌，扁平上皮癌，大細胞癌などがみられる場合は混合型小細胞癌とする．免疫組織化学的には神経内分泌マーカーであるクロモグラニンA，シナプトフィジン，CD56などが陽性になる．電子顕微鏡では細胞質内に少数の神経内分泌顆粒がみられる．本腫瘍は低分化の神経内分泌腫瘍 neuroendocrine tumour と考えられる．

i 大細胞神経内分泌癌

large cell neuroendocrine carcinoma(LCNEC)

大細胞神経内分泌癌は，類器官構造 organoid nesting, 索状 trabecular, ロゼット様構造 rosette-like structure, 柵状配列 palisading などの神経内分泌形態を示す．がん細胞は大型で，豊富な細胞質を有し，核小体が目立つことが多い．2 mm^2〔顕微鏡で高倍率下の観察を約 10 視野(10 高倍視野)〕あたりの核分裂像が 11 個以上(平均 75 個)で，広範囲に壊死がみられる．通常は免疫組織化学で小細胞癌と同様に神経内分泌マーカーが陽性になるが，小細胞癌と鑑別が難しい場合もある．

【臨床像】

肺癌による死亡率は高く，現在わが国ではがん死亡率が男性で 1 位，女性では大腸癌に次いで 2 位である(→第 9 章「腫瘍」，281 頁参照)．肺癌の罹患率や死亡率は 40 歳代後半から増加し始め，高齢者ほど高くなる．男性は女性の 2～3 倍であるが，最近では女性の増加が目立っている．

肺癌は非小細胞癌が 85％で，そのうち腺癌が 50％，扁平上皮癌が 30％，大細胞癌が 5％を占めている．腺癌のほとんどは末梢に発生し，孤立結節型の増殖を示す．扁平上皮癌は中枢側である肺門型発生が多かったが，最近は末梢型発生の割合が高くなっている．小細胞癌は 15％を占めるが，腫瘍の増殖速度が速く進行性であるために肺，脳，リンパ節，肝臓，副腎，骨などに転移しやすい悪性度の高い腫瘍である．治療は非小細胞癌と比較して抗がん剤や放射線に対して感受性が高いため，化学療法や放射線療法が主体となる．大細胞癌も増殖が速く，発見時には巨大な腫瘍を形成していることがある．

予後の推定や治療の決定には，組織型のほかに腫瘍の大きさや広がり，転移などを考慮した病期分類が重要で，TNM 分類(第 8 版，2017 年)に基づいて決定される．T は腫瘍の大きさ，N はリンパ節への転移，M は遠隔転移を意味する．一般的に肺癌における男性の 5 年生存率は 29.5％，女性は 46.8％である．肺癌の病期 I 期では腫瘍が 4 cm 以下の大きさで，リンパ節転移がみられない．病期 II 期では腫瘍が 7 cm 以下の大きさ，または壁側胸膜，胸壁，横隔神経，心膜への浸潤がみられるが，リンパ節転移が認められない．また，腫瘍の大きさが 5 cm 以下で，同側の肺門リンパ節への転移がみられる場合も含まれる．病期 III 期では腫瘍の大きさにかかわらず，同側縦隔リンパ節あるいは対側縦隔，肺門リンパ節への転移がある．ただし，腫瘍が 7 cm より大きく，または横隔膜，縦隔，心臓，大血管，気管，反回神経，食道などへの浸潤がみられる場合はリンパ節転移の有無によらない．また，腫瘍の大きさが 5～7 cm，または壁側胸膜や胸壁への浸潤などがみられる場合は，同側肺門リンパ節への転移を認める場合も含まれる．病期 I 期～III 期ではいずれも遠隔転移はない．病期 IV 期では，腫瘍の大きさやリンパ節転移の有無にかかわらず，対側肺内の副腫瘍結節，胸膜または心膜の結節，悪性胸水，悪性心嚢水，遠隔転移があるものが含まれる．手術できない非小細胞癌や I 期以外の小細胞癌では化学療法や放射線療法が主体となり，予後が悪い．

肺癌では悪性腫瘍の一般的な症状である全身倦怠感，食欲低下，体重減少がみられる．また肺門型では咳嗽，喀痰，血痰，無気肺などを認めるが，末梢型では無症状で経過することも多い．

全肺癌患者の 10％以下で腫瘍からホルモン様物質を産生する**腫瘍随伴症候群** paraneoplastic syndrome がみられる．小細胞癌で最も頻度が高く，ACTH の分泌によるクッシング Cushing 症候群，カルシトニンの分泌による低カルシウム血症，ADH の分泌による低ナトリウム血症をきたす ADH 不適合分泌症候群がある．扁平上皮癌では PTH 関連タンパクの分泌による高カルシウム血症を起こす．カルチノイドではセロトニン分泌によるカルチノイド症候群を起こす．

肺癌にはがんの周囲臓器への浸潤に伴い特有の症状がみられることがある．例えば，腫瘍の圧迫や浸潤による反回神経麻痺により嗄声が生じ，腫瘍の圧迫により上大静脈が閉塞した場合は上大静脈症候群(顔面浮腫，頸静脈の怒張，上腕の浮腫)を合併する．パンコースト Pancoast 症候群は肺尖部に発生した肺癌(Pancoast 腫瘍)が，腕神経叢，頸部の交感神経や脈管を圧迫することにより上肢の神経症状やホルネル Horner 症候群をきたしたものである．ランバート-イートン Lambert-Eaton 症候群は小細胞癌に合併する筋無力症状をいう．

Advanced Studies

C 悪性非上皮性腫瘍

a リンパ腫 lymphoma(悪性リンパ腫 malignant lymphoma)

肺の MALT リンパ腫 lymphoma of mucosa-associated lymphoid tissue は，肺に発生するまれな腫瘍で，孤立性あるいは多発性結節を形成する．低悪性度の腫瘍で，組織学的には小型～中型の異型リンパ球様細胞がびまん性に増殖する．形質細胞への分化，ダッチャー小体 Dutcher body，上皮内へリンパ球が集塊状に浸潤する lymphoepithelial lesion(LEL) が認められる．腫瘍細胞は B 細胞系の性格を有する．

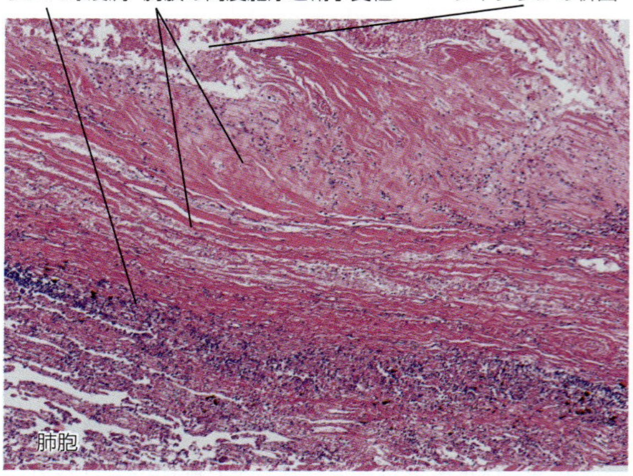

図12-59 線維素性胸膜炎
高度に肥厚した胸膜内では炎症細胞浸潤が比較的軽度であるが，硝子変性やフィブリンの析出がみられる．

(画像ラベル：リンパ球浸潤，胸膜の高度肥厚と硝子変性，フィブリンの析出，肺胞)

D 転移性腫瘍 metastatic tumor

肺はリンパ節の次に転移の頻度が高い．他臓器原発のものでは，胃癌，大腸癌，甲状腺癌，乳癌，腎癌，唾液腺由来の悪性腫瘍，膵癌，子宮頸癌，舌癌，肉腫などがある．血行性転移では胃癌，大腸癌，膵癌などは経門脈性の，直腸癌や腎癌は門脈を通らず直接下大静脈を経由して肺転移を起こす．また，リンパ行性では肺癌の肺内転移，胃癌，乳癌などが代表的である．肺癌や胃癌，乳癌は肺の間質である小葉間結合組織や気管支血管周囲に分布するリンパ管に充満して癌性リンパ管症を起こす．

D 胸膜の病変

胸膜は肺と胸壁を覆う漿膜のことであり，肺表面を覆う臓側胸膜と胸壁を覆う壁側胸膜からなる．この臓側胸膜と壁側胸膜で作られた陰圧の空間が**胸膜腔** pleural cavity であり，正常ではごくわずかの胸水（約10 mL以下）がみられ，主に壁側胸膜側から産生・吸収される．肺の呼吸運動による換気は，胸膜腔が常に陰圧で肺の弾性力が一定であるため，横隔膜などの呼吸筋の動きと胸腔内圧の強弱による．組織学的に胸膜の表面は1層の中皮細胞で覆われている．

A 気胸

臓側胸膜あるいは壁側胸膜が破れることにより胸膜腔に空気が貯留し，肺が虚脱した状態をいう．胸膜腔に空気が入るため，胸膜腔の陰圧は消失する．**自然気胸** spontaneous pneumothorax，**医原性気胸** iatrogenic pneumothorax，**外傷性気胸** traumatic pneumothorax などに分類される．自然気胸とは肺病変が胸膜腔に破れるもので**ブラ** bulla，**ブレブ** bleb，COPD，肺癌，肺結核，間質性肺炎，子宮内膜症，リンパ管脈管平滑筋腫症（LAM）などが原因となる．ブラやブレブは肺尖部に好発する．ブラは肺胞が融合してできる1 cm以上の嚢胞状病変で，巨大な場合もある．ブラには細菌や非結核性抗酸菌の感染だけではなく，アスペルギルスの感染により菌球が形成されることがある．ブレブは肉眼的にブラとの鑑別が困難であるが，主に肺尖に生じる大きさが1 cm以下の嚢胞状病変で，胸膜内弾性板の破裂によって空気が臓側胸膜内に侵入したものである．自然気胸は長身でやせ型の若年者に多く，突然の呼吸困難や胸痛がみられる．また，子宮内膜症では月経に随伴して発症する．

医原性気胸は医療行為に関連して起こる気胸である．経皮的生検，中心静脈カテーテル挿入時，開胸手術などが原因となる．外傷性気胸では交通事故や外傷などによって胸膜腔に空気が入る．

治療は肺の再膨張のため，安静または胸腔ドレナージによる持続的な脱気を行う．

B 胸水

胸膜炎による**滲出性胸水**と非炎症性の**漏出性胸水**に分類される．滲出性胸水は，癌性胸膜炎，結核性胸膜炎，細菌性胸膜炎，膠原病性胸膜炎などが原因である．癌性胸膜炎は肉眼的に血性のことが多く，ほかの疾患では漿液性を呈する．漏出性胸水は，うっ血性心不全時の静脈圧の上昇，肝硬変やネフローゼ症候群時の血漿浸透圧の低下が原因である．胸腔内に血液の流出がみられる状態を**血胸** hemothorax と呼び，外傷性や動脈瘤のことが多く，外科的治療が必要である．

C 炎症

胸水の性状により**漿液性胸膜炎** serous pleuritis，**線維素性胸膜炎** fibrinous pleuritis（図12-59），**化膿性胸膜炎** purulent pleuritis に分かれるが，現在では原因疾患により次のように分類される．癌性胸膜炎は肺癌などが胸膜に浸潤・転移・播種したものである．結核性胸膜炎は胸

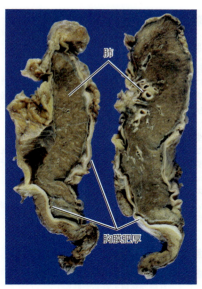

図 12-60　悪性中皮腫の肉眼所見
胸膜が全体に肥厚し灰白色調を呈している.

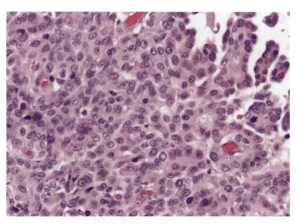

図 12-61　悪性中皮腫の組織所見
上皮型で類円形の腫瘍細胞が乳頭状・シート状に増殖している.

膜直下の感染病巣（初感染巣が多い）が胸膜に直接浸潤したものである．細菌性胸膜炎は肺炎や肺膿瘍から炎症が胸膜に波及したもので，胸水中には好中球が多い．進行して胸膜腔内に膿性胸水が貯留すると**膿胸** pyothorax となる．膠原病性胸膜炎は関節リウマチや SLE などの膠原病によって胸膜に炎症が生じたものである．

腫瘍

胸膜原発腫瘍の頻度は低く，大部分は転移性癌である．

Advanced Studies

a 胸膜斑

胸膜斑 pleural plaque は胸膜にみられる扁平な隆起性病変で，**アスベスト症**で認められる．

孤立性線維性腫瘍 solitary fibrous tumor（SFT）は，アスベスト症とは関係がない．以前は限局性中皮腫 localized mesothelioma や良性線維性中皮腫 benign fibrous mesothelioma と呼ばれていた腫瘍で中皮細胞由来と考えられていた．しかし，免疫組織化学や電子顕微鏡的に中皮細胞由来の証拠はみられず，現在は未分化な間葉系細胞由来と考えられている．胸膜では臓側胸膜発生のものが多くポリープ状の肉眼像を示す．組織像は紡錘形を示す腫瘍細胞の無秩序な増殖 patternless pattern がみられ，免疫組織化学で CD34 や STAT6 が陽性である．縦隔や軟部などの肺以外の部位にも発生する．大部分は良性であるが，10% 前後では再発などの悪性経過を示す．

b 中皮腫

悪性中皮腫 malignant mesothelioma はまれな腫瘍で，アスベスト曝露と関係しており，一定期間（20〜40年）を経て発生する．胸痛や労作時呼吸困難，胸水貯留を認める．腫瘍は壁側胸膜から発生し，初期には多発性の結節性病変を形成する．進行するとびまん性に肺胸膜全体が肥厚し（図 12-60），肺内，胸壁，横隔膜に直接浸潤する．組織学的には主に上皮型，肉腫型，二相型に分類される．上皮型では類円形核を示す上皮様腫瘍細胞が，腺管状・腺房状・乳頭状・シート状構造を形成しながら浸潤増殖する（図 12-61）．肉腫型では線維肉腫あるいは悪性線維性組織球腫に類似した紡錘形腫瘍細胞が増殖する．肉腫型で 50% 以上を密な線維間質が占めるものは線維形成型と呼ばれる．二相型では上皮型と肉腫型が混在しており，それぞれが腫瘍の少なくとも 10% 以上みられるものをいう．腫瘍細胞内にはヒアルロン酸がみられ，免疫組織化学で calretinin，WT-1，D2-40 が陽性である．腺癌に陽性となる CEA や MOC-31 は陰性である．電子顕微鏡では全周性に細長い微絨毛がみられることが特徴的である．

縦隔と胸腺の病変

縦隔は両側の肺と胸膜腔を隔てた部位をいい，上縦隔，前縦隔，中縦隔，後縦隔の 4 つに分類される．

Advanced Studies

1 縦隔の先天異常

a 異所性臓器

副甲状腺は胸腺と同様に鰓弓に関連して発生するため，胸腺の下降経路付近にみられることがある．副甲状腺腺腫あるいは過形成の

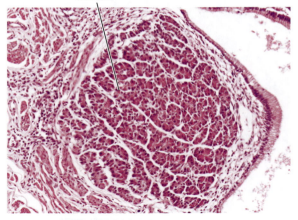

図12-62 縦隔の成熟奇形腫
腺房細胞の集簇を示す膵組織の増生がみられる．

手術の際は，甲状腺周囲以外の縦隔内副甲状腺 mediastinal parathyroid の存在にも注意が必要である．まれに縦隔内副甲状腺から腺腫や腺癌が発生することがある．縦隔甲状腺 mediastinal thyroid は上縦隔にみられることが多い．縦隔甲状腺では甲状腺腫大により縦隔に直接進展するものと，縦隔内の異所性甲状腺が結節性に過形成を起こすものがある．

b 囊胞

縦隔の囊胞発生は心嚢，気管，食道や胃の先天的な形成異常による．通常は自覚症状に乏しいため，胸部X線などの画像診断で偶然に発見されることが多い．心膜囊胞 pericardial cyst は心嚢あるいは心嚢外の中皮から発生し，囊胞内面は1層の中皮細胞で覆われている．気管支原性囊胞 bronchogenic cyst は胎生期に気管・気管支の発芽や分岐に異常が起こったものである．気管分岐部の後方が好発部位で，組織学的には囊胞内に線毛上皮，粘液腺，軟骨などがみられる．食道囊胞 esophageal cyst は食道下半部に発生し，組織学的には囊胞内面に扁平上皮，線毛上皮，円柱上皮などがみられる．気管支原性囊胞と発生部位や組織像が類似しており，鑑別が難しい場合もある．胃腸管囊胞 gastroenteric cyst は後縦隔の脊椎近傍に発生し，脊椎の形成異常を合併することが多い．組織学的には胃や小腸粘膜あるいは両者が混在してみられる．

2 縦隔の炎症

急性縦隔炎 acute mediastinitis の原因は細菌感染であり，内視鏡検査，開胸心臓手術，外傷などの食道損傷に起因し，膿胸に進展することもある．慢性縦隔炎 chronic mediastinitis は急性縦隔炎後，外傷後，結核や放線菌症などの縦隔リンパ節炎でみられる．硬化性縦隔炎 sclerosing mediastinitis は，非感染性で線維化や硬化をきたす疾患であるが，後腹膜線維症，硬化性胆管炎，リーデル Riedel 甲状腺炎などを合併することもある．

3 縦隔の腫瘍

A 良性腫瘍

a 成熟奇形腫 mature teratoma

前縦隔に好発する最も多い縦隔腫瘍で，悪性例は予後不良である．組織学的には卵巣の奇形腫と同様であるが，縦隔原発例では膵組織を含むことが特徴的で（図12-62），インスリン分泌による低血糖もみられる．

b 神経原性腫瘍 neurogenic tumors

後縦隔に好発する腫瘍で，神経鞘腫や神経線維腫がある．神経鞘腫では肉眼的に変性が目立つことがある．悪性例はまれである．傍神経節腫 paraganglioma は前縦隔や後縦隔に発生する．

c キャッスルマン病 Castleman disease

縦隔リンパ節に好発するリンパ増殖性疾患である．組織学的には硝子血管型と形質細胞型がある．

B 悪性腫瘍

a 胚細胞腫瘍 germ cell tumors

縦隔は性腺外の胚細胞腫瘍のなかで最もよくみられる発生部位である．成熟奇形腫以外は悪性腫瘍が多い．セミノーマ seminoma は男性に発生する．小児の胚細胞腫瘍では，奇形腫と卵黄囊腫瘍 yolk sac tumor が好発するが，卵黄囊腫瘍は女性に多い．セミノーマは性腺発生と基本的に同様で，リンパ球や形質細胞の浸潤がみられ，腫瘍細胞内にはグリコーゲンが認められる．免疫組織化学で胎盤性アルカリホスファターゼ（PLAP）が陽性となる．未熟奇形腫 immature teratoma の縦隔発生はまれである．胎児性癌 embryonal carcinoma は組織学的に未分化癌に類似しており，壊死が目立つ．免疫組織化学では胎盤性アルカリホスファターゼや CD30 が陽性である．化学療法の感受性が高い．卵黄囊腫瘍は小児では単独に，成人では混合型胚細胞腫瘍 mixed germ cell tumor の一部にみられることが多い．絨毛癌 choriocarcinoma は性腺発生と同様に予後不良である．縦隔原発と診断するためには精巣腫瘍や卵巣腫瘍などからの転移を否定する必要がある．

b 神経原性腫瘍 neurogenic tumors

小児では神経芽腫 neuroblastoma や神経節神経芽腫 ganglioneuroblastoma が後縦隔や上縦隔に発生する．縦隔腫瘍では分化しているものが多いため，神経芽腫は少なく，神経節神経芽腫のほうが多い．

c リンパ腫 lymphoma（悪性リンパ腫 malignant lymphoma）

縦隔のリンパ節あるいは胸腺から発生する．Tリンパ芽球性リンパ腫 T-lymphoblastic lymphoma は小児期に発生する．縦隔に巨大腫瘤を形成することが多く，腫瘍細胞では小型〜中型のリンパ球様異型細胞の増生がみられ，免疫組織化学で terminal deoxynucleotidyl transferase（TdT）と CD1a が陽性となる．縦隔原発大細胞型 B 細胞リンパ腫 primary mediastinal large B-cell lymphoma は，20〜30歳代の女性に多い．通常の大細胞型リンパ腫と比べて多形性が強く，幅の狭い線維性隔壁により腫瘍細胞が胞巣状にみえるため，ほかの上皮性腫瘍やセミノーマと鑑別が必要な場合がある．節外性濾胞辺縁帯リンパ腫 extranodal marginal zone lymphoma of mucosa-associated lymphoid tissue（MALT lymphoma）は胸腺に発生するリンパ腫で，関節リウマチなどの自己免疫疾患との合併が多い．反応性のリンパ濾胞の辺縁部を主体に centrocyte-like cell がびまん性に増殖し，lymphoepithelial lesion が認められる．ホジキンリンパ腫 Hodgkin lymphoma の大部分は，結節硬化型 nodular sclerosis（NS）である．若年女性に好発し，縦隔リンパ節あるいは胸腺に発生する．組織学的には線維性隔壁により区画された結節性病変

で，リード Reed-ステルンベルグ Sternberg 細胞やホジキン Hodgkin 細胞あるいは lacunar cell を認める．

4 胸腺の先天異常

胸腺は発生学的に第3および第4鰓嚢より発生し，胸腔へ下降する．**異所性胸腺** ectopic thymus は，この下降時の異常として頸部にみられるものである．胸腺嚢胞は前述した下降線上あるいは縦隔内に発生する．組織学的に嚢胞内面は1層の円柱上皮や扁平上皮に覆われており，壁内には胸腺組織が認められる．胸腺嚢胞には後天性もあり，ハッサル小体 Hassall body を含む髄質から発生して多房性病変を形成する．

先天性細胞性免疫不全症のディジョージ DiGeorge 症候群は第3や第4鰓嚢の先天的異常に起因し，胸腺の部分的あるいは完全な欠損がみられる．副甲状腺や大血管の発生異常，心奇形，顔貌の異常を伴う．胸腺は低形成や無形成となり，Tリンパ球の量的・質的な欠損をきたす．本症候群の発生には第22番染色体長腕の一部欠失(22q11)が関与している．

5 胸腺の退縮，過形成

新生児から2～3歳までは胸腺の重量が増加し，最大で約30gに達する．思春期以降胸腺は急速に縮小し始め，成人では完全に脂肪化して退縮する．**生理的退縮** physiologic involution であり，退縮過程では組織学的に胸腺上皮細胞とリンパ球が減少し，脂肪組織で置換されていく．慢性消耗性疾患や副腎皮質ホルモンの過剰状態でも胸腺は萎縮する．

胸腺の大きさや重量に関係なく，組織学的に胚中心を伴ったリンパ濾胞の増生がみられるものを**濾胞過形成** follicular hyperplasia または単に**胸腺過形成** thymic hyperplasia という(図12-63)．胸腺過形成は重症筋無力症と密接に関連しているが，甲状腺ホルモンや成長ホルモンの過剰状態，無脳児でも胸腺は過形成を示す．リンパ濾胞を構成する細胞はB細胞であり，胸腺の血管周囲に起こるものが多い．

a 重症筋無力症 myasthenia gravis
【概念，定義】
全身骨格筋の筋力低下と易疲労性を主症状とする疾患で，自己免疫疾患の一種である．若年女性や高齢男性に多い．

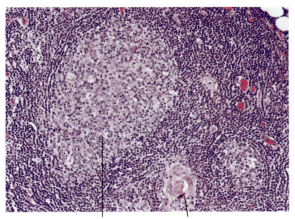

図 12-63　胸腺リンパ濾胞過形成
重症筋無力症の症例で，胚中心を伴うリンパ濾胞の過形成がみられる．

【成因】
胸腺で産生・放出されたアセチルコリン受容体に対する自己抗体が，骨格筋運動終板における神経筋接合部のアセチルコリン受容体に結合して受容体が破壊されるため，刺激伝達が障害されて筋収縮ができない．この抗体は胸腺だけではなく，リンパ節，脾臓，骨髄，末梢血でも産生される．胸腺内のアセチルコリン受容体抗原と胸腺髄質の筋様細胞 myoid cell との関係が注目されている．

【病理形態像】
重症筋無力症では高率に胸腺過形成あるいは胸腺腫を合併し，ほかの自己免疫疾患を合併する．胸腺過形成では胸腺髄質に胚中心を伴うリンパ濾胞の増生がみられる．約10％に合併してみられる胸腺腫に関しては後述する．

【臨床像】
眼筋の異常による眼瞼下垂や複視で発症することが多く，進行すると構音障害や嚥下障害などの球麻痺症状，四肢の筋力低下なども生じる．重症になると呼吸筋麻痺による呼吸不全をきたす．ほかに自己免疫疾患(特に甲状腺疾患)を合併する．胸腺腫の有無にかかわらず拡大胸腺摘出術が行われる．

6 胸腺の腫瘍

胸腺には胸腺本来の上皮から発生する胸腺腫や胸腺癌だけではなく，神経内分泌腫瘍，リンパ腫，胚細胞腫瘍などがある．

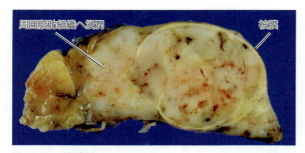

図 12-64　胸腺腫
被膜を有する灰白色, 充実性の腫瘍. 腫瘍細胞の周囲脂肪組織内への浸潤がみられる.

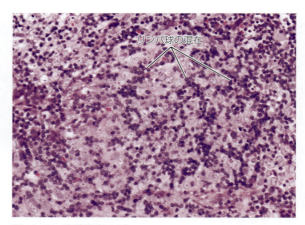

図 12-65　胸腺腫 (B2 型)
類円形を示す腫瘍細胞がリンパ球を伴って充実性に増殖している.

a 胸腺腫 thymoma

【概念，定義】

　胸腺上皮細胞由来で, 腫瘍内に未熟な T 細胞が種々の割合で混在するものをいう. 胸腺腫は前縦隔に好発し, 大部分は成人に発生するが, 小児でもまれにみられる.

【成因】

　成因は不明である. 胸腺腫には重症筋無力症, 赤芽球癆, 低 γ グロブリン血症などが合併する.

【病理形態像】

　胸腺腫の多くは数 cm 以上と大きいものであり, 巨大腫瘍の場合もある. 肉眼的に腫瘍は被膜を有することが多く, 割面では囊胞化, 出血, 壊死を認める (図 12-64). 組織学的に胸腺腫では腫瘍性の上皮細胞とリンパ球が種々の割合で混在する (図 12-65). 腫瘍性の上皮細胞は類円形・多角形・星芒状・紡錘形と多彩な形態を呈する. 混在するリンパ球は TdT と CD1a に陽性の未熟な T 細胞である. 胸腺腫では最初に形態中心の分類が行われたため, 腫瘍性上皮細胞とリンパ球の比率により, リンパ球優位型 lymphocyte predominant, 上皮優位型 epithelial predominant, 混合型 mixed epithelial and lymphocytic に分類された. その後も胸腺腫は腫瘍細胞の形態と非腫瘍性未熟 T 細胞の比率で分類されてきた. しかし, 現在の WHO 分類では, 形態像に加えて機能的分化も考慮して A 型 (紡錘細胞型, 髄質型), AB 型 (A 型と B 型の混合型), B1 型 (リンパ球優位型, 皮質優位型), B2 型 (上皮・リンパ球混合型, 皮質型), B3 型 (上皮優位型, 高分化胸腺癌) に分類されている. 胸腺腫に特徴的な組織所見として血管周囲腔, Hassall 小体様構造, ロゼットや腺腔様構造, 線維性隔壁による小葉構造, リンパ球優位型にみられる髄質様分化 medullary differentiation などがある.

【臨床像】

　早期の胸腺腫では被膜内に限局 (病期分類 I 期) あるいは被膜外の脂肪組織浸潤 (II 期) を示しているが, 進行すると心外膜, 大血管, 肺へ浸潤 (III 期) する. まれに胸膜播種や遠隔転移 (IV 期) を起こす. I 期と II 期は予後良好であることが多いが, III 期と IV 期は悪性の経過をとる. WHO 分類では A 型, AB 型, B1 型, B2 型, B3 型の順に悪性度が高くなる. 一般的に A 型, AB 型, B1 型胸腺腫は良性の経過をとり, B2 型と B3 型では悪性の経過をとることが多い.

Advanced Studies

b 胸腺癌 thymic carcinoma

　胸腺上皮細胞由来で, 胸腺腫と比較して悪性度が高く上皮細胞の細胞異型が強い. 胸腺腫と比較して重症筋無力症などの腫瘍随伴症候群の合併は少なく, 胸腺腫に特徴的な血管周囲腔, 髄質様分化, Hassall 小体様構造, 未熟な T 細胞の混在はみられない. 組織学的に胸腺癌では扁平上皮癌が多いが, 被膜形成は乏しく間質はしばしば硝子化を示す (図 12-66). 免疫組織化学で腫瘍細胞は CD5 陽性である. 浸潤しているリンパ球は成熟した T 細胞あるいは B 細胞である.

c 胸腺神経内分泌腫瘍 thymic neuroendocrine neoplasms

　神経内分泌細胞に由来する腫瘍で, WHO 分類では胸腺神経内分泌腫瘍として包括されており, 定型カルチノイドと異型カルチノイドを神経内分泌腫瘍とし, 大細胞神経内分泌癌と小細胞癌を神経内分泌癌として再分類している. 胸腺原発の神経内分泌腫瘍の大部分は異型カルチノイドであり, MEN type I に関連して発生することがある. カルチノイド症候群を合併することはまれであるが, 異所性 ACTH 産生により Cushing 症候群を呈することがある. 組織学的に, 腫瘍細胞は他臓器のものと同様にリボン状・腺管状・胞巣状・ロゼット状に増殖する. 異型カルチノイドは定型カルチノイドと同様の像であるが, 壊死あるいは核分裂像が 10 高倍視野あたり 2〜10 個みられることが異なる. 大細胞神経内分泌癌はカルチノイドと比較して, 細胞異型, 構造異型や壊死が高度で, 核分裂像が

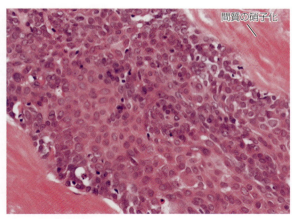

図 12-66　胸腺癌
低分化な扁平上皮癌の胞巣状増殖がみられ，周囲の間質は硝子化している．

10 高倍視野あたり 11 個以上みられる．小細胞癌は肺の小細胞癌と同様に N/C 比の高い小型細胞からなり，核分裂像や壊死が目立つ．異型カルチノイドの 5 年生存率は約 50〜80% であるが，大細胞神経内分泌癌と小細胞癌の予後はきわめて不良である．

謝辞：図の一部をご提供いただきました名古屋市立大学名誉教授の栄本忠昭先生に深謝いたします．

●参考文献
1) 牛木辰男，他：カラー図解 人体の正常構造と機能Ⅰ 呼吸器 第 4 版．日本医事新報社，2021
2) 深山正久，他（編）：外科病理学 第 5 版．文光堂，2020
3) Travis WD, et al : Non-neoplastic Disorders of the Lower Respiratory Tract. Atlas of Nontumor Pathology, Fasc. 2. American Registry of Pathology and Armed Forces Institute of Pathology, 2002
4) Borczuk AC, et al(eds)：Thoracic Tumours. WHO Classification of tumours. IARC Press, 2021
5) 日本肺癌学会（編）：臨床・病理 肺癌取扱い規約 第 8 版（補訂版）．金原出版，2021
6) 谷田部恭，他（編）：腫瘍鑑別診断アトラス 肺癌 第 2 版．文光堂，2022
7) 呼吸器症候群―その他の呼吸疾患を含めて Ⅰ〜Ⅴ 第 3 版．日本臨牀社，2021

第13章 口腔・唾液腺

口腔 oral cavity とは，消化管の入り口となる器官である（図13-1）．咀嚼，嚥下，発音，呼吸などの機能を担っており，下顎骨がその機能に深くかかわっている．下顎骨は，左右だけでなく内側と外側に付着する筋肉によっても運動が支配される特異な骨である．このため，下顎骨では両側に存在する咀嚼筋などの作用により複雑な運動が行われる（図13-2）．また，口腔にも他臓器と同様の軟組織疾患や硬組織疾患が発生するが，顎骨には歯があるため，歯の疾患に続発して種々の疾患が引き起こされることがある．

歯 tooth は表層をエナメル質 enamel で覆われており，その内側には象牙質 dentin，さらに内側の中心部には歯髄 dental pulp が存在している（図13-3）．口腔内から確認できるエナメル質によって覆われている部分は歯冠 tooth crown，顎骨の中に埋まっている部分は歯根 tooth root と呼ばれている．歯根の表面には1層のセメント質 cementum がみられる．歯は歯根膜（歯周靱帯）periodontal membrane を介して，シャーピー Sharpey 線維と呼ばれる線維によって歯槽骨 alveolar bone と強固につながっている．歯槽骨とは顎骨の中で歯が植立している部分を指し，齲蝕や歯周病によって歯が脱落すると，徐々に吸収されていく．

図13-1 咽頭・喉頭の構造

A 顔面・口腔の発生と発育異常

胎生4週に神経管の頭側部が隆起し前頭鼻突起をつくり，その尾側には口窩がある．口窩の側方に上顎突起

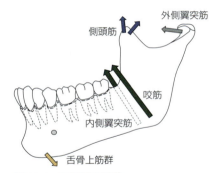

図13-2 下顎骨の運動

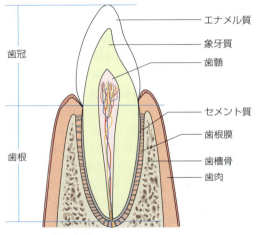

図13-3 歯の構造

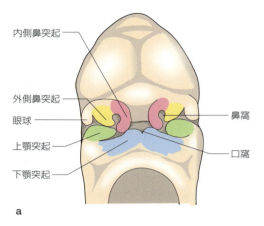
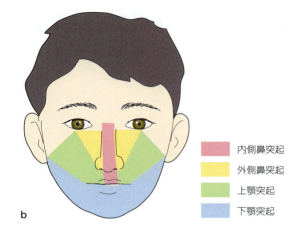

図 13-4 顔面の形成と4種類の突起
a. 胎生4週後半の4種類の突起. b. 成人の顔面との対比.

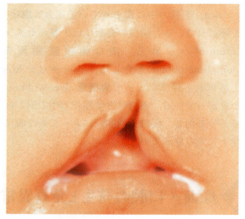

図 13-5 上唇裂
片側性の側方上唇裂がみられる.

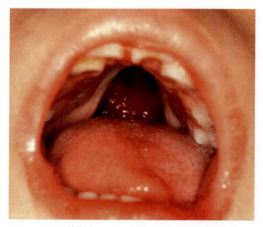

図 13-6 口蓋裂
口蓋正中線に現れた口蓋裂.

が，尾側に下顎突起があり，顔面は5個の突起より形成される．4週後半に前頭鼻突起の上皮の一部が両側性に内方に凹み鼻窩と呼ばれ，前頭鼻突起は内側鼻突起と外側鼻突起に分かれ，顔面は4種類の突起から形成される．内側鼻突起の下端から1対の球状突起ができ，上顎突起と癒合して人中や鼻背，上唇を形成する．外側鼻突起は上顎突起と癒合して鼻翼から眼角までを形成する．また，口腔と鼻腔の間に介在する口蓋は，胎生5週頃から1つの一次口蓋(内側鼻突起由来)と2つの二次口蓋(上顎突起由来)から発生する(図13-4)．これらの口蓋突起が癒合することで鼻腔と口腔が分けられる．

胎生期における口腔の各突起の癒合不全により，口唇裂，唇顎裂，口蓋裂，唇顎口蓋裂，その他の顔裂などが生じ，これらの先天異常発生の臨界期は胎生6～7週である．顎顔面披裂は，全体表先天異常のうち最も頻度が高い(10～17％).

A 口唇裂 cleft lip

一般に唇裂といわれ，上唇裂と下唇裂に分けられる．

a 上唇裂 cleft of upper lip

内側鼻突起と上顎突起の癒合不全により，片側性あるいは両側性の側方唇裂として現れるが，**側方上唇裂**が多い(図13-5)．また，1：2で左側に発生する頻度が高いとされるが，原因は明らかではない．性差はない．

b 下唇裂 cleft of lower lip

左右の下顎突起間の披裂であり，下唇の正中線上に現れるきわめてまれな先天異常である．

B 顎の披裂

a 口蓋裂 cleft palate

左右の二次口蓋の癒合不全により生じ，口蓋正中線に現れることが多い(図13-6)．性差は1：2で女性に多く，口唇裂と比較するとその発生が少ない．口蓋裂では，鼻咽腔閉鎖機能不全があり，嚥下障害および構音障害が生じる．程度によっていくつか種類があり，口蓋垂のみのものを**口蓋垂裂**，軟口蓋に及ぶものを**軟口蓋裂**，口蓋の披裂がさらに側切歯部の歯槽骨まで及ぶものを**顎口蓋裂**とよぶ．

b 唇顎口蓋裂 cleft lip and palate

口唇裂，顎裂さらに口蓋裂が合併しているものは唇顎口蓋裂という．両側性と片側性の割合は1：3である．部位は左側，性別は男性に多い．顎顔面先天異常のなかで45％と最多である．鼻咽腔閉鎖機能不全があり，構音障害や摂食嚥下障害が起こりやすい．顎顔面部やその他の先天異常を合併することが多い．

C 顔面の披裂

口唇，顎，口蓋の披裂と比較して，顔面披裂の発生頻度は低い．

a 斜顔裂 oblique facial cleft

上顎突起と外側鼻突起の癒合不全により生じる．披裂は側方上唇裂と同様に，人中側縁部から同側外鼻孔を経由し眼瞼の内眼角に，人中側縁部から鼻翼外側を経由し下眼瞼に，あるいは口角部から頬部を経由し外眼角に達する．

b 横顔裂 horizontal facial cleft

上顎突起と下顎突起の癒合不全によって生じる披裂をいう．披裂は口角から側方の頬部に至り，重症の場合は耳珠に達することがある．口裂の拡大をきたすため，巨口症ともよばれる．

D 発育異常 congenital aglossia

a 小舌症 microglossia

舌の形成不全によって舌の前2/3が欠如することが多い．

b 巨舌症 macroglossia

舌全体あるいは一部が肥大した状態であり，大舌症ともよばれる．先天性では，クレチン病(先天性甲状腺機能低下症)やダウンDown症候群に伴う．先端巨大症やアミロイドーシスの一部分症状としても認められる．腫瘍性では，血管腫やリンパ管腫で巨舌を呈する．

c 舌癒着 ankyloglossia

舌が先天的に口腔底に癒着する形成異常をいう．完全に癒着するものはまれで，多くは舌小帯が短いために，舌の運動障害が強く現れる．

d 溝状舌 fissured tongue

舌表面に種々の走行を示す多数の溝がみられる発育異常である．メルカーソン-ローゼンタール症候群 Melkersson-Rosenthal syndrome の1症候としても現れる．

e 正中菱形舌炎 median rhomboid glossitis

舌正中線上の後1/3の部位，分界溝前方に出現する菱形あるいは楕円形の舌乳頭を欠く灰白色ないし赤色を呈する隆起性病変である．発生過程における無対結節の退縮不全によるものといわれてきたが，カンジダ属の感染による肥厚性カンジダ症が病態形成の一因と考えられている．

Advanced Studies

B 歯の病変

A 歯の発生と発育異常

胎生6週頃，乳歯が萌出する部位の口腔粘膜上皮が，間葉細胞の刺激により間葉組織に向かって活発に増殖して，上皮が厚くなる(歯堤の形成)．胎生8週頃には上皮細胞で形成された歯堤の先が膨らみ，そのまわりに間葉細胞が集まり，全体として蕾のような形状の歯胚を形成する．胎生9週頃の歯胚は，上皮細胞が馬蹄形に陥入して帽子に似た形状を呈し(エナメル器)，エナメル器によって囲まれた間葉組織(歯乳頭)，そして歯胚全体を包み込んでいる間葉組織(歯小嚢)の3つにより構成される．エナメル器はエナメル質，歯乳頭は象牙質や歯髄，歯小嚢はセメント質，歯根膜や歯槽骨の原基となる(図13-3)．エナメル器(歯乳頭側)と接する歯乳頭が相互に作用して，象牙質，エナメル質の形成が始まり，歯冠が形成される(図13-7)．続いて，エナメル器由来の上皮細胞，歯乳頭，歯小嚢が相互に作用して，象牙質，セメント質の形成が始まり，歯根がつくられる．一方，永久歯の歯胚形成は胎生3か月半頃から始まる．このように歯が形成されるためには，上皮細胞と間葉細胞が相互に作用しあう「上皮-間葉誘導」が必須である．

種々の要因が加わる歯の発育段階の時期により，歯数，大きさと形態，構造あるいは萌出に異常が生じる．

1 数的異常

正常の歯数は乳歯で20本，永久歯で32本である．正常より歯が多いことがあり，これを**過剰歯** supernumerary tooth と呼ぶ．90％以上は上顎に発生し，上顎前歯部にみられることが多い．発生頻度はおおむね3％程度である．逆に正常より歯が少ないことがあり，こちらは**欠如歯** missing tooth と呼ばれている．発生頻度は10％弱で，好発部位は智歯，側切歯，小臼歯である．

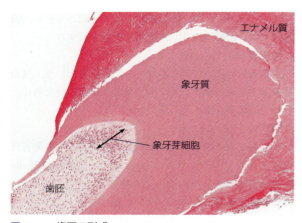

図 13-7 歯冠の形成

2 ● 大きさと形態の異常
大きさの異常には矮小歯と巨大歯がある．形態は各種異常結節や歯根の異常，複数歯にまたがる癒合歯・癒着歯などがある．

3 ● 構造の異常
形成不全は歯の硬組織形成期に何らかの障害が加わった結果生じる．代表的なものにターナー Turner の歯（エナメル質形成不全），ハッチンソン Hutchinson の歯（先天性梅毒），斑状歯がある．

4 ● 色の異常
加齢変化や歯髄壊死によって歯は色調が低下する．また，茶渋やタバコのヤニのような外来性色素が歯の表層付近に沈着することによっても色調低下が起こる．そして，歯の形成途中にテトラサイクリンやフッ化物を過剰摂取した場合も色調に変化をきたす．

B 齲蝕および齲蝕関連疾患

1 ● 齲蝕 caries
口腔内細菌の代謝産物により歯質が脱灰されると齲蝕が発生する．齲蝕は深達度により，初期齲蝕（C0），エナメル質齲蝕（C1），象牙質齲蝕（C2），露髄（C3），残根（C4）に分けられる．齲蝕の主な原因菌としてはグラム陽性の通性嫌気性菌である *Streptococcus mutans* が知られている．齲蝕原因菌はスクロースなどの糖分を代謝する過程で，乳酸，酪酸，ギ酸などを産生する．それらの酸によって，歯質周囲の環境がエナメル質の臨界 pH 5.5 を下回った際に，脱灰が進行し，実質欠損による齲窩の形成が起こる．なお，萌出間もない歯は石灰化の程度が未熟なため，齲蝕になりやすく進行も早い．齲蝕の好発部位は 3 か所あり，裂溝部（歯冠にある溝），隣接面，歯頸部（歯冠と歯根の間）である．

齲蝕が進行し，象牙質にまで達すると，象牙細管を通じて歯髄内に刺激あるいは感染が伝わる．すると，歯髄には生体の防御反応として**歯髄炎** pulpitis が起こる．歯髄炎の初期は一過性の疼痛や冷水痛がみられ，この時点で治療を行えば，歯髄の温存は可能である．しかし，治療を行わず進行した場合は化膿性歯髄炎に移行してしまい，拍動性の自発痛や温痛が現れるようになる．ここまで進行してしまうと，歯髄の温存は不可能である．化膿性歯髄炎の時期は症状が強いが，その時期をすぎると歯髄内の組織が壊死するため，痛みなどの症状は消失する．

歯髄炎の後，歯髄組織が壊死すると，感染は根尖部の組織に波及して**根尖性歯周炎** apical periodontitis が起こる．根尖部に炎症が起こることにより，歯の挺出感や痛みなどの症状がみられるようになる．早期に治療しない場合は，根尖部へ膿瘍の形成が起こるだけでなく，歯根膜に存在するマラッセ Malassez の上皮遺残の炎症性の反応性増殖により，歯根肉芽腫や歯根嚢胞が発生する場合もある．根尖部に膿瘍ができた場合，歯髄腔を通じて口腔へと排膿が起こることもあるが，原因歯が露髄していないときは歯瘻の形成が起こることもある．瘻孔が口腔内にみられる場合は内歯瘻，顔面にみられる場合は外歯瘻と呼ばれている．

2 ● 歯周病 periodontitis
現在の日本における歯の喪失原因の第 1 位は歯周病である．歯周病とは，歯垢（プラーク）や歯石が原因となって歯周組織に発生する疾患である．歯周病の初期は磨き残しや歯石に隣接した歯肉に限局して発生する**歯肉炎** gingivitis と呼ばれる状態である．歯肉炎では，歯肉に炎症性変化が起こるにとどまるため，原因（プラークや歯石）を除去することによって，元の健康な状態へと戻る．しかしながら，慢性的に磨き残しや歯石が付着した状態にしていると，歯肉炎から辺縁性歯周炎へと移行する．辺縁性歯周炎では，歯周ポケットの形成や歯槽骨の吸収が起こる．この状態になると，原因を除去し炎症が治まったとしても，消失した歯槽骨はもとに戻ることはなく，いわゆる歯肉が下がった状態となってしまう．

歯周病などで歯周組織が破壊されてしまうと，咬合力（成人だと 50 kg 前後）に歯周組織が耐えることができず，歯周組織に外傷性の変化が起こることもある．これは，咬合性外傷と呼ばれており，噛み合わせの状態などによっては健康な歯周組織でも起こりうる．

C 顎骨内病変

顎骨内病変はその大半が嚢胞性疾患であり，次いで多いのが腫瘍である．顎骨内に発生する病気は歯の形成に関与する組織が関係するものが多い．

A 薬剤関連顎骨壊死 medication-related osteonecrosis of the jaw（MRONJ）

骨粗鬆症や悪性腫瘍による原発性および転移性骨悪性腫瘍の治療薬であるビスホスホネート（BP）製剤，その他の骨吸収抑制薬や血管新生阻害薬の副作用としての顎骨壊死である．**ビスホスホネート関連顎骨壊死（BRONJ）**は，特に骨粗鬆症治療の第一選択薬として広く普及した BP 製剤による通常の歯科治療に関連した合併症であるため，先行して用いられてきた．病理組織学的に，肉芽組織を伴う腐骨や破骨細胞をあまり伴わない骨吸収像が特徴的である．

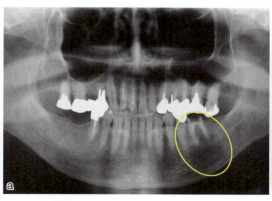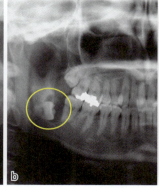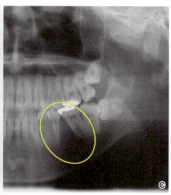

図 13-8　顎囊胞
a. 失活した歯根尖を含む歯根囊胞.
b. 埋伏した第3大臼歯歯冠を含む含歯性囊胞.
c. 隣接する歯根の離開を導いた歯原性角化囊胞.

図 13-9　歯根囊胞
囊胞壁は裏装上皮，肉芽組織，結合組織の3層からなる.

図 13-10　含歯性囊胞
摘出物の割面像．囊胞腔内に歯冠が含まれている．

B　顎囊胞

顎骨内に発生する囊胞は歯原性のものが多い（図13-8）．炎症性囊胞と発育性囊胞に分類することができる．

a　歯根囊胞　radicular cyst

顎骨内に発生する囊胞性疾患のなかで最も発生頻度が高い（図13-9）．齲蝕に続発する歯髄感染が根尖部歯周組織に波及することによって**マラッセの上皮遺残**が由来となり発生するとされる炎症性囊胞である．囊胞は原因歯の根尖と連続しており，原因歯はすでに失活している（図13-8a）．まれに，原因歯の抜歯後に病変が一部残留して増大することがあるが，その場合は残留囊胞と呼ばれる．病理組織学的に，囊胞壁は裏装上皮，肉芽組織，結合組織の3層からなり，囊胞壁にはしばしばコレステリン針状結晶がみられる．

b　含歯性囊胞　dentigerous cyst

含歯性囊胞は歯根囊胞に次いで発生頻度が高い顎骨内病変である（図13-10）．顎骨内に埋伏している歯の歯冠部を囊胞腔内に含んでいる発育性の囊胞である（図13-8b）．下顎の智歯部に好発する．

c　歯原性角化囊胞　odontogenic keratocyst

歯原性の発育囊胞で，再発傾向を示すのが特徴であるため，2005年版のWHO分類では，歯原性腫瘍として取り扱われていたが，2017年版のWHO分類では顎囊胞に分類された．下顎大臼歯部～下顎枝部に多い（図13-8c）．病理組織学的に囊胞壁は錯角化型重層扁平上

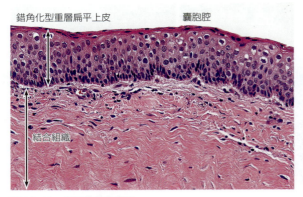

図 13-11　歯原性角化囊胞
囊胞の裏装上皮は，表層は錯角化型重層扁平上皮からなり，基底層は比較的細胞が密に配列する．

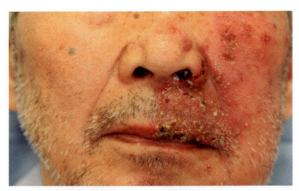

図 13-13　帯状疱疹
左側顔面に小水疱および痂皮がみられる．

皮で裏装され，基底層は立方状～円柱状細胞が柵状に配列する（図 13-11）．なお，錯角化とは角化が不完全なために角化層の核が残存している状態である．場所によっては涙滴状に結合組織内に進展し，上皮島や娘囊胞を形成している．顎骨内に多発する場合は**基底細胞母斑症候群（母斑性基底細胞症候群）**が考えられ，PTCH1遺伝子異常を認める．

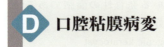
口腔粘膜病変

口腔粘膜は皮膚と類似の組織構造を有し，**重層扁平上皮** stratified squamous epithelium，**粘膜固有層** proper mucous membrane，**粘膜下組織** submucosa からなる．口腔粘膜は日常的に多くの刺激（物理的，化学的，生物学的）にさらされているため，出現する病変も多彩であ

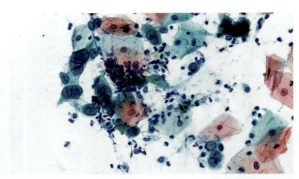

図 13-12　ウイルス感染細胞

る．口腔粘膜の病変を理解するには，口腔粘膜に限局する病変か，内科的あるいは皮膚科的疾患に関連した病変であるか，全身疾患の一部分症状としての病変かを鑑別することが大切である．

1 口腔粘膜感染症

口腔粘膜感染症は，ウイルス，細菌および真菌により引き起こされる．

A ウイルス感染症 viral infection

ウイルス性口腔粘膜疾患は小水疱（液体の貯留が5 mL 以下）を生じる病変が多い．しかし，口腔粘膜が菲薄なため，水疱が破れて潰瘍を形成した状態で来院することがほとんどである．

a 単純疱疹 herpes simplex

単純ヘルペスウイルス herpes simplex virus（HSV）の感染および潜伏したウイルスの再活性化により生じる水疱性疾患である．HSVは抗原性によりHSV1型（口腔），HSV2型（性器）に分類される．口腔粘膜では口唇，口蓋，歯肉などに認められ，1～5歳児（初感染），免疫力低下，ストレス，妊娠，重症疾患などの成人（再発性）にみられる．感染経路は唾液の飛沫あるいは接触である．病理組織学的に上皮内水疱を形成するが，臨床的に単純疱疹が疑われた場合には細胞診でウイルス感染細胞を確認することにより，細胞判定が行われる（図 13-12）．

b 帯状疱疹 herpes zoster

水痘帯状疱疹ウイルス varicella-zoster virus（VZV）感染症である（図 13-13）．小児期に水痘症に罹患し，神経節に潜伏していたVZVの再活性化により生じる．中年以降の成人に多く，加齢，ストレス，免疫力の低下など

D. 口腔粘膜病変 ● 423

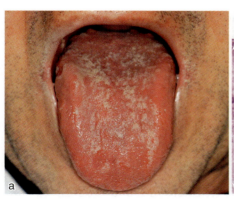

図 13-14　口腔カンジダ症
急性偽膜性カンジダ症．舌背全体に白色偽膜がみられ，擦ると剥がれる．

が再活性化の誘因となる．口腔粘膜の半側に小水疱が生じるが，発見されるのはびらん形成後が多い．病理組織学的に上皮内小水疱を形成する．

c ヘルパンギーナ herpangina

コクサッキーウイルス A 群 Coxsackie virus A などの感染により，口腔咽頭領域（軟口蓋，扁桃，咽頭）に限局して小水疱を生じる疾患である．小児に好発し，小水疱がすぐに破れて小潰瘍を形成するため，食欲不振や嚥下痛などの症状を呈する．

d 手足口病 hand foot and mouth disease

エンテロウイルス属 enterovirus の感染症で，掌蹠および口腔粘膜に小水疱を生じる疾患である．1～5歳児の感染が多く，数年ごとの夏に流行を繰り返す．口腔粘膜では頬粘膜，舌，軟口蓋，歯肉などに小水疱やびらん・小潰瘍を形成する．

B 細菌感染症 bacterial infection

口腔粘膜に障害を引き起こす代表的な細菌感染症について述べる．

a 壊死性歯周疾患 necrotizing periodontal disease

広範な潰瘍形成を特徴とし，急激に進行し口臭を伴う．歯肉に限局した壊死性潰瘍性歯肉炎 necrotizing ulcerative gingivitis と歯周組織に拡がった壊死性潰瘍性歯周炎 necrotizing ulcerative periodontitis に分類される．紡錘菌とスピロヘータなどの嫌気性口腔細菌の混合感染（ワンサン感染）によるため**ワンサン口内炎** Vincent stomatitis ともいう．壊死性歯周疾患の壊死が広範囲に拡大し壊疽をきたす場合，**壊疽性口内炎** gangrenous stomatitis（水癌 noma）といわれる．近年，後天性免疫不全症候群（AIDS）や免疫抑制薬を使用した患者の口腔症状の1つとして注目されている．

b 放線菌症 actinomycosis

口腔常在菌であり，病原性の弱い嫌気性菌の**放線菌属細菌**（主に *Actinomyces israelii*）の感染により生じ，その他の細菌との混合感染を引き起こして，化膿性炎に進行する．炎症や抜歯などの外科的処置後に発症することが多い．

c 口腔結核症 oral tuberculosis

結核菌 *Mycobacterium tuberculosis* の感染症で，口腔粘膜は二次結核症としてみられることが多い．難治性・穿下性潰瘍が舌，歯肉，硬口蓋や口唇に生じる．病理組織学的に潰瘍面の下方に結核結節が認められる．

C 真菌感染症 fungal infection

口腔粘膜での真菌症は，カンジダ症が代表的であり，内因性感染症である．

a 口腔カンジダ症 oral candidiasis

カンジダ症は，口腔の真菌症としては最も多いカンジダ属による感染症であり，病変発症に関与する原因菌は *Candida albicans* が大多数を占める（図 13-14a）．内因は新生児，高齢，口腔乾燥症や全身疾患，外因は義歯や不衛生な口腔状態などがあげられる．白斑，偽膜，潰瘍やびらん（図 13-14b）など，多彩な臨床所見を呈し，**急性偽膜性カンジダ症（鵞口瘡 thrush）と紅斑性カンジダ症，慢性肥厚性カンジダ症**に大別される．急性偽膜性カンジダ症は白色の偽膜形成を認め，偽膜は剥離が容易である．紅斑性カンジダ症では偽膜の形成を伴わず，結膜が有痛性に発赤を示す．慢性肥厚性カンジダ症は上皮表

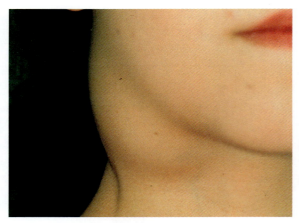

図 13-15　リンパ上皮性嚢胞
側頸部に発現した腫脹.

層が錯角化を呈しながら肥厚するため，白板症との鑑別が大切である．慢性カンジダ症は口腔潜在的悪性疾患の1つであるが，悪性化率は低いとされている．病理組織学的に，カンジダ菌糸が表層粘膜の角化層から有棘層浅層にかけて垂直に侵入する．また，**HIV**（human immunodeficiency virus）**感染**に伴う代表的な臨床症状の1つである．

② 潰瘍性病変 ulcerative stomatitis

口腔は慢性的に刺激を受けているため，潰瘍を生じやすい．潰瘍の原因を理解することが大切である．

1 アフタ性口内炎 aphthous stomatitis

アフタとは有痛性の小円形偽膜性潰瘍性病変で，一般成人の多くが罹患する口腔粘膜疾患である．原因は不明であるが，ストレス，栄養バランスの崩れ，外傷などにより生じるといわれている．口腔内にアフタが再発性に出現する場合，再発性アフタ性口内炎と呼ばれる．**ベーチェット病** Behçet disease の主症状の1つにあげられる．

2 褥瘡性潰瘍 decubitus ulcer

褥瘡性潰瘍は，口腔粘膜に慢性の機械的刺激が加わることによる外傷性の潰瘍である．鋭利な歯の辺縁，歯冠修復物や不適合義歯が原因となり，その原因が取り除かれることによって治癒する．病理組織学的に，表層粘膜が剝離・脱落し，潰瘍底にはフィブリンや壊死組織が認められる．刺激の原因により以下の病変に分類される．

a 義歯性潰瘍
不適合義歯を原因とする．

b ベドナーのアフタ Bednar aphtha
授乳時の機械的刺激を原因とし，口蓋に発生することが多い．

c リガ-フェーデ病 Riga-Fede disease
早期に萌出した歯（下顎乳前歯）を原因とし，舌下部～舌尖部に発生することが多い．

③ 軟組織に発生する嚢胞性疾患

a 粘液（貯留）嚢胞 mucous cyst, mucocele
小唾液腺の導管が障害されたことにより，唾液が結合組織内に漏出して粘膜下に嚢胞が形成される病気である．嚢胞壁は上皮による裏装を伴わない偽嚢胞（溢出型）であるが，まれに導管の拡張により発生する真性嚢胞（導管拡張型）の場合もある．物理的に障害を受けやすい下唇に好発し，自壊すると口内炎様になる．同部位に再発を繰り返す場合は小唾液腺を含めて摘出される．舌尖部下面にできた場合は**ブランダン-ヌーン** Blandin-Nuhn **嚢胞**，口底部に発生した場合は**ラヌーラ（ガマ腫）** ranula と呼ばれる．

b リンパ上皮性嚢胞 lymphoepithelial cyst
鰓裂の遺残により発生する発育性の嚢胞である（**図 13-15**）．通常は側頸部（胸鎖乳突筋前縁上 1/3）に発生することが多い（**側頸嚢胞**）が，耳下腺，口底部や舌にもみられる（**リンパ上皮性嚢胞**）．**鰓嚢胞**とも呼ばれる．病理組織学的に，嚢胞壁は上皮層とリンパ組織を伴う線維性結合組織の層からなる．

④ 角化性病変 keratotic lesion

口腔粘膜は被覆粘膜，咀嚼粘膜および特殊粘膜に分類される．元来，咀嚼粘膜は角化傾向を伴っている．口腔粘膜の角化性病変はまれではないが，がん化との関連性や健常粘膜の組織構造を理解することが大切である．

a 白板症 leukoplakia
ほかのいかなる疾患としても特徴づけられない著明な白色の粘膜病変に対する臨床診断名である（**図 13-16**）．病理組織学的には**正角化性上皮過形成（扁平上皮過形成）**と呼ばれる．好発年齢は 40 歳以上で，やや男性に多い．好発部位は舌や歯肉粘膜であり，原因は不明である．組織学的に粘膜上皮の正角化あるいは錯角化症と有棘細胞肥厚症がみられる．また，白板症は病理組織学的

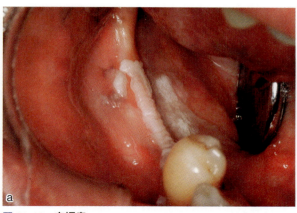
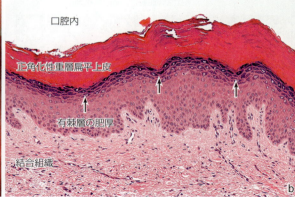

図 13-16 白板症
a. 顎堤および口腔底にやや隆起性の白色病変を認める.
b. 正角化性上皮過形成. 粘膜上皮に著明な過角化と顆粒細胞層(→)の出現がみられる.

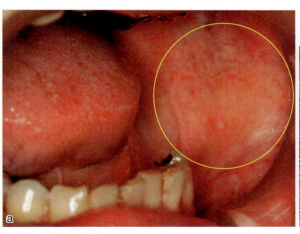
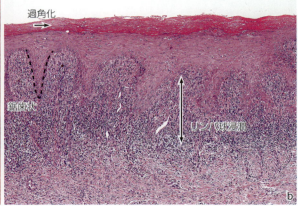

図 13-17 扁平苔癬
a. 頬粘膜に線状ないし斑状の白色病変を認める(黄線).
b. 過角化(→)を伴う粘膜上皮肥厚がみられ, 上皮突起は先端が細く鋸歯状に伸展しているところもみられる(点線). 粘膜固有層には帯状のリンパ球浸潤が認められる.

に上皮性異形成, 上皮内癌あるいは扁平上皮癌を認めることがあるので注意する.

したがって, 白板症は病理組織学的所見を確認せずに, 臨床診断で一括して口腔潜在的悪性疾患として取り扱われている.

b 扁平苔癬 lichen planus

皮膚や粘膜に生じる角化症を伴う慢性炎症性病変である(図 13-17). 慢性的に経過し, 接触痛や刺激痛などを伴う. 口腔内では頬粘膜にしばしば両側性に生じ, 臨床的に網状型, びらん型, 斑状型, 丘疹型, 紅斑型, 水疱型など多彩である. 中年女性に好発する. 原因は不明であるが, 誘因として薬剤, 歯科材料, ビタミン欠乏症, タバコ, ストレスなどがあげられる. また, C型肝炎と扁平苔癬の関連性がいわれている. 病理組織学的に, 過角化を伴う粘膜上皮肥厚がみられ, 上皮突起はしばしば鋸歯状に伸展する. 基底細胞層は液状変性を呈し, 上皮直下の粘膜固有層には帯状のT細胞を主体とするリンパ球浸潤を認める. また, 経過中に扁平上皮癌を生じることがあり, 口腔潜在的悪性疾患の1つとして取り扱われている.

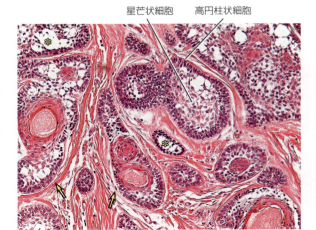

図 13-18　エナメル上皮腫
個々の胞巣(→)は，高円柱状の細胞が，間質に接して配列しており内側には星芒状細胞が疎に分布している．ところどころ囊胞腔(✽)がみられる．

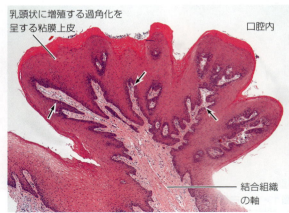

図 13-19　乳頭腫
粘膜上皮が乳頭状に増殖している．結合組織の軸が認められる(→)．

Advanced Studies

  口腔潜在的悪性疾患
oral potentially malignant disorders (OPMDs)

わが国では 1 年間に約 7,000 人が口腔癌で死亡している．全悪性腫瘍のなかでは僅少ではあるが，増加し続けているために，近年注目されている．口腔潜在的悪性疾患(臨床的にがんへの進展の危険性を有する臨床像)の理解が必要である．WHO 分類(2017 年版)では，紅板症，白板症，慢性カンジダ症，扁平苔癬，円板状紅斑性狼瘡などがあげられる．紅板症と白板症以外の口腔潜在的悪性疾患の悪性化率は低い．

a 紅板症 erythroplakia
口腔粘膜の境界やや不明瞭な鮮紅色ビロード状病変であり，臨床診断名である．発生率は白板症よりも低いが，高確率で悪性化する．病理組織学的に扁平上皮内腫瘍(腫瘍性性格のある異型上皮)の段階が多い．

b 白板症 leukoplakia
　➡ 424 頁参照．

E 顎口腔領域の腫瘍

顎口腔領域の腫瘍は，生物学的に良性腫瘍と悪性腫瘍，発生由来から上皮性腫瘍と非上皮性腫瘍，発生母組織から唾液腺腫瘍と非唾液腺腫瘍，歯原性腫瘍と非歯原性腫瘍のような分類がなされる．ここでは歯原性腫瘍，非歯原性腫瘍と唾液腺腫瘍(➡ 430 頁参照)の順に記載する．

1 歯原性腫瘍 odontogenic tumor

歯原性腫瘍の大半は良性腫瘍であり，歯原性悪性腫瘍は非常にまれである．自覚症状に乏しい腫瘍が多く，歯科診療時に撮影する X 線写真で偶然発見されるか，ある程度大きくなり顎骨の膨隆を伴ってから気づくことが多い．

a エナメル上皮腫 ameloblastoma
歯胚を構成するエナメル器に類似する組織像を呈するのが最大の特徴である(図 13-18)．20～30 歳代の下顎臼歯部(特に智歯部)に好発する．X 線では，病変部は多房性透過像を呈することが多い．病理組織学的に，腫瘍実質は間質に接して高円柱状の細胞が比較的規則的に配列し，その内側には星芒状(不定形)細胞からなるエナメル髄に似た構造を示しながら，胞巣状あるいは叢状に増殖する．時に数 mm～数 cm 大の囊胞腔を形成する．

b 歯牙腫 odontoma
顎骨内にエナメル質，象牙質，セメント質などの歯を構成する硬組織の形成を伴う腫瘍様病変である．この病変は歯様の構造物は小さな集塊からなる集合型と不規則な組織塊からなる複雑型がある．真の腫瘍ではなく発育奇形的な過誤腫とされている．パノラマ X 線写真などで診断がつくことが多い．

2 非歯原性腫瘍

良性腫瘍と悪性腫瘍に分類して説明する．

E．顎口腔領域の腫瘍　427

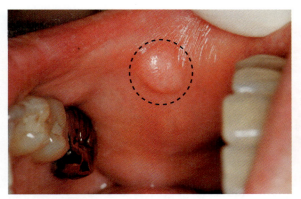

図 13-20　線維腫
咬傷をきっかけに生じた線維腫（点線）．

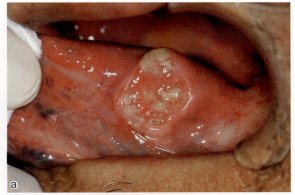

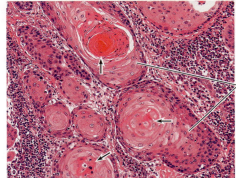

腫瘍細胞の胞巣状増殖

図 13-21　扁平上皮癌
a．舌縁に潰瘍を形成した腫瘤がみられる．
b．高分化型扁平上皮癌．扁平上皮様異型細胞が胞巣状に浸潤増殖しており，癌真珠の形成（→）がみられる．

A 良性腫瘍

a 乳頭腫 papilloma

粘膜上皮が乳頭状外向性に増殖した良性上皮性腫瘍である（図 13-19）．口腔領域での発生頻度は比較的高く，舌，口蓋や歯肉などが好発部位である．原因は慢性刺激やヒトパピローマウイルス human papillomavirus（HPV）との関連性がいわれている．病理組織学的に，重層扁平上皮が正角化や錯角化を伴って乳頭状に増殖し，狭小な結合組織の軸を有している．ウイルス感染時は核周囲に空胞変性（**コイロサイトーシス** koilocytosis）を呈することもある．

b 線維腫 fibroma

慢性刺激に対する膠原線維の反応性過形成による腫瘤状病変といわれている（図 13-20）．不適合義歯が発生原因となって生じるものを義歯性線維腫という．口腔領域では発生頻度が高く，頬粘膜や舌などが好発部位である．病理組織学的に，粘膜上皮下に密な膠原線維と線維芽細胞の増生が観察される．

B 悪性腫瘍

顎口腔領域に発生する悪性腫瘍の大部分は扁平上皮癌であるが，非上皮性悪性腫瘍の悪性黒色腫や骨肉腫，悪性リンパ腫も発生する．

a 扁平上皮癌 squamous cell carcinoma

扁平上皮癌は，扁平上皮への分化を伴う口腔内に生じる悪性上皮性腫瘍の大半（約 90％）を占める（図 13-21）．好発は 50 歳以上の男性に多いが，近年では女性や若年者の症例も微増している．部位は舌縁（**舌癌**）に最も多く，下顎歯肉（**歯肉癌**）が続く．原因は，過度の喫煙や飲酒習慣，慢性の機械的刺激などがあげられ，また，HPVの関与もいわれている．臨床所見は腫瘤あるいは潰瘍形成，紅斑と白斑の混在や白斑と多彩であり，白斑を呈する場合は白板症との鑑別が非常に重要である．病理組織学的に，扁平上皮様異型細胞が粘膜上皮から連続して，細胞間橋を伴い，胞巣状に浸潤増殖する．高分化型扁平上皮癌の割合が高く，**癌真珠** cancer pearl を形成する．

b 悪性黒色腫 malignant melanoma

メラノサイトに由来するきわめて悪性度の高い非上皮性悪性腫瘍である．口腔粘膜に生じることはまれであるが，口蓋と上顎歯肉には比較的好発し，潰瘍や出血を伴った辺縁不整な黒褐色斑として現れることが多い．しかし，歯科治療の際に偶然発見されることも少なくない．病理組織学的に，異型メラノサイトの孤立散在性ないし胞巣状増殖が観察され，増殖する細胞の少なくとも一部には黒褐色のメラニン顆粒を含有することが多いが，無色素性黒色腫も認められる．

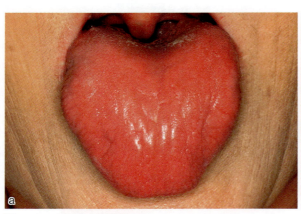
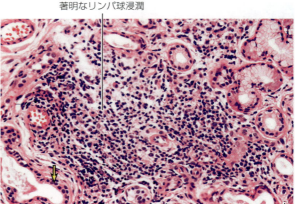

著明なリンパ球浸潤

図 13-22　Sjögren 症候群
a. 舌乳頭が萎縮し，口腔乾燥がみられる．
b. 口唇の小唾液腺生検像．不規則に拡張した導管(➡)周囲に著明なリンパ球浸潤がみられる．

c その他

　リンパ節あるいはリンパ装置に発生する系統的なリンパ球系の悪性腫瘍である悪性リンパ腫は，頸部・顎下リンパ節（節性）や口腔粘膜・唾液腺（節外性）に認められる．また，骨形成性間葉細胞から発生する骨肉腫は顎骨に発生し，全骨肉腫の約 5〜7％ を占め，好発年齢は 30〜40 歳代で他部位よりも高い．下顎骨体部に発生しやすい．

 ## 唾液腺の病変

　唾液は唾液腺によって 1 日に 600〜1,200 mL 程度排出されている．**唾液腺** salivary glands には大唾液腺と小唾液腺があり，大唾液腺は純漿液腺の**耳下腺** parotid gland，漿液腺と粘液腺が混在している混合腺の**顎下腺** submandibular gland と**舌下腺** sublingual gland の 3 つである．小唾液腺は口腔粘膜下に多数存在しているが，口蓋腺（粘液腺）を除いて，混合腺が多い．排出される唾液の大部分は顎下腺で産生されている．唾液は食事などの刺激によって流出量が増加し，逆に睡眠時には低下する．そのため，睡眠時には唾液による緩衝作用が低下して齲蝕が最も進行する．唾液には潤滑，保護，洗浄，緩衝，消化，抗菌などの作用がある．また，唾液中に含まれる分泌型 IgA は口腔内の粘膜免疫にも関与している．

A 唾液腺の非腫瘍性病変

a 唾石症 sialolithiasis

　唾石症とは，唾液腺組織中（多くは排泄導管内，時に腺体内導管）に結石を生じる疾患である．発生部位は顎下腺に最多で，壮年の男性に多く，食物摂取時の痛み（唾疝痛）を生じることもあるが，X 線検査で偶然発見されることもある．病理組織学的に，中心部に 1〜数個の核石があり，その周囲に層板状構造（殻石）がみられる．唾石を含む排泄導管は拡張し，導管上皮は剥離脱落したり，扁平上皮化生を伴ったりする．導管周囲には，慢性炎症細胞浸潤や線維性結合組織の増生が認められる．

b 唾液腺炎 sialadenitis

　唾液腺炎は，発生部位により導管の炎症（唾液管炎）と腺体の炎症（唾液腺炎）とに分類されるが，多くの場合は合併して生じる．唾石症に続発して慢性唾液腺炎を呈することが多い．

c 流行性耳下腺炎 epidemic parotitis

　ムンプスウイルス *Mumps* virus による感染症で，一般に"おたふくかぜ"とも呼ばれる．6〜8 歳児に好発し，両側性に主として耳下腺，時に他の腺組織も侵される．大人が発症すると，精巣炎や卵巣炎を併発して不妊症になることがある．病理組織学的に，細胞質内に封入体を伴う腺房細胞の空胞化や壊死がみられる．

d シェーグレン症候群 Sjögren syndrome

　Sjögren 症候群は慢性唾液腺炎と乾燥性角膜炎を主徴とし，関節リウマチなどの系統的自己免疫疾患をしばしば合併する自己免疫疾患である（図 13-22）(➡ 第 5 章「免

F. 唾液腺の病変

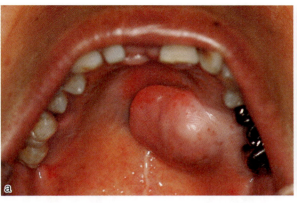
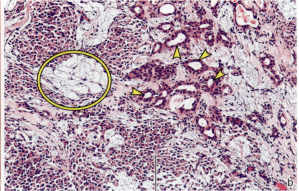

腫瘍性筋上皮細胞

図 13-23　多形腺腫
a. 口蓋部に生じた多形腺腫．境界明瞭である．
b. 腺管細胞（▷）を筋上皮細胞が取り囲む2層性の構造を示す．腫瘍性筋上皮細胞自らが基質を産生し，粘液腫様の間質構造を示す（黄線）．

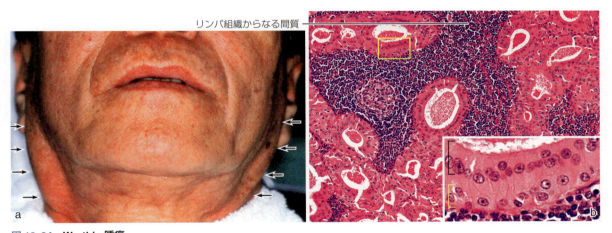

リンパ組織からなる間質

図 13-24　Warthin 腫瘍
a. 耳下腺に両側性に腫瘤がみられる（→）．
b. 上皮細胞は2層性に配列し（挿入図は□の拡大），腺管の内腔は高円柱状（[）で間質側は立方状あるいは基底細胞様を呈する（[）．間質はリンパ組織からなる．

疫とその異常」，125頁参照）．40歳以上の女性に高率に発生するが，その病因は不明である．乾燥症状は，口腔粘膜，鼻粘膜，咽頭，気管や食道にも生じる．診断には，口唇の小唾液腺生検，血清学的検査，眼科的検査，唾液腺造影などにより総合的に行われる．病理組織学的に，導管周囲にリンパ球を主体とする細胞浸潤が認められ，腺房細胞の萎縮や消失，間質の線維化や筋上皮島 epi-myoepithelial island の形成が観察される．

e 慢性硬化性唾液腺炎 chronic sclerosing sialadenitis

片側性の顎下腺に発生し，青壮年の男性に多く，無痛性の硬い腫脹を呈する．キュットネル腫瘍 Küttner tumor とも呼ばれてきたが，腫瘍性病変ではない．IgG4関連疾患とされる．病理組織学的に，導管周囲や小葉間結合組織に著明な線維化がみられ，導管周囲には高度のリンパ球や形質細胞浸潤が認められる．

f IgG4 関連疾患 IgG4-related disease

IgG4 関連疾患は，血清学的に高 IgG4 血症と組織中への IgG4 陽性形質細胞の浸潤を特徴とし，単一あるいは複数の臓器に腫脹ないし腫瘤形成を認める疾患である．顎顔面領域では，対称性に大唾液腺（耳下腺・顎下腺）や涙腺に腫脹をきたす慢性硬化性疾患である．IgG4 関連疾患は，ミクリッツ病 Mikulicz disease を含め，自己免疫性膵炎，間質性腎炎，後腹膜線維症など独立した疾患と考えられていた硬化性疾患が重複して出現するとして

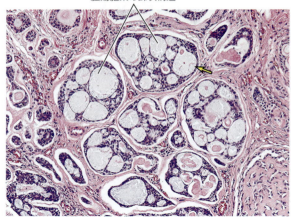

図 13-25　腺様囊胞癌
偽腺管(➡)を含む篩状構造を呈しながら浸潤増殖している．

病態が明らかにされつつある．病理組織学的に，著明な IgG4 陽性形質細胞の浸潤を認め，小葉間結合組織や導管周囲に著明な線維化を呈し，腺房細胞の萎縮や消失が認められる．

B 唾液腺腫瘍 salivary gland tumor

唾液腺腫瘍の好発部位は耳下腺であり，全唾液腺腫瘍の約 70％ を占める．唾液腺腫瘍の大半は良性腫瘍であるが，小唾液腺に発生するものは悪性の頻度が高い．

a 多形腺腫 pleomorphic adenoma

唾液腺腫瘍のなかで最も高頻度にみられる良性腫瘍である（図 13-23）．好発年齢は 30〜50 歳代で，若干女性に多く，部位別では耳下腺や顎下腺，口蓋腺に多い．発育は緩慢で周囲組織との境界は明瞭である．しかし，腫瘍摘出が不十分であれば再発することがある．また，5〜10％ の割合でがん化することがある．病理組織学的に，腫瘍実質は腺管細胞と筋上皮細胞を由来とする細胞（2 層性）が腺管状・充実性・篩状や索状構造を伴いながら増殖する．腫瘍性筋上皮細胞自らが基質を産生し，間質は粘液腫様，軟骨様ないし線維硝子化を呈するために，多彩な像を示す．

b ワルチン腫瘍 Warthin tumor

好酸性顆粒状細胞質を有する上皮細胞（オンコサイト）の増殖とリンパ組織性間質からなる良性腫瘍である（図 13-24）．以前は，腺リンパ腫あるいは乳頭状囊腺リンパ腫とも呼ばれた．50 歳以上の男性の耳下腺に発生し，発育は緩徐で，両側性にみられることもある．病理組織

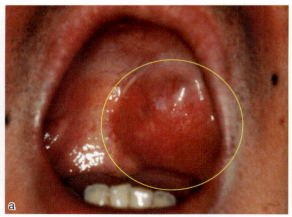

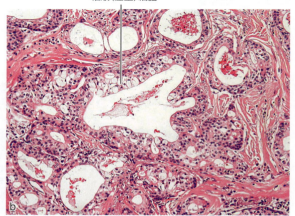

図 13-26　粘表皮癌
a. 小唾液腺に発育した境界不明瞭な腫瘤（黄線）．
b. 高分化型粘表皮癌．囊状に増殖した腫瘍胞巣は粘液（産生）細胞で裏打ちされ，それに接して未分化な小型の中間細胞を認める．

学的に，上皮細胞の配列は 2 層性を示し，腺管の内腔は高円柱状で，間質側は立方状あるいは基底細胞様を呈する．上皮細胞は腺管状あるいは乳頭囊胞状に増殖し，胞体内には腫大したミトコンドリアが充満して好酸性細顆粒状を呈する．間質は胚中心形成を伴うリンパ組織からなる．

c 腺様囊胞癌 adenoid cystic carcinoma

胞巣内に大小の小囊胞状および篩状配列を呈する悪性腫瘍である（図 13-25）．好発年齢は 40〜60 歳代で，顎下腺，耳下腺や小唾液腺（口蓋腺）にみられる．発育は比較的緩慢であるが，痛みや顔面神経麻痺を伴うことが多く，腫瘍細胞が神経周囲性に浸潤する性格を有する．病理組織学的に，実質は楕円形核の腺上皮様細胞と小型濃縮核の腫瘍性筋上皮細胞が小囊胞状を含む篩状配列を呈

しながら増殖する．小嚢胞の多くは腫瘍性筋上皮細胞/基底細胞で囲まれ，基底膜で裏装された偽腺管である．間質にはしばしば硝子化を伴う．

d 粘表皮癌 mucoepidermoid carcinoma

基本的に粘液（産生）細胞，扁平上皮様細胞および中間細胞の3種類の腫瘍細胞から構成される悪性腫瘍である（図 13-26）．好発年齢は30～50歳代であるが，10歳代の若年者にもみられる．部位別では耳下腺が最も多く，次いで小唾液腺（口蓋腺）である．発育は無痛性で，比較的緩慢である．病理組織学的に，高分化型（低悪性度）では粘液（産生）細胞が主体であるが，低分化型（高悪性度）では中間細胞と扁平上皮様細胞が主体となり，浸潤性に発育する．また，出血性壊死がみられ，細胞異型も認められる．

e 腺房細胞癌 acinic cell carcinoma

基本的に腫瘍細胞が腺房構造を呈する悪性腫瘍である．好発年齢は30～50歳代で，女性でやや頻度が高い．部位別では耳下腺が多く，次いで小唾液腺（口蓋腺）に好発する．病理組織学的に，好酸性顆粒状の細胞質を有する腺房細胞類似の類円形ないし多角形細胞と，介在部導管上皮様細胞が，充実性，微小嚢胞状，乳頭・嚢胞状，濾胞状あるいは腺管状に増殖する．間質は乏しい．

Advanced Studies

顎関節症
most common temporomandibular disorders

顎関節症は，顎関節や咀嚼筋の疼痛，関節（雑）音，開口障害あるいは顎運動異常を主要症候とする障害の包括的診断名である．「顎関節症治療の指針 2020」では，病態によって咀嚼筋痛障害，顎関節痛障害，顎関節円板障害および変形性顎関節症に分類される．しかし顎関節症患者は，治療を要する複数の病態を同時に有している場合も少なくない．したがって，左右の関節に生じている病態の治療を適切に行うために，病態分類は重複することもある．

口腔の加齢と老化

顎口腔領域の組織においても加齢と老化が生じる．特に唾液腺では加齢に伴って腺房が萎縮・消失し，脂肪組織の増生により補填されていく．このような加齢による唾液分泌量の減少や成分変化，全身疾患の影響や薬物の副作用などにより口腔乾燥症が生じやすい．近年では，自身への関心の低下から始まる口腔機能の虚弱徴候から身体機能低下へ，さらに生活機能障害から要介護状態へと至る構造的な流れ（オーラルフレイル）の概念が注目されている．

●参考文献

1) Reibel J, et al : Oral potentially malignant disorders and oral epithelial dysplasia. In El-Naggar AK, et al (eds) : WHO Classification of Head and Neck Tumours. pp112-115, IARC Press, 2017
2) Speight P, et al : Odontogenic keratocyst. In El-Naggar AK, et al (eds) : WHO Classification of Head and Neck Tumours. pp235-236, IARC Press, 2017

第14章 消化管

消化管の基本構造・機能・発生

　消化管 alimentary tract は口腔に始まり，肛門に終わる全長約7mの中空臓器であり，食物の消化・吸収を行っている．消化管の壁は内側から粘膜上皮，粘膜固有層，粘膜筋板，粘膜下層，固有筋層および漿膜（一部は外膜）からなっている．消化管は各部位で名称もその機能も異なるが，それは主として粘膜上皮の違いによるもので，口腔～食道と肛門管下部～肛門は扁平上皮で覆われ，胃，小腸，大腸は各種の腺上皮で覆われている．粘膜固有層内は結合組織からなり，血管，リンパ管，神経線維が存在している．また，正常であっても多少のリンパ球や形質細胞がみられる．粘膜筋板は通常は粘膜の一部として扱われ，薄い平滑筋組織から構成され，粘膜の微細な運動をつかさどる．粘膜下層は固有層より疎な結合組織からなり，より大きな血管，リンパ管，神経が存在し，自律神経系の**マイスナー神経叢** Meissner plexus が散見される．さらに粘膜下層には，食道では食道腺が，十二指腸では**ブルンネル腺** Brunner glands が分布している．固有筋層は内層の輪状筋と外層の縦走筋の2層から構成され，胃体部では最内側に斜層筋がある．食道から肛門までは平滑筋組織だが，食道上部および外肛門括約筋は横紋筋である．内輪状筋と外縦走筋の間には，自律神経系の筋間神経叢である**アウエルバッハ神経叢** Auerbach plexus がみられる．

　口腔から摂取された食物は，消化管を通過するうちに咀嚼などの機械的消化と，消化酵素による分解（化学的消化）を経て，主に小腸から吸収される．未消化物は腸内細菌とともに糞便として肛門より体外に排出される．栄養素のみならず，水・電解質代謝においても消化管は重要な役割を果たしている．こうした消化管運動の調節には，自律神経による神経性調節と消化管ホルモンによる液性調節がある．消化管粘膜には少なくとも20種類以上の内分泌細胞が散在性に分布して消化管ホルモンを分泌しており，生体最大の内分泌臓器としての特徴を有している．このことは**内分泌腫瘍** endocrine tumor の理解に必要である．

　消化管は外界と接する開放臓器であり，日常的にさまざまな抗原に曝されている．生体にとって不都合な物質や生物の侵入を阻止するため，全身の免疫系とは異なるリンパ組織である**腸関連リンパ組織** gut-associated lymphoid tissue (GALT) を形成し，生体防御の一端を担っている．消化管が節外性リンパ腫の好発部位であるのは，この GALT が関連している．

　発生学的に，消化管は原腸から発生し，食道，胃，十二指腸口側は前腸 foregut，十二指腸肛門側，空・回腸，上行結腸，横行結腸の右半は中腸 midgut，横行結腸の左半からS状結腸と直腸は後腸 hindgut 由来である．なお，呼吸器も前腸から発生するため，食道と気管を合わせた形成異常の組織発生が理解される．

食道

1 正常構造と機能

　食道は，下咽頭から胃噴門をつなぐ管状臓器であり，成人で長さ約30 cm，門歯から噴門までは40～50 cm ある．固形物の嚥下は筋層の蠕動運動によるが，流動物は重力により速やかに胃に達する．後壁は脊椎，前壁は気管膜様部あるいは心嚢と接している．「食道癌取扱い規約」では入口部から頸部(Ce)，胸部(Te)とされ，胸

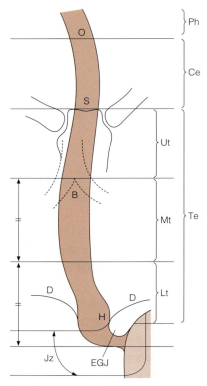

図 14-1　食道の解剖学的区分
O：食道入口部 esophageal orifice, S：胸骨上縁 superior margin of the sternum, B：気管分岐部下縁 tracheal bifurcation, D：横隔膜 diaphragm, EGJ：食道胃接合部 esophagogastric junction, H：食道裂孔 esophageal hiatus, Ph：咽頭 pharynx, Ce：頸部食道 cervical esophagus, Te：胸部食道 thoracic esophagus, Ut：胸部上部食道 upper thoracic esophagus, Mt：胸部中部食道 middle thoracic esophagus, Lt：胸部下部食道 lower thoracic esophagus, Jz：食道胃接合部領域.
〔日本食道学会（編）：臨床・病理 食道癌取扱い規約 第12版, p7, 金原出版, 2022 より〕

用語は不適切であり，機能層という用語も用いられている．基底層にはメラノサイトや内分泌細胞がまれに散見され，食道原発の悪性黒色腫や内分泌細胞癌の発生母地とされている．上皮内には血管を伴った粘膜固有層が陥入し，乳頭を散在性に形成している．

粘膜固有層は胃腸管に比較して幅が広く，繊細な結合組織内にはリンパ管や血管がみられる．食道噴門腺も存在するが，食道の上端部と下端部以外では散見される程度である．下層には平滑筋からなる粘膜筋板が位置しており，食道内面の襞に沿って波形を呈する．

粘膜下層は疎な結合組織からなり，やや太い血管，リンパ管，神経線維が走る．ところどころに神経叢がみられる．粘膜下層の表層部には小さな食道腺がみられ，短い導管で上皮とつながっている．ここには筋上皮細胞も見いだされ，唾液腺と同様の組織構築を示す．

固有筋層は内輪と外縦の2層からなるが，食道上部では咽頭から移行するため横紋筋，下部では胃に移行するため平滑筋からなり，中部では両者が混在している．

食道には横隔膜下の腹部食道を除いて漿膜がない．筋層を包む外膜は縦隔の一部に相当する疎な結合組織であり，血管，リンパ管，神経が走行している．このため，感染の波及や食道癌の浸潤が起こりやすい．

食道には3か所の生理的狭窄部（輪状軟骨部，左主気管支と交叉する部分，横隔膜穿通部）があり，異物誤嚥の際には粘膜の損傷や穿孔をきたすことがある．

2 形成異常

a 異所性胃粘膜 ectopic gastric mucosa

異所性胃粘膜は胎生期の遺残といわれ，食道上部に好発する．内視鏡では数mm～5cmの境界明瞭な発赤調粘膜斑として観察される．組織学的には胃噴門腺領域の粘膜に類似するが，胃底腺が見いだされることもある．潰瘍や腺癌の発生母組織として重要である．

Advanced Studies

b 食道閉鎖症および気管食道瘻

食道の先天異常として重要な疾患は食道閉鎖 esophageal atresia と気管食道瘻 tracheoesophageal fistula である．胎生早期に原始的な腸管から食道と気管が分離発生する際，その分離が不完全なために発生する．出生児2,000～3,000に1例の割合で発生し，患児の約1/3は心臓の先天異常などの重篤な形成異常を合併している．食道気管瘻は気管瘻の有無と位置により分類され，食道上部が盲端で，食道下部が気管と瘻孔を形成するもの（Bockus 分類 I 型，Gross 分類 C 型）が80～90%と最も多い（図 14-2）．

c 囊胞 cyst

先天的に囊胞が形成されることがあり，食道下部に多い．囊胞壁が気管粘膜の場合を気管支原性囊胞 bronchogenic cyst，食道粘膜の場合を重複性囊胞 duplication cyst という．

3 形態異常

A 食道拡張と食道狭窄

食道内腔の異常として拡張と狭窄があり，さらにそれ

部はさらに上部（Ut），中部（Mt），下部（Lt）に区分されている（図 14-1）．食道胃接合部（EGJ）の上下2cmの範囲は**食道胃接合部領域**と呼ばれ，組織学的にも特殊性がみられる．

Advanced Studies

食道粘膜は，非角化性重層扁平上皮に覆われている．上皮の厚さは200～400μmで，深部から基底層，有棘層，角質層の3層構造からなると一般的に記載されている．基底層は基底膜に沿って1列に配列する基底細胞とその上方の細胞分裂が行われる傍基底細胞からなる．基底層の細胞は，小型のN/C比が高い卵円形細胞で細胞質にグリコーゲンを含まない．有棘層は大型で細胞質が豊富な立方体状細胞からなり，角質層は扁平細胞からなり，両者は細胞質に多量のグリコーゲンを含む．なお，角質層の細胞は最表層まで核を認め，少量のケラトヒアリン顆粒を有することがあるが，皮膚でみられる顆粒層の細胞や核が消失した角化細胞を欠くため角質層という

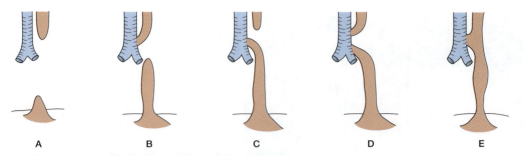

図14-2　先天性食道閉鎖症と気管食道瘻の模式図（Grossによる）
A．食道閉鎖症．食道上下部が盲端となっている．
B．食道閉鎖症＋気管食道瘻．食道上部は気管との間に瘻をつくっている．
C．食道閉鎖症＋気管食道瘻．食道下部は気管との間に瘻をつくっている．
D．食道閉鎖症＋気管食道瘻．食道上下部ともに気管との間に瘻をつくっている．
E．気管食道瘻．
〔井藤久雄：消化器Ⅰ〜Ⅳ．坂本穆彦，他（編）：標準病理学 第4版．医学書院，2010より〕

それぞれ先天性・後天性に分類される．

a 食道拡張 esophageal dilatation

食道のほぼ全長にわたって拡張する疾患として，巨大食道症 megaesophagus，特発性食道拡張 idiopathic esophageal dilation，先天性拡張などがあり，多くは原因不明である．

アカラシア achalasia では，食道下部括約筋の弛緩不全が生じ，このため口側食道が著明に拡張する疾患で，食物の食道から胃への通過に障害が生じる．病理組織学的に，下部食道のAuerbach神経叢の神経節細胞の変性・消失，神経叢周囲のリンパ球浸潤や線維化が認められ，原因は完全には解明されていないが，炎症細胞浸潤による神経節細胞の変性により生じると考えられている．なお，食物の停滞が長期持続することにより発生する慢性食道炎は，食道癌発生の危険因子である．

Advanced Studies

b 食道狭窄 esophageal stenosis

先天性の狭窄としてはシャッツキー Schatzki リングがあり，食道下部の粘膜がリング状となって突出する．後天性としては，①内腔を閉塞する異物や食道腫瘍，②炎症による瘢痕性狭窄（腐食性食道炎など），③周囲からの圧迫（リンパ節結核，動脈瘤，甲状腺腫大，縦隔腫瘍など）などがある．狭窄部より口側の食道は拡張・肥厚する．

B 食道憩室 esophageal diverticulum

食道憩室の形成には，膨出性と牽引性の2つの機序がある．憩室があると食物の停滞が起こり，食道炎から潰瘍を形成することがある．

a 膨出性憩室 pulsion diverticulum

傍括約筋性憩室とも呼ばれ，括約筋の発育不良部から直上の粘膜が脱出する．喉頭食道接合部で輪状喉頭筋に隙間ができ，後壁に圧出するいわゆるツェンカー Zenker 憩室などがある．

b 牽引性憩室 traction diverticulum

食道周囲から波及した炎症の瘢痕性収縮により，食道壁が漏斗状に牽引されて憩室が形成される．中部食道の気管分岐部リンパ節の結核性リンパ節炎によるものが多い．

4 循環障害

a 食道静脈瘤 esophageal varix

肝硬変や門脈血栓症などにより**門脈圧亢進症**が生じると，門脈血流は胃冠状静脈，短胃静脈，食道静脈さらには奇静脈を経由する側副路を形成する．このため，上皮下の静脈内腔が著しく拡張し，粘膜面に隆起した紫青色の蔓状・連珠状・結節状の瘤として認められる．この静脈壁が破綻すると大量吐血をきたし，致命的となりうる（図14-3）．

b マロリー–ワイス症候群 Mallory-Weiss syndrome

激しい嘔吐（アルコール摂取後など）や咳などにより腹圧や食道内圧が急激に上昇し，加えて横隔膜の高度の緊張が生じると，食道裂孔部で食道噴門部が強く絞扼されて，上方に牽引される．こうした機械的刺激により，食道下部から胃噴門部にかけて数cmの粘膜亀裂が起こる．時に大量出血をきたすことがある．

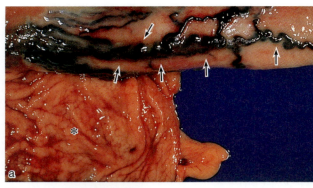
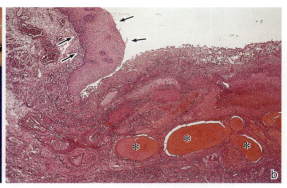

図 14-3　破裂した食道静脈瘤
a．食道下部の静脈瘤．累々と怒張した静脈がみられる（→）．＊：胃．
b．被覆扁平上皮は一部で残存しているが（→），大部分は剝脱して潰瘍を形成している．粘膜下層には，内腔に血液を充満した拡張した静脈がみられる（＊）．

5　食道炎 esophagitis

びらんや潰瘍を形成する食道炎は急性食道炎（感染性食道炎や腐食性食道炎など）と慢性食道炎（刺激物の長期摂取，食物停滞，胃液逆流などによる炎症）に分類される．

1　急性食道炎 acute esophagitis
a　感染性食道炎 infective esophagitis

悪性腫瘍の末期や後天性免疫不全症候群（AIDS），ステロイド投与などによって免疫能が低下した患者に，細菌，真菌，ウイルスによる感染性食道炎を生じることがある．

真菌性としてはカンジダ Candida albicans が重要である．黄白色ないし白色の斑状病変が形成され，組織学的には，壊死に陥った上皮，好中球を含む炎症性滲出物および真菌塊からなる．

ウイルス性ではサイトメガロウイルス cytomegalovirus（CMV）や単純ヘルペスウイルス herpes simplex virus（HSV）などがある．CMV 感染では血管内皮細胞や間質細胞にフクロウの眼 owl's eye と呼ばれる特徴的な核内封入体が検出される．HSV 感染では潰瘍辺縁の扁平上皮は結合性を失い，しばしば多核化し，核のすりガラス状変化や full 型または Cowdry A 型封入体を認める．

b　腐食性食道炎 corrosive esophagitis

自殺目的あるいは誤って強酸や強アルカリを嚥下することにより腐食性食道炎が生じ，傷害が高度の場合は食道狭窄をきたす．

2　慢性食道炎 chronic esophagitis
a　逆流性食道炎とバレット食道

逆流性食道炎は嚥下によらない噴門括約筋の一過性弛緩により胃液が逆流することに起因する．噴門括約筋圧が著明に低下する器質的疾患として食道裂孔ヘルニアがある．日本人の食生活の欧米化（高脂肪食）に加えて，ヘリコバクター・ピロリ Helicobacter pylori 感染の激減によって萎縮性胃炎の罹患率が低下し，胃の高酸化により，逆流性食道炎は増加傾向にある．

臨床的には**胃食道逆流症** gastroesophageal reflux disease（GERD）と呼ばれ，主な症状は胸焼けや呑酸（口腔内への酸逆流）などで，下部食道のびらん・潰瘍などの粘膜傷害を伴う．重症度分類としては国際的にはロサンゼルス分類が普及しているが，わが国ではそれを改訂した分類（図 14-4）が用いられる．GERD が長期持続すると修復過程において腺上皮に置換され，**バレット食道** Barrett esophagus が生じることがある．

Barrett 食道は，食道下部粘膜が全周性かつ連続性に 3 cm 以上にわたり腺上皮に置換された状態である．非全周性や 3 cm 未満の病変は short segment Barrett esophagus（SSBE）と呼ばれる．構成する細胞は萎縮した胃粘膜（胃底腺および噴門腺）または腸上皮化生粘膜で，上皮はしばしば再生性変化を示す（図 14-5）．Barrett 食道は腺癌発生の危険性が高い病変と考えられている．

b　好酸球性食道炎 eosinophilic esophagitis

上皮内への好酸球浸潤を特徴とする慢性炎症性変化を引き起こすアレルギー性疾患と考えられており，嚥下困難，つかえ感，胸焼けを主訴とする．内視鏡的に畳目模

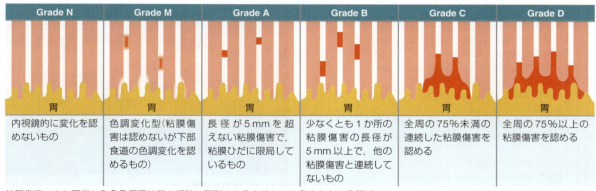

図 14-4 改訂ロサンゼルス分類の模式図
〔星原芳雄:内視鏡検査はどのような時に行いますか？ 内視鏡分類は何を用いたらよいですか？ 草野元康(編):GERD + NERD 診療 Q&A. pp78-82, 日本医事新報社, 2011 より転載〕

様より太まった輪状溝と数条の縦走溝を特徴とする.

6 腫瘍

良性腫瘍

扁平上皮乳頭腫 squamous cell papilloma は半球状ないし亜有茎性の小隆起を形成する．食道の良性腫瘍では最も頻度が高い．組織学的には，過剰に増生した扁平上皮が血管を含む疎性結合組織を取り囲む乳頭状構造を示す．通常はパピローマウイルスとの関連はみられない．

腺腫は異所性胃粘膜や Barrett 食道を母地として発生するものや，食道腺由来の腺腫があるが，いずれもきわめてまれである．

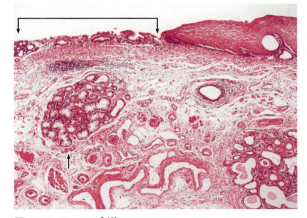

図 14-5　Barrett 食道
萎縮した胃粘膜からなる．腺上皮は再生性変化を示し(⇨)，粘膜下層には食道腺(→)を認める.

B 食道癌 esophageal cancer

1 概要と疫学

2021 年のがん統計によると，食道癌の死亡率は 10 万人あたり男 14.9 人，女 3.3 人で，男性に多く（男女比 5：1），70〜80 歳代にピークがある．喫煙や飲酒が危険因子である．

発生部位は胸部中部食道(Mt, 図 14-1)に最も多く，全体の約 50％を占める．次いで胸部下部食道(Lt)が約 20％，腹部食道(Ae)が約 10％である．

2 肉眼所見

肉眼像は表 14-1 のように分類されている．胃癌の分類に類似しているが，定義や用語が若干異なるので留意する必要がある．表在癌とは癌腫の深達度が粘膜下層までにとどまるものであり，早期癌（粘膜層にとどまるもの）とは定義が異なる．すなわち，表在癌のうち粘膜下層浸潤癌は進行癌に分類される．表在癌のうち表在隆起型(0-Ⅰ型)は 1 mm 以上の隆起を示し，表在陥凹型(0-Ⅲ型)はその陥凹が粘膜筋板を越えると推定されるもので，これらの頻度は低く，多くの表在癌は表面型(0-Ⅱ型)である．進行癌では潰瘍限局型(2 型)が最も多い(図 14-6)．

表面型癌（特に小さいがんや 0-Ⅱb 型癌）は内視鏡の通常光観察のみでは発見困難な場合があり，ヨード散布による不染帯が病変の発見に有効である(図 14-7)．最近

表 14-1　食道癌の肉眼型分類

```
0 型    表在型 superficial type
 0-Ⅰ型  表在隆起型 superficial and protruding type
  0-Ⅰp  有茎性 pedunculated type
  0-Ⅰs  無茎性(広基性) sessile (broad based) type
 0-Ⅱ型  表面型 superficial and flat type
  0-Ⅱa  表面隆起型 slightly elevated type
  0-Ⅱb  表面平坦型 flat type
  0-Ⅱc  表面陥凹型 slightly depressed type
 0-Ⅲ型  表在陥凹型 superficial and excavated type
進行型
 1 型    隆起型 protruding type
 2 型    潰瘍限局型 ulcerative and localized type
 3 型    潰瘍浸潤型 ulcerative and infiltrative type
 4 型    びまん浸潤型 diffusely infiltrative type
 5 型    分類不能型 unclassified type
```

〔日本食道学会(編)：臨床・病理 食道癌取扱い規約 第12版. p8, 金原出版, 2022 より〕

表 14-2　食道の代表的な腫瘍性病変

```
上皮性腫瘍
 良性
  1. 乳頭腫
  2. 腺腫
 悪性
  1. 扁平上皮癌
  2. 類基底細胞扁平上皮癌
  3. 癌肉腫
  4. 腺癌
  5. 腺扁平上皮癌
  6. 腺様嚢胞癌
  7. 神経内分泌細胞癌
非上皮性腫瘍
 良性
  1. 平滑筋腫
  2. 顆粒細胞腫
 悪性
  1. 平滑筋肉腫
  2. gastro-intestinal stromal tumor (GIST)
  3. 悪性黒色腫
  4. リンパ腫
```

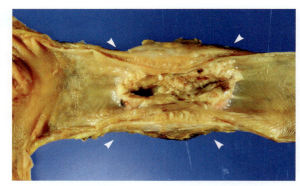

図 14-6　食道進行癌
食道下部に潰瘍限局型(2型)の進行癌がみられる(▷).

図 14-7　食道表在癌
食道下部に発生した食道表在癌(▷). ヨード染色で不染を示す. 深達度は粘膜層の早期癌である.

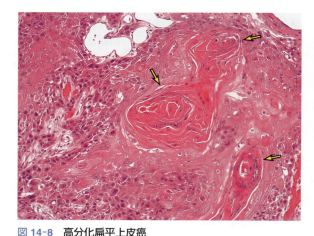

図 14-8　高分化扁平上皮癌
広範囲に角化と層状分化がみられる. 特にタマネギ状に配列した角化を癌真珠と呼ぶ(→).

では狭帯域光観察 narrow band imaging (NBI) システム内視鏡による褐色斑の検出と拡大観察による診断が広く用いられるようになっている.

3　組織分類

表14-2のように分類されているが, わが国では90〜95％が扁平上皮癌である. 扁平上皮癌は, 広範囲に角化と層状分化を示すがんは高分化(図14-8), 認めないものは低分化(図14-9), その中間は中分化に分類する. 高分化癌ではがん細胞が敷石状に配列し, 中心部ではタマネギ状に配列する角化を示し, これを**癌真珠** cancer pearl という(図14-8). 角化には個々の細胞が角化する単細胞角化もある.

非浸潤性の扁平上皮からなるがん以外の腫瘍は**上皮内**

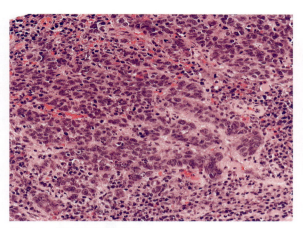

図 14-9　低分化扁平上皮癌
角化を示さないがん細胞が胞巣状・索状に浸潤・増殖している．

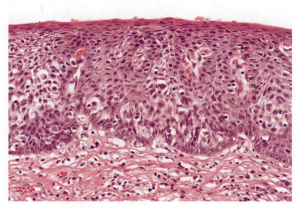

図 14-10　食道上皮内癌
腫大した異型核を有する扁平上皮細胞が上皮内ほぼ全層に不規則に配列している．

腫瘍 intraepithelial neoplasia と呼ばれる．WHO 分類では低異型度（異型細胞が上皮下層 1/2 未満）と高異型度（異型細胞が上皮下層 1/2 以上）に分類される．かつては異形成 dysplasia とされていた病変に相当し，上皮内癌 carcinoma in situ（図 14-10）が含まれる．

Advanced Studies

まれな悪性腫瘍として類基底細胞扁平上皮癌，癌肉腫，腺癌，腺扁平上皮癌，腺様嚢胞癌，神経内分泌細胞腫瘍などがある．
類基底細胞扁平上皮癌は基底細胞に類似した N/C 比の高い小型癌細胞が充実胞巣ないし索状に増殖し，時に不規則な腺様・小嚢胞様構造を形成する．胞巣内外に硝子様（基底膜様）物質が沈着することが特徴的である．多くは扁平上皮癌成分を併存している．がん細胞が扁平上皮への分化を示さず紡錘形となることがあり，肉腫様癌や紡錘細胞癌と呼ばれていたが，現在のわが国の分類では癌肉腫として一括されている．腺癌は Barrett 食道から発生するものが多く，大部分は高分化腺癌である．腺癌は異所性胃粘膜や食道腺から発生するものもある．腺扁平上皮癌では腺癌成分と扁平上皮癌成分がそれぞれ 20% 以上を占めることが必要である．腺様嚢胞癌は唾液腺の同名腫瘍と同様の組織形態を示す癌で，きわめてまれである．神経内分泌細胞腫瘍には神経内分泌腫瘍と神経内分泌細胞癌が含まれる．神経内分泌細胞癌は細胞の大きさから小細胞型と非小細胞型に分類され，確定診断には好銀顆粒を証明する染色または内分泌細胞マーカーの免疫組織化学に陽性であることを確認する必要がある．

4　進展様式と予後

周囲組織への直接浸潤としては，気管および気管支が最も多く，胸膜，肺，縦隔が次いでいる．縦隔リンパ節から肺門，鎖骨上窩，頸部，胃周囲，後腹膜リンパ節へと転移する．血行性転移は比較的末期に起こり，肝，肺，副腎などにみられるが，肺よりも肝に多いことに留意する必要がある．

早期食道癌は，「原発巣の壁深達度が粘膜内にとどまり，リンパ節転移の有無を問わない」と定義されている（図 14-7）．過去には胃癌と同様に粘膜下層浸潤までの癌（表在癌）が早期癌と定義されていたが，粘膜下層浸潤食道癌の 5 年生存率は約 70% と必ずしも予後良好ではない．一方，粘膜固有層までの癌はほとんど転移せず，粘膜筋板へ浸潤する癌で約 10% 程度のリンパ節転移を示すのみで，粘膜内癌の 5 年生存率は 90% 以上であることから，「食道癌取扱い規約第 10 版」（2007 年）より，現在の定義が用いられるようになった．なお，進行癌では手術後の 5 年生存率は 20〜50% 程度で，予後不良である．

Advanced Studies

C　非上皮性腫瘍

良性腫瘍としては平滑筋性腫瘍 smooth muscle tumor と顆粒細胞腫 granular cell tumor が代表的である．平滑筋腫が最も多く，粘膜筋板や固有筋層，血管平滑筋に由来し，粘膜下腫瘍を形成する．顆粒細胞腫は食道下部に好発する神経原性腫瘍で，好酸性顆粒状の豊富な細胞質を有し，胞巣状あるいは充実性に増生する．リンパ管腫 lymphangioma や脂肪腫 lipoma もまれながらみられる．
悪性腫瘍としては悪性黒色腫，平滑筋肉腫と消化管間質腫瘍 gastrointestinal stromal tumor（GIST）があるが，いずれも頻度はきわめて低い．なお，リンパ腫はさらにまれである．

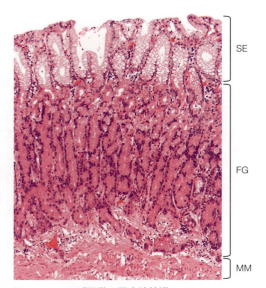

図 14-11　ほぼ正常の胃底腺粘膜
SE：腺窩上皮，FG：胃底腺，MM：粘膜筋板．

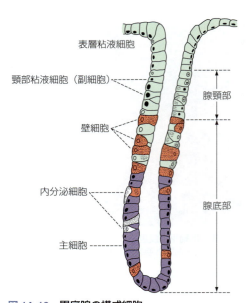

図 14-12　胃底腺の構成細胞
〔下田忠和：消化管．町並陸生，他（編）：標準病理学 第 1 版．医学書院，1997 より〕

胃

1 正常構造と機能

　胃は消化作用と内分泌機能を営む臓器である．唾液と混ざった食物が胃に送られてくると，塩酸とペプシンなどを含む強酸性の胃液を分泌して粥状とし，消化の第一段階を行う．解剖学的には，食道に接する噴門 cardia から始まり，胃体部 corpus とその上方の膨らみである胃底部 fundus（穹窿部）および下部の前庭部 antrum と続き，十二指腸に連絡する幽門 pylorus からなる．
　胃粘膜には深い皺襞 rugae がみられる．また，多数の細い溝により囲まれてできる直径数 mm の不定形の区画は胃小区 area gastricae と呼ばれ，肉眼的には粘膜の小隆起にみえる．胃小区には多数の胃小窩 foveolae があり，胃腺が開口している．

Advanced Studies

　胃粘膜は PAS 染色陽性の中性粘液を産生する円柱上皮である表層粘液細胞（腺窩上皮）に覆われている．その下層に胃腺が存在する．EGJ から 1 cm 程度の範囲では噴門腺，胃下部では幽門腺，胃中部〜上部では胃底腺（胃固有腺）である（図 14-11, 12）．
　幽門腺と噴門腺は組織形態的に類似し，PAS 染色および ConA-III パラドクス染色陽性であり，ガストリン産生 G 細胞，ソマトスタチン産生 D 細胞，セロトニン産生 EC（enterochromaffin）細胞などの内分泌細胞も比較的多く混在している．胃底腺は，頸部粘液細胞 mucous neck cell（副細胞），主細胞 chief cell（ペプシノーゲンを分泌），壁細胞 parietal cell（塩酸を分泌），内分泌細胞 endocrine cell から構成されている．通常の胃底腺と幽門腺の接する領域が境界線もしくは中間帯であるが，その位置は定常的ではなく，加齢や萎縮性胃炎の広がりにより変化する．
　粘膜固有層は繊細で疎な結合組織であり，多少のリンパ球や形質細胞が存在している．粘膜筋板はおおむね内輪外縦の 2 層となっている．粘膜下層は緩い結合組織であり，このためがんの浸潤や潰瘍瘢痕（線維化）がない限り，粘膜と固有筋層は自由にずれる．また，血管やリンパ管に富む．

2 形成異常

a 先天性肥厚性幽門狭窄

　幽門輪状筋の痙攣・求心性肥大により，幽門管が狭窄して胃流出路を障害する．症状は，生後 3〜4 週目から現れ，特徴的な噴水状嘔吐をもって発症し，嘔吐を繰り返し，胃の蠕動が高まって上腹部に卵形の腫瘤を触れる．出生 300〜900 人に 1 人の割合で起こり，男児に多い（約 80％）．家族性に多発することがあるが，遺伝形式は不明．

Advanced Studies

b 異所性膵 heterotopic pancreas, aberrant pancreas

　幽門前庭部に多く，通常は粘膜下層から固有筋層に主座をおく粘膜下腫瘍様の腫瘤として認められる．臨床的には放置してもよい

が，種々の粘膜下腫瘍との鑑別が重要である．組織学的には，成熟した膵組織(ランゲルハンス Langerhans 島，腺房細胞，導管)から構成され，Heinrich 分類ではⅠ型(腺房細胞・導管・Langerhans 島)，Ⅱ型(腺房細胞・導管)，Ⅲ型(導管)の3つに分類されている．

c その他の形成異常

無胃症 agastria, 小胃症 microgastria, 重複胃 duplication of stomach, 先天的筋層欠如, 幽門前庭中隔 prepyloric septum, 瀑状胃 cascade stomach, 先天性胃嚢胞 gastric cyst などがあるが，いずれもまれである．

3 位置および形態の異常

a 位置異常

胃下垂症 gastroptosis では，胃の下端が臍の数横指以下に下垂する．幽門下垂 pyloroptosis を伴い，内臓下垂症の部分症として発症する．胃の緊張低下を合併することが多い．横隔膜ヘルニア diaphragmatic hernia は，横隔膜の欠損や組織裂隙の開大により腹腔内の臓器が胸腔内に脱出する疾患だが，食道裂孔から胃噴門部が胸腔内に入り込んだ状態を食道裂孔ヘルニアという．その原因は先天異常以外にも，後天的要因による裂孔部の脆弱性，外傷，妊娠，便秘，嘔吐などによる腹圧上昇，短食道症などがあげられる．

b 形態異常

急性胃拡張 acute dilatation of stomach では，急激に胃壁の緊張低下と運動減弱が起こり，胃内腔の著しい拡張をきたす．胃内に大量の胃液があり，脱水や電解質異常をきたす．発生機序は不明であるが，手術，麻酔，分娩あるいは各種感染症が誘因となる．砂時計胃 hour-glass stomach では，胃輪状筋の痙攣や胃潰瘍部の瘢痕性収縮などにより部分的な狭窄を生じる．

4 循環障害

a 胃静脈瘤 gastric varix

門脈圧亢進症の際，食道静脈瘤のみならず胃噴門部にも静脈瘤が形成される．

b 出血

胃出血は全身性素因，急性胃炎，慢性胃炎，静脈瘤破裂，消化性潰瘍，外傷，薬物，胃腫瘍などの多彩な原因で起こる．

5 胃炎

胃炎は胃の粘膜の炎症であり，急性と慢性に分けられる．消化管は開放系管腔臓器であり，さまざまな外来性刺激が作用するため，胃炎の原因は多様である．急性胃炎 acute gastritis では急激に発症して腹痛，嘔吐，出血などの症状を伴い，ストレスやアルコールなどの原因が明らかなことが多い．一方，慢性胃炎 chronic gastritis は症状が乏しい．近年はヘリコバクター・ピロリ Helicobacter pylori (H. pylori)感染の関与が明らかとなり，慢性胃炎の概念が大きく変更された．また，慢性胃炎は胃癌との関連も深い．

A 急性胃炎と急性胃粘膜病変

Advanced Studies

1 原因の明らかな急性胃炎

誤嚥あるいは自殺目的で強酸や強アルカリなどの腐食剤を嚥下することで腐食性胃炎 corrosive gastritis が生じる．飲用した濃度や量，作用時間，胃内容物の有無，胃酸の程度などにより病変は変わるが，一般的には粘膜壊死をきたし，表層には偽膜形成を伴うことがある．食道炎も共存することが多い．アスピリン，サルファ薬，ある種の抗菌薬による薬剤性胃炎では，胃全体に粘膜の発赤，多発びらん，びまん性の浮腫あるいは細胞浸潤を伴う．熱い食物，異物，放射線照射，アルコールの大量摂取により，カタル性胃炎 catarrhal gastritis が生じる．薬剤，食物あるいは牛乳などによる急性胃炎はアレルギー性胃炎と呼ばれ，多くは一過性である．

2 感染性胃炎

ジフテリア，インフルエンザ，麻疹などの全身感染の経過観察中に軽度なカタル性胃炎が生じる．化膿菌が経口的に粘膜面から侵入したり，敗血症などで血行性に胃壁に達したりすると，多核白血球(好中球)浸潤を伴う胃蜂窩織炎 phlegmonous gastritis となる．

サバやイカに寄生するアニサキスⅠ型を経口摂取したことで胃粘膜に穿入すると，強烈な腹痛を発症する(胃アニサキス症 gastric anisakiasis)．内視鏡的に虫体を摘出すると快方に向かう．組織学的には胃壁内の高度な浮腫，出血，著明な好酸球浸潤をきたし，好酸球性肉芽腫 eosinophilic granuloma を形成する．胃壁に大きな炎症性偽腫瘍を形成することもある．

H. pylori 感染により著明な細胞浸潤を伴う急性胃炎が生じる．内視鏡検査を介した H. pylori 感染による急性胃炎の発症も報告されている．持続感染すると慢性胃炎に移行するが，通常成人では慢性化しない．

3 急性胃粘膜病変

acute gastric mucosal lesion (AGML)

「突発的な腹痛や消化管出血などの腹部症状を伴い，X線，内視鏡による胃粘膜の異常を認める病変」と定義されている．うっ血，出血，浮腫などの急性胃炎所見に加え，多発びらんや潰瘍を伴う．すなわち，AGML は多彩な病理学的変化を包括した概念である．発生要因は飲酒，ストレス，アレルギーなど多彩であるが，約50％が薬剤性であり，特に非ステロイド性抗炎症薬 non-steroidal anti-inflammatory drugs (NSAIDs) によるものが多い．原因の除去と適切な治療により改善する．

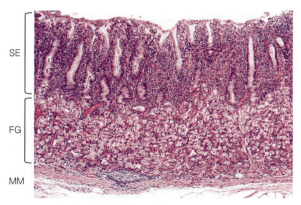

図 14-13　慢性胃炎（表層性胃炎）
H. pylori 感染による慢性胃炎．胃底腺の萎縮はみられず，炎症は胃粘膜の表層にとどまる．

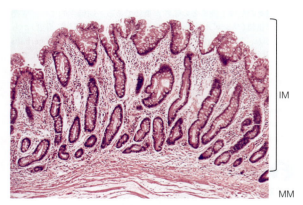

図 14-14　慢性胃炎（萎縮性胃炎）
慢性胃炎が進展し，萎縮性胃炎となる．胃腺は著明に萎縮し，全体に腸上皮化生（IM）を伴う．粘膜筋板（MM）は肥厚している．

表 14-3　慢性胃炎の改訂シドニー分類

胃炎のタイプ	病因
非萎縮性	H. pylori
	その他
萎縮性	
自己免疫性	自己免疫性
多発萎縮性	H. pylori
	食事性，環境因子
特殊型	
化学物質性	化学物質性の刺激（胆汁，NSAIDs など）
放射線	放射線障害
リンパ球性	医原性？　免疫学的機序，グルテン，薬物
非感染性	クローン Crohn 病
肉芽腫性	サルコイドーシス，多発血管炎性肉芽腫症および他の血管炎，外来物質性，特発性
好酸球性	食物過敏症，他のアレルゲン？
他の感染性胃炎	H. pylori 以外の細菌，ウイルス，真菌，寄生虫

〔井藤久雄：消化管 I〜IV．坂本穆彦，他（編）：標準病理学 第 4 版．医学書院，2010 より〕

B 慢性胃炎 chronic gastritis

慢性胃炎とは，本来，組織学的に診断された炎症所見に対して用いられた用語であり，粘膜固有層にリンパ球や形質細胞を主体とした炎症細胞が浸潤し，慢性炎症が持続している病態のことである．Schindler 分類〔① 表層性胃炎（図 14-13），② 萎縮性胃炎（図 14-14），③ 肥厚性胃炎〕が組織学的胃炎診断の基礎となったが，炎症の主座の違いによる分類も用いられ，A 型胃炎（胃体部が主座）と B 型胃炎（前庭部が主座）も一般的に用いられる．

慢性胃炎の成因を一元的に説明することは難しいが，大部分は H. pylori の慢性持続性感染により慢性胃炎に至ることが明らかになっている．そのほかの原因として化学物質や自己免疫などがある．

現在では胃炎の分類として，病因，拡がり，組織形態学的変化を含んだ改訂シドニー分類を用いるのが一般的である（表 14-3）．なお，組織形態学的変化は，① H. pylori 感染，② 慢性炎症細胞浸潤，③ 活動性（好中球浸潤），④ 萎縮，⑤ 腸上皮化生をスコア化する Grade 分類により評価する．

1 ● 腸上皮化生 intestinal metaplasia

胃粘膜が腸粘膜により置換された状態を腸上皮化生という．病理組織学的には完全型（小腸型）と不完全型（胃腸混合型）に分けられ，前者は正常小腸粘膜と同じ構成細胞（吸収上皮，杯細胞，パネート Paneth 細胞，内分泌細胞）からなり，後者は吸収上皮や Paneth 細胞を欠き，胃腺窩上皮に生じる杯細胞化生を基本像とする．完全型は胃底腺領域に，不完全型は幽門腺領域に好発し，胃癌（特に分化型腺癌）の発生との関連が指摘されている．

2 ● ヘリコバクター胃炎

ヘリコバクター・ピロリ Helicobacter pylori は，強力なウレアーゼ活性を有する約 3 μm，4〜7 本の鞭毛を有するグラム陰性桿菌である．

日本人では成人の約 50〜70％が H. pylori に感染しているが，近年若年者での感染率は低下している．感染経路は経口感染が有力視されている．

H. pylori は胃粘膜を覆う粘液層と腺窩上皮表層に接着しており（図 14-15），H. pylori の有する強いウレアーゼ

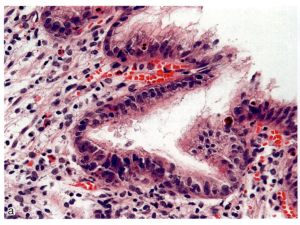 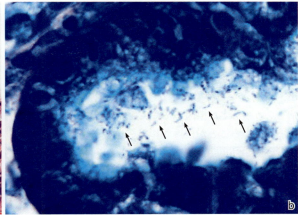

図 14-15　*H. pylori* 感染
a. *H. pylori* に感染した胃粘膜．好中球を含む炎症細胞浸潤と上皮の再生性変化を認める．
b. ギムザ染色により *H. pylori* の菌体（→）が明瞭化する．

活性により産生されたアンモニアや *H. pylori* が産生するサイトトキシンが粘膜上皮を傷害する．また，*H. pylori* が産生する $NH_3(NH_4^+)$ と好中球の H_2O_2 が反応して過剰な活性酸素が生じ，粘膜が傷害される．これが粘膜固有層に炎症反応を惹起する．

H. pylori は前庭部に感染して胃全体に広がる．初期の変化は表層性胃炎の像を呈し，胃腺の萎縮を伴うことなく，粘膜固有層にリンパ球や形質細胞などの浸潤を認め，胃底腺領域で表層部に限局し（図14-13），幽門腺領域では全層に浸潤する傾向がある．飲酒，喫煙，食習慣，加齢，免疫反応などが病変の進展を修飾し，進行すると萎縮性胃炎の像を呈する．この場合，胃腺が種々の程度に萎縮し，ほとんど消失することもある．リンパ球や形質細胞が浸潤し，腸上皮化生を種々の程度に伴っている．胃底腺の萎縮に伴って幽門腺化生が生じることもある．粘膜筋板は肥厚していることが多い．また，腺窩上皮は過形成となることがあり，この場合は萎縮性過形成性胃炎と呼ばれる．萎縮が進展して腸上皮化生腺管が優位になると萎縮性胃炎 atrophic gastritis または化生性胃炎 metaplastic gastritis（図14-14）という．

Advanced Studies
a *H. pylori* と胃炎・潰瘍以外の種々の疾患との関連
① MALT リンパ腫の発生に関与しており，*H. pylori* 除菌のみで腫瘍細胞が消失する症例がある（→455頁参照）．
② *H. pylori* 感染者の胃癌発生率は非感染者と比較し，欧米では3〜6倍，わが国では2〜3倍程度である．なお，1994年にWHOは *H. pylori* を胃癌の Group I，carcinogen と認定した．
③ *H. pylori* 感染を伴う特発性血小板減少性紫斑病は，*H. pylori* 除菌により多くの例が改善することが知られている．

3 ● 化学性胃炎 chemical gastritis

薬剤や，胆汁を含む十二指腸液の逆流に起因する胃炎をいう．薬剤のうち重要なものは NSAIDs であり，粘膜のびらんが多発するが，炎症細胞浸潤が少ない胃炎である．通常の胃でも十二指腸液の逆流による胃炎は起こるが，胃切除後の残胃（特に吻合部）でよくみられる．傷害を受けた粘膜の変化は特徴的で，炎症細胞浸潤は少ないが，腺窩上皮は蛇行・延長し，粘液が減少した幼若な再生上皮として認められる．

4 ● 自己免疫性胃炎 autoimmune gastritis
　　（A 型胃炎 type A gastritis）

壁細胞に対する自己抗体（抗壁細胞抗体や抗内因子抗体）が産生され，壁細胞の破壊による胃底腺のびまん性萎縮の結果，無酸症となり，幽門腺領域に分布するガストリン産生 G 細胞は過形成となって血清ガストリン値は上昇する．胃底腺領域は萎縮し，幽門腺領域はむしろ軽度の過形成を示すことから，逆萎縮性胃炎あるいは A 型胃炎と呼ばれる．壁細胞からの内因子の分泌障害でビタミン B_{12} の吸収障害が発生し，巨赤芽球性貧血（悪性貧血）も発症することがある．

ガストリンは胃底腺の内分泌細胞に対する増殖作用があり，内分泌細胞の過形成から内分泌細胞微小胞巣やカルチノイド腫瘍が多発性に発生することがある．

5 ● 肥厚性胃炎/胃症 hypertrophic gastritis/gastropathy

胃底腺領域粘膜が正常構造を保ちつつ2〜3倍に肥厚し，脳回状に蛇行屈曲し，巨大皺襞性胃炎 giant rugal

gastritis と呼ばれる．胃粘膜から多量の粘液が排泄されるため，低タンパク血症から全身の浮腫をきたす．

このような病態を示す疾患名としてメネトリエ病 Ménétrier disease が有名であるが，同様の病態は *H. pylori* 胃炎の一部やリンパ球性胃炎 lymphocytic gastritis，胃梅毒などでも起こりうる．そのため，Ménétrier 病という疾患名は原因不明で炎症性所見に乏しいものに限って用いることが推奨される．

Advanced Studies
6 特殊な胃炎

H. pylori 感染以外の感染性胃炎も存在する．CMV 感染による胃炎は同種造血幹細胞移植術後の患者やリンパ系悪性腫瘍，後天性免疫不全症候群などを有する免疫不全患者でしばしばみられるが，健常人でもまれに発症する．胃内に不整形のびらん・潰瘍が多発し，確定診断には生検組織における CMV に特徴的封入体の検出や血清学的検査が有用である．真菌症はがんの末期などで全身免疫が低下した患者や低酸素状態の胃潰瘍底でみられる．多くはカンジダである．梅毒や結核の胃病変もまれながらみられる．

好酸球性胃炎 eosinophilic gastritis は粘膜下組織の浮腫と好酸球浸潤を特徴とし，しばしば巨大皺襞性胃炎の像を示し，臨床的に胃癌（特にスキルス胃癌）やリンパ腫との鑑別が必要となる．

クローン病 Crohn disease は腸管を主体とした炎症性疾患であるが，原則的には全消化管に病変を形成する．類上皮細胞肉芽腫の検出が Crohn 病診断に重要であるが，内視鏡的には竹の節様外観，組織学的には限局性にリンパ球や組織球の集簇を示す focally enhanced gastritis が胃病変として特徴的である．

全身性疾患であるサルコイドーシス sarcoidosis の一部として類上皮細胞肉芽腫を伴う胃病変を認めることがある．

6 潰瘍

急性炎症の結果あるいは壊死組織の脱落により，臓器や組織表面が局所的に欠損して陥凹した病変を潰瘍という．胃および十二指腸の慢性潰瘍では胃酸による自己融解が重要な役割を果たしており，消化性潰瘍 peptic ulcer として包括される．急性潰瘍と慢性潰瘍の発生機序は異なり，前者から後者に移行することはない．

A 急性潰瘍

強いストレスの後，数時間ないし数週間で，胃・十二指腸の粘膜びらん・潰瘍を生じることがあり，急性ストレス性潰瘍 acute stress ulcer と呼ばれる．胃前庭部に好発し，十二指腸にも同等の頻度で起こる．潰瘍のうち，広範の皮膚の熱傷の際にみられるものは**カーリング潰瘍** Curling ulcer と呼ばれ，同様の潰瘍は外傷，敗血症，種々の原因によるショックの後にもみられる．これらの成因は不明であるが，粘膜防御機構との関連や局所性虚血によるものが考えられている．

頭部外傷や開頭手術後，あるいは中枢神経系（特に視床下部）の病変があるときに，同様の急性潰瘍が生じ，**クッシング潰瘍** Cushing ulcer と呼ばれている．これらの場合は十二指腸により高頻度で起こり，単発性で深いものが多く，しばしば穿孔をきたす．

急性胃粘膜病変（→ 441 頁参照）も急性潰瘍の形態を示す．

B 慢性消化性潰瘍

慢性消化性潰瘍の発生原因は多様である．基本的には粘膜攻撃因子（胃酸やペプシンなど）が，粘膜防御因子（粘膜表層の粘液層と血流）を凌駕することにより起こると説明されている．かつては，胃潰瘍は防御機構の低下が重要で，十二指腸潰瘍は胃酸の過剰分泌が重要であると考えられていたが，現在では両者とも *H. pylori* 感染との関連が重要とされている．*H. pylori* 感染は胃潰瘍患者の 70〜93％，十二指腸潰瘍患者の約 95％ に認められると報告され，*H. pylori* の除菌により潰瘍の再発率が激減することから *H. pylori* と潰瘍には密接な関連があることは明らかであるが，その発生機序は完全には解明されていない．

粘膜攻撃因子の主なものは胃酸であり，*H. pylori* 感染により前庭部胃炎が引き起こされ，ガストリンの分泌が増加するため，胃酸分泌が亢進する．そして，*H. pylori* は直接粘膜上皮傷害を引き起こすことに加え，プロテアーゼなどの酵素も生産し，プロテアーゼは胃粘液を変性させ，胃粘液の働きの1つである胃粘膜防御機能を減弱させることも潰瘍発生の一因となっている．また，NSAIDs，ステロイド，喫煙，アルコールも潰瘍発生に関与しているといわれている（表 14-4）．

1 NSAIDs の作用

NSAIDs はアスピリンやインドメタシンなどの消炎鎮痛薬であり，プロスタグランジンの合成律速酵素であるシクロオキシゲナーゼ cyclooxygenase（COX）を阻害し，内因性プロスタグランジン産生を低下させる．胃においてプロスタグランジンは細胞保護作用，胃酸分泌抑制作用，胃粘液分泌促進作用などにより，胃粘膜防御の役割を果たしているので，これの低下により防御因子の減弱を引き起こす．また，NSAIDs はアポトーシスを介して上皮を直接傷害する作用もある．NSAIDs を長期服用する関節リウマチ患者などでは，胃潰瘍の発生に注意する

表 14-4 慢性消化性潰瘍の特徴

	胃潰瘍	十二指腸潰瘍
年齢	中高年 (40～50歳代にピーク)	青年～中年層 (30歳代にピーク)
男：女	2～3：1	10：1
好発部位	胃角部小彎側>前庭部 >体部	球部上壁
背景胃粘膜	萎縮性	萎縮はないか軽度
背景因子	防御因子の低下 (粘液バリアの破綻)	攻撃因子の増強 (胃酸,ペプシン)
胃液酸度	正酸～低酸	高酸
ストレスの関与	なし	あり
共通の リスク因子	NSAIDsの長期服用,ステロイド,喫煙,アルコール	

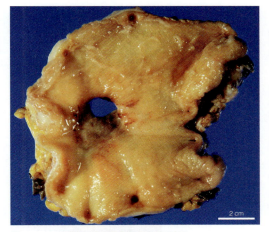

図 14-16 慢性消化性潰瘍の肉眼所見
胃角部に発生した開放性潰瘍．円形の粘膜欠損がみられる．

必要がある．

2 ● 肉眼所見

潰瘍は通常は1個～数個の潰瘍縁の不整さに乏しい円形～楕円形で，1～3 cm程度の粘膜欠損である（図14-16）．時に小彎を挟んで2個が対称性に生じ，互いに癒合して小彎をまたいで蝶形になることもある（接吻潰瘍 kissing ulcer）．好発部位は，十二指腸球部の上壁から胃小彎側であり，ただし，十二指腸潰瘍は一般的に2 cmまでにとどまる．

潰瘍は再発と治癒を繰り返すため，種々の段階の病変がみられる．開放性潰瘍 open ulcer では粘膜は欠損して潰瘍底が壊死組織に覆われ，治癒過程の潰瘍 healing ulcer では粘膜欠損は再生上皮により修復され，完全に再生上皮で被覆されると治癒潰瘍 healed ulcer となる．治癒が進むと粘膜襞が集中して放射状となり瘢痕化し，その先端は徐々に消失し，急峻な途絶や腫大を示さないことががんとの鑑別に重要な所見である．接吻潰瘍では小彎にまたがる横長い線状潰瘍 linear ulcer となる．

3 ● 組織所見

組織学的に組織欠損の程度によりUl-Ⅰ（粘膜層まで），Ⅱ（粘膜下層まで），Ⅲ（固有筋層まで），Ul-Ⅳ（漿膜層まで）の4段階に分類されている（図14-17, 18）．Ul-Ⅰはびらんに相当し，Ul-Ⅳのうち胃壁が欠損したものが**穿孔性潰瘍** perforated ulcer であり，胃内容物は腹腔に漏出し，腹膜炎の原因となる．潰瘍が漿膜まで突き抜け，周辺臓器と癒着して障害するが，胃内容物が腹腔に漏出しないものは**穿通性潰瘍** penetrating ulcer と呼ばれる．

開放性の潰瘍底は次の4層から形成されている．

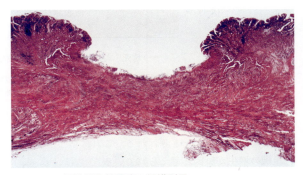

図 14-17 慢性消化性潰瘍の組織所見
粘膜は欠損し，固有筋層は不明瞭化して線維化組織で置換されている．Ul-Ⅳの開放性潰瘍である．

① 滲出層：フィブリン，好中球，核破砕物からなる．
② 壊死層：好酸性の壊死物質からなる．
③ 肉芽層：種々の密度の毛細血管・小血管と幼若な線維芽細胞の増生，リンパ球主体の炎症細胞よりなる．
④ 瘢痕層：線維性結合組織からなる．

潰瘍底の動脈は内膜肥厚と内腔の狭窄を示し，しばしば動脈・静脈の血栓もみられる．また，破綻動脈 ruptured artery がみられることがあり，大量出血の原因となる．切断神経腫がみられることもある．

治癒過程の潰瘍では，一部の欠損粘膜は再生上皮で覆われつつ，粘膜下層以深の線維化により粘膜襞は潰瘍中心に向かい収縮する．治癒潰瘍は完全に再生上皮で覆われ，開放性潰瘍期の深さに応じた組織欠損と上皮下の境界不明瞭な線維化巣が認められる．大型潰瘍が再発を繰り返して粗大結節状の周堤が認められる場合があり，膵

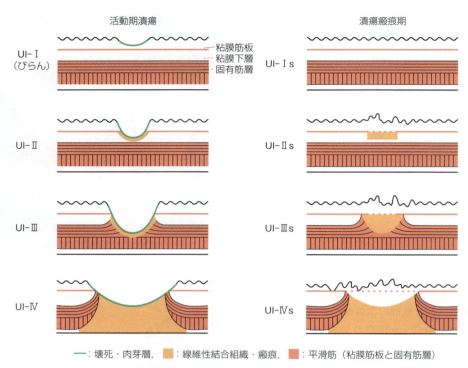

図 14-18　慢性消化性潰瘍の割面模式図（村上の分類）
〔井藤久雄：消化器Ⅰ～Ⅳ．坂本穆彦，他（編）：標準病理学 第4版．医学書院，2010 より〕

胼性潰瘍 callous ulcer と呼ばれる．これは粘膜下層の結合組織の増生が原因と考えられている．

4 ● 合併症と転帰

合併症としては，血管の破綻による消化管大量出血，穿通による肝・膵・大網などへの癒着と臓器障害，穿孔による腹膜炎，潰瘍が幽門輪近傍に発生した場合の幽門狭窄，瘢痕形成による**砂時計胃** hour-glass stomach などが重要である．

穿孔性腹膜炎は急性腹症の1つであり，8時間以内の手術が必要である．かつては潰瘍から起こるがん（Hauser 型潰瘍癌）が多いと考えられていたが，その後の解析から，現在は消化性潰瘍は前がん病変ではないと考えられている．すなわち，いわゆる潰瘍癌はがんに二次的に潰瘍が発生したものである．

Advanced Studies

5 ゾリンジャー–エリソン Zollinger-Ellison 症候群

この症候群では次の3つの症候を示す．
① 胃，十二指腸，空腸の多発性難治性消化性潰瘍．
② 胃酸の過分泌．
③ 高ガストリン血症．

その本態は，ガストリン産生内分泌細胞腫瘍であり，その発生部位は膵に多く，十二指腸が続くが，胃にはきわめてまれである．多発性内分泌腫瘍症Ⅰ型 multiple endocrine neoplasia-type 1（MEN-1）を伴うこともある．

また，高ガストリン血症が長期持続した場合，内分泌細胞過形成を生じ，多発カルチノイドが発生することがあるが，A型胃炎との決定的な違いは壁細胞過形成を伴う胃底腺粘膜の肥厚を示すことである．

7 腫瘍および腫瘍様病変

A 胃ポリープおよびその類似病変

Advanced Studies

ポリープという言葉は，ギリシャ語の polupous（"多くの足"の意）に由来し，茸状・卵球状の限局性隆起性腫瘤に対して用いられる用語である．胃では粘膜隆起性病変の総称であり，上皮性によるもの（上皮性ポリープ）と間質細胞やリンパ球など非上皮性によるもの（非上皮性ポリープ）がある．多発するとポリポーシス polyposis と呼ばれる．臨床的には肉眼所見による山田分類が用いられる（図14-19）．

胃の非腫瘍性上皮性ポリープのうち，最も頻度が高いのは過形成性ポリープで，次いで胃底腺ポリープである．そのほかのまれなものとして過誤腫性内反性ポリープ hamartomatous inverted polyp，特殊なものとして内視鏡治療後のポリープや残胃吻合部のポリープなどがある．非上皮性のものには消化管間質腫瘍（GIST），平滑筋

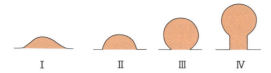

図 14-19　ポリープの肉眼分類(山田分類)
〔山田達哉, 他：胃隆起性病変. 胃と腸 1：145-150, 1966 より転載〕

腫, 神経系腫瘍(神経鞘腫や顆粒細胞腫など), 脂肪腫, 炎症性線維性ポリープなどが存在するが, これらは頻度も低く, GIST を除いて悪性化の危険はほとんどない.

ここでは非腫瘍性のポリープを一括して記載する.

a　過形成性ポリープ hyperplastic polyp

胃粘膜の増生からなるポリープで, H. pylori 胃炎を背景とした炎症性反応による再生性変化により生じる良性病変である. 大きなもの(1 cm 以上)でがんを併存することがある. 単発ないしは多発し, 前庭部に好発する. 組織学的には, 腺窩上皮が延長・分岐・拡張を伴う過形成性変化を示す. 軽度の核腫大を伴うが, 領域性はなく再生性変化によるものである. 上皮は, 再生により幼若化した部分の粘液は減少し, 成熟部では豊富な粘液をもって肥大する(図 14-20). 通常は表面にびらんを伴い, 間質は浮腫状で, 小血管・肉芽組織の増生や炎症細胞浸潤を種々の程度に伴っている.

b　胃底腺ポリープ fundic gland polyp

胃底腺領域に生じる数 mm 大の小型ポリープで, 多発することが特徴である. 中年女性に好発する. H. pylori 感染のない炎症に乏しい胃底腺粘膜に発生する良性病変であり, がん化の危険はない過誤腫性ないしは過形成性病変と考えられていたが, β カテニンの変異を高頻度に認めることから腫瘍性病変の可能性が示唆されている. また, 強力な制酸作用を示すプロトンポンプ阻害薬の長期投与との関連もいわれている.

組織学的には, 表面は腺窩上皮に覆われ, 過剰に増殖した胃底腺からなり, 頸部粘液細胞と胃底腺の位置の逆転により, 胃腺窩の短縮と粘膜深部での腺管の拡張を示す(図 14-21).

また, 家族性大腸ポリポーシス familial adenomatous polyposis(FAP)患者の胃病変としてよく知られており, この場合は APC 遺伝子変異を高頻度に認めるため, がん化の危険性に注意する必要がある. きわめてまれであるが, 遺伝性の胃底腺ポリポーシスも存在する.

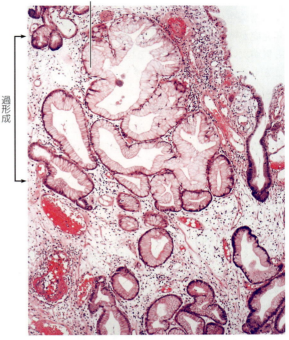

図 14-20　胃過形成性ポリープ
腺窩上皮が延長し, 分岐と拡張を伴う. 過形成性変化を示す. 成熟した上皮は豊富な粘液をもち肥大している.

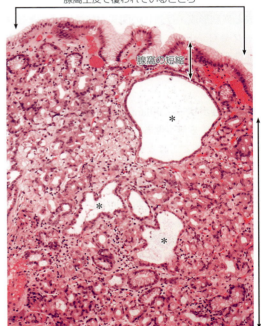

図 14-21　胃底腺ポリープ
表面は腺窩上皮に覆われ, 胃底腺は過剰に増殖している. 胃腺窩は短縮し, 粘膜深部では腺管の拡張(＊)がみられる.

c ポイツ-ジェガース Peutz-Jeghers 症候群

皮膚や口唇の色素沈着と胃腸管ポリポーシスを主徴とする常染色体顕性(優性)遺伝性疾患で，20歳以下の若年発症が特徴である．ポリープは小腸に最も多く，大腸と胃が次いでいる．腸重積を起こしやすく，死因となることもある．本症候群患者の10〜25%でがんが発生するが，3 cm以上のポリープではがんを併存している確率が高くなる．胃ポリープは，さまざまな大きさで多発し，組織学的には樹枝状に分岐した平滑筋組織を軸に，異型のない腺窩上皮が増生する過誤腫 hamartoma である．

d クロンカイト-カナダ Cronkhite-Canada 症候群

胃腸管ポリポーシス，禿頭症，全身脱毛，皮膚色素沈着，爪萎縮，消化管タンパク漏出症を合併する中高年に多い非遺伝性疾患である．胃ポリープは1 cm前後のものが多く，組織学的には腺窩上皮の過形成と囊胞形成，浮腫状の間質が特徴的で，ポリープ部以外の粘膜にも同様の変化を認める．

e 若年性ポリポーシス juvenile polyposis

主に大腸に多発するが，胃にも発生することがある．孤発性，あるいは常染色体顕性遺伝を示す家族性の症例が報告されており，原因遺伝子としては *SMAD4* や *PTEN* 遺伝子が知られている．胃では，さまざまな大きさのポリープが胃全体に多発し，組織学的には腺窩上皮の過形成と囊胞形成，浮腫状の間質が特徴的で，過形成性ポリープやCronkhite-Canada症候群に類似しているが，炎症性変化が軽度な点が前者と異なり，胃粘膜深部が保たれている点が後者と異なる．がんを併存することもある．

f 炎症性線維性ポリープ inflammatory fibroid polyp

前庭部に発生する無茎性あるいは有茎性ポリープで，通常3 cmを超えることはない．組織学的には，正常あるいは再生性粘膜で覆われ，錯綜・断裂した粘膜筋板を挟んだ粘膜固有層に主座がある．線維芽細胞の疎な増生からなり，しばしば血管周囲に同心円状配列(onion-skin lesion)に配列する．好酸球浸潤が著明であることが多く，かつては好酸球性肉芽腫 eosinophilic granuloma と呼ばれていたが，アニサキス症でみられる好酸球性肉芽腫とは異なる病変である．

B 上皮性腫瘍

1 胃腺腫 gastric adenoma

境界明瞭な良性上皮性病変で，多くが腸型(主に小腸型)の細胞形質を示すが，胃型形質の腺腫も存在する．ほとんどが管状構造を示す管状腺腫 tubular adenoma であり，純粋な乳頭状あるいは絨毛状構造を有するものは異型が軽度でもがんの可能性が高い．

a 管状腺腫(腸型)

肉眼的に，扁平ないしはドーム状の境界明瞭な隆起を形成し，表面は粗大顆粒状である．まれであるが，陥凹型の腺腫も存在する．50〜70歳代に多く，男女比は2〜3：1，大半は2 cm以下で，前庭部に好発する．組織学的に，管状構造が主体の非浸潤性腫瘍であり，胃腺窩上皮型細胞も認めることがあるが，主体は小腸型細胞(吸収上皮，杯細胞，Paneth細胞)から構成され，比較的大きさのそろった管状腺管の密な増殖からなる．核は紡錘形に腫大しているが，比較的大きさがそろい，基底膜側に整然と配列している．腺腫腺管は粘膜内の上層部主体に増殖し，下層部では幽門腺や腸上皮化生粘膜が存在し，種々の大きさの囊胞状に拡張し，二層構造により隆起が形成される(図14-22)．

b 管状腺腫(胃型)

肉眼的に，ドーム状の境界明瞭な隆起を形成し，表面は平滑である．高齢者に多く，胃上部に好発する．組織学的に，淡明あるいは好酸性の細胞質を有する幽門腺類似の腺管の密な増生からなり，幽門腺型腺腫 pyloric gland adenoma とも呼ばれる．核は小型円形核で，基底膜側に整然と配列している．腫瘍腺管の大部分は幽門腺と同様の粘液形質(MUC6陽性)を示し，表層部では胃腺窩上皮と同様の粘液形質(MUC5AC陽性)を示す．

Advanced Studies

c 腺腫のがん化

腺腫のがん化は手術例での検索では3〜40%と報告されているが胃腺腫の組織診断基準がわが国と欧米間，わが国でも病理医間で異なるため，正確ながん化率を調べるのは困難である．

長期にわたる経過観察された腺腫(腸型)の検索からは，腺腫は増大するものがあり，最終的にがん化するのは10〜20%程度である．大きいもの(特に増大するもの)，高度異型，絨毛状構造，胃型形質の発現ががん化の危険因子として指摘されている．

腺腫を発見した場合には，その形態や生検組織像を参考にしながら，治療方針を決定する必要があるが，5〜8%の頻度で腺腫とがんが共存するので，がんの併存を意識することも臨床的には重要である．

なお，胃型腺腫(幽門腺型)に関しては，がん化例も報告されているが，頻度がまれでありがん化の危険性を示す十分なデータがない．

2 胃癌 gastric carcinoma

【概要と疫学】

胃の悪性腫瘍の大部分が上皮性の癌腫(腺癌)である．

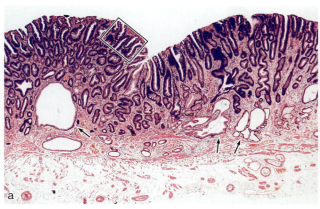
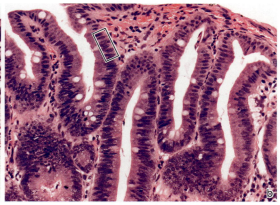

図 14-22　胃腺腫
a. 粘膜内上層では管状腺管が増殖し，下層では幽門腺や腸上皮化生粘膜が囊胞状に拡張する（→）．二層構造により隆起が形成される．
b. 拡大像（a の□部分）．大きさが比較的そろった腺管が密に増殖する．核は紡錘形に腫大し，基底膜側に配列している（□で示す）．

わが国では罹患数は，男性では前立腺癌に次いで，胃癌が2位で，女性では乳癌と大腸癌，肺癌に次いで4位である（2018年）．粗罹患率は男性（10万人あたり141.2人）で減少，女性（10万人あたり60.2人）で減少である．一方，死亡者数は，男性では肺癌に次いで2位，女性では大腸癌，肺癌，膵癌，乳癌に次いで第5位である（2020年）．50歳以降に頻度が高くなり，60歳代でピークとなる．一般的に30歳以下の胃癌を若年者胃癌という．男女比は2：1である．

胃は上部（U），中部（M），下部（L）の3領域に区分されるが，胃癌はLに最も多く，次いでM，Uの順である．

【肉眼型】
「胃癌取扱い規約」では0〜5型に分類されており，病変の肉眼形態が軽度な隆起や陥凹を呈するにすぎないものを0型（表在型）とし，さらに細かく亜分類されている．ほとんどの**早期胃癌** early gastric cancer が0型に含まれる．進行癌はボールマン分類に準拠している．肉眼型で，5型は0〜4型のいずれにも分類できない，分類不能型である（表14-5，図14-23）．

・早期胃癌
早期胃癌の定義は「癌の局在が粘膜または粘膜下層にとどまるもので，リンパ節転移の有無は問わない」である．各臓器において早期癌は予後良好ながんを規定しているが，胃の場合，がんが発生してからの期間や大きさは規定因子ではなく，がんの浸達度（浸潤の深さ）が規定因子である．早期胃癌の5年生存率は95％前後で，きわめて良好である．

表 14-5　胃癌の肉眼型分類

0型	表在型：癌が粘膜下層までにとどまる場合に多くみられる肉眼形態
0-Ⅰ型	隆起型：明らかな腫瘤状の隆起が認められるもの
0-Ⅱ型	表面型：隆起や陥凹が軽微なもの，あるいはほとんど認められないもの
0-Ⅱa	表面隆起型：表面型であるが，低い隆起が認められるもの
0-Ⅱb	表面平坦型：正常粘膜にみられる凹凸を超えるほどの隆起・陥凹が認められないもの
0-Ⅱc	表面陥凹型：わずかなびらん，または粘膜の浅い陥凹が認められるもの
0-Ⅲ型	陥凹型：明らかに深い陥凹が認められるもの
1型	腫瘤型：明らかに隆起した形態を示し，周囲粘膜との境界が明瞭なもの
2型	潰瘍限局型：潰瘍を形成し，潰瘍をとりまく胃壁が肥厚し周囲粘膜との境界が比較的明瞭な周堤を形成する
3型	潰瘍浸潤型：潰瘍を形成し，潰瘍をとりまく胃壁が肥厚し周囲粘膜との境界が不明瞭な周堤を形成する
4型	びまん浸潤型：著明な潰瘍形成も周堤もなく，胃壁の肥厚・硬化を特徴とし，病巣と周囲粘膜との境界が不明瞭なもの
5型	分類不能：上記の0〜4型のいずれにも分類し難いもの

〔日本胃癌学会（編）：胃癌取扱い規約 第15版．p10，金原出版，2017より〕

Advanced Studies

表面陥凹型（0-Ⅱc，0-Ⅱc＋Ⅲなど，図14-24）が多く，隆起型（0-Ⅰ型，図14-25）はまれである．最も多い肉眼型である0-Ⅱcは浅い陥凹局面であるが，陥凹縁の鋸歯状不整像（蚕食像）や陥凹面の粘膜の顆粒像の消失ないし大小不同，陥凹面の光沢の消失あるいは色調の変化（褪色・発赤）などががんとしての特徴である．しばしば潰瘍瘢痕の併存のため粘膜集中をきたすが，その襞の先端の棍棒状肥大や急峻な途絶，先細り，融合像もがんの特徴である．表面平坦型（0-Ⅱb）もまれであり，内視鏡的に色調の変化がない限り発見が困難であり，生検組織検査で初めて診断される．陥凹型（0-Ⅲ型）

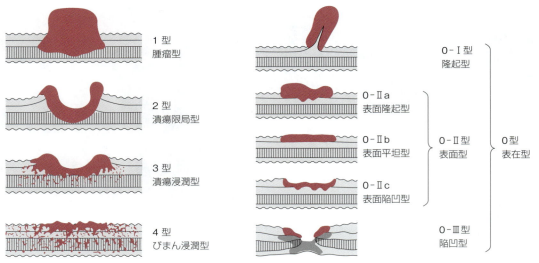

図 14-23　胃癌の肉眼型分類
〔日本胃癌学会（編）：胃癌取扱い規約 第 15 版．p11，金原出版，2017 より〕

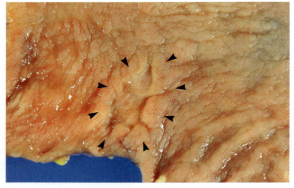

図 14-24　0-Ⅱc 早期胃癌

図 14-25　0-Ⅰ型早期胃癌

は消化性潰瘍との鑑別が難しい．なお，隆起型（0-Ⅰ型）はほとんどが分化型腺癌（乳頭腺癌・管状腺癌）である．

・進行胃癌

　がんの大きさにかかわらず，胃癌細胞が固有筋層より深く浸潤したものが進行癌である．腫瘤型（1 型）は周囲と明らかな境界をもって隆起した病変で，しばしばカリフラワー状になる．潰瘍限局型（2 型）は潰瘍を形成し，潰瘍を取り巻く胃壁が肥厚し，周囲粘膜との境界が比較的明瞭な周堤を形成した病変で，平皿状を呈することが多い（図 14-26）．潰瘍浸潤型（3 型）は潰瘍を形成し，潰瘍を取り巻く胃壁が肥厚し，周囲粘膜との境界が不明瞭な周堤を形成した病変で，2 型の周堤が決壊して不明瞭化したものも含まれる．びまん浸潤型（4 型）は著明な潰瘍や周堤もなく，胃壁の肥厚・硬化を特徴とし，病巣と周囲との境界が不明瞭な病変である（図 14-27）．分類不能型（5 型）は 1～4 型に分類できないもので，進行癌と表在癌の混合したものや化学療法後の複雑な形態を示すものが含まれる．なお，表在癌の肉眼型（0 型）でありながら，結果的に進行癌であったものをかつては 5 型に含めていたが，現行の「胃癌取扱い規約」では表在癌の肉眼型を用いる．

　3 型が最も多く進行胃癌の 50％前後を占め，次いで 2 型が多く，1 型と 4 型はまれで数％にすぎない．

［スキルス胃癌（硬癌）scirrhous carcinoma］

　4 型の多くは間質の結合組織の増生により胃壁が硬化してスキルス胃癌と呼ばれる．スキルスは"硬い"を意味し，胃壁は硬く収縮し，その結果として粘膜は巨大皺襞を示す．胃体部に原発することが多く，粘膜内の原発

胃 ● 451

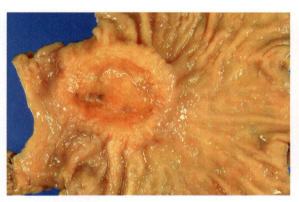

図 14-26　2 型進行胃癌

図 14-27　4 型進行胃癌

表 14-6　胃癌の組織分類

1. **一般型** common type
   乳頭腺癌 papillary adenocarcinoma (pap)
   管状腺癌 tubular adenocarcinoma (tub)
   　高分化 well differentiated (tub1)
   　中分化 moderately differentiated (tub2)
   低分化腺癌 poorly differentiated adenocarcinoma (por)
   　充実型 solid type (por1)
   　非充実型 non-solid type (por2)
   印環細胞癌 signet-ring cell carcinoma (sig)
   粘液癌 mucinous adenocarcinoma (muc)
2. **特殊型** special type
   カルチノイド腫瘍 carcinoid tumor
   内分泌細胞癌 endocrine cell carcinoma
   リンパ球浸潤癌 carcinoma with lymphoid stroma
   胎児消化管類似癌 adenocarcinoma with enteroblastic differentiation
   肝様腺癌 hepatoid adenocarcinoma
   胃底腺型腺癌 adenocarcinoma of fundic gland type
   腺扁平上皮癌 adenosquamous carcinoma
   扁平上皮癌 squamous cell carcinoma
   未分化癌 undifferentiated carcinoma
   その他の癌 miscellaneous carcinomas

〔日本胃癌学会（編）：胃癌取扱い規約 第 15 版．pp29-30，金原出版，2017 より〕

表 14-7　高分化（分化型）癌と低分化（未分化型）癌の臨床病理学的特徴

	高分化（分化型）	低分化（未分化型）
発生母組織	慢性胃炎，腸上皮化生	胃固有粘膜
年齢・性	高齢の男性に多い	40 歳以下では性差なし
組織型	乳頭状および管状腺癌 低分化腺癌（充実型） （腺管形成型）	低分化腺癌（非充実型） 印環細胞癌 （腺管非形成型）
肉眼型		
早期癌	隆起型ないし陥凹型	大部分が陥凹型
進行癌	2＞1＞3 型	3＞4 型
進行癌の間質	少ないことが多い	一般に豊富
浸潤形式	限局性	びまん性
転移形式	リンパ行性・血行性 所属リンパ節，肝臓	主としてリンパ行性 所属リンパ節，腹膜
代表的な 遺伝子変異	c-erbB2 増幅，p53 遺伝子変異	k-sam 増幅，p53 遺伝子変異

巣は 2 cm 以下の小さいものが多い．比較的若年の女性に多い傾向がある．臨床的に進行が速く，腹膜播種を高頻度にきたし，予後不良である．

【組織分類】
　わが国は胃癌取扱い規約による分類を使用している（表 14-6）．高頻度に出現する腺癌が一般型で，そのほかが特殊型である．胃癌は組織像が多彩で，同一病変内で異なる組織型を示すことが多い．その際には優勢な組織像へ分類するが，特殊型の組織像が併存する場合はその旨を診断に付記する必要がある．わが国の分類は世界的に用いられる WHO 分類に準じているが，WHO 分類では量的に劣勢であってもより分化度の低いものを代表的組織型として分類している．

Advanced Studies
　胃癌組織の 2 分類法として Lauren 分類（intestinal type と diffuse type）や中村分類（分化型と未分化型）があり，これらは簡便で予後や種々の臨床病理学的要素と相関があるため広く用いられてきた．中村分類の分化型に相当するのは Lauren 分類の intestinal type であるが，近年は分化型にも胃型の粘液形質を示すものがあることが判明し，Lauren 分類は時代遅れの分類である．分化型と未分化型では臨床病理学的特徴が異なる（表 14-7）．

・**一般型** common type
　分化型腺癌は，**乳頭腺癌** papillary adenocarcinoma (pap)，**高分化管状腺癌** well differentiated tubular adenocarcinoma (tub1)，**中分化管状腺癌** moderately differentiated tubular adenocarcinoma (tub2) に亜分類される．乳頭腺癌は乳頭状あるいは絨毛状構造を示す腺癌で（図 14-28），頻度は低いが，浸潤すると早期癌でも高率に静脈侵襲やリンパ管侵襲をきたす．分化型のなかでは最

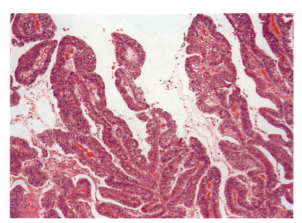

図 14-28　乳頭腺癌の組織所見
乳頭状・絨毛状構造がみられる．

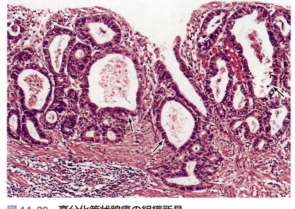

図 14-29　高分化管状腺癌の組織所見
大型の明瞭な腺腔（→）を形成し，複雑な分岐を示さない．

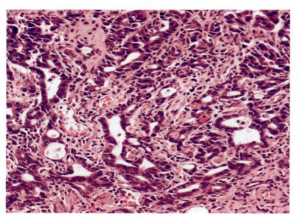

図 14-30　中分化管状腺癌の組織所見
腺腔は小型化し，腺管の分岐・癒合が著明．

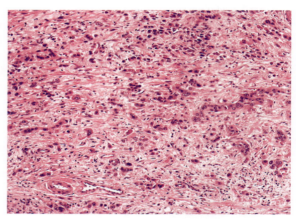

図 14-31　低分化腺癌・非充実型の組織所見
がん細胞が孤在様あるいは小胞巣状にびまん性に浸潤する．

も悪性度が高い組織型である．明瞭な腺腔形成を示す腺癌は管状腺癌で，胃癌の約50％を占める．その腺腔構造の形態から高分化（図 14-29）と中分化（図 14-30）に分けられるが，これらの異型度は連続的である．高分化管状腺癌は，大型の明瞭な腺腔を形成し，複雑な分岐を示さない．細胞異型が低いものは腺腫との鑑別が問題となることがある．中分化管状腺癌は，腺腔は小型化して腺管の分岐・癒合が著明で，しばしば手繋ぎ型（横這い型）構造や篩状構造を示す．

低分化腺癌は，腺腔形成がないかあっても微小なものであり，**低分化腺癌・充実型** poorly differentiated adenocarcinoma solid type（por1）と**低分化腺癌・非充実型** poorly differentiated adenocarcinoma non-solid type（por2）に分類される．非充実型はがん細胞がびまん性に浸潤することが特徴で（図 14-31），特に線維性間質量が多いものはスキルス癌に相当する．リンパ管侵襲をきたしやすく，進行するとしばしば腹膜に播種する．一方，充実型は線維性間質量に乏しく充実性・圧排性に増殖し（図 14-32），静脈浸潤をきたす頻度が高い．粘膜内に分化型腺癌成分を伴うことが多いことから，その組織発生および生物学的態度は分化型に類似する．**印環細胞癌** signet-ring cell carcinoma（sig）は細胞内の粘液貯留が顕著で，粘液のため核は圧排されて三日月状となる（図 14-33）．粘膜内で密に増殖し，浸潤するとスキルス胃癌へと進展する．

著明な細胞外粘液産生により粘液結節を形成したものが**粘液癌** mucinous adenocarcinoma（muc）であるが（図 14-34），印環細胞癌のみならず分化型腺癌から進展するものもある．

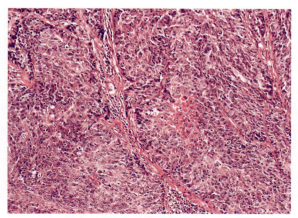

図 14-32　低分化腺癌・充実型の組織所見
線維性間質量に乏しく充実性・圧排性に増殖する．

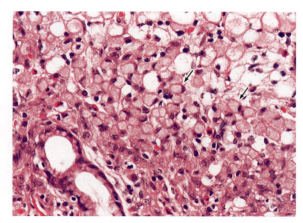

図 14-33　印環細胞癌
細胞内に粘液が貯留するため，核が圧排されて三日月状となる（→）．

・特殊型

「胃癌取扱い規約」では特殊型胃癌として，カルチノイド腫瘍 carcinoid tumor，内分泌細胞癌 endocrine cell carcinoma，リンパ球浸潤癌 carcinoma with lymphoid stroma，胎児消化管類似癌 adenocarcinoma with enteroblastic differentiation，肝様腺癌 hepatoid adenocarcinoma，胃底腺型腺癌 adenocarcinoma of fundic gland type，腺扁平上皮癌 adenosquamous carcinoma，扁平上皮癌 squamous cell carcinoma，未分化癌 undifferentiated carcinoma，その他の癌が示されている．

Advanced Studies

[カルチノイド腫瘍と内分泌細胞癌]

両者とも内分泌細胞への分化を示す上皮性悪性腫瘍であるが，その組織発生，組織像，生物学的悪性度は全く異なる．

カルチノイド腫瘍は，A型胃炎や Zollinger-Ellison 症候群を背景として発生するものや de novo に発生するものがあり，低悪性度の腫瘍である．WHO 分類(2010年)では，神経内分泌腫瘍 neuroendocrine tumor (NET) という名称で呼ばれている（→ 第18章「内分泌」，611頁参照）．小型円形核と弱好酸性で豊富な細胞質を有する均一な腫瘍細胞が繊細な血管結合組織を伴いながら小胞巣状・索状・リボン状・管状構造をとりながら，粘膜下主体に発育する．

一方，内分泌細胞癌は小細胞型と大細胞型に分けられる．内分泌細胞への分化を示すという点ではカルチノイド腫瘍と共通するが，内分泌細胞癌は高悪性度で予後不良な腫瘍である．分化型腺癌成分を高頻度に伴うことから腺癌からの転化により発生し，カルチノイド腫瘍から内分泌細胞癌への転化はないと考えられている．小細胞型は細胞質に乏しくクロマチンに富む類円形〜短紡錘形核を有し，繊細な血管結合組織を伴いながら充実胞巣状に増殖する．大細胞型は比較的細胞質が豊富で，繊細な血管結合組織を伴いながら充実胞巣状に増殖し，しばしば索状構造やロゼット様構造を示す．

なお，これらの確定診断には内分泌細胞への分化を免疫組織化学（クロモグラニン A，シナプトフィジン，CD56）で確認する必要がある．

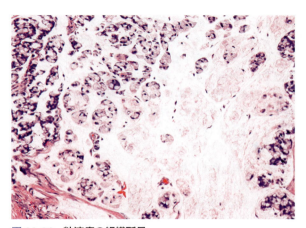

図 14-34　粘液癌の組織所見
細胞外に多量の粘液を産生し，粘液膜の中にがん細胞が浮遊している．

[リンパ球浸潤癌]

がん細胞が，著明なリンパ球浸潤を背景として，腺腔形成の明らかでない小胞巣状に増生する低分化腺癌が主体で，粘膜内では分化型腺癌であることが多い．かつては por1 に含まれていたが，90％以上でがん細胞に Epstein-Barr virus (EBV) 感染を認め，さらに低分化腺癌でありながら予後良好であることから，特殊型に分類されている．

[胎児消化管類似癌と肝様腺癌]

α-fetoprotein (AFP) 産生癌の代表的組織型として，肝様腺癌が特殊型に記載されていた．また，AFP 産生癌を含む胎児消化管類似癌は，むしろ肝様腺癌より頻度が高いことが判明したため，「胃癌取扱い規約　第15

版」から，その他のがんではなく特殊型の一亜型として記載されるようになった．肝様腺癌は好酸性で豊富な細胞質を有するがん細胞が充実性に増殖して肝細胞癌類似の組織像を示し，胎児消化管類似癌は淡明な細胞質を有して管状・乳頭状構造を示し，これらは組織像の混在・移行が高頻度にみられる．胎児消化管マーカーとしてはAFPよりGlypican 3やSALL4が高頻度に陽性で，これらの免疫組織化学が確定診断に有用である．そして，両者とも高率に肝転移をきたす悪性度が高い腫瘍である．確定診断にはAFP以外の免疫組織化学が有用である．なお，AFP産生胃癌にはきわめてまれだが，卵黄嚢腫類似癌も存在する．

[胃底腺型腺癌]

胃底腺型腺癌は，2010年に上山らにより提唱された胃癌の新しい組織型である．胃上部〜中部の胃底腺領域に発生し，組織学的には胃底腺（主に未熟な主細胞）への分化を示す低異型度の腺癌である．最表層は非腫瘍性粘膜に被覆され，粘膜中層以深で増殖し，小さいながらも粘膜下層へ浸潤するが，脈管侵襲や転移はほとんど認めない，低悪性度の腫瘍である．また，活動性炎症や萎縮・腸上皮化生に乏しい胃底腺粘膜に発生することが多く，その発生には H. pylori 感染の関連がないと考えられている．

【胃癌の発生・進展・転移】

・胃癌の発生

がんの発生の危険が高い状態を前がん状態 precancerous condition と呼び，前がん病変 precancerous lesion とはがん発生の危険性が有意に高い限局性病変のことを指す（→ 第9章「腫瘍」，255頁参照）．

前がん病変には，腫瘍性である腺腫（欧米での異形成 dysplasia）以外にも過形成性や過誤腫性ポリープなどの非腫瘍性疾病も含まれる．

胃癌は H. pylori 感染に関連したものが多く，H. pylori 感染により誘発された慢性胃炎の結果，腸上皮化生を伴う粘膜萎縮が起こり，異形成を経て高分化腺癌が発生すると考えられてきた．すなわち，腸上皮化生が前がん状態である可能性が考えられるが，腸上皮化生を伴わない粘膜からもがん（特に低分化腺癌）が発生することから，H. pylori 感染による慢性胃炎自体が前がん状態と考えられる．なお，特殊な状態であるが，胃切除後の残胃が逆流した腸液に長期にわたって曝されることによってがん化する危険性がある．

胃の腺腫は良性腫瘍に分類され，以前は大腸腺腫ほどのがん化の危険はないと考えられてきたが，最近では少なくとも10〜20％はがん化する前がん病変と考えられている．

過形成性ポリープのがん化率は1.5〜4.5％とされ，がん化率は低いが前がん病変の1つと考えてよい．

・胃癌の進展

胃癌の進展は一般に考えられているよりはるかに遅い．理論的には1gの胃癌（約1cm）に成長するまでに約20〜30年以上とされ，胃癌の自然史は16.5〜33年（平均25年）と推定されている．経過観察された胃癌の解析から，がんが粘膜内にとどまる期間は長く，粘膜内癌が粘膜下層へ浸潤するには約7年かかり，粘膜内癌が粘膜下層へ浸潤した後は発育が早く，粘膜下層へ浸潤した後は2〜3年で進行癌へ進展すると推定されている．

・胃癌の転移

[直接蔓延ないし連続浸潤]

漿膜へ達したがん細胞は，腹腔内に出て腹膜に多数の微小結節を形成し，大網や膵臓，腸間膜，腹膜へと浸潤する．この進展様式を**播種** dissemination と呼ぶ．多量の腹水を伴い**癌性腹膜炎** cancerous peritonitis が生じる．**ダグラス窩** Douglas pouch あるいは直腸周囲へ浸潤した場合を**シュニッツラー転移** Schnitzler metastasis，卵巣への転移で卵巣腫大をきたした場合を**クルーケンベルグ腫瘍** Krukenberg tumor と呼ぶ（→ 第9章「腫瘍」，252頁参照）．

[リンパ行性転移]

がん細胞がリンパ管内へ浸潤し，原発巣から離れた胃壁側方ないし壁外へ進展（リンパ管侵襲 lymphatic permeation）し，所属リンパ節転移をきたす．所属リンパ節への転移は早期よりみられるが，進行するにつれて転移率は高くなる．深達度別の転移率は，粘膜内癌では約3％，粘膜下層浸潤癌で約15％，進行癌で50〜80％である．このため，胃癌切除術においてリンパ節郭清は重要な操作である．

さらに進行すると，腸間膜や後腹膜，さらに縦隔リンパ節へと転移する．鎖骨上窩リンパ節への転移を**ウィルヒョウ転移** Virchow metastasis という．胸管に侵入してこれを閉塞することもある．膵，脾，肝，腎などの腹腔内諸臓器および肺には，各臓器の門部のリンパ節から逆行性にリンパ管を伝って侵入し，癌性リンパ管症 lymphangiosis carcinomatosa となる．

[血行性転移]

血行性転移は門脈を介して肝臓に起こることが多い．肝転移の頻度は進行胃癌の3〜6％程度である．末期癌

では，肺，腎，副腎，骨，脳などへ血行性に転移する．

【臨床との関連】
・胃癌の病理診断
　胃癌の診断はX線検査や内視鏡検査による画像診断である程度可能であるが，確定診断には生検標本による病理組織学的診断が必要である．わが国では胃生検標本の病理診断は5段階で下される（表14-8）．

Advanced Studies
　分化型腺癌の病理診断においては，わが国と欧米の病理医間で明らかな差がある．特に粘膜内病変に関しては，わが国では細胞の異型度からがんと判定される病変を，欧米では浸潤性が確認されない場合は異形成 dysplasia と診断される．欧米の高異型度の異形成 high-grade dysplasia はわが国の分化型腺癌に相当し，治療の対象となるので臨床的には問題にならないが，低異型度の異形成 low-grade dysplasia のなかには腺腫のみならず低異型度癌の高分化腺癌も含まれているので，欧米の基準では一部のがんが腺腫と同等に扱われることになることが最も大きな問題である．正しい生検診断がなされるためには，浸潤像の有無にかかわらず細胞像（核の形態や細胞分化など）で判定することが重要である．

・胃癌の治療
　胃癌の治療は外科的切除が原則である．しかしながら，治療法は近年大きく変貌した．2001年に日本胃癌学会は個々の患者における胃癌治療の標準化を目的として「胃癌治療ガイドライン」を発表した．そのなかで胃癌に対する手術，内視鏡的切除，化学療法のそれぞれに関して，治療法の定義および推奨される治療法と適応が示された．
　早期胃癌のうち，粘膜内癌はリンパ節転移率が3%程度で，きわめて予後良好ながんである．そのうち高分化管状腺癌は低分化腺癌と比較するとリンパ節転移率が低く，内視鏡的治療で根治可能なものが多い．治療ガイドラインでは，高分化腺癌で粘膜内にとどまり大きさ2cm未満のがんはリンパ節転移の危険性がほとんどなく，内視鏡治療の適応病変とされている．**内視鏡的粘膜切除術** endoscopic mucosal resection (EMR) では，病変下の粘膜下層に液体を注入して病変部を膨隆させ，スネア（ワイヤー）で絞扼して切除する．EMRでは2cm以上の病変の一括切除率が低い．これに対して**内視鏡的粘膜下層剥離術** endoscopic submucosal dissection (ESD) では，病変周囲の切除領域をマーキングして，特殊なナイフで粘膜を切開し，粘膜下層を剥離して切除する．ESDでは大きさに関係なく，高い一括切除率が得られている．

表14-8　胃の生検組織診断 Group 分類と含まれる病変

Group	定義	具体的病変
X	生検診断ができない不適材料	
1	正常組織および非腫瘍性病変	正常粘膜，慢性胃炎（化生性粘膜，再生性粘膜），過形成性ポリープ，胃底腺ポリープなど
2	腫瘍性か非腫瘍性か判断の困難な病変	異型を示す再生上皮腺腫，癌
3	腺腫	腺腫
4	腫瘍と判定される病変のうち癌が疑われる病変	腺腫（高異型度），高分化腺癌（非浸潤，低異型度）
5	癌	癌（浸潤性/非浸潤性）

C 非上皮性腫瘍

1 良性非上皮性腫瘍

　粘膜下腫瘍の形態を示すため，鑑別診断が重要である．平滑筋腫が最も多く，それ以外では神経鞘腫，顆粒細胞腫，脂肪腫，血管腫，グロムス腫瘍などがあるがいずれもまれである．

2 悪性非上皮性腫瘍

a　リンパ腫（悪性リンパ腫） malignant lymphoma

　消化管はリンパ組織の発達が良好であり，リンパ腫の頻度は節外性リンパ腫のなかで最も高い．胃リンパ腫の組織分類はWHO分類に従い，ほとんどはB細胞リンパ腫であり，T細胞リンパ腫はきわめてまれである．多くは**粘膜関連リンパ組織** mucosa-associated lymphoid tissue (MALT) に由来し，**MALTリンパ腫** MALToma と呼ばれる．次いでびまん性大細胞型B細胞リンパ腫が多く，濾胞性リンパ腫やマントル細胞リンパ腫も低頻度ながら発生する．
　肉眼的には，①表層型（早期胃癌に類似したもの），②潰瘍型，③隆起型，④決潰型，⑤巨大皺襞型の佐野分類が一般的に用いられている．

【MALTリンパ腫】
　胃リンパ腫の50〜70%を占める．組織学的には，反応性リンパ濾胞のマントル細胞層周囲である濾胞辺縁帯 marginal zone で，胚中心細胞類似の細胞 centrocyte-like (CCL) cell と呼ばれる小型〜中型の異型リンパ球がびまん性に増殖する．しばしば形質細胞への分化を示し，時に大型リンパ球や免疫芽球も混在する．粘膜上皮への異型リンパ球の浸潤による上皮の破壊像であり，リ

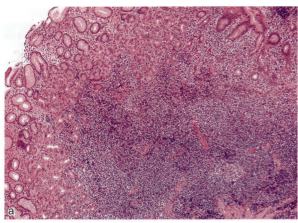
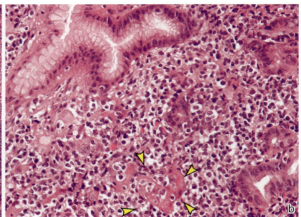

図 14-35　胃 MALT リンパ腫の組織像
a. 胃粘膜内に密なリンパ球の増生と腺管の脱落がみられる.
b. 粘膜上皮内へのリンパ球浸潤により破壊された上皮が島状(▷)に残存している(LEL).

ンパ上皮性病変 lymphoepithelial lesion (LEL)が特徴的組織像の1つである(図 14-35). 進行すると反応性リンパ濾胞がリンパ腫細胞で置換される(follicular colonization). MALT リンパ腫は進行が遅く, 悪性度は低いが, その一部は高悪性度のびまん性大細胞型 B 細胞リンパ腫へ転化する. この概念は 1983 年に Isaacson らにより提唱され, それ以前に反応性リンパ組織過形成 reactive lymphoid hyperplasia と診断された病変の多くは MALT リンパ腫に相当することが判明している.

多くの MALT リンパ腫は, その発生が H. pylori 感染と関連し, 患者の 70〜90% に証明される. H. pylori に対する抗原特異的 T 細胞が産生するサイトカインによって B 細胞の増殖が刺激され, その発生に関与していると考えられている. 多くの症例で H. pylori の除菌療法により病変が退縮ないし消失するため, H. pylori 除菌療法が第一選択とされる. また, MALT リンパ腫の一部では, 染色体転座 t(11;18)(q21;q21) により AP12-MALT1 キメラ遺伝子を形成することが判明しており, これが検出された症例には H. pylori 除菌不応群・H. pylori 陰性群に多いことが知られている. また, 染色体転座 t(1;14)(p22;q32) から単離された BCL10 も腫瘍の発生や進展に関連していると考えられている.

b 消化管間質腫瘍 gastrointestinal stromal tumor(GIST)

消化管の間葉系腫瘍は, かつては平滑筋系腫瘍(平滑筋腫, 平滑筋芽腫, 平滑筋肉腫)が大部分を占めると考えられていたが, 近年の研究から 80% 以上が**消化管間質腫瘍**であることが判明した. 特に消化管の平滑筋肉腫とされていたもののほとんどは GIST であり, 平滑筋腫はまれである.

GIST は筋層内に存在して蠕動運動をつかさどるペースメーカー細胞である**カハール介在細胞** interstitial cells of Cajal への分化を示し, 大部分で受容体型チロシンキナーゼをコードする c-kit 遺伝子変異を有し, 一部ではチロシンキナーゼ受容体である platelet-derived growth factor receptor α(PDGFR α)の変異を有する.

肉眼的に粘膜下腫瘍の形態をとり, 原則として固有筋層より発生し, 粘膜下層や漿膜側へ境界明瞭な腫瘤を形成しながら増殖する(図 14-36a). その発育様式から, 胃内発育型, 壁内発育型, 胃外発育型, 混合型に分類される. 割面では境界明瞭な白色充実性腫瘤であるが, 大きなものではしばしば出血性壊死および囊胞形成を伴う(図 14-36b).

組織学的には, 紡錘形細胞型と類上皮型に分けられ, 90% 以上が紡錘形細胞型である. 紡錘形細胞型では, 両端が鈍な棍棒状核と弱好酸性の細胞質を有する紡錘形細胞の密な束状配列とそれらが直交する像を示す(図 14-37a). 類上皮型では, 好酸性でときに淡明化した細胞質を有する類円形細胞の密な増生からなり, 上皮様の胞巣状配列を示す(図 14-37b). 免疫組織化学では, ほとんどの例が KIT 陽性を示し, 多くの例で CD34 も陽性となる. 頻度は低いが, 筋への分化(アクチン陽性)や神経への分化(S-100 陽性)を示すこともある.

組織細胞像からは良悪性の判別ができないので, 本質的には悪性と考えられるが, 臨床的には腫瘍の大きさと細胞増殖能(核分裂や Ki67 標識率)の組み合わせで, 悪性度を評価する. 腫瘍径が 5 cm 以上, 核分裂が 400 倍

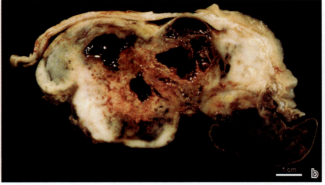

図 14-36　胃 GIST の肉眼像
a. 胃体上部の潰瘍を伴う粘膜下腫瘍．b. 腫瘍の中心割面．

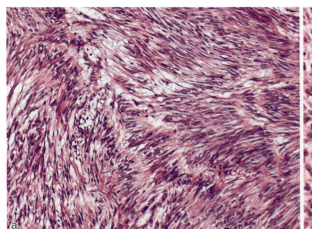
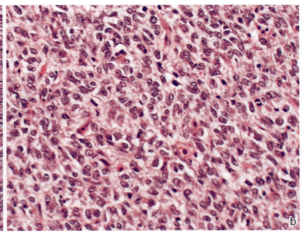

図 14-37　胃 GIST の組織像
a. 紡錘形細胞型．b. 類上皮型．

の 50 視野中 10 個あれば，肝転移や腹膜播種の危険性が高い高リスク群と判断される．

なお，転移性 GIST に対しては，c-kit タンパクのチロシンキナーゼ活性を特異的に阻害する経口分子標的薬であるイマチニブ imatinib が有効で，腫瘍縮小効果を示す．

十二指腸

A 正常構造と機能

十二指腸は大部分が後腹膜に位置し，幽門輪からトライツ Treitz 靱帯まで長さ約 25 cm の膵頭を囲むような C 字型腸管である．ほぼ中央で下行部の膵に接する部分にファーター乳頭 papilla of Vater があり，それより口側は前腸，肛門側は中腸由来である．十二指腸の粘膜面には長軸に対し，直交する輪状粘膜襞 circular folds (Kerckring folds) がある．輪状粘膜襞は十二指腸で顕著

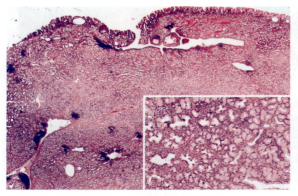

図 14-38　十二指腸 Brunner 腺過形成/過誤腫
Brunner 腺の増生からなる．細胞異型はみられない．挿入図は強拡大像．

に発達し，回腸末端に向かうに従って減少する．
　乳頭部は総胆管および主膵管が陥入する十二指腸壁から，共通管もしくは総胆管と膵管が開口する部分までの十二指腸粘膜の膨らみ部分である．「胆道癌取扱い規約第7版」では，乳頭部胆管，乳頭部膵管，共通管部および大十二指腸乳頭を一括して乳頭部としている．

Advanced Studies

　十二指腸壁は，胃や小腸，大腸と同様に粘膜（粘膜筋板を含む），粘膜下層，固有筋層，漿膜から構成される．粘膜表層は内腔に突出する絨毛と絨毛基部から陥入する陰窩から構成される．絨毛は，吸収上皮と杯細胞から構成される一層の円柱上皮からなるが，陰窩は主に杯細胞，未分化な陰窩上皮細胞，Paneth 細胞から構成され，小数の内分泌細胞が混在する．
　ブルンネル腺 Brunner glands は主として粘膜下層に存在するが，少量は粘膜層にもみられる．構成する上皮は幽門腺細胞と類似しており，細胞質は淡明で，PAS 陽性粘液が豊富で，免疫組織化学でMUC6 陽性であることも幽門腺と共通している．成人では乳頭部あたりまで分布している．

B 形成異常
　先天性十二指腸狭窄 congenital duodenal stenosis ないし閉塞 atresia，重複十二指腸 duplication of duodenum，ハリス帯 Harris band（肝下縁から胆嚢や十二指腸に連結する線維性索状物），輪状膵 annular pancreas などがあるが，いずれもまれである．

C 十二指腸憩室
　十二指腸憩室 duodenal diverticulum は管外性と管内性憩室に分類される．管外性は腸管外に突出した通常型の憩室であり，多くは単発で，Vater 乳頭近傍の内側部に好発する．成因として，①胆・膵管の十二指腸貫通部，②十二指腸固有筋層の先天的欠損，③十二指腸の特殊な腸運動（乳頭部を中心とする強い収縮）と内圧の上昇との関係が考えられている．大部分が 3 cm 以下であり，加齢とともに頻度と大きさが増大する．出血や炎症を合併しない限り，治療の必要はない．まれに十二指腸腔内に袋状に下垂する先天

性の管腔内型十二指腸憩室があり，約 40% に胆道拡張症，腸回転異常，輪状膵などの先天異常を併発する．

【レンメル Lemmel 症候群】
　乳頭部近傍に発生した憩室が機能的あるいは機械的に胆管や膵管を圧排して，胆汁や膵液の流出を妨げたり，憩室炎を起こしたりして胆道炎，うっ滞，胆石形成，黄疸，肝炎あるいは膵炎を引き起こすことがあり，Lemmel 症候群と呼ばれる．

D 循環障害
　門脈圧亢進の際に，食道や胃のみならず十二指腸静脈瘤 duodenal varix がまれに発生するが，破綻すると止血が困難であり，致命的となる．

E 十二指腸炎
　明らかな原因・誘因または因果関係が強く示唆される基礎疾患を有さないものは原発性（非特異性）十二指腸炎，有するものは続発性（特異性）十二指腸炎に大別される．
　原発性では，潰瘍，腫瘍，憩室などの限局性病変のない粘膜に発赤・腫脹があり，組織学的に浮腫，炎症細胞浸潤，充血のある場合に十二指腸炎 duodenitis とされるが，臨床病理学的意義は乏しい．上記の組織所見は潰瘍あるいは潰瘍瘢痕部でも見いだされるが，こうした病変では表層上皮が種々の程度に再生性変化を示している．
　続発性では，梅毒，結核，寄生虫・原虫（糞線虫，ランブル鞭毛虫，戦争イソスポーラなど），IgA 血管炎（シェーンライン-ヘノッホ Schönlein-Henoch 症候群）（白血球破砕性血管炎が特徴的組織像），クローン Crohn 病（非乾酪性類上皮細胞肉芽腫の検出が診断的意義），潰瘍性大腸炎（陰窩膿瘍を伴うびまん性慢性活動性炎症の存在），好酸球性胃腸炎，薬剤（NSAIDs など）が原因となり，びらん・潰瘍を形成することがある．

F 十二指腸潰瘍
　→ 444 頁参照．

G 腫瘍および腫瘍様病変

1 十二指腸ポリープ duodenal polyp およびその類似病変
　十二指腸の非腫瘍性ポリープとしては，ブルンネル腺過形成/過誤腫 Brunner gland hyperplasia/hamartoma，異所性胃粘膜 heterotopic gastric mucosa，過形成性ポリープ hyperplastic polyp，異所性膵 heterotopic pancreas，リンパ濾胞過形成 lymphoid hyperplasia などがある．
　Brunner 腺が粘膜下腫瘍様に増生した病変は，臨床的に Brunner 腺腫と呼ばれることがあるが，通常は細胞異型のない Brunner 腺の増生からなる腺過形成性あるいは過誤腫性病変である（図 14-38）．まれではあるが，細胞異型を伴う真の腺腫も存在する．異所性胃粘膜は，胃腺窩上皮と胃底腺からなる小さな無茎性隆起として認められる．表層のみ胃腺窩上皮に置換されたものや幽門

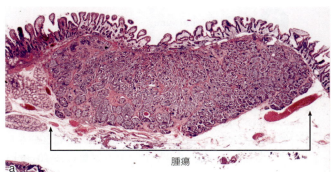
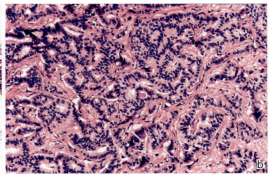

図 14-39　十二指腸カルチノイド腫瘍
a. 粘膜に覆われて粘膜下層主体に腫瘍が増殖．
b. 強拡大．小型円形核を有する均一な腫瘍細胞が索状・管状構造をとりながら増殖する．

腺を伴っているものは胃上皮化生として区別される．十二指腸粘膜にも胃腺窩上皮の過形成がしばしば観察され，過形成性ポリープとして認識される．化生性あるいは異所性胃粘膜の胃腺窩上皮が増生することによって生じると考えられている．異所性膵は，粘膜下腫瘍様の隆起として認められ，十二指腸乳頭近傍に好発する．リンパ濾胞過形成は多発することが多く，リンパ腫との鑑別が問題となる．

2 ● 上皮性腫瘍

a 良性腫瘍

腺腫 adenoma は，きわめてまれで，多くは平坦な隆起として認められる．胃と同様に腸型形質のものが多いが，胃型（幽門腺）腺腫や Brunner 腺腫もまれながら存在する．

b 悪性腫瘍

上皮性悪性腫瘍としては腺癌 adenocarcinoma とカルチノイド腫瘍 carcinoid tumor があるが，いずれもきわめてまれである．

十二指腸癌の好発部位は下行脚で次いで球部に多い．大部分が分化型腺癌であり，低分化型腺癌はまれである．なお，乳頭部に生じたがんはその由来組織が不明確であり，乳頭部癌と総称される．

カルチノイド腫瘍は WHO 分類では神経内分泌腫瘍 neuroendocrine tumor（NET）という名称で呼ばれる（図 14-39）．わが国での消化管カルチノイドの発生頻度は，直腸と胃に次いで，十二指腸は3番目である．悪性腫瘍に分類されるが，腺癌と比較すると悪性度は低い．形態的にはカルチノイドの像を呈するが，ガストリンを産生するガストリノーマ gastrinoma は膵に次いで十二指腸に好発し，Zollinger-Ellison 症候群を引き起こす．

3 ● 非上皮性腫瘍

リンパ腫は，十二指腸ではまれであるが，集簇した白色顆粒状粘膜として発見され，胃（特に MALT リンパ腫）や小腸（特に濾胞性リンパ腫）の病変が併存することが多い．

それ以外では，平滑筋腫，脂肪腫，リンパ管腫，GIST，神経節細胞性傍神経節腫 gangliocytic paraganglioma などが発生することがあるが，きわめてまれである．リンパ管腫は，表面平滑な隆起で，リンパ管拡張に伴い，黄白色顆粒状を呈する．神経節細胞性傍神経節腫は，中高年男性の乳頭部近傍に好発し，組織学的に良性腫瘍に分類されているが，まれに転移することがある．

小腸，大腸

A 正常構造と機能

1 小腸 small intestine

小腸は，胃幽門部から回盲弁までに至る全長6〜7 m の管腔臓器であり，十二指腸 duodenum，空腸 jejunum，回腸 ileum から構成される．小腸は食物の消化・吸収に深くかかわる臓器で，免疫器官としての機能も果

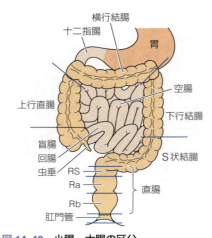

図 14-40　小腸・大腸の区分
RS：直腸S状部，Ra：上部直腸，Rb：下部直腸．

2 大腸 large intestine

大腸は，回盲弁 ileocecal valve（バウヒン弁 Bauhin valve）を介して小腸から連続する約 1.5 m の管腔臓器である．盲腸 cecum，結腸 colon（上行結腸 ascending colon，横行結腸 transverse colon，下行結腸 descending colon，S状結腸 sigmoid colon），直腸 rectum の 6 つの領域に区分され，直腸はさらに RS, Ra, Rb に区分されている（図 14-40）．盲腸には，長さが数 cm〜10 cm の盲端となる虫垂 appendix が付着している．回腸が開口している部分にある回盲弁は，流動状内容物が逆流しないような構造になっている．大腸は，主として小腸から送られてきた液状の消化物から電解質や水分などを吸収するとともに，腸内細菌により食物繊維を発酵させる役割がある．また塊状となった便を蠕動運動により移動させる．その移動を容易にするため大量の粘液を分泌する．

大腸の大部分は漿膜で覆われているが，盲腸，上行結腸，下行結腸では管腔状構造の一部で後腹壁に固定され，同部には外膜が存在している（組織学的に「外膜」といった場合には，いわゆる膜構造はなく，周囲間質組織に連続性に移行する構造を指す）．また，直腸下端部はその全周が小骨盤組織に囲まれており，全周が外膜である．一方，横行結腸とS状結腸は比較的長い結腸間膜で後腹壁に付着しており，ほぼ全体が漿膜で覆われている．結腸外側（直腸にはみられない）には，縦走する 3 本の結腸ヒモ colic teniae がみられる．結腸ヒモは外縦筋が限局性に肥厚した構造であり，このヒモにより結腸は全体的に手繰られたようになり，粘膜側の半月襞形成と外側の蛇腹状の結腸膨起 haustra がみられる．

組織学的には，大腸壁は他の消化管臓器と同様に，内腔側から粘膜上皮，粘膜固有層，粘膜筋板，粘膜下層，固有筋層，漿膜下組織（外膜），漿膜からなる（→ 433 頁参照）．大腸粘膜は，円柱上皮からなる腺管と粘膜固有層（間質）からなる．腺管内に存在する細胞は，増殖帯部の未分化上皮細胞，短い刷子縁を有する吸収上皮細胞，杯細胞，内分泌細胞（基底顆粒細胞）が主であるが，大腸では特に杯細胞が発達している．また，右側結腸（特に盲腸と上行結腸）では，Paneth 細胞が少数みられる．粘膜下層は，疎性結合組織や一部は脂肪組織などにより構成されているが，特に粘膜筋板直下ではリンパ管が発達している．また，散在性にマイスナー神経叢 Meissner plexus がみられる．筋層は内輪筋と外縦筋の平滑筋からなり，これらの筋層間にアウエルバッハ神経叢 Auerbach plexus が存在する．

たしている．空腸では，糖，アミノ酸，ビタミン，Ca, Fe, Zn などが，回腸末端では，胆汁酸，ビタミン B_{12} が吸収される．十二指腸は 25〜30 cm ほどの臓器で，膵頭部を取り巻くように後腹膜に位置し，腸間膜はもたず，上膵十二指腸動脈，脾動脈および下膵十二指腸動脈により栄養されている．一方，それに続く空腸と回腸は腸間膜によって後腹壁から吊り下げられており，可動性を有し，上腸間膜動脈により栄養されている．空腸と回腸には明確な解剖学的境界はなく，空腸が約 2/5, 回腸が約 3/5 を占める．

小腸壁構造は，胃や大腸とほぼ同じであるが，小腸粘膜は絨毛 villi と陰窩 crypts（リーベルキューン腺 Lieberkühn glands）から構成され，絨毛構造がみられる点で胃や大腸と異なる．上皮は，杯細胞，吸収上皮細胞，パネート細胞 Paneth cell，内分泌細胞（基底顆粒細胞）などからなる．小腸の内腔には輪状襞 circular folds が連なる．小腸吸収上皮細胞には表層に微絨毛 microvilli が発達し，PAS 染色陽性の刷子縁 brush border として認められる．十二指腸には，ブルンネル腺 Brunner glands が粘膜および粘膜下層にみられ，酸性の胃内容を中和する役割を担っている．また，小腸粘膜にはリンパ小節がみられ，特に回腸末端部では集合リンパ小節（パイエル板 Peyer patch）が発達している．発達したリンパ球組織は，消化管付属リンパ組織 gut-associated lymphoid tissue と呼ばれ，消化管の免疫機構に大きな役割を果たしている．

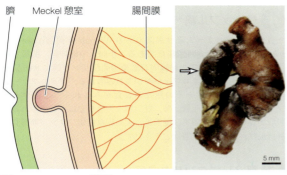

図 14-41 Meckel 憩室
a. Meckel 憩室の形成過程．Meckel 憩室は卵黄腸管の遺残であり，回盲部から口側 40～50 cm 付近の腸間膜付着部反対側に生じる．
b. 肉眼像．小腸から突出する Meckel 憩室 (→)．腸重積による循環障害を伴い，暗赤色調を呈する．

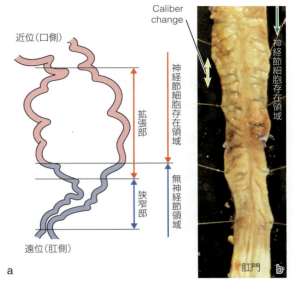

図 14-42 Hirschsprung 病
a. 狭窄部・拡張部と神経節細胞存在領域との関係図．
b. 肉眼像．肛門より連続する狭窄部（無神経節領域）から拡張した口側腸管（神経節細胞存在領域）への腸管径の変化（caliber change）を認める．

B 形成異常

A メッケル憩室 Meckel diverticulum

胎生期の卵黄腸管（臍帯にあり，卵黄嚢と腸管を結ぶ）の遺残・閉鎖不全により盲管として残存した憩室である．回盲部から口側約 40～50 cm 付近の腸間膜付着部反対側に生じる（図 14-41）．憩室の分類としては，真性憩室であり，憩室周囲に正常の筋層が存在している．憩室内腔は原則として正常小腸組織からなるが，粘膜内に胃粘膜（胃底腺，幽門腺），壁内に膵組織の迷入がみられることがある．したがって，憩室近傍に消化性潰瘍形成がみられ，出血をきたすことがある．多くは無症候に経過するが，時に消化性潰瘍，憩室炎，腸捻転，腸重積，腸閉塞（イレウス），出血などを合併する．

B ヒルシュスプルング病 Hirschsprung disease

Hirschsprung 病は，直腸寄りの腸管における Meissner 神経叢および Auerbach 神経叢での神経節細胞の先天的欠損により，神経節細胞欠損部腸管の狭小化と腸管蠕動運動による近位側腸管の二次的拡張により先天性巨大結腸症 congenital megacolon を生じる疾患である．出生 5,000 例に 1 例の頻度で発症するといわれ，男児に多く，心奇形や水頭症などの先天異常およびダウン Down 症候群との合併率が高い．これまでに RET 遺伝子やエンドセリンシグナル系分子（エンドセリン受容体 B，エンドセリン 3 など）が原因遺伝子として同定されている．受容体型チロシンキナーゼをコードする RET 遺伝子変異は，家族性発生例の約 50％程度，孤発例の 15～20％に認められる．

消化管の神経節細胞は胎齢 5～12 週頃に食道口側に発生し肛門に向かって順々に分布していくが，Hirschsprung 病ではこの過程に何らかの異常が起こり途中で神経節細胞の分布が止まり発症する．本疾患の約 80％において神経節細胞のない腸（無神経節腸管）の領域は肛門～S 状結腸までであるが，全大腸あるいは小腸まで病変が及ぶ症例もあり，病変の範囲により直腸下部型，S 状結腸型，左右結腸型，全結腸型，小腸型などに分類される．

通常無神経節領域 aganglionic segment は狭窄，それより口側は拡張して巨大結腸 mega colon の状態となる．神経節が存在する巨大結腸部は，拡張により腸管壁が菲薄化したり，筋層の肥厚が目立ったりすることもある（図 14-42）．組織学的には，本疾患の狭窄部では神経節が存在するべき部位にコリン作動性神経線維の過形成がみられ，同部に神経節細胞の欠如がみられる．また，本疾患の診断において，狭窄部（直腸）から吸引生検を行い，神経節細胞欠如の同定とともにアセチルコリンエステラーゼ染色を施行すると，コリン作動性神経線維の過

形成のため，粘膜内〜粘膜下層内にアセチルコリンエステラーゼ陽性の太い神経線維が認められる．

C 吸収不良症候群
malabsorption syndrome

栄養素，水分，電解質などの吸収障害により，栄養不良状態に陥る疾患であり，慢性下痢と脂肪便が主たる症状である．正常な消化・吸収機能を構成する3つ（腸管内消化，粘膜吸収，栄養素の移送）の過程のうち，いずれかが障害されることで発症する．具体的な疾患として，①腸管内消化の障害なら膵機能障害，胃・小腸摘除術，②粘膜吸収の障害なら乳糖不耐症，セリアック病，熱帯性スプルー，ウィップル Whipple 病，③栄養素の移送の障害なら無βリポタンパク血症，リンパ管の閉塞などがあげられる．セリアック病，熱帯性スプルーなどは栄養素の吸収過程そのものに異常があることから原発性吸収不良症候群と呼ばれ，一方で Crohn 病やアミロイドーシスなどの疾患や胃・小腸摘除術によって吸収不良が起こる場合は続発性吸収不良症候群と呼ばれる．頻度的には圧倒的に後者が多い．

Advanced Studies

1 乳糖不耐症 lactose intolerance

乳糖分解酵素 lactase の欠損により生じる．乳製品を摂取することで下痢症を起こし，成長不良の原因となる．小腸粘膜には形態的な異常はみられない．

2 セリアック病 celiac disease

自己免疫性疾患で，グルテン過敏性腸疾患ともいわれる．全般的な吸収障害，小腸粘膜障害，グルテン制限食による症状改善を三徴とする．グルテンは小麦などの穀物に含まれる成分で，タンパク質であるグリアジンを含み，これに対する免疫反応で過敏状態が惹起され，粘膜を傷害する．グルテンを含まない食事とすることで症状に劇的な改善がみられる．組織学的には，小腸絨毛の萎縮・消失がみられ，小腸の吸収面積が減少し，粘膜内にリンパ球や形質細胞の浸潤がみられる．この変化は口側の小腸に強くみられる．その結果，全栄養素の吸収障害が起こるとされている．また，長期的には悪性腫瘍が発生することが知られ，特に腸症型T細胞リンパ腫 enteropathy-associated T-cell lymphoma（EATL）との関与が報告されている．皮膚には疱疹状皮膚炎を合併することがある．

3 熱帯性スプルー tropical sprue

吸収不良と巨赤芽球性貧血を主な病態とする．熱帯・亜熱帯の限局した地域とそこを旅行した人にみられる．原因は不明であるが，抗菌薬に反応し，大腸菌の感染に起因すると考えられている．小腸のあらゆる部位で，絨毛に軽度〜高度の萎縮が認められる．

4 ウィップル病 Whipple disease

放線菌近縁のグラム陽性桿菌である Whipple 桿菌（*Tropheryma whippelii*）による全身性感染症である．小腸，中枢神経，関節を侵す．消化管では，小腸の粘膜固有層や腸間膜リンパ節に PAS 染色陽性の大型泡沫状マクロファージが多数みられる．マクロファージ内には Whipple 桿菌とその断片の貪食がみられる．このマクロファージは，他の消化管，肺，肝，脾，神経などにも認められる．吸収不良のほか，漿膜炎，関節炎，大動脈血栓症，リンパ節腫脹，神経症状，皮膚色素沈着などをきたす．

5 無βリポタンパク血症 abetalipoproteinemia

血中にあるアポリポタンパク B の欠損により生じる常染色体潜性（劣性）遺伝性疾患である．本疾患では，脂質をカイロミクロンにして腸管リンパ管に移送・吸収することができず，脂質などの吸収障害を呈する．組織学的には，絨毛の吸収上皮細胞の細胞質に脂肪滴が蓄積され明るくみえる．脂肪とそれが含有するビタミンの吸収障害により発育遅延，脳神経障害，全身性の脂質膜異常，網膜色素変性症，有棘赤血球増多症などを引き起こす．

D 循環障害性疾患，機械的障害

1 虚血性腸疾患 ischemic bowel disease

循環障害が主因となって惹起される腸の出血性，壊死性ないし潰瘍性病変を虚血性腸疾患と呼ぶ．虚血の原因として，腸間膜動脈または静脈の血栓，筋層攣縮などによる閉塞，原発性血管病変，非閉塞性因子，絞扼（索状物，嵌頓ヘルニア，腸重積，腸軸捻転）などさまざまな成因があげられる．腸管に虚血性変化をきたす原因は多岐にわたる．

1● 虚血性大腸炎 ischemic colitis

腸間膜動脈の閉塞や狭窄，血圧低下などを原因として発症する大腸の虚血性疾患である．急激な腹痛と下血で発症することが多い．好発部位は結腸脾彎曲部（上・下腸間膜動脈境界部），S状結腸（下腸間膜動脈・内腸骨動脈境界部）などの動脈支配領域の境界部である．50歳以上の中高年者に多く，高血圧，糖尿病，動脈硬化などの基礎疾患を有することが多いが，有さないこともある．

肉眼的に，発症初期には小びらんと小潰瘍が縦走傾向をもって並び，次第に3本の結腸ヒモに沿って3本の縦走潰瘍が形成される．さらに虚血が続くと腸管全周性の帯状潰瘍が形成される（図14-43）．潰瘍周囲の粘膜あるいは粘膜下層には，著明な浮腫と出血が起こり隆起し，注腸X線での拇指圧痕像に一致する．急性期では，

小腸，大腸—E. 炎症性腸疾患 ● 463

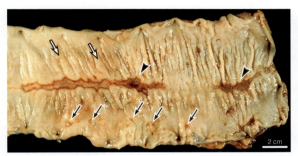

図 14-43　虚血性腸炎
50 歳代，男性．突然の腹痛と下血のあった患者の下行結腸〜S 状結腸切除標本．結腸ヒモに沿った 3 本の縦走潰瘍ができるのが典型所見であるが，本例では腸間膜ヒモに沿って（腸管中央に）縦走潰瘍が 2 か所みられる（▶）．また，縦走潰瘍下方の粘膜に，点状のびらんが縦走傾向をもって散在している（→）．虚血性腸炎で形成される縦走潰瘍は，このように潰瘍周囲に発赤が強いのが特徴である．中央部の大きい縦走潰瘍周囲に，粘膜襞の著明な浮腫状腫大がみられる（⇢），これは粘膜下層内の高度浮腫に由来する．

図 14-44　出血性壊死（小腸）
肉眼像．循環障害により出血性壊死に陥った領域は境界明瞭な暗赤色調を呈する．

粘膜内の血管拡張，うっ血，出血，浮腫が目立つ一方で，炎症細胞浸潤はそれほど強くない．また，腺管を構成する上皮細胞の脱落により上皮を欠如した粘膜 ghost-like appearance が特徴的である．高度の虚血に陥った場合には凝固壊死を伴うことがあるが，潰瘍が形成される場合でも UL-II（粘膜下層までの潰瘍）程度の浅い潰瘍であることが多く，速やかに治癒することが多い．一過性の虚血であり，粘膜およびせいぜい粘膜下層までの傷害のことが多く，穿孔や狭窄をきたすことはまれである．

2 ● 腸間膜動脈閉塞症 mesenteric artery occlusion

腸間膜動脈領域の血管（上腸間膜動脈に多い）が，血栓や塞栓などにより閉塞し，支配領域の腸管に梗塞が起こった状態である．動脈硬化症，心疾患，糖尿病などの基礎疾患を有する患者に多い．緊急手術が必要な疾患であり，予後は悪いことが多い．

基本的には虚血性大腸炎と類似した所見を呈するが，虚血が持続するためより高度な傷害となる．傷害を受けた領域の腸管には，粘膜のみでなく腸管壁全層性に著明な出血性壊死を認め，穿孔や腹膜炎などを伴いやすい（図 14-44）．治癒しても狭窄をきたすことが多い．機械的イレウス（絞扼性イレウス，ヘルニア嵌頓）による腸管壊死も同様の所見を呈する．

3 ● 新生児壊死性腸炎 neonatal necrotizing enterocolitis

低出生体重児に好発し，出生後 2 週間以内に発症する．原因は呼吸不全に伴う血流の再分配障害（肺，脳，心臓に多く分配）と，腸管の未熟性による腸管壊死にあり，それに細菌感染が加わった病態である．回腸，回盲部，上行結腸に好発する．病変は，他の腸管虚血病変と同様，傷害を受けた領域の腸管に，著明な出血性壊死を認め，穿孔や腹膜炎などの二次的所見を伴う．腸管嚢胞状気腫症（腸管壁内に空気が貯留した状態）を高率に伴う．

2　イレウス

さまざまな要因によって発症する機械的あるいは機能的な腸管の閉塞であり，小腸に好発する．原因として，ヘルニア形成 herniation，腸管癒着 intestinal adhesion，腸重積 intussusception，腸捻転 volvulus がその多くを占める．腸管閉塞により近位側の腸管拡張をきたすとともに，絞扼により腸間膜部の循環障害が発生し，腸管の虚血性変化・壊死，穿孔，さらには腹膜炎をきたすことがある．

E　炎症性腸疾患
inflammatory bowel disease（IBD）

腸管は外界と接し，さまざまな異物に絶えず曝露されているが，その一方で食物や共生する腸内細菌叢に対して過剰に免疫応答しないように調節され，その恒常性が保たれている．IBD とは，このような腸管の恒常性が何

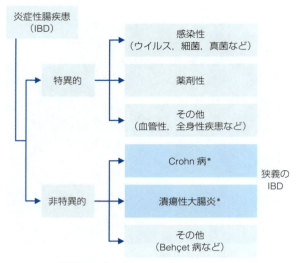

図 14-45　炎症性腸疾患(IBD)の分類
*狭義の IBD としては Crohn 病と潰瘍性大腸炎が該当する.
〔新井万里, 他：病態・病因・予後. 日比紀文, 他(編)：IBD を日常診療で診る. p.24. 羊土社, 2017 および IBD LIFE Web サイトより改変〕

らかの原因で破綻する炎症性疾患である. 広義の IBD には, 特異的 IBD (明らかな原因が判明している腸炎：感染性, 物理的刺激, 薬剤性, 血管性, 全身性疾患など) と非特異的 IBD〔原因は不明であるが疾患単位として確立している腸炎：潰瘍性大腸炎 (UC), Crohn 病 (CD), ベーチェット Behçet 病など〕が含まれる (図 14-45). 後者の原因不明の非特異的 IBD のうち, 特に UC と CD を狭義の IBD として呼称することが多い. 腸炎の診断に関しては, 臨床的な事項 (患者の年齢, 症状, 経過, 渡航歴など), 画像所見 (好発部位, 粘膜の所見, 潰瘍の形態), 病理所見の 3 者ともに重要であり, これらを総合的に判定し診断していく姿勢が重要である. 特に年齢, 好発部位, 潰瘍の形態, 病理所見などが重要である.

 潰瘍性大腸炎 ulcerative colitis(UC)

【概念, 定義】

潰瘍性大腸炎 ulcerative colitis (UC) は, 慢性・再発性の経過をたどる難治性炎症性腸疾患で, 組織学的に炎症は主として粘膜に生じ, 直腸から連続性に進展することを特徴とする. 一般的に 20〜30 歳代の若年者に好発し, その発症には遺伝的素因や環境因子が関与することが知られており, 近年発症率の増加とともに, 治療薬の進歩に伴い長期罹患患者が急激に増加している.

炎症はほとんどが直腸から始まり, 連続性に大腸を侵す (通常小腸は侵されない). 寛解と再燃を繰り返し, 活動期・寛解期に分けられる. 例えば, 最初に炎症が起こった直腸は寛解期にあるが, 下行結腸は活動期にあるといったことが起こり, 時間的・空間的に種々の病巣が混在して存在する. 罹患範囲により, 全大腸炎型, 左側大腸炎型 (脾彎曲部まで), 直腸炎型, 右側あるいは区域性大腸炎型に分けられる. 肛門に近い直腸に炎症が起こるので, 粘血便 (粘膜から産生亢進した粘液と血液が混ざり, 融解したチョコレート状の便) が特徴的である. また, 消化管外の合併症として原発性硬化性胆管炎が, 皮膚病変として小水疱膿疱疹, 結節性紅斑, 壊疽性膿皮症, 結節性動脈周囲炎, 血栓性静脈炎, 尋常性乾癬などがある.

【病理形態像】

1 ● 活動期

活動期 UC の肉眼的特徴として, 原則として直腸から口側に向かって連続性・びまん性に進展する炎症所見があげられる. 罹患範囲は症例によりさまざまであり, 炎症が脾彎曲部を越える全大腸炎型, 脾彎曲部を越えていない左側大腸炎型, 直腸までにとどまる直腸炎型, まれに右側あるいは区域性大腸炎型に分けられるが, いずれも炎症部と非炎症部との境界は比較的明瞭である (図 14-46a). 通常炎症は回腸に及ばず, 小腸に病変を認めた場合はその多くで UC を除外できるが, まれに回盲弁を越えて炎症が波及することがあり, 逆行性回腸炎 backwash ileitis と呼ばれている.

UC の組織像は粘膜内のびまん性活動性炎症であるが, その炎症は陰窩底部から始まる basal plasmacytosis が重要であることが報告されている. 好中球が陰窩内に浸潤し, 陰窩炎 cryptitis や杯細胞減少 goblet cell depletion がみられる. 陰窩底部の炎症が強くなると, 陰窩内に好中球が充満した陰窩膿瘍 crypt abscess が形成される (図 14-46b). これらの組織像は肉眼的に発赤調の粗糙な粘膜 (ホルマリン固定材料では褐色) 像として観察され, 表面にはしばしば粘血膿性の分泌物が付着している. 粘膜深部に形成された膿瘍が表層に達すると, 粘膜全層性の溝状欠損となり, 粘膜欠損により囲まれた細顆粒状の粘膜を呈する. 陰窩膿瘍による陰窩底部破壊の修復過程で生じる陰窩の捻れ crypt distortion も UC と強く相関のみられる組織学的特徴の 1 つである. 陰窩破壊および粘膜欠損が進行するにつれ, 炎症は粘膜下層に波及し, ある程度の領域性をもったびらんや潰瘍 (通常 UL-Ⅱまで) が形成されるとともに, 潰瘍が広範に及ぶ

小腸, 大腸—E. 炎症性腸疾患 ● 465

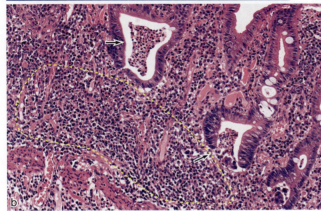

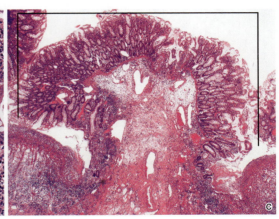

図 14-46　潰瘍性大腸炎（活動期）
a. 肉眼像（全大腸炎型潰瘍性大腸炎）．炎症は直腸（左下）から連続性に肝彎曲部付近まで拡がる．
b. 組織像（陰窩膿瘍と basal plasmacytosis）．炎症が高度になるにつれ，好中球が陰窩内に浸潤する．陰窩内に好中球が充満した状態を陰窩膿瘍という（→）．また，陰窩底部と粘膜筋板との間（黄点線）には多数の形質細胞浸潤を認める（basal plasmacytosis）．
c. 組織像（偽ポリープ）．広範な潰瘍の中に残存した粘膜が偽ポリープ（⊓）として観察される．

と潰瘍間に残存した粘膜が偽ポリープ pseudopolyp として観察される（図 14-46c）．

2 ● 劇症型

劇症型の経過をとる症例では，炎症が粘膜下層を越え筋層に達し，筋層が露出するような深い潰瘍や分節状の拡張を示すことがしばしばみられ，中毒性巨大結腸症 toxic megacolon とも呼ばれる．活動期では，炎症の程度や時相が異なるさまざまな炎症過程が混在しながら，連続性・びまん性に炎症が進展する．また，治療による修飾が加わることで病変の範囲や炎症像に変化がみられることから，上記の肉眼的特徴に加え，これらを修飾する因子を踏まえて適切に診断していく必要がある．

3 ● 寛解期

寛解期の UC では，粘膜は萎縮性で襞消失を伴い，平坦化した肉眼像を呈する．組織学的には，間質の軽度の慢性炎症細胞浸潤を認めるのみで，陰窩炎や陰窩膿瘍などの活動性炎症は消失するが，陰窩の捻れや左半結腸での Paneth 細胞化生は持続する．また，程度はさまざまであるが，陰窩底部と粘膜筋板との間の間隙（陰窩の萎縮）もしばしばみられ，これらの所見は UC 寛解期の組織学的指標となりうる．

長期にわたる UC の経過中に，粘膜内に dysplasia と呼ばれる腫瘍性病変が出現することが知られ，前がん病変として重要視されている．10 年以上経過し，かつ全大腸炎型の症例で多いとされている．長期にわたる炎症を基盤として発生し，多発性かつ高頻度にがんとなる病変である．炎症を基盤として発生するがんを大腸炎関連

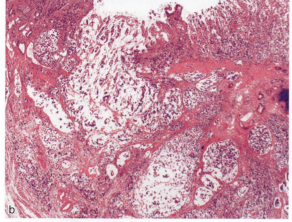

図14-47 潰瘍性大腸炎関連癌
a. 肉眼像．内腔狭窄を伴った5型(分類不能)の腫瘍を認める(→)．
b. 組織像．粘液癌あるいは低分化腺癌が浸潤している像を認める．

癌 colitic cancer と呼ぶ．通常の大腸早期癌と異なり，表面型病変が多くて発見が困難である，多発する，低分化腺癌や粘液癌の頻度が高いなどの特徴がある(図14-47)．

2 クローン病 Crohn disease(CD)

【概念，定義】

Crohn病(CD)は，慢性・再発性の経過を特徴とする難治性炎症性腸疾患で，主としてUCよりもやや若年者(10～20歳代)に好発する．好発部位は回腸末端部であるが，消化管のどの部位にも発症し，UCとは異なり，非連続性・区域性に認められるのが特徴である．肛門部病変も多く，特に若年者で頑固な痔瘻をみたときには本例を疑う．ただ病変が広範に及びびまん性病変を呈するようになると，部分的にUCに類似した像を示すこともある．病変部位別に小腸型，大腸型，小腸・大腸型，胃・十二指腸型に分けられ，小腸・大腸型が多くを占めている．

【病理形態像】

活動期CDの肉眼的特徴として，アフタ，小潰瘍・地図状潰瘍，縦走潰瘍(腸間膜付着部)，敷石像 cobblestone appearance，非連続性病変 skip lesion があげられる(図14-48a)．初期には縦列する多発アフタが出現する．病変の進行とともに，腸間膜側に沿った縦走潰瘍となる．この縦走潰瘍周囲に網目状にびらんあるいは潰瘍形成がみられ，潰瘍の間に取り残された粘膜が結節状に隆起してみえる．その所見が石を敷き詰めたようにみえることから敷石像と呼称する肉眼所見が形成される(図14-48b)．また，これらの病巣が正常粘膜を介して他部位にもみられることを非連続性病変という．

組織学的には，壁全層性に及ぶ巣状慢性炎症細胞浸潤，非乾酪性類上皮細胞肉芽腫形成，裂孔潰瘍がCDの最も重要な特徴である(図14-48c)．類上皮細胞肉芽腫は壁内のどの部位にも認められ，類上皮細胞様組織球がリンパ管内に集簇した閉塞性リンパ管炎もしばしばみられる．限局性で幅の狭い深い潰瘍 fissuring ulcer はCDの特徴の1つであり，しばしば漿膜へ穿通し瘻孔を形成する．周囲臓器との間に瘻孔形成(小腸―皮膚瘻，小腸―膀胱瘻，小腸―子宮瘻など)が起こり，さらに肛門部に痔瘻が起こる．

寛解期のCDでは，全層性炎症や肉芽腫など特徴的な所見が消失することがあり，診断においては，臨床像，肉眼像，組織像による他疾患の除外診断が重要となる．

消化管外の合併症として，関節では関節炎や強直性脊椎炎，皮膚では結節性紅斑，壊疽性膿皮症，口腔内アフタ，眼では虹彩炎やぶどう膜炎などをみる．

3 腸管ベーチェット病 intestinal Behçet disease

【概念，定義】

Behçet病は原因不明の慢性炎症性疾患である．膠原病と類似した自己免疫疾患とされ，近年ではその本態は血管炎であるともいわれている．慢性炎症が持続するのではなく，急性炎症が反復することが特徴であり，増悪と寛解を繰り返す．

Behçet病は，眼(虹彩毛様体炎，網脈絡膜炎)，口(アフタ性潰瘍)，皮膚(結節性紅斑，皮下血栓性静脈炎，毛囊炎様発疹・痤瘡様発疹，針反応)，外陰部(潰瘍)などを主症状とし，中枢・末梢神経，消化管，関節，血管などを侵す．30歳代に多く，20～40歳代が全体の80%を占める．厚生労働省Behçet病診断基準があり，臨床的

小腸，大腸—E．炎症性腸疾患 ● 467

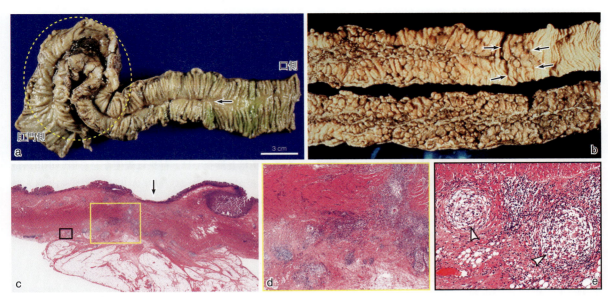

図 14-48　Crohn 病
a．小腸の肉眼像（縦走潰瘍）．腸間膜付着部に沿った縦走潰瘍（→）が目立つ．一部で癒着や狭窄（点線）を認める．
b．回腸の肉眼像（敷石状外観）．網目状の細かい潰瘍形成がみられ，残された粘膜が小結節状の隆起の集簇として敷石状病変を形成している．また，病変間に正常粘膜が介在する非連続性病変がわずかにみられる（→）．
c．組織像．腸間膜付着部に沿った潰瘍形成（→）とともに，壁全層性の巣状慢性炎症細胞浸潤を認める．
d．c の黄色四角拡大像．壁全層性の巣状慢性炎症細胞浸潤が特徴的である．
e．c の黒色四角拡大像．壁全層性に非乾酪性類上皮細胞肉芽腫（▷）を散見する．

には，上記のような症状・所見の組み合わせで診断を決める．通常では，Behçet 病の主症状が先にみられ，次いで腸病変が出現する．

【病理形態像】

Behçet 病に消化管病変を合併した場合，腸管 Behçet 病と呼称する．腸管 Behçet 病の好発部位は回盲部で，大型打ち抜き様潰瘍を特徴とする．深い潰瘍で UL-IV（漿膜層までの潰瘍）であることが多い（図 14-49）．この潰瘍がみられないと，腸管 Behçet 病の診断はできない．さらに回腸や右側を主体とする大腸に散在性に，アフタ性潰瘍や小型円形・打ち抜き様の潰瘍がみられることがある．また，臨床的に Behçet 病の診断基準を満たしていないが，時に回盲弁上に打ち抜き様潰瘍形成がみられることがあり，この場合には単純性潰瘍 simple ulcer と呼称する．

潰瘍部および周囲組織内に，組織学的に特徴所見はなく，潰瘍部には，非特異的な炎症性肉芽組織の形成がみられるのみである（血管炎がみられると記載してある教科書もあるが，確定されていない）．

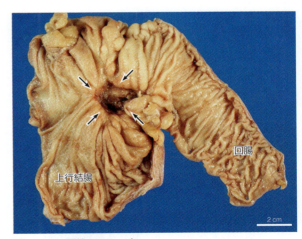

図 14-49　腸管 Behçet 病
回盲部切除標本．回盲弁部にのるように，打ち抜き状の深い潰瘍形成（→）がみられる．この位置に，この形態の潰瘍がないと本疾患の確定診断はできない．上行結腸と回腸に小潰瘍を散在性に伴うこともある．

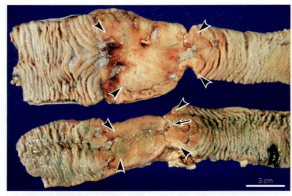

図 14-50　腸結核
回腸切除標本．結核による多彩な潰瘍形成がみられる．上側標本の病変両端部，下側標本の左端部には，不整形潰瘍が輪状傾向をもって並んでみられる．下側標本の病変右端部では，それらの潰瘍が癒合し，輪状潰瘍を形成している（→）．上下標本ともに，病変中央部は粘膜襞が消失し，瘢痕萎縮帯（▶）が広がっており，その中に不整形潰瘍や縦走潰瘍を伴っている．

4　感染性腸炎

1　腸結核 intestinal tuberculosis

【概念，定義】

結核菌の感染により起こる慢性肉芽腫性疾患．過去には活動性肺結核からの結核菌嚥下に伴い発生する二次性の症例が大部分を占めた（→第4章「感染症」，82頁参照）．近年は抗菌薬の発達により，活動性肺結核を伴わない腸結核が増えている．

【病理形態像】

腸結核の好発部位は，回盲部（回腸末端～上行結腸）で，特にリンパ球装置が発達した回腸末端に多い．結核菌の感染に伴い潰瘍形成をみるが，その形態は一定のものがなく多彩である．すなわち，微小なアフタ性潰瘍，縦走状（腸管長軸に平行），亜輪状，輪状（腸管長軸に垂直方向），巨大打ち抜き様（2型大腸癌と誤ることがある），多発小潰瘍などであり，特に多発傾向が強い．輪状潰瘍 circular ulcer 形成が有名であるが，結核菌は粘膜から壁内のリンパ管に入り，リンパ流（腸管長軸に垂直方向で腸間膜に集まる）に沿って移動するため，それに沿ってすなわち腸管長軸に垂直方向に小潰瘍が並び，亜輪状・輪状潰瘍の形成に至る．潰瘍は浅い UL-II 程度のものが多いが，輪状潰瘍が形成されると狭窄がきわめて強くなる．この輪状潰瘍とその周囲に多発した潰瘍が治癒し瘢痕化した広い瘢痕萎縮帯の組み合わせでみられる病変が多い．また，結核病変は組織破壊性が強く，回盲弁を破壊していることが多い（図 14-50）．

活動性の結核病変では，組織学的に結核結節（乾酪壊死 caseous necrosis を伴う類上皮細胞肉芽腫）が証明されれば診断がつく．時に乾酪壊死が明確ではない症例もあり，注意が必要である．結核菌の証明にはチール-ネルゼン染色が有用であり，典型的には乾酪壊死部分を観察すると抗酸菌が確認されるが，この検索は感度が低いとされており，特に自然治癒例や抗菌薬治療例では低くなる．菌培養検査では，従来は糞便などを用い小川培地にて培養が行われたが，結果が出るまで8〜12週と時間がかかった．近年では，PCR（polymerase chain reaction）法を用い，結核菌の DNA を増幅することにより，迅速に結核菌を検出することが可能となっている．

2　偽膜性大腸炎 pseudomembranous colitis

【概念，定義】

抗菌薬投与後に起こる菌交代現象により惹起される疾患である．腸管内に抗菌薬耐性を有する *Clostridioides difficile*（*C. difficile*）が異常増殖し，*C. difficile* が産生する A 毒素と B 毒素により，腸管上皮が傷害される．本疾患は薬剤性腸炎に分類されることもある．

高齢者や手術後，腎不全，ショックなどの重篤な基礎疾患を有するものに多い．電解質異常や脱水を起こす重症例では数日で死亡する場合もある．重篤な合併症として，中毒性巨大結腸症と穿孔があげられる．原因抗菌薬は，ペニシリン系，セフェム系，リンコマイシン系抗菌薬とされている．*C. difficile* の証明には嫌気性培養が必要であり，注意を要する．

【病理形態像】

好発部位は S 状結腸と直腸である．数 mm〜10 mm 大程度の類円形・黄白色・苔状の偽膜が散在性にみられ，癒合して地図状となることもある（図 14-51）．通常潰瘍形成はみられない．周囲粘膜は発赤し，襞は腫大している．

偽膜部分の粘膜には浅いびらん形成がみられる．びらん面から噴水状にフィブリン，滲出液，炎症細胞，壊死物，粘液などからなる偽膜がみられる（→第4章「感染症」，80頁参照）．粘膜表層部の上皮細胞の壊死が病変の本態であり，傷害が軽度の場合は粘膜表層〜中層にかけて上皮の消失がみられる．高度な病変では粘膜全層に傷害がみられ，その場合は虚血性腸炎との鑑別が組織上問題となる．

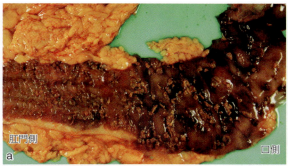

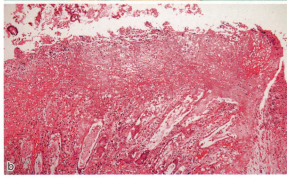

図 14-51　偽膜性腸炎
a. 肉眼像．大腸粘膜は全体的に発赤と浮腫を認める．粘膜には数mm大までの黄白色調の偽膜が散在性に認められる．
b. 組織像．偽膜は粘液，線維素，上皮残屑，好中球などから形成され，偽膜下には残存する腺管の拡張がみられる．

3 ● アメーバ赤痢 amoebic dysentery

【概念，定義】

赤痢アメーバ Entamoeba histolytica の経口摂取によって起こる（→第4章「感染症」，87頁参照）．赤痢アメーバは外界では囊子型（乾燥や低温に耐性）の形態で存在し，それに汚染された水・食物を摂取すると，小腸で消化液により栄養型となる．栄養型はタンパク分解酵素を産生し，組織を傷害して潰瘍を形成する．

熱帯や亜熱帯での発生が多く，わが国では輸入感染症と考えられている．しかし，渡航歴のある患者は約1/3であり，国内で散発性に感染しており，特に性交により感染する sexually transmitted disease（STD）としての側面もある．また，感染者の4/5が無症状で囊子保有者 cystic carrier として病識がなく囊子を出し続けることもある．多くの患者が軽症であり，5年程度で自然に治癒する．しかし，免疫不全の患者では重症化する．臨床的にイチゴゼリー状の粘血便（壊死物，血液，粘液が混在）が特徴的である．腸管感染巣から血行性に，肝，肺，脳，皮膚などに膿瘍を形成することがある．

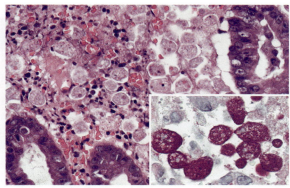

図 14-52　アメーバ赤痢
HE染色．直腸に形成された潰瘍からの生検像．潰瘍の滲出物内に20～30μm大，弱好塩基性顆粒状の細胞質を有する栄養型赤痢アメーバがみられる．赤紫色円形の核を有し，赤血球の貪食がみられる．PAS染色（挿入図）で陽性所見を認める．

【病理形態像】

盲腸～上行結腸，S状結腸～直腸が好発部位である．アフタ性の小潰瘍が多発して周囲は浮腫状に隆起する．小潰瘍が癒合して地図状・下掘れの深い潰瘍を形成することもある．潰瘍底部にはクリーム状の白苔がみられることが特徴的である．

潰瘍周囲の粘膜の炎症は軽度である．潰瘍底部の滲出物内に栄養型赤痢アメーバが存在する（組織内にはみられない）．生検にてその存在を確認すれば，診断は確定する．栄養型赤痢アメーバは，20～30 mm大，類円形，弱好酸性～弱好塩基性，顆粒状の細胞質，赤紫色円形の核を有し，赤血球を貪食していることが多い（図14-52）．PAS染色にて強陽性となる．

4 ● サイトメガロウイルス腸炎

cytomegalovirus enterocolitis

ヘルペスウイルス科のサイトメガロウイルス（CMV）感染により起こる．CMVは，多くの人が幼児期に不顕性感染しており，免疫不全状態となった際に日和見感染として発症する（→第4章「感染症」，74頁参照）．

消化管の好発部位はなく，種々の潰瘍形態をとるが，打ち抜き様潰瘍が特徴的で多発傾向がみられる．CMVは，細胞の核内で増殖し，フクロウの眼 owl's eye といわれる好酸性に染色される大きな核内封入体を形成する．感染細胞としては，円柱上皮はむしろ少なく，血管内皮細胞や線維芽細胞に多い．

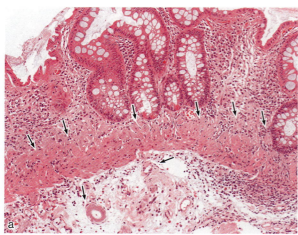
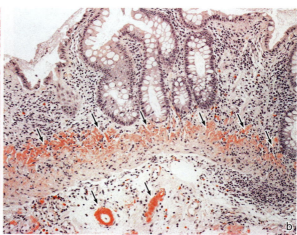

図 14-53 消化管アミロイドーシス
a. HE 染色．粘膜筋板や粘膜下層の血管に淡好酸性無構造物（アミロイド）の沈着を認める（→）．
b. コンゴーレッド染色．a の淡好酸性無構造物はコンゴーレッド染色にて赤橙色を呈する（→）．

5 その他

1 大腸憩室症 colonic diverticulum

粘膜が壁内に迷入し，筋層より外側に突出した状態を憩室という．大腸でみられる憩室は，後天性の憩室で，憩室周囲に筋層の囲みのない仮性憩室である．仮性憩室は，腸管内圧の上昇と老化に伴う腸管壁の抵抗力脆弱化により惹起されるとされている．主に筋層の血管貫通部で起こる．時にその憩室内に感染し，炎症が引き起こされる．

大腸憩室は，欧米では下行結腸～S状結腸に，わが国では上行結腸に多くみられる．多発性に形成されると，腸管の運動障害から筋層は著明に肥厚することが多く，多発性憩室の部位は腸管壁が著明に肥厚し，狭窄する．時に憩室炎を合併し，炎症は憩室先端部にみられることが多く，憩室内に潰瘍形成，周囲に膿瘍形成がみられる．同部より出血，穿孔，瘻孔形成などが起こることがある．

2 消化管アミロイドーシス amyloidosis

アミロイドーシスは，線維構造をもつ不溶性タンパク質であるアミロイドがさまざまな組織に沈着することで機能障害をきたす疾患群である．アミロイドは，病理組織学的に HE 染色で淡好酸性の無構造物として検出され，コンゴーレッド染色で赤橙色に染まり，偏光顕微鏡で複屈折を示す．これまでに 31 種類のアミロイドーシスが知られている．代表的なアミロイドーシスとして，血清アミロイド A を前駆タンパクとする AA アミロイドーシス，免疫グロブリン L 鎖やその可変領域を前駆タンパクとする AL アミロイドーシス，透析に際し $\beta 2$-ミクログロブリン（$\beta 2M$）を前駆タンパクとする透析アミロイドーシス，加齢に伴い上昇する野生型トランスサイレチン（TTR）を前駆タンパクとする野生型トランスサイレチンアミロイドーシスなどがあげられる．

消化管はアミロイドが沈着しやすい臓器の 1 つであり，頻度としては，全身性では AL 型，老人性，続発性や反応性の AA 型が多く，限局性では主に AL 型が多いといわれている．全身性では予後不良な場合が多いが，限局性は良好な場合が多い．組織学的に，AL 型では粘膜筋板や粘膜下層，固有筋層に沈着するのに対し，AA 型では粘膜固有層と粘膜下層の血管に主に沈着する傾向がみられる．沈着したアミロイドは，HE 染色で淡好酸性の無構造物として検出され，コンゴーレッド染色で赤橙色に染まり，偏光顕微鏡下で緑色調（apple green）の色調を呈する（図 14-53）．

F 腫瘍および腫瘍類似病変

1 大腸ポリープ

消化管などの管腔臓器の内腔側に突出する隆起性病変は，すべてポリープと呼称される．すなわち，広義にはポリープを形成する要因が上皮性病変であっても非上皮

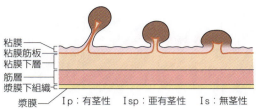

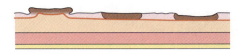

図 14-54 **大腸早期癌の肉眼型分類**
0型（表在型）の亜分類.

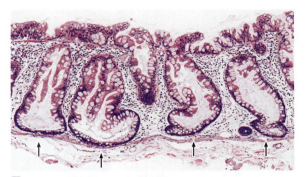

図 14-55 **sessile serrated lesion**
組織像．陰窩の拡張，不規則な分岐と陰窩底部の水平方向への変形（→）を呈する鋸歯状病変を認める．

Advanced Studies

2 ● 鋸歯状病変 serrated lesion

腺腔内に鋸歯状構造をみる病変は 3 種類あり，① 過形成性ポリープ hyperplastic polyp（HP），② 広基性鋸歯状腺腫/ポリープ sessile serrated adenoma/polyp（SSA/P，あるいは sessile serrated lesion：SSL），③ 古典的鋸歯状腺腫 traditional serrated adenoma（TSA）（後述）をまとめて，鋸歯状病変と呼称することもある．

このうち，近年右側結腸に発生し，10 mm 以上の比較的大きな病変で，組織学的に異型性が少なく，過形成性ポリープときわめて類似した組織像（鋸歯状構造）をとるものの，より腫瘍化しやすいと考えられている病変として，SSA/P が指摘されている．過形成性ポリープとの組織学的相違は，SSA/P では腺管底部における腺管形態に，拡張，分岐，L 字型，逆 T 字型などの所見がみられることである（図 14-55）．わが国の基準では，① 鋸歯状腺管の拡張，② 左右非対称性の分岐，③ 腺底部の走行異常の所見が重視され，上記の 3 個の基準において 2 個以上の所見がみられる病変を SSA/P と診断しているが，WHO 分類では腺底部の変化などの特徴的所見が 1 つでもあれば SSL と診断するとされている．SSA/P においては，近年の分子病理学的解析により，新たな大腸癌の発生・進展経路として重要な病変であるとして注目されている．

3 ● 過誤腫性ポリープ hamartomatous polyp

過誤腫とは，病理総論的に「その臓器を形成している組織学的な成分のうち 1 つかそれ以上の複数の成分が腫瘍様に大きく増生した病変」をいう．良性病変である．大腸では，Peutz-Jeghers 型ポリープ，若年性ポリープなどが過誤腫性ポリープに相当する．これらの病変については，Peutz-Jeghers 症候群，若年性ポリポーシス（→ 478 頁参照）においてそれぞれ認められるポリープと組織学的に同一である．それらのポリープが単発性に認められることが少なからずある．

性病変であってもかまわないが，狭義には上皮性隆起性病変に限定してポリープとすることが多い．特に大腸ポリープと呼称する場合には，上皮性隆起性病変（過形成，腺腫，腺癌）を指すことが多い．

大腸は他臓器と比べてポリープがきわめて多い．それは大腸には腺腫がきわめて多く，ほとんどがポリープの形態をとることによる．したがって大腸ポリープの肉眼型は細かく分類されている（図 14-54：大腸早期癌肉眼型分類 0-Ⅰ型と 0-Ⅱa 型に相当）．大腸ポリープは有茎性ポリープ（0-Ⅰp），亜有茎性ポリープ（0-Ⅰsp），無茎性ポリープ（0-Ⅰs），表面隆起型ポリープ（flat，0-Ⅱa 様）に分類されている．ポリープと表現したのみでは病変の本態については不明であり，組織学的に診断する必要がある．組織学的には，① 上皮性腫瘍類似病変（非腫瘍性上皮性病変：過形成，過誤腫性），② 良性上皮性腫瘍，③ 悪性上皮性腫瘍に分類される．

A 上皮性腫瘍類似病変（非腫瘍性上皮性病変）

1 ● 過形成性ポリープ hyperplastic polyp

大部分は 5 mm 前後の小さい隆起性病変としてみられ，多発することもある．肉眼型は 0-Ⅱa 様あるいは 0-Ⅰs 様であることが多い．組織学的には，異型性のない腺管の増生からなるが，腺管にはさまざまな程度で拡張・延長がみられ，腺管内腔側に特徴的な鋸歯状パターン（円柱上皮の細胞質が鋸の歯のように腺管内腔側に突出する所見）をみる．

B 良性上皮性腫瘍 benign epithelial tumor

1 ● 腺腫 adenoma

大腸のどの部位にも発生するが，S 状結腸と直腸に多く発生する．前述したポリープの肉眼形態のあらゆる形態をとりうる．小さいものでは 5 mm 以下，大きい病変では 50 mm 以上に及ぶこともある．大腸には他臓器に

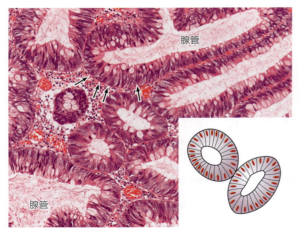

図 14-56　管状腺腫
HE染色．大小さまざまな管状腺管形成がみられる．核は腺管基底部にほぼ接して存在し(→)，比較的均一に並んでいる(挿入図は模式図)．管状腺腫の像である．

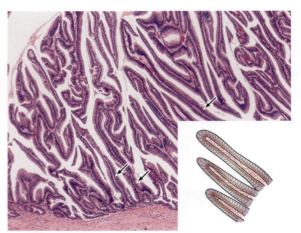

図 14-57　絨毛腺腫
HE染色．粘膜筋板から腸管内腔側に向かい，著明に乳頭状増殖する病変(→)がみられる．本拡大では認識困難だが，乳頭状増殖部は中心部に細い血管結合組織を入れた芯を有し，その周囲に円柱上皮の被覆がみられる(挿入図は模式図)．絨毛腺腫の像である．純粋な絨毛腺腫はほとんどみられず，管状腺腫の成分を伴うことが多い．

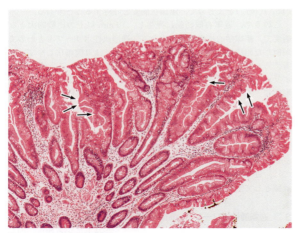

図 14-58　鋸歯状腺腫
HE染色．腫瘍腺管の内腔側には，過形成性ポリープに類似した上皮の鋸歯状構造(→)(上皮が鋸の歯のように，腺管内腔側に凹凸を示す)がみられる．

比して，腺腫が高頻度に発生することが知られており，さらに腺腫はがんの発生母地となることから重要な病変である．

組織学的に，① 管状腺腫 tubular adenoma (図 14-56)，② 管状絨毛腺腫 tubulovillous adenoma，③ 絨毛腺腫 villous adenoma (図 14-57)，④ 鋸歯状腺腫 serrated adenoma (図 14-58) の 4 つに分類される．

腺腫の核は典型的には紡錘形をなし，核密度の多寡，配列状態(極性)，核の太さなど，細胞異型の程度によ り，low-grade と high-grade に分類する．low-grade は，紡錘形核が基底部に規則正しく配列している所見を指し，high-grade は核の腫大，異型性の増加，核の密在，極性(腺腔内腔側への核の突出)の乱れ，N/C 比増大など細胞異型度が高い病変に相当する．腺腫が大きい病変ほど異型度が高い傾向にある．

腺腫のがん化に関しては，腺腫の大きさに依存することが知られており，大きい病変ほどがんを併存している割合が高い．一般的に 10 mm を超えるとがんを有する病変が多くみられるようになる．管状腺腫は 10 mm 以下の小さい病変が比較的多く，絨毛腺腫は大きい病変が多い．したがって，絨毛腺腫はがんの併存率が高い．

① 管状腺腫：腺腫を構成する上皮成分が，構造上腺管形成をなすもの．
② 管状絨毛腺腫：腺腫を構成する上皮成分が腺管状および絨毛状の両成分の構造を形成する病変．
③ 絨毛腺腫：腺腫を構成する上皮成分が，構造上絨毛状(長乳頭状，シャギーカーペット状に毛が立っている状態)をなすものを指す．すなわち細い血管結合組織周囲に円柱上皮が付着し，典型的には粘膜筋板から立ち上がるような構造を有する．
④ 鋸歯状腺腫：比較的新しく分類された病変である．腺腫を構成する上皮成分が，腺管形成あるいは乳頭状構造をなすとともに前述した過形成性ポリープに類似し腺管内腔側に鋸歯状構造をなす病変．

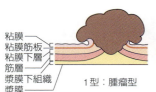

図 14-59　大腸進行癌の肉眼型分類
5型は分類不能.

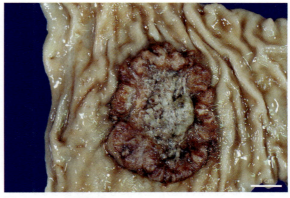

図 14-60　2型進行癌
Ra病変. 病変中央部には潰瘍形成がみられ, 周囲は周堤隆起を形成し, 芋虫状に隆起している. 病巣周囲粘膜には異常を認めない.

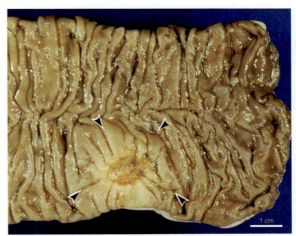

図 14-61　3型進行癌
S状結腸病変. 病変中央部には潰瘍形成がみられ, 潰瘍周囲には隆起がみられ, 病巣周囲粘膜下層以下にがんの浸潤を推定させる(▶).

C 悪性上皮性腫瘍 malignant epithelial tumor

1 ● 大腸癌 colon cancer

　大腸癌は年々増加傾向にあり, 2021年のがん登録・統計(国立がん研究センター　がん対策情報センター)では, 女性ではがん死亡率第1位, 男性では第2位, 男女全体では第2位となっており, わが国の重要な癌腫の1つである. 大腸癌の発生については, 環境因子(特に食事)との関係が深いとされており, わが国における食生活の欧米化すなわち高脂肪食・低繊維食が, その増加に深く関与していると考えられている. 好発年齢は50～60歳代である. 好発部位は直腸とS状結腸であり, 約60～70%を占める.

【肉眼型分類】
　大腸癌の肉眼型分類については, 胃癌の肉眼型分類とほぼ同様である(表14-5, 図14-23). 基本は, 0型, 1～5型に分類され, 0型は早期癌, 1～5型は進行癌の分類である. 肉眼型分類はあくまで肉眼的に観察された形態で分類し, 肉眼的に早期癌と分類した形態は, その後の組織検索の結果で進行癌であっても変更しない. 早期癌と進行癌の定義は, がんの浸潤の程度により分類される. 早期癌の定義は, 「癌の浸潤の程度が粘膜下層までの病変で, リンパ節転移の有無は問わない」とされ, 進行癌は「筋層, 漿膜下層, 漿膜(直腸下部では外膜)まで浸潤している病変」とされる.

　早期癌(0型)は, 隆起型と表面型に亜分類される(図14-54). 隆起型はポリープの分類と同様, 0-Ip, 0-Isp, 0-Isに分類される. 表面型はわずかに隆起する表面隆起型0-IIa, 周囲粘膜とほぼ同様の高さの表面平坦型0-IIb, 浅い陥凹を示す表面陥凹型0-IIcに分類される

るが, そのほかに複合型0-IIa+0-IIc型, 0-IIc+0-IIa型などがある. 胃癌と異なる点は, 大腸早期癌では隆起型が多いこと(60～80%), 消化性潰瘍が存在しない大腸では深い陥凹を有する0-III型がないこと, 0-IIb型はほとんどみられないことである. 隆起型では, 0-Is＞0-Isp＞0-Ipの順でみられ, 表面型では0-IIa型が多く, 粘膜下層に浸潤すると0-IIa+0-IIc型が多くなる.

　進行癌の分類(図14-59)は, 大腸内腔に大きな隆起を形成する腫瘤型(1型), 潰瘍を形成してかつがんの側方への浸潤が比較的限局している潰瘍限局型(2型)(図14-60), 潰瘍を形成してその大きさを超えて大腸壁内で側方に浸潤している潰瘍浸潤型(3型)(図14-61), 小

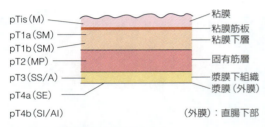

図 14-62　大腸癌の壁深達度

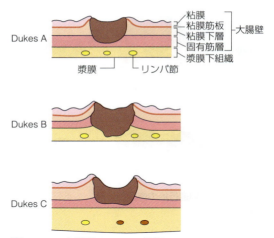

図 14-63　大腸癌の Dukes 分類

さい粘膜内病変にもかかわらず広く大腸壁内に進展しているびまん浸潤型(4型)，どれにも当てはまらない分類不能(5型)に分類される．大腸進行癌では2型がその大部分を占める．次いで3型，1型の順である．後述するように，胃癌と異なり大腸癌では低分化腺癌がきわめて少ないため，原発巣を越えて壁内を広く浸潤するタイプの病変は少ない．すなわち，3型は胃癌と比較して少なく，4型はきわめて少ない．

【組織所見】

　全大腸癌の90％以上が腺癌であり，腺癌の組織分類については，胃癌の分類とほぼ同様である．これらの組織型のうち，乳頭腺癌と管状腺癌(高分化・中分化腺癌)で90％以上を占めるが，特に管状腺癌が多い．大腸では低分化腺癌は5％以下と非常にまれであり，分化型(管状)腺癌と低分化腺癌が約半分ずつみられる胃癌とは対照的である．したがって，前項で述べたように，3型と4型は少ない．胃癌では3型と4型の組織型は，低分化腺癌で浸潤したがん細胞の周囲に膠原線維の増生を伴う硬癌 scirrhous carcinoma の形態をとる病変が多い．一方，大腸では分化型腺癌が大多数を占めるため，4型病変はがんのリンパ管侵襲により壁内に広範に広がることにより形成される病変が多い．

　消化管のがんは円柱上皮から発生するため，その初期は必ず粘膜内にがんが存在し，次第に大腸壁内へ浸潤していく．がんの浸潤程度については，大腸の壁構造に従って表現し，「大腸癌取扱い規約」では図14-62のように表現・記載することが決められている．大腸癌は，粘膜内〔pTis(M)〕の病変は転移をすることはない．粘膜下層以下に浸潤すると転移(主にリンパ節転移であり，次いで肝転移)を起こすようになる．それぞれの深達度における転移率は，pT1(SM)10％，pT2(MP)25％，pT3(SS/A)以深50％程度の頻度である(T分類の前の接頭辞のpは病理組織学的に検索した深達度であることを示す)．がんが大腸壁内に浸潤するとリンパ管，静脈，壁内神経に浸潤することがまれならず起こる．それぞれリンパ管侵襲(Ly)，静脈侵襲(V)，神経侵襲(PN)と表現される．いずれもリンパ節転移および遠隔転移に直接関与する所見である．

【予後と病期分類】

　大腸癌の予後を左右する原発巣の因子として，深達度，組織型，脈管(リンパ管，静脈)侵襲，神経侵襲の有無などがあげられる．さらにリンパ節転移や遠隔転移があればさらに予後が悪くなることが予想される．大腸癌の予後をがんの拡がりの程度(進行度)から予測する手段として，病期分類がある．種々の分類があるが，簡便な方法として，がんの深達度とリンパ節転移の有無をもって予後を計るデュークスDukes分類がある(図14-63)．Dukes A(後述する「大腸癌取扱い規約」stage Ⅰ に相当)はがんが腸壁内(筋層まで)に限局するもの，Dukes B(stage Ⅱ に相当)はがんが腸壁を越えて浸潤(SS/A以深)するがリンパ節転移のないもの，Dukes C(stage Ⅲ に相当)はリンパ節転移のあるもの，さらに遠隔転移のあるものを Dukes D(stage Ⅳ に相当)としている．さらに，がんの深達度，リンパ節転移の程度，遠隔転移(肝，肺，腹膜，その他)の有無から病期分類を試みる「大腸癌取扱い規約」による進行度分類もあり，国際的にはTNM分類が用いられる．この2つの分類は細かな点で相違があるが，大筋では類似した分類であり，「大腸癌取扱い規約」による進行度分類を代表としてあげる(表14-10)．

Advanced Studies

【治療】

　がんの治療方法は一般的に病期分類に従って行われ，切除(内視鏡的切除・外科的切除)，薬物療法(化学療法，ホルモン療法など)，

表 14-10 大腸癌の進行度分類(stage)

遠隔転移	M0					M1		
リンパ節転移	N0	N1 (N1a/N1b)	N2a	N2b, N3	Nに関係なく	M1a	M1b	M1c
壁深達度 Tis	0							
壁深達度 T1a・T1b	I	Ⅲa			Ⅳa	Ⅳb	Ⅳc		
壁深達度 T2	I	Ⅲa			Ⅳa	Ⅳb	Ⅳc		
壁深達度 T3	Ⅱa	Ⅲb						
壁深達度 T4a	Ⅱb	Ⅲb						
壁深達度 T4b	Ⅱc	Ⅲc						

〔大腸癌研究会(編):大腸癌取扱い規約 第9版, p19, 金原出版, 2018 より〕

放射線療法の三大標準治療がある.大腸癌では,stage 0〔がんが粘膜内(M)にとどまるM癌〕とstage Iの一部〔がんが粘膜下層(SM)までにとどまり,リンパ節転移を起こす危険性のないSM癌〕は内視鏡治療が主に行われる.特にがんがMにとどまるstage 0の病変は,とりきれれば転移は起こらないとされている.

stage Iすなわち SM に浸潤した病変では,10%内外の頻度でリンパ節・肝転移を起こす可能性があり,内視鏡的に切除した病変を病理組織学的に検索して SM に浸潤した病変であった場合には,追加腸切除が考慮される.その適応基準は①SM浸潤距離1,000μm以上,②脈管侵襲陽性,③低分化腺癌・印環細胞癌・粘液癌,④簇出程度が中等度以上である.stage I で SM に浸潤し転移の危険性がある病変と,stage Ⅱ(転移のない病変)は手術(リンパ節郭清を含む)が行われる.stage Ⅲすなわちリンパ節転移があると手術+化学療法が行われ,stage Ⅳは手術,化学療法,放射線療法のうち可能な手技を組み合わせて行われる.

近年では,手術後の化学療法の効果が頭打ちの状態となり,新たに分子標的治療やがん免疫療法が注目されている.分子標的治療とは,がんの増殖や転移に関与する分子機構を特異的に制御することを目的として開発された薬剤を用いて治療する方法である.一方,がん免疫療法とは,免疫ががん細胞を攻撃する力を保つ(ブレーキがかかるのを防ぐ)ことなどにより,免疫本来の力を利用してがんを攻撃する治療法であり,第四の革新的治療法として注目されている.

【大腸癌における遺伝子異常】

腫瘍は,遺伝子要因・環境要因などにより,遺伝子に多段階にわたり種々の変異が蓄積されることで発生し,進展していくとされている.これをがんの多段階発がんという.大腸癌が発生し,進行癌になる経路としては,①腺腫を介してのがん化 adenoma-carcinoma sequence,②腺腫を介さない主に陥凹型大腸癌からのがん化 de novo carcinoma,③SSL や TSA からのがん化で,ミスマッチ修復遺伝子の機能異常に起因するマイクロサテライト不安定性 microsatellite instability(MSI)などが関与するがん化 serrated polyp cancer pathway/CpG-island-methylator-phenotype pathway,④家族性大腸腺腫症 familial adenomatous polyposis(FAP)からのがん化,⑤遺伝性非ポリポーシス大腸癌 hereditary non-polyposis colorectal cancer(HNPCC,リンチ Lynch 症候群),⑥炎症性腸疾患(潰瘍性大腸炎,Crohn 病),結核,放射線照射,痔瘻などからのがん化 colitic cancer/dysplasia-carcinoma sequence などの経路が考えられている.

一般的にがんはゲノム不安定性により惹起されるが,ゲノム不安定性は,大きく染色体不安定性 chromosomal instability(CIN)と MSI の2つに分類される.CIN は細胞分裂の際に染色体の数や構造が変動する異常,MSI は細胞分裂の際に起こる DNA の配列異常をチェックし修復する遺伝子に異常があり,その修復機能が低下している状態をいう.大腸癌の発生に関しては,CIN が85%,MSI が15%程度に関係しているといわれている.CIN と MSI を代表する①と③の経路について,少し詳しく説明する.

CIN に関しては,大腸癌の発生様式として従来からいわれている adenoma-carcinoma sequence がこれにあたる.すなわち,がん抑制遺伝子である APC 遺伝子異常(欠失)により腺腫が発生し,がん遺伝子である KRAS 遺伝子の変異により腺腫の大きさ・異型度が増加し,さらにがん抑制遺伝子 DCC, SMAD2, SMAD4, TP53 の欠失が加わり,がん化が惹起される経路である.正常粘膜→腺腫→がんと段階的に悪性化するものが多いとされている大腸癌は,遺伝子解析のよいモデルとなり,Vogelstein らは,大腸の腺腫・腺癌を解析し,上記の遺伝子変異の蓄積について証明した.この経路と類似した経路として,家族性大腸腺腫症からのがん化があげられる.

近年明らかとなりつつある SSL を介した経路では,BRAF 変異,CpG island methylator phenotype high(CIMP-High),ミスマッチ修復遺伝子である MLH1 遺伝子のメチル化により SSL 内に dysplasia が生じ,最終的に MSI-High 大腸癌に至る.遺伝子がメチル化されている状態を CpG-island-methylation-phenotype というが,これは DNA 中にみられる CpG-island という配列部分の炭素原子にメチル基がつく反応であり,プロモーター領域のメチル化によって DNA 配列に異常がみられないにもかかわらず,がん抑制遺伝子や DNA 修復遺伝子機能が抑制される(エピジェネティックな変化といわれる).TSA を介した経路では,BRAF 遺伝子変異経路と KRAS 遺伝子変異経路が存在し,いずれも TP53 遺伝子変異と WNT/β-catenin 経路活性化を経て,マイクロサテライト安定性 microsatellite stable(MSS)大腸癌に至る.また,SSL の中には,TP53 遺伝子変異と WNT/β-catenin 経路活性化を経て MSS 大腸癌に至るものもある.

2 小腸上皮性腫瘍

小腸原発の良性上皮性腫瘍(腺腫)や悪性上皮性腫瘍(癌腫,内分泌細胞腫瘍)は,他の消化管臓器に比して少ない.小腸病変の肉眼型分類と組織型分類には,特に決められたものはないが,大腸癌に準じて診断されることが多い.腫瘍の発生部位としては,十二指腸(特に球

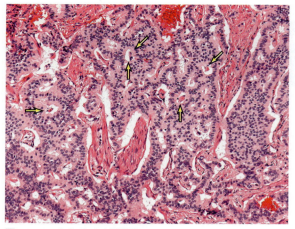

図14-64　カルチノイド腫瘍
HE染色．カルチノイド腫瘍の粘膜下層浸潤部の像である．比較的小型，円形，均一な核を有し，索状・リボン状・胞巣状・偽腺腔状（腺腔様構造の内部に毛細血管がある，➡）などの特有の細胞配列をみる．

部〜下行部）が多く，腸型腺腫・幽門腺腺腫，境界悪性上皮性腫瘍，腺癌などが発生する．小腸癌はまれなことに加えて，小腸の内容物が流動性に富んでいるため症状が現れにくく，また詳細な画像検索ができにくい部位であることから，進行した状態で発見・治療されることが多い．

❸ 内分泌細胞腫瘍 endocrine cell neoplasm

大腸の正常腺管内には，内分泌細胞が散在性に認められる．消化管内分泌細胞腫瘍は，消化管原発で，腫瘍性内分泌細胞が充実性，索状，ロゼット状，腺房状，シート状胞巣などの特徴的な構造に配列し，毛細血管に富む繊細な間質を伴い，充実性の腫瘍塊を形成して増殖する癌腫の総称である．内分泌細胞腫瘍は，大きくカルチノイド腫瘍 carcinoid tumor と内分泌細胞癌 endocrine cell carcinoma に分けられる．いずれも悪性腫瘍であるが，両者は組織発生，構成細胞の特性，遺伝子異常，悪性度，予後などからみて，別の病態の腫瘍である．カルチノイド腫瘍は，緩徐に発育し，時に転移をきたすが低悪性度腫瘍であり，一方，内分泌細胞癌は急速な増生と高率に転移をきたす高悪性度腫瘍である．

カルチノイド腫瘍は直腸と虫垂に多く発生する．粘膜内で発生するが，すぐに粘膜下層に浸潤し，上皮性腫瘍であるにもかかわらず粘膜下腫瘍様形態をとる．多くは10 mm前後の大きさであるが，まれに大きい状態で発見され，潰瘍形成を伴うこともある．組織学的には，小型類円形の均一な核を有し，腫瘍細胞は索状・胞巣状・リボン状・偽腺腔状など特徴的な配列を示す（図14-64）．大腸癌と異なり大きくなるまでに時間を要するが，深達度別の転移頻度は大腸癌と大差がない．しかし予後は大腸癌より格段によい．

一方，内分泌細胞癌は，大きい病変が多く，肉眼形態も大腸進行癌と同様の形態を示す．組織学的には，異型性が著明である．腺癌に伴ってその深部浸潤部に併存し，腺内分泌細胞癌の形態をとるものや，肺の小細胞癌に類似した組織形態をとるものもある．予後は非常に悪く，転移が高率にみられる．

日本分類におけるカルチノイド腫瘍は WHO 2019 分類の neuroendocrine tumor (NET)，内分泌細胞癌は同 endocrine carcinoma (NEC) に相当する．WHO 2019 分類では，両者の鑑別において，最初に形態学的所見から NET と NEC に分類し，次に，NET を腫瘍細胞の増殖能〔核分裂数と Ki-67 指数 (MIB-1 index，増殖細胞の多寡)〕の低値から高値の順に NET G1，NET G2，NET G3 に分類している．NEC は腫瘍細胞の形態学的所見から，small cell NEC と large cell NEC に分類している．また，内分泌細胞癌と腺癌が混在することもある．

❹ 非上皮性腫瘍

小腸および大腸に発生する非上皮性腫瘍として，良性病変として平滑筋腫，脂肪腫，リンパ管腫，血管腫などがあげられる．いずれも粘膜下腫瘍の形態をとる．悪性病変としては，リンパ腫（悪性リンパ腫）や GIST などがあげられる．GIST については，胃の項目で記載されており，本項では割愛する．

リンパ腫は，節性リンパ腫と節外性リンパ腫に分けられるが，節外性リンパ腫のなかでは消化管を原発とするリンパ腫が最も多く，大腸原発は約15％と報告されている．小腸あるいは大腸を原発とするリンパ腫は，部位的に回盲部，次いで直腸，右側結腸，十二指腸に多く，消化管原発悪性リンパ腫のほとんどが B 細胞性リンパ腫である．具体的には，びまん性大細胞型 B 細胞リンパ腫 diffuse large B-cell lymphoma (DLBCL)，濾胞性リンパ腫 follicular lymphoma (FL)，節外性濾胞辺縁帯リンパ腫 extranodal marginal zone lymphoma (MALT リンパ腫)，マントル細胞リンパ腫 mantle cell lymphoma (ML) などがみられる．このうち，DLBCL が最も多くみられ，大型異型リンパ球のびまん性増殖からなり，肉

表 14-11　代表的な消化管ポリポーシス症候群の分類

	疾患名	原因遺伝子	消化管好発部位	消化管外病変・悪性腫瘍好発部位
腺腫性	家族性大腸腺腫症	APC	胃, 小腸, 大腸	骨軟部腫瘍, 埋没歯, 先天性網膜色素上皮肥厚, 悪性腫瘍 (胃, 大腸, 十二指腸乳頭部, 甲状腺)
	MUTYH 関連ポリポーシス	MUTYH	食道, 胃, 小腸, 大腸	甲状腺腫, 悪性腫瘍 (大腸, 十二指腸乳頭部, 膀胱, 卵巣)
過誤腫性	Peutz-Jeghers 症候群	LKB1/STK11	胃, 小腸, 大腸	色素沈着 (口唇, 口腔粘膜), 卵巣性索腫瘍・悪性腫瘍 (胃, 乳腺, 卵巣, 小腸, 膵臓)
	若年性ポリポーシス	SMAD4, BMPR1A	胃, 小腸, 大腸	粘膜表皮毛細血管拡張, 肺動静脈奇形・悪性腫瘍 (大腸, 胃)
	PTEN 過誤腫症候群 (Cowden 病)	PTEN	食道, 胃, 小腸, 大腸	皮膚・口腔病変 (外毛根鞘嚢腫, 乳頭状丘疹)・悪性腫瘍 (乳腺, 子宮, 甲状腺, 腎臓)
	Cronkhite-Canada 症候群	なし	胃, 小腸, 大腸	脱毛, 爪甲の萎縮, 蛋白漏出性胃腸症, 味覚異常・悪性腫瘍 (胃, 大腸)
過形成性	遺伝性胃底腺ポリポーシス (GAPPS)	APC	胃	悪性腫瘍 (胃)
炎症性	炎症性ポリポーシス	なし	小腸, 大腸	先行する炎症性疾患による, 悪性腫瘍 (小腸, 大腸)

眼型もしばしば進行癌類似の形態を示す．その他，腸管に発生する特殊な T 細胞リンパ腫として，単形性上皮向性腸管 T 細胞リンパ腫 monomorphic epitheliotropic intestinal T-cell lymphoma (MEITL) および腸症型 T 細胞リンパ腫 enteropathy-associated T-cell lymphoma (EATL) があげられる．特に EATL はセリアック病に関連して発生することが知られている．いずれのリンパ腫の鑑別には，免疫組織化学，フローサイトメトリー，遺伝子解析などの方法を駆使して診断することが必要である．

5　消化管ポリポーシス

消化管ポリポーシス症候群とは，同一の組織像からなるポリープ病変が消化管に多発する疾患群の総称である．本疾患のなかには，腺腫性ポリポーシス，過誤腫性ポリポーシス，過形成性ポリポーシスや炎症性ポリープが多発するポリポーシスなどが存在する．これらの疾患については，近年原因遺伝子が同定されている疾患も多く，遺伝性の有無，腫瘍性か非腫瘍性か，大腸・小腸・胃のどの臓器を主体として発生するか，どのような病変を合併するかなどを理解することが大切である (表 14-11).

1　家族性大腸腺腫症
familial adenomatous polyposis (FAP)

家族性大腸腺腫症 (FAP) は，大腸腺腫性ポリポーシスを主体とし，APC 遺伝子変異により発生する常染色体

図 14-65　家族性大腸腺腫症
全結腸切除された標本の下行結腸〜S 状結腸の写真．数 mm 大のポリープが多数みられる．大部分が小型 Is 病変であるが，大きいものでは数十 mm 大の Ip 病変もみられる．これらはほとんどが管状腺腫からなり，大きいものではがんが含まれていることがある．

顕性 (優性) 遺伝疾患である (図 14-65). APC 遺伝子変異は生殖細胞系列由来の遺伝子差異 germ line mutation であり，あらゆる体細胞に異常が存在する．すなわち，主な表現型は大腸に腺腫が多発する大腸腺腫症であるが，他の消化管病変として，胃底腺ポリープ，胃腺腫・癌，十二指腸腺腫，十二指腸乳頭部腺腫・癌，小腸腺腫などを合併する．また，消化管以外の合併症として，線維腫，デスモイド腫瘍，骨腫，類表皮囊胞，先天性網膜色素上皮肥厚などがある．

古典的な FAP の診断基準は，大腸に腺腫性ポリープを 100 個以上認めることであるが，APC 遺伝子変異を認めても腺腫性ポリープが 100 個以下にとどまる不全型 (attenuated) FAP が存在することが知られている．

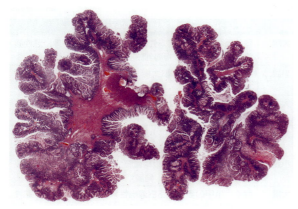

図 14-66　Peutz-Jeghers 症候群
組織像．樹枝状に分岐する粘膜筋板と過形成性変化を示す上皮からなるポリープを認める．

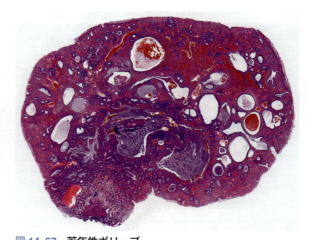

図 14-67　若年性ポリープ
組織像．びらんが目立ち，間質成分の多いポリープで，腺管の拡張や過形成性変化を認める．

FAP の診断は，① 大腸に 100 個以上の腺腫性ポリープを認めること，あるいは ② 大腸に多発する腺腫性ポリープを認め，*APC* 遺伝子変異を認めること，のいずれかを満たす場合に確定診断される．腺腫の数によって，密生型 FAP（1,000 個〜数千個），非密生型 FAP（100 個〜数百個），attenuated FAP（100 個未満）に大別される．大部分は 5 mm 以下の小さい Is 型病変であるが，大きいものでは種々の隆起型形態をとる．がんは大きいポリープに存在することが多く S 状結腸と直腸に多いとされている．本ポリープは小児の頃から発生し，約 40 歳までに大腸癌が発生するとされている．大腸癌の家族歴を有する 100 個未満の大腸ポリポーシスでは，attenuated FAP のほか，Lynch 症候群，MYH（human MutY homolog：MUTYH）関連ポリポーシスなどを鑑別する必要がある．これらの病変に関しては，組織像のみでは鑑別が難しく，遺伝子検査が必要となる．

2 ● ポイツ-ジェガース Peutz-Jeghers 症候群

Peutz-Jeghers 症候群は，上皮の過形成と粘膜筋板のポリープ内への樹枝状増生を特徴とする Peutz-Jeghers 型ポリープが食道を除く消化管に多発する常染色体顕性遺伝疾患である（図 14-66）．原因遺伝子として，セリン/スレオニンキナーゼをコードする *LKB1/STK11* 遺伝子が同定されている．食道を除く全消化管に発生し，その発生頻度は小腸＞大腸＞胃＞十二指腸である．大きい病変では，腺管が腸管壁内に偽浸潤を示し，粘膜下層〜漿膜下層にも腺管の集簇がみられる．ポリープは脳回状で，大きくなると時に小腸で腸閉塞や腸重積を起こし，腺腫や腺腫内癌を併存することがある．大腸癌以外にもしばしば悪性腫瘍（乳癌，膵癌，胃癌，生殖器癌）を合併する．また，消化管外の合併病変として，口唇，口腔，指趾の点〜斑状色素（メラニン）沈着が特徴的である．

3 ● 若年性ポリポーシス juvenile polyposis

若年性ポリポーシスは，大腸に 5 個以上の若年性ポリープを認め，全消化管に若年性ポリープが多発し，若年性ポリープの家族歴があることを診断基準とする．*SMAD4* 遺伝子や *BMPR1A* 遺伝子を原因遺伝子とする常染色体顕性遺伝性疾患である．若年性ポリープは，組織学的に囊胞状拡張を伴う異型の乏しい腺管の増生と間質の浮腫性・炎症性拡大からなる隆起性病変で，しばしば出血やびらんを伴う（図 14-67）．本疾患のポリープ数は 5〜200 個程度であるが，その約 80〜90％は直腸と S 状結腸に存在する．若年性ポリポーシスは消化管癌の発症頻度が高く，17〜46％の症例で大腸癌あるいは胃癌が発生するといわれている．

4 ● PTEN 過誤腫症候群（カウデン Cowden 病）

PTEN 過誤腫症候群（Cowden 病）は，がん抑制遺伝子である *PTEN* 遺伝子を原因遺伝子とする常染色体顕性遺伝性疾患で，皮膚や消化管を含めた全身性の過誤腫と甲状腺，乳房，泌尿器，生殖器の良性あるいは悪性腫瘍を発症する．多くは成人で発症する．本症例の約 60％に消化管ポリポーシスが認められ，食道のグリコーゲンによる棘細胞肥厚 glycogenic acanthosis，胃から直腸にわたる過誤腫性ポリープや血管腫などがみられる．時に

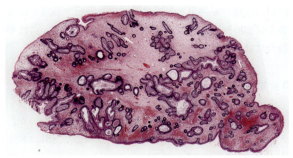

図 14-68　Cronkhite-Canada 症候群
組織像．高度のびまん性浮腫を伴ったポリープで，腺管の拡張や延長が目立つ．

腺腫を伴うことがあるが，大腸癌の発生率は高くないといわれている．消化管外病変として，皮膚・口腔病変（外毛根鞘腫，乳頭状丘疹）がみられるほか，悪性腫瘍（特に甲状腺，乳腺，子宮内膜，腎臓）に悪性腫瘍を合併するリスクが高い．

5 クロンカイト-カナダ Cronkhite-Canada 症候群

Cronkhite-Canada 症候群は 1955 年に Cronkhite と Canada により報告されたまれな非遺伝性消化管ポリポーシスである．50〜60 歳代の男性に多く，下痢，味覚障害，体重減少などの消化器症状に加え，脱毛，皮膚色素沈着，爪甲萎縮などの外胚葉性病変を伴う．Cronkhite-Canada 症候群にみられる消化管ポリープは通常食道を除く全消化管に分布し，特に胃や大腸に好発する．ポリープは肉眼的にイクラ状あるいはレッドカーペット状の発赤調の円形ないし亜有茎性隆起を呈し，組織学的には腺上皮の過形成・囊胞状拡張，間質の浮腫性変化を特徴とする（図 14-68）．ポリープ以外の所見として，粘液（糖タンパク）を大量に分泌することから，タンパク漏出性胃腸症を合併して栄養不良状態になる．ステロイド治療が奏効するが，再燃することがあるため，多くの症例で少量のステロイドの継続投与が必要である．5〜10％で胃癌を，15％程度に大腸癌を合併すると報告されており，注意が必要である．

虫垂

急性虫垂炎 acute appendicitis

【概念，定義】

　急性虫垂炎は，虫垂疾患のなかで最も頻度が高く，右下腹部を中心とした急激な腹症で発症する．10〜20 歳代の若年者に多く，加齢とともに減少する．急性虫垂炎の原因については明確となっていないものの，一説には，虫垂に閉塞（糞石，胆石，寄生虫，腫瘍）が起こり，貯留した粘液により虫垂内圧亢進・循環障害が惹起され，粘膜傷害から感染に至るとされている．しかし，閉塞機転がみられない虫垂炎も多数みられ，真の原因については不明である．虫垂炎により穿孔を起こすと化膿性腹膜炎や敗血症などを起こす．

【病理形態像】

　初期の虫垂炎では，漿膜に発赤をみるのみであるが，炎症の進展とともに虫垂の腫大と漿膜に出血，線維素の滲出，膿汁析出がみられるようになる．さらに循環障害が加わると壁の壊死・穿孔がみられる．急性虫垂炎の組織像に関しては，急性炎症の所見（→第 3 章「炎症」，46 頁参照）が組織所見としてあてはまる．感染が加わると好中球浸潤がみられるようになるが，粘膜のみに好中球浸潤が存在するカタル性虫垂炎 catarrhal appendicitis，好中球浸潤が壁内にびまん性に拡大している蜂窩織炎性虫垂炎 phlegmonous appendicitis（膿瘍形成，漿膜炎を伴うことが多い），炎症による内圧亢進で循環障害が起こり壊死を伴った壊疽性虫垂炎 gangrenous appendicitis などがある．これら壁内の炎症のほかに，粘膜にはびらんや潰瘍の形成が不規則に認められる．

2 虫垂腫瘍

　虫垂に発生する上皮性腫瘍として，腺腫，低異型度虫垂粘液性腫瘍，鋸歯状病変，腺癌，杯細胞腺癌（杯細胞型カルチノイド）などがあげられる．

1 腺腫 adenoma

　大腸の腺腫と同様の病変であるが，しばしば低異型度虫垂粘液性腫瘍との鑑別を要する．前者は良性腫瘍であ

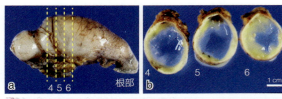

図 14-69　**低異型度虫垂粘液性腫瘍**
a. 肉眼像．内腔の拡張により腫大した虫垂を認める．
b. 肉眼像．a の 4, 5, 6 の割面像．内腔に粘液の貯留がみられる．
c. 組織像．粘膜固有層間質の消失とともに，1 層の粘液産生異型上皮が低乳頭状に増生している．

るが，後者は腹膜播種や腹膜偽粘液腫に進展しうる可能性があり，両者の生物学的態度が異なるため診断には注意が必要である．

2　低異型度虫垂粘液性腫瘍

　　low-grade appendiceal mucinous neoplasm（LAMN）
　虫垂に発生する上皮性腫瘍のうち，粘液の豊富な低異型度の一層の円柱上皮細胞の増生からなる腫瘍．虫垂内腔に多量の粘液が貯留し囊胞状に拡張するため，従来粘液囊胞腺腫 mucinous cystadenoma あるいは粘液囊胞腺癌 cystadenocarcinoma の名称が用いられてきたが，2018 年の「大腸癌取扱い規約 第 9 版」では，低異型度虫垂粘液性腫瘍 low-grade appendiceal mucinous neoplasm（LAMN）と分類されている．なお，病理学的に粘液瘤と呼称した場合は，厳密には非腫瘍性病変を指すが，一般的には粘液産生腫瘍も含めた概念として用いられることもある．組織学的には，囊胞内腔に増生する円柱上皮は粘液を豊富に含み，かつ粘液を分泌することにより囊胞を形成する．LAMN は，類円形核の密在を有する軽度異型性のある上皮が，内腔側へ乳頭状増生する病変からなる（図 14-69）．これらの病変が腹腔内に穿破し，腹腔内で増生し，粘液を含んだ腹水が貯留する病態を，腹膜偽粘液腫 pseudomyxoma peritonei という．腹膜偽粘液腫の原発巣としては虫垂の粘液産生腫瘍が最も多く（約 90%），虫垂以外の原因臓器としては，女性の場合には卵巣病変（約 10%）が最も多い．

3　鋸歯状病変 serrated lesion

　虫垂に発症する鋸歯状病変は比較的稀な疾患であり，その詳細にはついては十分に明らかになっていないが，大腸の分類に準じて，過形成性ポリープ，SSL，SSL with dysplasia，TSA に大別される．

4　腺癌 adenocarcinoma

　原発性虫垂癌はまれな疾患であり，消化管悪性腫瘍の 1% 以下といわれている．腺癌の亜分類は大腸癌に準じる．

5　杯細胞腺癌 goblet cell adenocarcinoma
　　（杯細胞型カルチノイド goblet cell carcinoid）

　本腫瘍は従来「杯細胞型カルチノイド goblet cell carcinoid」として，腺癌とカルチノイド腫瘍のどちらに位置づけるか検討されてきたが，消化器腫瘍の 2019 年の WHO 分類 第 5 版では，腸陰窩に類似した腺腔配列を呈する杯細胞様粘液細胞およびさまざまな個数の内分泌細胞と Paneth 細胞からなり，外分泌細胞と内分泌細胞から構成された腫瘍と定義され，現在では杯細胞腺癌 goblet cell adenocarcinoma として分類されている．組織学的には，個細胞性，小胞巣状あるいはカルチノイド腫瘍に類似した組織内に，杯細胞に類似した腫瘍細胞の増生がみられ，特殊染色あるいは免疫組織化学により内分泌細胞マーカーが陽性となる病変であり，予後が悪いことが知られている．

●参考文献
1) 大腸癌研究会（編）：大腸癌取扱い規約　第 9 版．金原出版，2018
2) 大腸癌研究会（編）：大腸癌治療ガイドライン　医師用　2019 年版．金原出版，2016
3) 八尾隆史，他（編）：腫瘍病理鑑別診断アトラス　大腸癌　第 2 版．文光堂，2021
4) Bosman FT, et al：WHO classification of tumours of the digestive system 5th ed. IARC, 2019
5) 九嶋亮治，他（編）：腫瘍病理鑑別診断アトラス　十二指腸・小腸・虫垂腫瘍．文光堂，2021

第15章 肝・胆・膵

肝臓

A 構造と機能

1 正常構造と機能

　肝臓はヒトの臓器の中で最も大きく，成人の肝臓の重量は平均1,200 g（1,000〜1,500 g）で，体重の1/50〜1/45に相当する．発生学的には原腸由来で**腺臓器**であるが，機能的には物質代謝の中心臓器として多くの**代謝機能**を営んでいる．その主な機能は，免疫グロブリン以外の血清タンパクの合成，血清リポタンパクの合成，胆汁の合成・分泌，老化赤血球の破壊とその構成成分（ヘム）の再利用，有毒物質や中間代謝産物の**解毒**などである．このうち生合成の多くは**門脈**から運ばれてくる消化産物の直接利用による．肝臓は1日700 mL前後の**胆汁**を分泌するが，その主成分である**胆汁酸**は脂肪の吸収に不可欠であり，胆汁色素である**ビリルビン**の大部分は老化赤血球の破壊によるヘモグロビンに由来する．

　肝臓は解剖学的に，肝鎌状間膜（前方），静脈管索裂（後方），肝円索裂（下方）を境に左葉と右葉に大きく分けられる．また，臨床的実用性を重視し，血管支配および胆管走行に基づいて，胆囊窩と肝上部の下大静脈を結ぶ線（**レックス-カントリー Rex-Cantlie 線**）により，機能的に左右二葉に分けられる．さらに左右両葉はそれぞれ2区域に分けられ，尾状葉と併せて5区域に大別される．各区域は**クイノー Couinaud の区域分類**により，さらに小さな亜区域（区域1-8）に分類される（**図15-1**）が，これは肝臓の部分切除の際に重要となる．肝に流入する血管には栄養血管である肝動脈と機能血管ともいえる門脈があり，正常状態では肝に供給される血液の約4/5は門脈，約1/5は動脈によっている．

　組織学的には，**肝小葉**と小葉間結合組織である**門脈域**（**グリソン Glisson 鞘**）からなる．小葉は肝細胞が一列に並ぶ細胞索として中心静脈を中心に放射状に配列する．肝細胞で産生された胆汁は，中心静脈と接する肝細胞から始まる相接する2個の肝細胞に挟まれた毛細胆管という間隙に分泌され，門脈域に接する部位でヘーリング Hering 管を経て小葉間胆管へと流れる．肝細胞索間には洞様毛細血管である類洞があり，血管内皮細胞で覆われる．類洞壁には，血管内皮細胞のほかに，クッパー Kupffer 細胞，星細胞，ピット細胞などがあるが，生体の状態により種々の変化を示す．Kupffer 細胞はマクロファージ，ピット細胞は NK 細胞であり，いずれも血管内皮に接着している．星細胞は，伊東細胞あるいは fat storing cell とも呼ばれ，ビタミンAや脂肪滴を細胞内に有し，血管内皮細胞と肝細胞の間のディッセ Disse 腔に存在する（**図15-2**）．Disse 腔は肝細胞と類洞血液の物質交換の場である．**古典的肝小葉**という概念では，中心静脈を中心に門脈域に至る距離を3等分して円を描き，中心静脈周囲の肝実質を中心帯，中間を中間帯，小葉辺縁の門脈域辺縁部を辺縁帯と小葉を3層に分けるが，種々の原因による肝細胞の変性・壊死の中には，それぞれの zone に選択的にみられることがある．門脈域は線維性結合組織よりなり，中に小葉間胆管，小葉間動脈，小葉間静脈（門脈枝）を含む．

　古典的な肝小葉に対し，血流動態を重視して門脈枝を含む門脈域を中心とした**機能的小葉（細葉）の概念**がRappaport らにより提唱された．Rappaport は中心静脈を中心とする古典的肝小葉構造に対し，肝内の微小循環に重点をおいて門脈末梢枝を中心に zone 1〜3 の3層に分ける細葉構造を提唱した（**Rappaport の肝細葉構造説，図15-3**）．この細葉構造では zone 3 の肝細胞は輸

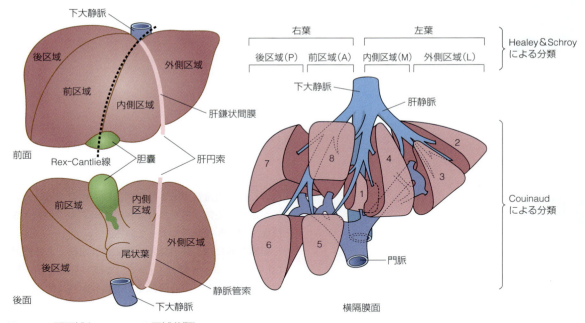

図 15-1　肝区域（Couinaud の区域分類）
〔右図は，日本肝癌研究会（編）：臨床・病理 原発性肝癌取扱い規約 第 6 版補訂版，金原出版，2019 より転載〕

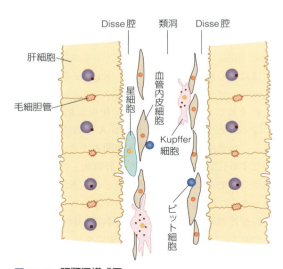

図 15-2　肝類洞模式図

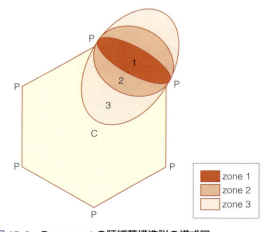

図 15-3　Rappaport の肝小葉構造説の模式図
門脈域に沿った門脈枝に接する zone 1 は豊富な血流を受けるため障害を受けにくく，門脈枝から最も離れた zone 3 は血流障害による酸素欠乏の影響を受けやすい．
P：門脈域，C：中心静脈．

出血管である中心静脈に接し，輸入血管である門脈末梢枝から最も離れているため肝内の血流異常による変性・障害を最も受けやすい．

Advanced Studies

② 解剖学的異常

発育異常として先天的なものに**肝副葉** accessory lobe がある．こ れは肝外にすべての肝の構成成分を備えた肝組織をみるものであり，きわめてまれである．肝右葉下面が舌状に突出したものをリーデル Riedel 肝葉と呼ぶが，これは形態異常であって真の副肝葉ではない．

なお，後天性異常として矢状溝 sagittal furrows，横溝（絞窄肝） transverse groove，肝葉萎縮 lobar atrophy などがある．門脈血の供給や胆汁の排出が妨げられると肝は萎縮する．

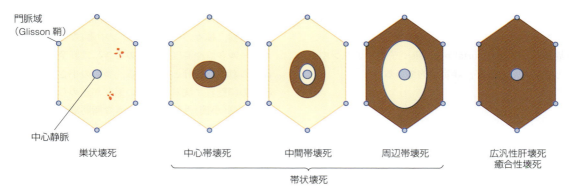

図 15-4 肝細胞壊死の分類模式図
巣状壊死は肝小葉内に散在性に認められる（赤点部）．帯状壊死は壊死（茶色）の生じる場所により3つ（中心帯壊死，中間帯壊死，周辺帯壊死）に分類される．広汎性肝壊死では肝小葉全体が壊死（茶色）に陥る．

B 肝臓の細胞障害と再生

1 萎縮

A 褐色萎縮 brown atrophy

結核や悪性腫瘍などの消耗性疾患のとき，肝全体が萎縮して褐色調を呈する．組織学的に，肝細胞は萎縮し，細胞質に褐色の消耗性色素（褐色素 lipofuscin）が沈着する．

B 生理的萎縮 physiological atrophy

加齢により，生理的に種々の程度に萎縮する．また，消耗色素も沈着するため褐色調を帯びる．

2 壊死とアポトーシス

肝細胞は種々の原因によりアポトーシスや壊死に陥る．壊死はその程度および分布により，巣状壊死，帯状壊死，癒合性壊死に大別される（図 15-4）．

A 好酸体 acidophilic body
（カウンシルマン小体 Councilman body）

肝炎に伴う肝細胞障害の際に出現し，形態的に肝細胞の細胞質の縮小と好酸性の増加，核のクロマチンの濃縮や断片化がみられる．肝細胞のアポトーシスの像である（図 15-5）．

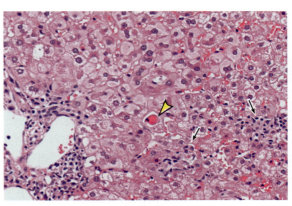

図 15-5 単細胞壊死および巣状壊死
アポトーシスに陥った肝細胞は，縮小して好酸性となり，核も凝縮している（▷）．数個あるいはそれ以上の肝細胞が壊死に陥った部位に一致してリンパ球の巣状の浸潤がみられ，巣状壊死と呼ばれる（→）．

B 巣状壊死 focal necrosis

小葉内で数個の肝細胞が集合して壊死に陥ったもの．壊死部には好中球，リンパ球，組織球，Kupffer 細胞などの集簇がみられる（図 15-5）．ウイルス性肝炎に特徴的にみられるほか，重症の感染症や中毒などでもみられる．

C 帯状壊死 zonal necrosis

原因によっては小葉の中心帯，中間帯あるいは周辺帯に限局性に壊死が起こる．
① 中心帯壊死 centrilobular necrosis：重症感染症，中毒，高度のうっ血などの際にみられる．

② 中間帯壊死 midzonal necrosis：黄熱病のときに定型像をみる．
③ 周辺帯壊死 periportal necrosis：子癇や黄リン中毒のときにみられるが，非定型的である．

D 癒合性壊死 confluent necrosis

急性ウイルス性肝炎の重症例でみられる．架橋壊死 bridging necrosis，亜広汎壊死 submassive necrosis，広汎壊死 massive necrosis の 3 型がある．架橋壊死は，隣接する門脈域(P)あるいは中心静脈(C)の間，P と C の間に帯状の壊死を生じる．亜広汎壊死と広汎壊死は，肝全体に亜広汎性あるいは広汎性に壊死をみるもので，亜広汎壊死は亜急性肝炎，広汎壊死は劇症肝炎に特徴的である．壊死という名称であるが，実際はアポトーシスの関与が大きい．

3 肝臓の再生 hepatic regeneration

通常状態で肝細胞は緩徐な細胞回転を保ちながら肝臓の形態・機能を維持しているが，肝切除あるいは傷害に伴い，肝を構成する種々の細胞が増殖して肝再生が誘導される．傷害の程度が軽度〜中程度の場合は，傷害されていない肝細胞が分裂・増殖することにより再生が生じるが，より高度な傷害で広汎壊死などが生じた場合は，門脈域周辺あるいは Hering 管などに存在する肝幹（前駆）細胞が増殖して肝再生が誘導されると考えられている．骨髄由来の造血幹細胞が肝細胞に分化するという考えも以前はあったが，現在ではまれな現象ととらえられている．

C 代謝障害

1 脂質代謝障害

A 脂肪化 fatty change

肝はさまざまな原因により，種々の程度の脂肪化（**脂肪変性**）をきたすが，高度のときには，肝は腫大して黄色調を呈する．原因により脂肪化の起こる部位に違いがみられ，小葉中心帯にみられる中心脂肪化，辺縁帯にみられる周辺脂肪化，肝全体にみられる**脂肪肝** fatty liver に分けられる．中心脂肪化は感染症や低酸素血症（例：うっ血，高度の貧血）など，周辺脂肪化は悪液質，中心静脈栄養，種々の中毒（例：リン中毒）などでみられ，アルコール多飲や高度の肥満のときには肝全体にびまん性にみられ，脂肪肝と呼ばれる．多数の小さな脂肪滴が肝細胞の細胞質に沈着して核の偏在が認められない場合を小脂肪滴（小滴）性脂肪肝，大きな脂肪滴が細胞質に沈着して核の偏在を伴う場合を大脂肪滴（大滴）性脂肪肝という．脂肪は凍結切片のオイルレッド O 染色やズダン Ⅲ 染色で鮮やかな赤色に染まる．

B ライ症候群 Reye syndrome

1963 年に Reye らにより急性脳症と諸臓器の脂肪化を示す疾患として報告された．上気道感染が先行し，回復期に嘔吐，痙攣，意識障害が発症する．低血糖，高アンモニア血症，出血傾向，脳浮腫などがみられる．肝機能障害もみられるが黄疸は認めない．診断基準の 1 つである肝組織像は重要で，小滴性脂肪肝がみられる．電子顕微鏡的には，ミトコンドリアの膨化やクリステ cristae の消失などの障害像がみられ，ミトコンドリア病の 1 つと考えられている．先行感染症に対するアスピリン投与が発症に関連しているとされ，アスピリン内服の制限により発症数は減少した．

2 胆汁色素代謝障害

A 黄疸 jaundice

何らかの原因により**血中ビリルビン** bilirubin 濃度が上昇し，皮膚や強膜などの各組織が黄染された状態を黄疸という．黄疸をきたす原因は，ビリルビン代謝に関与する肝臓を中心に，① **肝前性黄疸**，② **肝性黄疸**，③ **肝後性黄疸**に分類される．肝前性黄疸は溶血性貧血などにより非抱合（間接）型ビリルビンが過剰に産生されることにより生じ，肝性黄疸は各種の肝炎や薬物などの肝細胞障害により抱合（直接）型ビリルビンの排泄が障害されることにより生じ，肝後性黄疸は結石や炎症，腫瘍などにより肝外の胆管が閉塞することにより生じる閉塞性黄疸である．このほかに，**体質性黄疸**と呼ばれるものがある（→ 第 6 章「代謝障害」，160 頁参照）．

B 胆汁うっ滞 cholestasis

胆汁の排泄障害が生じて胆汁が肝内にうっ滞すること

により，血液中に胆汁成分であるビリルビンや胆汁酸，コレステロールが増加する病態を示す．胆汁うっ滞は，腫瘍や結石などによる肝外胆道閉塞に起因する**閉塞性黄疸** obstructive jaundice と，明らかな胆道閉塞を認めない**肝内胆汁うっ滞** intrahepatic cholestasis に大別される．

　肝内胆汁うっ滞は急性，慢性，反復性(良性・妊娠性)，乳児期に分けられる．急性肝内胆汁うっ滞は顕性黄疸が出現してから6か月以内に消褪する状態を示し，クロルプロマジンや経口避妊薬などの薬物およびA型肝炎などのウイルス性肝炎が原因の大半を占める．その他の原因として，敗血症，アルコール性肝障害，術後肝内胆汁うっ滞などがある．

　急性肝内胆汁うっ滞では，組織学的にzone 3を中心に肝実質に胆汁色素の沈着がみられ，通常，細長く緑褐色の胆汁栓が拡張した毛細胆管内に認められる．また，Kupffer細胞内や肝細胞内の胆汁色素の沈着，肝細胞の**羽毛様変性** feathery degeneration を認めることもある．慢性肝内胆汁うっ滞は6か月以上胆汁うっ滞が続く状態をいう．胆汁酸による肝細胞障害がzone 1を中心に発生し，肝細胞の風船様変性のほかマロリー−デンクMallory-Denk 小体(→ 501頁参照)の形成，肝細胞への銅の沈着を認める．特に，肝外胆道の閉塞を認める場合は，門脈域周囲に細胆管の増生がみられる．

③ 糖代謝障害

Ⓐ 糖原病 glycogen storage disease

　遺伝性の疾患で，肝臓，骨格筋，心臓などに過剰にグリコーゲンが蓄積する疾患である．肝臓に病変をきたすのは，0型，Ⅰ型(フォンギールケ von Gierke病)，Ⅱ型(ポンペ Pompe病)，Ⅲ型(コリ Cori病)，Ⅳ型(アンダースン Andersen病)，Ⅵ型(エール Hers病)，Ⅸa，Ⅸbなどである．Ⅲ型とⅣ型では肝硬変に移行することがある．また，Ⅰ型では，肝硬変は生じないが，肝細胞腺腫や肝細胞癌を合併する．

Ⓑ 糖尿病 diabetes mellitus

　糖尿病に特異的な肝の組織的変化は少ないといえる．重症で未治療の糖尿病患者の肝臓は組織学的に，肝細胞のグリコーゲン量が正常あるいは増加しており肝小葉zone 1よりもzone 3に多く分布する．糖尿病患者の肝細胞の核には空胞化(糖原核)がみられることが多い．肥満の2型糖尿病患者では，肝小葉zone 2や3に大滴性脂肪肝を認めることや，非アルコール性脂肪性肝炎(→ 502頁参照)を合併することがある．また，逆に肝硬変患者の80%に耐糖能低下がみられ，糖尿病もまれではない．

④ アミノ酸代謝障害

　チロシン血症 tyrosinemia は，常染色体潜性(劣性)遺伝でチロシン分解経路の最終酵素であるフマリルアセト酢酸ヒドロラーゼ(FAH)の欠損により生じる．肝臓には，毒性・変異原性のある中間代謝産物(マレイルアセト酢酸，フマリルアセト酢酸)が蓄積する．急性型は，通常は幼児でみられ，生後1年以内に肝不全で死亡する．慢性型では，成長遅延，腎障害，肝硬変を生じて10歳までに死亡する．1/3の症例では肝細胞癌を合併する．

⑤ ポルフィリン症 porphyria

　ポルフィリンとヘムの生合成の障害により，ポルフィリンとその前駆物質の過剰な蓄積や排泄を生じる疾患である．**肝性ポルフィリン症** hepatic porphyria と**骨髄(赤芽球)性ポルフィリン症** erythropoietic porphyria の2つに大別される．

　肝性ポルフィリン症には，急性間欠性ポルフィリン症 acute intermittent porphyria，遺伝性コプロポルフィリン症 hereditary porphyria，異型ポルフィリン症 variegate porphyria，晩発性皮膚ポルフィリン症 porphyria cutanea tarda がある．すべての病型で，嘔吐，腹部疝痛，便秘，末梢神経障害などの精神神経発作がみられる．これらの発作は，薬剤内服，性ホルモン，飲酒，C型肝炎ウイルス感染などで誘発される．晩発性皮膚ポルフィリン症は最も高頻度で，常染色体顕性(優性)遺伝症例(20%)と散発例(80%)がある．40歳頃に発症し，皮膚には光線過敏症がみられ，肝細胞にはウロポルフィリン(針状細胞内封入体)や血鉄素(ヘモジデリン)の沈着，脂肪化がみられ，1/3の症例が肝硬変となる．肝細胞癌の発症率も通常より高い．

⑥ ヘモクロマトーシス hemochromatosis

　体内貯蔵鉄が異常に増加し，肝臓，膵臓，皮膚などの諸臓器の実質細胞にヘモジデリンとして沈着し，各臓器

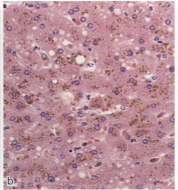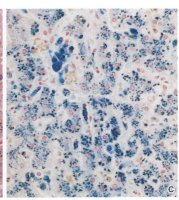

図 15-6　ヘモクロマトーシス
a. 大量，頻回の輸血を受けた白血病患者の肝臓で，肝臓は肉眼的に鉄錆色を呈する．
b. Kupffer 細胞および肝細胞には多量の褐色のヘモジデリンが沈着している．
c. ヘモジデリンはベルリンブルー染色で青く染まっている．

の実質細胞障害を生じる病態をいう．進行例では，肝硬変，糖尿病，皮膚色素沈着などの臨床症状が出現し，肝細胞癌発生のリスクも上がる．実質細胞への鉄の蓄積が少なく臓器障害を伴わない状態はヘモジデローシス hemosiderosis と呼ぶ．遺伝性（特発性）と二次性のものに大別され，遺伝性は HFE 遺伝子関連と非 HFE 遺伝子関連の遺伝性ヘモクロマトーシスに大別される．HFE 遺伝子関連ヘモクロマトーシスは常染色体潜性遺伝で，原因として第 6 番染色体短腕上にある HFE 遺伝子の変異が知られている．HFE 遺伝子の変異により，鉄代謝調節因子のヘプチジンの発現が低下し，鉄トランスポータータンパクのフェロポーチンが増加し，腸管上皮からの鉄の吸収が増え，体内で鉄過剰となり臓器障害を起こす．わが国では，遺伝性ヘモクロマトーシスの発生は欧米に比べてまれで，頻回の輸血や鉄剤の投与などによる二次性のものが多い．

　病理学的特徴としては，肝臓はヘモジデリンの沈着により肉眼的に鉄錆色を呈する（図 15-6a）．組織学的には，初期には門脈域周囲の肝細胞の胞体内に褐色の鉄の沈着が生じ，漸次，小葉内にびまん性に広がり，Kupffer 細胞にも取り込まれる（図 15-6b）．鉄沈着はベルリンブルー染色で青く描出される（図 15-6c）．鉄による肝細胞障害の結果，徐々に線維化が進み，最終的には肝硬変に至る（→ 496 頁参照）．

7　銅代謝障害

　ウィルソン Wilson 病は，常染色体潜性遺伝性疾患で，銅輸送 P 型 ATPase の一種である ATP-7B の遺伝子異常により肝細胞内銅輸送が障害され，銅の胆汁中への排泄が著明に減少する．肝臓におけるセルロプラスミン（銅結合タンパク質）の産生が低下し，それに伴い血中へのセルロプラスミンの放出も低下し，肝臓に銅が沈着して過飽和状態になる．その結果，銅が血中に大量に放出され，肝臓，大脳基底核，角膜への銅沈着は，それぞれ，肝障害，錐体外路障害，カイザー-フライシャー Kayser-Fleischer 輪（角膜周囲の緑褐色の色素輪）の 3 主徴を生じる．肝臓の組織像は多彩だが，肝細胞の腫大，糖原核，脂肪化，Mallory-Denk 小体の形成がみられ，門脈域には慢性肝炎に類似した所見を認めることが多い．大結節性肝硬変に進展する．

8　アミロイドーシス amyloidosis

　アミロイドと呼ばれる特殊な線維性タンパクが種々の臓器の細胞外に病的に沈着する疾患群である（→ 第 6 章「代謝障害」，153 頁参照）．沈着するアミロイドタンパクの種類によりアミロイドーシスは分類されるが，AL 型と AA 型アミロイドーシスが代表型である．肝臓では，アミロイドの沈着は類洞の内皮細胞直下および門脈域の脈管，特に肝動脈壁にみられることが多い．高度のアミロイド沈着は肝細胞を圧排して萎縮・消失をもたらす（図 15-7）．アミロイドはコンゴーレッド染色で橙色に染色され，偏光顕微鏡下で緑色の偏光を示す．

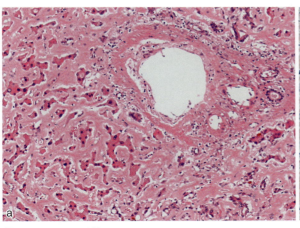
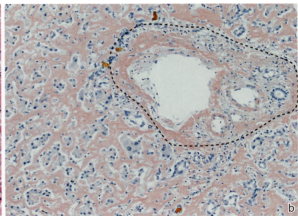

図 15-7　アミロイドーシス
a. ピンクの無構造なアミロイドが肝細胞索間に高度に沈着し，肝細胞が萎縮・消失している．
b. コンゴーレッド染色では，橙色のアミロイドの沈着を小葉内と門脈域（点線）の脈管壁に認める．

D 循環障害

1 門脈系の循環障害

A 肝外門脈閉塞症
extrahepatic portal obstruction（EPO）

　肝外門脈閉塞症の多くは，原発性肝癌あるいはその他の腫瘍による腫瘍塞栓や血栓により生じ，門脈圧亢進をきたす（→ 498 頁参照）．肝には著変はみられないことが多い．

B 肝内門脈の閉塞性病変

a　ツァーンの梗塞 infarction of Zahn
　肝内門脈分枝の急性の血栓性閉塞で，肝表面に底辺をもつ三角形の領域として生じる．類洞の拡張を伴ううっ血を認め，肝組織の萎縮がみられる．真の梗塞ではない．

b　肝硬変 liver cirrhosis
　肝硬変は肝全体に及ぶ小葉改築のため，肝内門脈の走行異常および類洞の血流抵抗増大などに伴う血流障害が起こり，門脈圧亢進をきたす．

c　住血吸虫症 schistosomiasis
　日本住血吸虫症あるいはアフリカや南米にみられる**マンソン住血吸虫症**では，住血吸虫卵が肝内門脈枝を塞栓し，高度の門脈炎や門脈周囲炎を起こし，門脈は狭小化あるいは閉塞する．陳旧化すると肝線維症（日本住血吸虫性肝硬変）となる．類洞性および前類洞性の門脈圧亢進をきたす（→ 494 頁参照）．

d　特発性門脈圧亢進症
idiopathic portal hypertension（IPH）

　かつてはバンチ Banti 病あるいは Banti 症候群と呼ばれていたもので，原因不明の肝内門脈枝の狭小化や瘢痕化により門脈圧亢進をきたす．その結果，高頻度に脾腫，貧血，腹水を伴う．病因については多くの議論があり，定まったものはない．

2 肝静脈系の循環障害

A うっ血肝 congestion of the liver

　肝静脈あるいは下大静脈の血流うっ滞により肝にうっ血をきたすが，右心不全によるものが最も多い．急性のうっ血と慢性のうっ血では肝の所見は異なり，急性うっ血では，小葉中心部にうっ血が目立ち，経過が長引くと同部の萎縮した肝細胞には脂肪化がみられるようになり，ついには壊死に至る．持続性のうっ血では，小葉中心部のうっ血部が互いに連続し，門脈域周辺の残存した肝実質を取り囲むようになり，肉眼的にニクズクの種子のナツメグ（nutmeg）の割面のようにみえることから，**ニクズク肝** nutmeg liver と呼ばれる（図 15-8）．さらにうっ血が慢性化すると，小葉中心部を中心に線維化が起こり，高度となるとうっ血性肝硬変となる．

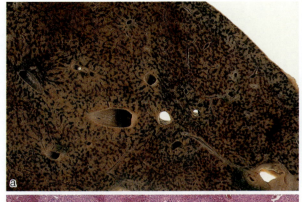
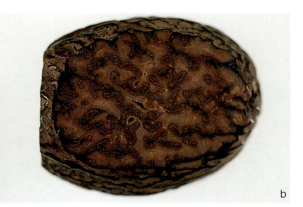
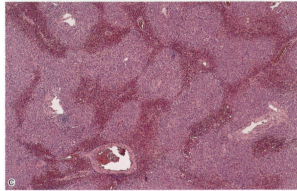

図 15-8　うっ血肝（ニクズク肝）
大動脈弁置換術後にうっ血性心不全で死亡した剖検症例.
a. 肝臓は割面で肝小葉中心部のうっ血部が互いに連絡し，b に示すナツメグの割面に似た特徴ある像を示す.
b. ニクズクの種子のナツメグ nutmeg の割面像.
c. 組織学的には中心帯の肝細胞は変性・壊死に陥り，出血している.

B バッド-キアリ症候群 Budd–Chiari syndrome

　肝静脈の下大静脈開口部付近における主に血栓による閉塞により，肝うっ血，腹水，脾腫，腹壁静脈怒張などの症状をきたす疾患群である．骨髄増殖症候群や真性多血症など成因が明らかなものと，成因が不明の特発性のものがある．急性期にはうっ血肝の像を呈するが，慢性期にはうっ血性肝硬変となる．

C 肝静脈閉塞症 veno-occlusive disease of liver

　末梢の肝静脈が線維性に閉塞する疾患である．同種骨髄移植後，放射線照射，薬剤投与などが原因となる．原因となる薬剤としてはピロリジジンアルカロイドが有名である．

Advanced Studies
3 肝動脈系の循環障害

　肝動脈本幹の閉塞が起こることはきわめてまれであるが，その場合は広範な肝壊死をきたす．肝内の動脈枝の閉塞では，豊富な門脈血のため梗塞などの障害は起こらない．肝硬変では門脈血流量が減少して動脈血優位となっているため，食道静脈瘤の破裂などによる大量の出血により，血圧が急激に下がると広範な虚血性の肝壊死が起こり，急性肝不全をきたし死亡する．この際，壊死に陥った肝硬変の再生結節が輪状の出血帯で囲まれ，肉眼的に斑状の紋様からなる特徴的な像を呈する．

4 肝紫斑病 peliosis hepatis

　類洞の囊胞状の拡張がびまん性にみられるもので，消耗性疾患，経口避妊薬，タンパク同化ホルモン投与後にみられることがある．真の原因は不明であるが，類洞内皮細胞の障害が示唆される．

E ウイルス性肝炎

　原因としては肝炎ウイルスによるものが最も多く，A型，B型，C型，D型，E型の5種類の肝炎ウイルスがあり，このうちA・B・C型によるものが主体を占める．いずれも急性肝炎を発症するが，感染経路など，それぞれに特徴がみられる（表15-1）．なお，肝炎ウイルス以外にサイトメガロウイルス，ヘルペスウイルス，その他のウイルスでも肝炎が起こる．臨床的にウイルス肝炎は経過により急性肝炎と慢性肝炎に，さらに広範な肝細胞壊死をきたして予後不良な劇症肝炎に分けられる．

表 15-1 肝炎ウイルス（A 型〜E 型）の主な特徴

ウイルス	A 型肝炎ウイルス（HAV）	B 型肝炎ウイルス（HBV）	C 型肝炎ウイルス（HCV）	D 型肝炎ウイルス（HDV）	E 型肝炎ウイルス（HEV）
核酸	RNA	DNA	RNA	RNA	RNA
感染経路	経口（HAV で汚染された水や食品など）	血液・体液（母子感染、性行為、針刺しなど）	血液（針刺しなど）	血液（性行為など），B 型肝炎ウイルス存在下でのみ感染	経口（HEV で汚染された水や加熱処理が不十分なイノシシ肉，シカ肉，ブタ肉など）
潜伏期間	2〜6 週間	1〜6 か月	2〜12 週間	1〜6 か月	3〜8 週間
慢性化	なし	あり	あり	HBV との同時感染ではまれ，重複感染では高頻度	免疫不全状態の患者のみ
ワクチン	あり	あり	なし	HBV ワクチンが有効	なし

急性肝炎から劇症肝炎への移行は，B 型肝炎で最も多く，A 型肝炎，C 型肝炎ではまれである．

【臨床像】
ウイルス性急性肝炎は，一定の潜伏期間を経て，感冒様症状，全身倦怠感，消化器症状などで発症する．その後，肝逸脱酵素の上昇，黄疸，肝腫大などがみられる．ウイルス性慢性肝炎の多くは，急性 B 型肝炎の一部あるいは急性 C 型肝炎が遷延化したものである．多くは自覚症状を認めないか軽度である．全身倦怠感を認めることもあるが，慢性肝炎に特徴的な所見ではない．

1 肝炎ウイルスによる肝炎

A A 型肝炎 type A hepatitis

【概念，成因】
かつて**流行性肝炎**あるいは**伝染性肝炎**とも呼ばれていたもので，RNA ウイルス（ピコルナウイルス科）の **A 型肝炎ウイルス** hepatitis A virus（HAV）の経口感染による急性肝炎である．

【臨床像】
水源や貝類（カキなど）の汚染により感染し，地域的・季節的な流行がしばしばみられる．慢性化することなく治癒するが，まれに劇症肝炎となることがある．

B B 型肝炎 type B hepatitis

【概念，成因】
B 型肝炎ウイルス hepatitis B virus（HBV）は DNA ウイルス（ヘパドナウイルス科）であり，血液，精液，唾液などの体液を介して感染する．世界中で HBV 感染者は 20 億人，HBV 持続感染者は 3.5 億人存在するが，わが国を除くアジアとアフリカに多い．感染経路としては，HBV に感染している母親から児に分娩時に経産道的に感染する**母子感染（垂直感染）**とそれ以外の感染（水平感染）がある．1986 年に母子感染防止事業が実施された後は，垂直感染の発生は減少した．水平感染は，以前は HBV に汚染された血液の輸血が主な原因であったが，HBV 汚染の検査が確立された後はほとんどみられず，現在は性行為感染が多い．医療従事者の針刺し事故も感染の原因となる．

B 型肝炎ウイルスは 42 nm のデーン Dane 粒子と呼ばれる球形の粒子であり，ウイルスの外被（エンベロープ）に B 型肝炎ウイルス表面 hepatitis B surface（HBs）抗原がある．芯（コア）の部分には不完全二本鎖 DNA と DNA ポリメラーゼが存在し，B 型肝炎ウイルスコア hepatitis B core（HBc）抗原と非粒子状の B 型肝炎ウイルス e hepatitis B e（HBe）抗原の 2 種類の抗原があり，このうち HBe 抗原陽性時は感染力が強いことが知られている（図 15-9）．HBV 感染肝細胞では HBs 抗原は細胞質に，HBc 抗原は核に局在がみられ，免疫組織染色により容易に検出できる．また，HBs 抗原はオルセイン染色，あるいはビクトリアブルー染色などによっても検出できる．

【臨床像】
出生時または乳幼児期の感染では，HBV に対する免疫学的寛容状態のため発症せずに**持続感染者（HBV キャリア）**となる．その後，大部分は肝機能正常なキャリアとして経過し，その後に顕性または不顕性の肝炎を発症する．そのうち 85〜90％は後述するセロコンバージョンを起こし，最終的に肝機能正常の無症候性キャリアに移行する．残りの 10〜15％が慢性肝炎や肝硬変に移行し，肝機能異常が持続する．乳幼児期以降の HBV の初感染（一過性感染）では，70〜80％は不顕性感染で治癒する．残りの 20〜30％は急性肝炎を発症するが，大部分は治癒する．1〜2％が劇症肝炎を発症する．急性肝

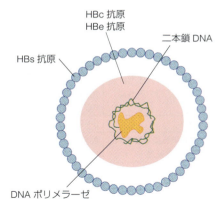

図 15-9　B 型肝炎ウイルス（Dane 粒子）の模式図

炎の慢性化率は低く数％であるが，ウイルスの遺伝子型（ジェノタイプ）によって違いがある．近年外国人との接触によると思われるジェノタイプ A の急性肝炎が増加しており，わが国に多いジェノタイプ C・B に比べて慢性化しやすいといわれている．また，HBV 既感染者において，免疫抑制薬や抗がん剤などの服用により免疫が抑制されると，B 型肝炎が再活性化する（de novo B 型肝炎）ことが報告されている．

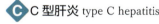 C 型肝炎 type C hepatitis

【概念，成因】

C 型肝炎ウイルス hepatitis C virus（HCV）は RNA ウイルス（フラビウイルス科）であり，主として血液を介して感染する．感染源として，以前は輸血による感染もみられたが，現在は汚染された注射針の針刺し事故による感染が主体である．また，わが国では HCV 抗体陽性の肝細胞癌が最も多いが，1990 年代半ばをピークに減少傾向にある．

【臨床像】

急性肝炎の重症化や劇症肝炎への移行はまれであるが，A 型あるいは B 型肝炎と異なり 70〜80％と高率に慢性化し，さらに慢性肝炎の 50〜70％は肝硬変や肝細胞癌へと進展するといわれていた．しかし，近年，新規感染者数が減少し，さらに，治療薬としてインターフェロンに代わり，ウイルス駆除率が高い直接作用型抗ウイルス薬 direct acting antivirals（DAA）が登場したことにより，慢性化する症例はかなり減少している．DAA の登場によりほぼ全例でウイルス排除が可能となっている．主要な DAA には，プロテアーゼ阻害薬（グレカプレビル），NS5A 阻害薬（ピブレンタスビル，レジパスビル，ベルパタスビル），ポリメラーゼ阻害薬（ソホスブビル）があり，その合剤を投与する．

D D 型肝炎 delta hepatitis

D 型肝炎ウイルス hepatitis delta virus（HDV）はデルタ肝炎ウイルスとも呼ばれる RNA ウイルスであるが，B 型肝炎ウイルス感染状態にある宿主においてのみ感染が成立する．HBV との同時感染で急性肝炎を発症するが 90％以上は慢性化せず治癒する．一方で，HBV のキャリアなど慢性的に HBV に感染している患者への重複感染では約 80％で重症化や慢性化が生じる．地中海沿岸地方に主としてみられ，わが国ではまれである．

E E 型肝炎 type E hepatitis

E 型肝炎ウイルス hepatitis E virus（HEV）は A 型肝炎ウイルスに類似した RNA ウイルスで，経口的に感染する．HEV は，衛生環境未整備の開発途上国では，主に糞便で汚染された飲み水を介して糞口感染する．衛生状態のよい地域では，加熱処理が不十分なブタ，シカ，イノシシなどの動物の肉を摂取後に HEV に感染することから，人畜共通感染症として注目されている．劇症肝炎への移行はまれだが，妊娠中に最も高率に生じるため注意が必要である．

2 ウイルス肝炎の病理組織像

一般にウイルス肝炎では肝炎ウイルスが直接肝細胞障害性に作用するのではなく，主としてウイルスに感染した肝細胞が宿主の免疫反応により炎症を起こすため，各ウイルスに特異的な組織変化を指摘することは困難である．特に急性肝炎では組織像は共通していることが多い．しかし，慢性肝炎のうち C 型肝炎ウイルスでは特異的ではないものの組織像に一定の傾向をみる．

A 急性ウイルス肝炎

肝細胞の壊死を伴う門脈域や小葉内の炎症反応（**壊死性炎症反応** necroinflammation）を基本像とするが，その程度は症例により異なる．小葉内には zone 3 を中心に，リンパ球，形質細胞，マクロファージなどの炎症細胞，肝細胞索の乱れや不明瞭化，肝細胞のアポトーシスである**好酸体**，数個の肝細胞が壊死に陥った巣状壊死，肝細

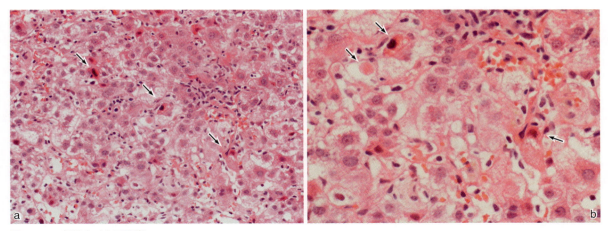

図 15-10　急性ウイルス肝炎
生検組織像．小葉内の肝細胞索は不明瞭となり，リンパ球浸潤や紡錘形の Kupffer 細胞が目立つ．好酸体(→)や肝細胞の変性・腫大(風船化)が明瞭である．a. 弱拡大，b. 強拡大．

胞の変性・腫大(**風船様変性** ballooning degeneration)，**Kupffer 細胞**の動員(腫大あるいは数を増すこと)，肝細胞の再生像(小型肝細胞の出現)，毛細胆管の胆汁栓形成など，多彩な組織像が認められる(図 15-10)．また，急性肝炎では，胆汁やセロイドなどの色素を貪食して黄褐色の色素を含む Kupffer 細胞やマクロファージが特徴的に出現する．門脈域には，リンパ球主体の炎症細胞浸潤，軽度の胆管の破壊像，門脈域周囲の肝細胞の脱落がみられる．このため，門脈域と肝細胞との境界(**限界板**)は境界不明瞭・不規則となり，門脈域は拡大する．門脈域の炎症は急性肝炎では一般的に軽度だが，A 型肝炎では目立つ．

B 慢性ウイルス肝炎

急性肝炎が遷延化したものをいうが，急性肝炎の時期が明らかでなく慢性肝炎で発症するものも少なくない．特に，母子感染による HBV キャリアから慢性肝炎を発症する場合がそれにあたる．また，C 型肝炎も急性像が明らかでなく，診断時にはすでに慢性肝炎の状態を示すことも多い．慢性肝炎の組織診断では，慢性肝炎の予後の判定がより正確にできるよう，炎症の強さ(grade)と慢性肝炎の進行度を反映する線維化の程度(stage)を評価する．診断基準として**新犬山分類**(表 15-2)がわが国では用いられているが，国際的には Ludwig らの分類がよく用いられる．

【慢性肝炎の組織像】
慢性肝炎とは，臨床的に 6 か月以上肝機能異常とウイルス感染が持続しており，組織学的に門脈域にリンパ球主体の炎症細胞浸潤と線維化を認め，小葉内には種々の程度に肝細胞の変性・壊死やアポトーシスによる肝細胞の脱落を認めるものをいう．通常，門脈域の炎症は急性肝炎より高度であるが，門脈域内にリンパ球浸潤が限局している場合と，それに加えて周囲の zone 1 を構成する肝細胞との境界を破ってリンパ球が小葉内に浸潤し，肝細胞の変性や消失・脱落をきたす場合がある．この変化は長年 piecemeal necrosis と呼ばれていたが，その本態が necrosis(壊死)ではなく，**アポトーシス**であることが判明し，現在では**インターフェイス肝炎** interface hepatitis と呼ばれる．その成因として，Fas リガンドを発現している CD8 陽性 T 細胞が，Fas 抗原(CD95)を発現している肝細胞に結合し，肝細胞にアポトーシスが誘導されると考えられている．

小葉内には，好酸体や巣状壊死が種々の程度にみられ，炎症が高度の場合は架橋壊死もみられる．病変の進行とともに門脈域から小葉内に線維化が進展し，門脈域の線維性拡大が生じ，隣接する門脈域間あるいは門脈域と中心静脈の間に線維性架橋形成を生じる．ウイルスによる特徴として，C 型慢性肝炎では，門脈域にはリンパ濾胞の形成を伴うような高度のリンパ球浸潤をしばしば認める(図 15-11)．一般に，B 型慢性肝炎では HBe 抗原が消失し，HBe 抗体が出現する**セロコンバージョン**という状態になると，活動性の炎症は軽減あるいは消失するのに対し(図 15-12)，C 型肝炎ではウイルスが除去されないかぎり，経過とともに活動性の炎症が持続し，線維化の進展とともに肝硬変へと進む(図 15-13)．

表 15-2 慢性肝炎の診断基準（新犬山分類）

慢性肝炎とは，臨床的には6か月以上の肝機能検査値の異常とウイルス感染が持続している病態をいう．組織学的には門脈域にリンパ球を主体とした細胞浸潤と線維化を認め，肝実質内には種々の程度の肝細胞の変性・壊死所見を認める．そして，その組織所見は線維化と壊死・炎症所見を反映させ，おのおの線維化(staging)と活動性(grading)の各段階に分けて表記する．

【staging】
線維化の程度は門脈域より線維化が進展し，小葉が改築され，肝硬変へ進展する段階を，線維化なし(F_0)，門脈域の線維性拡大(F_1)，bridging fibrosis(F_2)，小葉のひずみを伴う bridging fibrosis(F_3)までの4段階に区分する．さらに，結節形成傾向が全体に認められる場合は，肝硬変(F_4)と分類する．

【grading】
壊死・炎症所見はその程度により，活動性なし(A_0)，軽度活動性(A_1)，中等度活動性(A_2)，高度活動性(A_3)の4段階に区分する．すなわち，活動性の評価は piecemeal necrosis，小葉内の細胞浸潤と肝細胞の変性ならびに壊死(spotty necrosis, bridging necrosis など)で行う．

【付記】
F_0：線維化なし　　　　　　　　　　　　A_0：壊死・炎症所見なし
F_1：門脈域の線維性拡大　　　　　　　　A_1：軽度の壊死・炎症所見
F_2：線維性架橋形成　　　　　　　　　　A_2：中等度の壊死・炎症所見
F_3：小葉のひずみを伴う線維性架橋形成　A_3：高度の壊死・炎症所見
F_4：肝硬変

【表記例】

組織所見	組織診断
門脈域の線維性拡大と高度の壊死・炎症所見を示す慢性肝炎 (chronic hepatitis, fibrous portal expansion with severe activity of necro-inflammatory reaction)	CH(F_1/A_3)
線維性架橋形成が散見され，軽度の壊死・炎症反応がみられる慢性肝炎 (chronic hepatitis, bridging fibrosis with mild activity of necro-inflammatory reaction)	CH(F_2/A_1)
線維性架橋形成により小葉構造の歪みを認めるが，壊死・炎症所見に乏しい慢性肝炎 (chronic hepatitis, bridging fibrosis with architectural distortion and no activity of necro-inflammatory reaction)	CH(F_3/A_0)

〔市田文弘，他：慢性肝炎の肝組織診断基準―新犬山分類．犬山シンポジウム記録刊行会編．中外医学社，183-188，1996 より〕

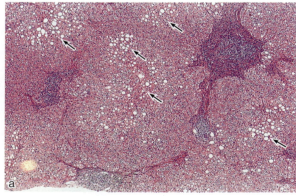 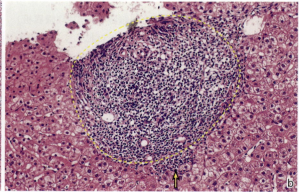

図 15-11　C 型慢性肝炎
a. 組織像．門脈域から細い線維帯が伸びている．肝小葉内には脂肪化がみられる(→)．
b. 組織像．門脈域(黄点線)にはリンパ濾胞形成を伴う高度のリンパ球浸潤がみられるが，周囲の肝細胞におけるインターフェイス肝炎(→)は軽微である．

C 劇症肝炎 fulminant hepatitis

劇症肝炎は，「初発症状出現から8週以内にプロトロンビン時間が40％以下に低下し，昏睡II度以上の肝性脳症を生じる肝炎」と定義される．急性肝不全の原因として最も多い．救命率は30～50％と予後不良な肝炎である．原因としては，肝炎ウイルスによるものが多く，特にHBVによることが多い．他の原因としては，薬剤によるものや原因を特定できないものもある．肝臓は広範な肝細胞壊死のため高度に萎縮し，赤褐色調あるいは

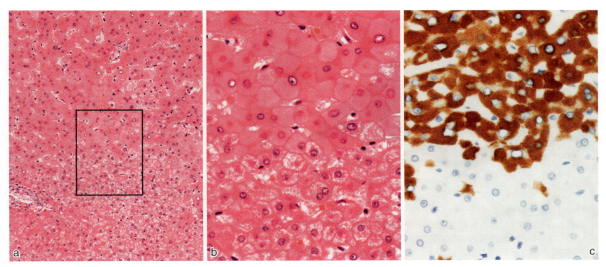

図 15-12　B型慢性肝炎
a. 肝細胞癌のため腫瘍切除術を受けた63歳男性（HBs抗原陽性，HBs抗体陰性）の非腫瘍部組織像．上半分は，肝細胞の胞体はすりガラス状を呈している．
b. aの□部の拡大像．上半分は，胞体がすりガラス状の肝細胞を認める．
c. bと同じ場所のHBs抗原の免疫組織化学像．上半分は，肝細胞の細胞質が茶色に染色されHBs抗原の局在を表している．

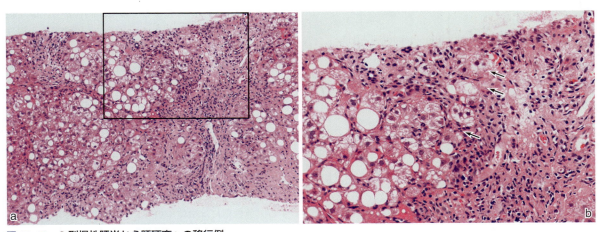

図 15-13　C型慢性肝炎から肝硬変への移行例
C型肝炎ウイルス抗体陽性で，肝硬変の可能性が臨床的に疑われた60歳男性の肝生検像．門脈域は線維化のため不規則に拡大し，肝小葉は改変傾向にあり，炎症細胞浸潤により門脈域周囲の肝細胞の配列は不規則（→）で，インターフェイス肝炎により肝細胞が脱落した結果である．慢性肝炎から肝硬変への移行状態にあると判断される．a. 弱拡大．b. aの□部の拡大像．

高度の黄疸のため暗黄色調を呈し，重量は数百gと正常肝の半分程度のことが多い（図15-14）．組織学的に広汎性肝壊死を認め，壊死部には出血やマクロファージの浸潤を認める．門脈域周囲には細胆管構造が目立ち，肝幹・前駆細胞の増生による肝再生過程と推察されている．

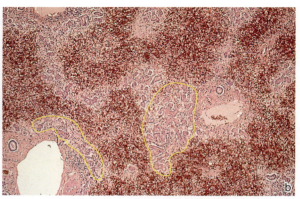

図 15-14 劇症肝炎
a. 広範な肝細胞壊死のため肝臓は萎縮し，肝門部の脂肪組織が相対的に増大したようにみえる．高度の黄疸のため，強い緑色調を呈している（ホルマリン固定前には暗黄色調を呈する）．
b. 組織学的には，肝細胞は広範に脱落し，出血により置換され，わずかに門脈域周辺に偽胆管化した肝細胞（黄線）が残存している．

F その他の炎症性および感染性疾患

A 自己免疫性肝炎 autoimmune hepatitis（AIH）

【概念，定義】
　慢性活動性肝炎のうち，免疫血清学的に自己免疫機序の関与が示唆される肝炎である．

【病理形態像】
　門脈域でのリンパ球・形質細胞浸潤，それに伴うインターフェイス肝炎，肝細胞内にリンパ球が取り込まれた像 emperipolesis，門脈域周辺での肝細胞のロゼット様配列などを認める．

【臨床像】
　女性に好発し，慢性肝炎様の症状に加え，HLA-DR4，高 γ-グロブリン血症，抗核抗体，抗平滑筋抗体などの存在が特徴的である．

B 新生児肝炎 neonatal hepatitis

　生後間もなく黄疸が始まり，臨床的および病理組織学的にも，先天性胆道閉鎖症と鑑別困難なことが少なくない．肝炎ウイルス，サイトメガロウイルス，ヘルペスウイルスなどの全身感染症や全身性代謝性疾患などの原因の明らかなもの以外を呼ぶ．組織学的には多数の肝細胞の融合による，多核巨細胞の出現が特徴的であり，**巨細胞性肝炎**とも呼ばれる．

C 寄生虫疾患

a アメーバ性肝膿瘍 amebic liver abscess
　赤痢アメーバの感染によるもので，腸管から門脈を経て肝臓に至る経路が最も多い．近年，汚染地帯への海外旅行の増加によりまれなものではなくなっている．また，AIDS などの免疫不全が基礎にあり発症する例も報告されている．肝内（特に右葉）に単発性の大きな膿瘍を形成するが，高度の融解壊死のため空洞化する．

b 日本住血吸虫症 schistosomiasis japonica
　日本住血吸虫 Schistosoma japonicum の感染によりさまざまな障害をきたす（→ 第4章「感染症」，90頁参照）．日本住血吸虫はミヤイリガイを中間宿主として，セルカリアに汚染された河川や田に入ることにより経皮的に感染する．急性期には虫体や虫卵が肝内門脈枝を塞栓して，高度の門脈炎および門脈周囲炎を起こし，発熱や肝機能障害などの症状を呈する．頻回に感染して慢性化すると門脈枝の狭窄・閉塞，ならびに門脈域を中心とする線維化が進み，日本住血吸虫性肝硬変となり門脈圧亢進をきたす．かつて，わが国では九州筑後川流域，広島県片山地区，山梨県釜無川流域が浸淫地帯であり，多くの患者が発生したが，現在では河川の改良により感染したミヤイリガイが絶滅し，新たな患者の発生はみられない．慢性日本住血吸虫症患者はまれで，多くは高齢者である．

c 肝吸虫症 clonorchiasis
　フナやコイなどの淡水魚を生食することにより，それらを中間宿主とする肝吸虫 Clonorchis sinensis が経口的に感染するもので，肝内胆管に大量の肝吸虫が寄生し，

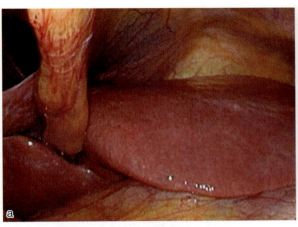
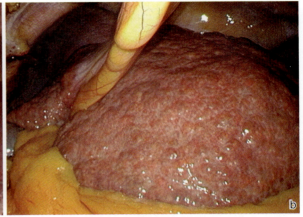

図15-15 腹腔鏡による肝臓表面の肉眼所見
a. 正常肝．肝表面は平滑で赤茶色を呈す．
b. 小結節性肝硬変．肝表面は凹凸不整で比較的小型の結節状の隆起がみられる．茶色にまだらな白色調の模様が混在してみられる．線維化を反映していると思われる．

胆管炎，胆管周囲炎，胆管拡張をきたし，やがて胆管を中心とする線維化が進み，肝吸虫性肝硬変となる．香港や朝鮮半島南部では肝吸虫症と胆管癌の密接な関係が示唆されている．わが国でも少数例で関係が報告されている．

d 包虫症（エキノコックス症）echinococcosis

単包条虫 *Echinococcus granulosus* および多包条虫 *Echinococcus multilocularis* の感染によるもので，これらの条虫はイヌやキツネなどの小腸に寄生し，ヒトにはその幼虫である単包虫あるいは多包虫が寄生して，肝に病変を起こす．それぞれ肝内に単包虫症では単発の囊胞性病変，多包虫症では多数の小囊胞の集合としてみられる．単包虫症は現在は日本で罹患することはまれで，多包虫症は北海道にみられる．

D 肝膿瘍 liver abscess

肝膿瘍は病因から細菌（化膿菌），真菌およびアメーバによるものに大別されるが，近年，画像診断法の進歩により診断能が向上している．感染経路として経胆管性，経門脈性，経動脈性，周囲臓器からの直接的な波及などがある．

a 化膿性肝膿瘍 pyogenic liver abscess

大腸菌，連鎖球菌，ブドウ球菌などの感染によるものが多く，胆管および門脈が感染経路として頻度が高いが，肝動脈を介したり腹腔内臓器の化膿性炎症の直接波及によったりすることもある．胆管を経路とするときは，胆石やがんなどによる胆管狭窄・閉塞に伴う化膿性胆管炎が周囲肝実質に波及して膿瘍を形成する．門脈を経路とするときは，門脈領域の化膿性炎（特に化膿性虫垂炎）の波及が多く，門脈枝を中心として多数の膿瘍を形成する．敗血症のときは肝動脈が感染経路となる．

G 肝硬変 liver cirrhosis

【概念，定義】

肝硬変は慢性肝病変の終局像といえるものである．病理形態的には，肉眼的にびまん性に結節形成を認める（図15-15）．組織学的には，肝細胞の壊死と再生の繰り返しによる肝全体にわたる線維化の進行の結果，線維性の隔壁で囲まれた種々の大きさの再生結節（偽小葉）の形成（小葉の改変）で特徴づけられる（図15-16）．わが国の肝硬変の多くは，C型あるいはB型肝炎ウイルスによるとみなされる．肝硬変により生じる病態は，肝細胞機能不全によるものと門脈圧亢進によるものに大別される．肝細胞機能不全は機能的肝細胞の数的減少が主因である．門脈圧亢進により肝内外に短絡が形成され，さまざまな症候を呈する（表15-3 参照）．

A 肝硬変の分類

肝硬変は，病因や形態で分類するのが最も一般的である．病因としてわが国で最も多いのはウイルス性であり，アルコール性，うっ血性，胆汁性，自己免疫性，代謝性，寄生虫性などがある．形態的分類としては，再生

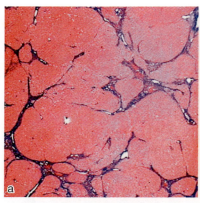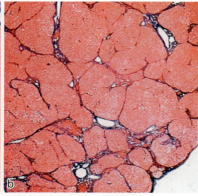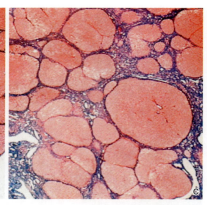

図 15-16　慢性肝炎から肝硬変への進展
慢性肝炎(a)ではアザン染色で青く染色された線維が門脈域から伸びている．それらの線維は互いに結びつき再生結節（偽小葉）を形成するようになり，前肝硬変状態(b)となる．さらに進行すると，肝細胞の再生のため大小の円形の再生結節を形成し，それらは線維性隔壁で囲まれて定型的な肝硬変(c)となる．多くは10～20年の経過で，このような進展過程を示す．

結節の大きさによるWHO分類が最も一般的であり，次の3型に分類される．
① **大結節性** macro-nodular type：大部分の再生結節が大きく，3mm以上
② **小結節性** micro-nodular type：再生結節の大部分が3mm未満で，均一で小さい
③ **混合結節性** mixed nodular type：小結節と大結節の再生結節がほぼ均等に混在する

再生結節の大きさの違いは主として炎症の持続の程度によると考えられ，経過とともに活動性の炎症が鎮静化することの多いB型肝炎ウイルスによるものは大結節性，活動性炎症が持続するC型肝炎ウイルスによるものでは小結節性を呈する．また，肝炎ウイルスに起因する肝硬変は，ウイルスの種類により，B型あるいはC型肝硬変と呼ばれることが多い．

1● 形態的分類

a 大結節性肝硬変 macronodular cirrhosis
病因の多くはB型肝炎ウイルスによる（図15-17）．一般に肝臓は萎縮するが，高度なものでは500g前後となり正常の半分以下のことも少なくない．

b 小結節性肝硬変 micronodular cirrhosis
病因の多くはC型肝炎ウイルスによる（図15-18，19）．わが国では1970年代以降のC型肝炎の蔓延により高頻度にみられる．アルコール性肝硬変も類似の像を呈するが，肝臓は萎縮せず腫大することが多い（図15-20）．

c 混合結節性肝硬変 mixed nodular cirrhosis
大結節性あるいは小結節性肝硬変の経過中に肝内の循環障害をはじめ，種々の原因により修飾像が加わったものとみなされる（図15-21）．

2● 肝炎ウイルス以外の原因による肝硬変

a うっ血性肝硬変 congestive cirrhosis
うっ血性心不全（特に右心不全）による慢性うっ血により，中心静脈を中心として線維化が進み，門脈域を取り囲むような中心静脈相互を結ぶ線維帯や小葉の逆転，中心静脈と門脈域を結ぶ線維帯が形成される．小葉の改変は起こるものの再生結節の形成は明らかでなく，狭義には肝硬変というより**肝線維症** liver fibrosis の範疇にある．

b 閉塞性胆汁性肝硬変 obstructive biliary cirrhosis
肝外胆管系の狭窄あるいは閉塞による肝硬変で，先天性胆道閉鎖症で定型例をみることが多い．慢性の胆汁うっ滞のため，肉眼的に肝臓は緑褐色調を呈し，肝内胆管は拡張している．組織学的には**胆汁栓** bile plug や**胆汁湖** bile lake，門脈域を中心に不規則な線維化などがみられる．小葉改変傾向はみられるが，再生結節の形成はみられず，狭義には**肝線維症**である（図15-22）．

c 色素性肝硬変 pigment cirrhosis
鉄代謝異常により，体内貯蔵鉄が異常に増加し，肝臓，膵臓，皮膚などの実質細胞にヘモジデリンとして沈着し，各臓器の実質細胞障害を生じる病態をいう．肝細胞にヘモジデリンが沈着することにより，肝細胞が障害されて徐々に線維化が進み，最終的には肝硬変に至る（→485頁参照）．

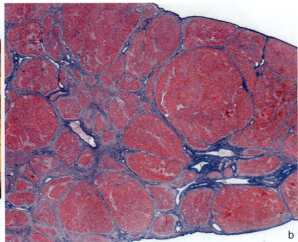

図 15-17　大結節性肝硬変（B 型肝硬変）
a. 肝臓は全体にわたり比較的大型の再生結節で占められている．
b. 再生結節はアザン染色で青色に染まった幅の狭い線維性隔壁で取り囲まれている．

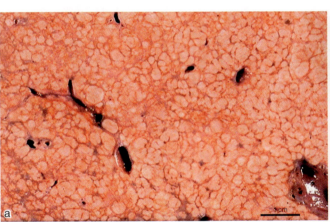
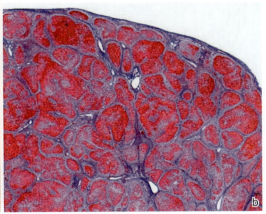

図 15-18　小結節性肝硬変（C 型肝硬変）拡大図
a. C 型肝硬変ではウイルスが除去されないかぎり活動性の炎症が持続するため，肝細胞は十分に再生できず再生結節は小さい．肝臓は全体的に小型の再生結節で占められている．
b. 小型の再生結節（赤色）は膠原組織（青色）で取り囲まれている（アザン染色）．

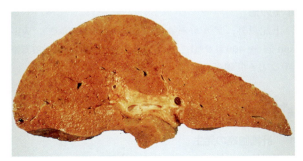

図 15-19　小結節性肝硬変（C 型肝硬変）
C 型肝炎ウイルス抗体陽性の肝硬変で，主に 3 mm 未満の小さな再生結節で占められている．

図 15-20　小結節性肝硬変（アルコール性）
肝不全で死亡した大酒家の肝臓．肝臓は脂肪化のため黄色調を帯びて腫大しており，2〜3 mm 大の微小な再生結節で占められている．

図 15-21 混合結節性肝硬変
3〜数 mm 大の再生結節が混在している.

図 15-22 閉塞性胆汁性肝硬変
肝管合流部に発生した微小な胆管癌により高度の閉塞性黄疸になり死亡した症例.肝臓は高度の胆汁うっ滞のため,暗黒色を呈し,肝内胆管は拡張して周囲に線維化が及んでいる.狭義には肝線維症である.

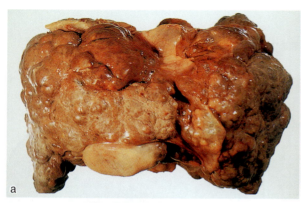
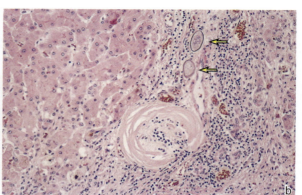
図 15-23 日本住血吸虫性肝硬変
a. 肝表面は"亀甲状"と形容される特徴的な結節状外観を呈している.
b. 組織像.門脈域には,石灰化した虫卵(➡)を認める.

d 寄生虫性肝硬変 parasitic cirrhosis

日本住血吸虫(図 15-23)や肝吸虫によるものがある(➡ 494 頁参照).アフリカや南米などでみられるマンソン住血吸虫でも日本住血吸虫症と同様の所見がみられる.

e その他

上記以外,アルコール性肝硬変(➡ 502 頁参照),Wilson 病(➡ 486 頁参照),原発性胆汁性胆管炎(➡ 500 頁参照)なども肝硬変の病因として重要である.

B 肝硬変の随伴病変

1 肝細胞癌の発生

肝細胞癌の約 80％が肝硬変を合併していること,および肝硬変に肝細胞癌が高頻度に発生することから,肝硬変,特に B 型および C 型肝炎ウイルスに関連した肝硬変は肝細胞癌の前がん病変ともいえる.無治療の C 型肝硬変患者では 1 年で 5〜8％に肝癌が発生するが,DAA(direct acting antivirals)によりウイルスが駆除されると発癌の頻度が低下することが報告されている.

2 門脈圧亢進症 portal hypertension

門脈圧が亢進する病態を門脈圧亢進症と呼ぶが,その原因疾患の解剖学的位置に基づいて肝前性,肝内性,肝後性に分類される.肝前性には肝外門脈の血栓による肝外門脈閉塞症,肝後性には肝静脈の血栓による Budd-Chiari 症候群(➡ 488 頁参照)などがある.最も頻度が高く臨床上問題となるのは,肝内性の肝硬変によるものである.肝硬変では肝臓全体に及ぶ再生結節形成のため,肝内の血管構築の異常および類洞内圧上昇をきたし,持続性に門脈圧が上昇する(図 15-24).その結果,側副血行路への血流の増加,食道静脈瘤,脾腫,腹水,門脈圧亢

表15-3 門脈圧亢進症の合併症

食道静脈瘤，痔静脈瘤
脾腫，脾機能亢進症
腹水
門脈圧亢進性胃症
門脈-下大静脈シャント（肝性脳症）
腹壁静脈怒張（メドゥーサの頭）

出血の原因の大きな位置を占め，それらの病変からの大量出血が死因となることもある．

3 内分泌異常

肝機能低下により肝でのエストロゲンの不活化能が低下し，血中エストロゲンが増加するため，女性化乳房 gynecomastia，頸部から胸部のクモ状血管腫 vascular spider，手掌紅斑 palmar erythema，精巣萎縮などがしばしばみられる．耐糖能異常や糖尿病の合併も比較的多くみられる．

H 胆管の非腫瘍性疾患

肝臓の外分泌系の経路である胆管は，肝細胞間に形成される毛細胆管から始まり，細胆管(Hering管)，小葉間胆管，肝管に至り，肝外胆管に連続している．胆汁は肝細胞により産生され，肝内および肝外の胆管内を流れて最終的に十二指腸に排泄される．胆汁うっ滞とは正常な胆汁が十二指腸に至らない病態であり，肝細胞からファーター Vater 乳頭の間のいずれの場所の異常によっても生じる（→484頁参照）．長期の胆汁うっ滞は肝硬変を生じる．非腫瘍性病変としては，胆石，非特異的な化膿性胆管炎，自己免疫的な機序の関与した特異的炎症などに起因するものがある．

A 原発性硬化性胆管炎
primary sclerosing cholangitis（PSC）

【概念，定義】

肝外および肝内胆管の線維性肥厚と狭窄をきたし，進行すると慢性的胆汁うっ滞により胆汁性肝硬変となり肝不全に至る原因不明のまれな疾患である．わが国では30％前後だが，欧米では約70％の症例に潰瘍性大腸炎を併発する．抗核抗体や抗平滑筋抗体などの自己抗体が陽性の症例があり，自己免疫疾患の可能性が示唆されている．

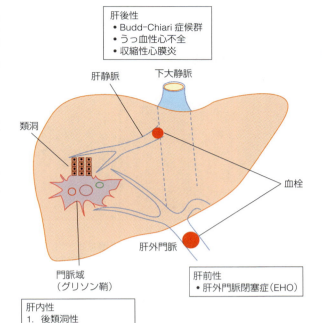

図15-24 門脈圧亢進の原因疾患

進性胃症などの随伴病変を生じる（表15-3）．

a 食道静脈瘤およびその他の側副血行路

門脈圧亢進による側副血行路として高率に食道静脈瘤が形成されるが，食道静脈瘤の破裂は肝硬変の死因のなかで大きな比重を占める．しかし，硬化剤を内視鏡的に食道静脈瘤に注入して静脈瘤を潰す硬化療法 endoscopic injection sclerotherapy（EIS）や静脈瘤を結紮する食道静脈瘤結紮術 endoscopic variceal ligation（EVL）などの治療法により，緊急止血や予防的治療が可能となり予後も改善傾向にある．このほか，腹壁静脈を側副血行路とする場合，臍を中心に放射状に腹壁静脈の怒張がみられることがあり，"メドゥーサの頭 caput medusae" と呼ばれる．また，痔静脈瘤の形成もしばしばみられる．門脈圧亢進に加え，肝機能低下による低タンパク血症のため，膠質浸透圧が低下して腹水が貯留する．

b 門脈圧亢進性胃症
portal hypertensive gastropathy

肝硬変患者の胃底部や胃体部の胃粘膜に好発する発赤，びらん，潰瘍などの病変で，その原因としては，門脈圧亢進による胃粘膜の慢性うっ血のほか，胃粘膜の防御機構の減弱などがいわれている．肝硬変患者の消化管

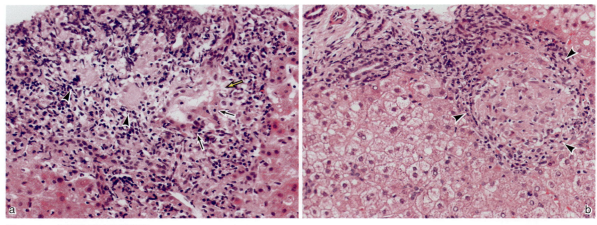

図 15-25　原発性胆汁性胆管炎
生検組織像．a．リンパ球主体の高度の炎症細胞浸潤のため門脈域は拡大し，小型の肉芽腫様の構造を認める（▶）．胆管には，慢性非化膿性破壊性胆管炎のため，上皮の変性・拡張，壁の破壊（➡），上皮内へのリンパ球浸潤（→）がみられる．b．門脈域にはリンパ球主体の炎症細胞浸潤を認め，明瞭な類上皮肉芽腫を認める（▶）．

【病理形態像】

　肝外から肝内に至る胆管壁の線維性肥厚とともに，壁内にはリンパ球と形質細胞を主体とする炎症細胞浸潤をみる．進行すると胆管壁周囲の線維化（玉ねぎ状線維化）が進み，内腔の閉塞や胆管の破壊が起こり，終局的には完全に線維によって置換されて瘢痕化する．

【臨床像】

　全身倦怠感，黄疸，皮膚瘙痒感，肝脾腫などをきたすことが多いが，無症状のこともある．MPO-ANCA が診断マーカーとして注目されている．類似病変に自己免疫性膵炎に合併する硬化性胆管炎があるが，この疾患では，組織学的に IgG4 陽性の形質細胞浸潤がみられ，ステロイド治療に反応性が良好であることが相違点である．

B 原発性胆汁性胆管炎
primary biliary cholangitis（PBC）

【概念，定義】

　自己免疫疾患で 40〜50 歳代の中年の女性に好発（90%）する慢性非化膿性破壊性胆管炎 chronic non-suppurative destructive cholangitis（CNSDC）を主徴とする疾患で，100 μm 以下の小葉間胆管が徐々に崩壊・消失していき，終局的に門脈域を中心とする線維化が進展し，肝硬変の状態を呈するようになる．

【病理形態像】

　組織学的に，門脈域にはリンパ球と形質細胞を主体とする炎症細胞浸潤を認め，CNSDC の像や胆管消失が種々の程度にみられ，しばしば類上皮肉芽腫も伴う（図 15-25）．銅顆粒およびオルセイン陽性顆粒の沈着は診断に有用である．PBC の組織学的病期分類には Scheuer 分類や Ludwig 分類が従来使用されていたが，近年は，線維化，胆管消失，オルセイン陽性顆粒の程度をスコア化し，Stage 1〜4 に分類する Nakanuma 分類の使用が推奨されている．肝硬変の再生結節は，径 3 mm 以下で比較的小さく，ほかの型の肝硬変に比べて不鮮明なことが多い．

【臨床像】

　高率に抗ミトコンドリア抗体（AMA）が陽性となる．黄疸は消褪することなく持続する．門脈圧亢進症状が高頻度に出現する．

C 肝内結石症 hepatolithiasis

　左右肝管第一次分枝より上流部の肝門部胆管と肝内に結石が存在する原因不明の難治性疾患である．結石の形成機序として細菌感染を伴った胆汁うっ滞が深く関与していると推察されている（→515 頁参照）．大部分の肝内結石はビリルビンカルシウム石であるが，食生活の欧米化に伴ってコレステロール石も増加している．しかし近年，本疾患の症例数自体は減少傾向にある．肉眼的に肝内の大型の胆管は拡張し，胆管内のビリルビンカルシウム石や胆管壁の肥厚がみられる．病変が進行すると，門脈域の線維化や肝実質の萎縮がみられる．

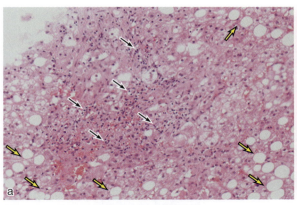
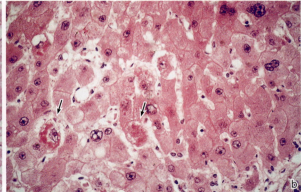

図 15-26　アルコール性肝炎の生検組織像
a．肝細胞の著明な脂肪化（➡）と好中球浸潤（→）を認める．
b．アルコール硝子体（→）の出現も認める．

I アルコール性肝障害
alcoholic liver disease

　アルコール性肝障害は，長期（通常5年以上）にわたる過剰の飲酒が肝障害の主な原因と考えられる病態である．過剰の飲酒とは，通常1日平均純エタノール60g以上の飲酒（常習飲酒家）をいう．禁酒により肝腫大およびトランスアミナーゼやγ-GTPなどの血液検査成績は改善あるいは正常化する．肝炎ウイルスマーカー，抗ミトコンドリア抗体，抗核抗体がいずれも陰性である．アルコールによる肝障害は，アルコール性脂肪肝，アルコール性肝炎，アルコール性肝線維症，アルコール性肝硬変に大別される．近年，アルコール消費量の増加とともにアルコールによる肝障害は増加傾向にある．

A アルコール性脂肪肝 alcoholic fatty liver

　常習飲酒家にみられ，zone 3と2の肝細胞内に中性脂肪が異常に蓄積した状態で，肉眼的に肝は腫大して黄色調を呈する．組織学的には，蓄積した脂肪は大小の空胞としてみられる．中心静脈周囲の線維化や肝細胞周囲の線維化がみられる．また，光学顕微鏡で線維化が明らかでなくても，生化学的に膠原線維の増加を認めることが多い．アルコール性脂肪肝から線維化が進み，肝硬変に至ることが実験的に確認されている．

B アルコール性肝炎 alcoholic hepatitis

　常習飲酒家の大量飲酒を契機とし，急激に出現する肝機能障害で，比較的若年に発症する．アルコール性脂肪肝の患者の10〜20%に発症する．組織学的に，肝細胞の変性・壊死，肝細胞の風船様変性 ballooning degeneration，アルコール硝子体 alcoholic hyaline（Mallory-Denk 小体）の出現と，同部位の好中球主体の炎症細胞浸潤などが種々の程度に小葉中心性（zone 3）にみられることが多い（図 15-26）．アルコール硝子体は，肝細胞の胞体内にみられるイモムシ状，好酸性の無構造物で，細胞骨格に関与する中間径フィラメントの変性による．
　アルコール硝子体はアルコール性肝炎以外に，原発性胆汁性肝硬変などの慢性胆汁うっ滞でもしばしばみられる．巨大ミトコンドリアの出現，鉄および脂肪の沈着，胆汁うっ滞なども種々の程度にみられる．

C アルコール性肝線維症 alcoholic hepatic fibrosis

　アルコール性脂肪肝の30〜40%に発症する．アルコール性肝線維症では，中心静脈周囲線維化 perivenular fibrosis が特徴的で，進展すると肝細胞を取り巻くような肝細胞周囲線維化 pericellular fibrosis や門脈域から星芒状に伸びる線維化 stellate fibrosis が生じる．

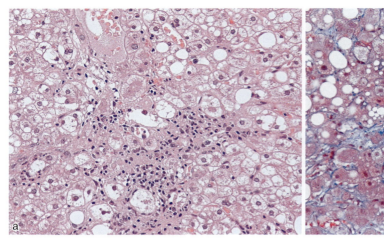
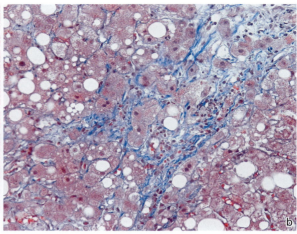

図 15-27 非アルコール性脂肪性肝炎
a. 組織像. 脂肪の沈着, 小葉内の炎症細胞浸潤, 肝細胞の風船様変性を認める.
b. 肝細胞の脂肪沈着と肝細胞周囲性の線維化が認められる. アザン染色で膠原線維が青く染色されている.

D アルコール性肝硬変 alcoholic liver cirrhosis

アルコール性肝線維症の 10～30％ が肝硬変へと進む. 通常, 小結節性の肝硬変であるが, 禁酒により混合結節性肝硬変となることもある. アルコール性肝硬変では, 限局性結節性過形成類似の結節性病変が出現することがある.

J 非アルコール性脂肪性肝疾患
non-alcoholic fatty liver disease（NAFLD）

非飲酒者に生じるアルコール性肝障害に類似した脂肪肝, 脂肪性肝炎, 肝線維症, 肝硬変などの病態を示す 1 つの疾患概念である. 肥満, 糖尿病, 脂質異常症などの関連から, 栄養の過剰摂取が重要であり, その際生じるインスリン抵抗性, 肝脂肪変性, 酸化ストレスなどが発症に関与していると考えられている. NAFLD は, 病理組織学的に肝細胞の 5％ 以上に脂肪沈着のみを認める**単純性脂肪肝** non-alcoholic fatty liver（NAFL）と脂肪沈着に加えて壊死炎症反応や線維化を伴う**非アルコール性脂肪性肝炎** non-alcoholic steatohepatitis（NASH）に大きく分かれる.

【病理形態像】
NASH の診断には, ① 中心静脈周囲の大脂肪性脂肪沈着, ② 小葉内のリンパ球・単核球・好中球などの炎症細胞浸潤, ③ 肝細胞の風船様変性の 3 項目が重要であり, そのほかに脂肪肉芽腫やアルコール硝子体形成, 肝細胞周囲線維化などもみられる（図 15-27）. また初期には, 中心静脈周囲の線維化が中心であるが, 病変の進行とともに門脈域の線維化および架橋形成を伴う線維化が出現し, 終末的には肝硬変に至る. NASH の病理診断には Matteoni の分類（表 15-4）がよく用いられ, NASH の活動度・病期分類には Brunt の分類（表 15-5）がよく用いられている.

K 薬物性肝障害
drug-induced liver injury

薬物性肝障害は, すべての個体に生じる中毒性 intrinsic toxicity と, アレルギー性あるいは過敏性の体質や薬物代謝異常体質を有する特定の個体にのみ生じる個体特異性 host idiosyncrasy に大別される. 薬物性肝障害は, 組織像から肝細胞障害型（壊死炎症型）, 胆汁うっ滞型, 脂肪沈着型, 血管障害型, 腫瘍形成型, その他に分類できる. 薬物性肝障害の診断には臨床情報が重要である.

Advanced Studies
a 肝細胞障害型
肝細胞の変性壊死と炎症を伴う肝炎型と炎症性変化の乏しい壊死型に分けられる. 肝炎型は, さらに急性型と慢性型に分けられる. 急性型は急性ウイルス肝炎に類似した組織所見を示し, 抗結核薬のイソニアジドなどで生じる. 慢性型は α-メチルドパなどで生じ, 線維化が進行すると肝硬変に至る. 壊死型は, 中心静脈周囲（zone 3）を中心に壊死がみられることが多く, 過剰のアセトアミノフェンなどにより生じる.

表 15-4　Matteoni の分類

分類	病理所見	診断
type 1	脂肪肝	NAFL
type 2	脂肪肝＋小葉内の炎症	NAFL
type 3	脂肪肝＋肝細胞の風船様変性	NASH
type 4	脂肪肝＋肝細胞の風船様変性＋Mallory-Denk小体または線維化	NASH

〔Matteoni CA, et al : Nonalcoholic fatty liver disease : a spectrum of clinical and pathological severity. Gastroenterology 116 : 1413-1419, 1999 より〕

表 15-5　Brunt の分類

NASH の壊死・炎症の grading	
grade 1 (軽度)	脂肪肝（66％ 以下） **中心静脈周囲の少数の肝細胞風船様変性** 肝小葉内炎症：20 倍視野で 4 か所以下 門脈域炎症：なしか軽度
grade 2 (中等度)	脂肪（＞33％；多分＞66％） **中心静脈周囲の明らかな肝細胞風船様変性** 肝小葉内炎症：20 倍視野で 2～4 か所 門脈域炎症：軽度から中等度
grade 3 (高度)	小葉全体に広がる脂肪肝（33％ 以上） **中心静脈周囲の著明な肝細胞風船様変性** 肝小葉内炎症：20 倍視野で 5 か所以上 門脈域炎症：軽度から中等度
NASH の線維化分類（staging）	
stage 1	中心静脈周囲の巣状あるいは広範囲な線維化
stage 2	中心静脈周囲の線維化と門脈域の巣状あるいは広範囲な線維化
stage 3	中心静脈周囲と門脈域の線維化と巣状あるいは広範囲な架橋形成を伴う線維化
stage 4	肝硬変

著者注：特に grading に重要な所見を**太字**で示す．

〔Brunt EM, et al : Nonalcoholic steatohepatitis : a proposal for grading and staging the histological lesions. Am J Gastroenterol 94 : 2467-2474, 1999 より〕

b　胆汁うっ滞型
拡張した毛細胆管に胆汁栓を認め，肝細胞内にも胆汁色素がみられることがある．胆汁うっ滞型は，炎症を伴わない純うっ滞型と炎症を伴う混合型に分けられる．純うっ滞型は経口避妊薬やタンパク同化ホルモンで生じ，混合型はクロルプロマジンやエリスロマイシンなどで生じる．慢性の胆汁うっ滞では，胆管の減少や消失をきたし，PBC 類似の組織像を示す．

c　脂肪沈着型
大滴性脂肪沈着はコルチコステロイドにより生じ，小滴性脂肪沈着はテトラサイクリンなどにより生じる．

d　血管障害型
肝静脈閉塞症（→ 488 頁参照）がピロリジジンアルカロイドで生じる．そのほかに，類洞の拡張がアザチオプリンなどでみられ，肝紫斑病はタンパク同化ホルモンで生じる．

e　腫瘍形成型
経口避妊薬は限局性結節性過形成や腺腫の発生に関係しているといわれ，さらにタンパク同化ホルモンや経口避妊薬の長期内服は肝細胞癌や血管肉腫などの発生に関連があると考えられている．

腫瘍

肝臓に発生する腫瘍は原発性と転移性，および上皮性と非上皮性に大別される．近年の診断能の向上，特に超音波診断法をはじめとする種々の画像診断法のめざましい進歩と普及により，肝腫瘍の検出が比較的容易になり，外科切除例も増加するとともに，肝腫瘍に関する多くの新たな病理学的情報が得られている．

1 上皮性腫瘍

肝臓に原発する上皮性腫瘍は，肝細胞由来のものと胆管細胞由来のものに大別される．肝細胞由来では良性の肝細胞腺腫および悪性の肝細胞癌があり，胆管細胞由来では良性の胆管細胞腺腫と粘液嚢胞腺腫および悪性の胆管細胞癌と粘液嚢胞腺癌などがある．また，肝幹細胞（肝前駆細胞）由来が疑われる悪性腫瘍として，細胆管細胞癌や混合型肝癌（肝細胞癌と胆管細胞癌の混合型）が最近注目されている．

Advanced Studies

A 良性腫瘍

a　肝細胞腺腫 hepatocellular adenoma
肝細胞由来の良性腫瘍である．わが国ではまれな腫瘍であるが，欧米ではしばしばみられ，経口避妊薬やタンパク同化ホルモンなどとの密接な関連が示唆されている．肉眼的には黄色調の境界明瞭な結節としてみられる．組織学的には，腫瘍細胞は異型に乏しく，明調で豊富な胞体および類円形の核を有し，敷石状あるいは索状に配列している．肝硬変は合併しない（図 15-28）．

b　胆管細胞腺腫 bile duct adenoma
胆管細胞由来の良性腫瘍である．肝細胞腺腫と同じくまれな腫瘍で，開腹手術や解剖に際して偶然発見されることが多い．肝被膜近くに白色のダイズ大の結節としてみられることが多く，組織学的には，腫瘍は比較的小型の異型のない胆管様の腺管の増生，間質は線維性結合組織よりなっている．

B 悪性腫瘍

原発性肝悪性腫瘍の分類を表 15-6 に示す．悪性の上皮性肝腫瘍（肝癌 liver cancer）は肝細胞癌と胆管細胞癌が大部分を占めるが，このうち肝細胞癌が 90％ 以上を占める．一般に肝癌というときは肝細胞癌を指すことが多い．

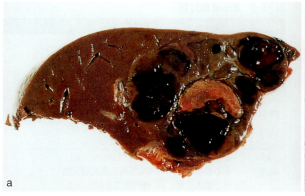
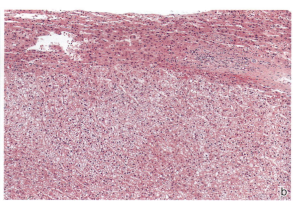

図 15-28　肝細胞腺腫
a. 腫瘍は分葉化，壊死，出血が著明で，肉眼的には正常肝に発生した肝細胞癌との鑑別は困難である．
b. 組織学的には，明るい胞体をもつ異型に乏しい腫瘍細胞の充実性増殖よりなり，本例のように被膜の形成はみられないことが多い．

表 15-6　原発性肝悪性腫瘍の分類

1. 肝細胞癌 hepatocellular carcinoma
2. 肝内胆管癌 intrahepatic cholangiocarcinoma（胆管細胞癌 cholangiocellular carcinoma）
3. 細胆管細胞癌（細胆管癌）cholangiolocellular carcinoma
4. 粘液嚢胞腺癌 mucinous cystadenocarcinoma（粘液嚢胞性腫瘍 mucinous cystic neoplasm with high-grade intraepithelial neoplasia or an associated invasive carcinoma）
5. 混合型肝癌（肝細胞癌と肝内胆管癌の混合型）combined hepatocellular and cholangiocarcinoma
6. 肝芽腫 hepatoblastoma
7. 未分化癌 undifferentiated carcinoma
8. その他

その他には肉腫をはじめ肝臓に原発するまれな悪性腫瘍がこれに含まれる．
〔日本肝癌研究会（編）：臨床・病理 原発性肝癌取扱い規約 第 6 版補訂版，金原出版，2019 年より一部改変して転載〕

a 肝細胞癌 hepatocellular carcinoma（HCC）

【概念，定義】

世界における肝細胞癌の発生頻度には著しい地域差がみられ，その 80％以上はサハラ砂漠以南のアフリカ諸国とわが国を含む東アジアで発生しており，欧米での発生は少ない．しかし近年，肝細胞癌の多発地帯であるわが国や中国での発がんは減少傾向にあり，米国やカナダなどの発生数が少ない地域で増加傾向にある．また，わが国でも地域差がみられ，北日本に比べて九州では発生頻度が高い．2020 年のわが国の肝癌の死亡者数は約 2.5 万人で，肺癌，大腸癌，胃癌，膵臓癌に次いで第 5 位（男性 5 位，女性 6 位）を占めている（→ 第 9 章「腫瘍」，281 頁参照）．わが国では肝細胞癌は 1970 年代半ばより急激に増加したが，1990 年代半ばをピークに緩やかに減少している．わが国における肝細胞癌の成因として最も多いのは肝炎ウイルスに関連した肝細胞癌であるが，それは減少傾向にあり，一方で非ウイルス性の肝細胞癌は増加傾向にある．C 型肝炎ウイルスによるものは急性肝炎-慢性肝炎-肝硬変という経過をたどり，感染後 30 年前後で肝細胞癌を発生するものが多い．C 型肝炎ウイルスに関連した肝細胞癌患者の平均年齢は約 65～70 歳であるのに対し，B 型肝炎は母子間感染によるものが多いため，C 型に比べて発がん年齢は約 10 年早く，平均年齢は約 55 歳である．1990 年頃は，男性は女性の 3.7 倍の発生頻度であったが，2004 年には 2.4 倍に低下し，女性の発生が増加している．

【肉眼的所見】

わが国では肝細胞癌を肉眼的に小結節境界不明瞭型，単純結節型，単純結節周囲増殖型，多結節癒合型，浸潤型の 5 型に分類する（図 15-29）．上記 5 型で分類困難な場合（特に剖検例）では，Eggel 分類に準じて，結節型，塊状型，びまん型に分類する（図 15-30）．結節型は膨張性に増殖を示し，線維性被膜で背景の肝組織と明瞭に境界される．塊状型は一葉を占めるような大きな結節性病変からなり，時に周囲との境界が不明瞭である．びまん型は肝臓全体が無数の小さいがん結節により置換されたものである．肝細胞癌では，比較的早い段階から肝内門脈枝に進展して門脈腫瘍栓を形成するとともに，門脈を介して広範な肝内転移をきたすため，肉眼像が多彩となる．肝外への転移は主として血行性で，肺転移が最も多い．

【組織学的所見】

肝細胞癌の基本的な組織構造は，1 層の内皮細胞で覆われた種々の厚さに並ぶがん細胞を実質とし，その間の

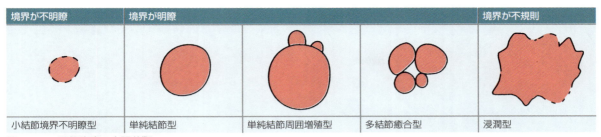

図 15-29 肝細胞癌の肉眼分類
〔日本肝癌研究会（編）：臨床・病理 原発性肝癌取扱い規約 第6版補訂版．金原出版，2019 より〕

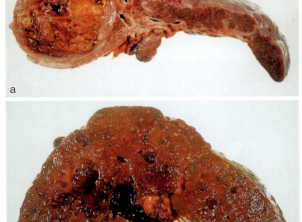

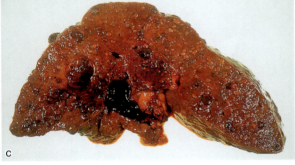

図 15-30 肝細胞癌の肉眼像
a．結節型，b．塊状型，c．びまん型．

類洞様の血液腔を間質とする肝臓の正常構造を模倣した形態（索状構造）を呈する（図 15-31）．がん細胞の配列は，高分化なものほど薄い索状構造を呈し，分化度の低いものほど厚くなる．組織学的に比較的厚い索状構造を呈する中分化型肝細胞癌が最も頻度が高いが，大小の腺管構造を示す偽腺管型（図 15-32a），巨細胞をはじめ著明な多形性を示す低分化型肝細胞癌（図 15-32b），組織像のみでは肝細胞癌の診断が困難な未分化癌（図 15-32c）などがみられる．

【臨床像】
肝細胞癌の肉眼型や組織像は，臨床病期や画像所見と密接に関連している．小結節境界不明瞭型肝細胞癌は，肉眼的に不明瞭な結節として認識され，組織学的には多くは高分化癌であり，増殖先端部では周囲の肝細胞索をあたかも置換するように増殖する．門脈域にがん細胞の

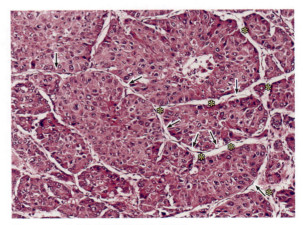

図 15-31 中分化型肝細胞癌の組織像
定型的な肝細胞癌の組織像．肝細胞類似のがん細胞が数層〜十数層のさまざまな厚さの索状配列を形成し増殖している．がん細胞索は1層の血管内皮細胞（→）に覆われ，内皮細胞間に類洞様の血管腔（＊）が存在する．

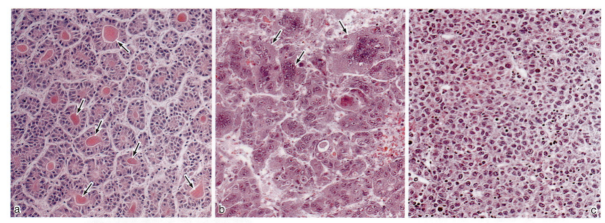

図 15-32　肝細胞癌の組織学的分化度と組織構造
a. 中分化型肝細胞癌．偽腺管型．索状配列を保ちながら腺管構造を示し，腺腔内にはがん細胞によって産生された胆汁を含む（→）．
b. 低分化型肝細胞癌．多数の異型に富む巨細胞（→）が特徴的である．
c. 未分化癌．がん細胞は無構造，髄様に増殖しており，組織像のみでは肝細胞癌の診断は困難である．最も分化度の低いものである．

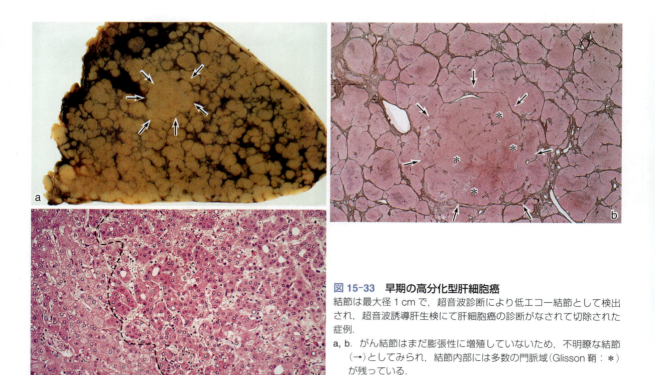

図 15-33　早期の高分化型肝細胞癌
結節は最大径 1 cm で，超音波診断により低エコー結節として検出され，超音波誘導肝生検にて肝細胞癌の診断がなされて切除された症例．
a, b. がん結節はまだ膨張性に増殖していないため，不明瞭な結節（→）としてみられ，結節内部には多数の門脈域（Glisson 鞘：＊）が残っている．
c. 組織学的には異型に乏しいがん細胞からなる高分化型癌である（点線より右側）．

浸潤（間質浸潤）を認め，その点で後述する前がん病変である異型結節（DN）とは鑑別される．しかし，小結節境界不明瞭型の肝細胞癌では，門脈内への浸潤や肝内転移はみられず，よって病理学的には早期肝細胞癌と定義されている．また，がん結節内部に多数の門脈域が残存し，通常の肝細胞癌と異なって動脈と門脈から血液供給を受けているため，肝動脈造影では造影されないことが多い（図 15-33）．境界明瞭な結節型の肝細胞癌は，多く

肝臓—L. 腫瘍　507

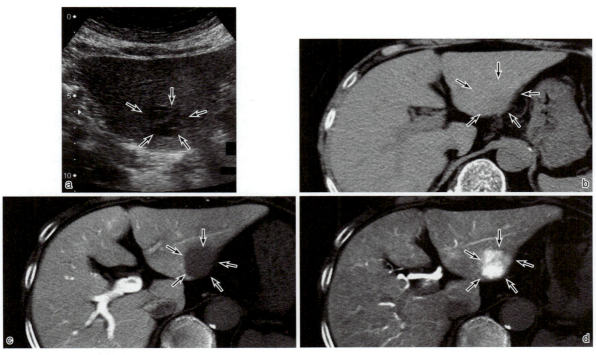

図 15-34　中分化型肝細胞癌
肝 S2 領域に発生した径 2 cm の中分化型肝細胞癌の画像所見.
a. 腹部超音波検査で低・高エコー域が混在している（→）.
b. 単純 CT では軽度低吸収域を呈する（→）.
c. CTAP（門脈造影下 CT）では腫瘍内の門脈血流は欠損している（→）.
d. CTHA（肝動脈造影下 CT）では腫瘍内の動脈血流の増加を認める（→）.

病変	軽度異型結節	高度異型結節	高分化型肝細胞癌	中分化型肝細胞癌
病理学的特徴				
肉眼像			小結節境界不明瞭型	境界明瞭型結節
間質浸潤	−	−	+/−	+/−
臨床画像				
動脈供給	等/乏	等/乏	等/乏, まれに多	多
門脈供給	+	+	+	−
臨床-病理	前がん病変	前がん病変	早期肝細胞癌	進行肝細胞癌

図 15-35　肝細胞癌の多段階発がんにおける病理学的特徴と臨床画像の関係
 腫瘍内門脈域,　● 異常動脈,　◯ 線維性被膜.

は中分化型の肝細胞癌により構成され，門脈侵襲や肝内転移がみられ，小さくても進行癌の性格を有する．動脈から血液供給を受けて肝動脈造影でも造影される（図 15-34）．これらの早期肝細胞癌とその周辺疾患に関する概念は 2009 年に世界の肝臓病理学者により国際的に統一された（図 15-35）．肝細胞癌の治療には，肝切除，ラジオ波焼灼療法 radiofrequency ablation（RFA），肝動脈化学塞栓療法 transcatheter arterial chemoembolization

(TACE)，肝移植，放射線療法，抗がん剤があるが，これらの選択には腫瘍因子のほかに背景肝の予備能の状態も重要である．わが国では，「肝癌診療ガイドライン」の治療アルゴリズムに沿って治療が選択される．しかし，肝細胞癌，特に肝硬変を合併した症例の多くは多中心性に発生するため，高率に再発する．

Advanced Studies

【腫瘍マーカー】

胎児性タンパクであるα-フェトプロテイン α-fetoprotein（AFP）は，1956年にベルグストランド Bergstrand らによって発見された分子量68,000の糖タンパクである．胎児血清中には 300 ng/mL 前後あり，出生直後は 5,000 ng/mL 以上になるが，1年後以降，成人では 10 ng/mL 以下になる．1963年にアベレフ Abelev やタタリノフ Tatarinov らにより肝細胞癌で増加することが明らかにされて以来，AFPの測定は肝癌の有用な腫瘍マーカーとして診断，治療効果判定，術後の再発監視などに使用されている．AFPは肝細胞癌のほか，卵巣や精巣の卵黄囊腫瘍 yolk sac tumor，胎児性癌 embryonal carcinoma でも陽性になる．AFPのレクチン分画の1つであるAFP-L3（フコシル化）分画の上昇は肝細胞癌に比較的特異的で予後不良な肝細胞癌であることが多い．

異常プロトロンビンの **PIVKA-Ⅱ**（protein induced by vitamin K absence or antagonist-factor Ⅱ）あるいは **DCP**（des-γ-carboxy prothrombin）は，1984年にリーブマン Liebman らにより肝細胞癌で高頻度に出現することが報告され，AFPと同様に肝細胞癌の腫瘍マーカーとして使用されている．

【成因】

[肝炎ウイルス hepatitis virus]

肝細胞癌の多発地帯がB型肝炎ウイルス汚染地帯と一致していることから，B型肝炎ウイルス（HBV）との密接な関連性が示唆されている．事実，台湾，東南アジア，韓国などでは肝細胞癌の60％以上はHBs抗原陽性である．HBV遺伝子は，肝細胞癌では高頻度（90％）に組み込みが認められる．HBV関連肝細胞癌の原因として，HCV関連肝細胞癌と同様に炎症や線維化が重要な役割を果たしているが，HBV遺伝子のヒトゲノムへの組み込みやHBxタンパクも発がんに関係していると考えられる．わが国の肝細胞癌におけるHBs抗原陽性率は，ここ20年は15％前後で変化していない．わが国における肝細胞癌の成因として最も多いのはC型肝炎ウイルスに関連した肝細胞癌であるが，近年は減少傾向にある．1990年代半ばに75％程度であったものが2015年には約52％にまで減少した．この理由としてHCV感染者数の減少やHCVに対する抗ウイルス治療成績の向上が関係しているといわれている．

[アフラトキシン aflatoxin]

カビ毒であり，Aspergillus flavus の代謝産物であるアフラトキシンが強い肝発がん作用を有することが，動物実験から明らかにされている．肝細胞癌多発地帯のアフリカや東南アジアでは，アフラトキシンに汚染されたピーナッツ，その他の食物の摂取が肝細胞癌の発生に少なからず関連しているとされている．

[アルコールと非アルコール性脂肪性肝炎（NASH）]

非ウイルス性の肝細胞癌は増加傾向にあり，1990年代半ばに約9％であったものが，2015年には約33％にまで増加した．非ウイルス性の肝細胞癌の背景肝疾患の主体を占めるのは，アルコール性肝疾患とNASHである．アルコールの過剰摂取はそれ単独でも発がんの危険因子であるが，HBVやHCV感染者においては，アルコールの過剰摂取により発がんの危険がさらに上昇するといわれている．また，近年は肥満や糖尿病に代表される生活習慣病の罹患率の上昇に伴って非アルコール性脂肪性肝疾患（NAFLD）が増加しているが，そのなかで壊死炎症反応や線維化を伴うNASHは，肝硬変へ進展し，肝細胞癌を発症することが知られている．

[寄生虫]

慢性日本住血吸虫症および慢性マンソン住血吸虫症では，肝細胞癌の発生率が高いことがわが国や中国，ブラジルなどの浸淫地帯から報告されている．しかし，アルコール多飲者と同じく，それらの症例にはHBs抗原，あるいはC型肝炎ウイルス抗体が通常の肝細胞癌症例とほぼ同じ頻度で陽性であることから，住血吸虫感染単独での発がんよりも，肝炎ウイルスなどとの相乗効果によることが示唆されている．

【発生と進展】

微小な早期の段階の肝細胞癌切除例や生検像の検討，およびそれらの注意深い臨床的観察によりヒトの肝細胞癌の発生・増殖様式がある程度明らかにされた．肝細胞癌のうち肝硬変を背景に発生するものでは，**異型結節** dysplastic nodule（DN）に代表されるような過形成病変から発がんするが，肝硬変を伴わないものの多くは de novo 発がんであろうと推察される．しかし，いずれにしても発がん当初は異型に乏しい高分化癌よりなり，徐々に分化度を減じながら増殖していく，多段階的な発がん進展過程が明らかにされている（図15-36）．

【前がん病変】

異型結節は，**腺腫様過形成** adenomatous hyperplasia と従来呼ばれていた病変で，肝硬変において 1 cm 前後の際立った結節としてみられ，組織学的に周囲の再生結節（偽小葉）と比べ，細胞密度の増大，肝細胞の索状配列の明瞭化などの肝細胞の過形成像が明らかなものをいう（図15-37）．切除された肝臓の近傍に異型結節がしばしばみられることや，異型結節の結節内に高分化ながん組

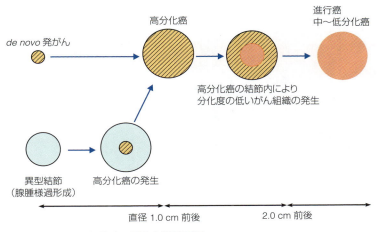

図 15-36　ヒト肝細胞癌の発生と増殖過程

織を内包するものがあること，高分化肝癌との鑑別が困難なものが存在すること，針生検で確認された異型結節の臨床的な長期観察によって，がん化するものが少なくないことなどから，肝癌の前がん病変としての可能性が強く示唆されている．異型結節では，がんの間質浸潤が認められない点が肝細胞癌との重要な鑑別点である．

b 胆管細胞癌 cholangiocellular carcinoma

【概念，定義】

　肝細胞癌のような性差はなく，男女ほぼ同頻度に発生し，好発年齢は 60〜70 歳代である．肝硬変を合併することは少ない．病因は特定されたものはないが，肝内胆石症や肝吸虫症との関連が示唆されるものもある．肝細胞癌における AFP のような特定の腫瘍マーカーはないが，**癌胎児性抗原** carcinoembryonic antigen（CEA）が陽性のことが多い．

【病理形態像】

　肝門部を中心に発生するもの（肝門型）と肝の末梢部に発生するもの（末梢型）に大別される．肉眼的特徴として，肝門型は門脈域に沿った浸潤性の増殖（図 15-38）を示すものが多いが，胆管内に乳頭状の増殖を示すものもある．末梢型は塊状や結節状の腫瘤を形成する．また，間質結合組織に富むため，白色調の硬い腫瘍としてみられることが多い．組織学的には大小の不規則な腺管と間質の豊富な線維性結合組織よりなる管状腺癌の像を呈する．がん細胞は種々の程度に粘液産生を伴う（図 15-38）．肝外転移は肝細胞癌とは逆に血行性転移が少なく，リンパ行性転移が主体を占める．胆管癌の背景の大型胆管において胆管内上皮内腫瘍 biliary intraepithelial neoplasia（BilIN）（→ 518 頁参照）がみられることも多

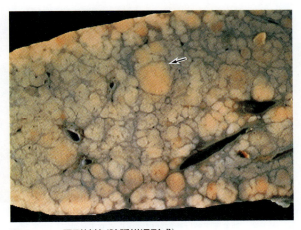

図 15-37　異型結節（腺腫様過形成）
C 型肝炎ウイルス抗体陽性の肝硬変にみられた長径 1 cm の結節（→）．

く，胆管癌の多段階発がんとの関連性が推察されている．

【臨床像】

　肝門部の胆管に発生するものでは，比較的早い時期から閉塞性黄疸をきたすが，末梢に発生するものでは症状が出にくく，黄疸の出現も遅く，進行した状態で気づかれることが多い．

c 細胆管細胞癌 cholangiolocellular carcinoma

　粘液産生を伴わない異型に乏しい小型腺管が，豊富な線維性間質を伴って鹿の角状に増殖する腫瘍である．小型腺管が細胆管に類似するため Hering 管由来が疑われている．肝細胞癌あるいは胆管細胞癌類似の組織を伴うことが多く，Hering 管に肝幹（前駆）細胞が存在するこ

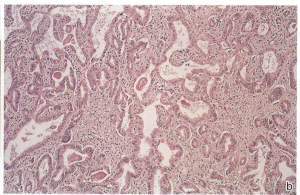

図 15-38　胆管細胞癌
a. 肉眼像．肝内の胆管に発生したがんは胆管に沿って増殖している．
b. 組織像．がん細胞は不規則な腺管構造を示し，間質は豊富な線維性結合組織よりなる．

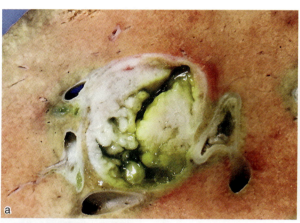
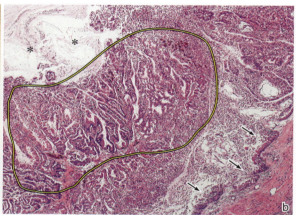

図 15-39　胆管内乳頭状腫瘍
a. 肉眼像．腫瘍部胆管は囊胞状に拡張して充実性あるいは乳頭状の腫瘍を認める．粘液の貯留が認められる（光沢部）．腫瘍周囲の胆管は拡張している．
b. 組織像．胆管内腔に狭い線維性間質を軸に乳頭状あるいは腺管状に増殖する異型上皮細胞（黄線），拡張した胆管壁を被覆する異型上皮細胞（→），内腔に貯留した粘液（＊）を認める．

とから，肝幹（前駆）細胞と関連のある腫瘍である可能性が疑われている．

d 粘液囊胞腺癌 mucinous cystadenocarcinoma

明瞭な線維性被膜をもつ単房性あるいは多房性の囊胞性腫瘍で，女性に好発する．囊胞面は粘液産生上皮細胞に裏打ちされ，上皮下には卵巣様間質がみられる．胆管との交通は欠くことが多い．近年，肝の囊胞性腫瘍性病変を膵腫瘍に準じて，胆管内乳頭状腫瘍 intraductal papillary neoplasm of bile duct（IPNB）と粘液性囊胞腫瘍 mucinous cystic neoplasm（MCN）に大別する考えがある．いずれの腫瘍も上皮の異型の程度に従って，腺腫，境界悪性，腺癌に分類されるが，MCN の高度異型および壁外浸潤例を粘液囊胞腺癌と呼ぶ．IPNB は，肝門部大型胆管から肝外胆管に発生する乳頭状腫瘍性病変であり，腫瘍部胆管は囊胞状あるいは瘤状に拡張する．ほとんどの例で胆管との交通が証明される．必ずしも肉眼的に過剰産生を確認できるわけではないが，組織レベルではほとんどの症例で粘液を確認できる．異型上皮細胞が線維血管性の間質を軸に乳頭状の増殖を示すが，異型度により腺腫，境界悪性，腺癌に分類される（図 15-39）．

e 混合型肝癌

combined hepatocellular and cholangiocarcinoma

単一腫瘍内に肝細胞癌と胆管細胞癌へ明瞭に分化した両成分が混ざり合っている腫瘍で，肝癌全体の数％にみられる（図 15-40）．組織学的には，両成分の移行像や肝細胞癌と胆管細胞癌の中間的な腫瘍成分が混在像がみら

肝臓—L. 腫瘍　511

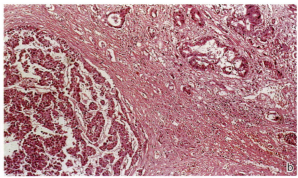

図 15-40　混合型肝癌（肝細胞癌＋胆管細胞癌）
a．緑色調の肝細胞癌の部分と，白色調の胆管細胞癌の部分が識別される．
b．組織学的には，索状配列を示す肝細胞癌（左下方）と腺管構造を示す胆管細胞癌（右上方）の部分が隔ててみられる．

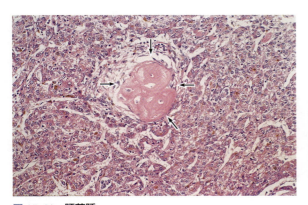
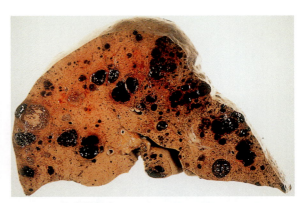

図 15-41　肝芽腫
腫瘍細胞は充実性，一部は不規則な索状配列を示し増殖している．写真の中心部には類骨形成がみられる（→）．

図 15-42　転移性肝癌
悪性黒色腫の肝転移で，大小多数の転移結節はメラニン産生のため，黒色を呈している．

れ，肝幹（前駆）細胞由来の腫瘍の可能性が推察されている．

f　肝芽腫 hepatoblastoma

網膜芽細胞腫，神経芽細胞腫，腎芽腫などとともに代表的な小児腫瘍の1つで，新生児期～乳幼児期にみられる肝臓原発の悪性腫瘍である．組織学的には，肝細胞類似の腫瘍細胞は類洞様構造を伴い，索状配列を示す分化のよいものから，小円形ないし短紡錘形の腫瘍細胞が一定の配列を示さず充実性に増殖する低分化あるいは未分化なものまでさまざまで，いずれも部分的に軟骨や類骨を主体とする間葉組織の混在をみることが多い（図15-41）．

g　転移性肝癌 metastatic liver cancer

肝臓の転移性腫瘍は，大腸癌や胃癌など門脈領域の臓器のがんの経門脈性転移が大部分を占め，大小種々の多数の転移結節を形成する．肝被膜近傍の転移結節の中心部は壊死のため陥凹していることが多く，そのような陥凹を癌臍と呼ぶ（図15-42）．

2　非上皮性腫瘍

種々の非上皮性腫瘍が発生するが，良性，悪性ともその頻度は低く，かつては開腹手術あるいは剖検時に偶然発見されるにすぎなかった．しかし，最近では画像診断法の進歩・普及により，かつてほどまれなものではなくなった．特に臨床的に問題となるのは海綿状血管腫，血管筋脂肪腫および血管肉腫であり，いずれも画像診断上，肝癌の鑑別疾患にあげられる．

A　良性腫瘍

a　海綿状血管腫 cavernous hemangioma

肝に発生する非上皮性腫瘍のうち，最も頻度が高い．肝表面近くにみられることが多く，数 mm 大から肝の

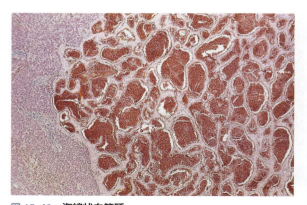

図 15-43　海綿状血管腫
腫瘍は大小さまざまな血管様構造を示し，内腔には血液が充満している．肝実質とは境界明瞭に境されている．

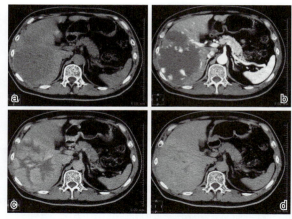

図 15-44　典型的な海綿状血管腫の単純（a）およびダイナミック CT（b〜d）の画像所見
a. 肝右葉に低吸収な腫瘤を認める．
b. 造影早期相では腫瘤の辺縁に結節性の造影効果を認める．
c. 造影後期相では造影効果の拡大を認める．
d. 平衡相では腫瘤全体に遷延する造影効果を認める．

図 15-45　血管肉腫
a. トロトラスト注入後 26 年経過して発生した症例で，出血性の塊状ならびに小結節性の腫瘤が特徴的である．
b. 組織学的には，腫瘍細胞は内腔に赤血球を入れた不規則な血管腔様構造（→）を形成して増殖している．

右葉あるいは左葉全体を占めるような巨大なものまでさまざまである．組織学的には，1層の内皮細胞で覆われた大小さまざまの血液を含む管腔構造を示す（図15-43）．しばしば線維化をきたし，瘢痕状となることがある．診断にはダイナミック CT が特徴的所見を呈するので有用である（図 15-44）．

b 血管筋脂肪腫 angiomyolipoma

脂肪細胞，平滑筋，血管の3成分が種々の程度に混在する腫瘍．かつてはきわめてまれであったが，画像診断の普及によりしばしば経験されるようになった．

B 悪性腫瘍

肝の悪性非上皮性腫瘍はまれであり，血管肉腫や類上皮血管内皮腫などの血管内皮細胞由来のものが主体を占める．そのほかに軟部組織に種々の悪性腫瘍が発生するが，いずれもきわめてまれである．

a 血管肉腫 angiosarcoma

肝の悪性非上皮性腫瘍のうち，最も頻度が高く出血性の大小種々の結節あるいは塊状の腫瘤としてみられる．急速に増大して予後はきわめて不良である．類洞内皮細胞の腫瘍化により，不規則な血管様構造を示す．1930〜1940年代に用いられた α 線を放射する二酸化トリウムを主成分とする X 線造影剤であるトロトラスト

の使用10数年〜30年後の血管肉腫の発生が知られている（図15-45）．また，塩化ビニル製造従事者に職業癌として発生することも知られている．

b 類上皮血管内皮腫 epithelioid hemangioendothelioma

かつてはきわめてまれなものとされていたが，画像診断法の発達・普及によりしばしば経験されるようになった．腫瘍は結合組織に富み，好酸性の豊富な胞体と異型に富む核を有する腫瘍細胞は上皮細胞のようにみえ，小血管構造を示す．また腫瘍細胞は空胞化したものも目立つ．免疫組織学的に腫瘍細胞は血管内皮細胞由来の第Ⅷ因子関連抗原やCD34が陽性となる．

3 腫瘍類似病変

a 限局性結節性過形成 focal nodular hyperplasia (FNH)

かつては剖検時や開腹手術に際して偶然発見されるようなまれな病変であった．しかし，最近の画像診断法の進歩・普及により，しばしば経験されるようになり，画像診断上，また病理形態学的にも肝癌の鑑別疾患にあげられる．FNHは1 cm前後から数 cmに及ぶ結節性病変で，肝被膜近くにみられることが多く，肝細胞の限局性の過形成，結節の中心部から放射状に伸びる線維帯（中心瘢痕），多数の異常血管（車軸様血管）の介在などにより特徴づけられる．

b 孤立性壊死結節 solitary necrotic nodule

径2 cm前後の境界明瞭な結節性病変で，結節は完全に凝固壊死に陥っており，薄い肉芽組織あるいは線維帯で囲まれている．肝蛭あるいはイヌ・ネコ回虫症などの寄生虫感染によることが多い．

c 結節性再生性過形成 nodular regenerative hyperplasia

肉眼的に肝全体にわたり粟粒大の結節形成としてみられ，組織学的に結節は肝細胞の微小な過形成巣としてみられ，各過形成巣の間には被膜はなく，圧排されて萎縮した肝細胞索からなる．消耗性疾患や門脈圧亢進症などの際にみられることが多い．

d 部分的結節形成 partial nodular transformation

多くは肝門部の大きな門脈枝周囲に扇形に広がる不明瞭な結節で，肝細胞の過形成よりなる．門脈圧亢進，門脈血栓，門脈腫瘍塞栓などに伴ってみられることが多く，成因として門脈血流障害との関連が示唆される．

e 限局性脂肪化 focal fatty change

小結節状に肝細胞の脂肪化をみるもので，原因は明らかでないことが多い．今まで診断された症例のなかには，脂肪成分が主体を占める血管筋脂肪腫や脂肪化を伴う高分化型肝細胞癌，あるいは異型結節が含まれていると思われる．

f 炎症性偽腫瘍 inflammatory pseudotumor

炎症性肉芽組織よりなる小結節で，炎症の原因を特定できないものをいう．IgG4関連疾患の肝病変として生じることがある．

M 肝移植の病理

【概念，定義】

わが国では，1997年に臓器移植法が制定され，1999年にはじめて脳死患者から肝移植が行われ，2019年12月末までに595例が実施されている．脳死肝移植には多くの制約があるため，わが国では生体肝移植が多く行われ，2019年12月末までに全国の67あまりの施設で合計9,443例が実施されている．脳死および生体肝移植の累積生存率は移植後15年で，それぞれ約64％と69％で差は認めない．肝移植後の重大な問題の1つとして拒絶反応の出現，および拒絶反応を抑える免疫抑制薬投与による免疫抑制状態に伴う日和見感染があげられる．

【肝移植の適応疾患】

非代償期に陥った肝硬変，既存の治療法で対処できない肝腫瘍，劇症肝炎，Wilson病をはじめとする各種の先天性代謝疾患，胆道閉鎖症，その他．

【拒絶反応の病理形態像】

急性拒絶反応は移植後1週目から1〜2か月で発生し，Th1細胞により惹起される**遅延型細胞性免疫反応**が主体であるとされている．組織学的には門脈域のリンパ球浸潤とそれによる胆管の傷害，静脈内皮炎が特徴的である．肝生検では門脈域における胆管の破壊や門脈内皮の破壊などを伴うリンパ球を主体とする炎症細胞浸潤がみられる．**慢性拒絶反応**は，数か月から半年以降で発症し，血管内皮細胞が傷害される動脈閉塞性の病変が原因とされている．組織学的には進行性の胆管傷害とその結果による胆管消失および動脈の閉塞性病変が特徴的である．進行すると，中心静脈周囲の肝細胞壊死や線維化がみられる．胆管の破壊を伴う慢性拒絶反応は免疫抑制薬では抑えることができないため再移植が必要となる．

【臨床像】

肝移植後の拒絶反応は肝生検による組織診断が確定診断となる．急性拒絶反応では，臨床的には軽度の発熱と

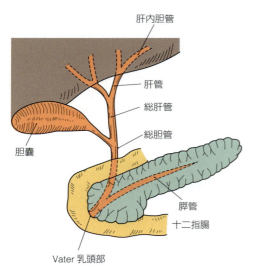

図 15-46　肝外胆管の模式図

ともに血清ビリルビンやトランスアミナーゼが上昇するなどの肝機能障害がみられる．急性拒絶反応は経過とともに自然に消褪するか，あるいは免疫抑制薬により消褪する．一方，慢性拒絶反応では，進行性の黄疸をきたす．

 肝不全

【概念，定義，成因】

　肝不全は肝細胞の機能脱落による肝機能の高度障害状態をいい，急性と慢性に分けることができる．急性肝不全は，劇症肝炎などによって広範な肝細胞の変性・壊死をきたす場合に生じ，高度の肝機能障害，脳浮腫，消化管出血，播種性血管内凝固症候群 disseminated intravascular coagulation（DIC）を生じ，全身出血傾向，腎不全，心不全などが加わり，短時間のうちにきわめて予後不良となる．慢性肝不全は慢性の肝実質障害，多くは非代償性肝硬変に伴う肝循環動態の障害，特に門脈圧亢進などによる二次的な種々の障害が加わり肝不全状態となる．

肝外胆管および胆嚢

構造と機能

正常構造と機能

　肝外胆管は肝管以下を指し，左右の肝管が合流して総肝管となり，胆嚢管と合流して総胆管となって十二指腸靱帯の中を通り，膵頭部で主膵管と合流して十二指腸下行部で十二指腸乳頭へ開口する（図 15-46）．組織学的に，粘膜上皮は背の高い単層円柱上皮からなり，粘膜固有層は薄く，その下の結合組織層は平滑筋と少数の粘液腺が混ざる疎性結合組織からなる．

　胆嚢は 30～50 mL の容量の西洋ナシ型の中腔臓器で，肝下面の胆嚢窩，上面は肝下面の肝被膜と密着し，下面は腹膜で覆われている．組織学的には，粘膜，筋層，漿膜の 3 層構造を示し，胆嚢と同様に粘膜は高円柱上皮よりなる．平滑筋層の下には疎性結合組織よりなる漿膜下組織があり，血管，リンパ管，神経を含んでいる．胆嚢は胆汁を貯蔵し，粘膜から胆汁中の水分を吸収して 10～20 倍に濃縮する．

2 発生異常

　肝外胆管系の先天異常としては，胆道閉鎖症や先天性胆道拡張症が代表的なものである．胆嚢では形状の異常としては重複胆嚢や分葉胆嚢などがみられるくらいで，あまり大きな臨床的問題とはならない．

胆道閉鎖症 biliary atresia

　肝門部胆管と十二指腸乳頭の間で部分的または広範に閉塞あるいは形成不全がみられるもので，その原因は明らかでないが，胎生期や生直後における炎症およびその他の何らかの原因により胆管系の障害をきたすことが示唆されている．一方，本症の臨床症状と肝の病理所見が新生児肝炎と類似していることから，新生児肝炎と同一の炎症性機転により，真の形成不全によるものは少ないという見方もある．生後まもなく閉塞性黄疸が現れ，放

置すると胆汁性肝硬変に進行して死亡する．現在，わが国の生存症例の半数以上が生体部分肝移植による治療症例である．

先天性胆道拡張症 congenital biliary dilatation

東洋人の女性に好発する．総胆管に囊胞状，紡錘状，あるいは円筒状の拡張が生じるが，肝内胆管や総肝管にも拡張が及ぶことがある．ほぼ全例で膵・胆管合流異常の合併がみられ，共通管を介して膵液・胆汁の相互逆流が起こり胆管炎，胆道穿孔，急性・慢性膵炎など多彩な膵・胆道疾患を引き起こす．臨床症状としては，腹部腫瘤，黄疸，腹痛が三主徴である．10％前後の症例で胆道癌を合併する．

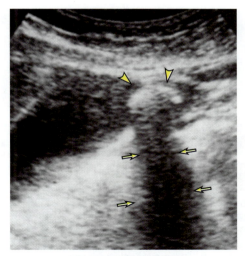

図 15-47　胆囊結石の腹部超音波検査
表面が高エコーで(▷)，後方に acoustic shadow (音響陰影：⇒)を伴う胆囊結石を認める．

B 胆石症 cholelithiasis

【概念，定義】
　胆石保有率は欧米では剖検例の10〜20％といわれているが，わが国ではかつて5％前後であったものが年々増加傾向にあり，欧米並みの頻度に近づいている．部位別には78％が胆囊結石と最も多く，次いで21％が総胆管結石，残り約1％が肝内結石である．

【胆石の種類】
　胆石は，コレステロールを主成分とするコレステロール石と胆汁色素（ビリルビン）を主成分とするビリルビンカルシウム石，黒色石に大別される．コレステロール石には，純コレステロール石，混合石，混成石があるが，混合石の割合が高い．純コレステロール石は球形で，通常は胆囊内に1個存在する．割面は，コレステロール結晶が中心部より放射状に伸びている．混成石は，純コレステロール石あるいは混合石からなる内層と，色素の多い外層からなる割面をもち，通常は胆囊に1個存在する．混合石は黄褐色や黒褐色など多彩で，桑実状または多角形を呈して主に胆囊に存在する．数は数個から数十個あるいは数百個に及ぶものまである．胆囊結石は，コレステロール系結石が約60％で最も多く，次いで黒色石が多い．黒色石は，小さい黒色の無構造の割面で，砂状や金平糖状で，高齢者の胆囊に存在することが多く，数個〜数十個みられる．非抱合型ビリルビンポリマーのカルシウム塩を主成分とし，無機物を多く含み，X線で陽性陰影を示す．総胆管結石の多くはビリルビンカルシウム石である．ビリルビンカルシウム石は黒色調，無構造の割面で，不定形を呈し，軟らかく脆い．

【成因】
　コレステロール石の成因は多段階・多因子的であるが，コレステロールの過飽和胆汁の生成，コレステロール結晶析出動態の亢進，胆囊機能異常などが関連している．ビリルビンカルシウム石の成因は，胆管系の大腸菌感染，胆汁うっ滞，食事などとの関係が深い．例えば，感染により大腸菌由来の β-グルクロニダーゼが増量し，抱合型ビリルビンが分解されて不溶性の非抱合型ビリルビンが生じ，カルシウムと結合して析出し結石形成に至る．黒色石の成因に感染は関係なく，溶血性貧血などによる非抱合型ビリルビンの増加が関係している．

【臨床像】
　胆石症は画像診断（特に腹部超音波検査）により容易に診断可能である（図 15-47）．しかし，胆石（特に胆囊結石）は症状を示さないことが多く，そのような無症状の胆石を silent stone と呼ぶ．しかし，疝痛発作，発熱，黄疸をきたすことがあり，場合によっては胆囊切除の対象となる．なお，最近では腹腔鏡を用いた胆囊摘出術の開発などにより，治療の面で新たな進展をみている．

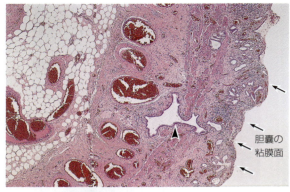

図 15-48　慢性胆嚢炎
組織像．胆石症で摘出されたもので，粘膜内におけるリンパ球と形質細胞を主体とする軽度の炎症細胞浸潤，筋層を貫通するようなRokitansky-Aschoff洞（►）を認める．漿膜下層は線維性肥厚を示し，静脈の拡張とうっ血を伴っている．

炎症

1 ● 胆管炎 cholangitis

【概念，成因】

　胆管炎は，胆嚢炎の波及，胆管胆石，腫瘍，胆管外からの圧迫などによる胆管の狭窄に続いて起こることが多い．容易に肝内胆管に波及し，肝内胆管炎や肝膿瘍などを併発する．

【病理形態像】

　急性胆管炎では，粘膜はしばしば変性・剥離し，胆管壁は好中球を主体とする炎症細胞浸潤をみるとともに浮腫性に肥厚する．慢性化すると胆管壁は線維性肥厚を示すとともに，粘膜面は部分的に再生上皮で覆われることが多い．

【臨床像】

　急性胆管炎の症状は，黄疸，発熱，右季肋部痛のシャルコー Charcot の三主徴が有名である．**急性閉塞性化膿性胆管炎**では，三主徴に意識消失と血圧低下を加えたレイノルズ Reynolds の五主徴が生じる．慢性胆管炎では微熱，上腹部の疼痛，不快感などを訴えることが多い．

2 ● 胆嚢炎 cholecystitis

　胆嚢炎の原因として，大腸菌を主とする細菌感染によるもの，胆汁成分の異常，特に胆汁酸による化学的刺激によるもの，胆石による機械的刺激によるものなどさまざまな因子があげられるが，現在では胆汁酸の異常が重視されている．

a 急性胆嚢炎 acute cholecystitis

【概念，成因】

　急性胆嚢炎の大部分は胆石によるものである．胆石が胆嚢頸部に嵌頓して胆嚢管が閉塞して胆汁うっ滞をきたす結果，胆汁中の化学物質や胆石の機械的刺激により発症する．高熱，右季肋部痛，悪寒戦慄などで発症することが多い．

【病理形態像】

　カタル性胆嚢炎と**化膿性胆嚢炎**に大別される．カタル性胆嚢炎は炎症が粘膜に限局したもので，粘膜固有層の軽度の炎症細胞浸潤，浮腫，充血をみる．アレルギー反応による急性胆嚢炎も少なくなく，カタル性炎症の形を示すが，その場合炎症細胞は好中球ではなく好酸球が主体を占める．化膿性胆嚢炎では全層性の好中球を主体とする炎症細胞浸潤に加え，高度の浮腫，充血がみられ，さらに粘膜上皮は変性剥離し，内容液は膿性のことが多い．胆嚢内に膿汁が充満した状態を胆嚢蓄膿と呼ぶ．

【臨床像】

　定型例では右季肋部痛と上腹部痛を訴え，悪寒戦慄を伴う38℃以上の発熱を認める．

b 慢性胆嚢炎 chronic cholecystitis

【概念，成因】

　急性胆嚢炎の慢性化によるものと，急性胆嚢炎の先行がなく，緩徐に炎症が進み慢性胆嚢炎の状態を呈するものがある．しかし，一般に慢性胆嚢炎は胆石の随伴所見としてみられることが最も多い．

【病理形態像】

　胆嚢壁（特に漿膜下層）の線維性肥厚が顕著で，軽度のリンパ球と形質細胞の浸潤を伴う．リンパ濾胞の形成を伴う高度のリンパ球浸潤をみることもあり，**濾胞性胆嚢炎** follicular cholecystitis と呼ばれる．粘膜は剥離しているか，あるいは再生上皮で覆われている．また，筋層あるいは漿膜下層に粘膜上皮の陥入による腺管形成がしばしばみられ，**ロキタンスキー-アショフ** Rokitansky-Aschoff 洞 と呼ばれる（図 15-48）．Rokitansky-Aschoff 洞内に胆汁が貯留し，周囲組織に漏出すると組織球が貪食し，多数の泡沫状組織球，リンパ球，形質細胞よりなる肉芽腫形成を生じることがあり，**黄色肉芽腫性胆嚢炎** xanthogranulomatous cholecystitis と呼ばれる．

【臨床像】

　多くの場合は胆石症を合併しているため，胆石症と同様の上腹部の疼痛，不快感，重圧感，膨満感などを訴えることが多い．また，急性胆嚢炎を合併したときは発熱や悪寒戦慄を伴うことがある．

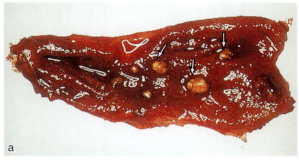
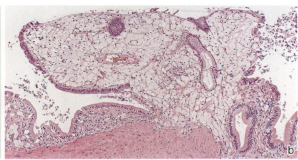

図 15-49　胆嚢のコレステロールポリープ
a. 粘膜に米粒大から大豆大の桑実状・白色調のポリープがみられる(⇒).
b. 組織像. ポリープは泡沫状の豊富な胞体を有する組織球の集簇よりなり，1層の粘膜上皮で覆われているが，頂部では上皮が剥脱している.

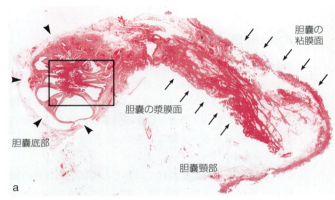
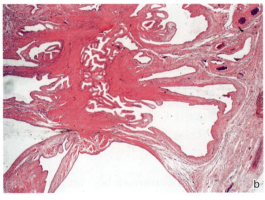

図 15-50　胆嚢腺筋腫症
超音波診断で慢性胆嚢炎に限局性の肥厚が描出され，胆嚢腺筋腫症の疑いで胆嚢摘出された.
a. 胆嚢底部の肥厚した胆嚢壁内に結節形成がみられる(▶).
b. aの□部の拡大. 同部は多数の拡張した腺管の増生とともに，腺管の間には平滑筋の増生を認める.

D　腫瘍類似病変

A　コレステロールポリープ cholesterol polyp

【概念，成因】
　胆嚢ポリープのなかで最も頻度が高く，粘膜固有層内の泡沫状の組織球の限局性集積によりポリープ状に隆起する.

【病理形態像】
　多くの場合は数mm大で黄白色調，桑実状を呈して多発する．ポリープは泡沫状の組織球で占められ，粘膜上皮で覆われている（図15-49）.

【臨床像】
　画像診断の進歩により，超音波診断で診断されることが多い.

B　胆嚢腺筋腫症 gallbladder adenomyomatosis

【概念，成因】
　Rokitansky-Aschoff洞と平滑筋の限局性の増生で，慢性胆嚢炎や胆石症に合併しやすい.

【病理形態像】
　肉眼的には胆嚢壁の限局性の結節としてみられ，時には隆起する．Rokitansky-Aschoff洞は増生し，かつ嚢胞状に拡張して，その間に平滑筋の増生がみられる（図15-50）.

【臨床像】
　超音波診断で診断されることが多いが，がんとの鑑別が問題となることも少なくない.

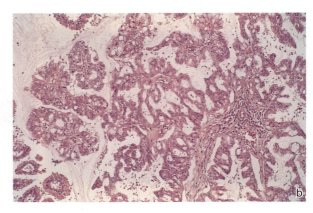

図 15-51　1個の胆石（混合石）を伴った胆嚢癌
a. 肉眼型にがんはカリフラワー状を呈している（→）．
b. 組織学的には高分化型腺癌よりなっている．がん細胞による大量の粘液産生のため，背景は淡紫色を呈している．

腫瘍

上皮性腫瘍

上皮性腫瘍では大部分が悪性で，良性のものとしてはまれに乳頭状腺腫がみられる程度である．

肝外胆管癌 extrahepatic bile duct cancer, 乳頭部癌 carcinoma of the ampulla of Vater

【概念，定義】

肝外胆管癌は，肝門部領域胆管と遠位胆管に発生する癌腫に大別される．Vater乳頭部のオッディOddi筋に囲まれた部分から発生する癌腫は，乳頭部癌と定義される．肝門部領域胆管に発生するがんは早期に肝内に浸潤増殖し，肝内胆管癌との鑑別が困難なことが多い．60～70歳代に多く，性差はみられない．また，肝臓と同様にIPNBの概念が肝外胆管病変にも浸透しつつある．

【病理形態像】

肉眼的に，結節型，乳頭型，平坦型に大別する．組織学的には，管状腺癌あるいは乳頭状腺癌が大部分を占める．管状腺癌は肝内胆管癌と同じく，結合組織性間質に富む．リンパ節転移の有無にかかわらず，がんが粘膜内または線維筋層内にとどまるものを早期胆管癌と定義している．

【臨床像】

閉塞性黄疸で発症するものが多いが，黄疸がなく右季肋部痛や心窩部痛などの上腹部痛を訴えることもある．

胆嚢癌 gallbladder cancer

【概念，成因】

60～70歳代に好発し，女性の発生率が男性の2～3倍である．女性に多いこと，また60～90％に胆石を合併していることから，胆石と胆嚢癌発生に密接な関連があるという説もあるが，議論が多い．

【病理形態像】

胆嚢体部から底部にかけて好発し，肉眼的には肝外胆管癌と同様，乳頭型，結節型，平坦型に分けられ，リンパ節転移の有無にかかわらず，粘膜内または固有筋層内にとどまるものを早期胆嚢癌と定義している．組織学的には90％前後は腺癌であり，乳頭状腺癌あるいは管状腺癌が多くを占める（図15-51）．高度の粘液産生を示す粘液癌，腺扁平上皮癌，未分化癌などがまれにみられる．

【臨床像】

かなり進行するまで無症状のことが多く，症状があっても慢性胆嚢炎あるいは合併している胆石によるものがほとんどである．

Advanced Studies

胆道の前がん病変および初期がん病変

1　胆管内上皮内腫瘍 biliary intraepithelial neoplasia（BilIN）

胆道系癌は，しばしば慢性炎症などによる細胞障害を背景に多段階的に発生することが知られている．BilINは，これらの背景を有する癌腫の前がん病変あるいは初期病変として認識される顕微鏡下で同定される胆管上皮の腫瘍性病変である．平坦型あるいは微小乳頭型の形態を示し，異型度により，BilIN-1（軽度異型），BilIN-2（中等度異型），BilIN-3（高度異型，上皮内癌）の3段階に分類される．肝内胆管でも同様の病変がみられる．

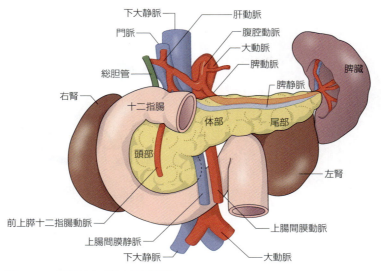

図 15-52 　膵臓およびその周囲臓器

2 　胆管内乳頭状腫瘍
intraductal papillary neoplasm of bile duct（IPNB）

胆道内で肉眼的に同定される乳頭状腫瘍性病変であり，病変部胆管は拡張し，囊胞状の拡張を示す例もある．肝内に発生する IPNB と同様の病変で良性腫瘍から浸潤癌まで種々の病変がある．このほかに胆道の囊胞性病変としては，粘液性囊胞腫瘍 mucinous cystic neoplasm（MCN）があるが，疾患概念は肝内の MCN と同様である．

膵臓

A 　解剖・組織・発生

A 　解剖

十二指腸の下行脚（C-Loop）から脾門部にかけて横走する実質性の後腹膜臓器である．薄い被膜に包まれており，十二指腸側より，頭部，体部，尾部と分類されるが，その境界は不明瞭である．一般的には背側を走行する上腸間膜静脈・門脈の左側縁を膵頭部と体部の境界とし，大動脈の左側縁を膵体部と尾部の境界とすることが多い．

周囲にはさまざまな臓器が存在する．頭部には十二指腸，肝臓，総胆管が，腹側には胃，横行結腸が，背側には門脈，上腸間膜動・静脈，脾動・静脈，神経叢，腎臓が存在している．支配血管として腹腔動脈系の脾動脈と前・後上膵十二指腸動脈，および上腸間膜動脈系の前・後下膵十二指腸動脈が走行している（図 15-52）．

深部臓器であることからさまざまな障害に対する症状が顕在化しにくく，進行した状態で発見されることが多い．さらに，種々の臓器が膵臓に接していること，また消化液を分泌する臓器であることから手術が困難であること，悪性腫瘍などでは早期に周囲臓器に浸潤しやすいことから予後不良な臓器である．

B 　組織

膵臓は消化液を分泌する外分泌腺と，ホルモンを産生する内分泌腺が共存している（図 15-53）．

1 　外分泌腺

腺房と導管である膵管からなる．腺房細胞には，種々の消化酵素を含む分泌顆粒（チモーゲン）が備蓄されている．膵管は分泌液を十二指腸まで送る導管であり，主膵管と副膵管に分かれる（→「発生」，次頁参照）．膵管は立方～円柱上皮からなり，重炭酸やさまざまな粘液を分泌している．消化酵素は粘液と混ざりあいながら膵管を介して分泌される．消化酵素は自己消化を防ぐために不活性化された状態で分泌され，十二指腸内でエンテロキナーゼと混在することで初めて活性化される．

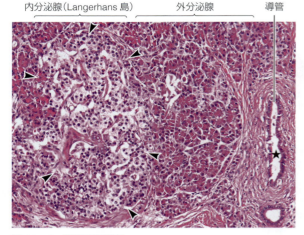

図 15-53 膵臓の組織像
外分泌腺はチモーゲン顆粒をもった好酸性の細胞で，膵臓の大部分を占める．外分泌腺から分泌された粘液は膵管（★）を通じて分泌される．内分泌腺は淡明な細胞質と小型の核を有しさまざまなホルモンを分泌する（▶）．

2 ● 内分泌腺

膵臓の体積の 1〜2% 程度を占めるに過ぎないが，おおよそ 100〜300 万個程度のランゲルハンス Langerhans 島（ラ島または膵島と呼ばれる）が存在し，特に尾部に多く分泌する．ラ島はグルカゴン産生細胞（α 細胞），インスリン産生細胞（β 細胞），ソマトスタチン産生細胞（δ 細胞），膵ポリペプチド産生細胞（PP 細胞）から構成される．それぞれの細胞からペプチドホルモンを産生しており，その分泌機構は相互に制御されている．

C 発生

膵臓は内胚葉上皮に由来する背側膵原基と腹側膵原基の 2 つが癒合することによって形成されている．背側膵原基は胎生 4 週から十二指腸背側に，腹側膵原基は同時期に腹部正中の胆管芽の近くに発生する．胎生 6 週以降，胃十二指腸の発育に伴い，腹側膵原基が総胆管とともに時計回りに回転し，背側膵の下部に移動して胎生 8 週くらいまでに癒合を完了する．それぞれの主導管が癒合することによって腹側膵原基の主導管が主膵管ヴィルズング Wirsung 管を，背側膵原基の主導管が副膵管サントリーニ Santorini 管を形成する（図 15-54）．

ラ島は胎生 3 か月から膵管上皮から発生してくる．

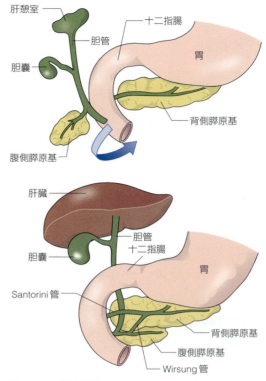

図 15-54 膵の発生

B 先天異常

1 ● 異所性膵 heterotopic pancreas

迷入膵，副膵ともいう．胎生期の遺残組織として，解剖学的に正常の膵組織とは離れた部位に，異所性に存在する膵組織のことを呼ぶ．

胃，十二指腸などの上部消化管やメッケル Meckel 憩室などにみられ，主に粘膜下層内に限局性に存在していることが多い．ハインリッヒ Heinrich 分類では外分泌腺，膵管，ラ島から構成されるものを I 型，外分泌腺，膵管から構成されるものを II 型，膵管のみのものを III 型とする．

2 ● 膵・胆管合流異常 pancreaticobiliary maljunction

解剖学的に膵管と胆管が十二指腸壁外で合流する先天性の形成異常と定義される．胎生期に腹側膵と交通していた胆管が回転し，背側膵と癒合する際に異常な吻合をきたした状態である．わが国では相対的に多く，出生数千〜10,000 人あたり 1 人の頻度とされ，女性は男性の 3 倍の頻度である．多くは 15 mm 以上の長い共通管を有

する．十二指腸乳頭括約筋（オッディ Oddi 括約筋）に囲まれない上流で胆管と膵管が合流するため，Oddi 括約筋の機能が及ばず胆汁と膵液の相互逆流が起こる．その結果，胆汁酸組成の変化や，より組織障害性の高い膵液の活性化が起こり，膵・胆管炎や結石など，さまざまな合併症を引き起こす．

胆管に拡張を認めるものと認めないものがある．近年では 50～65 歳と，通常より若年で胆道癌を発症する危険因子とされている．

Advanced Studies

3 ● 無(低)形成 a (hypo) genesis
無形成は非常にまれでほかの形成異常を伴いやすい．膵臓の発育に重要な PDX1（pancreatic and duodenal homeobox1）遺伝子変異が関与している．部分形成は腹側あるいは背側膵の形成不全として，低形成は部分的に形成異常を伴うことがある．

4 ● 輪状膵 annular pancreas
比較的まれな形成異常で腹側膵の回転異常によるものとされる．主に十二指腸下行脚を取り囲むように膵組織が存在し，時に十二指腸内腔の狭窄から閉塞症状をきたすことがある．

5 ● 囊胞膵 pancreatic cystic lesions
膵管の発育異常と考えられ，多くが膵多囊胞症 pancreatic polycystic disease やフォン・ヒッペル‐リンダウ病 von Hippel–Lindau disease の一病変として，腎や肝病変などで同時に膵内に発見される．膵病変は単房あるいは多房で，立方状から円柱状の膵管上皮に類似する細胞が内腔を多い，漿液性物質を入れている．

6 ● 副膵 accessory spleen/splenunculus
膵内に先天的に異所性脾組織が存在していることがあり，充実性であったり，嚢胞を形成したりする場合がある．多くが無症状で，他疾患での手術時や剖検により偶発的に発見される．

7 ● その他
膵非融合あるいは膵管融合不全などが知られている．

C 代謝障害

1 ● 膵脂肪腫症（脂肪浸潤） pancreatic lipomatosis
膵腺房の萎縮と脂肪細胞が置換した状態である．多くは加齢に伴った変化であるが，肥満や糖尿病にも関連する．ラ島は保存されている場合が多い．

2 ● 鉄過剰症（ヘモクロマトーシス） hemochromatosis
過剰に鉄が沈着し，臓器障害を起こした状態である．全身に影響を及ぼすが，膵臓に沈着した場合は，肉眼的には膵実質が鉄さび色を呈する．組織像は，腺房およびラ島の細胞内外にヘモジデリン顆粒が沈着した実質障害をきたす．

3 ● 囊胞性線維症 cystic fibrosis of the pancreas
【概念，定義】
第 7 番染色体長腕に位置する囊胞性線維症貫通調節因子 cystic fibrosis transmembrane conductance regulator（CFTR）遺伝子の変異によって起こる常染色体潜性（劣性）遺伝性疾患である．白人では 2,500 人に 1 人とされるが，日本人では 150～200 万人に 1 人の頻度の指定難病である．ほとんどが乳児か小児期に発症し，男女差はない．CFTR 遺伝子の変異によって塩素イオン（Cl^-）チャネルの機能が低下し，外分泌腺細胞における Cl^- と水との輸送が障害される．その結果，全身臓器（肺，膵，唾液腺，肝など）の粘膜細胞で分泌液のバランスが崩れて著しく粘性が高くなり，外分泌腺の導管内に貯留，閉塞する結果，導管が囊胞状に拡張し，小葉間および小葉内の線維化が起こる．本症は全身のさまざまな臓器に病変を形成するが，膵臓は最もその発生頻度が高く 8 割以上に達する．膵外分泌不全による消化不良をきたし，新生児期では致死的な胎便性イレウスをきたすことがある．また思春期以降では呼吸不全とともに反復する呼吸器感染症により死亡する例が多い．

【病理形態像】
膵臓では数 mm～10 cm 大までの囊胞が多発し，内部に粘稠性の混濁した液体を入れている．組織学的には膵管の拡張，内部のタンパク成分豊富な粘液貯留，腺房の萎縮，間質の線維化がみられる．

4 ● 糖尿病 diabetes mellitus（DM）
詳しくは第 6 章「代謝障害」を参照（➡138 頁）．

a 1 型糖尿病（インスリン依存性）
insulin dependent DM（IDDM）
全糖尿病患者の 10％未満．β 細胞の破壊によるインスリンの絶対的な欠乏により起こる．若年者に多い．

b 2 型糖尿病（インスリン非依存性）
non-insulin dependent DM（NIDDM）
糖尿病患者の大多数を占め，ほとんどが中高年になって発症する．インスリン量は十分にあるが，末梢組織におけるインスリン抵抗性が生じた結果，インスリンが相対的に不足した状態となる．

D 膵炎 pancreatitis

膵臓の炎症は膵臓に存在する消化酵素の影響を強く受けるため，他臓器に比べて特有なものであるのが 1 つ

表 15-7　急性膵炎の病因

機械的膵管狭窄（閉塞）	胆石，膵腫瘍，膵・胆管合流異常，胆道の先天異常
代謝性	アルコール多飲，高脂血症，高カルシウム血症，副甲状腺機能亢進症
医原性	薬剤性，膵胆管造影，手術
循環障害	虚血，DIC，ショック
感染症	流行性耳下腺炎，コクサッキーBウイルス感染症，サイトメガロウイルス感染症，AIDS
その他	腹部外傷，遺伝性，腎不全

の特徴である．炎症とはいっても，場合によっては多臓器不全や重症感染症を起こす場合がある．炎症の経過も，単純に急性から慢性に進む他臓器と比べ，膵臓の急性炎症と慢性炎症は別な病態と考えられている．実際に，その原因も組織像も異なっている．

　急性膵炎　acute pancreatitis

【概念，定義】
　基本的には急性炎症に生じる変化と異なることはないが，種々の原因によって膵消化酵素が活性化することにより生じた膵臓の自己消化が本態であり，他臓器ではみられないさまざまな特異的変化がみられる．

【病因】
　日本では，アルコール多飲と胆石が主たる病因で，男性ではアルコール性膵炎が多く，女性では胆石性膵炎が多い．そのほかに膵・胆管合流異常や代謝異常，感染症などがあげられる．特殊な例として常染色体顕性（優性）の遺伝性膵炎も存在し，膵酵素あるいは膵酵素阻害物質に関連する遺伝子（*PRSS1* と *SPINK1*）の変異が同定されている（表 15-7）．腺房細胞の損傷に由来して逸脱する消化酵素や生理物質の活性化に応じてさまざまな障害が引き起こされる．血管透過性亢進による**組織の浮腫**，急性炎症細胞浸潤，膵実質や周囲臓器の**自己消化**，血管破綻による**出血**，脂肪分解と無機質の沈着による**鹸化**などを生じる（図 15-55）．

【病理形態像】
　その形態像の違いから間質性浮腫性膵炎と出血性（壊死性）膵炎の 2 つに分けられる．

a 間質性浮腫性膵炎 interstitial edematous pancreatitis
　膵臓が全般に浮腫性に腫大と硬化を示し，組織像は小葉間の浮腫と好中球浸潤が主体をなす．

b 出血性（壊死性）膵炎
　hemorrhagic（necrotic）pancreatitis
　腫大した膵臓の実質内に出血・壊死を示すだけでなく，周囲の脂肪組織へ炎症が波及し，脂肪織炎を伴う（図 15-56a）．組織像では**広範に膵実質の壊死**に陥り，出血や漏出したリパーゼによる脂肪変性と無機質の沈着による鹸化を生じる（図 15-56b）．

【臨床像】
　一般症状として，上腹部痛，背部痛，血管内脱水による循環血液量減少性ショック，腹壁緊張，腸管運動低下を示すことが多い．検査所見としては，まず血中の膵酵素上昇を確認することが重要で，血中リパーゼもしくは膵型アミラーゼを測定する．また，超音波検査や腹部CTなどで膵臓が腫大して描出される（図 15-56c）．そのほかに白血球増多や低カルシウム血症などが認められ，重篤になるとDICや急性呼吸促迫症候群，急性腎不全などの所見を合併する．

【合併症】
a 膵仮性囊胞 pancreatic pseudocyst
　膵内壁に上皮が裏装していないことから"仮性"と呼ばれる囊胞である．周囲臓器（胃と横行結腸）を巻き込み，内部には消化酵素や線維素，壊死物質などを含む液体を入れている（図 15-57）．

B　慢性膵炎 chronic pancreatitis

【概念，定義】
　長期にわたる慢性炎症の結果，腺房細胞の消失と線維化をきたした状態である．

【病因】
　アルコール多飲が原因であることが多く，飲酒によって分泌される膵液のタンパク濃度上昇に基づく結石形成や腺房細胞への直接的な障害，サイトカインが腺房を障害するとされる．
　また，一部においては急性膵炎の素因同様，*PRSS1* や *SPINK1*，*CFTR* の遺伝子変異に基づく場合もある．一方で 40% 近くの症例においては，素因を認めないことがある．

【病理形態像】
　肉眼的には膵実質の萎縮と硬化を示し，石灰化や結石などを伴うことが多い．組織像は基本的に膵実質を構成する腺房と膵管の障害に，種々の組織反応からなる．①**腺房の萎縮・消失**，②**線維化**，③**膵管の不規則な拡張**，④**リンパ球を中心とする慢性炎症細胞浸潤**，⑤**膵管の**

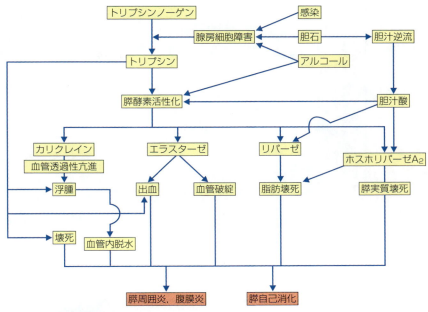

図 15-55 急性膵炎の病態

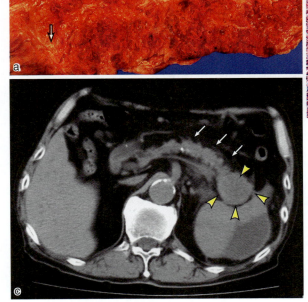

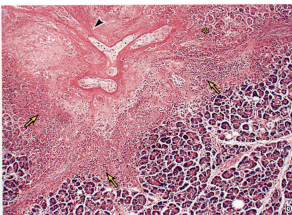

図 15-56 急性膵炎
a. 肉眼像．膵臓はびまん性に腫大し，広範な出血と脂肪織炎を伴っている．
b. 組織像．腺房の壊死（✻）と血管の破綻（▶）による出血，炎症細胞浸潤（⇨）を認める．
c. CT像．膵体部周囲の脂肪組織の混濁（⇨）を認める．膵尾部に囊胞性変化を認める．膵炎の経過中に生じた貯留囊胞である（▷）．

〔a, b の写真提供：熊谷総合病院　井村穣二先生〕

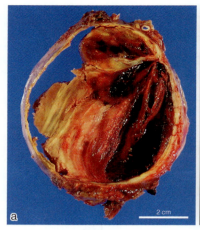
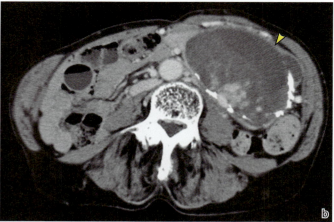

図 15-57　膵仮性囊胞
a. 肉眼像．円形の大型の囊胞を形成している．内部には古い出血を認める．
b. CT 像．膵尾部に巨大囊胞を認める（▷）．本症例では内部に出血を伴っている．

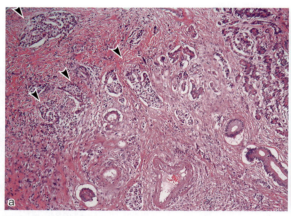
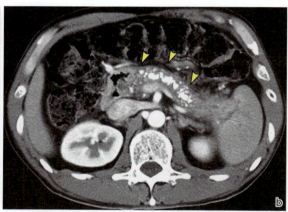

図 15-58　慢性膵炎
a. 組織像．腺房が萎縮し間質が広く線維化に置き換わっている．Langerhans 島が残存している（▶）．
b. CT 像．萎縮した膵臓と膵石（▷）．

萎縮や化生などが認められる．当初はラ島が残存しているが，次第に消失していく（図 15-58a）．

【臨床像】

反復する腹部・背部痛や胃部不快感，消化不良を呈することがあるが，多くは初期症状に乏しく，膵機能が廃絶するまで臨床症状を欠く場合もある．血中膵酵素は軽症では異常が認められないこともあり，感度は低い．膵外分泌機能の低下を示すこともある．画像検査で確認できる膵実質の石灰化と膵管の不規則な拡張が本症の有用な所見といえる（図 15-58b）．

c 自己免疫性膵炎 autoimmune pancreatitis

【概念，定義】

自己免疫的機序により発症した膵臓の慢性炎症の特殊型で，lymphoplasmacytic sclerosing pancreatitis（LPSP）と，idiopathic duct-centric pancreatitis（IDCP）の 2 つの亜型がある．前者を 1 型，後者を 2 型自己免疫性膵炎と称している．欧米では IDCP が多いとされる一方，わが国ではほとんどが LPSP である．LPSP は **IgG4 関連疾患**の膵病変とされるが，IDCP は別の病態であるといわれる．膵臓にのみ発症する場合と，全身各臓器に系統的に発症する場合がある．

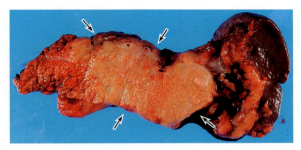

図 15-59　自己免疫性膵炎
肉眼像．体部を中心に膵全体が腫大し，境界不明瞭な腫瘤状を呈する(→)．
〔写真提供：熊谷総合病院　井村穣二先生〕

【病因】

原因は特定されておらず，遺伝的素因，補体の関与や自己免疫的な機序が考えられている．LPSP は高齢男性に多い傾向を示す．

【病理形態像】

肉眼的にはびまん性に膵実質が腫大したり，部分的に腫瘤を形成したりすることから，膵癌との鑑別が難しい場合もある（図 15-59）．
組織像は LPSP では，著明なリンパ球・形質細胞浸潤，IgG4 陽性形質細胞浸潤，高度の花筵状線維化，閉塞性静脈炎がみられることが特徴的である．一方 IDCPでは，膵管を中心に好中球が浸潤することにより生じる膵管上皮の破壊が特徴とされる．

【臨床像】

一般的には閉塞性黄疸をきたしたり，唾液腺など膵以外の臓器の病変による症状をきたしたりするが無症状の症例も多い．画像ならびに検査所見で特徴的な所見を認め，特にわが国に多い LPSP は診断基準が設けられている．重要なのが血清 IgG4 上昇と特徴的な組織学的所見であり，本疾患の確定診断のための必要条件ともなっている（表 15-8）．

D その他の膵炎

十二指腸，胆管と膵頭部に囲まれた特定の領域に発生したグルーブ膵炎，腫瘤を形成して膵癌との鑑別が必要な腫瘤形成性膵炎などがある．

表 15-8　自己免疫性膵炎臨床診断基準 2018

A. 診断項目
Ⅰ．膵腫大：びまん性腫大，限局性腫大
Ⅱ．主膵管の不整狭細像
Ⅲ．血清学的所見：高 IgG4 血症（≧135 mg/dl）
Ⅳ．病理所見
 a．以下の①〜④の所見のうち，3つ以上を認める．
 b．以下の①〜④の所見のうち，2つを認める．
 c．⑤を認める．
  ① 高度のリンパ球，形質細胞の浸潤と，線維化
  ② 強拡１視野当たり 10 個を超える IgG4 陽性形質細胞浸潤
  ③ 花筵状線維化（storiform fibrosis）
  ④ 閉塞性静脈炎（obliterative phlebitis）
  ⑤ EUS-FNA で腫瘍細胞を認めない
Ⅴ．膵外病変：硬化性胆管炎，硬化性涙腺炎・唾液腺炎，後腹膜線維症，腎病変
Ⅵ．ステロイド治療の効果

〔日本膵臓学会・厚生労働科学研究費補助金「IgG4 関連疾患の診断基準並びに治療指針の確立を目指す研究」班：報告　自己免疫性膵炎臨床診断基準 2018（自己免疫性膵炎臨床診断基準 2011 改訂版）．膵臓 33：902-913, 2018 より抜粋して転載〕

E 腫瘍

1 概論

1 疫学

わが国でも膵癌の罹患率は上昇傾向にあるが，高齢者に多く，90 歳代にピークを有する．慢性膵炎や糖尿病患者における膵癌の発生リスクは高率である．また，喫煙との関連も密接で，非喫煙者の 1.68 倍のリスクがあるとされている．また膵癌の発症には家族集積性が高いとされ，家族性腺腫症やリ-フラウメニ Li-Fraumeni 症候群に膵癌が発生する頻度が高いとされている．家系内で膵癌が多発する遺伝性膵癌症候群と呼ばれる一群も存在している．さらに最近では，常染色体顕性遺伝形式をとる家族性膵癌の家系も報告されている．

腫瘍のなかでも膵癌は 5 年生存率が約 10％と，非常に低い，予後不良な腫瘍の１つである．最近の進歩した治療をもってしても生存率に大幅な改善がみられていない．

2 分類

他臓器同様に，良・悪性腫瘍の上皮性ならびに非上皮性腫瘍がいずれも発生するが上皮性腫瘍が圧倒的に多い．また充実性とともに膵臓だけに特異的な囊胞性腫瘍も存在する（表 15-9）．

表 15-9　膵腫瘍の組織型分類

上皮性腫瘍
A. 外分泌腫瘍
　1. 漿液性腫瘍
　2. 粘液性嚢胞腫瘍
　3. 膵管内腫瘍
　　a) 膵管内乳頭粘液性腫瘍
　　b) 膵管内オンコサイト型乳頭状腫瘍
　　c) 膵管内管状乳頭腫瘍
　　d) 膵上皮内腫瘍性病変
　4. 浸潤性膵管癌
　　a) 腺癌
　　b) 腺扁平上皮癌
　　c) 粘液癌
　　d) 退形成癌
　5. 腺房細胞腫瘍
B. 神経内分泌腫瘍
　1. 神経内分泌腫瘍
　2. 神経内分泌癌
C. 混合腫瘍
D. 分化方向の不明な上皮性腫瘍
　1. 充実性偽乳頭状腫瘍
　2. 膵芽腫
E. 分類不能
F. その他
非上皮性腫瘍

〔日本膵臓学会（編）：膵癌取扱い規約　第7版増補版．金原出版，2020より転載〕

3　遺伝子異常

　膵腫瘍では他臓器の悪性腫瘍に比べて特異的な遺伝子異常がいくつか見つかっており，代表的なものとして KRAS, p16/CDKN2A, TP53, SMAD4 の4遺伝子があげられる．KRAS は最も高率（90％以上）かつ早期に特定の exon 領域（exon1，codon 12）に点突然変異を伴う．同様にがん抑制遺伝子の p16/CDKN2A も高頻度（90％以上）に不活性化されている．同じくがん抑制遺伝子である SMAD4 の変異はほかの腫瘍ではまれながら，膵癌では約半数が不活性化されている．

2　外分泌腫瘍

A　浸潤性膵管癌
invasive ductal carcinoma of pancreas

【概念，定義】
　浸潤性膵管癌は膵に発生した上皮性腫瘍のなかで最も多く8割を占めている．膵管類似の管腔形成や膵管上皮への分化を示し，多彩な組織像を示す．

【病理形態像】
　発生は膵頭部がやや多く，次に体部と尾部に腫瘍として存在する．多くは充実性だが，二次的に嚢胞を形成することもある．浸潤性発育を示すことが多いため，既存の膵実質と境界は不整・不明瞭である．内部の色調は出血や壊死を伴わない限り，灰白色～淡黄色を呈することが多い（図 15-60a）．特徴的な副所見として，腫瘍から末梢の膵管が閉塞により拡張したり，"膵硬化" と称される尾側膵の実質の萎縮と線維性組織の置換がみられたりすることが多い．腫瘍細胞は核の極性を維持しながら腺管構造を呈することが多く，また粘液を豊富に産生・分泌する像は既存の膵管上皮に類似しているが，やはり腫瘍性性格の異型像は大なり小なり認められる（図 15-60b）．間質の線維形成反応 desmoplastic reaction を呈することも膵管癌の特徴の1つである．これは腫瘍細胞の浸潤に伴う宿主反応とされ，多少なりともリンパ球などの炎症細胞とともに線維芽細胞から種々の細胞外基質が産生される結果，線維組織をつくっているとされる．組織型としては腺癌が最も頻度が高く，大小の腺管を形成しつつ浸潤する．腺腔形成の程度により高分化型，中分化型，低分化型に分けられる．

　腫瘍細胞は浸潤性発育する一方，膵管上皮を置換性に進展し主膵管に及ぶこともある．また，脈管侵襲が著しいだけでなく，神経周囲浸潤しやすい癌の1つである．さらに膵臓の周囲には数々の重要な臓器や器官（肝臓，門脈，上腸間膜動脈，腹腔神経叢）が存在し早期に浸潤，遠隔転移しやすいことから，手術が困難なことが多く，完全切除が難しい場合がある．

【臨床像】
　腹痛，食欲不振，体重減少などがあげられるが，発生初期には膵実質の破壊があっても症状をきたすことは少ない．膵頭部に発生した場合では膵癌が膵内胆管を閉塞する結果，閉塞性黄疸をきたす．腹部 CT や MRI などでは腫瘍の存在を指摘するだけではなく，末梢膵管の拡張などの随伴所見も重要になってくる（図 15-60c）．しかしある程度の大きさに発育していないと異常所見を見出すことが困難なことが多い．もう一方の診断方法として腫瘍への穿刺や膵液中に剥離した細胞をとらえる膵液細胞診も重要な診断手段である．血中の腫瘍マーカー（CA19-9，CEA）なども非侵襲性の診断手段としても有用である．

　腫瘍の進展に伴って主膵管のみならず，末梢膵管も機械的に狭窄・閉塞する結果，二次性に膵炎をきたすことがある．

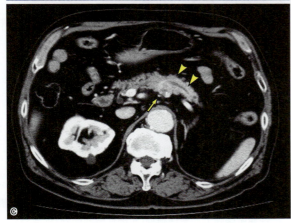
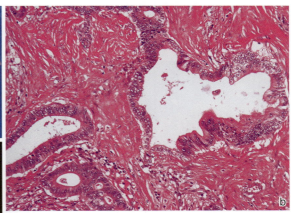

図 15-60　浸潤性膵管癌
a. 肉眼像．境界不明瞭な灰白色の結節性腫瘤を形成する(▶)．
b. 組織像．大小の不整な腺管を形成する．周囲の間質の線維形成反応が強い．
c. CT 像．主膵管近傍に境界不整な充実性腫瘤を認め(→)，膵尾側の主膵管拡張を伴っている(▶)．

【亜分類】
　そのほかに，腺扁平上皮癌，粘液癌，退形成癌が特殊型としてあげられる．

B　前がん病変

1　膵上皮内腫瘍性病変
　　　pancreatic intraepithelial neoplasia（PanIN）
　膵腫瘍も他臓器同様に後天的に種々の遺伝子異常が蓄積された結果，多段階的に腫瘍が発育進展するという，膵癌発生の 1 つのモデルが提唱されている．膵癌の前がん病変と考えられている病変は，膵上皮内腫瘍性病変（PanIN）と呼ばれ，異型の程度が上皮内癌に満たない低異型度膵上皮内腫瘍性病変（low-grade PanIN）と，上皮内癌相当の高異型度膵上皮内腫瘍性病変（high-grade PanIN）に分けられている．これらの形態的変化に伴った種々の遺伝子異常が見つかっている．

2　膵管内腫瘍 pancreatic intraductal neoplasms
a　膵管内乳頭粘液性腫瘍
　　　intraductal papillary mucinous neoplasms of pancreas
【概念，定義】
　粘液貯留による膵管拡張を特徴とする膵管上皮系腫瘍と定義され，主に膵管内で増殖・進展する．腺腫と腺癌があり，両者が混在，移行することもある．病変の発生部位から主膵管型，分枝膵管型，両方にまたがる混合型に分けられる．

【病理形態像】
　肉眼像では主膵管型も分枝膵管型も膵管内に隆起性に発育し，乳頭状，あるいは絨毛状を呈している．それに伴って膵管も拡張し内部に多量の粘液を入れている(図 15-61a)．腺腫では境界は明瞭な病変を呈するが腺癌を伴う例では膵管から膵実質への浸潤がみられ，多量の粘液によりゼラチン状を呈することが多い．
　組織像は細い血管結合組織を芯にした乳頭状発育を示し，高円柱状の腫瘍細胞は杯細胞を混在し，また豊富な粘液産生を示している(図 15-61b)．腫瘍細胞の形態とその特性から胃型，腸型，膵胆道型に分けられ，膵胆道型が最も管状腺癌の発生が多く，予後不良とされている．

【臨床像】
　高齢の男性に多い傾向を示す．大半は無症状で検診などで偶然発見されることが多い．逆行性膵管造影や腹部 CT などでは，多房性嚢胞と膵管の拡張を特徴としている(図 15-62)．内視鏡では Vater 乳頭部からの粘液の排出を観察することがある．

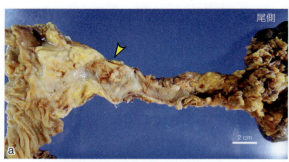

図 15-61　膵管内乳頭粘液性腺腫（主膵管型）
a. 肉眼像．主膵管内に乳頭状腫瘍（▷）を認める．尾側の膵管も著明に拡張している．
b. 組織像．円柱腺上皮が乳頭状腫瘍を形成している．

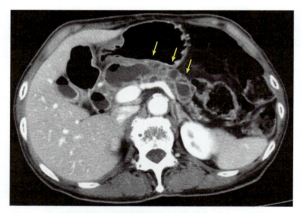

図 15-62　膵管内乳頭粘液性腺腫（分枝型）
CT像．分枝膵管の拡張と囊胞性病変の多発を認める（→）．

b　膵管内好酸性細胞型乳頭状腫瘍

拡張膵管内で好酸性の細胞質を有する腫瘍細胞が乳頭状，葉状に増生する．高異型度のものが多く，時に浸潤を伴う．

c　膵管内管状乳頭状腫瘍

立方状上皮が拡張膵管内に鋳型状にはまり込むように乳頭状に増殖する．細胞異型は強く，上皮内癌相当とみなされる．

C　囊胞性腫瘍 cystic neoplasms

膵臓にはさまざまな囊胞性疾患がみられることがあるが，その10％程度が腫瘍性病変である．多くの場合が良性腫瘍であるが一部（粘液性囊胞腫瘍）では腺腫から腺癌へ悪性転化する場合もある．

1　漿液性囊胞腫瘍 serous cystic neoplasms

【概念，定義】
　グリコーゲンに富む淡明な立方状腫瘍細胞が小囊胞を多数形成する．囊胞内には漿液を入れる．ほとんどが漿液性囊胞腺腫で，悪性腫瘍（漿液性囊胞腺癌）はきわめてまれである．
　膵囊胞性腫瘍の1/4程度を占め，中年女性の体尾部に多くみられる．

【病理形態像】
　肉眼的には，小型の囊胞からなり割面が海綿状（スポンジ状）を呈するmicrocystic typeを示すことが多いが，時に囊胞が癒合して大きくなったmacrocystic typeも認められる．充実成分には乏しい．囊胞内腔に透明で粘稠性に乏しい液体を入れている（図15-63a）．
　組織像は立方状から低円柱状でグリコーゲンが豊富で淡明な細胞質を有する腫瘍細胞が単層性に裏装している（図15-63b）．

【臨床像】
　多くは無症状であり，検診などで偶然発見されることが多い．腹部CTでは小囊胞の集簇により蜂巣状構造を呈することが特徴とされている（図15-63c）．

2　粘液性囊胞腫瘍 mucinous cystic neoplasms

【概念，定義】
　内腔に粘液を入れた囊胞性腫瘍で，腺腫と腺癌が存在し，それぞれ混在する場合もある．
　中高年の圧倒的に女性に多く，膵尾部に好発する．

【病理形態像】
　肉眼的には線維性結合組織で囲まれた比較的大型の囊

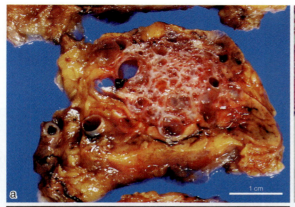
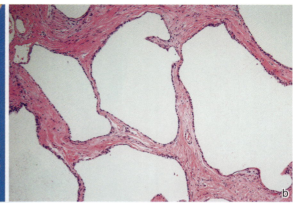
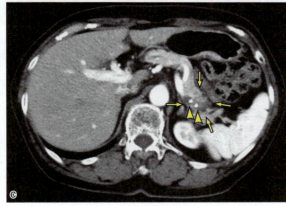

図 15-63　漿液性嚢胞腺腫
a．肉眼像．漿液性の液体が貯留した小型の嚢胞からなるスポンジ様の割面を呈する．
b．組織像．淡明な細胞質を有する小型立方状細胞で裏打ちされた嚢胞を形成する．
c．CT 像．膵体尾部に蜂の巣状の小嚢胞の集簇を認める(→)．内部に小さな石灰化を認める(▷)．

胞を形成する単房〜多房性腫瘍で，内部に粘稠な液体が貯留している（図 15-64a, b）．浸潤性の腺癌が混在する場合などでは，充実性成分も認められる．

　組織像は大小の嚢胞を形成した内壁に粘液産生の豊富な高円柱状の腫瘍細胞が裏装している．腫瘍細胞はおおむね単層性だが，多層化したり乳頭状に内腔に発育したりする場合もある．嚢胞壁には卵巣様間質 ovarian-type stroma と呼ばれる細胞密度の高い間質組織を認める．卵巣様間質は他の膵臓の嚢胞性腫瘍ではみられないことから，この腫瘍の特徴ともいわれている（図 15-64c, d）．腺腫の場合は細胞異型に乏しいものの，悪性化するにしたがって細胞異型を増し，間質への浸潤が認められる．

【臨床像】
　画像上，単房，ないしは多房性の大型の嚢胞を形成することが多く，膵実質とは境界明瞭で膵管との交通はほとんどないとされている（図 15-64e）．

D その他の腫瘍

1　腺房細胞腫瘍 acinar cell neoplasms

【概念，定義】
　腺房への分化を示す膵腫瘍の総称で，特徴的な形態を示す腫瘍細胞内にはさまざまな消化酵素を含んでいる．がんがほとんどを占める．
　膵腫瘍の 1% 未満とまれな腫瘍であり，その年齢分布は広い．

【病理形態像】
　結節ないしは分葉状を呈する比較的軟らかい淡赤色を呈する境界明瞭な充実性腫瘍で，時に出血・壊死や嚢胞を伴うことがある（図 15-65a）．
　組織像は細胞成分に富み，血管が豊富な割には間質の結合組織に乏しいことからも髄様の発育を示す．細胞配列は多彩であるが，腺房構造を示すことが特徴の 1 つである．腫瘍細胞は多くが円形で，均一な類円形核からなり，多染性顆粒状を示す細胞質内にさまざまな膵消化酵素を保有している（図 15-65b）．

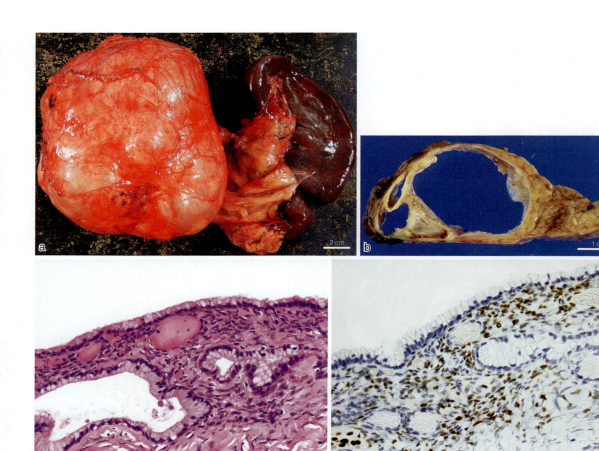

図 15-64　粘液性囊胞腺腫
a. 肉眼像．膵尾部に大型の囊胞を形成している．
b. 割面肉眼像．粘液を入れた大型の囊胞を形成している．被膜は厚い．
c. 組織像．線維性囊胞壁と単層性の高円柱腺上皮で裏打ちされた囊胞の形成を認める．囊胞壁には長楕円形の核を有する紡錘形細胞が密に増生する卵巣様間質を認める．
d. 組織像．卵巣様間質はエストロゲンレセプターを有する．
e. CT像．膵尾部に囊胞性腫瘤を認める．一見単房性に見えるが，よく見ると多房性である．辺縁にわずかな石灰化を認める(▷)．

【臨床像】
　血清AFP値の上昇が若年発症例に多く，またリパーゼの産生過多により全身の脂肪織炎をきたす腫瘍随伴症候群がみられることも特徴である．一般的に転移能が高いものの，予後は浸潤性膵管癌と比べて良好とされている（図15-65c）．

2　充実性偽乳頭状腫瘍
solid-pseudopapillary neoplasms

【概念，定義】
　腫瘍起源がいまだ同定されていない．分化方向も不明な，膵臓にのみ原発する特異な腫瘍である．
　若年女性に好発するまれな疾患である．ほとんどは無症状で経過し，検診などで偶然発見される．

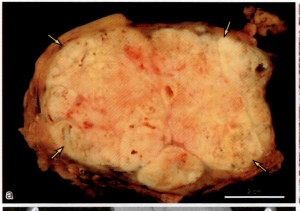
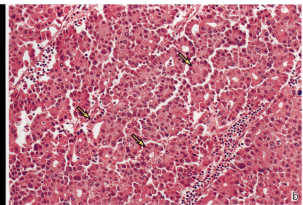
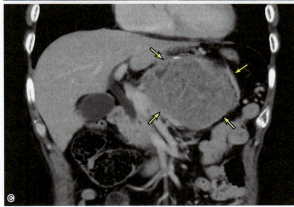

図15-65　腺房細胞癌
a. 肉眼像．中心部に出血を伴った充実性腫瘍（→）を認める．
b. 組織像．間質の結合組織に乏しい髄様の発育と腺房構造（→）を呈する腫瘍細胞を認める．
c. CT像冠状断像．内部に隔壁構造を有する充実性腫瘤（→）を認める．

〔写真提供：熊谷総合病院　井村穣二先生〕

【病理形態像】

　肉眼的には，膵臓のいずれの部位にも発生するがやや頭部に多い．境界明瞭な結節性腫瘤として存在し，内部は脆弱な充実部分と出血性壊死に陥った偽嚢胞部分が認められる．出血を伴うことが多く，偽嚢胞内には泥状物質を入れたり，被膜や隔壁内には石灰化を認めたりする（図15-66a）．

　組織像は一般的に，充実部分では腫瘍細胞がびまん性・充実性に発育しながら，他方で偽乳頭状構造を示し，狭い間質には毛細血管が発達している．腫瘍細胞は小型類円形の核と好酸性の細胞質を有する．各所で出血性壊死を伴いやすく，ヘモジデリンの析出やコレステリン結晶なども認められる（図15-66b）．腫瘍細胞はその胞体内にα_1アンチキモトリプシン陽性を示すことがあるが，そのほかの膵酵素やペプチドホルモンなどが証明されることはない．ほかの膵腫瘍では認めることが少ないβ-カテニンが核に陽性を示すことも特徴である．

【臨床像】

　腹部CTや超音波検査にて，境界明瞭な腫瘤として描出され，石灰化を伴うことがある（図15-66c）．予後は一般的に良好であるが，10年以上たって転移巣が見つかることもある．

3　膵芽腫 pancreatoblastoma

【概念，定義】

　10歳以下の小児，特に男児に発生する膵腫瘍である．さまざまな分化を示す一方，他の臓器（肝や腎）の小児腫瘍でみられるような間葉系成分への分化はまれである．まれな腫瘍だが，日本人に多いとされている．AFP産生性のことが多い．

【病理形態像】

　肉眼的には充実性・結節状腫瘤を呈することが多く，一部が壊死に陥り偽嚢胞を形成することがある．組織像は一般的に膵腺房や内分泌細胞への分化を示すだけなく，扁平上皮様構造〔扁平上皮小体 squamous corpuscle（squamoid nest）〕を形成することが特徴でもある．

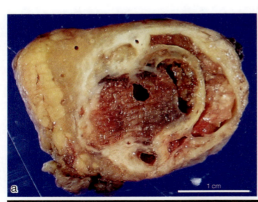
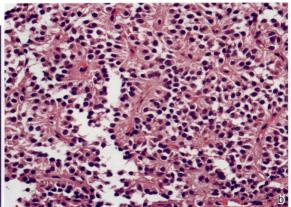
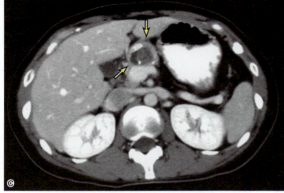

図 15-66　充実性偽乳頭状腫瘍
a. 肉眼像．内部は出血変性，壊死を伴う．周囲との境界は明瞭で厚い線維性被膜を形成している．
b. 組織像．毛細血管を中心として偽乳頭状構造を示す．毛細血管から離れた部分の腫瘍細胞は壊死に陥っている．
c. CT像．膵尾部に石灰化の目立つ境界明瞭な腫瘤を認める(→)．内部には囊胞形成を認める．

表 15-10　消化管，肝胆膵領域における神経内分泌腫瘍の分類

	分化度	悪性度	核分裂数 (/2 mm²)	Ki-67 指数
神経内分泌腫瘍（NET）				
NET G1	高分化	低	<2	<3%
NET G2		中間	2〜20	3〜20%
NET G3		高	>20	>20%
神経内分泌癌（NEC）				
NEC, 小細胞型	低分化	高	>20	>20%
NEC, 大細胞型		高	>20	>20%

③ 内分泌腫瘍

A 神経内分泌腫瘍 neuroendocrine neoplasms（NEN）

【概念，定義】

これまで膵臓の内分泌腫瘍はラ島細胞に由来するとの考え方から島細胞腫瘍と呼ばれてきた．産生ペプチドホルモンの違いにより分類され，臨床的に症候を呈するか否かで機能性と非機能性に分けられていた．一方で膵臓の内分泌腫瘍も他臓器におけるカルチノイド carcinoid tumor と同じように電子顕微鏡的には神経内分泌顆粒を有していることから，WHO はこれらを統合して神経内分泌腫瘍 neuroendocrine neoplasms（NEN）に名称を統一化し，より診断への再現性と治療に直結した分類が提唱された（表 15-10）．カルチノイドの名称は肺腫瘍において残っているが，膵臓を含めた消化器においてはこちらの命名と分類が用いられるようになった（→ 第18章「内分泌」，610頁参照）．

神経内分泌腫瘍はオルガノイド構築（索状，リボン状，ロゼット状配列）の有無により高分化型の神経内分泌腫瘍（NET）と，低分化型な神経内分泌癌 neuroendocrine carcinoma（NEC）に分類される．さらに通常の膵管癌成分に神経内分泌癌が併存する混合型腺神経内分泌腫瘍も存在する．

【病理形態像】

神経内分泌腫瘍（NET）は膵実質内に境界明瞭で淡黄色な結節を形成し，多くは単発で，時に多発の場合もある（図 15-67a）．腫瘍の大きさは 1〜2 cm 程度のことが

膵臓—E. 腫瘍 ● 533

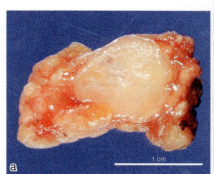
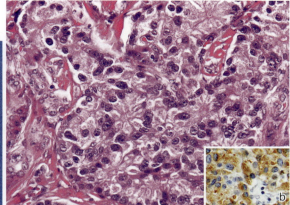
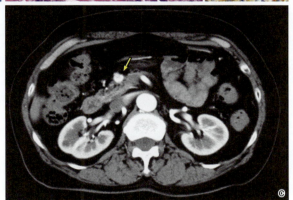

図 15-67　神経内分泌腫瘍
a. 肉眼像．境界明瞭な充実性腫瘍を認める．
b. 組織像．類円形核と弱い好酸性の細胞質をもつ小型で均一な腫瘍細胞が索状，リボン状配列，ロゼット形成を示して増殖している．本症例においてはインスリンを細胞質に認めた（挿入図）．
c. CT像．膵体部に強い造影効果を示す腫瘤を認める（➡）．

多いが，5 cm 以上を超えるような大きいものは悪性の可能性が高い．時に膵管内に発育する場合もある．
　組織像は異型に乏しい類円形の核とある程度の細胞質をもった腫瘍細胞が，**索状・リボン状・ロゼット状に配列することが特徴である**（図 15-67b）．また腫瘍細胞の増殖能の違いから，3段階のグレードに分けられている（表 15-10）．
　腫瘍細胞は細胞質内に電子顕微鏡で神経内分泌顆粒を認める．また機能性腫瘍では産生するホルモンを細胞質内に認めることがある．
　神経内分泌癌は低分化でN/C比が高く，低分化，未分化な像を示す．腫瘍細胞の増殖能は高く，充実性に増殖ししばしば腫瘍壊死を伴っている．大細胞型と小細胞型に分けられる．

【臨床像】
　非機能性腫瘍の多くは特異的な症状をきたすことが少なく，偶然発見されることがある．
　一方機能性腫瘍はその産生されるホルモン物質に依存した症状をきたすことが多く，特にインスリン産生腫瘍は1〜2 cm のごく小さい段階で発見されることもある．画像的には内分泌腫瘍はほかの膵腫瘍のなかでも豊富な血流を反映して，造影効果の顕著な例が多い（図 15-67c）．
　程度の差はあるが，NET の 55〜75％は膵外への浸潤や多臓器転移といった悪性転帰をたどると報告されている．

4 転移性膵腫瘍 metastatic neoplasms

　さまざまな他臓器悪性腫瘍が膵臓に転移するが，特に肺癌，腎癌，大腸癌で多くみられる．

5 非上皮性腫瘍 non-epithelial neoplasms

　膵臓に発生する間葉系腫瘍はきわめてまれであるが，そのなかでも悪性リンパ腫，平滑筋肉腫などがみられる．また膵周囲に発生することのある傍神経節腫 paraganglioma もあげられる．

●参考文献

[肝臓・肝外胆管および胆嚢]
1) Burt AD, et al : MacSween's Pathology of the Liver 7th ed. Churchill Livingstone Elsevier, 2018
2) 日本肝癌研究会(編)：臨床・病理 原発性肝癌取扱い規約 第6版補訂版．金原出版，2019
3) Dooley JS, et al : Sherlock's Diseases of the Liver and Biliary System 13th ed. Blackwell Scientific, London, 2018
4) 市田文弘，他：慢性肝炎の組織診断基準 新犬山分類．犬山シンポジウム 19：183-188，1996
5) Kojiro M : Pathology of Hepatocellular Carcinoma. Blackwell Publishing Ltd., 2006
6) 恩地森一：肝免疫と肝疾患．中外医学社，2008
7) 日本肝胆膵外科学会(編)：臨床・病理 胆道癌取扱い規約 第7版．金原出版，2021

[膵臓]
1) Campbell F, et al : Pathology of the Pancreas : A Practical Approach 2nd ed. Springer, 2021
2) 日本膵臓学会(編)：膵癌取扱い規約 第7版増補版．金原出版，2020
3) WHO Classification of Tumours Editorial Board : WHO Classification of Tumours, 5th edition, Digestive System Tumours. IARC press, 2019

第16章 腎

A 正常構造と機能

1 腎臓の構造(図16-1)

腎臓 kidney は長径 10〜12 cm, 線維性被膜に覆われた左右 1 対, ソラマメ形の充実性実質臓器であり, 脂肪組織に囲まれて副腎とともに腎筋膜(ゲロタ Gerota 筋膜)によって覆われている. 重量は 120〜150 g 程度である. 内側面において前方より腎静脈, 腎動脈, 尿管の順で出入りして腎門 renal hilus を形成する. 腎内に入った尿管は膨らみ, **腎盂** renal pelvis を形成する. 腎盂は**腎杯** renal calices に枝分かれし, それぞれに**腎乳頭** renal papilla が突出している. 割面では**皮質**と**髄質**とに分かれる. 皮質は尿をつくる糸球体とそれに続く尿細管よりなる. 髄質は尿細管と集合管からなるが, いくつかの円錐状の塊(腎錐体 renal pyramid)をつくり, 腎杯へとつながる. 髄質における 1 つの腎錐体と周囲の皮質を合わせて腎葉 renal lobe と呼ぶ. 腎葉の境界部において髄質に介在する皮質領域は腎柱 renal column と呼ばれる.

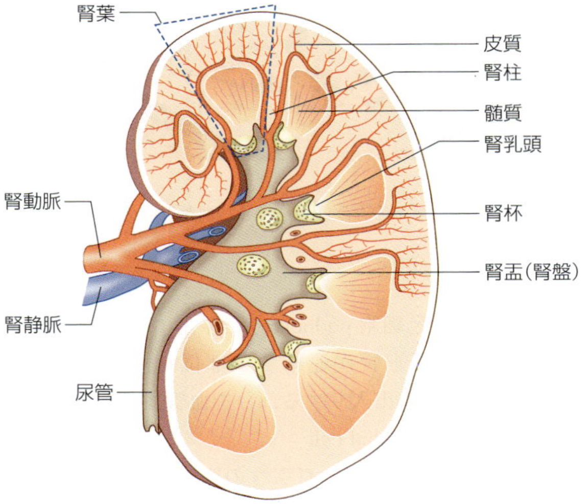

2 ネフロンの構造(図16-2)

1 つの糸球体とそれを覆う袋状のボーマン嚢 Bowman capsule を腎小体 renal corpuscle といい(図 16-3), それに続く尿細管〔近位尿細管-ヘンレ Henle ループ(ヘンレ係蹄)-遠位尿細管〕からなる腎臓の機能的単位は**ネフロン** nephron と呼ばれ, 片腎に 100 万〜150 万個存在している(図 16-2).

図 16-1 腎臓の構造, 前頭断面(背面から見る)
破線部分を拡大したものが図 16-2.

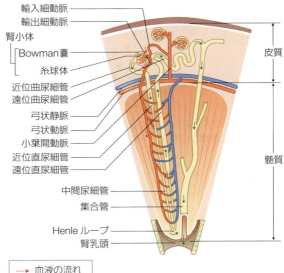

図 16-2 腎臓の組織構造, ネフロンの構造
図 16-1 の腎葉を拡大した.

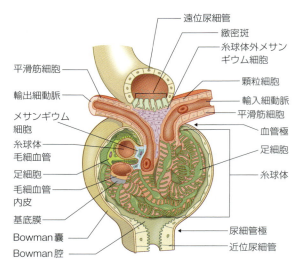

図 16-3　腎小体の構造
腎小体は糸球体を Bowman 嚢が包んだものであり，血液は濾過されて原尿となり，尿細管に運ばれる．

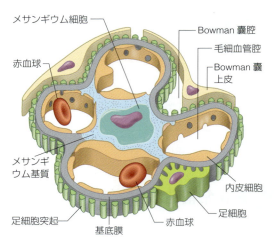

図 16-4　糸球体の構造

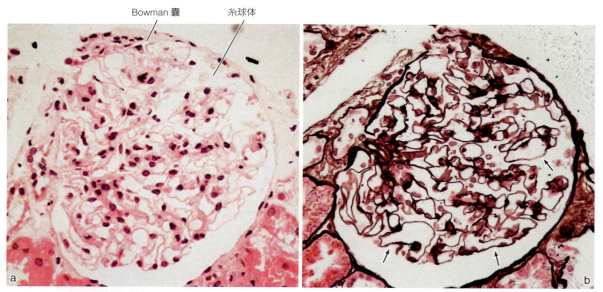

図 16-5　正常糸球体の構造
a．HE（ヘマトキシリン・エオジン）染色．b．PAM 染色．通常，学生実習時には HE 染色標本のみが使用されるが，基底膜の構造などの評価には不向きである．PAM 染色では黒く染色される基底膜の構造がはっきりと観察できる．

A 糸球体 glomerulus

　糸球体は直径およそ 150 μm，毛細血管の吻合性ネットワークからなる球状体である（図 16-3〜5）．毛細血管の内側で血管腔自体を構成する**内皮細胞** endothelial cell，毛細血管を束ねる支持細胞としての**メサンギウム細胞** mesangial cell，基底膜，基底膜の外側に**上皮細胞** epithelial cell（**足細胞** podocyte）が存在する（図 16-6）．Bowman 嚢と尿細管が連結する部位を尿細管極，輸入・輸出細動脈が出入りする部分を血管極と呼ぶ．

a 内皮細胞 endothelial cell

　血管内腔を覆う菲薄な有窓性の細胞である．径 70〜100 nm の小窓 fenestration を有し，小窓部分には隔膜をもたない．

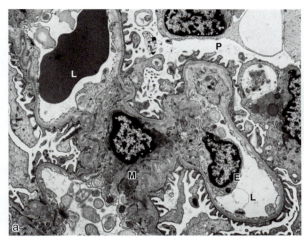
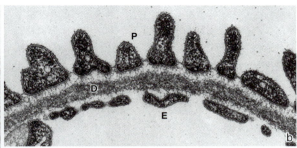

図 16-6　糸球体の電子顕微鏡像
a. 正常糸球体の構造．M：メサンギウム基質，メサンギウム細胞，E：内皮細胞，P：足細胞（上皮細胞），L：毛細血管内腔．
b. 毛細血管壁の構造．P：足細胞足突起，E：内皮細胞（小窓形成が認められる），D：基底膜緻密層（黒く染まる部分が相当する．上下に外透明層，内透明層が存在する）．

b 糸球体基底膜 glomerular basement membrane（GBM）

基底膜は糸球体構造の基本構造を取り囲むように存在する．電子顕微鏡による観察では，1層の電子密度の高い**緻密層** lamina densa，その内外に位置し，薄く電子密度が低い**内透明層** lamina rara interna，**外透明層** lamina rara externa からなる（図 16-6b）．GBM はコラーゲン，ラミニン，フィブロネクチン，多価陰性荷電物質であるプロテオグリカン，多種類の糖タンパクからなる．糸球体における濾過には，水分と小型の物質に対する高い透過性，およびアルブミン程度の大きさ（分子量約 7 万）と荷電を有する分子の非透過性という特徴が認められる．糸球体のバリア機能はタンパク分子の大きさによるバリア（サイズバリア，大きくなるほど透過性が低くなる）と荷電によるバリア（チャージバリア，陰性荷電であるほど透過性が低くなる）の総合によって決められる．

c 上皮細胞 epithelial cell

上皮細胞は糸球体基底膜の外側を覆うように存在する臓側上皮細胞（足細胞 podocyte）と，それに向かい合い Bowman 嚢内面を覆う壁側上皮細胞（Bowman 嚢上皮）からなる．臓側上皮細胞（足細胞）は足突起と呼ばれる細胞質突起を複雑に伸ばし，相互に隣接した足細胞の足突起が複雑に絡みあう構造を示す．足突起間には 20～30 nm 幅でネフリンやポドシンを主要構成成分とした薄い隔膜（スリット膜 slit membrane）を認める．スリット膜は糸球体濾過バリアの形成と選択的透過性に役割を有する．

d メサンギウム細胞 mesangial cell

メサンギウム細胞は毛細血管の間に位置して糸球体構造の支持に働いている．**メサンギウム基質** mesangial matrix に埋め込まれたように存在し，細胞境界不明瞭である．メサンギウム基質は GBM に移行し，両者を構成する物質成分は類似している．

B 尿細管 renal tubule

糸球体で濾過された血漿成分，原尿は尿細管へ運ばれ，水分の大部分やタンパク質，糖の再吸収が行われる．尿細管は近位，遠位，Henle ループ，集合管に分類される（図 16-2）．近位尿細管は刷子縁，豊富なミトコンドリア，細胞頂部の空胞を有する．Henle ループは，上皮が扁平で刷子縁がなく，細胞内小器官やミトコンドリアに乏しい．遠位尿細管は髄質に起こり，髄放線に沿って上行し，元の糸球体の血管極で糸球体メサンギウムに接して**緻密斑** macula densa を形成した後，遠位曲尿細管に移行して集合管につながる．集合管は皮質の髄放線で合流しながら髄質を下行し，腎乳頭の先端から腎杯に開口する．

C 傍糸球体装置 juxtaglomerular apparatus（JGA）

糸球体への循環血液量は尿細管中の尿量により調整されており，遠位尿細管が糸球体血管極で接合する部位にある JGA が働きを行っている．JGA は輸入・輸出細動脈，緻密斑，傍糸球体細胞，糸球体外メサンギウム細胞により構成される．緻密斑と呼ばれる特殊な尿細管上皮において尿量の減少を感受し，輸入細動脈壁に存在する特化した平滑筋細胞である傍糸球体細胞に**レニン**を分泌させる．レニンは肝臓で産生されたアンギオテンシノーゲンをアンギオテンシン I に換え，アンギオテンシン I

は肺において変換酵素によってアンギオテンシンIIとなり，これが副腎皮質からアルドステロンの分泌を促進して，遠位尿細管でのNa$^+$と水分の再吸収およびK$^+$の排出を促進する．アンギオテンシンIIは血管への直接作用も有し，血管収縮や血圧上昇を引き起こす．

D 腎の脈管

腎動脈は右が長く，下大静脈の後方を通る．左右の腎動脈は門部で分かれて区域動脈になる．区域動脈は放射状に分け入って葉間動脈になる．葉間動脈は皮質と髄質の境界部で弓状動脈となり，弓状動脈から分枝した小葉間動脈は皮質に放射状に伸び，糸球体に入る輸入細動脈になる．糸球体毛細血管網は再び1本の輸出細動脈にまとまり，尿細管周囲の尿細管周囲毛細血管となる．腎臓の血管は糸球体と尿細管周囲で2回毛細血管網を形成することになる．腎静脈は葉間，弓状，小葉間の各動脈に伴行し，動脈と同じ名称で呼ばれる．

3 機能

a 尿の産生
尿によって生体から代謝老廃物の排泄を行い，尿量を調節することによって循環血漿量を調節している．

b 血圧，水分調節
JGAから産生されるレニンが昇圧機序に重要な働きをしており，**レニン-アンギオテンシン系**と呼ばれている（→第7章「循環障害」，191頁参照）．アルドステロンの働きにより水分の調節がなされ，Na$^+$や水分の貯留によって循環血漿量が増加し，血圧上昇に働く．また，レニンによって活性化されたアンギオテンシンIIによる血管収縮によって血圧の上昇が起こる．

c 酸塩基平衡
体内における酸塩基平衡の調節には呼吸性調節と腎性調節が重要な役割を果たす．腎ではH$^+$の排泄と重炭酸塩の再吸収・産生によって調節している．

d カルシウム（Ca）代謝
ビタミンDは，皮膚でビタミンD$_3$として産生され，肝臓で第1段階，腎臓で第2段階の活性化を受けて作用を発揮する．活性型ビタミンDは，副甲状腺ホルモンparathyroid hormone（PTH）が骨に作用してCa^{2+}を血中に放出するのを助け，腸管からのCa^{2+}吸収を促進する．

e エリスロポエチン産生
皮質尿細管周囲間質細胞が骨髄における赤血球産生を刺激するエリスロポエチンを産生する．腎疾患の進行により機能が失われると腎性貧血に陥る．

f 薬物などの排泄
多くの薬剤は肝臓でグルクロン酸抱合を受けて胆汁中に排泄されるが，一部の薬剤は腎尿細管から尿中に移行して排泄される．

B 腎疾患の臨床

1 臨床所見

1 血尿 hematuria
尿中に赤血球が異常に多く混入した状態であり，腎疾患の主要症候である．通常，赤血球は糸球体からは濾過されない．肉眼でもわかるような赤色調・褐色調になる場合を**肉眼的血尿**と呼び，尿の色調に変化がなく，顕微鏡的な観察において赤血球が証明できる場合を**顕微鏡的血尿**という．血尿は糸球体腎炎など糸球体基底膜が損傷・破壊されて糸球体から赤血球が漏出する場合と，尿管や膀胱などの下部尿路の上皮の損傷，腫瘍によるびらんや潰瘍化によって起こる場合がある．糸球体からの血尿では，顕微鏡で赤血球の変形を示す場合が多く，赤血球が尿細管の形で固まって尿中にみられる赤血球円柱がしばしば認められる．

2 タンパク尿 proteinuria
血中のタンパク質は糸球体毛細血管壁の基底膜の透過性により，分子量約6.5万以下のものが糸球体で濾過され，そのうち分子量4万以下の低分子タンパクは尿細管によって再吸収される．正常糸球体毛細血管基底膜は陰性に荷電しており，低分子でも陰性に荷電しているものは糸球体で濾過されにくい．

糸球体からのタンパク濾過量が増加した場合（糸球体性タンパク尿）あるいは近位尿細管の再吸収能が低下した場合（尿細管性タンパク尿）にタンパク尿が生じる．一般にタンパク尿が高度で，尿中に変性タンパクが凝固した硝子円柱が証明され，さらに血尿を伴うときには糸球体性タンパク尿を疑う．尿中タンパク質の分子量について，アルブミンなどの低分子タンパクのみがみられる場合（選択的）と高分子タンパクもみられる場合（非選択的）があるが，後者では糸球体障害が高度であると推測される．尿細管障害がある場合は，通常近位尿細管で再吸収される低分子タンパクが尿中に出現する．再吸収が阻害

されたβ₂-microglobulin（β₂MG）が尿中に多く排泄される場合や，尿細管上皮の破壊によって尿細管上皮に発現するN-acetyl-D-glucosaminidase（NAG）が尿中に高くなる場合は，尿細管障害が疑われ，臨床検査に用いられる．

2 腎疾患の臨床分類

腎疾患の臨床像はいくつかの症候群に分類されている．それぞれの臨床症候群名と病理組織学的診断名は必ずしも1対1に対応していない．まずさまざまな腎病変が同じような臨床症状を示すことを理解する必要があり，1つの臨床症候群のなかに免疫複合体による腎病変，全身性疾患による腎病変，代謝性疾患あるいは遺伝性疾患などが混在している．

1 急性腎炎症候群 acute nephritic syndrome

肉眼的血尿，軽度～中等度のタンパク尿，高窒素血症，高血圧，浮腫（胸水や腹水），乏尿が急激に発症する．腎機能障害は一過性の場合が多い．溶連菌感染後急性糸球体腎炎が代表的である．

2 急性進行性腎炎症候群
rapidly progressive nephritic syndrome

顕微鏡的血尿，軽度～中等度のタンパク尿で発症し，急速な経過（週，月単位）で腎機能の低下がみられ，腎不全に陥る．抗好中球抗体（p-ANCA，c-ANCA），抗GBM抗体の検査が臨床診断に重要である．

3 反復性持続性血尿
recurrent or persistent hematuria

検診で偶然に顕微鏡的血尿が検出されたり，急激な肉眼的血尿を生じたりするが，通常は尿所見以外に異常はなく，高血圧や腎機能障害の症状はみられない．タンパク尿は通常軽度である．

4 慢性腎炎症候群 chronic nephritic syndrome

タンパク尿と血尿が持続し，ゆっくりと腎機能の低下が進行する．高血圧を合併する場合が多い．

5 ネフローゼ症候群 nephrotic syndrome

高度のタンパク尿（1日3.5 g/dL以上），低アルブミン血症（成人で血清総タンパク6.0 g/dL以下あるいは血清アルブミン3.0 g/dL以下），浮腫を示す症候群である．

ネフローゼ症候群の原因疾患の頻度は年齢によって異なるので，患者の年齢情報は非常に重要である．

6 腎不全 renal failure

排泄，代謝，内分泌など腎機能の障害をきたし，体液の恒常性が失われた病態が腎不全であり，急性と慢性に分類される．**糸球体濾過率** glomerular filtration rate（GFR）の低下によって血中尿素窒素とクレアチニンの値が上昇する（**高窒素血症** azotemia）．高窒素血症が進行し，全身的な臨床症状と生化学的な異常が生じた状態が**尿毒症** uremiaである．

a 急性腎不全

急激な経過で腎不全の状態となり，乏尿および無尿となる．一過性の場合も多いが，回復しない場合は死に至る．

発症機序から腎前性，腎性，腎後性に分かれる．腎前性腎不全は腎血流量の低下や虚血によりGFRの低下が生じる．心疾患などによる心拍出量の低下，大出血，敗血症などによるショック状態などの循環血漿量低下が原因となる．腎性腎不全は腎実質，糸球体，尿細管の傷害によるものである．腎後性腎不全は尿路の閉塞によるものであり，尿管の閉塞による場合は両側性に起こるものである．原因としては尿路結石，前立腺肥大，がんの浸潤などがある．

b 慢性腎不全

糖尿病や糸球体腎炎などを背景として，腎機能低下が徐々に進行し，尿毒症に至る腎障害である．糸球体硬化が多くなり，機能的ネフロンは減少し，尿細管の萎縮，尿細管周囲の慢性炎症細胞浸潤，線維化が認められる．一般に変化は不可逆的である．患者は透析治療あるいは腎移植が必要となる．

近年，慢性腎臓病 chronic kidney disease（CKD）という概念が臨床でよく使用される．CKDとは，糖尿病，慢性糸球体腎炎，加齢などにより，タンパク尿などの腎障害，腎機能の低下が長期に持続する状態である．重症度が進んだ状態は慢性腎不全となる．

C 糸球体腎炎の発症機序（図16-7）

糸球体疾患の病因と増悪因子についてはいまだ不明な点が多いが，大部分の原発性糸球体疾患と多くの二次性糸球体疾患においては免疫学的機序が関連している．ある種の抗体を実験動物に投与することによってヒトと類

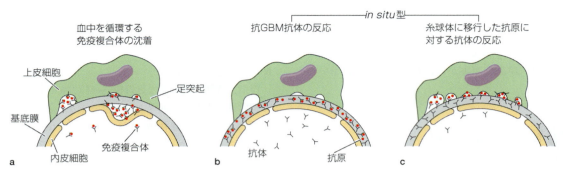

図 16-7　糸球体腎炎の発症機序
a. 血中を循環する免疫複合体の沈着．ループス腎炎が代表であるが，蛍光抗体法ではメサンギウム領域，毛細血管壁内皮下，上皮下に顆粒状の陽性所見を認める．
b. 糸球体に局在する内在性抗原に対する抗体産生．抗 GBM 抗体による腎障害（抗 GBM 抗体症候群，Goodpasture 症候群）の場合は蛍光抗体法で線状パターンの陽性像を示す．
c. 糸球体に移行した分子を抗原とした抗体の in situ での反応．膜性腎症が代表であるが，毛細血管壁上皮下に移行した分子に対して in situ に抗体が反応し，免疫複合体を形成して糸球体に傷害を及ぼす．蛍光抗体法では毛細血管壁に顆粒状の陽性像を認める．

似の糸球体腎炎を引き起こすことができ，糸球体腎炎の患者ではさまざまな免疫グロブリンや補体を含んだ沈着物を組織に認める．

1 ● 血中を循環する免疫複合体の沈着

血中において抗原過剰状態で抗体と反応して可溶性抗原免疫複合体を形成し，糸球体に沈着して傷害を引き起こす．Ⅲ型アレルギー反応に相当する．抗原の由来は全身性エリテマトーデスに合併した腎炎のように内在性（抗核抗体，抗 DNA 抗体）のこともあれば，細菌やウイルス感染後に生じる糸球体腎炎のように外因性の場合もある．可溶性抗原免疫複合体は糸球体に捕捉された後，局所での補体の活性化や白血球の遊走を引き起こして傷害をきたす．電子顕微鏡による観察により，免疫複合体の沈着は，メサンギウム，内皮細胞と GBM の間（内皮下沈着），GBM と上皮細胞（足細胞）との間（上皮下沈着）に認められる．

2 ● 糸球体に局在する内在性抗原に対する抗体産生

抗 GBM 抗体による糸球体腎炎の発症機構が最もよく知られている．実験的にはげっ歯類での腎毒性血清腎炎モデルがある．ヒトでは，抗体ははじめに感染した細菌の菌体成分などに対して惹起され，生じた抗体の交差反応の結果として GBM と反応して組織傷害を起こす．時に抗 GBM 抗体は肺胞基底膜にも交差反応を示し，肺出血などを引き起こす（グッドパスチャー Goodpasture 症候群）（→第 12 章「呼吸器」，384 頁参照）．

3 ● 糸球体に移行した分子を抗原とする抗体が in situ で反応した免疫複合体による傷害

電荷の関係や基底膜成分との親和性などの機序により，糸球体に血中タンパクが吸着・移行し，そこに血中の抗体が作用して病変局所で免疫複合体が形成され，補体の活性化を介して組織傷害を引き起こす．膜性腎症が代表的疾患である．免疫複合体が糸球体のどの部分に沈着するかは抗原，抗体，補体の荷電，分子量，糸球体の荷電，血行動態，メサンギウム細胞の機能などによって修飾される．免疫複合体の沈着が GBM の血管側（内皮下）に沈着した場合は白血球の浸潤や反応を引き起こしやすい．一方，GBM の外側（上皮下）に沈着した場合は炎症反応が乏しいことが多い．

4 ● 抗好中球抗体 ANCA による糸球体基底膜傷害

ANCA 関連血管炎 ANCA-associated vasculitis においては，抗好中球抗体（好中球ミエロペルオキシダーゼに対する自己抗体で，核周囲に抗原が局在する p-ANCA と，プロテイナーゼ 3 に対する自己抗体で，細胞質に抗原が局在する c-ANCA の作用により，好中球の活性化やサイトカイン産生の亢進が起こり，糸球体および血管壁の傷害が生じる．

D. 腎生検による糸球体疾患の診断，所見の取り方

A 腎生検

　身体症状，尿所見，血液検査所見などから臨床症候群の分類はなされるが，さらに詳細な腎疾患の診断や病因を確定することはできない．疾患名が正しく診断され，治療方針の決定や予後を知るためには腎生検による病理診断が必要である．腎生検は比較的簡便な針生検によって行われるのが一般的であるが，出血などの合併症が生じるリスクがあり，慎重に行う必要がある．

1 ● 光学顕微鏡観察

　病変の主座を明らかにし，糸球体病変の病型が分類され，病理診断の根幹となる．糸球体毛細血管壁，基底膜の構造変化，マトリックスの異常，沈着物の観察を行うためには一般的なヘマトキシリン・エオジン hematoxylin-eosin（HE）染色のみでは不十分であり，periodic acid-Schiff（PAS）染色，periodic acid methenamine-silver（PAM）染色などが必要になる（図16-5）．

2 ● 蛍光抗体法

　病因として免疫学的機序や免疫複合体の沈着が関与するか否か調べることができる．蛍光色素で標識した抗体を利用して，免疫複合体を構成する免疫グロブリンや補体の種類を検出し，免疫複合体の構成成分・分布・沈着パターンを観察する．顆粒状陽性像を示す場合はメサンギウムに分布する場合，毛細血管壁（上皮下あるいは内皮下）に分布する場合，両方に分布する場合がある．

3 ● 電子顕微鏡検査

　電子顕微鏡検査によって免疫複合体の沈着の有無やその部位を確認することは重要であり，電子顕微鏡観察によらなければわからない所見，診断できない疾患もある．

B 糸球体疾患における病理所見

　糸球体疾患は光学顕微鏡による形態変化によって主に分類されるが，診断には種々の病理所見を正確にとる必要があり，病変の定義と特殊な用語の理解が必要になる．これまでWHO分類，ループス腎炎の新分類，IgA

全体として　　　　　　　1つの糸球体として

50%≦　びまん性 diffuse　　　　50%≦　球状（全節性）global

<50%　巣状 focal　　　　　　<50%　分節性 segmental

図 16-8　糸球体病変分布に関する定義
50%を境目として，50%以上か50%未満かで区別している．

腎症に関するオックスフォード分類が作られる過程で病変の定義も整理されてきた．

Advanced Studies

1 ● 腎病理用語の解説

　下記のうち，e〜g, h（細胞性半月体，線維細胞性半月体），iは活動性糸球体病変，h（細胞性半月体），j〜nは慢性糸球体病変と考えられている．

a びまん性 diffuse
　50%以上の糸球体に変化を認める（図16-8）．

b 巣状 focal
　50%未満の糸球体に変化を認める．

c 球状（全節性）global
　1つの糸球体の50%以上を巻き込む変化を認める．

d 分節性 segmental
　1つの糸球体の50%未満を巻き込む変化を認める．

e メサンギウム細胞増殖 mesangial hypercellularity/proliferation
　1つのメサンギウム領域に4個以上メサンギウム細胞がみられる．

f 管内細胞増殖 endocapillary hypercellularity
　糸球体毛細血管内腔に細胞が増加し，内腔の狭小化を引き起こしている状態．増殖している細胞は内皮細胞，あるいは好中球や単球・マクロファージなどの炎症細胞による．

g 係蹄壊死 tuft necrosis
　フィブリンの滲出や核破砕を伴って毛細血管壁基底膜が断裂・崩壊している状態．

h 半月体形成，管外増殖性病変
　crescent formation, extracapillary proliferation

【細胞性半月体 cellular crescent】
　3層以上のBowman囊上皮，炎症細胞の増殖が糸球体円周の10%以上にみられ，病変の成分として細胞が基質よりも多く50%を超えるもの．

【線維細胞性半月体 fibrocellular crescent】
　Bowman囊内において細胞と基質の組み合わさった増殖（細胞が50%以下，基質は90%以下）が糸球体を覆う変化．

【線維性半月体 fibrous crescent】
　Bowman囊内において円周の10%以上の範囲に90%以上が線維成分からなるものが虚脱した糸球体を覆う変化．

i 核崩壊 karyorrhexis
　アポトーシス・濃縮・断片化した核の所見．

j 硝子化 hyalinosis
　細胞成分のない無構造な糖タンパクや脂質の沈着．PAS染色で濃染する．

表16-1 原発性糸球体病変のWHO分類

A. 微小糸球体変化 minor glomerular abnormalities
B. 巣状分節性病変 focal/segmental lesions
C. びまん性糸球体腎炎 diffuse glomerulonephritis
　1) 膜性腎炎(症) membranous glomerulonephritis (membranous nephropathy)
　2) 増殖性糸球体腎炎 proliferative glomerulonephritis
　　メサンギウム増殖性糸球体腎炎 mesangial proliferative glomerulonephritis
　　管内増殖性糸球体腎炎 endocapillary proliferative glomerulonephritis
　　膜性増殖性糸球体腎炎(1型、3型) mesangiocapillary (membranoproliferative) glomerulonephritis, type 1 and 3
　　壊死性半月体形成性(管外性)糸球体腎炎 necrotizing crescentic (extracapillary) glomerulonephritis
　　硬化性糸球体腎炎 sclerosing glomerulonephritis

表16-3 原発性糸球体病変の形態パターンによる分類方法

基底膜肥厚	細胞増殖		疾患名
なし	なし		微小糸球体変化
なし	あり	管内増殖(血管内皮細胞、炎症細胞浸潤)	管内増殖性糸球体腎炎
		メサンギウム増殖(メサンギウム細胞・基質)	メサンギウム増殖性糸球体腎炎
		管外増殖(半月体形成、Bowman嚢上皮細胞)	壊死性半月体形成性糸球体腎炎
あり(spike形成、上皮下沈着)	なし		膜性腎炎(症)
あり(基底膜の二重化、内皮下沈着)	あり	メサンギウム増殖あるいは管内増殖	膜性増殖性糸球体腎炎

その他、巣状分節性病変、硬化性糸球体腎炎がある。

k 硬化 sclerosis
増加した細胞外基質により、毛細血管腔が閉塞、基底膜が凝集し、線維性物質が増加した状態。糸球体全体が硬化する場合は、全節性硬化 global sclerosis と部分的な硬化の分節状硬化 segmental sclerosis がある。

l メサンギウム基質増生 increased mesangial matrix
メサンギウム領域における細胞外マトリックスの増加である。

m 糸球体虚脱 collapsed glomeruli
糸球体毛細血管腔がつぶれ、基底膜の肥厚・蛇行が認められる。しばしばBowman嚢周囲の線維化を伴う。

n 癒着 adhesion
糸球体毛細血管とBowman嚢の間の連続した領域を指す。

表16-2 二次性糸球体疾患の分類(WHO分類を改変)

系統的疾患の糸球体腎炎
A. ループス腎炎
B. IgA腎症
C. 紫斑病性腎症
D. 抗基底膜糸球体腎炎、Goodpasture症候群
E. 系統的感染症による糸球体障害
　　敗血症、感染性心内膜炎、B・C型肝炎、寄生虫疾患など

血管性疾患の糸球体疾患
A. 系統的血管炎、ANCA関連血管炎など
B. 血栓性微小血管症(溶血性尿毒症症候群、血栓性血小板減少性紫斑病など)
C. 糸球体血栓症(DIC)
D. 良性腎硬化症
E. 悪性腎硬化症
F. 強皮症

代謝性疾患による糸球体疾患
A. 糖尿病性腎症
B. dense deposit disease
C. アミロイドーシス
D. 単クローン性免疫グロブリン沈着症
E. クリオグロブリン血症 など

遺伝性腎症
A. アルポートAlport症候群
B. 希薄基底膜症候群、良性反復性血尿
C. ファブリFabry病 など

その他の糸球体疾患
A. 妊娠高血圧症候群腎症
B. 放射線腎症

〔Churg J, et al(eds): Renal Disease. Classification and Atlas of Glomerular Disease 2nd ed. Igaku-Shoin Medical Pub, 1995 より〕

E 原発性糸球体病変

糸球体病変の分類についてはWHOによる分類が一般的である(表16-1, 2)。WHO分類の特徴は糸球体だけに病変が限局する糸球体疾患と、全身性および系統的な疾患に伴って生じるものを分けて取り扱っている点である。前者を原発性糸球体病変、後者を二次性糸球体病変としており、後者には系統的疾患における糸球体腎炎、血管性疾患における糸球体病変、代謝性疾患における糸球体病変、遺伝性腎症などが含まれている。原発性糸球体病変の分類は糸球体疾患を理解するうえで非常に重要であるが、あくまで病理形態像による分類(病理学的な病型分類)であり、それぞれが病因の違い、臨床的疾患名と1対1に対応するわけではない(表16-3)。本章ではWHO分類による病型分類とそれぞれに含まれる疾患の解説を並行して取り扱う。なお、IgA腎症はWHOでは二次性に分類されているが、原発性に分類すべきとする考えもある。

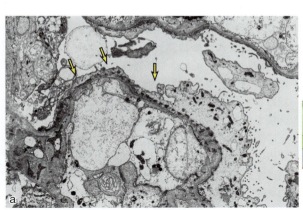
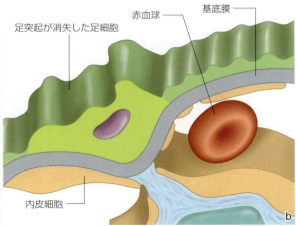

図 16-9 微小変化型ネフローゼ症候群
a. 微小変化群の電子顕微鏡像．足細胞突起は消失し，互いに融合したようにみえる(→)．
b. 微小変化群の電子顕微鏡像模式図．免疫複合体の沈着は認めず，足細胞突起の消失を示す．

1 ● 微小糸球体変化 minor glomerular abnormalities, 微小変化型ネフローゼ症候群 minimal change nephrotic syndrome(MCNS), 微小変化群 minimal change disease (MCD)

【概念，定義】

　糸球体の光学顕微鏡レベルの形態変化がほとんどないものである．WHO 分類がさす微小糸球体変化は疾患名としての**微小変化型ネフローゼ症候群**を念頭においたものであるが，あくまで形態学的な分類であるので他の糸球体腎炎の初期像や軽症例が含まれる．

　以下，糸球体に光学顕微鏡レベルの形態変化がほとんど認められないネフローゼ症候群と微小変化型ネフローゼ症候群について解説する．

【臨床像】

　リポイドネフローゼ lipoid nephrosis とも呼ばれる．いずれの年齢層にも起こるが，小児の頻度が高く，特に 1〜5 歳の男児に多く発症し，小児ネフローゼ症候群の 80％ を占める．成人ではネフローゼ症候群に占める割合は低くなる．ネフローゼ症候群として急激に発症し，多量のタンパク尿とともに浮腫が認められる．タンパク尿は低分子タンパクであるアルブミンを主体とするものである(**選択性タンパク尿**)．90％ 以上の症例ではステロイドによく反応するが，再発を繰り返す場合がある．時に急性腎不全を合併する．

【病理形態像】

　光学顕微鏡的には正常にみえる．蛍光抗体法で免疫グロブリンや補体の沈着はみられない．電子顕微鏡的に上皮細胞の**足突起の消失** foot process effacement が広範に

みられる(図 16-9)．ステロイド治療の奏効により足突起は再びみられるようになる．上皮細胞には多数の微絨毛形成や空胞化を認める．通常，基底膜には変化はない．近位尿細管上皮細胞にタンパク小滴(硝子滴変性)や脂肪がみられることがあるが，糸球体から濾過されたリポタンパクを尿細管上皮が再吸収したことによる変化である．急性腎不全合併例では尿細管上皮の変性・再生と間質の浮腫を認める．ステロイド抵抗性のネフローゼ症候群については巣状分節状糸球体硬化症の可能性を考慮する必要がある．

2 ● 巣状分節性病変 focal segmental lesions, 巣状分節性糸球体硬化症 focal segmental glomerulosclerosis(FSGS)

【概念，定義】

　一部(巣状 focal)の糸球体の，一部(分節性 segmental)の毛細血管に硬化を認める疾患であり，他の糸球体は正常の形態を示す．小児では大量のタンパク尿でネフローゼ症候群を伴う場合が多いが，成人ではネフローゼ症候群を示さず，通常のタンパク尿や血尿，高血圧を示すこともある．原因を特定できない特発性疾患として発生する場合と，既知の原因に関連して発生する二次性の場合がある．家族性(遺伝子変異によるもの)，ウイルス感染(HIV-1 など)，薬剤(リチウムやヘロイン中毒など)に関連したもの，機能的ネフロンの減少に伴う過剰濾過が関連したもの，肥満や高血圧などの全身性疾患に関連したものなどがある．

　病因は不明であるが，特発性 FSGS の場合は足細胞の

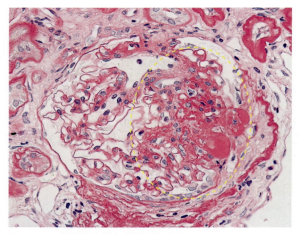

図 16-10 巣状分節状糸球体硬化症(FSGS)
ネフローゼ症候群を呈した症例．3〜4時方向において分節状に毛細血管壁はつぶれ(虚脱)を示し(点線)，Bowman嚢との癒着や好酸性滲出物(ピンク色に染色)の沈着を示す．

傷害が重要と考えられている．腎移植後に再発しやすいことが知られているが，血中の何らかのメディエータが足突起の傷害に関与している可能性がある．

【臨床像】
　特発性 FSGS はネフローゼ症候群全体において小児で10％，成人で30％を占める．ステロイド抵抗性および進行性のネフローゼ症候群の中に含まれ，臨床経過が異なる微小変化群との鑑別が重要である．微小変化群とは異なり，血尿や高血圧を合併することが多く，タンパク尿は非選択性である．適切な治療が施されないと徐々に腎機能が低下し，FSGS 症例の50％は10年以内に腎不全となる．成人では小児に比べて腎不全になる危険性が高い．

【病理形態像】
　髄質に近い糸球体を主体にして，巣状および分節状にメサンギウム基質の増加と毛細血管の閉塞・虚脱，毛細血管内に硝子様の好酸性滲出物の沈着が認められ，進行すると周囲に線維化が認められる(図 16-10)．硬化病変には上皮細胞，メサンギウム細胞，内皮細胞の増多，泡沫細胞の浸潤を伴う場合が多い．硬化した糸球体以外にはほとんど異常はない．病変の進行とともに硬化した糸球体は髄質近くから皮質全体へと進行する．蛍光抗体法で免疫グロブリンや補体の沈着はみられない．電子顕微鏡では，微小変化群と同様に上皮細胞の足突起の消失が認められる．

3 膜性腎症 membranous nephropathy

【概念，定義】
　びまん性および糸球体全体(全節性)に変化がみられる腎炎を**びまん性糸球体腎炎** diffuse glomerulonephritis (GN)というが，毛細血管基底膜に肥厚を認める場合，細胞(メサンギウム細胞，内皮細胞，上皮細胞)の増殖を認める場合，両方とも認められる場合に分けて考えると分類を理解しやすい(表 16-3)．膜性腎症はびまん性・全節性に糸球体毛細血管壁上皮下に免疫複合体の沈着が認められ，毛細血管壁が肥厚する疾患である．基底膜の透過性が亢進し，ネフローゼ症候群を呈する．特発性と二次性があるが，特発性は糸球体内局所で内在性抗原と反応，あるいは糸球体に取り込まれた抗原と反応して免疫複合体が形成される．原因抗原については不明な点も多いが，最近足細胞の細胞膜表面に存在する phospholipase A2 receptor (PLA2R)，thrombospondin type 1 domain-containing 7A (THSD7A) が注目されている．

【臨床像】
　30〜50歳代の中年に緩徐なネフローゼ症候群として発症する場合が多い．成人ではネフローゼ症候群の20〜30％を占め，男性のほうが頻度は高い．原因不明の特発性は膜性腎症全体の70〜80％を占めるが，二次性としては膠原病やB型肝炎に合併するもの，抗リウマチ薬のブシラミンや金製剤の合併症として発症するものがある．また，悪性腫瘍〔リンパ腫(悪性リンパ腫)，癌腫など〕に合併することがあり，特に高齢者では注意が必要である．発症は潜行性ではっきりとした症状のない非症候性タンパク尿の時期を経て，ネフローゼ症候群に移行することが多く，非選択性タンパク尿を示す．10〜20％に軽度の血尿を伴う．ステロイドには抵抗性の場合が多いが，腎機能は比較的よく保たれ，10年後に10％の症例が慢性腎不全や透析治療に移行する．

【病理形態像】
　初期では，糸球体は正常にみえ，蛍光抗体法でIgG沈着が証明されてはじめて診断できる場合がある．毛細血管内腔が円形に拡張している場合が多い．進行するとすべての糸球体で毛細血管壁の肥厚がみられる(図 16-11a)．初期では蛍光抗体法によって毛細血管壁へのIgGの顆粒状沈着としてとらえられる．通常は炎症反応はほとんど認められない．蛍光抗体法ではIgGとC3が係蹄壁に沿ってびまん性・全節性・顆粒状に陽性を示す(図 16-11b)．特発性ではIgGのサブクラスがIgG4優位を示す．進行すると基底膜基質が棘状，突起ができたように沈着物を囲むように外側に伸び出し，PAM染色

E. 原発性糸球体病変 ● 545

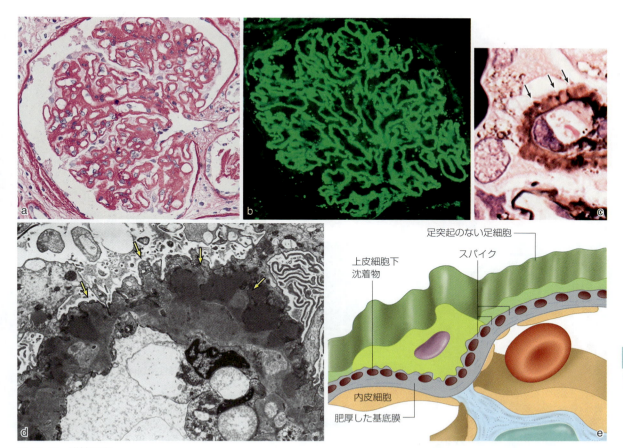

図 16-11　膜性腎症
a. 糸球体変化．PAS 染色．毛細血管壁のびまん性肥厚が認められる．毛細血管の内腔は円形で明瞭である．メサンギウム領域の拡大や細胞の増加は認められない．
b. 蛍光抗体法 IgG 染色．毛細血管壁に沿って微細顆粒状に陽性像が認められる．
c. スパイク spike 形成．PAM 染色．基底膜は肥厚し，外側（Bowman 嚢内腔側）に向けて微細な棘状変化（→）が認められる．
d. 電子顕微鏡像．電子密度が高い（黒く染まる）沈着物が毛細血管の上皮下（足細胞と基底膜の間）に認められる．沈着物の間では基底膜が上皮側に棘状に伸び出しており，スパイク形成に相当する（→）．
e. 電子顕微鏡像模式図．上皮下への免疫複合体の沈着，スパイク形成（沈着物の間の基底膜部分が相当する），足細胞の突起の消失を示している．

でよく染色され，"スパイク spike" と呼ばれる（図 16-11c）．電子顕微鏡では，基底膜の肥厚は上皮下沈着物によるものであり，沈着物の間には基底膜のスパイク状突起が伸び出している（図 16-11d, e）．時間が経過すると取り込まれた沈着物は分解され，最終的には肥厚した基底膜内に空隙を残して消失する．

4 ● メサンギウム増殖性腎炎
　　　mesangial proliferative GN
　びまん性のメサンギウム細胞と基質の増殖を特徴とする腎炎であるが，わが国ではこの形態を示す腎炎の多くは二次性糸球体病変の IgA 腎症である．その他，紫斑病性腎炎，急性腎炎の回復期，ループス腎炎の一部が含まれるが，個々の疾患については二次性糸球体病変のなかで後述する．原発性糸球体腎炎としてのメサンギウム増殖性腎炎が独立して存在するかについては議論があり，他疾患に確定できなかった症例がゴミ箱的に入れられることがある．

5 ● 管内増殖性糸球体腎炎
　　　endocapillary proliferative GN
【概念，定義】
　びまん性に糸球体係蹄壁内腔に細胞の増加が認められ，糸球体は腫大を示す．毛細血管内腔は腫大した内皮

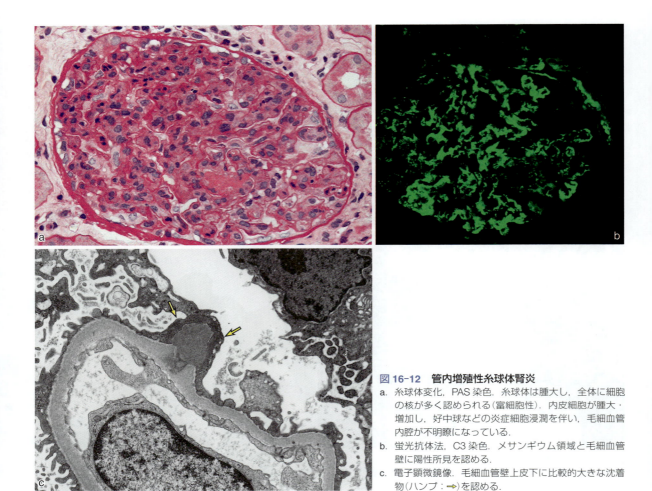

図 16-12 管内増殖性糸球体腎炎
a. 糸球体変化．PAS 染色．糸球体は腫大し，全体に細胞の核が多く認められる（富細胞性）．内皮細胞が腫大・増加し，好中球などの炎症細胞浸潤を伴い，毛細血管内腔が不明瞭になっている．
b. 蛍光抗体法．C3 染色．メサンギウム領域と毛細血管壁に陽性所見を認める．
c. 電子顕微鏡像．毛細血管壁上皮下に比較的大きな沈着物（ハンプ：➡）を認める．

細胞により狭小化を示し，炎症細胞浸潤が認められる．臨床的には急性腎炎と呼ばれ，**溶血性連鎖球菌感染後急性腎炎** post streptococcal acute GN（PSAGN）が代表的疾患として含まれる．黄色ブドウ球菌感染でも同様の組織像を示す場合がある．本項では PSAGN について記述する．

【臨床像】
　扁桃炎などの上気道感染の 1〜3 週間後に急性腎炎症候群の形で発症する．乏尿，浮腫，高血圧とともに血尿やタンパク尿が認められる．C3 など血清補体価の低下を認めることが多い．A 群 β 溶連菌感染に続くことが多く，抗ストレプトリジン O 抗体（ASO）が高値を示す．臨床的に症状は一過性であり，小児では 90% 以上，成人でも 80% 以上が自然に回復する．遷延化する例では，膜性増殖性糸球体腎炎の急性期との鑑別が問題となる．

【病理形態像】
　糸球体はびまん性に腫大し，Bowman 腔内に充満している．糸球体内の細胞増加が著しく，増加の主体は内皮細胞あるいはメサンギウム細胞や炎症細胞であり，内皮細胞の腫大と増殖により毛細血管内腔は狭小化し，好中球あるいは単球の浸潤が認められる（図 16-12a）．蛍光抗体法では毛細血管壁に沿って，あるいはメサンギウムに C3 の顆粒状沈着が認められ，一部に IgG などの免疫グロブリンの沈着を伴う（図 16-12b）．電子顕微鏡的には毛細血管壁の上皮下に**ハンプ** hump と呼ばれる特徴的な瘤状の大きな免疫複合体沈着物がみられる（図 16-12c）．

6 膜性増殖性糸球体腎炎 membranoproliferative GN （MPGN），メサンギウム毛細血管性糸球体腎炎 mesangiocapillary GN

【概念，定義】

びまん性の毛細血管壁の肥厚とメサンギウム細胞の増殖，メサンギウム基質の増加が特徴であり，メサンギウム領域，毛細血管壁内皮下，あるいは上皮下に免疫複合体の沈着がみられる腎炎である．毛細血管壁の肥厚は内皮下への免疫複合体の沈着とメサンギウム細胞とメサンギウム基質の間入によるものであり，PAM染色では特徴的な基底膜の二重化の形でとらえられる．小児では原発性MPGNの頻度が高く，原因となる抗原は同定されていないが，成人ではB・C型ウイルス肝炎，クリオグロブリン血症，全身性エリテマトーデス，慢性細菌感染症などに伴って起こる二次性MPGNの頻度が高い．近年，C3が優位に沈着する糸球体腎炎がC3腎症 C3 glomerulopathy として認知されるようになった．MPGNの組織像を示し，先天的あるいは後天的な補体活性化異常が病因として考えられている．従来MPGNに含まれていた dense deposit disease は，現在WHO分類では全く異なる疾患として二次性，代謝性腎疾患のなかに分類されており，抗体を介さない補体系の過剰な活性化が発症メカニズムに関与しているが，C3腎症の亜型としてとらえることができる．

【臨床像】

慢性進行性の腎炎で，どの年齢にも起こりうるが，原発性のものは年長小児あるいは青年期に比較的多い．徐々に発症してネフローゼ症候群で発症することが多いが（50％），急性腎炎症候群あるいは慢性腎炎症候群の形をとることもある．小児と成人ともにネフローゼ症候群の10％を占める．血清補体価（特にC3）の低下が特徴的である．小児ではステロイドに反応して寛解を認めるものがあるが，成人ではステロイド抵抗性で，増悪と寛解が繰り返され，徐々に腎機能低下をきたし，5〜10年で腎不全に陥る．

【病理形態像】

びまん性にメサンギウム基質やメサンギウム細胞あるいは内皮細胞の著しい増生，白血球の浸潤がみられ，そのために糸球体は腫大し，分葉状となる（図16-13a）．増生したメサンギウム基質とメサンギウム細胞は毛細血管係蹄壁の内皮下へ侵入して伸び出すが，これは"メサンギウム間入 mesangial interposition"と呼ばれている．毛細血管壁は肥厚し，基底膜は間入したメサンギウム細胞の内側に新生された基底膜により二重化を示す．PAM染色で明瞭に二重化基底膜が染め出され，"double contour"あるいは電車の軌道状"tram track"と呼ばれる（図16-13b）．蛍光抗体法では，メサンギウム領域と係蹄壁に沿ってC3の顆粒状沈着があり，IgGとIgMの軽度沈着を伴うこともある（図16-13c）．C3のみが陽性の場合はC3腎症を示唆する．電子顕微鏡では，毛細血管壁内皮下への免疫複合体の沈着や mesangial interposition を認めるが，上皮下沈着物も認める場合がある（図16-13d, e）．

7 半月体形成性糸球体腎炎 crescentic GN，管外増殖性糸球体腎炎 extracapillary proliferative GN

【概念，定義】

観察される糸球体の多くに半月体の形成がみられる腎炎である．毛細血管壁の壊死もしばしば観察され，壊死性半月体形成性糸球体腎炎とも呼ばれる．臨床的には，数週間から数か月の単位で不可逆性の腎不全に進行する急性進行性腎炎症候群に相当する．抗GBM抗体によるもの（抗GBM病，Goodpasture症候群），免疫複合体によるもの（ループス腎炎，IgA腎症，紫斑病性腎炎など），乏免疫複合体性で系統的血管炎（顕微鏡的多発動脈炎，多発血管炎性肉芽腫症など）によるものがある．血管炎によるものでは多くに抗好中球細胞質抗体 antineutrophil cytoplasmic antibody（ANCA）が陽性を示す．

【臨床像】

中年〜老年期の男性に多い．潜行性あるいは急性腎炎症候群様に発症し，急速に乏尿と高窒素血症が進行し，腎不全に至る．腎不全までの期間が短く，適切な治療が行われないと予後は不良である．

Goodpasture症候群はいわゆる肺腎症候群で，血痰などの呼吸器症状の後，血尿やタンパク尿に高窒素血症を伴い，急性進行性腎炎症候群の形をとる．血中に糸球体毛細血管基底膜に対する自己抗体（抗GBM抗体）が認められる．肺胞の毛細血管基底膜と糸球体毛細血管基底膜が共通の抗原性をもつため，産生された抗基底膜抗体が肺胞と糸球体の両方を傷害して発症する．抗GBM抗体とANCAの両方が陽性になる例もある．

【病理形態像】

多くのBowman囊内において，発症初期にはBowman囊上皮細胞の増殖，単球・マクロファージの浸潤による細胞性半月体の形成がみられ（図16-14a），時間の経過により線維で置換され，線維細胞性半月体および線維性半月体に移行する（図16-14b）．糸球体は分節状に毛細血管壁の壊死と基底膜の破綻がみられ，周囲に線維素の

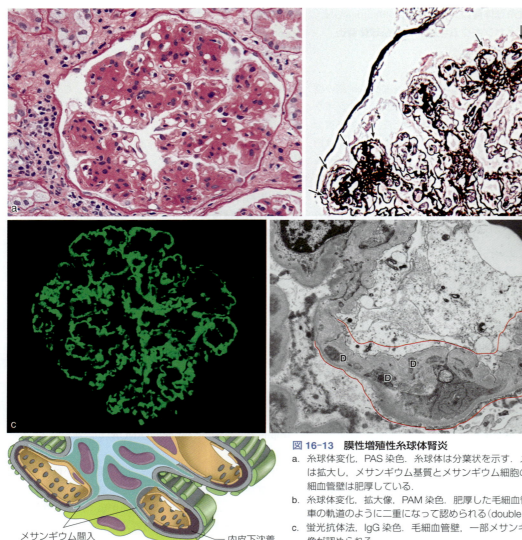

図 16-13　膜性増殖性糸球体腎炎

a. 糸球体変化，PAS染色．糸球体は分葉状を示す．メサンギウム領域は拡大し，メサンギウム基質とメサンギウム細胞の増加を示し，毛細血管壁は肥厚している．
b. 糸球体変化，拡大像，PAM染色．肥厚した毛細血管壁の基底膜は電車の軌道のように二重になって認められる（double contour：→）．
c. 蛍光抗体法，IgG染色．毛細血管壁，一部メサンギウム領域に陽性像が認められる．
d. 電子顕微鏡像．毛細血管壁内皮下（内皮細胞と基底膜の間）に電子密度の高い（黒っぽくなった）顆粒状沈着物（D）を認める．周囲にはメサンギウム細胞の成分がみられ，メサンギウム細胞の毛細血管壁への侵入（メサンギウム間入）と考えられる．侵入したメサンギウム細胞と内皮細胞の間に新たに基底膜が新生され，PAM染色でみられたdouble contourを作る（赤線）．
e. 電子顕微鏡像の模式図．毛細血管壁内皮下への免疫複合体の沈着，メサンギウム細胞の侵入（メサンギウム間入）を模式化した．

析出を認める（フィブリノイド壊死）．Bowman 囊内への増殖性変化の結果，糸球体の毛細血管がつぶれ，虚脱に陥る．

　乏免疫複合体性の系統的血管炎によるものでは，蛍光抗体法により免疫グロブリンや補体の沈着はみられない．Goodpasture 症候群では，蛍光抗体法によって毛細血管係蹄壁に沿った IgG の線状沈着を認める．ループス腎炎，IgA 腎症，紫斑病性腎炎，感染症関連腎炎の活動性が高い状態では，半月体の形成を認める場合が多くある．それらの場合は各疾患特徴的な所見である．

　半月体形成を伴うこれら腎炎は活動性が高いことから，積極的な免疫抑制療法が必要になり，怠ると多くの場合は腎機能の低下が進行する．

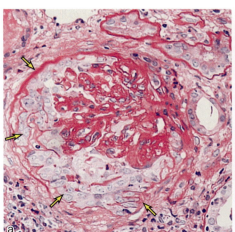
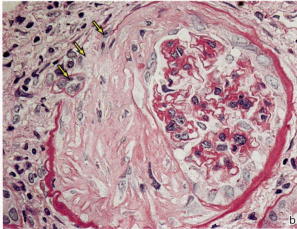

図 16-14　半月体形成性糸球体腎炎（MPO-ANCA 陽性例）
a. 細胞性半月体，PAS 染色．糸球体は虚脱し，Bowman 嚢内において Bowman 嚢上皮細胞が多層化・増殖を示す（➡）．急性（活動）期変化と考えられる．Bowman 嚢は一部菲薄化し，不鮮明になっている．
b. 線維性半月体，PAS 染色．a と比べて Bowman 嚢内の細胞成分は乏しく，膠原線維が増加している．慢性期変化と考えられる．Bowman 嚢は一部断裂を示す（➡）．

8　硬化性糸球体腎炎 sclerosing GN

【概念，定義】

広範な糸球体の傷害によってほとんどの糸球体が硬化に陥り，原疾患を推定できないものをいう．種々の糸球体疾患の終末像 end stage kidney と考えられる．

【臨床像】

硬化した糸球体の程度を反映して慢性の腎不全状態を示し，患者は長期血液透析や腎移植が必要になる．

【病理形態像】

肉眼的に萎縮腎と呼ばれ，腎臓は両側性に萎縮し，皮質は薄くなり，被膜表面は細顆粒状を呈する．表面に小囊胞の形成を認めることがある．組織学的には，糸球体の硬化は，糸球体毛細血管壁のつぶれ，硝子様物質の沈着，Bowman 嚢内の線維化，瘢痕化により，糸球体本来の形態機能を失った状態である（図 16-15）．変化は尿細管や間質に及び，尿細管の萎縮および尿細管での硝子円柱の形成があり，間質には線維化とリンパ球浸潤を認める．

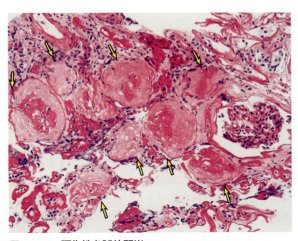

図 16-15　硬化性糸球体腎炎
種々の糸球体病変の終末期の像であり，多くの糸球体は硬化を示す（➡）．糸球体はつぶれ，膠原線維あるいは糖タンパクが球状に沈着を示す．周囲尿細管は萎縮を示す．硬化を免れた糸球体も虚脱し，元々の糸球体病変が何か不明な場合も多い．

F　二次性糸球体病変

1　系統的疾患における糸球体腎炎

二次性糸球体病変は原発性とは異なり，病因別・系統疾患別に分類されている．ここでは代表的なものを取り上げる．

1　ループス腎炎 lupus nephritis

【概念，定義】

全身性エリテマトーデス systemic lupus erythematosus（SLE）に合併して，免疫複合体沈着物を伴った腎糸球体病変がみられるものをいう．SLE は女性に多く，主として成人にみられる自己免疫疾患であり，腎症は合

表 16-4 ループス腎炎の分類（ISN/RPS 2003/2004 の改変）
- Ⅰ型：微小メサンギウムループス腎炎
- Ⅱ型：メサンギウム増殖性ループス腎炎
- Ⅲ型：巣状ループス腎炎（活動性・慢性病変＜50％）
  ⅢA（活動性病変），ⅢA/C（活動性・慢性病変），
  ⅢC（慢性病変）に分類される
- Ⅳ型：びまん性ループス腎炎（活動性，慢性病変≧50％）
  分節性 segmental，全節性 global，A，A/C，C が組み合わされて分類される
- Ⅴ型：膜性ループス腎炎
- Ⅵ型：進行した硬化性ループス腎炎

活動性病変
管内細胞増殖，核崩壊，フィブリノイド壊死，糸球体基底膜断裂，細胞性・線維細胞性半月体，内皮下沈着物（ワイヤーループ），ヒアリン血栓

慢性病変
全節性・分節性糸球体硬化，線維性癒着，線維性半月体

併症として最も多く，生命予後に重要な影響を及ぼす．SLEでは各種自己抗体の産生がみられるが，DNA に対する抗体との免疫複合体が糸球体に沈着して腎炎を発症すると考えられている．

【臨床像】
SLE の臨床症状は多彩で，病変は全身臓器に及び，寛解と再燃を繰り返す慢性炎症性疾患であるが，診断基準としては米国リウマチ学会の Systemic Lupus International Collaborating Clinics（SLICC）によるものが重要である．SLE の診断は臨床的になされるものであり，疑わしいものを病理所見のみからループス腎炎とすることはできないが，SLICC の基準では合致する腎所見と抗核抗体あるいは抗二重鎖 DNA 抗体が陽性であれば診断できる．腎症状は多彩であり，きわめてわずかな臨床症状しか示さないものから，非常に強いものまである．臨床的に最も高頻度にみられる症状はタンパク尿であり，微量な場合からネフローゼ症候群に相当する症例までさまざまである．血清中の自己抗体（抗核抗体，抗二重鎖 DNA 抗体），高 γ グロブリン血症，補体の低値（C3 など）の検査所見が診断に重要である．

【病理形態像】
ループス腎炎は組織像も多彩であり，原発性糸球体病変のすべての型がみられる（表 16-4）．また糸球体ごと，また1つの糸球体の中でも部位によって変化の強さが異なる．ISN/RPS（International Society of Nephrology/Renal Pathology Society）により病型分類が提唱されている（表 16-4）．実際には1人の症例の中に複数の病型が混在したり，病期の進行とともに病型が変化したりすることがある．Ⅲ型とⅣ型においては活動性病変 active lesions と慢性病変 chronic lesions の把握，それぞれの頻度の評価が重要である．具体的な活動性の指標としては，① 管内細胞増殖，② 核崩壊，③ フィブリノイド壊死，④ 糸球体基底膜の断裂，⑤ 細胞性・線維細胞性半月体，⑥ ワイヤーループ病変 wire loop lesion，⑦ 硝子様（ヒアリン）血栓があげられる．一方，慢性変性としては，① 全節性・分節性糸球体硬化，② 線維性癒着，③ 線維性半月体があげられる．

ワイヤーループ病変はループス腎炎にみられる特徴的な所見として重要であるが，光学顕微鏡でもわかるような毛細血管壁内皮下における大きな免疫複合体沈着物を認め，エオジン染色で濃染する（図 16-16a, d）．大きな沈着物が毛細血管内腔に血栓様に詰まったようにみられる場合は硝子様（ヒアリン）血栓と呼ばれる．変性した核崩壊物の沈着である**ヘマトキシリン体** hematoxylin body はループス腎炎にとって特異度が高いことが知られているが，観察される頻度は非常に低い（図 16-16b）．

糸球体の変化ばかりでなく尿細管，間質，血管壁に変化を認める場合が多い．尿細管の萎縮，円柱，間質のリンパ球浸潤がみられる．小動脈壁の肥厚，フィブリノイド壊死を伴う壊死性血管炎，微小血栓形成を伴う血管内皮傷害を認めることがある．

蛍光抗体法では，メサンギウムと毛細血管壁（内皮下，上皮下）に IgG，IgA，IgM，C3，C4，C1q などを顆粒状・帯状・塊状など多彩な陽性像で認める．C1q の陽性所見は特徴的である（図 16-16c）．すべての免疫グロブリンと補体が陽性になる例もある．

電子顕微鏡的に多彩な電子密度の高い沈着物，メサンギウム基質の増加，毛細血管基底膜の肥厚がみられる．沈着物内に特殊な構造物がみられる場合があり，細管状構造 microtubular structure，指紋様構造 finger print structure，ウイルス様顆粒 virus-like particles（tuburoreticular inclusion：TRI）と呼ばれている（図 16-16d, e）．

Advanced Studies

a ループス腎炎の分類（ISN/RPS）
　Ⅲ型，Ⅳ型の区別およびⅣ型の分節性，全節性の区別については図 16-8 を参照．

【Ⅰ型（微小メサンギウムループス腎炎）】
光学顕微鏡的には変化がなく，蛍光抗体法でメサンギウムに免疫グロブリンや補体の沈着を認める．臨床的にも症状は軽い場合が多い．

【Ⅱ型（メサンギウム増殖性ループス腎炎）】
メサンギウム細胞とメサンギウム基質の増加によりメサンギウムの拡大を認める．

【Ⅲ型（巣状ループス腎炎）】
糸球体の 50％未満に活動性，あるいは慢性病変がみられる．

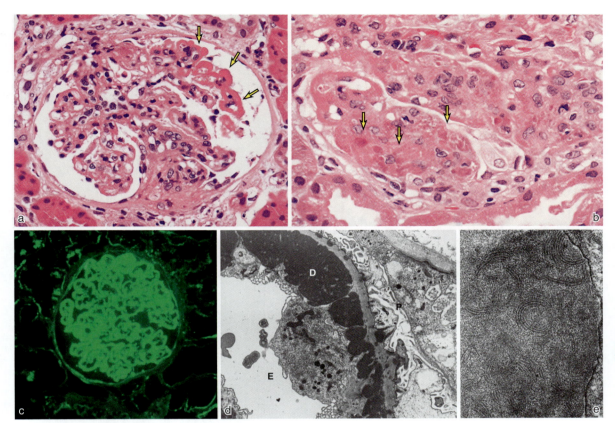

図 16-16　ループス腎炎

a. ループス腎炎，ワイヤーループ病変，HE 染色．1 時～3 時方向（➡）の毛細血管壁は肥厚が著明であり，HE 染色でピンク色に強く染まる．このような病変をワイヤーループ病変といい，毛細血管壁内皮下への著明な沈着物によるものであり，活動性ループス腎炎にみられる．
b. ヘマトキシリン体，HE 染色．メサンギウムにヘマトキシリンでやや紫色に染まる変性核崩壊物の沈着が認められる（➡）．ループス腎炎に特異的な変化とされているが，観察される頻度は低い．
c. 蛍光抗体法，IgG 染色．毛細血管壁とメサンギウムに陽性像を認める．
d. 電子顕微鏡像，ワイヤーループ病変．毛細血管壁内皮下に大きな沈着物を認める（D）．E：内皮細胞，P：足細胞．
e. 電子顕微鏡像，指紋様構造．大きな沈着物につき拡大率を上げると，指紋様・線維状・細管状になった構造物が認められる場合がある．

【Ⅳ型（びまん性ループス腎炎）】
　糸球体の 50％以上に活動性，あるいは慢性病変がみられる．MPGN 類似の変化を示す．ワイヤーループ病変を示す場合がある．SLE で腎生検される症例において最も頻度が高い（40～50％）．

【Ⅴ型（膜性ループス腎炎）】
　上皮下沈着物とスパイク形成を示し，原発性の膜性腎症類似の変化を示す．上記のⅢ型およびⅣ型とオーバーラップして認められる場合がある．

【Ⅵ型（進行した硬化性ループス腎炎）】
　90％以上の糸球体が硬化して機能を示さないもの．

2　IgA 腎症（炎）IgA nephropathy，IgA 血管炎 IgA vasculitis

【概念，定義】
　1968 年に Berger によってはじめて報告されたのでベルジェ Berger 病とも呼ばれる．わが国では糸球体腎炎に占める割合が高く，腎生検で診断される糸球体腎炎のうち 40％を占めている．病因は不明であるが，IgA の産生亢進と分解障害に関係するとされる．IgA は粘液中に分泌される主要な免疫グロブリンであるが，IgA 腎症患者の 50％は血清中の IgA 濃度が上昇している．家族内発生例の存在から遺伝子の関与も示唆されている．何らかの抗原（例：細菌，ウイルス，食物）に曝露されることによって，IgA 産生が亢進し，免疫複合体がメサンギウムに取り込まれ，補体の alternative pathway が活性化して糸球体傷害が起こると考えられている．腸管粘膜異常を有するセリアック病 celiac disease に合併するもの，IgA 免疫複合体の肝胆道系におけるクリアランスが

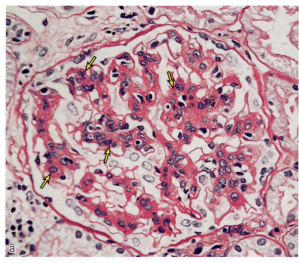
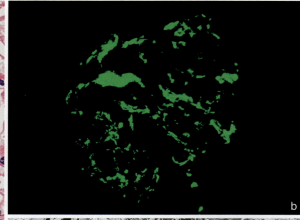
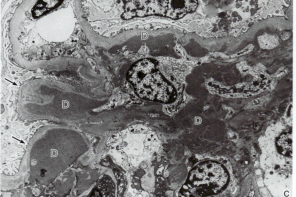

図 16-17　IgA 腎症
a. 糸球体変化．PAS 染色．メサンギウム領域は拡大し，メサンギウム基質とメサンギウム細胞の増加を認める（→）．
b. 蛍光抗体法．IgA 染色．メサンギウム領域に IgA の陽性像を認めることが特徴的所見である．
c. 電子顕微鏡像．メサンギウム領域に電子密度の高い沈着物を多数認める（D）．大きな沈着物が半球状に Bowman 腔内に突出して認められる場合もある（→）．

低下する肝硬変などの肝疾患に合併するものがある．
　小児に多く発症し，紫斑，関節症状，消化管症状を伴って腎炎を示す疾患として，IgA 血管炎，アナフィラクトイド紫斑病性腎炎 anaphylactoid purpura nephritis があるが，腎臓については IgA 腎症と類似した組織像を示す．

【臨床像】
　小児あるいは若年成人に多く発症し，小児では肉眼的血尿で発症する症例もあるが，多くは学校健診や職場健診で偶然発見される．持続的顕微鏡的血尿，間欠的あるいは持続性タンパク尿が主体で，時に反復性血尿を呈し，上気道感染，急性腸炎後の肉眼的血尿など急性腎炎様の症状を呈することもある．溶連菌感染後急性糸球体腎炎とは異なり，IgA 腎症では先行感染と血尿との間に潜伏期はほとんどない．タンパク尿の程度は，微量な場合からネフローゼレベルまでさまざまである．長期の経過の後，腎機能の低下をきたして腎不全に移行する症例があり，20 年の経過で約 40％の症例が末期腎不全に移行する．

【病理形態像】
　糸球体の変化は多彩である．光学顕微鏡的にほとんど異常を認めないものから，Bowman 嚢との癒着，巣状硬化像，半月体形成を示すものまでさまざまである（図 16-17a）．基本的にはメサンギウム基質の軽度〜中等度増加やメサンギウム細胞の増生が主体で，半球状 PAS 染色陽性沈着物が Bowman 腔に突出するように認められる（paramesangial deposit）．糸球体ごと，同一糸球体内でも毛細血管によって変化の程度が異なることが多い．活動性が高い症例では毛細血管壁の壊死，細胞性・線維細胞性半月体の形成，メサンギウム細胞の増加，管内増殖性変化が種々の程度に混在して認められる．全節性糸球体硬化，分節性糸球体硬化，半月体形成の割合，尿細管萎縮・間質の線維化の程度，間質の炎症細胞浸潤，血管の動脈硬化の程度などが予後に関連する因子とされている．組織学的所見から活動性を評価し，腎機能予後を推測する目的で，厚生労働省・日本腎臓学会合同による組織学的重症度分類，国際臨床病理分類（オックスフォード分類）が利用されている．

F. 二次性糸球体病変 ● 553

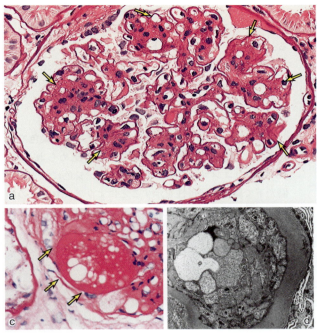
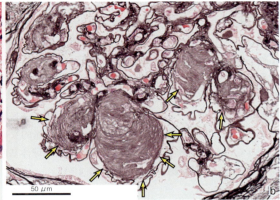

図 16-18 糖尿病性腎症
a. びまん性病変．PAS 染色．全体にメサンギウム基質の増加が認められる（➡）．
b. 結節性病変．PAM 染色．球状・結節状に著明に拡大したメサンギウム領域では年輪状・層状の変化を示す（➡）．内皮細胞の傷害とメサンギウム領域の融解が繰り返し生じたことを示している．周囲の毛細血管腔は拡張を示している（微小血管瘤）．糖尿病に特異的な変化とされている．
c. 滲出性病変（フィブリンキャップ），PAS 染色．糖尿病性腎症では内皮細胞が傷害を受けると，内皮の透過性が亢進し，内皮下に血漿成分が沈着を示し，ピンク色に染まる（➡）．
d. 電子顕微鏡像．毛細血管壁の基底膜の肥厚が著明であり，病変の比較的初期段階からみられる．

蛍光抗体法では，ほとんどすべての糸球体のメサンギウム領域に IgA と C3 の沈着を認める（図 16-17b）．

電子顕微鏡的には，メサンギウム領域に電子高密度沈着物を認めるが，時に毛細血管壁内皮下にも沈着を認め，メサンギウム間入や基底膜の二重化を認める場合がある（図 16-17c）．

2 代謝性疾患に伴う糸球体病変

1 ● 糖尿病性腎症 diabetic nephropathy, 糖尿病性糸球体硬化症 diabetic glomerulosclerosis

【概念，定義】
糖尿病の微小血管合併症として網膜症や末梢神経障害とともに腎症は有名である．予後は不良であり，慢性腎不全患者の現病のうち 40％以上を占め，現在ではわが国の透析治療の原因となる糸球体腎疾患の第 1 位となっている．

【臨床像】
糖尿病の存在に加え，初期には微量アルブミン尿が出現し，徐々にタンパク尿が増加して顕性化する．ネフローゼ症候群の形をとる場合もある．高血圧症や動脈硬化症を合併して腎機能の低下が進行する場合が多く，高度タンパク尿，高血圧，腎不全の三徴候を伴って末期糖尿病を呈するものは従来キンメルスティール-ウィルソン Kimmelstiel-Wilson 症候群と呼ばれてきた．腎症の発症機序については，コラーゲンなどのタンパクの糖化反応〔終末糖化産物 advanced glycation end products（AGEs）〕の働き，ポリオール代謝 polyol pathway の関与，糸球体の過剰濾過 hyperfiltration，全身の高血圧，内皮細胞傷害，酸化ストレス，プロテインキナーゼ C，種々の増殖因子などが複合的に関与しているとされている．

【病理形態像】
初期から糸球体は腫大し，毛細血管腔が増加することが多い．光学顕微鏡では明らかでないが，電子顕微鏡で見ると毛細血管壁基底膜が肥厚を示している．進行するとびまん性にメサンギウム領域の拡大および基質の増加を認め（**びまん性病変**，図 16-18a），メサンギウムが無細胞性・類円状・層状に拡大し，結節状の変化（**結節性病変，Kimmelstiel-Wilson 結節**，図 16-18b）が認められる．結節性病変周囲の毛細血管は内腔が拡張し，血管瘤様（微小血管瘤）になる．毛細血管壁には内皮細胞の傷害により，血漿タンパク成分が内皮細胞下に滲み出した**滲出性病変**（フィブリンキャップ fibrin cap，図 16-

18c）．同様の滲出性機序がBowman嚢に起こった病変（キャプスラードロップcapsular drop）がみられる場合もある．糸球体外においては輸出入動脈壁や内皮細胞下に硝子様沈着物を認める（**硝子細動脈硬化**）．腎機能の低下に伴って尿細管の萎縮や間質の線維化，動脈壁の内膜肥厚が進行する．

蛍光抗体法では，糸球体毛細血管係蹄や尿細管基底膜に沿って線状にIgGの沈着を認めるが，非特異的な結合をみていると考えられる．電子顕微鏡的に糸球体基底膜のびまん性肥厚が認められる（図16-18d）．

2 ● アミロイドーシス amyloidosis，
骨髄腫腎 myeloma kidney

【概念，定義】

アミロイドと呼ばれる異常な細線維状タンパクが細胞間に沈着し，種々の臓器に機能不全を引き起こす疾患である．ポリペプチド鎖の三次元構造を規定する折りたたみfoldingの異常が原因とされている．沈着物は以下のような特徴を示す．

① コンゴーレッド染色で陽性のオレンジ色に染まり，偏光顕微鏡下で複屈折性により緑色調に変化する．
② 電子顕微鏡では幅8～15 nmの分岐のない細線維構造を示す．
③ 三次元構造としてβ-pleated sheet conformationに富んだ構造を示す．

アミロイドーシスは全身性のものと限局性のものに分類されるが，さらに細線維を構成している主なタンパク成分により分類され，これまで30種類以上のアミロイドタンパクが報告されている．全身性アミロイドーシスの一環として腎にアミロイドが沈着したものを**アミロイド腎症** renal amyloidosisというが，免疫グロブリン軽鎖を前駆タンパクとしたアミロイドーシスである**AL型**（原発性/骨髄腫合併アミロイドーシス），慢性炎症に伴い肝細胞によって産生される血清アミロイドA（SAA）を前駆タンパクとしたアミロイドーシスである**AA型**（続発性/反応性アミロイドーシス）の頻度が高い．AA型は関節リウマチ，肺結核，悪性腫瘍などに合併する場合が多い．

【臨床像】

腎症は全身性アミロイドーシスの一部分症として発症するが，多くは高度のタンパク尿やネフローゼ症候群の形をとり，治療に抵抗性である．進行して末期腎不全に移行し，透析導入後も予後は不良である．AL型では血清にモノクローナルに増加した免疫グロブリン（Mタンパク），尿中に免疫グロブリン軽鎖に由来するベンス・ジョーンズ Bence Jones タンパク（BJP）の出現がみられる．多臓器へのアミロイド沈着により多彩な症状（心不全，巨舌，末梢神経症状，消化器症状など）を呈し，心不全が直接の死因となる場合が多い．近年，アミロイドの型ごとに治療法が研究・開発されている．

【病理形態像】

糸球体メサンギウムが結節状に拡大し，**HE染色**でピンク色に淡染する均一な物質の沈着が認められる（図16-19a）．コンゴーレッド染色でオレンジ色に染まり，偏光下で緑色複屈折性を示すことによりアミロイドの診断がなされる（図16-19b）．アミロイドの沈着は糸球体外の小動脈壁や尿細管周囲の間質にも認められる．アミロイドの型を知るためには免疫組織学的検索が必要で，AL型ではκ・λ軽鎖の染色，AA型ではSAAに対する免疫組織化学が必要である．AL型ではλ型の頻度が高い．電子顕微鏡では光学顕微鏡で認めたアミロイドの沈着部位に一致して幅8～15 nmの細線維沈着が認められる（図16-19c）．

多発性骨髄腫では免疫グロブリン軽鎖由来の異常タンパクが尿中にBJPとしてみられるが，これは遠位尿細管や集合管上皮細胞を傷害し，その結果タム-ホースフォール Tamm-Horsfall タンパクの産生が促進され，固まりやすくなり尿円柱形成が引き起こされる．多数の円柱形成により，尿細管上皮の萎縮・破壊が起こり，炎症反応が加わった病変が形成され，**骨髄腫腎** myeloma kidneyと呼ばれる（図16-20）．

Advanced Studies

3 遺伝性腎症

1 ● アルポート症候群 Alport syndrome

腎障害，感音性難聴，視力障害の症状を示す進行性・遺伝性疾患である．小児期や若年に発症する場合が多い．伴性顕性（優性）遺伝形式をとるものが多く男児に多いが，他の遺伝形式をとるものも知られている．IV型コラーゲンα3・4・5鎖遺伝子のいずれかに変異を伴うが，X染色体上にあるα5鎖に変異を伴う頻度が高い．遺伝子変異のため正常の膠原線維ができず，糸球体基底膜に異常を生じる．腎障害は主として血尿であるが，軽度のタンパク尿も認め，進行するとネフローゼ症候群や腎不全を示す場合もある．腎病変は進行性で予後不良である．糸球体は光学顕微鏡では初期には異常変化を示さないが，進行すると巣状・分節状に糸球体硬化がみられる．診断にはIV型コラーゲンα5鎖の免疫組織化学，電子顕微鏡による検索，遺伝子検査が不可欠である．電子顕微鏡では，糸球体毛細血管壁基底膜は不規則な菲薄化・肥厚，断裂，層状化，網状変化を示す（図16-21）．

F. 二次性糸球体病変 ● 555

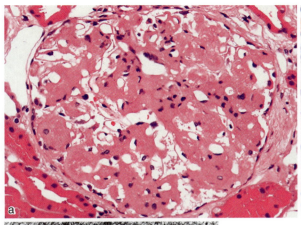
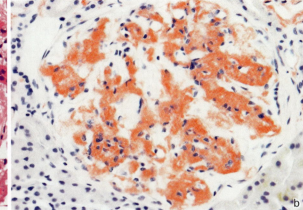
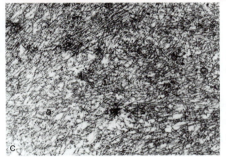

図 16-19　アミロイドーシス
a. 全身性アミロイドーシス，AL 型症例の糸球体変化，PAS 染色．メサンギウムは無構造沈着物により拡大が著明で，結節状変化を示し，細胞成分に乏しい．PAS 染色では，糖尿病性腎症などの他の代謝性疾患や沈着性疾患との鑑別が問題となる．
b. コンゴーレッド染色．アミロイド沈着物はオレンジ色に陽性を示す．これを偏光下で顕微鏡観察すると特徴的な緑色調の複屈折性を示す．
c. アミロイドーシスの電子顕微鏡所見，細線維構造．拡大率を上げるとアミロイド沈着物は幅 8〜15 nm，分岐のない細線維状を示す．

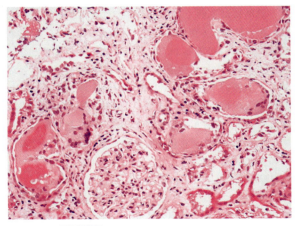
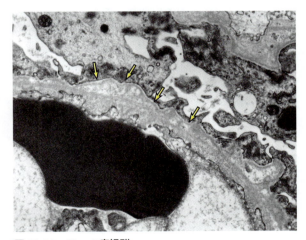

図 16-20　骨髄腫腎
骨髄腫腎，尿細管変化，HE 染色．尿細管内に好酸性の強い（ピンク色に強く染まる）円柱の形成が認められ，尿細管上皮の剥離変性を伴う．周囲にはリンパ球や形質細胞などの炎症細胞浸潤を伴う．

図 16-21　Alport 症候群
電子顕微鏡像．毛細血管壁基底膜の緻密層の層状化，浮腫状の変性・肥厚が認められる（→）．

4　系統的血管病変に伴う糸球体疾患

1　結節性多発動脈炎 polyarteritis nodosa（PAN），ANCA 関連血管炎 ANCA-associated vasculitis

【概念，定義】

血管炎は血管壁を障害する炎症反応であるが，他の炎症病変が二次的に血管を巻き込んでいる場合は除外される．全身のさまざまな血管に原因不明の炎症や血管炎が起こり，多様な臨床病態を示すが，病変の起こっている血管の大きさで分類する方法が一般的である．大動脈の血管炎（巨細胞性動脈炎，高安動脈炎），中等大の血管炎〔**結節性多発動脈炎**（PAN），川崎病〕，および小型血管の

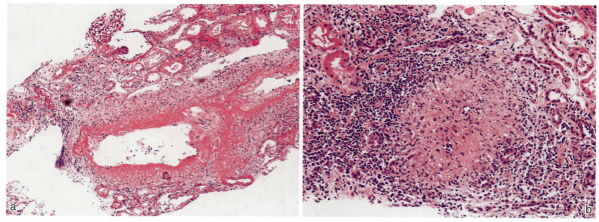

図 16-22　ANCA 関連血管炎（PR-3 ANCA 陽性例，多発血管炎性肉芽腫症症例）
a. 太めの小葉間動脈にはフィブリノイド壊死を伴った血管炎が認められる．血管壁にはフィブリノイド物質（ピンク色に染色）の沈着を伴った壊死と炎症細胞浸潤が認められる．
b. 間質に形成された類上皮細胞肉芽腫．

血管炎 small vessel vasculitis〔顕微鏡的多発血管炎 microscopic polyangiitis（MPA），**多発血管炎性肉芽腫症** granulomatous polyangiitis（GPA），**好酸球性多発血管炎性肉芽腫症** eosinophilic granulomatous with polyangiitis（EGPA）〕である．これらのうち，腎臓に病変を作るものは中等度の血管炎である結節性多発動脈炎（顕微鏡的多発血管炎と区別するために古典的結節性多発血管炎とも呼ばれている）と小型血管の血管炎である．血管炎による症状は各種臓器に影響を及ぼすため多彩であり，確定診断は困難であるが，最近では好中球に対する自己抗体（ANCA）が血清学的に測定されるようになって，診断される機会が多くなった．好中球ミエロペルオキシダーゼに対する抗体（MPO-ANCA）は perinuclear ANCA（p-ANCA）とも呼ばれ，MPA あるいは EGPA に特徴的である．一方，プロテイナーゼ 3 に対する抗体（PR3-ANCA）は別名 cytoplasmic ANCA（c-ANCA）と呼ばれ，GPA で陽性になることが多い．これら血清中に ANCA が証明される一連の血管炎を総称して **ANCA 関連血管炎** ANCA-associated vasculitis と呼んでいる．

【臨床像】
　PAN では中等大の血管に病変が起こるため，虚血，梗塞，動脈瘤の破綻などが生じる．それらの結果，発熱，白血球増多，貧血などの全身症状を生じ，筋肉痛，末梢神経炎，腹痛（消化管出血，腹部臓器梗塞），腰痛（腎梗塞）などを起こし，高血圧，タンパク尿，血尿などを伴って腎機能低下が進行する．古典的 PAN では ANCA は陰性になることが多い．

　ANCA 関連血管炎では種類によって障害組織の分布やそれに伴った臨床症状が異なる．MPA は高齢者に多く，腎障害の頻度が特に高い（90％）．多くは突然の血尿やタンパク尿で発症し，急激な腎機能の低下を示し，急速進行性糸球体腎炎の臨床症状を示す．ANCA の測定が診断には重要である．GPA では鼻粘膜の壊死性炎症，肺の結節状・空洞状病変，腎障害を認める．腎障害の頻度は 80％であるが，急性進行性腎炎の形をとり，血尿やタンパク尿で発症し，急激に腎機能の低下をきたすことが多い．c-ANCA の測定が早期診断に有効であり，シクロホスファミドを使った治療で生命予後は改善されている．EGPA では気管支喘息の既往歴を有し，血中の好酸球増多や単神経障害を伴う場合が多い．腎障害の頻度は 45％である．

【病理形態像】
　血管病変について，PAN と ANCA 関連血管炎では病変を作る血管の太さが異なるが，いずれもフィブリノイド壊死と好中球などの炎症細胞浸潤が特徴であり，質的には違いはみられない．PAN では弓状動脈あるいはそれ以上の太い動脈，小葉間動脈に病変を作り，MPA では小葉間動脈，細動脈（輸入動脈），毛細血管（糸球体，傍尿細管毛細血管），細静脈に病変を作る．動脈壁の内側にフィブリノイド壊死があり，壁全層にわたって好中球，好酸球，リンパ球の浸潤を示し，内弾性板の断裂を認める（図 16-22a）．時間が経過した病変では壊死は線維組織で置き換えられ，血栓による内腔の狭窄・線維化・器質化がみられる．

糸球体病変について，PAN では太い血管に病変があるため，虚血による虚脱がみられる．ANCA 関連血管炎では(壊死性)半月体形成性糸球体腎炎の形をとる(➡547頁参照)．

間質においてはリンパ球，組織球，好中球，好酸球などの炎症細胞浸潤を認めるが，GPA では壊死に陥った糸球体および血管炎周囲の類上皮細胞肉芽腫の形成が認められる(図16-22b)．

2 ● 血栓性微小血管症
thrombotic microangiopathy(TMA)

【概念，定義】
毛細血管や細動脈レベルの血管の内皮細胞傷害により，血栓形成，溶血性貧血，血小板減少を主な病態とする疾患群であり，**溶血性尿毒症症候群** hemolytic uremic syndrome(HUS)，**血栓性血小板減少性紫斑病** thrombotic thrombocytopenic purpura(TTP)が代表である．その他，強皮症，SLE，妊娠高血圧症候群，悪性高血圧，感染症に合併するもの，薬剤によるもの，放射線照射によるもの，抗リン脂質抗体症候群によるものなど，原因はさまざまである．

【臨床像】
HUS は病原性大腸菌 O-157 から産生されるベロ毒素 Vero toxin(志賀毒素様毒素 Shiga-like toxin)によるもの，補体制御因子の異常によるものがある．小児に多く，特に4歳以下の頻度が高い．感染の場合は胃腸炎や上気道炎から急激に乏尿になり急性腎不全を呈する．溶血性貧血，破砕赤血球の出現，血小板減少を伴う．腎症状として血尿やタンパク尿がみられ，急速に乏尿および無尿になり，尿毒症に陥る．TTP はフォン・ヴィレブランド von Willebrand 因子の分解にかかわる酵素(ADAMTS13)の遺伝子異常，ADAMTS13 に対する自己抗体の出現による活性低下が病因に関連している．成人女性に多く，前駆症状なしに発症し，血小板減少，皮膚の紫斑，溶血性貧血，発熱，中枢神経症状，腎機能障害を示す．血中に破砕赤血球の出現がみられ，血清 LDH が高値になる．

【病理形態像】
HUS と TTP をはじめ，各疾患にみられる病理学的所見はほぼ共通である(図16-23)．糸球体毛細血管壁は肥厚し，内皮細胞の剝離，内皮と基底膜の間の空間(内皮下腔)の拡大がみられ，血栓形成を伴う場合がある．時間経過に伴って基底膜が二重化を示す場合があるが，これは内皮細胞傷害による透過性亢進による内皮下腔の拡

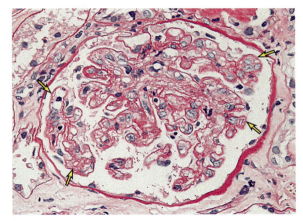

図 16-23　血栓性微小血管症
メサンギウムの浮腫，融解像，毛細血管壁基底膜の二重化・拡大が認められる(➡)．病名に血栓性とついているが，血栓形成を伴わない場合も多い．

大，基底膜新生によるものである．メサンギウムの淡明な拡大と網状変化がみられ，メサンギウム融解 mesangiolysis と呼ばれる．糸球体外では小動脈(特に輸入細動脈内皮下)に血栓形成がみられ，内皮細胞の腫大，内膜の粘液腫様肥厚(ムコイド肥厚)，内腔狭窄を伴う．

3 ● 播種性血管内凝固症候群
disseminated intravascular coagulation(DIC)

【概念，定義，臨床像】
種々の基礎疾患の存在下に血液凝固の活性化が起こり，全身の微小血管に血栓が形成される病態である．経過中に，凝固因子の消耗と線溶系成分の亢進が起こり，結果として，全身の微小血管内で血栓形成，呼吸不全，急性腎不全などの多臓器不全，出血傾向をきたす．基礎疾患はさまざまであるが，多発外傷，敗血症などの重篤な感染症，白血病などの悪性腫瘍，早期胎盤剝離・羊水塞栓症などの産科疾患などがある．血中の血小板，フィブリノーゲンの低下とともに FDP(fibrin/fibrinogen degradation products)，D-ダイマーの上昇をみることが診断に有用であり，早期診断によりヘパリンなどによる抗凝固療法が行われる．

【病理形態像】
糸球体毛細血管係蹄内に微小なフィブリン血栓の多発を認める(図16-24)．TMA とは異なり，内皮傷害による毛細血管壁基底膜の二重化やメサンギウム融解は通常認められない．

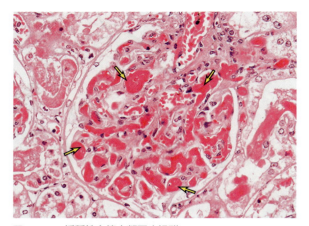

図 16-24　播種性血管内凝固症候群
毛細血管内腔に多数の微小フィブリン血栓が形成されている(→).

4 ● 良性および悪性腎硬化症
benign/malignant nephrosclerosis

【概念，定義】
　高血圧によって起こる腎障害は，臨床像と対応させて良性腎硬化症 benign nephrosclerosis（図 16-25a〜c）と悪性腎硬化症 malignant nephrosclerosis（図 16-25d）に分けられている．良性腎硬化症は，本態性高血圧によって生じた血管病変による腎障害である．悪性腎硬化症は，高血圧患者に急速に進行する腎障害，著明な眼底変化，血管系の合併症が生じる臨床的な**悪性高血圧**（高血圧緊急症）に対応する腎病変である．

【臨床像】
　良性腎硬化症では長い高血圧歴があり，その後にタンパク尿が出現し，腎機能低下を示す．眼底変化，心肥大，心不全，高血圧脳症，脳出血を合併する場合がある．治療が不十分であればゆっくりと慢性腎不全に移行する．悪性高血圧では急な血圧の上昇，急速に進行する腎不全，著明な眼底所見，脳症を示し，治療が遅れると尿毒症で死亡する．良性高血圧症から移行するものと最初から高レニン血症性高血圧で発症するものがある．進行性全身性硬化症 progressive systemic sclerosis（PSS）では悪性高血圧の経過をとり，急速に腎不全に陥ることがある（強皮症腎クリーゼ）．

【病理形態像】
　良性腎硬化症では糸球体血管極部や輸入細動脈壁にみられる**硝子様細動脈硬化症** hyaline arteriolosclerosis が特徴であり，輸入動脈内皮下に HE 染色でピンク色に染まる結節状硝子様物質の沈着を認める（図 16-25c）．糖尿病にみられる細動脈病変と同様である．虚血性変化に陥った糸球体はつぶれ，虚脱し，線維増生を示す．小葉間動脈の内膜は線維性に肥厚し，弾性線維の重層化 elastosis を伴う．尿細管は萎縮し，間質の線維化を示す．結果として皮質は菲薄化し，被膜面に陥凹を生じる（図 16-25a, b）．

　悪性腎硬化症では細動脈や輸入動脈のフィブリノイド壊死，小葉間動脈の内膜の浮腫状および粘液腫様肥厚（ムコイド肥厚）が特徴的であり，内腔の著しい狭窄や閉塞を伴う（図 16-25d）．

G 尿細管・間質病変

　糸球体病変の機序は免疫複合体の沈着など，免疫学的機序を中心に発生するものが多いが，尿細管・間質病変の発生には細菌・ウイルスなどの感染症，低酸素血症による変性・壊死，薬剤などの尿細管毒性物質による傷害，自己免疫疾患・拒絶反応などの免疫学的機序，代謝障害を背景にして起こる結石沈着症などさまざまな原因や機序が働く．

 尿細管間質性腎炎
tubulointerstitial nephritis（TIN）

【概念，定義】
　尿細管間質性腎炎とは尿細管や間質に炎症性病変をきたす疾患の総称である．原因としては，薬剤などによるアレルギー反応の結果，尿細管や間質に変化をきたすものが最も高頻度である．主に細胞性免疫が関与していると考えられるが，一部では液性免疫の関与が疑われるものもある．原因薬剤として，抗菌薬，プロトンポンプ阻害薬，非ステロイド系抗炎症薬（NSAIDs）の頻度が高い．

　その他の原因としては，①種々の原発性・二次性糸球体病変に併発する尿細管や間質の変化．②感染により腎に炎症が波及するもの．細菌感染によるものは通常は腎盂腎炎と呼ばれる（→ 560 頁参照）．サイトメガロウイルス，アデノウイルス，BK ウイルスなどのウイルス感染は免疫が低下した患者に起こりやすく，病理所見では薬剤性などの他の原因によるものと区別することが難しい．③シェーグレン Sjögren 症候群などの自己免疫疾患によるもの．④サルコイドーシスなどの肉芽腫性疾患によるもの．⑤移植腎における拒絶反応（急性 T 細胞関連拒絶など）．⑥放射線などの物理学的な障害によ

G. 尿細管・間質病変 ● 559

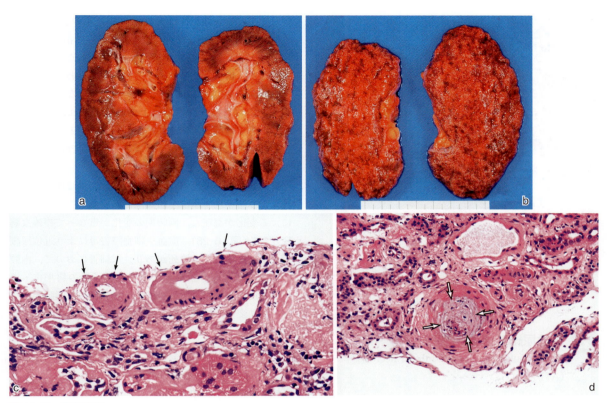

図 16-25　腎硬化症
a, b. 良性腎硬化症の肉眼像（剖検例）．皮質は不規則な菲薄化を示す．被膜面から見ると表面は微細な顆粒状を示し，大きな陥凹を示す部分も認める．
c. 良性腎硬化症における細動脈硬化症，HE 染色．輸入細動脈壁は硝子様物質（ピンク色に染色）が壁全層性・全周性に沈着して肥厚が著明である（→）．
d. 悪性腎硬化症における小葉間動脈変化，HE 染色．臨床的に悪性高血圧を示した症例．動脈の内膜は浮腫状で，ムコイド肥厚（青色調に染色）を伴った内膜肥厚が顕著であり，内腔狭窄が著明である（⇒）．

るもの，⑦低カリウム血症などの代謝障害によるもの，などがある．近年，新たな全身性炎症性疾患であるIgG4 関連疾患による尿細管間質性腎炎が注目を集めている．

一般的に尿細管間質性腎炎という用語は非細菌性のものを指す．

【臨床像】
日常の臨床で経験されやすいのは薬剤に対するアレルギー反応によるものである．薬剤投与から数日〜数週間後に突然の腎機能低下や急性腎不全となる．タンパク尿や顕微鏡的血尿を伴うことも多い．薬剤の投与量に非依存性であることが多い．発熱，皮疹，関節痛，血中の好酸球増多を伴うことがある．原因となった薬剤を中止してステロイド薬による治療で改善する．

IgG4 関連疾患では，自己免疫性膵炎，硬化性胆管炎，間質性肺炎，慢性唾液腺炎，後腹膜線維症などを合併し，臨床像は多様である．血中のγグロブリン，IgG（特に IgG4）の値の上昇が特徴である．IgG4 関連疾患もステロイド治療に反応する場合が多い．

【病理形態像】
糸球体病変に伴うもの以外では，通常は糸球体の変化は乏しい．間質にリンパ球や形質細胞を主体とした炎症細胞浸潤が認められ，尿細管上皮間にリンパ球浸潤が及び，上皮細胞の変性・脱落・扁平化をきたす**尿細管炎** tubulitis と呼ばれる所見を伴う（図 16-26）．アレルギー反応の場合は好酸球の浸潤が目立つ場合がある．間質には浮腫および種々の程度の線維化がみられ，糸球体に二次的な虚脱や硬化をきたす．

IgG4 関連腎炎では，間質の形質細胞浸潤・線維化が目立ち（図 16-27），形質細胞は高率に IgG4 陽性を示す．

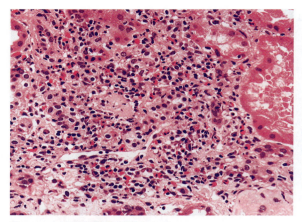

図 16-26 薬剤性間質性腎炎
間質内にリンパ球，形質細胞，好酸球が浸潤を示す．本例では好酸球の浸潤が目立ち，薬剤に対するアレルギー反応が疑われる．リンパ球は尿細管上皮間に侵入し，尿細管上皮の変性を伴う．HE染色．

❷ 急性尿細管傷害・壊死
acute tubular injury/acute tubular necrosis（ATI/ATN）

【概念，定義】

　尿細管上皮の種々の程度の傷害あるいは破壊を形態学的特徴とする疾患である．かつては用語として ATN がよく使われていたが，必ずしも壊死を伴わないため，最近では ATI を用いることが多い．急性腎不全の原因としては最多である．尿細管上皮は傷害を受けやすく，容易に変性壊死に陥り，障害の範囲が広範であれば急性腎不全に陥る．原因としては血圧低下やショックによる虚血性病変と，重金属や薬剤などの腎毒性物質による中毒性病変がある．薬剤としては造影剤，抗菌薬，抗がん剤が知られている．いずれの場合も尿細管上皮の傷害により，近位尿細管における Na^+ の再吸収低下が起こり，遠位尿細管への Na^+ 供給上昇のため，レニン-アンギオテンシン系の活性化を介した血管収縮により GFR の低下が起こる．剥離した尿細管上皮や円柱形成によって通過障害を起こすことによっても GFR の低下は進む．ATI/ATN は可逆性変化であるが，治療法の適否によって患者の予後は大きく変わる．

【臨床像】

　臨床経過は発症相，維持相，回復相に分類される．発症相は最初の約 36 時間に相当し，誘因となった事象が前面に出て，腎症状としては血清クレアチニン Cr 値の上昇と尿量の軽度減少がみられる．維持相は 1 週間程度に相当するが，急性腎不全の症状（尿量の著明な減少，乏尿，無尿）があり，尿素窒素の上昇，血清 Cr 値の上昇，高 K 血症などの電解質異常や代謝性アシドーシスが起こる．慎重な支持療法や透析治療を行わなければ，この時期に死亡する場合がある．回復相になると尿量の増加がみられるが，尿細管上皮は傷害されたままであり，重篤な電解質異常が生じ，感染に対する感受性は高まる．通常は合併症がなければ 2〜3 週間で回復する．

【病理形態像】

　腎臓は腫大し，皮質は蒼白になり，髄質は血液のうっ滞により暗赤色を示す．組織像は傷害による変化と再生による変化が混在し，両時期の変化が重なって複雑な病変となる（図 16-28）．虚血や細胞障害毒により近位尿細管上皮細胞の変性・壊死があり，尿細管において，内腔への上皮の脱落，尿細管内を覆う刷子縁の扁平化・消失，上皮の扁平化，内腔の拡張，細胞質の混濁腫脹，空胞・脂肪変性，核の膨化・濃縮などがみられる．遠位尿細管に多量の円柱形成（タンパクの凝固物）が認められる．間質は通常は浮腫状となる．

❸ 腎臓の感染症

1 急性腎盂腎炎 acute pyelonephritis

【概念，定義】

　細菌感染症に伴う尿細管間質性病変であるが，通常は腎盂が強く傷害される．細菌が腎に到達するには 2 つの経路があり，① 血流によるもの（血行性）と ② 下部尿路からの上行性感染である（図 16-29a）．前者の頻度は低いが，敗血症や感染性心内膜炎に伴って細菌が腎臓に散布され，病変を形成する．後者の多くは下部尿路の感染（膀胱炎，前立腺炎，尿道炎）を合併しており，下部尿路から逆行性に細菌感染が広がり，炎症は尿細管・間質に波及する．起炎菌は 85％ が大腸菌で，そのほかに，腸球菌，肺炎球菌，緑膿菌，変形菌などが関与する．正常の尿管は膀胱入口部において，一方通行の弁のような構造を有し，排尿時に膀胱内圧が高まった際の尿逆流を防いでいる．この構造が不完全な場合，尿は膀胱から尿管や腎盂に逆流するが，この状態は**膀胱尿管逆流** vesicoureteral reflux（VUR）と呼ばれている．小児では膀胱尿管口部の先天的な構造異常が関与し，成人では糖尿病に伴う神経因性膀胱，前立腺肥大，尿路狭窄，尿路結石，尿路系腫瘍，膀胱カテーテル挿入などが原因となって生じる場合が多い．女性では尿道が直腸に近接し，尿道が短く，性行為による外傷を受けやすいため，細菌感

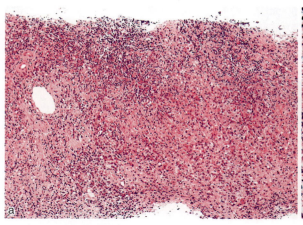
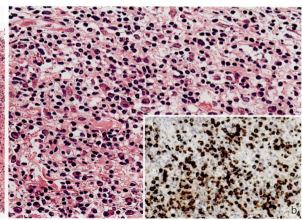

図 16-27　IgG4 関連腎炎
a. 弱拡大像，HE 染色．間質には著明な炎症細胞浸潤と線維化が認められる．
b. 強拡大像，HE 染色．浸潤細胞にはリンパ球とともに形質細胞が多い．浸潤している形質細胞の多くは免疫組織化学で IgG4 に陽性を示す（挿入図）．

染を受けやすい．妊娠子宮による圧迫が尿路感染を容易にすることもある．

【臨床像】

　背景病変や合併症のない急性腎盂腎炎は突発的に発症し，高熱，悪寒，背部（腎部）痛，倦怠感などの全身症状，排尿困難，頻尿，膿尿，細菌尿などの尿症状が認められる．尿検査により白血球円柱を認め，尿培養検査で細菌感染を証明することによって診断される．再発性や難治性の場合，尿路異常の精査および VUR の精査が重要である．

【病理形態像】

　肉眼的に病側腎は腫大あるいは正常大を示し，実質内に黄色の膿瘍形成を認める．腎盂粘膜にはびらん発赤を認める（図 16-29b）．発症組織学的には，腎乳頭および腎盂粘膜下から髄放線部に沿って好中球主体の炎症が広がり，皮質や被膜下に拡大する（図 16-29c）．尿細管内腔に好中球が充満し，壊死物がみられ，炎症は尿細管壁内から周囲間質に広がる．病変が進行すると尿細管の破壊から炎症が広く間質に波及し，膿瘍が形成される．尿路閉塞のある症例では水腎症 hydronephrosis を示す．

2　慢性腎盂腎炎 chronic pyelonephritis

【概念，定義】

　慢性化した尿細管と間質の炎症により，腎盂腎杯が変形し，腎実質内に線維化や瘢痕化をきたす病変である．尿路の閉塞により感染が生じやすくなり，反復性感染により瘢痕化および慢性腎盂腎炎が生じる．

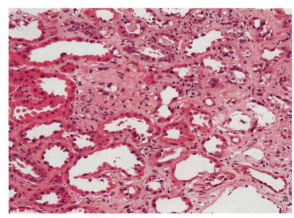

図 16-28　急性尿細管傷害（ATI）
敗血症性ショックに伴う急性腎不全症例．HE 染色．近位尿細管上皮は剝離，扁平化，核の膨化，濃縮を示し，内腔は拡張を示している．間質の線維化，軽度の炎症細胞浸潤を伴っている．

【臨床像】

　急性腎盂腎炎を繰り返して移行する場合と，不顕性に進行する場合とがあり，後者が多い．後者の場合は緩徐に腎機能障害が進行し，通常の検査では気づかれず，高血圧によって腎疾患が発見される場合もある．腹部超音波検査や腎盂造影によって，腎臓の非対称性萎縮や腎杯の変形・拡張が認められる．はっきりとした尿路系閉塞のない症例や細菌感染が証明できない場合もある．

【病理形態像】

　片側性あるいは両側性に腎臓は傷害される．傷害や間質の線維化・瘢痕化は非均一であり，腎盂腎杯を巻き込む．乳頭先端部は鈍化し，腎杯は変形・拡張を示す．組

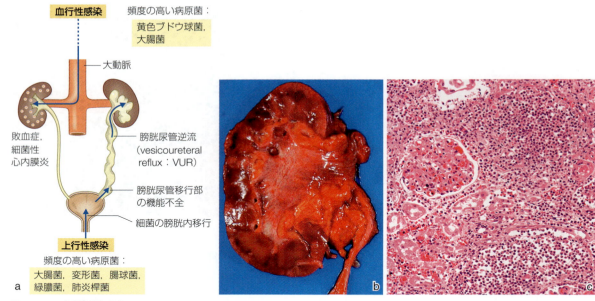

図 16-29　急性腎盂腎炎
a. 尿路感染の経路．敗血症に伴う血行性感染および膀胱内感染・膀胱尿管逆流(VUR)による上行性感染によって生じるが，後者の頻度が高い．
b. 膀胱尿管移行部機能不全による急性腎盂腎炎例，肉眼像．腎盂は拡張し，水腎症を伴っているが，腎盂粘膜は炎症により発赤が顕著である．
c. 急性腎盂腎炎組織像，HE 染色．間質には好中球とリンパ球の浸潤が著明であり，膿瘍形成を伴う．

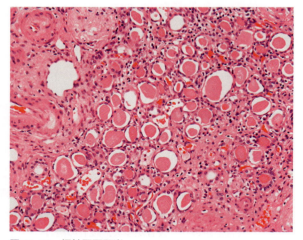

図 16-30　慢性腎盂腎炎
組織像，HE 染色．尿細管は萎縮し，内腔には硝子様(ピンク色に染まる)円柱の形成が著明で，あたかも甲状腺のような様子を示す(甲状腺化)．

織所見としては，不均一な間質の線維化，リンパ球，形質細胞，好中球などの炎症細胞浸潤が認められ，尿細管上皮の萎縮や尿細管の拡張が認められる．拡張した尿細管内腔には，HE 染色でピンク色に染まる硝子円柱形成が多数認められ，高度になると甲状腺組織に類似するような変化(**甲状腺様変化** thyroidization)が認められる(図 16-30)．

慢性腎盂腎炎の特殊型として，腎盂や間質におびただしい泡沫細胞化したマクロファージの集簇からなる肉芽腫がみられ，肉眼的に割面が黄色を示す病変である**黄色肉芽腫性腎盂腎炎** xanthogranulomatous pyelonephritis がある．

3 ● 腎結核症 renal tuberculosis

結核菌が肺などの他臓器感染巣から血行性に到達して生じる．全身性粟粒結核の部分症として発症した場合には，腎実質に多数の粟粒状の結核病巣を認める．臨床的に粟粒結核としての全身症状が前面に出るために腎症状は明瞭でないことが多い．血行性に肺などから運ばれた結核菌が尿細管周囲間質に類上皮細胞肉芽腫を作り，尿細管内に菌が排出され，髄質へ病変が広がり，腎乳頭部に潰瘍形成を伴う壊死性病変をつくる．組織学的には乾酪壊死を伴う類上皮細胞肉芽腫である．下部尿路へ病変が広がった場合，腎杯や尿管の閉塞・通過障害を起こし，水腎症の状態になり，腎盂内に多量の乾酪壊死物質を入れた"**漆喰腎**"と呼ばれる状態になる．

4 代謝性尿細管障害

1 腎結石症 renal stone nephrolith

【概念，定義】

体内で代謝され，腎臓で排泄される物質が，大量摂取や代謝異常によって尿中に高濃度に存在し，腎実質内や尿路に結石を形成し，尿細管の障害を引き起こす．シュウ酸塩や尿酸が代表である．一方，カルシウム(Ca)の代謝異常は尿中に排泄されるCaの濃度上昇をきたし，Caを含む結石の形成を認める．Ca代謝異常の原因として，副甲状腺機能亢進症，ビタミンD過剰症，サルコイドーシスなど高カルシウム血症をきたす疾患，多発性骨髄腫や悪性腫瘍の骨転移などがあげられる．結石はシュウ酸カルシウムあるいはシュウ酸カルシウムとリン酸カルシウムの混合物からなる頻度が高い．尿酸結石は腎結石の約10%を占める．

【臨床像】

臨床的に無症状で長期にわたって腎障害のない場合もあるが，時に小型の結石が尿管内を移動し，腎疝痛や尿管疝痛と呼ばれる殿部に放散する発作性・緊張性の側腹部痛と背部痛を引き起こす．発作時にはしばしば肉眼的な血尿を生じる．細菌感染の合併も起こりやすい．

【病理形態像】

通常，尿路結石は小型2〜3mm大のことが多く，腎盂，腎杯，膀胱にしばしば多数認める．結晶が腎盂腎杯表面に沈着し，鋳型状に大きな塊状の"サンゴ状結石 coral calculi，鹿角状結石 staghorn calculi"と呼ばれる分枝した形状の結石を作ることがある．尿管などの尿路に閉塞が生じると水腎症が生じる．

2 痛風腎 gouty kidney

【概念，定義】

プリン体代謝産物である尿酸の過剰産生あるいは尿細管からの排泄障害による血清尿酸値の上昇を高尿酸血症 hyperuricemia という．高尿酸血症の結果，腎臓に尿酸塩沈着をきたし，腎障害を生じることがある．

【臨床像】

臨床的には進行性の腎機能低下がみられ，タンパク尿，尿濃縮能の低下，高血圧，動脈硬化症を伴う．酸性尿の状態で急激に尿酸塩の濾過・分泌が増加すると，遠位尿細管において尿酸の析出・結晶化が進行し，尿細管の閉塞や急性腎不全を示すことがある．

【病理形態像】

肉眼でも髄質や乳頭で尿酸沈着を黄白色調・放射状に

図 16-31　水腎症
尿管結石により尿路が閉塞し，腎盂は著明な拡張を示す．腎皮質は菲薄化が顕著である．

認めることができる．組織では，遠位尿細管と集合管に結石形成がみられるが，通常は標本作製の過程において結石自体はホルマリン固定液で溶出するため，針状の抜け跡がみられる．結石周囲には炎症反応や尿細管上皮の変性・剥離が認められる．時間が経過すると，線維化や瘢痕化が起こり，異物肉芽腫の形成が認められる．

3 水腎症 hydronephrosis

尿路の閉塞によって腎盂や腎杯の拡張，それに伴った腎実質の萎縮がみられる(図16-31)．原因として結石による尿管閉塞によっても起こるが，そのほかに，先天的な尿路の異常，前立腺肥大症，前立腺癌，膀胱腫瘍，尿管癌，隣接組織の悪性腫瘍の浸潤，尿路の炎症性疾患，後腹膜線維症，神経因性膀胱，妊娠の影響などによっても起こる．両側性水腎症は尿管より下位で閉塞が生じた際に起こることが多い．

H 囊胞性疾患

遺伝性，先天性，および非遺伝性，後天性疾患を含むさまざまな疾患から構成される．慢性腎不全の原因になる場合がある．孤立性腎囊胞 solitary renal cyst や小型の貯留囊胞 retention cyst は臨床的意義に乏しい．

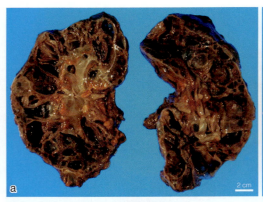
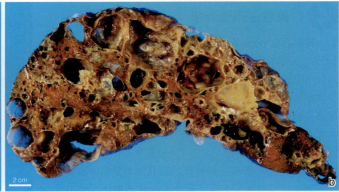

図 16-32　常染色体顕性多発性囊胞腎
腎臓（a），肝臓（b，剖検例），いずれにおいても多数の囊胞が形成され，正常の腎実質および肝実質は少なくなっている．本例は腎不全に陥り，透析治療を受けていた．

1 ● 常染色体顕性（成人型）多発性囊胞腎
autosomal dominant(adult)polycystic kidney disease (ADPKD)

【概念，定義】
常染色体顕性遺伝性疾患で多発性囊胞腎の80〜90%を占める．両側性に圧排性に発育する囊胞が多発し，腎実質が破壊される（図16-32a）．4,000人に1人の割合で罹患し，慢性腎不全の原因の約10%を占める．責任遺伝子として第16番染色体短腕上の*PKD-1*と第4番染色体長腕上の*PKD-2*が同定され，前者が85〜90%，後者が10〜15%の症例で異常がみられる．*PKD-1*は細胞膜関連タンパクである分子量46万のポリシスチン-1をコードしており，尿細管刷子縁に局在し，細胞-基質相互作用や尿細管上皮の増殖・接着・分化・基質産生に関与する．*PKD-2*は分子量11万のポリシスチン-2をコードし，カルシウム透過性膜タンパクとして機能する．

【臨床像】
20〜40歳代に発症する．腎が巨大化するまでは無症状な場合が多い．側腹部痛，圧痛，腹部腫瘤の触知でみつかることが多い．高血圧を機に発見される場合もある．両側性に多数の囊胞ができるため，腎臓は著しく腫大して腹腔内臓器を圧迫する．50〜60歳代で末期慢性腎不全となり血液透析治療が必要となる．肝・膵囊胞（図16-32b），尿路感染症，脳動脈瘤，くも膜下出血を合併しやすい．

【病理形態像】
腎臓は両側性に腫大し，重量が2kgを超える場合もある．腹部の触診で触知でき，骨盤内に及ぶ場合もある．大小さまざまな大きさの囊胞がみられるが，3〜4cm程度のものが多い．囊胞間には正常な実質はほとんど認めない．囊胞内腔には淡明な黄色ないし褐色，血性の液体が含まれている．組織学的に特徴の乏しい立方〜円柱上皮で覆われた囊胞がみられる．囊胞の拡張による圧排によって周囲腎実質の糸球体は硬化・消失し，尿細管は萎縮する．

2 ● 後天性多発性囊胞腎
acquired cystic disease of the kidney(ACDK)

長期血液透析腎にみられる囊胞化であり，長期透析患者の約35%にみられる．皮質と髄質に囊胞が発生し，出血や結石形成をしばしば伴う．囊胞壁から腺腫あるいは腎細胞癌が発生することがある．腎細胞癌の発生率は約6%とされる．

I　移植腎 renal graft

腎不全が進行すると透析治療が必要となる．長期の人工透析は合併症が多く，患者の負担も大きいため腎移植の推進が望まれるが，わが国では生体腎および献腎移植を含めてその症例数は少ない．移植後には特有の合併症が認められ，正しい診断に基づいた適切な治療を行う必要がある．

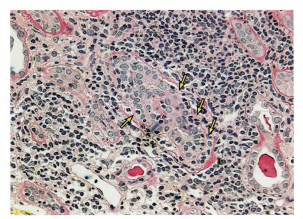

図 16-33　T細胞関連型拒絶反応
急性T細胞関連型拒絶反応．PAS染色．間質へのリンパ球浸潤が著明であり，尿細管上皮間に侵入を示し（尿細管炎，→），上皮は変性を示す．

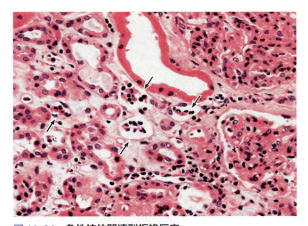

図 16-34　急性抗体関連型拒絶反応
HE染色．尿細管周囲の毛細血管（傍尿細管毛細血管：PTC，→）に好中球やリンパ球の浸潤を示す（傍尿細管周囲毛細血管炎）．

A 移植腎に出現する病変

移植腎固有に出現する特異病変である拒絶反応と一般の腎病変があり，後者には動脈硬化症による変化，移植後の糸球体腎炎，免疫抑制薬の腎毒性，ウイルス感染症，尿路感染症などがある．それぞれの病変は移植後の各時期によって出現しやすいものがおおむね決まっている．

免疫抑制薬〔シクロスポリンやタクロリムスなどのカルシニューリン阻害薬 calcineurin inhibitor（CNI）〕は臓器移植治療に革命的変化をもたらしたが，その腎毒性と免疫抑制に伴うBKウイルスの再活性化が問題となっている．

移植腎病理診断の国際基準としてバンフ Banff 分類が作られたが，完成されたものではなく，2年ごとの国際会議で改訂が続けられている．

B 拒絶反応

宿主と移植した腎組織間の組織適合抗原系 HLA の相違を免疫担当細胞が認識し，免疫応答を起こして拒絶反応を引き起こす．実際には宿主と提供者の間の HLA の相違が少ないように組み合わせを考えて移植を行い，免疫抑制薬を併用することで拒絶反応を防いでいる．今日では免疫抑制薬の進歩や導入期の抗体療法により，拒絶反応の頻度は低くなり，ABO不適合間および夫婦間の移植も行われている．

1 T細胞関連型拒絶反応 T cell-mediated rejection

急性T細胞関連型拒絶反応 acute T-cell-mediated rejection は移植後2～3週間頃から出現するが，免疫抑制治療の進歩により，頻度と重症度は低くなっている．発熱，血圧上昇，移植腎の疼痛，尿量減少などを呈する．尿細管上皮に発現した非自己のHLAに対する細胞性免疫の反応により，間質へのリンパ球を主体とする細胞浸潤を基本とし，尿細管上皮を破壊するようなリンパ球の浸潤（尿細管炎，図 16-33），動脈の内膜への浸潤を示す．動脈内膜炎を伴った血管型拒絶反応を示す症例の予後は不良である．

2 急性抗体関連型拒絶反応
acute antibody-mediated rejection

抗ドナー抗体（抗ドナーHLA抗体，ABO血液型抗体）の存在下で，その抗体に関連して起こる拒絶反応である．急激な腎機能障害を伴って認められるABO不適合，ごく弱い抗ドナー抗体陽性例での移植，再移植例，夫婦間移植例で問題になっている．糸球体毛細血管への炎症細胞浸潤（移植糸球体炎），尿細管壊死，傍尿細管毛細血管 peritubular capillary（PTC）内腔への炎症細胞浸潤が認められ（図 16-34），重度な症例では小葉間動脈および細動脈のフィブリノイド壊死や血管炎を認める．

3 慢性活動性抗体関連拒絶反応
chronic active antibody-mediated rejection

移植後数か月～数年の慢性の経過で腎機能の低下を認める．タンパク尿の増加を伴う場合も多い．間質の線維

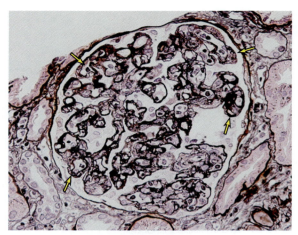

図 16-35　慢性活動性抗体関連拒絶反応
慢性移植糸球体炎．PAM 染色．毛細血管壁は肥厚を示し，基底膜は二重化を示す（➡）．

化，尿細管の萎縮，動脈内膜の肥厚に加えて，PTC への炎症細胞浸潤，糸球体毛細血管壁の基底膜の二重化が認められる．慢性移植糸球体炎 chronic transplant glomerulopathy と呼ばれる（図 16-35）．

C 免疫抑制薬の腎毒性

　免疫抑制薬として用いられる CNI は移植医療に革命的な進歩をもたらしたが，一方でその副作用としての腎毒性は導入期から注目されていた．最近では，血中濃度のモニタリングが厳密になされるようになり，典型的な組織所見を認めることは少なくなっている．近位尿細管細胞質の空胞状変化，細動脈内皮下の滲出性変化 hyalinosis，細動脈平滑筋細胞の変性壊死が認められる．

D 移植後感染症

　日和見感染症として，サイトメガロウイルスなどのウイルス感染症，EB ウイルスの感染および活性化が関連したリンパ腫の発生が重要である．BK ポリオーマウイルスの再活性化が臨床上問題になっており，腎移植後 2～3% の頻度で発症する．尿細胞診において独特なデコイ細胞 decoy cell が検出される．

腎腫瘍

　腎臓には良悪さまざまな腫瘍が発生する（表 16-5）．

表 16-5　腎実質由来の悪性上皮性腫瘍の分類

1. 腎細胞癌
- 淡明細胞型腎細胞癌
- 乳頭状腎細胞癌
- 嫌色素性腎細胞癌
- 淡明細胞乳頭状腎細胞癌
- MiT ファミリー転座型腎細胞癌
- 後天性嚢胞性腎症随伴性腎細胞癌
- 集合管癌
- 粘液管状紡錘細胞癌
- 低悪性度多房嚢胞性腎腫瘍
- 管状嚢胞状腎細胞癌
- 遺伝性平滑筋腫症腎細胞癌症候群随伴性腎細胞癌
  （フマル酸ヒドラターゼ欠損性腎細胞癌）
- コハク酸脱水素酵素欠損性腎細胞癌
- 腎髄質癌
- 腎細胞癌，分類不能型
2. その他の腎腫瘍
- 乳頭状腺腫
- オンコサイトーマ
- 血管筋脂肪腫
  　類上皮性血管筋脂肪腫
- 後腎性腺腫
- 傍糸球体細胞腫瘍

上記は腎細胞由来の腫瘍をまとめたもので，そのほかに，腎芽細胞由来の腎芽細胞腫（ウィルムス Wilms 腫瘍），間葉系細胞由来の各腫瘍などがある．本章では腎盂粘膜由来の尿路上皮癌も扱った．
〔日本泌尿器科学会・日本病理学会・日本医学放射線学会（編）：泌尿器科・病理・放射線科 腎癌取扱い規約 第 5 版．メディカルレビュー，2020 より転載〕

尿細管上皮由来の悪性腫瘍である腎細胞癌の頻度が圧倒的に多い．

悪性腫瘍

1 腎細胞癌 renal cell carcinoma，
　　グラヴィッツ腫瘍 Grawitz tumor

【概念，定義】

　全腎腫瘍の 70～80% を占め，悪性腎腫瘍全体の 90% を占める．好発年齢は 50～60 歳代であり，男性の頻度が高い．尿細管上皮細胞を発生母地とし，そのため皮質に位置することが多い．喫煙習慣，高血圧，肥満，カドミウム曝露が危険因子として知られている．長期血液透析の結果，後天性多発性嚢胞腎を合併すると，腎細胞癌のリスクは 5～10 倍増加する．腎細胞癌は組織像および細胞形態に基づいて分類されてきたが，今日では分子生物学的知見を加味した分類が WHO より提唱されている．主な組織型としては**淡明細胞型腎細胞癌** clear cell renal cell carcinoma，**乳頭状腎細胞癌** papillary renal

 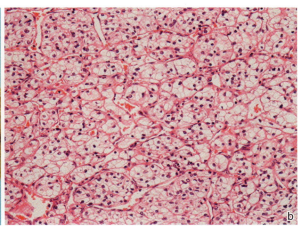

図 16-36　淡明細胞型腎細胞癌
a．肉眼像．黄色で，境界明瞭な結節状腫瘍を認める．内部に出血と壊死を伴う（褐色部分，→）．
b．組織像．HE 染色．細胞質が淡明（白く抜ける）になった腫瘍細胞が胞巣構造をとって増殖する．胞巣間には毛細血管が豊富である．

cell carcinoma，**嫌色素性腎細胞癌** chromophobe renal cell carcinoma，**集合管癌** collecting duct carcinoma がある．

淡明細胞型腎細胞癌は腎細胞癌の 80％ を占め，最も頻度が高い組織型である．フォン・ヒッペル–リンダウ **von Hippel–Lindau（VHL）病** に合併した家族例の発生も知られている．散発性の淡明細胞癌では VHL 遺伝子（3p25.3）を含む染色体領域の欠損，他方アレルの体細胞変異，メチル化による不活性化，低酸素誘導因子 hypoxia inducible factor（HIF）の発現上昇を伴う．

乳頭状腎細胞癌は腎細胞癌の 10〜15％ を占め，しばしば両側性および多発性である．7q31 に存在する MET 遺伝子の異常が発生に関与すると考えられている．

嫌色素性腎細胞癌は腎細胞癌の 5％ を占めるが，集合管介在細胞から発生し，多数の染色体欠失を示すことが多い．集合管癌は腎細胞癌の約 1％ とまれな腫瘍であるが，腎髄質を主座として浸潤性の発育を示し，予後が不良である．

【臨床像】
古典的には肉眼的血尿，腹部腫瘤触知，腹部疼痛が三徴とされてきたが，今日では他疾患の精査のために行った超音波検査，CT，MRI で偶然発見される無症候性の症例が多くなっている．それでも血尿を初発症状とすることが多く，顕微鏡的血尿や間欠性肉眼的血尿を示すことが多い．その他，原因不明の発熱や腰痛を示し，進展したものでは腫瘤を触知する．腫瘍細胞が産生・分泌するホルモン物質により多血症（エリスロポエチン），高カルシウム血症（副甲状腺ホルモン様物質），高血圧，クッシング Cushing 症候群〔副腎皮質刺激ホルモン adrenocorticotropic hormone（ACTH）〕の症状を示すことがある．5 年生存率は 80％ であるが，血行性に肺や骨に転移することがある．

治療としては，腎摘出術，部分切除術，あるいはインターフェロン α を用いた治療などが行われるが，最近は分子標的薬（抗 VEGF 抗体，VEGF 受容体阻害薬など），免疫チェックポイント阻害薬を使用した治療が注目を集めている．

【病理形態像】
淡明細胞型腎細胞癌は腎一極に偏在する球状の腫瘍のことが多く，表面は被膜によって覆われる．割面では境界明瞭な黄色やオレンジ色あるいは灰白色調の結節状腫瘍であり，膨張性および圧排性発育を示す（図 16-36a）．腫瘍が大きくなると出血，壊死，変性を伴って囊胞状変化，暗赤色調変化，ゼリー状変化を示す．腎静脈への浸潤や血管内を充満させるような増殖がしばしば認められ，腎静脈から下大静脈，時に右心房内に連続性に腫瘍が進展する．組織学的に脂質やグリコーゲンが豊富なために細胞質が空胞状，明るくなった細胞が胞巣状，管状，囊胞状構造をとって増殖する．胞巣間には毛細血管が豊富である（図 16-36b）．通常，核は比較的小型で，分裂像の頻度も低いが，核の大きさや異型性の強さにより grade 1（G1）〜grade 3（G3）の 3 段階に分類するわが国の腎癌取扱い規約と 4 段階に分類する国際的な Fuhrman 分類，WHO/ISUP 分類がある．

乳頭状腎細胞癌は腫瘍細胞が線維血管間質を軸として乳頭状増殖を示すが，両側性・多発性に発生する傾向を

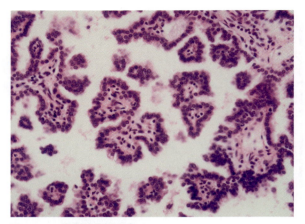

図 16-37　乳頭状腎細胞癌
組織像，HE 染色．好塩基性の細胞質をもつ小型の腫瘍細胞が乳頭状に増殖する．
〔写真提供：東京女子医科大学　長嶋洋治先生〕

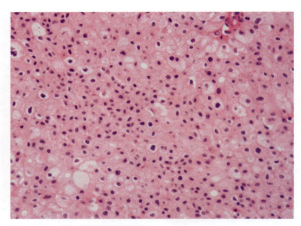

図 16-38　嫌色素性腎細胞癌
組織像，HE 染色．腫瘍細胞はやや好酸性で，微細顆粒状の細胞質を有し，細胞膜は厚く強調され，細胞境界は明瞭になっている．淡明細胞癌に比べ，毛細血管の発達は乏しい．
〔写真提供：東京女子医科大学　長嶋洋治先生〕

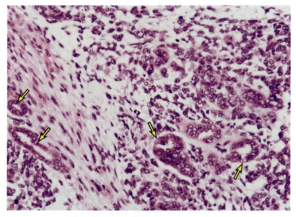

図 16-39　腎芽腫（Wilms 腫瘍）
組織像，HE 染色．未熟で小型の紡錘形・円形の腎芽様腫瘍細胞のびまん性増殖を認め，尿細管様構造を示す上皮細胞への分化を伴う（→）．
〔写真提供：東京女子医科大学　長嶋洋治先生〕

示す．腫瘍細胞の性状により，1 型と 2 型に亜分類される（図 16-37）．

嫌色素性腎細胞癌は肉眼的に均質な茶褐色調やベージュ色を示すことが多い．腫瘍細胞は好酸性あるいは混濁および微細顆粒状の細胞質を有し，細胞膜は厚く強調され，細胞境界は明瞭になる（図 16-38）．

集合管癌は高悪性度の腫瘍であるが，腎門部から境界不明瞭に放射状に広がるように浸潤する．組織像については核異型の強い腫瘍細胞が，乳頭状，管状，微小囊胞状構造をとり，間質に線維の増生を伴いながら浸潤性に発育する．

いずれの組織型においても，腫瘍細胞の核の腫大や大小不同が著しく，紡錘状細胞や多核細胞が出現してびまん性増殖を示す**肉腫様癌** sarcomatoid carcinoma の像を示す場合がある．肉腫様の部分は境界不明瞭な浸潤性発育を示す．予後不良な腎癌である．

2　腎芽腫 nephroblastoma, ウィルムス腫瘍 Wilms tumor

【概念，定義】

小児悪性腫瘍の代表的なものであるが，まれに成人にもみられる．10 歳以下の小児において 3 番目に頻度が高い固形腫瘍である．両側発生が約 10％みられる．腎臓の分化途中の胎児成分，後腎原基 metanephric blastema から発生し，腎発生段階にみられる上皮性および間葉性細胞に類似する腫瘍細胞の増殖を認め，多彩な組織像を示す．家族性に腫瘍が発生することがあるが，第 11 番染色体短腕に存在するがん抑制遺伝子である *WT-1* 遺伝子のヘテロ接合性欠損 loss of heterozygosity（LOH）が発生に関与するとされている．さまざまな先天異常を合併しやすい．

【臨床像】

好発年齢は 1～3 歳で，成人にも発生する．男女差はみられない．無症状のことが多いが，増殖が早いため腹部腫瘍を触知して発見されることが多い．消化器圧迫症状，便秘，食欲不振，嘔吐などの症状がある．血行性に早期に肺，肝，脳に転移を起こすが，外科的治療に加えて放射線療法や化学療法を併用すると治療効果は高い．

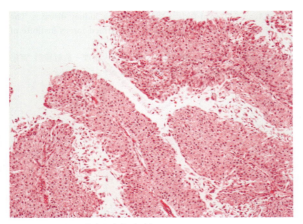

図 16-40　腎盂癌（尿路上皮癌）
組織像，HE 染色．核が軽度腫大した異型尿路上皮が多層化を示しながら乳頭状に増殖を示す．膀胱に発生する尿路上皮癌と組織像は類似している．

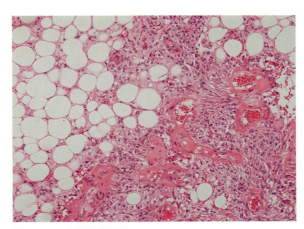

図 16-41　血管筋脂肪腫
組織像，HE 染色．異型のない脂肪組織，血管，血管周囲の平滑筋成分が混在して増殖を示す．同様の腫瘍は肝臓からも発生する．
〔写真提供：東京女子医科大学　長嶋洋治先生〕

【病理形態像】
　被膜を有した境界明瞭な灰白色調腫瘤であり，囊胞を形成する場合もある．組織学的に未熟で小型の紡錘形・円形・立方状の腎芽様腫瘍細胞がびまん性あるいは島状に増殖を示し，尿細管様構造など上皮細胞あるいは横紋筋細胞など間葉細胞に分化を示す（図 16-39）．

3 ● 腎盂癌 renal pelvic cancer
【概念，定義】
　腎腫瘍の 5～10% を占める．膀胱にみられる尿路上皮癌と基本的に同一の組織像を示すが，膀胱癌より頻度はずっと低い．50～70 歳代の男性に多く発生する．フェナセチンを含む鎮痛薬を長期に服用した人の腎盂・尿管・膀胱に多発性の腫瘍が発生することがある．
【臨床像】
　症状に乏しいため早期発見は難しい．無症候性血尿や腎盂腎炎症状で見つかる場合が多い．尿路上皮癌は尿路に同時性および異時性に多発することが多く，膀胱・尿路系の検索が必要である．
【病理形態像】
　腎盂粘膜から内腔に向けて乳頭状増殖をすることが多い．尿管の通過障害をきたすと水腎症を合併する．組織学的にほとんどが尿路上皮癌であり，膀胱の**尿路上皮癌**と同様である（図 16-40）．核の異型度により低悪性度と高悪性度に分類されている．腎盂腎杯を破壊して腎実質に浸潤するものや腎静脈に浸潤するものは予後不良である．

2　良性腫瘍

1 ● 乳頭状腺腫 papillary adenoma
　皮質に生じる通常 5 mm 以下の小腫瘍で，小囊胞内に乳頭状増殖・管状増殖がみられる．臨床的に問題になることはない．

2 ● オンコサイトーマ oncocytoma
　肉眼的に濃褐色の充実性腫瘍であり，小型で均一な核と好酸性，顆粒状の細胞質を有する細胞からなる．電子顕微鏡ではミトコンドリアが豊富である．

3 ● 髄質線維腫 medullary fibroma
　髄質に生じる 5 mm 以下の腫瘍で線維細胞の増生からなる．臨床的に問題になることはない．

4 ● 血管筋脂肪腫 angiomyolipoma
　血管・平滑筋・脂肪組織が種々の割合で増殖する腫瘍であり，**結節性硬化症** tuberous sclerosis に合併することが多い．肝臓にも同様の腫瘍が発生する．黄色調～白色調のまだらな色調を示すが，黄色調部分は脂肪組織の増生に相当する．組織では肥厚した血管，血管周囲の平滑筋成分，異型のない成熟した脂肪組織が混在して増殖を示す（図 16-41）．

● 参考文献
1) 日本腎病理協会，他（編）：腎生検病理アトラス　改訂版．東京医学社，2017

2）坂口 弘，他（編）：新腎生検の病理．診断と治療社，2003
3）城 謙輔：腎．向井 清，他（編）：外科病理学 第4版．pp843-917，文光堂，2006
4）片渕律子：腎生検診断Navi．メジカルビュー社，2007
5）Jennette JC, et al（eds）：Heptinstall's Pathology of the kidney 6th ed. Lippincott Williams & Wilkins, 2007
6）D'Agati VD, et al（eds）：Non-neoplastic kidney diseases. The American registry of pathology and Armed forces institute of pathology, 2005
7）日本泌尿器科学会，他（編）：泌尿器科・病理・放射線科 腎癌取扱い規約 第5版．メディカルレビュー社，2021

第17章 尿路（尿管・膀胱・尿道）

A 尿路の概論

A 正常尿路の機能・構造

尿路は，腎臓の糸球体で産生された尿（原尿）を，腎盂から尿管・膀胱・尿道を通過して，体外へ排泄する経路である．尿管は，腎盂から膀胱をつなぎ，成人で0.5〜1.0 cmの外径と25〜30 cm程度の長さをもつ．尿管と膀胱の壁は粘膜固有層，固有筋層，周囲脂肪組織で構成される．

尿管，膀胱および尿道の一部を覆う尿路上皮は，かつては移行上皮と呼ばれていた．尿路上皮は，基底膜側から，1層の基底細胞，4〜5層の中間型細胞，1層の被蓋細胞（表層細胞）の3種類の上皮細胞で構成されている（図17-1）．

B 発生

尿管は，中胚葉由来の中腎管（ウォルフ管 wolffian duct）の下部から分枝増生する尿管芽から形成され，腎を形成する後腎へと伸びるとともに膀胱壁につながる．膀胱の中で三角部は，中腎管末端の取り込みによって形成されるが，その上皮は内胚葉起源の上皮に置換される．膀胱の残りの部位と尿道は，内胚葉由来の排泄腔から分かれた尿生殖洞から発生する．尿生殖洞の中で，上部の膀胱部は膀胱を，中位の骨盤部は尿道前立腺部を，下部の生殖茎部は尿道海綿体部を形成する．また，膀胱部は尿膜と連続しており，尿膜は次第に細くなり（尿膜管），線維性索となり，生後は正中臍索とよばれる．

C 疾患概論

一般的にヒトの疾患は，退行性機能障害性疾患，循環障害性疾患，炎症性疾患，非腫瘍性増殖性疾患，腫瘍性疾患，形態異常性疾患に分類される．そのなかで，尿管，膀胱，尿道に起こる疾患は炎症性疾患，腫瘍性疾患，形態異常性疾患，退行性機能障害性疾患が主体であり，循環障害性疾患は少ない．

B 炎症性疾患

炎症性疾患は，発生部位，病因あるいは経過から分類される．発生部位に基づく分類では，尿管炎，膀胱炎，尿道炎に分けられる．病因に基づく分類では，尿路においては細菌などの感染症のみならず，結石や尿路閉塞に基づくことも多い．経過による分類では急性炎症と慢性炎症に分けられる．急性炎症は組織細胞傷害性が強い病因が短期間に加わったときに発生し，組織学的には壊死

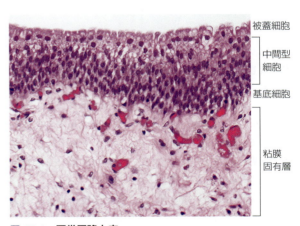

図 17-1　正常尿路上皮
基底膜側から，1層の基底細胞，4〜5層の中間型細胞，1層の被蓋細胞（表層細胞）の3種類の上皮細胞で構成されている．

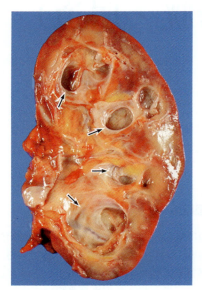

図 17-2　水腎症
腎盂腔の拡張（→）がみられる．さらに進行することで腎皮質髄質の菲薄化が起こる．

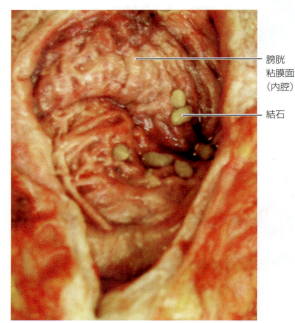

膀胱粘膜面（内腔）
結石

図 17-3　膀胱結石
膀胱前壁を切開した図．膀胱内に複数の結石を認める．

や出血などの破壊性所見と好中球を中心とした炎症細胞浸潤が目立つ．一方，慢性炎症は組織細胞傷害性が弱い病因が長く緩徐に加わったときに発生し，組織学的には上皮の萎縮や化生などの退行性所見に加えて，線維化およびリンパ球を中心とした炎症細胞浸潤が目立つ．また，病因が消褪しないと慢性炎症に急性炎症が加わることもある．

1　尿路閉塞性炎症性疾患

【概念，病態】

　尿路が閉塞したために閉塞部位よりも尿路上流側に尿が貯留し，貯留した尿が刺激となって尿路粘膜に炎症を引き起こす．尿路閉塞の原因には先天性尿路異常，結石，前立腺肥大，腫瘍，神経因性排尿障害などがある．閉塞原因となる腫瘍には，尿路に発生する原発性腫瘍のみならず，周囲臓器腫瘍の尿路への浸潤や転移も含まれる．尿路の閉塞が強いと尿管や腎盂が拡張し，**水腎症** hydronephrosis となる（図 17-2）．
　尿路結石 urinary calculus は，発生部位によって上部尿路結石（腎結石や尿管結石）と下部尿路結石〔膀胱結石（図 17-3）と尿道結石〕に分類され，上部尿路結石が全体の 90％以上を占める（前章も参照）．生涯罹患率は男性では約 15％，女性では約 7％で，増加傾向にある．男女比は約 2.5 : 1 と男性に多く，男性は 40 歳代に，女性は 50 歳代に好発する．成分としては，シュウ酸カルシウム結石やリン酸カルシウム結石などのカルシウムを含む結石が 90％を占める．結石形成の原因の多くは不明であるが，副甲状腺機能亢進症，クッシング Cushing 症候群，寝たきり状態などの尿中にカルシウムが多く排泄される状態や肥満が危険因子とされる．その他，感染症がリン酸マグネシウム・アンモニウム結石の，痛風の原因である高尿酸血症が尿酸結石の，先天性シスチン尿症がシスチン結石の原因となる．

【病理形態像】

　尿路閉塞は徐々に起こることが多く，慢性炎症を起こす一方で，細菌感染の併発や結石が急性傷害を引き起こした場合には急性炎症を伴う．そのため，急性炎症と慢性炎症が混在した所見を示すことが多い．
　肉眼的には，尿管や腎盂は拡張し，粘膜にびらんや発赤を示すとともに尿管の壁肥厚を伴う．組織的には，粘膜表面がびらんを示し，好中球を主体とする炎症細胞浸潤に加えて線維化を伴う．
　水腎症（図 17-2）を伴うと腎臓に炎症が波及し，**腎盂腎炎**を併発する．

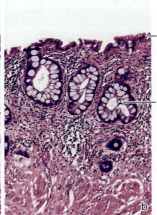

図 17-4　慢性膀胱炎
a. Brunn 細胞巣が腺様化生を示す腺性膀胱炎.
b. 腺性膀胱炎では腸上皮化生を伴うものもある.

2 膀胱炎 cystitis

A 急性膀胱炎 acute cystitis

【概念，病態】
　膀胱粘膜における急性炎症である．病因としては尿道からの逆行性の**細菌感染**が多い．原因菌は大腸菌や黄色ブドウ球菌が多く，特に大腸菌が 80％ を占める．

【病理形態像】
　肉眼所見は，膀胱粘膜にびらんや発赤を伴う．組織所見は，尿路上皮が剝離（びらん）し，残存する尿路上皮に好中球を主体とする炎症細胞浸潤を伴う．上皮下組織には，好中球を中心とした炎症細胞浸潤，浮腫，うっ血および出血などがみられる．

【臨床像】
　感染性急性膀胱炎は，尿道が短い女性（特に妊婦）に起こることが多い．

B 慢性膀胱炎 chronic cystitis

【概念，病態】
　膀胱粘膜における慢性炎症である．狭義では非特異的な炎症を指すが，広義には好酸球性膀胱炎や肉芽腫性膀胱炎などの特殊な炎症も含まれる．

【病理形態像】
　尿路上皮の増殖，**扁平上皮化生**あるいは**腺上皮化生**を呈し，上皮下組織に線維化やリンパ球を中心とした炎症細胞浸潤がさまざまな程度に認められる．

亜分類として，ブルン Brunn 細胞巣の増生や化生が目立つ**増殖性膀胱炎** proliferative cystitis がある．さらに増殖性膀胱炎の中に，Brunn 細胞巣が腺様化生と囊胞様拡張を示す**囊胞性膀胱炎** cystitis cystica，Brunn 細胞巣の腺様化生が完全な腺構造を示す**腺性膀胱炎** cystitis glandularis がある（図 17-4a）．また，腺性膀胱炎のなかには，**腸上皮化生**を示すもの cystitis glandularis with intestinal metaplasia もある（図 17-4b）．

炎症細胞の種類により，好酸球性膀胱炎や肉芽腫性膀胱炎などの亜分類がある．

Advanced Studies

C 特殊な膀胱炎

1　間質性膀胱炎 interstitial cystitis
　頻尿・尿意亢進・尿意切迫感・膀胱痛などの症状を呈する原因不明の慢性膀胱炎である．中高齢の女性に多い．膀胱鏡で正常の毛細血管構造を欠く特有の発赤粘膜（ハンナ Hunner 病変）を有するハンナ型と有さない非ハンナ型に大別される．
　病理組織学的には，炎症性変化に乏しい症例から，上皮が剝離（びらん）し，粘膜下組織には血管の増生と炎症細胞の集簇や線維化などの非特異的炎症所見を呈する症例まである．

2　放射線性膀胱炎 radiation cystitis
　直腸癌や子宮癌などの骨盤内腫瘍に対する放射線療法によって引き起こされる膀胱炎である．放射線照射の線量や期間によって病理像や臨床所見が異なる．
　病理組織学的には，急性期にはびらんや潰瘍を形成し，出血・浮腫・炎症細胞浸潤を示す急性出血性膀胱炎の所見を，慢性期には線維化や炎症細胞浸潤とともに尿路上皮，線維芽細胞あるいは血管内皮細胞に反応性異型を呈することがある．

表 17-1　尿管・膀胱から発生する主な腫瘍の分類

由来			良性		悪性
上皮性	尿路上皮由来		乳頭腫 内反性乳頭腫	非浸潤性	乳頭状 |（低悪性度乳頭状尿路上皮腫瘍） 低異型度非浸潤性乳頭状尿路上皮癌 高異型度非浸潤性乳頭状尿路上皮癌
					平坦状	非浸潤性平坦状尿路上皮癌
				浸潤性	浸潤性尿路上皮癌
	非尿路上皮由来		腺腫		腺癌 扁平上皮癌 小細胞癌 尿膜管癌
非上皮性					悪性リンパ腫 横紋筋肉腫 炎症性筋線維芽細胞腫

3　尿管炎 ureteritis, 腎盂腎炎 pyelonephritis

【概念，病態】

　尿管炎，腎盂腎炎は，尿管，腎盂に起こる炎症性疾患である．病因は，前述した尿路閉塞性炎症性疾患や膀胱尿管逆流症に基づくことが多い．また，女性，妊娠，膀胱や尿管へのカテーテルの挿入，糖尿病，ステロイド薬や免疫抑制薬の使用が危険因子である．

【病理形態像】

　膀胱尿管逆流現象による細菌感染の場合は急性炎症を起こし，粘膜表面がびらんを示し，上皮下組織には好中球を中心とした炎症細胞浸潤，浮腫，うっ血および出血などがみられる．

　尿路閉塞性炎症性疾患の場合は，前述したように急性炎症と慢性炎症が混在した所見を示すことが多く，粘膜表面がびらんを示し，好中球を主体とする炎症細胞浸潤を伴う一方で，線維化を伴う．

4　尿道炎 urethritis

【概念，病態】

　尿道炎は細菌や真菌，ウイルスによって起こる急性炎症であることが多く，**性感染症**に伴うことが多い．急性尿道炎の原因菌としては，クラミジア，淋菌，大腸菌，腸球菌などが多い．ウイルス感染に伴う炎症としては尖圭コンジローマがある．その他，特殊な炎症性病変としてカルンケルやマラコプラキアがある．

【病理形態像】

　急性尿道炎 acute urethritis の所見を呈することが多く，粘膜表面がびらんを示し，うっ血や浮腫とともに好中球を主体とする炎症細胞浸潤を伴い，膿瘍を形成することもある．

Advanced Studies

1　カルンケル caruncle
　女性の尿道に好発する隆起性慢性炎症性病変である．慢性的機械的刺激や感染症などが原因とされる．肉眼的には暗赤色のポリープ状の隆起を呈することが多い．組織学的には肉芽組織を形成し，炎症細胞浸潤，浮腫，過形成性上皮を示す．

2　マラコプラキア malacoplakia
　尿道に好発する慢性肉芽腫性炎症性疾患の1つである．病因は大腸菌などの細菌に対するマクロファージの貪食機構の異常と考えられている．肉眼的には黄色斑または潰瘍形成を示し，組織学的には細胞質内に**好塩基性封入体**（ミカエリス-ガットマン Michaelis-Gutmann 小体）をもつマクロファージ浸潤を伴う肉芽腫形成を特徴とする．

【臨床像】

　女性は尿道が短いため，尿道炎単独で起こることは少ない．膀胱炎や腟炎を併発することが多い．よって，尿道炎という診断は男性に用いることが多い．症状としては，淋菌性尿道炎の場合は，排尿痛，尿道口の発赤や腫れ，膿排泄などの強い症状が出るが，非淋菌性尿道炎の場合は，ごく軽度の排尿痛やかゆみを伴う程度の弱い症状を呈する．

C　腫瘍性疾患および非腫瘍性増殖性疾患

　原発性腫瘍は，良性と悪性，上皮性と非上皮性により4つに大別され，上皮性はさらに尿路上皮由来と非尿路上皮由来に分類される（表 17-1）．

　悪性上皮性腫瘍（癌腫）が多く，良性上皮性腫瘍や非上

C. 腫瘍性疾患および非腫瘍性増殖性疾患 ● 575

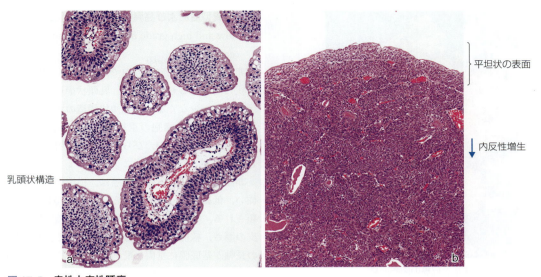

図 17-5　良性上皮性腫瘍
尿路上皮由来の良性腫瘍（尿路上皮乳頭腫）には，外方性尿路上皮乳頭腫（a）と内反性尿路上皮乳頭腫（b）がある．

皮性腫瘍はまれである．悪性上皮性腫瘍のなかでは，尿路上皮癌が最も頻度が高い組織型であり，90％以上を占めている．

非腫瘍性増殖性疾患には尿路上皮過形成がある．

1 良性上皮性腫瘍

1 ● 尿路上皮乳頭腫 urothelial papilloma

尿路上皮由来の良性腫瘍である．下記の内反性乳頭腫と区別するために外方性尿路上皮乳頭腫 exophytic urothelial papilloma ということもある．肉眼的には，外方性の乳頭型発育を示す．単発性で小型のことが多い．組織学的には，ほぼ正常に近い尿路上皮が細い血管結合組織を伴って外方性の乳頭状構造を示す病変である（図17-5a）．

2 ● 内反性尿路上皮乳頭腫 inverted urothelial papilloma

尿路上皮由来の良性腫瘍である．肉眼的には隆起性病変ではあるが，表面は乳頭状ではなく，平滑でドーム状を呈する．組織学的には，平坦な表面を正常尿路上皮が覆い，その直下に細い索状構造を示す尿路上皮が内反性増生を示す（図17-5b）．腫瘍細胞は卵円形の核をもち，細胞異型はほとんど示さない．

2 悪性上皮性腫瘍

A 尿路上皮癌 urothelial carcinoma

【概念】

尿路上皮由来の悪性上皮性腫瘍である．膀胱では三角部や後壁に，尿管では下 1/3 に好発する．**空間的および経時的に多発・再発**しやすく，初発時に多発している症例は 30％にも及び，腎盂・尿管の尿路上皮癌の治療後 30〜40％程度に膀胱癌を続発する．

（1）浸潤の有無により非浸潤性と浸潤性に，（2）乳頭状構造の有無により乳頭状と平坦状に，（3）構造異型と細胞異型により低異型度と高異型度に亜分類される．すなわち，① **低異型度非浸潤性乳頭状尿路上皮癌** non-invasive papillary urothelial carcinoma, low grade, ② **高異型度非浸潤性乳頭状尿路上皮癌** non-invasive papillary urothelial carcinoma, high grade, ③ **非浸潤性平坦状尿路上皮癌** non-invasive flat urothelial carcinoma = **尿路上皮内癌** urothelial carcinoma *in situ*, ④ **浸潤性尿路上皮癌** invasive urothelial carcinoma に分類される（表 17-1）．

【病態】

発がん因子としては，喫煙，化学物質，寄生虫などがある．喫煙は最も重要な発がん因子であり，喫煙者は非喫煙者に比較して 2〜4 倍発がんリスクが高い．また，喫煙者の膀胱癌は非喫煙者の膀胱癌よりも，若年発症で，サイズが大きく，多発し，悪性度が高い傾向にあ

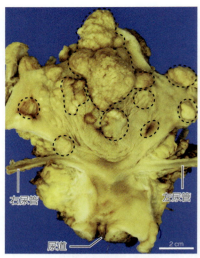

図 17-6　尿路上皮癌の肉眼所見
膀胱内腔へ乳頭状隆起する腫瘍(点線で囲んだ部分)が多発している.

る.化学物質による発がんは,1895年にレーン Rehnが芳香族アミン類による報告をして以後,ナフチルアミンやベンジジンなど多数の物質が報告されている.これらの物質を扱う職業(染料工業,皮革工業,ゴム工業)の従事者における発がんは,職業性膀胱癌といわれる.職業性膀胱癌は若年発症症例,進行癌症例,上部尿路発症が多いとされている.寄生虫による発がんは,アフリカや中近東の風土病であるビルハルツ住血吸虫症による膀胱扁平上皮癌の報告がある.

膀胱癌の遺伝子異常は非常に多彩であり,どの遺伝子異常が発がん,進展および悪性度にかかわっているかについては未だ不明である.しかしながら,低異型度癌では *FGFR3* 遺伝子の点突然変異など微細な遺伝子異常が主体であり,高異型度癌では遺伝子・染色体が不安定性を示し,*p53*,*p16INK4a* などの点突然変異,欠失あるいは増幅など,複数の遺伝子や染色体が多彩な異常を示すことが報告されている.

【病理形態像】
肉眼所見は,表面の形状から,乳頭型(図 17-6),結節型,平坦型,潰瘍形成型およびそれらが混在する混合型に分類される.

組織所見は,浸潤の有無と構造異型,細胞異型から以下の1~3に分類される.

1 ● 低異型度および高異型度非浸潤性乳頭状尿路上皮癌
low and high grade non-invasive papillary urothelial carcinoma

非浸潤性尿路上皮癌の中で,血管結合組織を伴って乳頭状に増殖するものである.乳頭状構造は分枝や融合を示すことが少なくない.乳頭状構造の大きさもさまざまである.上皮の細胞の重積性は正常尿路上皮の7層を越えることが多いが,びらんを伴い数層になっていることもある.

非浸潤性乳頭状尿路上皮癌は,構造異型と細胞異型に従い,低異型度(図 17-7a)と高異型度(図 17-7b)に亜分類される.この際,構造異型とは,被蓋細胞の有無,上皮の厚さ,核極性,細胞分布を示唆する.**核極性**は,核の長軸が基底膜に垂直に配列することを指す.細胞異型とは核腫大,N/C 比増大,核の円形化,核形不整,核クロマチン増量,核分裂像,胞体濃染化などを示す.低異型度非浸潤性乳頭状尿路上皮癌は再発を繰り返すものの浸潤癌となることはまれであり,一方,高異型度非浸潤性乳頭状尿路上皮癌は再発を繰り返し,さらには浸潤や転移をきたすことが多い.

Advanced Studies
WHO 分類(2004年/2016年)では,非浸潤性乳頭状尿路上皮癌の中でも特に異型が弱い症例を,**低悪性度乳頭状尿路上皮腫瘍**と亜分類している.わが国の「腎盂・尿管・膀胱癌取扱い規約 第2版」では低異型度型に包括されている.

2 ● 非浸潤性平坦状尿路上皮癌(尿路上皮内癌)
non-invasive flat urothelial carcinoma

非浸潤性平坦状尿路上皮癌は,非浸潤性尿路上皮癌の中で,隆起せず,平坦状に増殖するものである(図 17-7c).**尿路上皮内癌**といわれることが多い.上皮内の核極性は乱れ,大型核,核形不整,クロマチン増量など強い細胞異型を示す.非浸潤性平坦状尿路上皮癌(尿路上皮内癌)は再発を繰り返し,さらには浸潤や転移をきたすことが多い.

3 ● 浸潤性尿路上皮癌
invasive urothelial carcinoma

間質浸潤を伴う尿路上皮癌で,非浸潤性乳頭状尿路上皮癌由来のものと,尿路上皮内癌由来のものとがある.異型の強い尿路上皮細胞が,敷石状・索状構造を示しながら浸潤性に増殖する(図 17-7d).リンパ管や血管などの脈管に浸潤することもある.浸潤性尿路上皮癌は,その浸潤の深さ,すなわち腫瘍が粘膜固有層,固有筋層,周囲組織のどの深さまで及んでいるかによって深達

C. 腫瘍性疾患および非腫瘍性増殖性疾患 ● 577

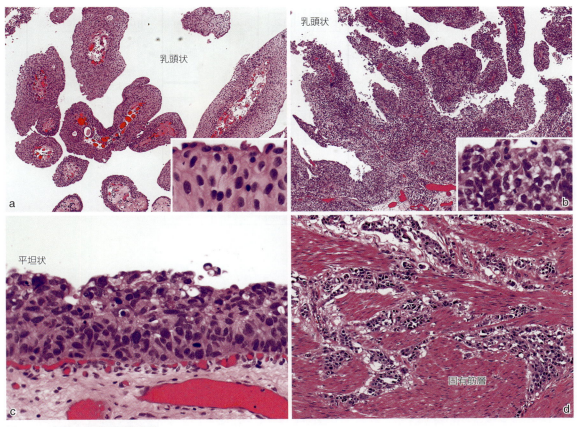

図 17-7 尿路上皮癌の組織所見
尿路上皮に由来する悪性腫瘍（尿路上皮癌）は，低異型度非浸潤性乳頭状尿路上皮癌（a），高異型度非浸潤性乳頭状尿路上皮癌（b），非浸潤性平坦状尿路上皮癌（尿路上皮内癌）（c），浸潤性尿路上皮癌（d）に分類される．
a の挿入図（強拡大）では核極性が保持されているが，b の挿入図（強拡大）では核極性が乱れている．

度分類（T 分類）される（図 17-8）．なお，病理組織所見に基づく T 分類を pT 分類と表記する．尿路上皮癌の70〜80％は，筋層非浸潤性尿路上皮癌（pTa, pTis, pT1）である．pT 分類に，リンパ節転移の有無（N 分類）や遠隔転移の有無（M 分類）を加えて，病期分類（stage）を行う．

Advanced Studies

a 浸潤性尿路上皮癌の特殊型
浸潤性尿路上皮癌の中には，特徴的な組織像を呈する症例が存在し，扁平上皮や腺上皮への分化を伴う型や胞巣型，微小囊胞型，微小乳頭型，リンパ上皮腫様型，形質細胞様型/印環細胞様/びまん性，肉腫様型などと亜分類されている．

【臨床像】
わが国における尿路上皮癌の発生頻度は，欧米諸国に比較して低いものの，毎年人口 10 万人あたり約 17 人の発生がある．また，年間約 6,000 例の死亡症例があり，死亡数は全悪性腫瘍中，男性が 11 位，女性が 14 位である．男女比は 2〜3：1 と男性に多い．好発年齢は 50 歳以上が大半（約 90％）を占め，70 歳代に好発する．

主症状は**血尿**がほとんどで，時に頻尿や排尿痛を示す．尿路上皮癌は，治療後に再発はするものの浸潤や転移をきたさない予後良好群，再発に伴い浸潤や転移をきたしやすい予後中間群，および生存率が悪い予後不良群の 3 群に分けられる．主として，予後良好群には低異型度非浸潤性乳頭状尿路上皮癌（pTa），予後中間群には高異型度の筋層非浸潤性尿路上皮癌（pTa, pTis, pT1），予後不良群には筋層を越えたり，転移を伴う浸潤性尿路上皮癌（pT2, pT3, pT4）が入る．

尿路上皮癌の治療は，予後良好群には**経尿道的切除術** transurethral resection（**TUR**）のみを，予後中間群には膀胱温存を目指した TUR による初期治療に加えて症例選択性に抗がん剤や **BCG**（bacillus Calmette-Guérin）の膀

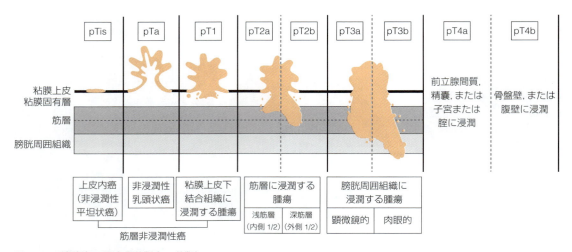

図 17-8 膀胱癌の深達度分類(pT 分類)
〔「腎盂・尿管・膀胱癌取扱い規約」をもとに作図〕

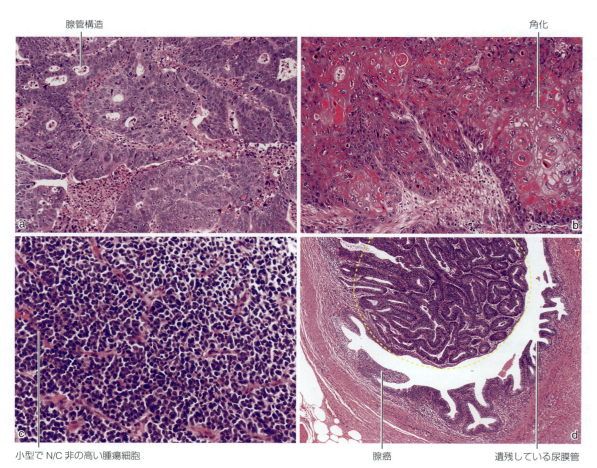

図 17-9 代表的な非尿路上皮癌の組織所見
a. 腺癌. b. 扁平上皮癌. c. 小細胞癌. d. 尿膜管癌.

胱内注入などの追加療法を，予後不良群には根治的膀胱摘除術あるいは化学療法や放射線療法が適用される．

膀胱癌や腎盂尿管癌の5年生存率は，およそpTa・pTis症例で90％以上，pT1症例で80％，pT2症例で70％，pT3症例で50％，pT4症例で20〜30％である．

B 非尿路上皮のがん

1 腺癌 adenocarcinoma

腺管構造や粘液産生など腺上皮への分化を示す悪性腫瘍である(図17-9a)．ほとんどは浸潤癌である．量の多少にかかわらず尿路上皮癌を合併する症例は腺癌とせず，腺分化を伴った尿路上皮癌とする．

2 扁平上皮癌 squamous cell carcinoma

他の臓器の扁平上皮癌と同様に，角化や細胞間橋を呈する(図17-9b)．ほとんどは浸潤癌である．量の多少にかかわらず尿路上皮癌を合併する症例は扁平上皮癌とせず，扁平上皮分化を伴った尿路上皮癌とする．

3 小細胞癌 small cell carcinoma

肺小細胞癌に類似し，乏しい細胞質と類円形から紡錘形の核をもつ小型の腫瘍細胞が，充実性に増殖する(図17-9c)．尿路上皮癌成分を同時に認めることが多い．臨床的予後の悪い症例が多い．

4 尿膜管癌 urachal carcinoma

遺残尿膜管より発生する悪性腫瘍で，膀胱頂部に発生し，腔内や壁内に増生する(図17-9d)．多くの症例は腸型の腺癌の組織像を呈するが，尿路上皮癌の場合もある．

3 非上皮性腫瘍

頻度は低いものの，さまざまな肉腫や悪性リンパ腫が発生する．肉腫は小児から若年者に多く，横紋筋肉腫などの頻度が高い．悪性リンパ腫の大部分はB cell typeである．

D 形態異常性疾患

先天性と後天性の形態異常性疾患があり，前者は先天異常(形成異常)に相当する．

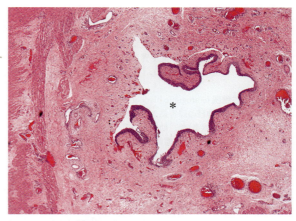

図17-10 尿膜管遺残
尿膜管を＊で示す．

1 尿膜管遺残 urachal remnant

通常は生後には閉鎖する尿膜管が遺残した状態で，膀胱から臍部につながる尿膜管瘻様，尿膜管洞様，尿膜管嚢胞様の構造物を呈する(図17-10)．臍から尿の排泄がみられたり，感染を起こしたり，あるいはまれにがん化(尿膜管癌)したりすることがある．

2 重複尿管 double ureter

胎生4〜5週の中腎管から発生する尿管芽の異常に基づき起こり，尿路の形成異常のなかで最も頻度が高い(5％)．

腎盂から2つの尿管が出て別々に膀胱に開口する完全型と，腎盂から出た2つの尿管が合流して1本となって膀胱に開口する不完全型がある．

3 膀胱憩室 bladder diverticulum

膀胱の一部が膀胱外に突出したものであり，後天性のものが多い．何らかの原因で，膀胱内の圧力が高まったときに，膀胱壁の一部に圧力に弱い部位があると，その部分が膀胱外に突出して発生する．

E その他の疾患

尿管，膀胱，尿道における退行性機能障害性疾患には膀胱尿管逆流症，神経因性膀胱，膀胱萎縮などがある．梗塞などの循環障害性疾患はほとんどない．

Advanced Studies

1 ● 膀胱尿管逆流症 vesicoureteral reflux

　尿管膀胱接合部の異常により，膀胱内に貯留した尿が尿管を逆流する病的状態である．尿管炎や腎盂腎炎を併発することが多い（➡ 第 16 章「腎」，560 頁参照）．

2 ● 神経因性膀胱 neurogenic bladder

　排尿に関与する神経の障害によって膀胱排尿機能に障害が生じた状態（神経因性排尿障害）で，仙髄の排尿反射中枢よりも中枢側に病因がある上位ニューロン性（痙縮性膀胱）と末梢側に病因がある下位ニューロン性（弛緩性膀胱）に分類される．

● 参考文献

1) Sadler TW : Langman's Medical Embryology 15th ed. Lippincott Williams & Wilkins, 2023
2) Mills SE(ed): Histology for Pathologists 5th ed. Lippincott Williams & Wilkins, 2020
3) WHO Classification of Tumours of the Urinary System and Male Genital Organs 5th ed. World Health Organization, 2022
4) 日本泌尿器科学会，他(編)：腎盂・尿管・膀胱癌取扱い規約 第 2 版．医学図書出版，2021
5) Amin MB, et al (eds): Urological Pathology 1st ed. Lippincott Williams & Wilkins, 2012
6) Cheng L, et al (eds): Urologic Surgical Pathology 4th ed. Elsevier Saunders, 2019
7) Amin MB, et al (eds): AJCC Cancer Staging Manual 8th ed. Springer-Verlag, 2017
8) 日本泌尿器科学会(編)：膀胱癌診療ガイドライン 2019 年版．医学図書出版，2019
9) 日本泌尿器科学会・日本泌尿器内視鏡学会・日本尿路結石症学会(編)：尿路結石症診療ガイドライン 第 2 版．金原出版，2013
10) 都築豊徳，他(編)：腫瘍病理鑑別診断アトラス 腎盂・尿管・膀胱癌．文光堂，2012

第18章 内分泌

A 下垂体 pituitary gland

1 構造と機能

下垂体の大きさは直径約1 cm，重さ0.5～1.0 gで，間脳視床下部から下垂体茎 pituitary stalk（漏斗）を介して蝶形骨洞のくぼみとなっているトルコ鞍 sella turcica に収まっている（図18-1）．下垂体はラトケ嚢 Rathke pouch に由来する前葉（腺性下垂体 adenohypophysis）と間脳に由来する後葉（神経性下垂体 neurohypophysis）から構成される．

前葉からは副腎皮質刺激ホルモン adrenocorticotropic hormone（ACTH），成長ホルモン growth hormone（GH），プロラクチン prolactin（PRL），甲状腺刺激ホルモン thyroid stimulating hormone（TSH），卵胞刺激ホルモン follicle stimulating hormone（FSH），黄体形成ホルモン luteinizing hormone（LH）の6種類の下垂体ホルモンが産生・分泌される（表18-1）．ACTH産生細胞はコルチコトロフ corticotroph，GH産生細胞はソマトトロフ somatotroph，PRL産生細胞はラクトトロフ lactotroph，TSH産生細胞はサイロトロフ thyrotroph，性腺刺激ホルモン（ゴナドトロピン：FSH・LH）産生細胞はゴナドトロフ gonadotroph とも呼ばれる．1つの前葉細胞は1種類のホルモンを産生するが，LHおよびFSHは同じ前葉細胞から産生される．前葉ホルモンは視床下部から放出されるさまざまな刺激因子や抑制因子によって制御を受けている（表18-2）．また，前葉には濾胞星

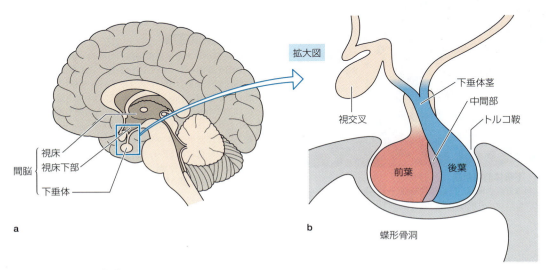

図18-1 下垂体の構造
a．大脳正中矢状断面図．□が下垂体を示す．
b．下垂体の構造．aの□の拡大図．下垂体は蝶形骨のくぼみ（トルコ鞍）に収まっている．下垂体は大きく2つの部分に分かれ，前方側の前葉と後方側の後葉と呼ばれる．それらの間に当たる部分は中間部（または中葉）と呼ばれる．

表 18-1 下垂体ホルモンと主な標的臓器

	分泌部位	主な標的臓器
副腎皮質刺激ホルモン（ACTH）	前葉	副腎
成長ホルモン（GH）	前葉	骨，筋肉，肝臓
プロラクチン（PRL）	前葉	乳腺
甲状腺刺激ホルモン（TSH）	前葉	甲状腺
卵胞刺激ホルモン（FSH）	前葉	卵巣，精巣
黄体形成ホルモン（LH）	前葉	卵巣，精巣
抗利尿ホルモン（ADH）／バソプレシン	後葉	腎臓
オキシトシン	後葉	乳腺，子宮

表 18-2 視床下部ホルモンによる下垂体ホルモンの分泌制御

	制御される下垂体ホルモン
分泌刺激	
副腎皮質刺激ホルモン放出ホルモン（CRH）	ACTH
成長ホルモン放出ホルモン（GHRH）	GH
甲状腺刺激ホルモン放出ホルモン（TRH）	TSH，PRL
性腺刺激ホルモン放出ホルモン（GnRH）	FSH，LH
血管作動性腸管ペプチド（VIP）	PRL
分泌阻害	
成長ホルモン抑制ホルモン（GIH）／ソマトスタチン	GH
プロラクチン抑制ホルモン（PIH）／ドパミン	PRL

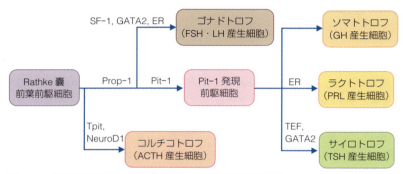

図 18-2　下垂体前葉の発生過程と分化に関与する転写因子
Rathke 囊の前壁が分化して下垂体前葉細胞となる．前葉細胞への分化過程にはさまざまな転写因子が協調して関与する．

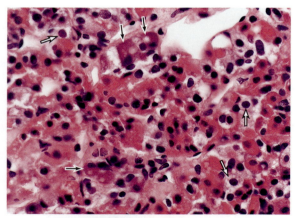

図 18-3　下垂体前葉組織
下垂体前葉は好酸性細胞，好塩基性細胞（→），嫌色素性細胞（⇒）の3つに分けられる．染色性の違いは産生される前葉ホルモンと相関がある．

状細胞 folliculostellate cell があり，貪食作用，サイトカインや成長因子の分泌によるホルモン産生細胞の制御にかかわるとされるが，その機能についてはまだ十分に解明されていない．

後葉はグリア細胞系の後葉細胞（下垂体細胞 pituicyte），神経軸索，血管網から構成される．視床下部で産生される抗利尿ホルモン（バソプレシン）とオキシトシンは下垂体後葉から分泌されている．

Advanced Studies

Rathke 囊から下垂体前葉細胞への発達・機能分化にはさまざまな転写因子が関与している（図 18-2）．GH 産生細胞，PRL 産生細胞，TSH 産生細胞は Pit-1 ファミリーとも呼ばれ，その発生には共通して転写因子 Pit-1 が関与する．さらに TSH 産生細胞への分化には TEF（thyrotroph embryonic factor）や GATA2，PRL 産生細胞への分化にはエストロゲン受容体 estrogen receptor（ER）がかかわる．ACTH 産生細胞の分化は Tpit と NeuroD1 が，FSH・LH 産生細胞への分化には SF-1，GATA2，ER が重要な役割を果たす．前葉分化の各系列に特異性が高いため Pit-1，Tpit，SF-1 の免疫組織化学は下垂体腺腫の病理診断にも応用される．

前葉のホルモン産生細胞は HE 染色の色素親和性によって好酸性細胞 acidophil，好塩基性細胞 basophil，嫌色素性細胞 chromophobe の 3 種類に分けられる（図 18-3）．GH 産生細胞は好酸性細胞，PRL 産生細胞は好酸性細胞もしくは嫌色素性細胞，TSH 産生細胞，FSH・LH 産生細胞は好塩基性細胞，ACTH 産生細胞は嫌色素性性細胞もしくは好塩基性細胞であり，細胞の染

色性の違いとホルモン産生には関連がある．ただし，前葉細胞のホルモン産生を正確に同定するには，各ホルモンに対する抗体を用いた免疫組織化学を行うことが必要である．

下垂体前葉細胞の細胞質に核を囲む硝子様の領域がみられる変化を**クルーク変性** Crooke hyalinization（図18-4）と呼ぶ．ACTH産生腫瘍，コルチゾール産生副腎皮質腺腫，副腎皮質ホルモンの大量投与時にACTH産生細胞にみられ，高コルチゾール血症に対するネガティブフィードバックによる機能抑制性の変化であると考えられている．Crooke変性の硝子様部分には中間径フィラメントであるサイトケラチンが蓄積している．ACTH産生腺腫においては非腫瘍部のACTH産生細胞にCrooke変性が認められる．

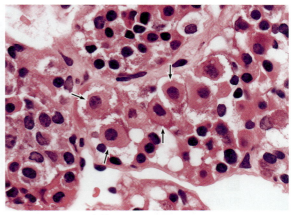

図18-4　Crooke変性
コルチゾールの持続的高値によって生じる非腫瘍部ACTH産生細胞の硝子様変性．ACTH産生細胞の核を帯状に囲むようにピンク色の無構造な領域（→）がみられる．

2 発生異常と機能異常

1 発生異常
下垂体無形成 pituitary agenesis および**下垂体低形成** pituitary hypoplasia はまれで，他の重篤な先天異常を合併することが多い．無形成では新生児は生後数時間で死亡する．低形成では下垂体機能低下症となることがある．

2 下垂体機能低下症 hypopituitarism
【概念，定義】
視床下部もしくは下垂体の障害によって下垂体前葉ホルモンの分泌が低下することで生じる．
【成因】
原因はさまざまで腫瘍もしくは腫瘍様病変（下垂体腺腫，頭蓋咽頭腫，胚細胞性腫瘍，Rathke囊胞など）による圧排，循環障害（シーハン Sheehan 症候群や下垂体卒中など），炎症性疾患（自己免疫性下垂体炎，結核，サルコイドーシスなど），外的要因（外傷や手術など），遺伝子異常，原因不明（特発性）がある．
【臨床像】
欠乏する前葉ホルモンの種類，程度，発症時の年齢によって下垂体機能低下の症状は多様となる．先天的なGH分泌不全では低身長や低血糖発作がみられる．

3 尿崩症 diabetes insipidus
下垂体後葉から分泌される抗利尿ホルモン（バソプレシン）の分泌障害（中枢性尿崩症）もしくは作用障害（腎性尿崩症）を機序とし，多尿，頻尿，口渇を生じる．腫瘍，炎症，外傷による下垂体後葉の傷害が中枢性尿崩症の原因となるが，遺伝性および器質的異常の明らかでない特発性もある．

4 シーハン症候群 Sheehan syndrome
【概念，定義】
分娩時の出血による血圧低下とショックを主な原因とする下垂体梗塞および汎下垂体機能不全症である．
【臨床像】
壊死は前葉に生じ，産後に無月経，甲状腺機能低下，副腎機能低下，授乳障害がみられる．前葉と後葉で血流支配が異なるため後葉機能は保たれる．周産期管理の進歩により，発症は著しく減少している．

5 トルコ鞍空洞症候群 empty sella syndrome
【成因】
鞍隔膜の欠損や形成不全によって，トルコ鞍内にくも膜下腔が進展して脳脊髄液が充満し，その圧によってトルコ鞍が拡張し，下垂体がトルコ鞍底部に圧排されている状態である．
【臨床像】
まれに視力障害，頭痛，高PRL血症などを伴うが，多くは無症状で，解剖や頭部のCTおよびMRIで偶発的に発見されることがある．手術や放射線療法を原因として生じる二次性のものもある．

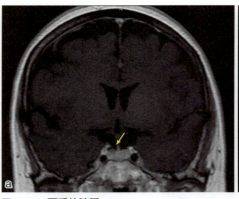 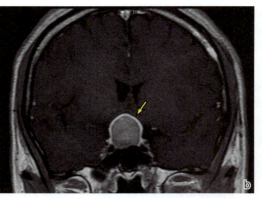

図 18-5　下垂体腺腫
造影頭部 MRI 冠状断．
a. 微小腺腫．右葉に径 4 mm の低信号結節（→）を認める．高コルチゾール血症の臨床症状があり，病理組織学的に ACTH 産生腺腫と診断された（クッシング Cushing 病）．
b. 巨大腺腫．下垂体窩から上方に突出する径 20 mm の境界明瞭な充実性腫瘤を認める（→）．先端巨大症の臨床症状があり，病理組織学的に GH 産生腺腫と診断された．

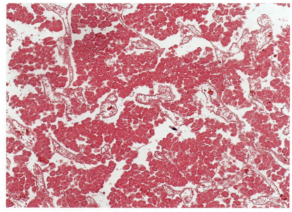

図 18-6　下垂体卒中
出血性梗塞により凝固壊死に陥った下垂体腺腫．

③ 炎症性疾患

【概念，定義】

下垂体の炎症性疾患では，腫瘤状病変の形成や下垂体機能異常を呈することがある．原発性として，**リンパ球性下垂体炎** lymphocytic hypophysitis，**肉芽腫性下垂体炎** granulomatous hypophysitis，**黄色腫性下垂体炎** xanthomatous hypophysitis が知られている．二次性のものとしては，結核，サルコイドーシス，全身性の血管炎などがある．

【臨床像】

腫瘍との鑑別のために組織学的検査が行われることがある．リンパ球性下垂体炎では，リンパ球と形質細胞の浸潤，線維増生がみられ，炎症の主座が前葉の場合（リンパ球性前葉炎）は下垂体腫大，頭痛，視力障害，下垂体機能異常がみられる．漏斗・後葉に炎症の主座がある場合（リンパ球性漏斗下垂体炎）は尿崩症の原因となる．

④ 下垂体腫瘍

1 ● 下垂体腺腫 pituitary adenoma

【概念，定義】

下垂体前葉細胞の良性腫瘍で，頭蓋内腫瘍の 10～25％を占める．下垂体ホルモンの過剰産生により下垂体機能亢進症状を示す．また，腫瘍の視神経圧迫によって視力障害や視野障害（両耳側半盲）を伴う．下垂体腺腫は腫瘍細胞が産生する前葉ホルモンによって分類されるが，前葉ホルモンによる臨床症状の有無から，さらに機能性腺腫 functioning adenoma と非機能性腺腫 non-functioning adenoma に分けられる．また，腫瘍径が 10 mm 未満のものを微小腺腫（ミクロアデノーマ micro-adenoma），10 mm 以上を巨大腺腫（マクロアデノーマ macroadenoma）と呼ぶ（図 18-5）．

下垂体腺腫内に急激に出血性梗塞が起こることがあり，**下垂体卒中** pituitary apoplexy と呼ばれる（図 18-6）．腫瘍の増大と脳圧亢進により，頭痛，視神経症状，尿崩症，下垂体機能低下症が生じるが，無症候性から突然死に至るまで症状の程度はさまざまである．下垂体卒中を契機に下垂体腺腫が発見されることもある．頸動脈血管造影，頭部外傷，放射線照射などが誘因としてあげられて

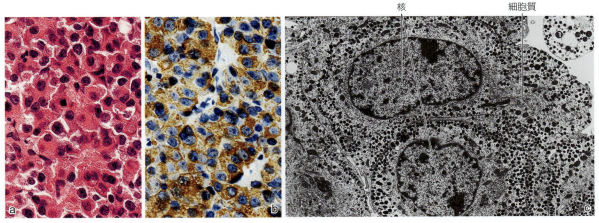

図 18-7　下垂体腺腫：GH 産生腺腫
a. 好酸性の細胞質をもつ腫瘍細胞が充実性に増殖する．
b. GH に対する免疫組織化学では，腫瘍細胞の細胞質に褐色の陽性反応が認められる．
c. 透過型電子顕微鏡による観察では，高電子密度の神経内分泌顆粒が細胞質内に多数認められる．神経内分泌顆粒は下垂体前葉ホルモンを含む．

はいるが，発症のメカニズムは十分にわかっていない．

a GH 産生腺腫　growth hormone producing adenoma

多くが機能性腺腫であり，成人での GH 過剰産生は**先端（末端）巨大症** acromegaly を生じる．四肢末端の肥大，眉弓部の膨隆，鼻や口唇の肥大，下顎突出がみられる．骨端線閉鎖前の小児期での発症は巨人症 gigantism を生じる．GH はインスリンに拮抗する作用があり，耐糖能異常や糖尿病を引き起こす．肉眼的に境界明瞭な腫瘤が前葉にみられ，多くが腫瘍径 10 mm 以上の巨大腺腫である．組織学的には GH を産生する好酸性前葉細胞が充実性に増殖する（図 18-7a, b）．電子顕微鏡では細胞質内に多数の神経内分泌顆粒を伴う（densely granulated adenoma，図 18-7c）．分泌顆粒が少なく GH 産生能も低い嫌色素性細胞の増殖からなる GH 産生腺腫もある（sparsely granulated adenoma）．

b PRL 産生腺腫　prolactin producing adenoma

高プロラクチン血症により，女性では乳汁漏出，無月経，不妊がみられる．男性では多くが非機能性で，頻度は少ないが乳汁漏出がみられることもある．女性では微小腺腫が多いが，男性では巨大腺腫が多い．典型例では，PRL を産生する嫌色素性細胞が乳頭状，索状，充実性に増殖する．砂粒小体やアミロイド沈着をしばしば伴う．ドパミン作動薬（カベルゴリン，ブロモクリプチン）の投与により PRL の低下および腫瘍縮小が認められる．

c TSH 産生腺腫　TSH producing adenoma

下垂体腺腫のなかでは 1% 未満とまれである．診断時には浸潤性増殖を示す巨大腺腫としてみつかることが多い．過剰な TSH により，びまん性甲状腺腫大や甲状腺機能亢進症状（動悸，発汗，体重減少）を示す．視力障害を伴うことが多い．組織学的には核異型を伴う嫌色素性細胞の増殖からなる．腫瘍内にはしばしば線維化を伴う．

d ACTH 産生腺腫　ACTH producing adenoma

クッシング症候群 Cushing syndrome とは，副腎皮質からコルチゾールが過剰に分泌され，特徴的な身体所見を呈する疾患群であり（→ 605 頁参照），このなかで下垂体腺腫による ACTH 産生が原因であるものを**クッシング病** Cushing disease と呼ぶ（図 18-8）．女性に多い．高コルチゾール血症により，満月様顔貌，中枢性肥満，皮膚線条，皮膚の菲薄化，近位筋の萎縮・筋力低下，高血圧，月経異常，痤瘡，多毛，精神異常，骨粗鬆症がみられる．ACTH 産生腺腫の多くは微小腺腫で，好塩基細胞の充実性増殖をみる．まれながら Crooke 変性を伴う腫瘍細胞の増生からなる ACTH 産生腺腫も存在する（Crooke 細胞腺腫）．

e 性腺刺激ホルモン（ゴナドトロピン）産生腺腫　gonadotroph producing adenoma

LH および FSH を産生する腫瘍で，多くは非機能性である．巨大腺腫として視野・視力障害，頭痛，下垂体機能低下が主徴となることが多い．一部で LH・FSH 過剰による症状が出現するが，小児期での性ホルモン分泌亢進徴候，成人男性での女性化乳房，成人女性の過少月経などがみられる．血管豊富で出血や壊死を伴い，嫌色

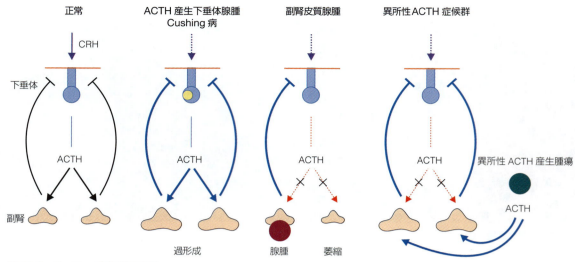

図 18-8　Cushing 症候群の病因
Cushing 症候群における持続的な高コルチゾール血症は，ACTH 過剰産生（ACTH 産生下垂体腺腫や異所性 ACTH 産生腫瘍）によるものと，副腎皮質腺腫からのコルチゾール過剰産生によるものがある．
〔覚道健一：内分泌．坂本穆彦，他（編）：標準病理学 第 4 版．p565 より改変〕

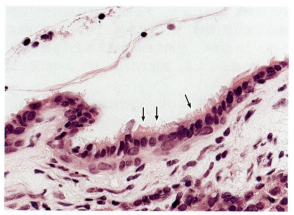

図 18-9　Rathke 囊胞
線毛（→）を有する単層の立方上皮が囊胞壁内腔を覆っている．

素性細胞が索状，乳頭状，ロゼット構造を形成して増生している．

f その他の下垂体腺腫

非機能性腺腫のなかには病理学的検索においても，前葉ホルモンの産生や下垂体前葉に関連する転写因子群の発現が証明されない腫瘍があり，ナルセル腺腫 null cell adenoma と定義されている．

転写因子に制御される前葉細胞の発生分化の系列（図 18-2）と関係なく複数のホルモンを産生する腺腫は多ホルモン産生腺腫 plurihormonal adenoma と呼ばれる．

2 ● 下垂体癌 pituitary carcinoma

下垂体前葉細胞を由来とするがんはきわめてまれである．腫瘍が転移能を有すると判断される場合に悪性とするが，周囲組織への浸潤性増殖のみでは下垂体癌とはしない．下垂体腺腫と診断されていたものが，後の遠隔転移の出現によって下垂体癌と判明することもある．ホルモン産生に関しては機能性と非機能性のいずれもある．予後は不良である．

3 ● 下垂体細胞腫 pituicytoma

後葉の下垂体細胞に由来するきわめてまれな腫瘍．紡錘形細胞のびまん性増殖からなる．免疫組織化学では甲状腺転写因子 TTF-1 が核に陽性となる．

5 トルコ鞍部の腫瘍・腫瘍様病変

a ラトケ囊胞 Rathke cleft cyst

【概念，定義】
Rathke 囊の遺残が拡張して囊胞となったものである．トルコ鞍内や鞍上部に発生する．

【病理形態像】
組織学的には，囊胞は円柱上皮や線毛上皮に裏装され，しばしば杯細胞や扁平上皮化生を伴う（図 18-9）．

【臨床像】
囊胞そのものは非機能性だが，囊胞による下垂体の圧排で下垂体機能低下や尿崩症をきたすことがある．

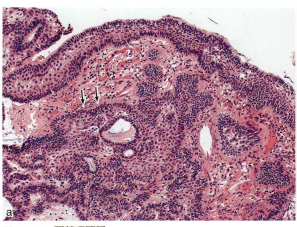
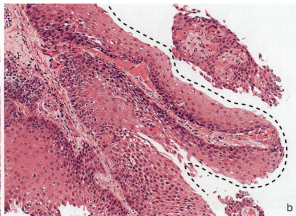

図 18-10　頭蓋咽頭腫
頭蓋咽頭腫は組織像によりエナメル上皮腫型と乳頭型に分けられる．
a．エナメル上皮腫型．歯原性上皮に類似した扁平上皮が索状・網目状・充実性に増殖している．腫瘍胞巣辺縁では核の柵状配列（→）が認められる．
b．乳頭型．分化した重層扁平上皮（点線）が乳頭状に増殖している．

b 頭蓋咽頭腫 craniopharyngioma

【概念，定義】

トルコ鞍上部に発生する上皮性腫瘍で，エナメル上皮腫型と乳頭型に分類される．

【病理形態像】

エナメル上皮腫型は歯原性上皮（エナメル上皮）に類似した上皮が囊胞や充実性胞巣を形成して増殖し，疎な線維性間質成分を伴う（図 18-10a）．囊胞内には機械油様の液体が貯留する．腫瘍内には角化物，コレステリン結晶，石灰化を伴う．小児に好発するが，成人にも発生する．

乳頭型はエナメル上皮腫型よりも頻度が少なく成人に発生する．分化した重層扁平上皮が乳頭状・充実性に増殖する．囊胞形成を伴うこともあるが，機械油様の液体貯留はない（図 18-10b）．線毛上皮や杯細胞を伴うことがある．

【臨床像】

主な症状は，視神経，下垂体，視床下部，第三脳室への圧排によるもので，両耳側半盲，汎下垂体機能低下症，尿崩症，水頭症をきたす．

甲状腺 thyroid gland

 構造と機能

甲状腺は左右両葉と峡部からなる蝶のような形で，頸部の気管前面に位置している（図 18-11）．重さは 15〜20 g，内分泌臓器のなかでは最も大きな臓器である．甲状腺原基は胎生期に咽頭床から甲状腺憩室として発生し，舌骨と喉頭軟骨の腹側正中を通って甲状軟骨のやや下の位置まで下降する．移動の途中で第 4 咽頭囊に由来する鰓後体 ultimobranchial body が甲状腺と融合して広がり C 細胞となる．甲状腺原基が舌根部から頸部を下降する経路に甲状舌管 thyroglossal duct が形成されるが，発生過程で閉鎖・退縮する．

甲状腺の基本構造は濾胞であり，濾胞腔内にはコロイドが充満している（図 18-12）．濾胞を構成する濾胞上皮細胞 follicular cell は甲状腺ホルモンの産生・分泌を担う．甲状腺ホルモンの合成・分泌は下垂体に制御されて

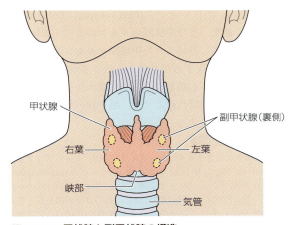

図 18-11　甲状腺と副甲状腺の構造

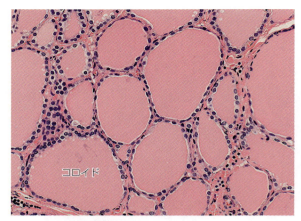

図 18-12 甲状腺組織
扁平〜立方状の濾胞上皮が濾胞構造を形成し，濾胞内には淡いピンク色の無構造物質として観察されるコロイドが充満する．

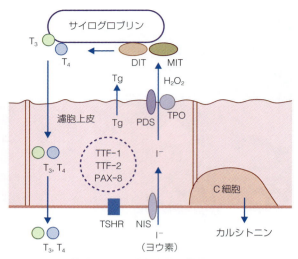

図 18-13 甲状腺ホルモン産生の分子機構

おり，下垂体前葉から分泌されたTSHが甲状腺濾胞上皮に発現するTSHレセプタTSH receptor(TSHR)に結合すると，濾胞上皮で甲状腺ホルモンの合成・分泌が促進される．血中に分泌された甲状腺ホルモンは標的臓器の細胞核内に存在する甲状腺ホルモン受容体に結合して，遺伝子の転写制御を行う．甲状腺ホルモンの作用は多岐にわたり，基礎代謝の亢進，脳や骨の成長，脂質代謝，糖代謝に関与する．

Advanced Studies

甲状腺濾胞におけるホルモン合成にはTSHR，サイログロブリンthyroglobulin(Tg)，甲状腺ペルオキシダーゼ thyroperoxydase (TPO)，ナトリウム・ヨード共輸送体 sodium/iodide symporter (NIS)，ペンドリンpendrin(PDS)など複数の分子が関与し，これらの機能分子の発現は組織特異的な転写因子(TTF-1，TTF-2，PAX-8)によって制御されている(図 18-13)．

血中のヨウ素はヨード輸送体であるNISとペンドリンを介して甲状腺濾胞上皮および濾胞腔内に取り込まれる．過酸化水素 H_2O_2 とTPOの存在下で，ヨウ素はTgのチロシン残基と結合し，モノヨードチロシン(MIT)とジヨードチロシン(DIT)が生成される．MITとDITはさらに縮合し，**トリヨードサイロニン**(T_3)基と**サイロキシン**(T_4)基が生成される．Tgが濾胞上皮細胞質内に取り込まれるとT_3とT_4は遊離し，甲状腺ホルモンとして血中に分泌される．TSHはTSHRに結合してヨウ素の取り込みやT_3・T_4の生成分泌を正に制御する．

カルシトニンを産生するC細胞は濾胞上皮に比べると数は著しく少なく，濾胞内もしくは傍濾胞に散在性にわずかに存在する．また，C細胞は両側葉の上1/3と中1/3の境界部を中心として分布し，上極や下極，峡部にはほとんどみられない．HE染色上でヒトの正常C細胞を認識することは容易でなく，顕微鏡下にC細胞を同定するにはカルシトニンの免疫組織化学が必要である．

血中のカルシウム濃度上昇に反応してC細胞からペプチドホルモンである**カルシトニン**が産生される．カルシトニンには**副甲状腺ホルモン** parathyroid hormone (PTH)やビタミンDに拮抗して血中カルシウムやリン酸を低下させる作用がある．破骨細胞に存在するカルシトニン受容体に作用して骨からのカルシウムの放出を抑制し(骨吸収抑制)，カルシウムとリン酸の骨への定着を促進する．また，尿中へのカルシウムとリン酸の排泄も促進する．

甲状腺には充実性細胞巣 solid cell nestと呼ばれる上皮細胞の充実性胞巣が甲状腺内にしばしば認められる．多くは1mm未満の微小なもので，胎生期の鰓後体の遺残と考えられている．

2 発生異常と機能異常

1 発生異常

甲状舌管嚢胞 thyroglossal duct cystは甲状舌管に由来する嚢胞で，**正中頸嚢胞** medial cervical cystとも呼ばれる．胎生期の甲状舌管が遺残し，嚢胞状に拡張したものである．前頸部正中に無痛性の腫瘤として自覚される．小児や若年者に多いが，すべての年齢で発生しうる．嚢胞は線毛呼吸上皮と重層扁平上皮に裏打ちされ，嚢胞壁には甲状腺濾胞がしばしばみられる．

甲状腺無形成 thyroid aplasiaおよび**甲状腺低形成** thyroid hypoplasiaは先天性の甲状腺機能低下症の原因となる．片葉無形成もあるが，その場合には甲状腺機能は通常保たれている．

表 18-3 甲状腺機能低下症の原因

原発性，甲状腺性
甲状腺発生異常(低形成，無形成)
甲状腺ホルモン合成障害
ヨード欠乏
慢性甲状腺炎(橋本病)
亜急性甲状腺炎の回復期
中枢性
下垂体機能低下症
視床下部でのTRH分泌障害
末梢性
甲状腺ホルモン不応症
医原性
甲状腺摘出
放射性ヨード投与
薬剤(抗甲状腺薬，炭酸リチウム，アミオダロンなど)

表 18-4 甲状腺中毒症・甲状腺機能亢進症の原因

甲状腺機能亢進によるもの
Basedow 病
中毒性多結節性甲状腺腫
Plummer 病
TSH 産生下垂体腺腫
hCG 増加(絨毛癌，胞状奇胎)
甲状腺機能亢進を伴わない甲状腺中毒症
亜急性甲状腺炎
無痛性甲状腺炎
異所性甲状腺組織(卵巣甲状腺腫など)
甲状腺ホルモンの過剰摂取

異所性甲状腺組織 aberrant thyroid tissue では，正常の位置とは異なる部位に甲状腺組織が認められる．舌根部，甲状腺周囲，前縦隔に主に発生するが，これは発生過程で甲状腺原基が頸部正中を下降する際に，下降が途中で停止もしくは過度に生じたためである．ごくまれに心嚢や横隔膜下の臓器にも認められる．異所性甲状腺から過形成性病変や甲状腺腫瘍が発生することがある．

2 ● 甲状腺機能低下症 hypothyroidism

【概念，定義】

甲状腺ホルモンの作用が不十分なために生じる病態である．

【成因】

甲状腺ホルモン量もしくは作用の低下によって起こる(表 18-3)．ヨード欠乏，慢性甲状腺炎(橋本病)による濾胞の破壊，視床下部・下垂体の障害による TSH 低下，抗甲状腺薬など，甲状腺機能低下の原因はさまざまであるが，わが国では慢性甲状腺炎による甲状腺機能低下症が最も多い．甲状腺ホルモン受容体遺伝子に異常がある場合は，甲状腺ホルモン量の低下がなくても末梢組織での甲状腺ホルモン不応が生じて甲状腺機能低下症状を示す．

【臨床像】

成人において甲状腺機能低下症が進行すると寒がり，疲れやすい，皮膚乾燥，脱毛，食欲不振，体重増加，動作緩慢，精神鈍麻，徐脈などの症状が現れる．また，ムコ多糖類が皮膚に蓄積するため押しても圧痕を残さない特異な浮腫が眼瞼・鼻・口唇を含む顔面，四肢，手背，足背に生じる(**粘液水腫** myxedema)．高度の甲状腺機能低下症が長期に続くと意識障害や昏睡に至る(**粘液水腫性昏睡** myxedema coma)．

血清 T_3 および T_4 は正常範囲で臨床症状もないが，TSH のみ軽度上昇している状態は潜在性甲状腺機能低下症という．

クレチン症 cretinism は先天的な甲状腺機能低下症によって生じる．高度のヨード欠乏や甲状腺無形成が原因となる．成長発育障害や知能発達障害をきたし，クレチン顔貌と呼ばれる眼瞼の浮腫，低い鼻(鞍鼻)，巨大舌を認める．早期発見と適切な治療により不可逆的な高度の知能障害を防ぐことが可能であり，わが国では血清 TSH を指標として新生児マススクリーニングが行われている．

3 ● 甲状腺機能亢進症 hyperthyroidism

【概念，定義】

甲状腺において，甲状腺ホルモンの合成・分泌が亢進した病態である．

【成因】

TSHR 抗体によるバセドウ Basedow 病，機能性の甲状腺結節(中毒性多結節性甲状腺腫，プランマー Plummer 病)，下垂体腺腫による TSH 産生過剰などが原因となる(表 18-4)．甲状腺機能亢進により甲状腺ホルモンが過剰に産生され，その作用が過度になっている状態を**甲状腺中毒症** thyrotoxicosis と呼ぶ．甲状腺機能亢進がなくても甲状腺組織の一過性破壊による甲状腺ホルモン放出(亜急性甲状腺炎や無痛性甲状腺炎など)や，甲状腺ホルモンの過剰摂取によっても甲状腺中毒症は生じる．

【臨床像】

甲状腺機能亢進症もしくは甲状腺中毒症の症状・徴候は多彩で，心悸亢進，発汗，体温上昇，体重減少，甲状腺腫，いらいら，筋力低下などがみられる．甲状腺中毒症の劇症型は**甲状腺クリーゼ** thyrotoxic crisis と呼ばれ

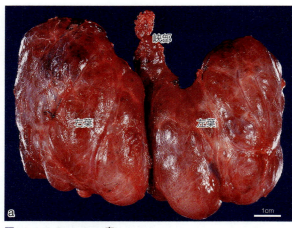
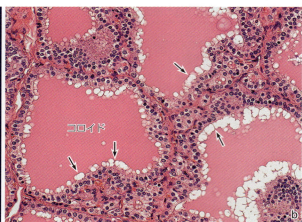

図 18-14　Basedow 病
a. 甲状腺はびまん性・不均等に腫大している．血流が豊富なため赤色調を呈する．
b. 濾胞上皮は立方状～円柱状に丈が高くなり，一部で乳頭状構造を呈する．コロイドと濾胞上皮の境界には吸収空胞（→）と呼ばれる泡のように白く抜けた構造がみられる．

る．Basedow 病患者に感染症や手術などの高度のストレスが加わったときや，抗甲状腺薬の服用中断などで発症する．高熱，高度の頻脈，著しい発汗，精神症状（興奮，せん妄，昏睡），頻回の下痢がみられ，さらに心房細動，うっ血性心不全，ショックを生じる．甲状腺クリーゼは緊急に適切な治療が行われなければ死に至る重篤な状態である．

a バセドウ病 Basedow disease
【概念，定義】
　甲状腺に対する自己免疫疾患で，甲状腺機能亢進症を示す．グレーブス病 Graves disease とも呼ばれる．
【成因】
　Basedow 病患者には自己抗体である TSHR 抗体 anti-TSHR antibody（TRAb）が高頻度に陽性となる．TRAb には TSHR を機能的に刺激する甲状腺刺激抗体 thyroid stimulating antibody（TSAb）と阻害する甲状腺刺激阻害抗体 thyroid stimulation blocking antibody（TSBAb）が含まれ，Basedow 病では TSAb が TSHR を持続的に刺激して甲状腺機能が亢進するため，甲状腺中毒症の症状が出現する．
【病理形態像】
　Basedow 病では甲状腺がびまん性に腫大し，甲状腺内の血流が豊富であるため赤色調を呈する（図 18-14a）．薄いコロイドを貯めた大型濾胞，円柱状の濾胞上皮，濾胞上皮の乳頭状増生，吸収空胞と呼ばれる濾胞上皮とコロイドの間の白く抜けた構造がみられる（図 18-14b）．吸収空胞は標本作製過程における人工産物とされているが，濾胞上皮細胞質内へのコロイド取り込み亢進を反映していると考えられている．甲状腺機能の状態や治療状況により組織像は変化しうる．
【臨床像】
　Basedow 病に伴うびまん性甲状腺腫，眼球突出，動悸をメルゼブルグの三徴 Merseburg triad という．

b プランマー病 Plummer disease
【概念，定義】
　甲状腺の単個の結節性病変が自律的な機能亢進を示し，甲状腺中毒症を呈する．
【成因】
　TSHR 遺伝子や Gs タンパク遺伝子の機能獲得性変異が原因となる．
【病理形態像】
　Plummer 病の甲状腺結節は腺腫もしくは単結節性の腺腫様甲状腺腫瘍である．
【臨床像】
　甲状腺シンチグラム（^{123}I，^{131}I，^{99m}TcO$_4^-$）では結節に一致して取り込み（hot nodule）がみられる．

c 中毒性多結節性甲状腺腫 toxic multinodular goiter
　多数の結節が自律的な機能亢進を示す．一部の症例で *TSHR* 遺伝子の遺伝子異常が認められる．組織学的には多発の過形成性結節である腺腫様甲状腺腫を示す．甲状腺シンチグラムでは複数の結節に取り込みがみられる．

d その他の甲状腺機能亢進症
　TSH 産生腺腫による TSH の過剰分泌や，妊娠に関連する胎盤性ゴナドトロピン chorionic gonadotropin の増加によっても，甲状腺機能亢進症をきたす．

3 炎症性疾患

a 急性化膿性甲状腺炎 acute suppurative thyroiditis

【概念，定義】

急性化膿性甲状腺炎は小児・若年者にみられるまれな炎症性疾患である．

【成因】

下咽頭梨状窩から甲状腺上部に至る瘻孔を経路とした細菌感染が原因であり，甲状腺上部とその周辺に化膿性炎症をきたす．この下咽頭梨状窩瘻 pyriform sinus fistula の成因は十分に解明されていないが，発生過程での鰓後体の移動に関係すると考えられている．甲状腺の腫脹はほとんどが左葉であり，これは瘻孔が左側に多いことに関連している．

【臨床像】

瘻孔の存在は下咽頭食道造影や内視鏡下の色素注入により確認できる．甲状腺上部に有痛性腫脹が出現し，同部皮膚の発赤や発熱を伴う．急性期には抗菌薬で治療されるが，瘻孔がある限り再発する可能性があるため，根治のためには瘻孔を摘出する．

b 亜急性甲状腺炎 subacute thyroiditis

【概念，定義，成因】

原因不明の炎症性疾患で，ウイルス感染が原因として疑われている．30〜40歳代の女性に多い．甲状腺の局所的圧痛，発熱，一過性の甲状腺中毒症が出現する．ウイルス性上気道炎が数週間前に先行するのが一般的である．

【病理形態像】

組織学的には，リンパ球と好中球を主体とした炎症細胞浸潤，組織球や多核組織球の集簇，異物巨細胞の出現，甲状腺濾胞の破壊・線維化がみられる．組織学的特徴から巨細胞性肉芽腫性甲状腺炎とも呼ばれる．甲状腺癌が疑われる場合には穿刺吸引細胞診が行われることがあり，多核組織球，好中球，リンパ球が観察される（図18-15）．

【臨床像】

甲状腺濾胞の破壊によりコロイド内にある T_3 と T_4 が血中に漏出するため，急性期には甲状腺中毒症を生じる．甲状腺中毒症の後で一過性の甲状腺機能低下を呈することもある．数か月程度の亜急性の経過で自然治癒するため，急性期の治療は疼痛や発熱への対症療法が主体となる．

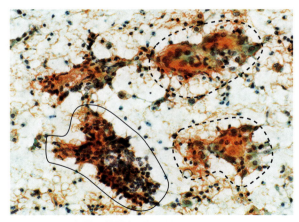

図 18-15　亜急性甲状腺炎
細胞診標本（パパニコロウ染色）．リンパ球と好中球を背景に，異物型多核組織球（点線），類上皮細胞，変性した濾胞上皮（実線）をみる．

c 慢性甲状腺炎 chronic thyroiditis
（橋本病 Hashimoto disease）

【概念，定義】

甲状腺の自己免疫疾患の1つで中高年の女性に多くみられる．甲状腺機能低下症の原因としては最も頻度が高い疾患である．本疾患は1912年に当時九州大学の外科医であった橋本策博士がドイツ医学雑誌にリンパ球性甲状腺腫 Struma lymphomatosa として組織学的特徴をはじめて報告したため，国際的にも橋本病と呼ばれている．

甲状腺濾胞の機能障害や破壊が進行すると，血中の遊離 T_3 free T_3（FT_3）と遊離 T_4 freeT_4（FT_4）が低下して甲状腺機能低下症状が現れる．フィードバックにより下垂体から分泌されるTSHは上昇する．血清TSHが増加しているが，血中の遊離 T_3 と遊離 T_4 が正常値に保たれて甲状腺機能低下症状がない状態を，**潜在性甲状腺機能低下症**と呼ぶ．

【成因】

抗TPO（またはマイクロゾーム）抗体や抗Tg抗体が高率に陽性となるが，液性免疫よりも $CD4^+$ ヘルパーT細胞（Th1）や $CD8^+$ 細胞傷害性T細胞が関与する細胞性免疫による濾胞上皮の障害が主因と考えられている．マイクロゾームテストによって検出される抗マイクロゾーム抗体は甲状腺濾胞上皮のマイクロゾーム分画に対する自己抗体であり，TPOが主な自己抗原である．

【病理形態像】

甲状腺はびまん性に腫大し，組織学的にはリンパ球と形質細胞の浸潤，リンパ濾胞の形成，甲状腺濾胞の萎

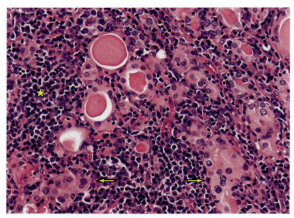

図 18-16　慢性甲状腺炎(橋本病)
リンパ球と形質細胞の浸潤(☆),小型化した甲状腺濾胞と濾胞上皮の好酸性変化(→)を認める.

表 18-5　甲状腺腫瘍の組織分類

濾胞上皮由来
濾胞腺腫
濾胞癌
乳頭癌
低分化癌
未分化癌
C 細胞由来
髄様癌
リンパ球由来
リンパ腫
腫瘍様病変(過形成)
腺腫様甲状腺腫

縮,濾胞上皮の好酸性変化・線維化がみられる(図18-16).

【臨床像】

慢性甲状腺炎では,患者の多くが無症状または潜在的甲状腺機能低下症の状態であり,その場合には積極的な治療は必要ない.患者の10～20%が甲状腺機能低下の症状を示し,その場合は甲状腺ホルモン補充療法を行う.慢性甲状腺炎に対して治療を目的とした甲状腺切除は行わないが,甲状腺腫瘍の切除検体で,非腫瘍部分に慢性甲状腺炎の組織像を認めることがある.

d 無痛性甲状腺炎 painless thyroiditis

"無痛性"という言葉は亜急性甲状腺炎における圧痛に対するもので,無痛性甲状腺炎は甲状腺に圧痛症状を伴わず一過性に甲状腺中毒症を呈する.

【成因】

濾胞が破壊されることによって血中のFT_3とFT_4が上昇し,TSHは低値となる.TRAbは原則として陰性だが,まれに陽性のことがある.本疾患は慢性甲状腺炎や寛解期のBasedow病の経過中に出現することがあるが,明らかな誘因がないこともある.甲状腺中毒症の後には甲状腺機能低下症となり,数か月の経過で甲状腺機能は回復する.繰り返し再発することや甲状腺中毒症の後に持続的な甲状腺機能低下症を生じることもある.

無痛性甲状腺炎はBasedow病との鑑別が重要である.Basedow病では甲状腺シンチグラムにおいて放射性ヨード(またはテクネチウム)の甲状腺摂取率が高いが,無痛性甲状腺炎では低値となる.

e リーデル甲状腺炎 Riedel thyroiditis

きわめてまれな甲状腺炎症性疾患である.甲状腺の両葉もしくは片葉にびまん性の線維化が生じ,甲状腺が腫大する.慢性甲状腺炎にみられる線維化は甲状腺内に限局するのに対し,Riedel甲状腺炎では甲状腺外の脂肪組織や筋組織にまで線維化が及ぶ.進行すると甲状腺機能低下をきたす.本疾患の原因は不明であるが,IgG4関連疾患との関係が議論されている.

4 甲状腺腫瘍および腫瘍様病変

甲状腺疾患では**甲状腺腫** goiter という臨床的用語が使われる.これは甲状腺がびまん性もしくは結節性に腫大したものを指し,特定の疾患や腫瘍を意味するものではない.びまん性甲状腺腫 diffuse goiter はBasedow病,慢性甲状腺炎,ヨード欠乏性甲状腺腫(地方性甲状腺腫)などの非腫瘍性の甲状腺疾患による甲状腺腫大が相当する.また,結節性甲状腺腫 nodular goiter は単結節性と多結節性に分けられ,さまざまな甲状腺腫瘍や腫瘍様病変が結節性甲状腺腫として含まれる.

甲状腺の上皮性腫瘍は濾胞上皮に分化したものとC細胞に分化したものに大別できる.甲状腺は主に濾胞上皮から構成され,甲状腺腫瘍の大部分が濾胞上皮由来となっている(表18-5).分化度や形態学的な特徴から濾胞上皮由来の腫瘍はさらに良性腫瘍である濾胞腺腫,悪性腫瘍である濾胞癌,乳頭癌,低分化癌,未分化癌に分けられる.濾胞癌と乳頭癌は分化型癌であり,甲状腺ホルモンの産生や濾胞構造の形成濾胞上皮への分化が認められるが,未分化癌は構造異型や細胞異型が著しく高度で濾胞上皮への分化が失われている.低分化癌は分化型癌と未分化癌の中間的な形態像を示す.C細胞由来の腫

 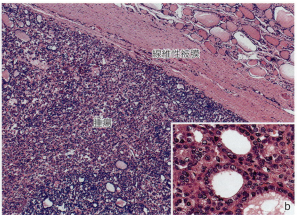

図 18-17　濾胞腺腫
a. 被膜(白色)に囲まれた境界明瞭な充実性腫瘍が認められる．
b. 腫瘍辺縁に厚い線維性被膜を認める．腫瘍内部では小型濾胞が単調に増生する(挿入図)．

瘍は髄様癌であり，良性腫瘍に対応するC細胞性腫瘍はない．非上皮性腫瘍の発生はまれであるが，慢性甲状腺炎を背景にB細胞性リンパ腫が発生することがある．

甲状腺腫瘍では甲状腺ホルモンが過剰に産生・分泌されることは通常ない．したがって，甲状腺機能亢進症を呈することは少なく，甲状腺シンチグラムではcold noduleとなる．ただし機能性の甲状腺結節(Plummer病，中毒性多結節性甲状腺腫)では，機能亢進を反映してhot noduleとなる．

組織型により大きく患者の予後が異なるため，術前の組織型の推定は治療法の選択に重要である．甲状腺では術前に生検組織診が行われることは少なく，**穿刺吸引細胞診** fine needle aspiration cytology(FNAC)が行われる．FNACは手技が簡便で合併症のリスクも低いため，甲状腺の結節性病変の診断において超音波検査とともに欠くことのできない検査の1つとなっている．触診下でも行われるが，わが国では超音波ガイド下でFNACが行われることが多い．悪性の可能性があるすべての甲状腺結節性病変がFNACの対象となる．甲状腺FNACは組織型推定の精度が高い検査で，その判定結果は手術方針の決定に直結している．

Advanced Studies

甲状腺FNACの判定には，これまで複数の報告様式が提唱されてきたが，2007年に米国の細胞病理医が中心となってまとめた**甲状腺ベセスダシステム**が国際的な基準となっている．判定は以下の6つのカテゴリーに区分される．1. **不適正** nondiagnostic/unsatisfactory，2. **良性** benign，3. **意義不明な異型** atypia of undetermined significance(AUS)/ **意義不明な濾胞性病変** follicular lesion of undetermined significance(FLUS)，4. **濾胞性腫瘍** follicular tumor，5. **悪性の疑い** suspicious for malignancy，6. **悪性** malignancy．

AUS/FLUSはベセスダシステム特有の用語である．良性もしくは濾胞性腫瘍と確定できない細胞異型や小型濾胞性病変が相当する．ベセスダシステムにおける濾胞性腫瘍は濾胞腺腫と濾胞癌を含むカテゴリーである．濾胞腺腫と濾胞癌の診断には組織学的検索が必要であるため，原則的に細胞診検査では両者を区別できない．したがって，FNACの細胞所見から濾胞腺腫や濾胞癌が疑われる場合には濾胞性腫瘍と判定される．

わが国の甲状腺癌取扱い規約においても，ベセスダシステムに準拠した細胞診報告様式が用いられている．

1 ● 甲状腺腺腫 thyroid adenoma
【概念，定義】

濾胞上皮への分化を示す良性腫瘍を**濾胞腺腫** follicular adenoma と呼ぶ．

【病理形態像】

通常は単結節性で，厚い線維性被膜に囲まれた境界明瞭な腫瘤を形成する(図 18-17)．腫瘍内部には比較的単調な小型濾胞が増生する(図 18-17b 挿入図)．大濾胞・索状・充実状の構造からなる場合や，これらの増殖パターンが混在することもある．濾胞内にコロイドの貯留をみる．濾胞腺腫の亜型として**好酸性細胞型濾胞腺腫** follicular adenoma, oxyphilic cell variant がある．細胞質は広く好酸性・顆粒状で，核は大型円形で，核小体が明瞭となる(図 18-18)．好酸性濾胞腺腫では濾胞形成やコロイド産生は乏しく，しばしば充実性構造を示す．

2 ● 甲状腺癌 thyroid carcinoma
【成因】

甲状腺上皮性悪性腫瘍の95%以上を濾胞上皮由来腫瘍が占めている．甲状腺癌のうちC細胞由来の髄様癌

表 18-6　濾胞上皮由来甲状腺癌の遺伝子異常

	乳頭癌(%)	濾胞癌(%)	低分化癌(%)	未分化癌(%)
RET 遺伝子再構成	13〜43	0	0〜13	0
BRAF 点突然変異 (BRAF V600E)	29〜69	0	0〜13	10〜35
NTRK 遺伝子再構成	5〜13	—	—	—
RAS 点突然変異	0〜21	40〜53	18〜27	20〜60
PAX8/PPARG 遺伝子再構成	0	25〜63	0	0
p53 点突然変異 (TP53)	0〜5	0〜9	17〜38	67〜88

〔Kondo T, et al : Pathogenetic mechanisms in thyroid follicular-cell neoplasia. Nat Rev Cancer 6 : 292-306, 2006 より抜粋して転載〕

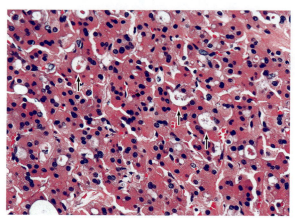

図 18-18　好酸性細胞型濾胞腺腫
好酸性の細胞質を有する濾胞上皮が増生している．一部に濾胞構造（→）をみるが，コロイド産生は乏しい．

は 1〜2％である．濾胞上皮由来の分化癌（乳頭癌，濾胞癌）は男女比が 1：4〜7 と女性に頻度が高く，甲状腺発がんに女性ホルモンの関与が推定されている．また，小児期における治療目的の頸部への放射線外照射は甲状腺癌の発症リスクを高める．1986 年にウクライナで発生したチェルノブイリ原子力発電所事故では周辺地域に広範囲な放射性物質の汚染をもたらした．原発事故 4 年後からウクライナと隣国ベラルーシで，小児の甲状腺乳頭癌が急増したが，これは放射性ヨードの内部被曝が主な原因とされている．

地理的要因も甲状腺癌の発生と組織型にかかわっている．わが国などの海産物を多く摂取する国と地域ではヨード摂取量が多く，甲状腺癌のなかでは乳頭癌の比率が相対的に高い．また，アフリカ，南米やアジアの内陸部，欧州の山岳地帯はヨード摂取量が少ない地域であり，濾胞癌の頻度が高いことが知られている．

Advanced Studies

濾胞上皮由来腫瘍の各組織型は特定の遺伝子異常と相関がある（表 18-6）．乳頭癌では **RET 遺伝子再構成**，**BRAF 点突然変異**（BRAF V600E），**NTRK 遺伝子再構成**がみられ，乳頭癌に特異性の高い遺伝子異常である．**RAS 点突然変異**は組織構造が類似する濾胞型乳頭癌や濾胞性腫瘍に認められる．**PAX8/PPARG 遺伝子再構**成は濾胞性腫瘍で検出される遺伝子変異で濾胞癌での検出率が高い．高分化型甲状腺癌からの低分化癌や未分化癌へのプログレッションには **p53 点突然変異**（TP53）が関与する（図 18-19）．

【臨床像】

分化癌は術後の 10 年生存率が 90％以上とほかの臓器の悪性腫瘍に比べて生命予後がよい腫瘍である．成人の解剖症例の検討では 10〜20％の症例で甲状腺にラテント latent（潜在）癌が認められるが，これは大きくならず，無症状のまま長期に経過する分化癌があるということを意味している．頸部の超音波検査の普及により，無症状の患者に微小な甲状腺癌が発見されるようになり，近年の甲状腺癌数の増加の一因となっている．低分化癌と未分化癌は分化癌よりもまれで，再発・転移率が高く，分化癌よりも予後は悪い．特に未分化癌はきわめて侵襲性が高く，ほとんどの患者が診断時から 1 年以内に死亡する．

a 乳頭癌 papillary carcinoma

【概念，定義】

濾胞上皮由来の悪性腫瘍で，乳頭癌の核所見を示すものである．乳頭癌の核所見とは，**核内細胞質封入体** intranuclear cytoplasmic pseudo-inclusion，**核溝** nuclear groove，**すりガラス状核** ground glass nucleus などである．甲状腺癌のなかでは最も頻度が高い組織型（90％以上）である．

【病理形態像】

腫瘍細胞の浸潤性増殖により境界不整な結節を形成する（図 18-20a）．腫瘍被膜を有して境界明瞭なことや囊胞を形成することもある．典型的には腫瘍細胞が血管線維性の軸をもった乳頭状構造からなり，複雑な分岐を伴う．濾胞構造もしばしば混在する．乳頭状構造がなく，濾胞構造のみから腫瘍が構成されていても，乳頭癌の核所見がみられる場合には乳頭癌に分類する．これを**濾胞型乳頭癌** papillary carcinoma, follicular variant と呼ぶ．

核内細胞質封入体は真の核内構造ではなく，核膜が陥入して細胞質が核内に取り込まれたものである（図 18-20b）．核溝は核の長軸方向に 1〜数本みられるしわ

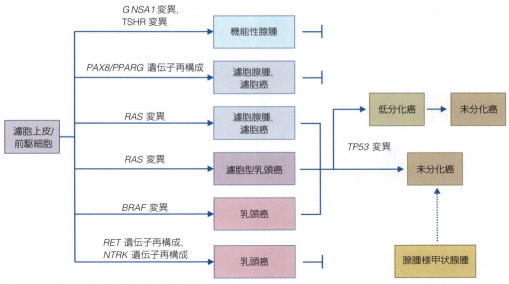

図 18-19 甲状腺腫瘍の多段階発がんモデル

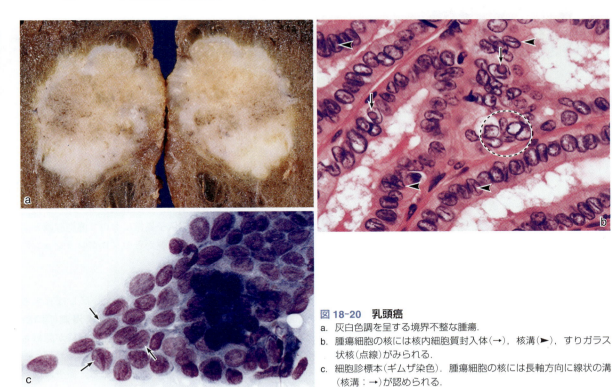

図 18-20 乳頭癌
a. 灰白色調を呈する境界不整な腫瘍.
b. 腫瘍細胞の核には核内細胞質封入体(→),核溝(▶),すりガラス状核(点線)がみられる.
c. 細胞診標本(ギムザ染色).腫瘍細胞の核には長軸方向に線状の溝(核溝:→)が認められる.

のような構造で,核膜の彎入によって生じる.すりガラス状核は核の内部が白く抜けたように明るくみえる所見で,固定や標本作製時のアーチファクトと考えられている.このほかにも乳頭癌では核の腫大,核型不整,核の重積,明瞭な核小体なども観察される.ただし,これらの核所見が乳頭癌のすべての腫瘍細胞に観察されるわけではない.

FNACでは核所見を詳細に観察することができるため,術前FNACによる乳頭癌の正診率は90％以上と高い(図18-20c).乳頭癌の頻度が高いことも併せて多く

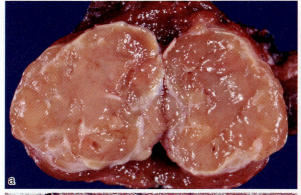
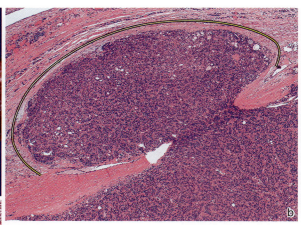
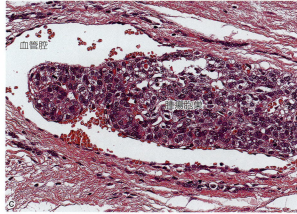

図 18-21 濾胞癌
a. 腫瘍は厚い線維性被膜(白色部分)に覆われるが，ところどころで不明瞭となり，内部の腫瘍(黄橙色部分)が被膜を越えて増殖している．
b. 被膜浸潤．線維性被膜を腫瘍胞巣が貫通する(黄線)．
c. 血管浸潤．腫瘍胞巣が血管内に認められる．

の甲状腺癌が術前の FNAC により組織型が推定されている．

【臨床像】

好発年齢は 30〜60 歳代で，女性に多い．小児から高齢者まで幅広い年齢層で発生する．多中心性発生および腺内転移により甲状腺内にしばしば多発する．リンパ節転移は高頻度にみられる．乳頭癌ではリンパ節転移があっても根治切除がされれば予後はよく，術後の 10 年生存率は 90% を超えている．

> Advanced Studies

篩型乳頭癌 papillary carcinoma, cribriform variant は乳頭癌の亜型の 1 つである．若年の成人女性に多く発症し，予後は良好で，転移はまれである．組織学的には単発あるいは多発の線維性被膜に被包された腫瘍で，内部は乳頭状・充実状・索状・濾胞状構造の増殖からなるが，コロイドはないかあっても乏しい．特徴となるのは篩状構造と扁平上皮様細胞の渦巻状・桑実状の胞巣形成である．散発症例も存在するが，本亜型は**家族性大腸ポリポーシス** familial adenomatous polyposis(FAP)(→ 第 14 章「消化管」，477 頁参照)に合併する遺伝性甲状腺癌の 1 つとして知られている．FAP の原因遺伝子は *APC* 遺伝子で，常染色体顕性(優性)遺伝形式を示す．篩型乳頭癌の予後が良好であっても，FAP による大腸癌は生命にかかわるため，本亜型が診断される場合には FAP の家族歴を調べる必要がある．

b 濾胞癌 follicular carcinoma

【概念，定義】

濾胞上皮由来の悪性腫瘍で，乳頭癌の核所見を示さないものを濾胞癌と診断する．甲状腺癌の 5〜10% を占める．形態的特徴および遺伝子異常において濾胞腺腫と共通した部分があり，濾胞腺腫からのプログレッションによると考えられている．

【病理形態像】

濾胞腺腫と同じく厚い線維性被膜をしばしば有する(図 18-21a)が，濾胞癌の診断には**被膜浸潤**(図 18-21b)や**血管浸潤**(図 18-21c)もしくは遠隔転移が認められる必要がある．濾胞癌は浸潤様式から微少浸潤型，被包性血管浸潤型，広汎浸潤型に分けられる．微少浸潤型は肉眼的には濾胞腺腫との区別が困難で，被膜浸潤の程度が顕微鏡的レベルのものである．被包性血管浸潤型は血管浸潤を認めるもので，被膜浸潤の有無は問わない．広汎浸潤型は肉眼レベルで被膜浸潤が認められる．広汎浸潤型や血管浸潤の多い症例では，悪性度が高く遠隔転移する可能性がより高い．

組織学的には小型濾胞の単調な増生からなる．腫瘍細

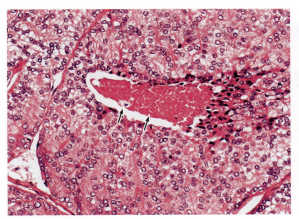

図 18-22　低分化癌
腫瘍細胞が充実性に増殖する．腫瘍胞巣内には腫瘍の凝固壊死（→）を伴う．

胞の大部分が好酸性変化を示すものは好酸性細胞型濾胞癌と呼ぶ．被膜浸潤や血管浸潤の有無が判定できないため，術前のFNACで濾胞腺腫と濾胞癌を区別することは難しい．

【臨床像】

　乳頭癌と同じく30〜60歳代に好発し，女性により多い．肺や骨に遠隔転移するが，リンパ節転移がまれであることは乳頭癌と異なる．術後の10年生存率は90％前後である．

c 低分化癌 poorly differentiated carcinoma

【概念，定義】

　甲状腺低分化癌とは，濾胞上皮を由来とするまれな悪性甲状腺腫瘍であり，その組織形態と生物学態度は比較的予後良好な分化癌と致死的な未分化癌の中間的な特徴を示す．わが国での頻度は1％未満とまれな組織型である．分化癌と共存する場合や低分化癌が未分化癌に進行することがある．

　低分化癌の概念が最初に提唱されたのは1983年の坂本穆彦らの報告によってであり，2004年のWHO分類では乳頭癌，濾胞癌，未分化癌と同じく甲状腺癌の1つの組織型として追加された．

【病理形態像】

　基本的には腫瘍の大部分が充実性・索状・島状構造（図 18-22）を示す．核分裂像がみられ，しばしば腫瘍の凝固壊死を伴う．診断基準に関してはいまだに議論されている部分もある．

d 未分化癌 undifferentiated (anaplastic) carcinoma

【概念，定義】

　きわめて悪性度が高く，予後不良な濾胞上皮由来の甲

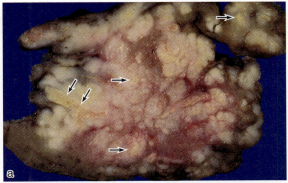

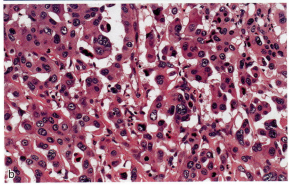

図 18-23　未分化癌
a. 灰白色調を呈する腫瘍が甲状腺内外に浸潤性に増殖し，著しく不整な腫瘤を形成する．腫瘍内部には壊死（黄色調部分，→）を伴う．
b. 巨核および多核の大型異型細胞がびまん性に増殖している．濾胞構造は全くみられない．

状腺癌である．全甲状腺癌の1〜2％を占める．

【成因】

　未分化癌の一部に分化癌や低分化癌の成分がしばしばみられ，未分化癌の一部は分化癌または低分化癌のプログレッションによって生じると考えられている．分化癌の術後再発として未分化癌が発生することもある．

【病理形態像】

　肉眼的には浸潤の高度な不整形腫瘍（図 18-23a）を示す．濾胞上皮由来であるが未分化癌では濾胞構造はみられず，甲状腺ホルモンの産生能は失われている．腫瘍細胞は類円形・多辺形・紡錘形，核は大型・巨核・多核などで，細胞異型や核異型は著しく高度で多彩である（図 18-23b）．多数の核分裂像がみられ，壊死や高度の好中球浸潤をしばしば伴う．非腫瘍性の骨および軟骨成分または肉腫様成分を伴うことがあるが，ほかの臓器における癌肉腫は，甲状腺では未分化癌に含まれる．腫瘍細胞のほとんどが扁平上皮に分化しているものは扁平上皮癌と呼ぶが，予後や臨床的態度は未分化癌と同じである．

表 18-7　甲状腺髄様癌の病型

	RET 点突然変異	随伴病変	全髄様癌中の頻度(%)
散発性(非遺伝性)	体細胞変異(23～70%)	なし	61
遺伝性			
MEN2A	胚細胞変異(95%)	褐色細胞腫，副甲状腺腺腫/過形成	28
MEN2B	胚細胞変異(95%)	褐色細胞腫，粘膜下神経腫，マルファン Marfan 症候群様体形	3
FMTC	胚細胞変異(88%)	なし	8

MEN：多発性内分泌腫瘍，FMTC：家族性甲状腺髄様癌．

【臨床像】
60歳以上の高齢者にみられ，急速に増大する頸部腫瘤として自覚される．診断時には局所で進行し，すでに遠隔転移をきたしていることが多い．進行した症例では有効な治療法がなく，1年以内にほとんどの患者が死亡する．

e 髄様癌 medullary carcinoma

【概念，定義】
甲状腺髄様癌はカルシトニンを産生するC細胞を由来とする悪性腫瘍であり，わが国では甲状腺癌全体の約1～2%を占める比較的まれな腫瘍である．

【成因】
甲状腺髄様癌は散発性と遺伝性に分けられ，遺伝性髄様癌には後述する**多発性内分泌腫瘍** multiple endocrine neoplasia（MEN）2型（→611頁参照）と，他の臓器の腫瘍を合併せず髄様癌のみが発症する家族性甲状腺髄様癌 familial medullary thyroid carcinoma（FMTC）とがある（表18-7）．散発性および遺伝性の髄様癌の発生に **RET 遺伝子**の点突然変異が大きく関係することがわかっている．

Advanced Studies

RET は第10番染色体長腕11.2（10q11.2）に存在し，受容体型チロシンキナーゼをコードしているがん原遺伝子である．そのタンパクは GDNF をリガンドとする膜貫通型のチロシン型レセプタである．散発性髄様癌の23～70%に RET 体細胞変異，遺伝性髄様癌の95%以上に RET 胚細胞変異が認められる．

【病理形態像】
髄様癌は正常C細胞の分布と同じく甲状腺側葉の中～上 1/3 に発生することが多い．遺伝性では両側性・多発性に腫瘍がみられる．割面は硬く，白色～灰白色である（図18-24a）．腫瘍境界は明瞭だが，線維性被膜を有することは少ない．出血や壊死をしばしば伴う．

組織学的には，腫瘍細胞がシート状・胞巣状・充実性に増殖する（図18-24b）．腫瘍細胞は円形・多辺形・紡錘形で混在することもある．核のクロマチンはいわゆるゴマ塩状で，二核，巨核，核内細胞質封入体をみる．腫瘍内にはプロカルシトニン由来のアミロイド沈着や石灰化をしばしば伴う．免疫組織化学でカルシトニン（図18-24c），癌胎児性抗原 carcinoembryonic antigen（CEA），クロモグラニンAが髄様癌細胞に陽性となる．

【臨床像】
髄様癌患者の平均年齢は50歳程度であるが，遺伝性では若年成人で発生する．髄様癌全体ではやや女性優位で，遺伝性では常染色体顕性遺伝のため，男女比に差はない．遺伝性髄様癌ではさまざまな随伴病変を伴う．

腫瘍が小さい場合はほぼ無症状だが，大きくなると頸部の硬いしこりとして触知され，咽頭違和感や嗄声を伴う．頸部にリンパ節転移を触知する場合もある．髄様癌細胞から分泌されるため，血中カルシトニン値は高値となるが，通常は血中カルシウム濃度には異常がない．ヒトカルシトニンの作用が PTH やビタミン D に比べるとはるかに弱いためと考えられている．

甲状腺髄様癌の約20～40%が遺伝性である．MEN合併の髄様癌と散発性の髄様癌に組織学的な差異はないが，多発の髄様癌や非腫瘍部の甲状腺にC細胞過形成をみる場合には遺伝性髄様癌の可能性を考える．

f リンパ腫 lymphoma

【概念，定義】
甲状腺悪性腫瘍の2～3%にリンパ腫がみられる．甲状腺原発のリンパ腫はほとんどがB細胞で**粘液関連リンパ組織型節外性辺縁帯リンパ腫** extranodal marginal zone lymphoma of mucosa-associated lymphoid tissue（通称 **MALT リンパ腫**）と**びまん性大細胞型B細胞リンパ腫** diffuse large B-cell lymphoma（DLBCL）が発生し，その他のリンパ腫はまれである．

【成因】
慢性甲状腺炎を背景に有することが多い．

【病理形態像】
MALT リンパ腫では小型～中型のリンパ球が単調に増殖する．リンパ腫細胞によって濾胞が破壊されたリンパ上皮病変 lymphoepithelial lesion（LEL），濾胞腔内にリンパ腫細胞が充満した MALT ball が認められる（図18-25）．DLBCL では核形不整が高度で，核小体の明瞭

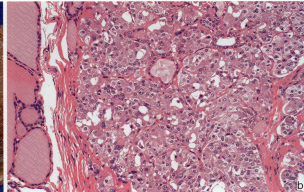
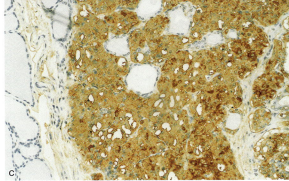

図 18-24　髄様癌
a. 灰白調の割面を呈する境界のやや不整な充実性腫瘍（点線）．一部に出血を伴う．
b. 多辺形の腫瘍細胞が充実性の胞巣を形成する．
c. 腫瘍細胞の細胞質にはカルシトニンが陽性（免疫組織化学）となる．腫瘍周囲と腫瘍の中にエントラップされた非腫瘍性の濾胞はカルシトニン陰性である．

な大型リンパ球のびまん性増殖がみられる．

【臨床像】
　FNAC において MALT リンパ腫は慢性甲状腺炎との鑑別が難しく，必要に応じて切除生検やフローサイトメトリーが追加される．

3　その他の甲状腺腫瘍

　硝子化索状腫瘍 hyalinizing trabecular tumor は，濾胞上皮由来のまれな良性腫瘍である．上皮の索状構造と硝子様間質の増加を特徴とする．腫瘍細胞間に過剰にみられる硝子様間質は基底膜物質であり，PAS 染色陽性，免疫組織化学でIV型コラーゲンとラミニンが陽性となる．理由は明らかとなっていないが，通常は核に陽性となる MIB-1 抗体（Ki-67 抗原）が本腫瘍では細胞膜および細胞質に陽性となることが知られている．

　胸腺様分化を示すがん carcinoma showing thymus-like differentiation（CASTLE）は，1985 年に宮内昭らが甲状腺内胸腺腫 intrathyroidal epithelial thymoma（ITET）としてはじめて報告した腫瘍で，甲状腺内に発生した胸腺癌に類似した悪性腫瘍である．甲状腺周囲もしくは甲状腺内の胸腺組織が由来と考えられている．中高年にみ

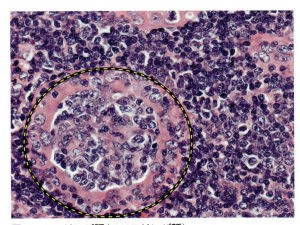

図 18-25　リンパ腫（MALT リンパ腫）
小型～中型の異型リンパ球がびまん性に増殖する．また，非腫瘍性の濾胞構造内にリンパ腫細胞が充満する組織所見（MALT ball）がみられる（点線）．

られ，甲状腺側葉の下極にみられる．扁平上皮様異型細胞の浸潤性増殖からなり，リンパ球浸潤や線維化を伴う．胸腺癌同様，免疫組織化学にて CD5 が陽性となる．

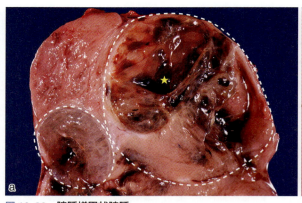
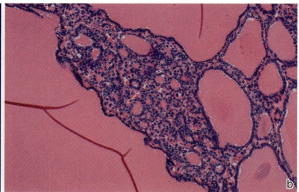

図 18-26　腺腫様甲状腺腫
a．大小の結節性病変（点線）がみられ，一部に囊胞状変化（☆）と出血を伴う．
b．結節は豊富なコロイドを貯めた大小の濾胞の増生からなる．

4 ● 腫瘍様病変

a　腺腫様甲状腺腫 adenomatous goiter

【概念，定義】
　甲状腺内に良性結節が多発し，甲状腺が腫大する．

【成因】
　腺腫様甲状腺腫の結節は濾胞上皮の過形成性によるものと従来考えられてきた．しかし，クローナル解析では一部の結節が単クローンであることも証明されており，真の過形成か腫瘍性病変か議論がある．腺腫様甲状腺腫の原因は明らかになっていない．

【病理形態像】
　大小の結節が増生し，甲状腺は不規則に腫大する（図18-26a）．組織像は多彩で，コロイドを豊富に貯めた大小さまざまな濾胞が増生して結節を形成し，乳頭状構造や Sanderson polster と呼ばれる小型濾胞の集まりが大型の濾胞腔内に突出するようにみられる（図18-26b）．結節内には囊胞状変化，出血，浮腫，線維化，石灰化など二次的な変性を伴うことが多い．単結節性の腺腫様甲状腺腫は腺腫様結節 adenomatous nodule ともいう．

b　囊胞 cyst

　甲状腺には上皮が裏装する真の囊胞の発生はほとんどなく，甲状腺内にみられる囊胞性病変の多くは腺腫様甲状腺腫や乳頭癌の二次的変性によるものである．

C 副甲状腺 parathyroid gland

1 構造と機能

　副甲状腺は甲状腺の上下に2対，計4個存在し（図18-11），その合計重量は120〜140 mg である．位置の異常（胸腔や甲状腺内など）や数の異常（5〜7腺）がしばしばみられる．発生学的には上の2個は第4咽頭囊に由来し，下の2個は第3咽頭囊に由来する．副甲状腺からはカルシウム代謝を調節する**副甲状腺ホルモン** parathyroid hormone（PTH）が産生・分泌される．PTH は血中のカルシウム濃度が上昇するように作用する．骨では，骨芽細胞を通じて破骨細胞が刺激されるため，骨吸収が促進されてカルシウムイオンが溶出する．腎臓では，遠位尿細管に作用してカルシウム再吸収が促進する．一方で副甲状腺の PTH 産生は血中カルシウムやマグネシウムの値によりフィードバックを受ける．

　副甲状腺の実質は主細胞と好酸性細胞からなり，小濾胞構造や充実性構造を形成する（図18-27）．これらの細胞は PTH 産生細胞であるが，形態的な違いは PTH 産生能に関連している．主細胞は PTH と PTH 関連タンパク PTH-related protein を分泌するが，好酸性細胞では PTH の分泌がほとんどない．副甲状腺内には PTH 産生細胞とともに豊富な成熟脂肪組織もみられる．成人では副甲状腺の 30〜50％が脂肪組織からなり，過形成では脂肪組織の比率が減少し，腫瘍ではほとんどみられなくなる．

2 発生異常と機能異常

a 発生異常

　ディジョージ DiGeorge 症候群では，第3・第4咽頭囊の発生異常によって，副甲状腺と胸腺が低形成あるいは欠損している．

b 副甲状腺機能低下症 hypoparathyroidism

【概念，定義】
　PTH の分泌不全または標的臓器における作用不全によって，低カルシウム血症や高リン血症が生じる．

【成因】
　副甲状腺機能低下症で最も多いのは甲状腺・副甲状・喉頭・食道の手術によって生じる医原性のものである．

【臨床像】
　低カルシウム血症により神経や筋の興奮亢進が生じ，しびれ，筋肉の痙攣(**テタニー発作**)，クボステック Chvostek 徴候，トルソー Trousseau 徴候，精神症状がみられる．Chvostek 徴候とは，顔面神経刺激によって鼻翼，眼瞼，口角などに攣縮が起こるものである．Trousseau 徴候では，上腕の圧迫により"助産師手位"と呼ばれる手関節および手指の屈曲を示す．
　PTH の標的臓器における不応症を**偽性副甲状腺機能低下症**と呼ぶ．**オルブライト** Albright **遺伝性骨ジストロフィー**では，GNAS1 遺伝子変異によって Gs タンパクの活性が低下し，cyclic AMP 産生が阻害されている．このため尿細管上皮における PTH 作用および TSH やゴナドトロピンなどのホルモン応答が低下し，低カルシウム血症，高リン血症に加えて低身長，肥満，中手骨・中足骨の短縮，皮下石灰化，精神遅滞などがみられる．

c 副甲状腺機能亢進症 hyperparathyroidism

　副甲状腺から持続的に PTH が過剰産生される状態で，骨吸収，遠位尿細管でのカルシウム再吸収，腸管からのカルシウム吸収が亢進して，高カルシウム血症や低リン血症をきたす．高カルシウム血症によって疲労感，脱力，多尿，口渇が生じるほか，長期にわたる場合は骨吸収による線維性骨炎や高カルシウム尿症による腎・尿管結石が認められる．
　原発性副甲状腺機能亢進症の原因として最も頻度が高いのは副甲状腺腺腫(80〜85％)で，次が副甲状腺過形成(10〜15％)である．副甲状腺癌(1〜5％)では重度の副甲状腺機能亢進症を示すことがある．
　二次性副甲状腺機能亢進症ではビタミン D 欠乏や PTH 不応(偽性副甲状腺機能低下症)などの基礎疾患によって低カルシウム血症を生じ，代償的に PTH が過剰産生されている．二次性副甲状腺機能亢進症のほとんどの症例が慢性腎不全によるものである．尿中へのリン排泄が低下するための高リン血症と活性型ビタミン D 産生低下が持続的な低カルシウム血症をきたして，副甲状腺での PTH 分泌を亢進させる．副甲状腺には全腺に二次的な過形成が生じる．

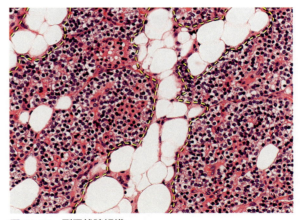

図 18-27　副甲状腺組織
PTH 産生細胞と脂肪組織(点線)が混在してみられる．

　二次性副甲状腺機能亢進症に伴う副甲状腺過形成を背景として，副甲状腺結節の一部に単クローンの腫瘍性変化が起こったものを**三次性副甲状腺機能亢進症**と呼ぶ．自律性増殖と自律性の PTH 産生が生じる．

③ 副甲状腺腫瘍および腫瘍様病変

a 副甲状腺過形成 parathyroid hyperplasia

【概念，定義】
　副甲状腺機能亢進症の原因の 1 つである．また，二次性副甲状腺機能亢進症では PTH が持続的に高値となり副甲状腺過形成が生じる．

【成因】
　原発性副甲状腺過形成の一部は MEN に関連して発生する．二次性では慢性腎不全やビタミン D 不足が原因となる．

【病理形態像】
　全腺が腫大し，主細胞が多結節性またはびまん性に増生して，副甲状腺内における脂肪成分の比率が減少する(図 18-28)．好酸性細胞からなる結節や集簇巣がしばしば混在する．MEN 1 型・MEN 2 型に併発する副甲状腺過形成はびまん性増殖であることが多い．
　副甲状腺過形成と副甲状腺腺腫では，組織学的な区別が困難な場合がしばしばある．また，過形成と診断される病変の一部はクローナル解析によって単クローン性であることが報告されている．原発性では MEN の遺伝子異常が背景にあることもあり，副甲状腺過形成の一部は分子生物学的には腫瘍性病変であると示唆されている．

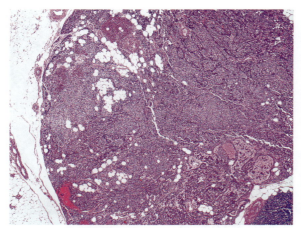

図 18-28　副甲状腺過形成
腎不全患者にみられた副甲状腺過形成．副甲状腺内には多様な組織像からなる多結節病変が認められ，正常組織に比べると脂肪組織が減少している．

b 副甲状腺腺腫 parathyroid adenoma（図 18-29）

【概念，定義】

　原発性副甲状腺機能亢進症の主な原因であり，散発性もしくは遺伝性疾患である MEN 1 型に伴い発生する．腺腫の多くは単発性であるが，複数同時に発生することもある．好発年齢は 30〜60 歳代で女性に多い．

【病理形態像】

　1〜2 cm 大の楕円形の結節で，薄い線維性被膜を有する（図 18-29a）．組織学的には主細胞がシート状・索状・濾胞状・管状に増生する（図 18-29b）．好酸性細胞からなる集簇巣の混在もしばしばみられる．腺腫内には脂肪組織はみられない．腺腫の辺縁に atrophic rim と呼ばれる萎縮性の副甲状腺がみられる．

c 副甲状腺癌 parathyroid carcinoma

【概念，定義】

　まれな疾患で，30〜60 歳代に発生し，男女差はない．多くの患者で副甲状腺機能亢進症状を伴い，高度の高カルシウム血症をきたす．

Advanced Studies

【成因】

　副甲状腺癌では染色体 1q31.2 に存在する *CDC73* 遺伝子の変異が報告されている．*CDC73* は常染色体顕性（優性）遺伝の副甲状腺機能亢進−顎腫瘍症候群の責任遺伝子でもあり，がん抑制遺伝子と考えられている．*CDC73* がコードするタンパクの**パラフィブロミン** parafibromin は副甲状腺癌で発現が減弱または消失している．

【病理形態像】

　通常の腺腫よりも大きく，内部に不規則な線維化や周囲への浸潤性増殖がみられる（図 18-30a）．組織学的に

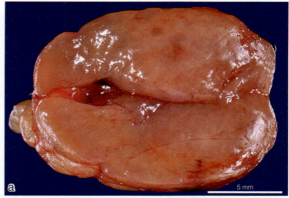

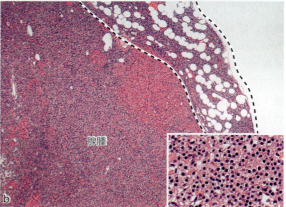

図 18-29　副甲状腺腺腫
a. 境界明瞭な充実性腫瘍．
b. 腫瘍の辺縁には圧排された萎縮性副甲状腺組織（脂肪組織を含む部分：点線）が認められる．挿入図では，主細胞が充実性に増殖し，一部には好酸性細胞の増殖も伴う．

は主細胞の増生よりなるが，細胞異型からは腺腫と腺癌の区別が難しい場合がある．副甲状腺癌では悪性の診断的根拠として被膜浸潤と脈管侵襲（図 18-30b）を確認する必要がある．

【臨床像】

　局所再発および遠隔転移の頻度は高い．

D 副腎 adrenal gland

1 構造と機能

　副腎は後腹膜の腎臓の上部に左右 1 対ある．重さはそれぞれ約 4 g で，右は三角形状，左は半月状の形態である．副腎は**皮質** cortex と**髄質** medulla から構成されるが，産生ホルモンも発生起源も異なり，独立した 2

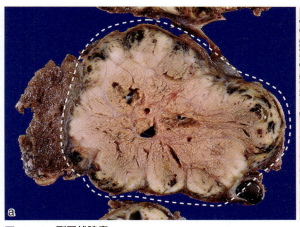
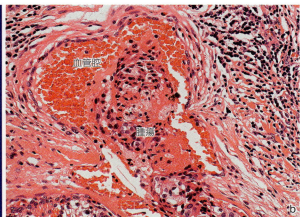

図 18-30　副甲状腺癌
a．浸潤性に増殖する不整形腫瘍（点線）．
b．腫瘍の脈管侵襲を認める．

つの内分泌組織が1つの臓器として存在している．胎生5週頃に中胚葉由来の皮質原基が形成され，胎生2か月頃に神経外胚葉細胞が皮質原基の内側に侵入して髄質へと分化する．胎児および新生児期の副腎皮質には，中心側の胎児層と外側の永久層が存在する．胎児層は出生後に退縮し，永久層が成人型の皮質に分化成熟する．老化とともに球状層は萎縮する．

　副腎皮質の割面は黄色調で，組織学的には外層から**球状層** zona glomerulosa，**束状層** zona fasciculata，**網状層** zona reticularis と皮質細胞の配列パターンにより3層に区分される（図 18-31）．この3層構造からはそれぞれ異なるステロイドホルモンが産生される（→ 第7章「循環障害」，192頁参照）．鉱質コルチコイドである**アルドステロン** aldosterone は球状層で分泌され，糖質コルチコイドである**コルチゾール** cortisol は束状層から分泌される．また，網状層は**副腎性アンドロゲン**を分泌する．網状層の糖質コルチコイド産生は下垂体からのACTHに制御され，球状層の鉱質コルチコイド産生はレニン－アンギオテンシン系（→ 第7章「循環障害」，191頁参照）で制御されている（図 18-32）．

　副腎髄質は皮質に囲まれた内部にあり，割面は灰色がかった淡褐色調である．組織学的には好塩基性細胞の小胞巣が血管に取り囲まれるように配列する．髄質細胞は**カテコールアミン**（アドレナリン，ノルアドレナリン）を産生・分泌するが，カテコールアミン顆粒は重クロム酸で酸化して黒褐色に変わるため，クロム親和性細胞とも呼ばれる．このクロム親和性細胞は大動脈や脊椎周囲の交感神経節にも存在する．重クロム酸は有害物質で，こ

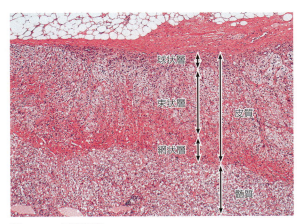

図 18-31　副腎組織
副腎は線維性被膜に囲まれ，皮質と髄質から構成される．皮質には球状層，束状層，網状層の3層構造がみられる．

れを含む固定液は使用されなくなったため，名前の由来となった黒褐色変化をみることはほとんどない．

2　発生異常と機能異常

1　副副腎 accessory adrenal glands
　副腎以外の部位に副腎組織が異所性に認められることがある．ほとんどが皮質成分で，腹腔や骨盤内にみられる．

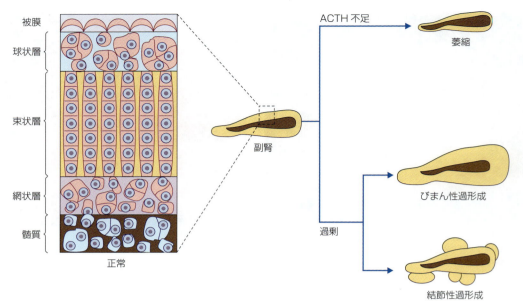

図 18-32　副腎の層構造と産生ホルモン
副腎皮質の球状層からアルドステロン，束状層からコルチゾール，網状層から副腎性アンドロゲンが分泌される．ACTH の過剰により皮質の過形成，ACTH の不足により萎縮が生じる．皮質の厚さは主に束状層の厚さの変化のためによる．髄質からはカテコールアミンが産生される．

2　先天性副腎過形成
congenital adrenal hyperplasia（CAH）

【概念，定義】

CAH は常染色体潜性（劣性）遺伝性疾患である．コレステロールからコルチゾールとアルドステロンを合成する過程には複数の酵素が必要だが，CAH ではその酵素の一部が先天的に欠損している．コルチゾール合成障害に対して下垂体からは ACTH が過剰に分泌されるため，ACTH の刺激を受けて副腎皮質に過形成が生じる．蓄積したコルチゾールの前駆物質は副腎性アンドロゲンに変換されるため，アンドロゲンは過剰となる．

胎児期に過剰な副腎性アンドロゲンに曝露された場合，女児では大陰唇の癒合や陰茎様の陰核の肥大など，外性器の男性化をみる（副腎性器症候群）．

【成因】

CAH の原因には 21-水酸化酵素欠損（*CYP21A2* 変異），11β-水酸化酵素欠損（*CYP11B1* 変異），17α-水酸化酵素欠損（*CYP17A1* 変異），3β-水酸化ステロイド脱水素酵素欠損（*HSD3B1* 変異）など複数あるが，21-水酸化酵素欠損が CAH の 90% 以上を占めている．

【臨床像】

21-水酸化酵素欠損による CAH では酵素活性の障害の程度により 3 つの病型に分けられる．遅発型（非古典型）は生下時には無症状であるが成長促進，生理不順，早発恥毛，思春期早発症がみられる．単純男性化型は不完全な酵素活性低下によるもので，塩喪失症状は伴わず，女児では生下時に外性器の男性化，男児では性早熟症を示す．塩喪失型は酵素活性が完全に失われた重篤なタイプで，男性化症状のほかに低コルチゾール血症や低アルドステロン血症による重度の低ナトリウム血症，高カリウム血症，低血糖，ショックが出現するため，早期の治療が必要となる．

3　副腎皮質機能不全症　adrenocortical insufficiency

副腎皮質ホルモンが絶対的または相対的に不足する原因として，前述した副腎皮質ホルモン合成にかかわる酵素の欠損，副腎皮質の後天的な破壊，下垂体または視床下部の機能異常による ACTH 低下，長期の副腎皮質ホルモン治療後の急激なステロイド減量などがあげられる．一般的に副腎皮質の 90% 以上が破壊されると副腎皮質機能低下症を生じる．

さらに，副腎皮質機能不全は臨床経過から急性と慢性に分けられる．

a 急性副腎機能不全 acute adrenal insufficiency

【概念，定義】

急激に生じる副腎皮質機能障害で，低血圧，ショック，昏睡をきたし，**副腎クリーゼ** adrenal crisis とも呼ばれる．

【成因】

長期に副腎皮質ホルモン治療が行われている患者ではフィードバック機構によって下垂体からのACTH分泌が抑制され，副腎皮質は萎縮している．このためステロイド投与を急に中断すると内因性の副腎皮質ホルモン産生が不足して副腎不全に至る．

ウォーターハウス-フリーデリクセン Waterhouse-Friderichsen **症候群**は小児〜若年者の髄膜炎菌や緑膿菌の敗血症に伴って副腎皮質に出血性梗塞が生じたものである．発熱，紫斑，点状出血とともにショックに陥る．

そのほかに外傷，外科的手術，ストレス，重篤な感染症，アジソンAddison病の急性増悪，副腎出血によっても急性副腎機能不全が起こることがある．

【臨床像】

急性副腎機能不全は死に至る重篤な状態で，直ちに副腎皮質ステロイドの補充と原疾患の治療が必要である．

b アジソン病 Addison disease

【概念，定義】

副腎病変を起因として生じる慢性の副腎皮質機能不全である．

【成因】

Addison病の主な原因として副腎結核と特発性(自己免疫性)が知られている．近年では結核患者が減少し，先進諸国では結核を原因とするAddison病は少なくなっている．特発性の一部では21-水酸化酵素や17-水酸化酵素に対する自己抗体が証明されている．

Addison病ではコルチゾールの持続的低下によるフィードバック機構で下垂体からのACTH分泌が亢進し，同時にACTHの前駆体であるプロオピオメラノコルチン proopiomelanocortin (POMC) から生じるメラニン産生刺激ホルモン $\alpha/\beta/\gamma$-melanin stimulating hormone (MSH) も増加する．MSHとACTHにはメラノサイト刺激作用があるため，粘膜・皮膚の色素沈着が起こる．

【臨床像】

初期には易疲労感，食欲不振，体重減少がみられ，進行すると色素沈着(口腔，歯肉，舌，手掌，肘，膝の粘膜や皮膚など)，腋窩・陰部の脱毛，嘔吐，下痢，低血圧がみられる．さらにアルドステロンの低下が加わると低ナトリウム血症と高カリウム血症を伴う．特発性Addison病と慢性甲状腺炎の合併は**シュミット** Schmidt **症候群**と呼ばれる．

c 二次性副腎皮質機能低下症

下垂体からのACTH分泌が障害される場合には二次性の副腎機能低下を生じる．シーハン Sheehan 症候群，下垂体腺腫，下垂体炎，ACTH単独欠損症などが原因となる．易疲労感，食欲不振，低ナトリウム血症などの臨床症状はAddison病に類似するが，ACTHとMSHの分泌が亢進しないため，Addison病に特徴的な皮膚・粘膜の色素沈着はみられない．

4 副腎皮質機能亢進症 adrenocortical hyperfunction

a クッシング症候群 Cushing syndrome

【概念，定義】

副腎皮質からの糖質コルチコイドの慢性的な過剰分泌が起こった病態である．1932年にCushingにより初めて報告された．

【成因】

ACTH産生の亢進(下垂体性，異所性)，副腎皮質機能の自律的亢進(副腎皮質腺腫，副腎皮質過形成)，医原性(糖質コルチコイドの長期投与)によるものがある．下垂体性(下垂体腺腫)のものは特に**クッシング病** Cushing disease と呼ばれる(→585頁参照)．

【病理形態像】

ACTH依存性の副腎皮質機能亢進症では，両側の副腎皮質にびまん性もしくは結節性の過形成(二次性)が生じる．びまん性過形成では束状層の延長や緻密細胞の肥大がみられ，淡明細胞が混在する．結節性過形成では両側副腎に結節が多発し，周囲の皮質を圧迫する．結節間に介在する皮質はびまん性過形成の所見を呈する．結節は脂質を豊富に有する淡明細胞で構成される．医原性のCushing症候群では，両側の副腎皮質が萎縮する．

【臨床像】

過剰なコルチゾールにより，満月様顔貌，中枢性肥満，水牛様脂肪沈着 buffalo hump，伸展性皮膚線条，高血圧，糖尿病，筋力低下，骨粗鬆症，多毛などの多彩な症状が生じる．

Advanced Studies

【ACTH非依存性大結節性副腎皮質過形成 ACTH-independent macronodular adrenocortical hyperplasia (AIMAH)】

まれな原発性副腎皮質過形成の1つでCushing症候群の数%を占める．両側副腎重量の合計は通常70gを超える．副腎皮質の結節性腫大とACTH非依存性のコルチゾール過剰分泌を特徴とする．副腎全体が大小の黄色〜黄褐色の皮質結節に置換される．組織学的には大型の淡明細胞が大小の胞巣を形成する．

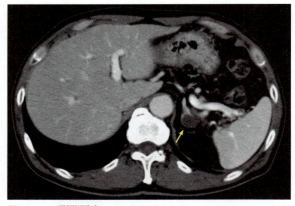

図 18-33　副腎腫瘍
腹部造影 CT．左副腎に境界明瞭な径 19 mm の低濃度結節を認める（→）．本症例には高血圧の既往があり，精査にて高アルドステロン血症が認められた（アルドステロン産生腺腫）．

【原発性色素性小結節性副腎疾患 primary pigmented nodular adrenal disease（PPNAD）】
　両側副腎性 Cushing 症候群のまれな原因の 1 つである．副腎は肉眼レベルでは正常大で，副腎皮質には黒褐色の小結節が複数認められる．結節は網状層のリポフスチン顆粒に富む緻密細胞からなる．カーニー複合体 Carney complex の一症状として現れる．

b 原発性アルドステロン症 primary aldosteronism
【概念，定義】
　病的副腎皮質からアルドステロンが過剰に分泌された状態で，二次性高血圧の 1 つである．1955 年に Conn により報告されたので，コン Conn 症候群とも呼ばれる．
【成因】
　アルドステロンの増加は遠位尿細管と集合管でのナトリウムの再吸収を亢進するため，循環血液量が増加して血圧が上昇する．同時にカリウムと重炭酸イオンの排泄も亢進するため，低カリウム血症と代謝アルカローシスを伴う．心血管組織，腎糸球体，脳組織に対するアルドステロンの直接作用により，動脈硬化症，慢性腎疾患，脳血管障害の発症にも関与している．
【病理組織像】
　通常は片側の腫瘍（アルドステロン産生腺腫）が原因となるが（図 18-33），まれに両側の副腎皮質過形成（特発性アルドステロン症 idiopathic aldosteronism）が原因となることもある．
【臨床像】
　全高血圧患者の 5～20％ が原発性アルドステロン症とされている．筋力低下，易疲労感，四肢麻痺，多飲・多尿もみられる．

3 副腎腫瘍

1 ● 副腎皮質腺腫 adrenocortical adenoma
a コルチゾール産生腺腫 cortisol producing adenoma
【概念，定義】
　コルチゾールを過剰産生する皮質腺腫である．Cushing 症候群の原因として 90％ 以上を占めている．
【病理形態像】
　副腎皮質に境界明瞭な結節を形成し，割面には黄色調部分と暗褐色部分がまだら状に分布する（図 18-34a）．Cushing 症候群を引き起こすには 2.5 cm 以上の大きさが必要である．組織学的には淡明細胞と緻密細胞が混在して増生する（図 18-34b）．まれに黒色調を呈することもあり，黒色腺腫 black adenoma と呼ばれる．豊富なリポフスチン顆粒を含んだ細胞からなる．ネガティブフィードバックにより下垂体からの ACTH の産生が低下するため，非腫瘍部や対側の副腎皮質束状層～網状層は高度に萎縮する．

b アルドステロン産生腺腫
aldosterone producing adenoma
【概念，定義】
　アルドステロンを過剰産生する副腎皮質腫瘍で，原発性アルドステロン症（Conn 症候群）の主な原因となる．
【病理形態像】
　肉眼的には黄金色調の境界明瞭な結節がみられる（図 18-35a）．結節の大きさは直径数 mm～2.5 cm 程度．脂質に富む淡明細胞の索状ないし胞巣状増殖で構成されている（図 18-35b）．種々の程度に好酸性の細胞質を有する緻密細胞が混在する．アルドステロン産生腺腫では，非腫瘍部副腎皮質の球状層が過形成を示すことがあり，これを逆説的過形成 paradoxical hyperplasia と呼ぶ．

c 男性化副腎皮質腫瘍 virilizing adrenocortical tumor
　テストステロン，アンドロステンジオン，デヒドロエピアンドロステロンなどの男性アンドロゲンを産生する副腎皮質腫瘍（腺腫およびがん）である．男児に発生すると性早熟，女児に発生すると男性化や第二次性徴の異常が起こる．

2 ● 副腎皮質癌 adrenocortical carcinoma
【概念，定義】
　まれな副腎皮質の悪性腫瘍である．病因は不明．
【病理形態像】
　多くの例で被膜を有し，割面には出血，壊死，石灰化，囊胞がみられる．組織学的には多彩な像を示し，分

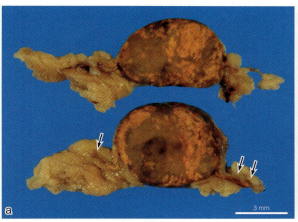
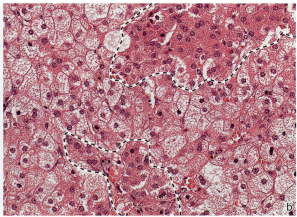

図 18-34 コルチゾール産生腺腫
a. 腫瘍の割面像．暗褐色調と黄色調の部分がまだら状にみられる．非腫瘍部の副腎皮質は萎縮している（→）．
b. 淡明細胞と緻密細胞（点線）が混在して増殖する．

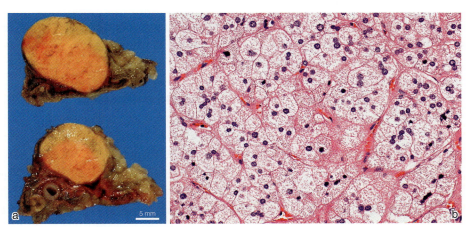

図 18-35 アルドステロン産生腺腫
a. 黄金色調の割面を呈する境界明瞭な結節．
b. 大型の淡明細胞が充実性に増殖する．

化した部分では副腎皮質腺腫と区別が難しいことがある．腺腫とがんの鑑別には Weiss の診断基準〔核異型度，核分裂像の亢進（5 個以上/50 高倍視野），異型核分裂像，好酸性細胞質，びまん性増殖，凝固壊死，静脈侵襲，類洞侵襲，被膜浸潤の各項目のうち 3 項目以上を悪性とする〕が用いられている．

【臨床像】
侵襲性が高く，予後は不良である．機能性のものが多く，Cushing 症候群や男性化症状を伴う．周囲組織に浸潤性に増殖し，診断時に遠隔転移やリンパ節転移を伴うこともある．

3 ● 褐色細胞腫 pheochromocytoma および
交感神経系傍神経節腫 sympathetic paraganglioma

【概念，定義】
褐色細胞腫は副腎髄質のクロム親和性細胞からなる腫瘍である．傍神経節のクロム親和性細胞からなる腫瘍は交感神経系傍神経節腫（交感神経系パラガングリオーマ）と呼ぶ．いずれもカテコールアミン産生性腫瘍である．カテコールアミン（アドレナリン，ノルアドレナリン）とその代謝物〔メタネフリン，ノルメタネフリン，バニリルマンデル酸 vanillylmandelic acid（VMA），ホモバニリン酸 homovanillic acid（HVA）〕が血中や尿中に増加していることが診断上重要である．

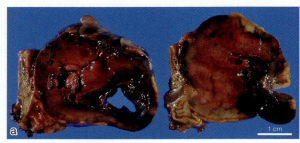
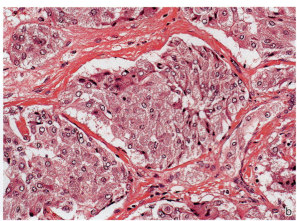

図 18-36　褐色細胞腫
a．出血を伴う充実性腫瘍で一部に囊胞状変化を伴う．
b．腫瘍細胞が線維血管性隔壁に囲まれた小胞巣を形成して増殖する（zellballen 配列）．

【成因】
　原因遺伝子として SDHB，SDHD，VHL，RET，NF1 などが知られており，SDHB 変異陽性の褐色細胞腫は悪性の割合がより高いことが報告されている．家族性に褐色細胞腫がみられる疾患としては MEN 2 型，フォン・ヒッペル-リンダウ病 von Hippel-Lindau disease，フォン・レックリングハウゼン病 von Recklinghausen disease などがあり，家族性の褐色細胞腫は発症年齢が若く，両側発生する傾向がある．

【病理形態像】
　肉眼的に割面は暗赤色調である（図 18-36a）．出血，壊死，二次的変性による囊胞形成をしばしば伴う．正常の髄質細胞に類似した腫瘍細胞が毛細血管を含む隔壁に囲まれた小胞巣を形成して増殖する（図 18-36b）．この胞巣構造は **zellballen 配列** と呼ばれる．免疫組織化学にて神経内分泌マーカーであるクロモグラニン A とシナプトフィジンが陽性となり，腫瘍胞巣を取り囲む支持細胞 sustentacular cell が S-100 タンパク陽性となる．
　褐色細胞腫は組織所見から良性か悪性かを区別することが難しい．他臓器への遠隔転移がある場合を悪性褐色細胞腫とする．

【臨床像】
　カテコールアミン過剰に伴い高血圧 hypertension を生じ，高血糖 hyperglycemia，代謝亢進 hypermetabolism，頭痛 headache，発汗過多 hyperhidrosis を伴う．覚えやすいようにこれらの症状の頭文字をとって 5H と欧米の教科書には記載されている．高血圧ではしばしば発作性の血圧上昇がみられる．従来から悪性，副腎外発生（非クロム親和性組織由来），両側発生，家族性の頻度がそれぞれ約 10％ あるとされてきたが，家族性の頻度はもう少し高く，約 25％ であることがわかっている．

4　副交感神経系傍神経節腫
parasympathetic paraganglioma

　副交感神経系神経節に由来する腫瘍である．頸動脈小体，頸動脈鼓室，迷走神経，喉頭，大動脈-肺，馬尾に発生する．組織学的には腫瘍細胞が zellballen 配列を呈して増殖する．副交感神経系傍神経節腫の多くが非機能性であり，過剰なカテコールアミン産生を伴わず，悪性度も低い．

5　神経芽細胞腫群 neuroblastic tumors
【概念，定義】
　乳幼児にみられる副腎髄質や傍神経節の由来の腫瘍である．小児悪性固形腫瘍のなかで最も頻度が高い．原発部位は副腎が最も多い．分化の程度により，**神経芽腫 neuroblastoma**，**神経節芽腫 ganglioneuroblastoma**，**神経節腫 ganglioneuroma** に分けられる．神経芽腫はカテコールアミン産生能を有する．

【成因】
　神経芽腫の一部で MYCN 遺伝子（N-myc）の増幅や ALK 遺伝子の点突然変異が認められる．

【病理形態像】
　神経芽腫は大部分が神経芽細胞の増生からなる（図 18-37）．さらに神経細線維がみられない未分化なもの，神経細線維やホーマー・ライト Homer Wright 型のロ

ゼット rosette（花冠）形成を伴う低分化なもの，神経節細胞様の分化を伴う分化型のものに亜分類される．

神経節芽腫は成熟したシュワン様細胞が 50％ 以上を占め，未熟な小型の神経芽細胞と成熟した大型の神経節細胞様の胞巣が混在する．

神経節腫は最も分化した良性腫瘍である．シュワン様細胞からなる間質が腫瘍の大部分を占め，分化した大型の神経節様細胞が混在して増殖する．

【臨床像】

尿中にカテコールアミンとその代謝物が増加する．自然退縮するものから播種・転移をきたして死に至るものまで経過は多彩である．診断時の年齢が低い症例や神経節への分化を示すものは予後がよりよい．かつてわが国では生後 6 か月の乳児を対象に尿中のバニリルマンデル酸（VMA）とホモバニリン酸（HVA）によるマススクリーニング行われていたが，死亡率減少の効果が明らかでなく 2004 年度より中止された．

6 ● 副腎偶発腫瘍 adrenal incidentaloma

副腎疾患以外の検査目的の画像診断または解剖時に偶然に副腎腫瘍が発見されることがある．これを偶発腫瘍と呼ぶ．多くが非機能性良性腺腫であるが，機能性の場合もある．Cushing 症候群の特徴的な臨床症状を伴わないコルチゾール産生腺腫はサブクリニカル Cushing 症候群と呼ばれ，通常は手術適応となる．

7 ● 転移性癌 metastatic cancer

肺癌，乳癌，悪性黒色腫などの他臓器の悪性腫瘍が副腎に血行性転移することがある．副腎のほとんどが腫瘍で置換されない限り，副腎皮質機能低下症状を示すことはない．

膵臓（内分泌腺）

1 構造と機能

膵臓には，外分泌腺である腺房および膵管と，内分泌腺である**ランゲルハンス島** Langerhans islet が共存している．ランゲルハンス島は**インスリン産生細胞（β細胞）**，**グルカゴン産生細胞（α細胞）**，**ソマトスタチン産生細胞（δ細胞）**，**膵ポリペプチド産生細胞（PP 細胞）**から構成され，4 種類のペプチドホルモンを産生・分泌している．腺房細胞間や膵管上皮間にも少数の内分泌細胞

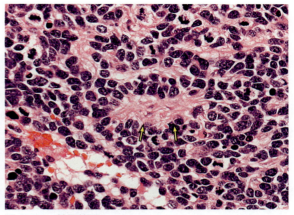

図 18-37　神経芽腫
低分化型神経芽腫．N/C 比の高い小型異型細胞が充実性に増殖し，Homer Wright 型ロゼットの形成を伴う（→）．多数の核分裂像を伴う．

が散在性に存在する．

インスリン insulin とグルカゴン glucagon は糖代謝に重要な役割を果たしている．摂取された糖質は腸管で単糖類に分解されて吸収される．腸管から吸収されたグルコースにより血糖値が上昇すると，β 細胞からのインスリン分泌が増加する．インスリンは標的臓器（肝臓，筋肉，脂肪細胞など）でグルコースの取り込み，解糖系，グリコーゲン合成を促進する．インスリンの分泌または作用の低下によって慢性的・持続的に血糖が増加した状態が糖尿病 diabetes mellitus である（→ 第 6 章「代謝障害」，138 頁参照）．糖尿病には主要な 2 病型があり，β 細胞の破壊によってインスリンが絶対的に不足している 1 型糖尿病と，インスリン分泌不全とインスリン抵抗性によってインスリン作用不足となった 2 型糖尿病に分けられる．反対にインスリン分泌が過剰になると低血糖を生じる．

グルカゴンにはインスリンに拮抗するような働きがあり，血糖が低下すると α 細胞からの分泌が増加し，肝細胞に作用して蓄積されたグリコーゲンの分解を促進し，血糖を上昇させる．血糖が上昇するとグルカゴンの分泌は抑制される．

ソマトスタチン somatostatin は膵臓以外にも視床下部や消化管の神経内分泌細胞から分泌され，下垂体からの GH 分泌の抑制，ランゲルハンス島でのホルモン分泌の制御，消化管からのガストリンや血管作動性腸管ポリペプチド vasoactive intestinal polypeptide（VIP）の分泌抑制などの働きがある．膵の δ 細胞から分泌されるソマトスタチンは β 細胞と α 細胞に作用してインスリンおよ

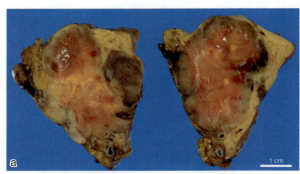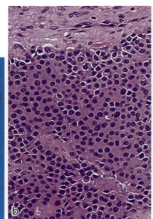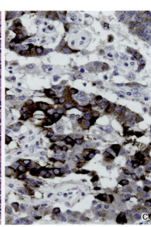

図 18-38　膵内分泌腫瘍（グルカゴノーマ）
a. 膵内に淡褐色の境界明瞭な腫瘍を認める．
b. 小型円形細胞が充実性に増殖する．
c. 免疫組織化学では腫瘍細胞にグルカゴンが陽性となる．

びグルカゴンの産生・分泌を抑制している．PP 細胞から分泌される膵ポリペプチドの生理的作用は明らかとなっていない．

Advanced Studies

2 発生異常

1 膵島細胞症 nesidioblastosis
　乳幼児に高インスリン血症や低血糖をきたすきわめてまれな疾患である．膵ランゲルハンス島の神経内分泌細胞が巣状またはびまん性に増生する．成人に発生する例もある．

3 膵内分泌腫瘍 pancreatic endocrine tumor

【概念，定義】
　膵臓に発生する神経内分泌腫瘍は島細胞腫瘍 islet cell tumor と呼ばれていたが，現在では**神経内分泌腫瘍** neuroendocrine tumor（NET）という名称に統一され，さらに増殖能を指標として NET G1，NET G2，neuroendocrine carcinoma（NEC または NET G3）の 3 つに分けられている（→ 第 15 章「肝・胆・膵」，532 頁参照）．膵 NET はしばしばホルモン産生を伴い，免疫組織化学によって腫瘍細胞にインスリン，グルカゴン，ガストリン，VIP などが認められる．臨床的にホルモン症状を伴う機能性 NET は，産生するホルモンによって**インスリノーマ** insulinoma，**グルカゴノーマ** glucagonoma（図 18-38），**ガストリノーマ** gastrinoma，**バイポーマ** VIPoma と呼ばれる．ホルモン症状がないものは非機能性 NET とする．

【病理形態像】
　膵内に境界明瞭な充実性の腫瘤を形成する（図 18-38a）．出血や囊胞形成を伴うことがある．組織学的には腫瘍細胞が索状・充実状・管状構造を形成して増殖する（図 18-38b）．腫瘍内にアミロイドの沈着を伴うこともある．免疫組織化学によって内分泌マーカーであるクロモグラニン A やシナプトフィジン，産生ホルモンが腫瘍細胞に陽性となる．NET のグレードを決定するためには核分裂像や免疫組織化学による Ki-67 指数を評価する必要がある．

【臨床像】
　インスリノーマはインスリン過剰分泌により低血糖発作を生じる．膵 NET のなかで最も頻度が高い．① 空腹時の低血糖発作，② 空腹時血糖値 50 mg/dL 以下，③ ブドウ糖投与による症状の急速な回復を**ウィップル Whipple の三徴**という．
　グルカゴノーマでは壊死性遊走性紅斑が 70％ の患者にみられる．そのほかに耐糖能異常，正球性正色素性貧血，体重減少，うつ症状，下痢，深部静脈血栓症などがみられる．これらの症状はグルカゴンの直接的または間接的な作用によると考えられるが，機序が明らかでないものも含まれる．
　ガストリン産生細胞は胃十二指腸粘膜にみられ，正常膵臓にはないものの，異所性ホルモン産生腫瘍として膵 NET にガストリノーマが発生する．過剰なガストリンによって胃酸分泌が亢進し，胃十二指腸に難治性の多発潰瘍を生じ，**ゾリンジャー-エリソン症候群** Zollinger-

Ellison syndrome と呼ばれる．

バイポーマでは VIP が過剰に分泌されている．VIP により腸管平滑筋の弛緩，腸からの水分・電解質の分泌が亢進し，WDHA (watery diarrhea, hypokalemia and achlorhydria) 症候群と呼ばれる水様性下痢，低カリウム血症，無胃酸症を生じる．

NET は程度の差はあるが，悪性のポテンシャルを有している腫瘍である．膵 NET のなかではインスリノーマが多くの良性の経過を示すが，ガストリノーマやグルカゴノーマでは，浸潤性増殖，遠隔転移，リンパ節転移などの悪性の経過をしばしば示す．

F その他の神経内分泌腫瘍

気道粘膜，消化管粘膜，胆道粘膜，前立腺，皮膚，子宮頸部などの非内分泌臓器にも少数の神経内分泌細胞が散在性に存在しており，これらの臓器からもカルチノイド carcinoid や小細胞癌 small cell carcinoma を含む神経内分泌腫瘍が生じる．神経分泌細胞からなる腫瘍であっても，臓器や組織によって用いられる用語が異なる．

消化管粘膜に散在する神経内分泌細胞(腸クロム親和性細胞)由来の腫瘍には，従来からカルチノイドという診断名が広く用いられてきたが，NET の診断名に統一されつつある．消化管カルチノイドは NET G1・G2，胃小細胞癌は NEC に相当する．

肺の神経内分泌腫瘍はカルチノイド(定型および非定型)，小細胞癌，大細胞神経内分泌癌に分類されており，現時点では NET/NEC の診断名は用いられていない (➡ 第12章「呼吸器」，408頁参照)．

多発性内分泌腫瘍症

multiple endocrine neoplasia (MEN)

多発性内分泌腫瘍症(MEN)は複数の内分泌腺臓器に腫瘍性病変を生じる疾患で，常染色体顕性遺伝の形式をとる．疾患を構成する内分泌腫瘍の組み合わせから1型と2型に分類される．

A 多発性内分泌腫瘍1型(MEN type 1)

【概念，定義】

ウェルマー Wermer 症候群とも呼ばれる．MEN 1 型では副甲状腺機能亢進症(90％〜)，膵神経内分泌腫瘍(膵 NET，約 60％)，下垂体腺腫(約 40％)が発生する．まれに胸腺，気管支，消化管にも神経内分泌腫瘍(カルチノイドもしくは NET)が発生する．

【成因】

MEN 1 型はがん抑制遺伝子 *MEN 1*(11q13.1)の遺伝子異常が原因で，胚細胞変異にセカンドヒットとなるヘテロ接合性喪失 loss of heterozygosity (LOH) などが加わって *MEN 1* 遺伝子がコードする menin タンパクの機能が失われることが腫瘍発生のきっかけとなる．

【病理形態像】

副甲状腺には多発性に腺腫もしくは過形成が生じる．MEN 1 型の副甲状腺過形成は組織学的にはびまん性過形成を示す．膵内分泌腫瘍ではガストリノーマ，次にインスリノーマの頻度が高い．散発性腫瘍と組織学的な差異はないが，MEN 1 型では多発する．下垂体腺腫には機能性や非機能性のものが含まれるが，機能性腺腫のなかではプロラクチノーマの頻度が高い．

【臨床像】

合併する腫瘍と産生されるホルモンにより臨床症状は異なる．MEN 1 型の最も頻度の高い合併病変は副甲状腺機能亢進症であり，副甲状腺機能亢進を初発症状として MEN が発見されることも多い．一般的に予後は良好であるが，合併した膵神経内分泌腫瘍やカルチノイドに転移が生じて死に至ることもある．

B 多発性内分泌腫瘍2型(MEN type 2)

【概念，定義】

シップル Sipple 症候群とも呼ばれる．MEN 2 型では甲状腺髄様癌(➡ 598頁参照)，褐色細胞腫，副甲状腺腺腫過形成をみる MEN 2A 型と甲状腺髄様癌，褐色細胞腫，粘膜下神経腫，Marfan 症候群様体形を示す MEN 2B 型に分けられる(表18-7)．

【成因】

MEN 2 型の原因遺伝子は 10q11.21 に位置するがん遺伝子 *RET* で，その遺伝子がコードする RET タンパクはグリア細胞株由来神経学栄養因子 glial-cell-line derived neurotropic factor (GDNF) をリガンドとする膜貫通型のチロシン型レセプタである．MEN 2A 型および MEN 2B 型を含む遺伝性髄様癌の 95％以上に *RET* 胚細胞変異が認められる．変異 RET タンパクの持続的なリン酸化状態が引き起こされることが腫瘍発生の引き金となる．

Advanced Studies

MEN 2型における *RET* 変異の部位は複数あり, MEN 2A 型と MEN 2B 型では変異部位が異なる. MEN 2A 型では exon 11 の codon 634 の変異が最も多いが, exon 10 の codon 611, 618, 620 にも変異が報告されている. MEN 2B 型では *RET* 遺伝子 exon 16 の codon 918 に変異の hot spot がある.

【病理形態像】

MEN 2型に伴う甲状腺髄様癌と散発性のものに組織学的な差異はない. ただし MEN 2型の特徴として髄様癌が両側性・多発性に発生し, 非腫瘍部の甲状腺に C 細胞過形成が認められる.

【臨床像】

MEN 2A 型と MEN 2B 型ともにほぼ 100% の症例に髄様癌がみられる. MEN 2型では多発性に髄様癌や C 細胞過形成が発生するため, 甲状腺全摘が必要となる. MEN 2A 型の甲状腺髄様癌は予後がよいが, 2B 型ではより若年に発症し, 予後がやや悪い.

謝辞：図の一部をご提供していただきました伊藤公一先生(伊藤病院院長), 覚道健一先生(和歌山県立医科大学名誉教授), 井下尚子先生(森山記念病院)に深謝いたします.

● 参考文献

1) Lloyd RV, et al (eds)：World Health Organization classification of tumours. Pathology and genetics of tumours of endocrine organs. IARC press, 2017
2) Bosman FT, et al (eds)：WHO classification of tumours of the digestive system. IARC press, 2010
3) Lloyd RV, et al：Atlas of nontumor pathology. Endocrine disease. American Registry of Pathology and the Armed Forces Institute of Pathology, 2002
4) Kondo T, et al：Pathogenetic mechanisms in thyroid follicular-cell neoplasia. Nat Rev Cancer 6：292-306, 2006
5) Kameyama K, et al：Medullary thyroid carcinoma：nationwide Japanese survey of 634 cases in 1996 and 271 cases in 2002. Endocr J 51：453-456, 2004
6) 14章 内分泌系の疾患. 矢崎義雄(編)：内科学 第11版. 朝倉書店, 2017
7) 日本内分泌外科学会・日本甲状腺病理学会(編)：甲状腺癌取扱い規約 第8版. 金原出版, 2019
8) 甲状腺腫瘍診療ガイドライン作成委員会：甲状腺腫瘍診療ガイドライン 2018. 内分泌甲状腺外会誌 35(増刊)：1-87, 2018

第19章 乳腺

A 構造・機能・発生とその異常

1 構造・機能・発生

乳腺 mammary gland は前胸部に左右対をなす臓器で，皮膚付属のアポクリン汗腺が高度に特殊化した腺組織である．乳頭 nipple から放射状に伸びる 15〜20 個の不定形の**乳腺葉(腺葉)** mammary lobe からなり，思春期以降の女性では，各腺葉は，**乳管** duct と**小葉** lobule からなる腺成分と，それらを取り囲む豊富な線維性結合組織および脂肪組織から構成される．

顕微鏡的に小葉は，多数の終末細乳管と小葉内終末乳管，および周囲の疎な結合組織より構成される．妊娠中は終末細乳管から腺房 acinus が発達し，乳汁を産生・分泌する．乳管は乳汁を小葉から乳頭まで運ぶ導管であり，小葉外終末乳管が集まって区域乳管となり，さらに合流して主乳管となる．各腺葉から 1 本の主乳管が乳管洞という膨大部を経て乳頭に開口する(図 19-1)．

終末乳管-小葉単位 terminal duct-lobular unit (TDLU) とは，小葉外終末乳管と小葉を合わせた解剖学的単位を表す．TDLU は乳癌，線維腺腫，乳腺症などの多くの病変が生じる部位である．乳管，小葉の上皮は特徴的な二相性(二層性)を呈し，管腔側の**乳管上皮**と基底側の**筋上皮**から構成される(図 19-2)．

小児期の乳腺成分は乳管のみからなるが，初経の 3〜5 年前から卵巣機能の発達に従い，乳頭の増大や乳房内脂肪組織の増殖とともに，乳管の分化・増殖，小葉形成が始まる．思春期以降，閉経期に至るまで，女性の乳房は卵巣ホルモン(エストロゲン，プロゲステロン)などにより調節され，周期的活動変化を行う．エストロゲンは乳管上皮と間質の増殖に，プロゲステロンは小葉と腺房の分化・増殖に，それぞれかかわる．

妊娠 4 か月頃から黄体のプロゲステロンや胎盤のゴナドトロピンの影響下に，腺房の上皮は著増し，授乳期には小葉間結合組織が大部分消失して，小葉は腺房組織で占められる(図 19-3)．哺乳による乳頭刺激とプロラクチンにより乳汁分泌が促進される．

分娩後 9〜10 か月で再び非授乳期の乳腺に戻る．40 歳前後からさらに退縮し，疎な線維性結合組織や脂肪組織により置換されてわずかな乳腺組織のみとなる．

2 乳腺の形成異常と肥大

表 19-1 のような病変がある．

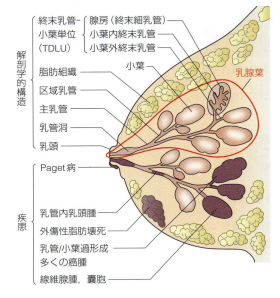

図 19-1 女性乳房の矢状断模式図
上半分に解剖学的構造，下半分に疾患と疾患が生じる部位を示す．

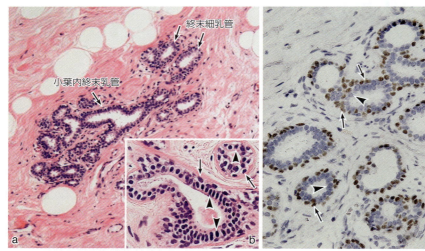

図 19-2　終末乳管-小葉単位（TDLU）
a. TDLU は小葉と小葉外終末乳管から構成される．
b. 上皮の二相性．乳管は，管腔側の乳管上皮（▶）と基底側の筋上皮（→）から構成される．
c. 筋上皮（→）の核が褐色に染色される（p63 の免疫組織化学）．

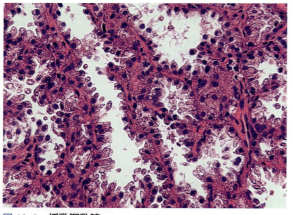

図 19-3　授乳期乳腺
小葉は，結合組織が大部分消失し，腺組織で占められる．内腔には細胞質の分離分泌により乳汁が分泌される．

表 19-1　乳腺の形成異常・構造異常

① 形成異常
副乳（異所性乳腺）accessory mammary gland
先天性陥没乳頭 congenital inverted nipples
多乳頭症 polythelia
無乳頭症 athelia
② 乳房肥大症 hypertrophy of mammary gland
早発性乳房肥大 precocious hypertrophy
思春期以前，性ホルモン異常による．一般に可逆的
思春期乳房肥大 virginal hypertrophy
原因不明．女性化乳房の像に似る．非可逆的

がある．

b　乳管拡張症 duct ectasia

　乳管周囲性乳腺炎 periductal mastitis，形質細胞性乳腺炎 plasma cell mastitis ともいい，中年女性に多く発生する．狭窄や閉塞により末梢側乳管が拡張し，分泌物のうっ滞が出現して内部や周囲に非感染性炎症をきたしたものである．組織学的には乳管を中心に周囲へのリンパ球，形質細胞，組織球の浸潤や線維化がみられる．

 炎症

 乳腺炎 mastitis

a　急性乳腺炎 acute mastitis

　大部分が授乳初期にみられる．乳房の圧痛，腫脹，熱感，発赤，硬結をきたす．乳管閉塞による乳汁貯留によるうっ滞性乳腺炎と，乳頭に生じた裂傷から乳管を通じて黄色ブドウ球菌などが感染して生じる急性化膿性乳腺炎がある．後者は治療が不十分な場合，膿瘍となること

 炎症性偽腫瘍 inflammatory pseudotumor

　外傷性脂肪壊死 traumatic fat necrosis は黄白色の脂肪壊死巣を中心に肉芽腫性腫瘤を形成する（図 19-4a）．最終的には瘢痕や囊胞となり，石灰化を伴うこともある．
　異物肉芽腫 foreign body granuloma は，豊胸術に用いた異物に対する反応として出現した腫瘤である（→第 3

C. 乳腺症およびその他の非腫瘍性病変 ● 615

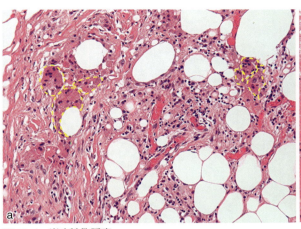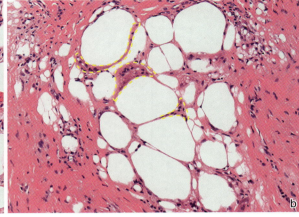

図 19-4　炎症性偽腫瘍
a. 外傷性脂肪壊死. 壊死部を置換して異物巨細胞（黄点線），リンパ球浸潤，線維化を伴う肉芽腫が形成される.
b. 異物肉芽腫. 白く抜けてみえる異物（本例ではシリコン）の周囲に異物巨細胞（黄点線）を伴う慢性炎症と線維化を認める.

章「炎症」，66頁参照）．異物の種類によってパラフィノーマやシリコン肉芽腫などと呼ばれ，異物型巨細胞を伴うマクロファージや慢性炎症細胞の滲出および線維化がみられる（図 19-4b）．

 乳腺症およびその他の非腫瘍性病変

a いわゆる乳腺症 so-called mastopathy

主に30～40歳代女性にみられる非炎症性・非腫瘍性病変で，**線維嚢胞症** fibrocystic disease あるいは線維嚢胞性変化 fibrocystic change ともいう．疾病ではなく「乳腺組織の発達および退縮の正常過程か，あるいはそれからの逸脱」と定義する見方もある．臨床的には両側，時に片側乳房の硬結・腫瘤として触れ，自発痛や圧痛を訴えることも多い．成因としてエストロゲンを主とする内分泌平衡異常の関与が示唆されている．

組織学的には上皮や間質成分の反応性増殖性変化と退行性変化がさまざまな割合で混在する（表 19-2）．**乳管過形成** ductal hyperplasia（または**通常型乳管過形成** usual ductal hyperplasia）は，乳管上皮の異常増生を指し，上皮の重層化，乳管腔拡大，充実性増殖，窓構造 fenestration などがみられる（図 19-5a）．

腺症 adenosis は，局所的な腺房の増生により腺腫様の病巣となった状態をいう（図 19-5b）．終末乳管拡張を伴うと閉塞性腺症 blunt duct adenosis，小葉内線維化を合併すると硬化性腺症 sclerosing adenosis と呼ばれ

表 19-2　乳腺上皮性変化・増殖性変化と乳癌発生のリスク

上皮性変化・増殖性変化	乳癌発生リスク（倍）
乳管過形成 ductal hyperplasia	1.5～2.0
腺症 adenosis	差なし
硬化性腺症 sclerosing adenosis	1.5～2.0
嚢胞 cyst	差なし
アポクリン化生 apocrine metaplasia	差なし
異型乳管過形成 atypical ductal hyperplasia[*1]	4.0～5.0
異型小葉過形成 atypical lobular hyperplasia[*2]	4.0～5.0

[*1] 乳管過形成の程度が顕著で非浸潤性乳管癌の特徴を一部有するが，質的・量的に不足しているもの．量的には2mmあるいは2腺管を超えない．
[*2] TDLUにおいて＜50％の腺房が小型で均一な類円形核を有する異型細胞で占められるが，内腔閉塞や腺房拡張は完全でないもの．

る．乳腺症では，間質細胞や膠原線維の増生が目立つことも多い．

嚢胞 cyst は線維増生による乳管腔圧迫のため，分泌物の通過が障害されて，小葉または乳管が拡張し肉眼的な嚢胞を形成したものである（図 19-5c）．

アポクリン化生 apocrine metaplasia は，乳管上皮がアポクリン汗腺様に化生を示したもので，好酸性で顆粒を有する広い細胞質と分離分泌像がみられる（図 19-5d）．

乳腺症と乳癌の関係については，一部の所見と乳癌発生リスクとの関連が示されている（表 19-2）．

b 女性化乳房症 gynecomastia

通常両側性，時に片側性の男性乳房腫脹で，乳輪直下中心部に多い．組織像は，乳管上皮の増生・分枝と周囲

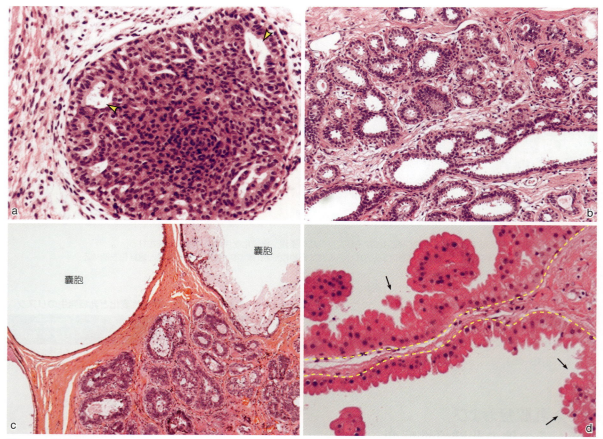

図 19-5 乳腺症
a. 乳管過形成，乳管腔拡大，充実性増殖，辺縁部の窓構造（▷）がみられる．
b. 腺症．腺房が増生し，腺腫様となる．
c. 囊胞．
d. アポクリン化生．好酸性細胞質（点線で囲まれた細胞）と分離分泌像（→）を示す．

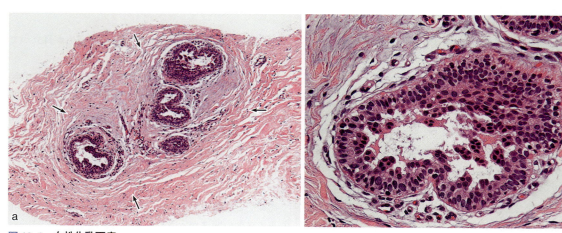

図 19-6 女性化乳房症
a. 乳管上皮と周囲間質の増生（→）．小葉構造はみられない．
b. 乳管上皮過形成を示す．

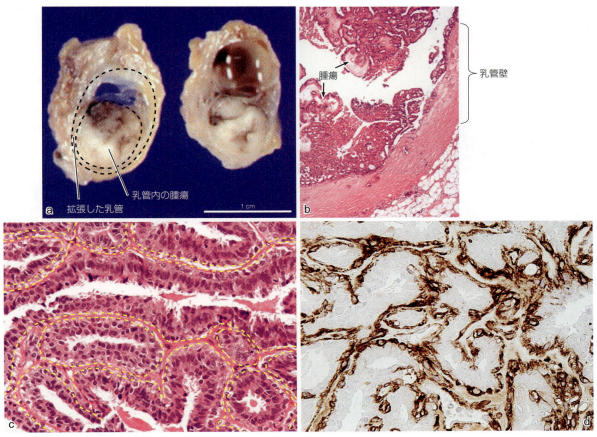

図 19-7 乳管内乳頭腫
a, b. 囊胞状に拡張した乳管内に乳頭状発育を示す腫瘍がみられる.
c. 上皮の二相性が保たれる. 基底側を黄点線で示す.
d. 免疫組織化学的に, α平滑筋アクチンが基底側の上皮(筋上皮)に褐色に染色される.

間質の増生からなる(図 19-6). **エストロゲン過剰**による反応であり, 思春期と高齢の健常男性にみられる特発性過形成が多いが, **肝硬変**, 悪性腫瘍, 薬剤(エストロゲン, スピロノラクトン, ジギタリスなど), クラインフェルター Klinefelter 症候群などによることがある.

c 乳瘤 galactocele(lactocele)

授乳 6〜10 か月にみられる可動性の境界明瞭な貯留囊胞であり, クリーム状の濃縮乳汁を含む.

D 腫瘍

1 良性腫瘍

乳管内乳頭腫 intraductal papilloma は乳管内に発育する上皮性乳頭状腫瘍で, 30 歳代後半〜50 歳代にかけて多くみられる. 乳頭部近傍に生じる中枢型と, より終末乳管側に生じる末梢型がある. 症状は乳頭分泌(時に血性)や腫瘤触知などである. 組織学的には, 線維血管性間質を軸に筋上皮と乳管上皮が二相性を保って乳頭状〜管状あるいは充実性に増殖する像がみられる(図 19-7). 臨床的または病理学的に乳管癌とまぎらわしい例がある.

線維腺腫 fibroadenoma は良性腫瘍のなかで最も頻度が高く, 好発年齢は 20〜30 歳代, 乳腺の外側上部 4 分域に多い. 可動性で表面平滑, 境界明瞭な腫瘤である. 組織学的には, 異型のない間質(線維)成分と上皮(腺)成分の種々の割合での共同増殖からなる(図 19-8). 間質細胞は, 粘液腫状基質あるいは膠原線維増生を背景に分布し, 古いものは硝子化・石灰化・骨化を伴うことがある. 腺成分の構造は管状, スリット状, 小葉構造, 乳腺症の像など多様であるが, 上皮の二相性は保たれる.

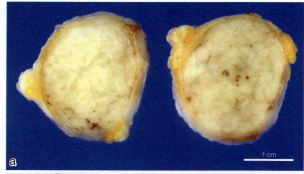
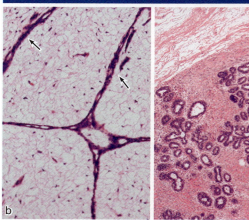
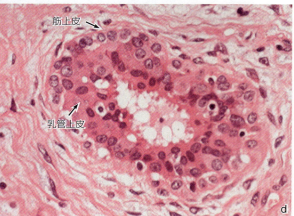

図 19-8　線維腺腫
a. 境界明瞭で平滑な充実性腫瘍．
b. 上皮成分が粘液腫状の間質結合組織により圧排され，内腔が潰れてスリット状となる(→)．間質細胞の分布は疎である(管内型線維腺腫)．
c. 小葉構造を形成する型(類臓器型線維腺腫)．
d. 上皮成分に異型はなく，上皮の二相性が保たれる．

良性葉状腫瘍 benign phyllodes tumor は上皮と間質の両成分からなる充実性，一部囊胞形成を伴う比較的境界明瞭な腫瘍である．割面は灰白色充実性で，時に囊胞内に突出する葉状構造を伴い，粘液腫状の光沢を示す．好発年齢は 30〜50 歳代，組織学的には線維腺腫と似るが，間質成分の過剰増殖が特徴である．急速に増大する例が多く，切除後の局所再発がみられることがある．

Advanced Studies
線維腺腫および良性葉状腫瘍は，間質細胞のみに高頻度でクローナルな *MED12* 遺伝子変異が検出されることから，反応性上皮増殖を伴う間質性腫瘍と考えられている．

2　乳癌 breast cancer

A　疫学

乳癌は欧米では女性 9 人に 1 人と，女性の悪性腫瘍のなかで最も罹患率が高い(→ 第 9 章「腫瘍」，281 頁参照)．わが国の新規患者数は年々増加し，2018 年には約 93,858 人となり，女性の約 11 人に 1 人が罹患すると見積もられている．死亡者数は，2020 年には 14,650 人に達した．欧米では 1990 年前後を境に死亡率が減少傾向に転じており，検診普及の寄与が示唆されている．

わが国の乳癌罹患率は 40 歳代後半〜70 歳代で大きく増加する(図 19-9)．

乳癌の危険因子として，年齢(40 歳以上)，未婚(30 歳以上)，未経産，初産年齢 30 歳以上，閉経年齢 55 歳以上，閉経後の肥満(標準体重＋20％以上)，経口避妊薬服用，閉経後のホルモン補充療法，乳癌の既往歴，乳癌の家族歴などがあげられている．

B　成因

乳癌発生に関連する因子としてエストロゲンの作用と遺伝学的背景が指摘されている．

1　エストロゲン

多くの乳癌の発生に，持続する高エストロゲン状態やエストロゲンと他のホルモンとの不均衡の関与が考えられている．若年で両側卵巣摘出された女性には乳癌発生はごくまれである．DMBA〔7,12-dimethylbenz(a)anthracene〕によるラット発がんモデルで生じる乳癌はホルモン依存性であり，卵巣摘出で縮小・減少する．

乳管上皮や間質細胞は**エストロゲン受容体** estrogen receptor（ER）と**プロゲステロン受容体** progesterone receptor（PgR）を発現している．この2つを合わせて**ホルモン受容体**ということが多い．エストロゲンは，細胞の核（一部細胞質）に局在する ER と結合し，増殖促進因子の転写・発現亢進，細胞増殖を促す．また，ER は HER ファミリー（HER2 など）を介する MAP キナーゼ経路や PI3 キナーゼ経路との間に複雑な連絡網を形成する．PgR は，ER 依存性の核受容体で，エストロゲン反応性組織で発現する．

2 がん関連遺伝子

a 家族性乳癌

家系内に複数の乳癌患者がいる家族性乳癌 familial breast cancer は，全乳癌の5〜10％を占める．なかでも特に遺伝的要因がはっきりしている遺伝性乳癌 hereditary breast cancer は，全乳癌患者の3〜5％を占めると推定される．その大部分は *BRCA1* または *BRCA2* 遺伝子の生殖細胞系列変異の保有者である．これらの家系では卵巣癌（もしくは卵管癌，原発性腹膜癌）も高率に生じるため，**遺伝性乳癌卵巣癌** hereditary breast and ovarian cancer（HBOC）と呼ばれ，常染色体顕性（優性）遺伝を示す．HBOC の女性は80歳までに69〜72％の率で乳癌，17〜44％の率で卵巣癌に罹患するとされ，生じる乳癌は若年性および両側性が多い．

BRCA1 は 17q21，*BRCA2* は 13q12 に位置し，いずれの遺伝子も，コードされるタンパクは主に**二本鎖 DNA 切断の相同組換え修復**にかかわり，これらの機能が不十分だと DNA 修復不全が蓄積して，細胞にがん関連遺伝子の病原性変異（ドライバー変異）が生じやすくなり，がん化に至るリスクが上昇するものと推測される．

b 非遺伝性乳癌

乳癌の大多数を占める非遺伝性乳癌は，乳管上皮もしくはその前駆細胞に後天的にがん関連遺伝子のドライバー変異が蓄積して生じる．

がん関連遺伝子として有名なのは 17q12-q21.2 に位置するがん遺伝子 *HER2*（*c-erb*B-2）である．*HER2* は乳癌の15〜30％の例で**遺伝子増幅** gene amplification による活性化を示し，コードされるタンパクの過剰発現を伴う（図19-10）．HER2 タンパクは HER ファミリーに属し，細胞膜の内外にまたがって局在するチロシンキナーゼ型増殖因子受容体である．過剰発現した HER2 タンパクは，HER ファミリー同士の二量体形成とチロシンリン酸化により MAP キナーゼ経路を通じて転写因子を活性化し，細胞周期を進行させる．

がん抑制遺伝子の不活化としては *TP53*（*p53*）の変異が最も多く，乳癌の約30％にみられる．小葉癌では高頻度で細胞接着分子 E カドヘリンをコードする *CDH1* 遺伝子（16q22.1）が点突然変異などにより不活化される．

なお，非遺伝性乳癌のなかで家族内集積が多少ともみられる場合は，複数遺伝子の相加効果と環境因子の影響による多因子遺伝病の可能性も否定できない．

> **Advanced Studies**
>
> #### c 乳癌の内因性サブタイプと発がん経路の多様性
>
> 網羅的遺伝子発現解析により，乳癌は少なくとも4型の内因性サブタイプ intrinsic subtype に分類できることが知られている．
>
> ⅰ）ルミナル（管腔）A 型 luminal A：低〜中グレード，ER 陽性，HER2 陰性．乳管上皮と同様の遺伝子発現パターンを示す．
> ⅱ）ルミナル B 型 luminal B：中〜高グレード，ER 陽性，HER2 は陰性または陽性．ルミナル A に比べ細胞増殖性が高い．
> ⅲ）HER2 過剰発現型 HER2-enriched：HER2 陽性，ER 陰性．
> ⅳ）基底様型 basal-like：基底側の筋上皮に類似した遺伝子発現パターンを示し，ER 陰性，HER2 陰性．
>
> ドライバー遺伝子変異や染色体変化の蓄積様式は内因性サブタイプ間で顕著に異なることから，これらのサブタイプ間で発がん経路が異なると考えられている．内因性サブタイプを免疫組織化学で置き換え簡便化した臨床的なサブタイプ分類は周術期薬物療法の選択に用いられる（→ 626 頁参照）．

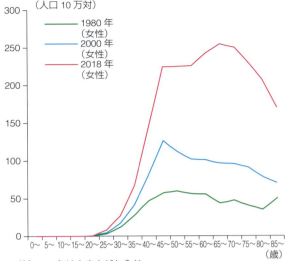

図 19-9　2018 年の年齢階級別乳癌罹患率
1980 年，2000 年に比べて著増している．
〔公益財団法人がん研究振興財団「がんの統計 2022」年齢階級別がん罹患率推移（1980 年，2000 年，2018 年）乳がん（女性）より転載〕

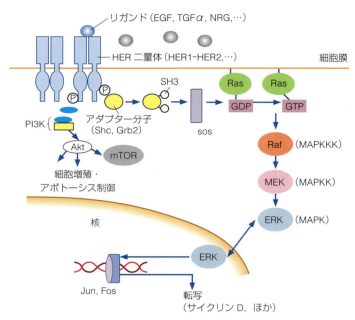

図 19-10　HER2 を介した増殖シグナル伝達経路
HER ファミリー分子同士の二量体形成にて細胞質内のチロシン残基がリン酸化され，MAP キナーゼ経路を活性化して細胞周期を進める．PI3 キナーゼ経路も活性化され Akt, mTOR などを介して細胞の増殖，生存にもかかわる．HER2 過剰発現を有する細胞では恒常的に HER2 を介したシグナル伝達が活性化されている．

表 19-3　乳癌の組織学的分類

1. 非浸潤癌 Noninvasive carcinoma
   a. 非浸潤性乳管癌 Ductal carcinoma *in situ*
   b. 非浸潤性小葉癌 Lobular carcinoma *in situ*
2. 微小浸潤癌 Microinvasive carcinoma
3. 浸潤癌 Invasive carcinoma
   a. 浸潤性乳管癌 Invasive ductal carcinoma
      (1) 腺管形成型 Tubule forming type
      (2) 充実型 Solid type
      (3) 硬性型 Scirrhous type
      (4) その他 Other type
   b. 特殊型 Special types
      (1) 浸潤性小葉癌 Invasive lobular carcinoma
      (2) 管状癌 Tubular carcinoma
      (3) 篩状癌 Invasive cribriform carcinoma
      (4) 粘液癌 Mucinous carcinoma
      (5) 髄様癌 Medullary carcinoma
      (6) アポクリン癌 Apocrine carcinoma
      (7) 化生癌 Metaplastic carcinoma
      (8) 浸潤性微小乳頭癌 Invasive micropapillary carcinoma
      (9) 分泌癌 Secretory carcinoma
      (10) 腺様囊胞癌 Adenoid cystic carcinoma
      (11) その他 Others
4. パジェット病 Paget disease

〔日本乳癌学会（編）：臨床・病理 乳癌取扱い規約 第 18 版．金原出版，2018 を一部改変して転載〕

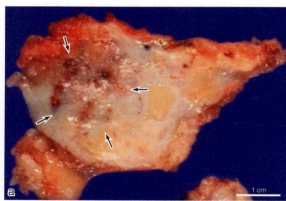

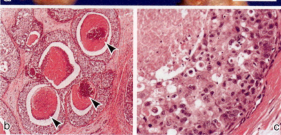

図 19-11　非浸潤性乳管癌（面疱型）
a. 本例の病変（→）は腫瘤を形成しない．
b. 乳管内にがん細胞の充実性増殖と，石灰化を伴う中心部壊死（▶）がみられる．
c. 核異型は高度である．

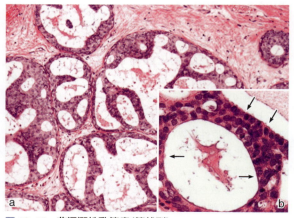

図 19-12　非浸潤性乳管癌（篩状型）
b は拡大像．二次管腔は乳管内に均等に分布し，堅固な Roman bridge（→）が形成される．

C 病理形態像

　乳癌は，主に TDLU に生じる癌腫であり導管癌の範疇に入るが，さまざまな組織形態を示す．その組織型はわが国では表 19-3 のように分類される．

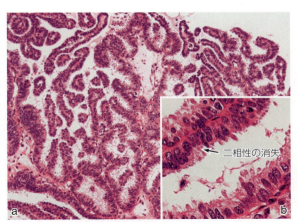

図 19-13　**非浸潤性乳管癌（乳頭型）**
bは拡大像．複雑な乳頭状構造を呈し，上皮の二相性は失われる．

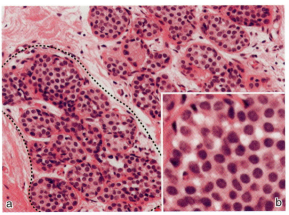

図 19-14　**非浸潤性小葉癌**
a. 小葉構造を破壊せずに TDLU 内腔（点線）を拡張・充満して密に増殖する．
b. 拡大像．腫瘍細胞は小型で均一である．

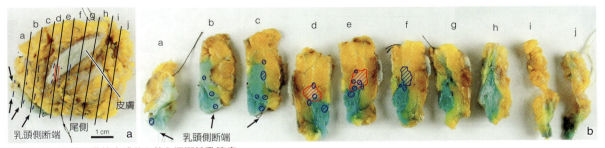

図 19-15　**広範な乳管内成分を伴う浸潤性乳管癌**
浸潤癌における浸潤癌成分（赤色）と乳管内成分（青色）．矢印（→）は断端に露出した乳管内成分．浸潤癌成分のみが腫瘤と認識されることが多いので，腫瘤だけを切除しても乳管内成分は遺残し，局所再発の原因となりうる．黄色の部分は皮下脂肪組織，白い部分が乳腺（色素注入のため一部緑色になっている）．

1 ● 非浸潤癌

a 非浸潤性乳管癌 ductal carcinoma *in situ*（DCIS）

上皮内乳管癌，乳管内癌ともいう．がん細胞の増殖が乳管内に限局し，周辺組織への間質浸潤がみられない乳管癌である．腫瘤を形成しない例が多く，リンパ節転移もほとんどない．近年増加しており，手術対象乳癌の10〜15％を占める．最も早期のがん（病期0）に分類され，外科切除後の10年生存率は98.5％と報告されている．

乳管内での組織学的構築から，面疱型 comedo type，篩状型 cribriform type，乳頭型 papillary type，などに亜分類されるが，混合型も多い．面疱型は大型で異型の強いがん細胞の充実性増殖と，石灰化を伴う中心部壊死を特徴とする（図 19-11）．篩状型は多数の二次管腔（篩状構造）を形成する（図 19-12）．乳頭型は複雑な乳頭状構造を呈して発育し，囊胞内癌の形をとることもある．篩状型，乳頭型では，核異型はより軽度であるが，上皮の二相性が失われる（図 19-13）．

b 非浸潤性小葉癌 lobular carcinoma *in situ*（LCIS）

小型で均一な類円形核をもつ細胞が TDLU の＞50％を充満する非浸潤性腫瘍である（図 19-14）．通常，組織学的検査で偶発的に見つかる微視的病変で，浸潤性乳癌のリスク要因あるいは前がん病変とされる．

2 ● 浸潤癌

乳管内で発生したがん細胞が，乳管の基底膜を越えて，間質（乳腺間質，脂肪組織，皮膚など）に浸潤するがんを浸潤癌という．リンパ管・血管への侵襲を通して局所リンパ節・遠隔臓器に転移をきたしうる．浸潤径が1 mm 以下のものを微小浸潤癌と呼ぶ．浸潤癌の大部分は非浸潤癌成分（乳管内成分）を伴う．広範な乳管内成分を伴う浸潤癌は，局所の広がりの診断が難しく，切除範

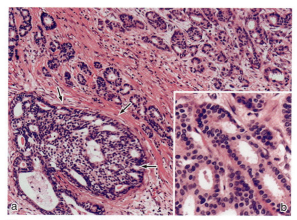

図 19-16　浸潤性乳管癌(腺管形成型)
a. 篩状の乳管内成分(→)と周囲の浸潤癌成分.
b. 浸潤癌成分は高分化で明瞭な管状〜篩状パターンをとる.

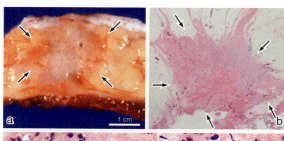
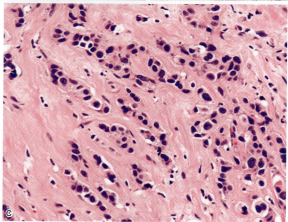

図 19-18　浸潤性乳管癌(硬性型)
a. 割面に現れた腫瘍(→).
b. ルーペ像.周囲との境界(→)が不整である.
c. 小塊状〜索状パターンをとり,豊富な線維性間質を伴って増殖する.

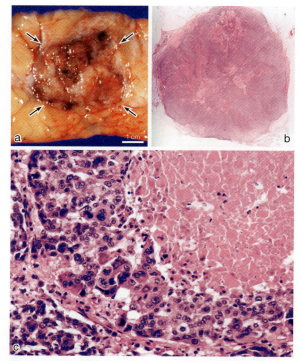

図 19-17　浸潤性乳管癌(充実型)
a. 割面に現れた腫瘍(→).
b. ルーペ像.境界が比較的明瞭な腫瘍.
c. がん細胞は高異型度で充実性に増殖し,壊死もみられる.

a 浸潤性乳管癌 invasive ductal carcinoma

浸潤性乳癌,非特異型 invasive carcinoma of no special type(NST)ともいう.浸潤癌の大多数(80〜90%)を占め,亜型とグレードにより細分類される.亜型には腺管形成型 tubule forming type,充実型 solid type,硬性型 scirrhous type の3型,およびその他がある.

腺管形成型は管状構造を主体とする高分化な型である(図 19-16).充実型は,浸潤癌巣が周囲組織と比較的境界明瞭な圧排性浸潤を示す.組織学的には充実性のがん胞巣が主体で,壊死を伴う例もあり,間質成分の割合は乏しい(図 19-17).硬性型はがん細胞が小塊状〜索状に周囲組織にびまん浸潤性に発育し,豊富な間質結合組織の増生を伴う(図 19-18).

浸潤性乳癌の**グレード分類**は,組織学的グレード histological grade と核グレード nuclear grade(図 19-19)がある.前者は腺管形成,核異型,核分裂像の3要素,後者は核異型と核分裂像の2要素から判断され,いずれも予後因子として用いられる.

囲の決定に苦慮するため,乳房部分切除の際に乳管内成分を取り残す率が高い(図 19-15).

浸潤癌は浸潤性乳管癌と特殊型に分類される.

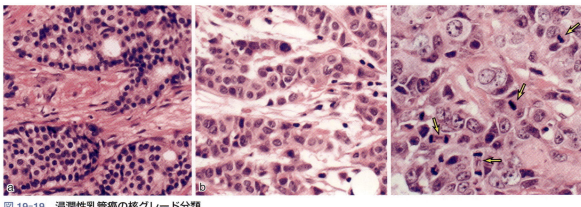

図 19-19　浸潤性乳管癌の核グレード分類
a. Grade 1（低グレード．核は均一，分裂像は少ない）
b. Grade 2（中グレード．Grade 1 と 3 の中間）
c. Grade 3〔高グレード．核の大小不同，形態不整が目立ち分裂像（→）も多い〕．

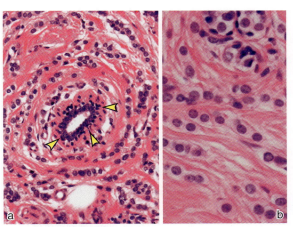

図 19-20　浸潤性小葉癌
a. 乳管周囲の標的様配列．既存の乳管を▷で示す．
b. クロマチン増量に乏しい比較的均一な核をもつがん細胞が索状〜個細胞性に浸潤・増殖する．

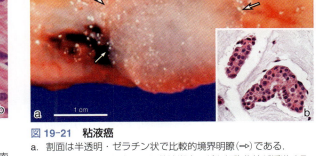

図 19-21　粘液癌
a. 割面は半透明・ゼラチン状で比較的境界明瞭（→）である．
b. 組織像．蒼白に染色された粘液湖内にがん細胞集塊が浮遊する．

b 特殊型

　浸潤性小葉癌と粘液癌が各 3〜4％，アポクリン癌と浸潤性微小乳頭癌は各 1％程度みられる．それ以外はまれである．

　浸潤性小葉癌 invasive lobular carcinoma のがん細胞は小型，均一で極性がなく，索状〜個細胞性に間質に浸潤する（図 19-20）．既存乳管の周囲を取り巻く標的様配列 targetoid pattern や印環細胞，E カドヘリン発現の消失も特徴的である．周囲との境界が不明瞭な例が多い．

　粘液癌 mucinous carcinoma は細胞外への大量の粘液産生が特徴で，粘液湖の中にがん細胞集塊が浮遊してみえる（図 19-21）．通常，境界明瞭な限局性の球状腫瘤としてみられ，割面は半透明のゼラチン様である．予後は比較的良好である．

　髄様癌 medullary carcinoma は髄様に増殖する低分化ながん細胞からなり，周囲組織との境界は明瞭である．細胞相互の境界は不明瞭で，間質に著明なリンパ球浸潤を伴うことが多い．

3 パジェット病 Paget disease

　乳頭や乳輪の湿疹様発赤やびらんを主症状とする乳癌の一型である（図 19-22）．非浸潤性乳管癌の乳頭・乳輪部への表皮内進展であり，大多数の例で区域乳管にも進展巣や微小浸潤巣がみられるが，乳頭・乳輪部に限局し

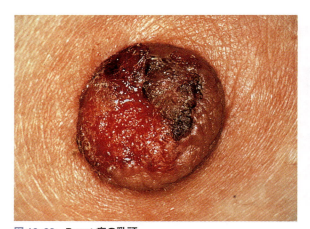

図 19-22　**Paget 病の乳頭**
乳頭の表皮にびらんを形成している．
〔坂本穆彦：乳腺．坂本穆彦，他（編）：標準病理学　第 4 版．p598，医学書院，2010 より〕

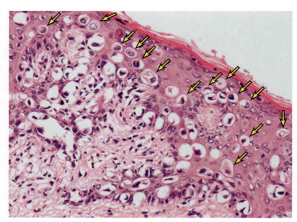

図 19-23　**Paget 病**
表皮内に細胞質の広い異型細胞（Paget 細胞：➡）の進展がみられる．

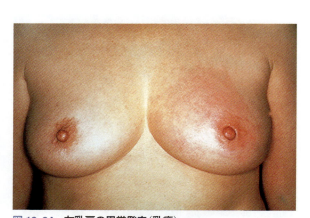

図 19-24　**左乳房の異常発赤（乳癌）**
左乳房皮膚の著しい発赤は，炎症性乳癌による癌性リンパ管炎のために生じたものである．
〔坂本穆彦：乳腺．坂本穆彦，他（編）：標準病理学　第 4 版．p596，医学書院，2010 より〕

乳管内進展巣を伴わない例も一部みられる．組織学的には明るい細胞質と大型核を有する円形〜卵円形のがん細胞（Paget 細胞）を特徴とする（図 19-23）．高齢者に多く，予後は随伴する乳管癌の成分に依存する．

4 ● 炎症性乳癌 inflammatory breast cancer

腫瘍を認めず，乳房の浮腫，橙皮様皮膚（発赤・肥厚），疼痛，熱感などの炎症症状を示す乳癌の臨床的名称である．がん細胞の真皮内リンパ管侵襲が強いため起こる病像で（図 19-24），診断時にリンパ節転移や遠隔転移を有する例が多く，進行が急速で，予後不良である．しばしば急性乳腺炎との鑑別が困難である．

5 ● 男性乳癌 male breast cancer

乳癌の 0.55〜0.7％を占める．58〜65 歳が発症のピークで，女性乳癌と同様，浸潤性乳管癌の率が高い．がん病巣の近傍に女性化乳房症を合併することがある．

D 臨床像

a 診断

乳癌の主訴は，乳房腫瘤触知や血性乳頭分泌などであるが，マンモグラフィ検診による発見が増加している．乳癌の検査は，触診，マンモグラフィ，超音波検査が併せて行われ，針生検（**コア針生検，吸引補助針生検**）または**穿刺吸引細胞診**による確定診断が行われる．手術可能な例の治療は外科切除が主体で，従来は乳房切除＋同側腋窩リンパ節郭清が標準であったが，近年，乳房部分切除＋放射線治療による**乳房温存療法やセンチネルリンパ節（SN）生検**も広く行われる．SN は，腋窩に向かうリンパ流が最初に到達するリンパ節であり，転移陰性の確認ができれば，それ以遠に転移が及ぶ確率はきわめて低いので，不要なリンパ節郭清を省略できる．

術中迅速組織診は，乳房部分切除標本の切除断端と SN でのがんの有無を検査する目的で行われる．

b 予後因子・治療適応決定因子

外科切除可能な乳癌の予後因子には，臨床病期，年齢，原発腫瘍の浸潤径，局所リンパ節転移個数，組織型，グレード分類，ホルモン受容体，HER2，細胞増殖指標（Ki67 など）がある．

周術期薬物療法（術前薬物療法 neoadjuvant therapy，

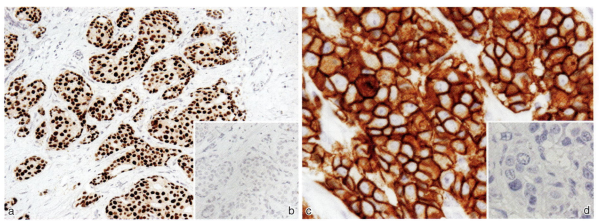

図 19-25　エストロゲン受容体，HER2 タンパク質の発現（免疫組織化学）
a. エストロゲン受容体陽性例．大部分のがん細胞核に強い染色性がみられる．
b. 陰性例．
c. HER2 過剰発現陽性例．細胞膜全周性の強い染色性がみられる．
d. HER2 陰性例．判定困難な場合は ISH 法で再検討する．

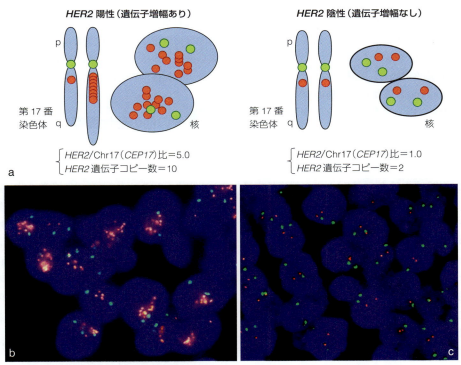

図 19-26　HER2 遺伝子増幅の検出（FISH 法）
a. 模式図（染色体上の位置は厳密でない）．がん細胞核（青色）あたり第 17 番染色体セントロメア（CEP17）（緑色）に対する HER2（赤色）シグナル数の比（HER2/CEP17 比）が 2.0 以上かつ HER2 遺伝子平均コピー数が 4.0 以上ある例は，HER2 増幅陽性と判断される．判定が不確実な FISH のパターンであった場合は，免疫組織化学法の結果を参考にして治療適応を決定する．
b. HER2 陽性例．
c. HER2 陰性例．

表19-4 手術可能乳癌の術前もしくは術後薬物療法適応決定に用いられるホルモン受容体，HER2による分類

分類	ホルモン受容体	HER2	生物学的特性指標	周術期薬物療法
ホルモン受容体陽性/HER2陰性(luminal A-like)	高値	陰性	低増殖性 Grade 1(〜2)	内分泌療法が中心
ホルモン受容体陽性/HER2陰性(luminal B-like)	比較的低値	陰性	高増殖性 Grade 3(〜2)	内分泌療法＋化学療法
ホルモン受容体陽性/HER2陽性(luminal/HER2 positive)	陽性	陽性		内分泌療法＋化学療法＋抗HER2療法
ホルモン受容体陰性/HER2陽性(HER2 positive)	陰性	陽性		抗HER2療法＋化学療法
トリプルネガティブ	陰性	陰性		化学療法

非浸潤癌に対する薬物療法の適応はない．生物学的特性指標にはKi67，グレード分類，多遺伝子アッセイがある．

術後薬物療法 adjuvant therapy)には**化学療法，内分泌療法，抗HER2療法**などがあり，いずれも患者の生存期間を延長することが証明されている．術前，術後薬物療法の選択には，原発乳癌巣でのホルモン受容体，HER2が陽性かどうかが特に重視されている．ホルモン受容体の検査には免疫組織化学が用いられ，HER2検査には免疫組織化学(図19-25)もしくはFISH法(図19-26)(明視野でのマルチカラーISH法)が用いられる．ホルモン受容体およびHER2の状態に対応する術前，術後薬物療法を**表19-4**に示す．

ホルモン受容体陽性乳癌は，臨床的に**ルミナル(管腔)型** luminal-like subtypeと呼ばれ，乳癌の60〜70％を占める(→619頁参照)．内分泌療法の適応となるが，内分泌療法単独でよい予後良好な型(luminal A-like)と，再発リスクがやや高く化学療法の上乗せ効果が期待できる型(luminal B-like)に分けられる．両者の選択には**生物学的特性指標**(Ki67またはグレード)および腫瘍量指標(腫瘍浸潤径，転移リンパ節個数など)が考慮される．

HER2陽性乳癌は15〜20％を占める．抗HER2療法と化学療法の併用が行われ，ホルモン受容体陽性の場合はさらに内分泌療法も考慮される．

トリプルネガティブ乳癌は，ER，PgR，HER2ともに陰性で，浸潤癌の10〜15％を占め，高悪性度の例が多い．術後は化学療法が適応となるが，一部の患者にて分子標的薬併用の有効性が示された．

術前薬物療法 neoadjuvant therapy, primary systemic therapyは，局所的にやや進行したがんの腫瘍径を縮小させて乳房温存療法に持ち込む目的と，薬物療法後の外科切除標本で正確な治療効果を評価する目的で行われる．切除標本の病理学的検索にて，浸潤癌巣が完全に消失した例は病理学的完全奏効 pathological complete response(pCR)といわれ，予後良好である．

c 再発乳癌

乳癌全手術患者の約30％に局所(乳房内，皮膚，局所リンパ節)や遠隔臓器への再発がみられる．遠隔再発は**骨，肺・胸膜，肝，脳**に多い．再発乳癌の治療は薬物療法が主体であるが，放射線療法や外科的切除による局所治療も考慮されることがある．近年は新たにCDK4/CDK6阻害薬，免疫チェックポイント阻害薬，*BRCA1/2*変異陽性乳癌に対するPARP阻害薬なども開発され，再発後の予後は徐々に改善している．再発までの期間が長い例，ホルモン受容体陽性例，HER2陽性例，局所再発例・骨転移単独例は経過が長い傾向にある．

❸ その他の悪性腫瘍

葉状腫瘍には良性，境界病変，悪性があり，それぞれ60〜75％，15〜28％，8〜20％を占める．悪性葉状腫瘍 malignant phyllodes tumorは，多数の核分裂と高度の核形不整を呈する悪性間質細胞の増殖を伴う葉状腫瘍で，肺・骨への血行性転移や胸郭浸潤を示す．血管肉腫 angiosarcoma，リンパ腫(悪性リンパ腫)などもまれに生じる．乳房切除後リンパ管肉腫 postmastectomy lymphangiosarcoma(スチュワート-トレーヴス Stewart-Treves症候群)は乳房切除術後数年〜10年内外で慢性リンパ浮腫を示す患側上肢や側胸壁に発生する．

●参考文献
1) 日本乳癌学会(編)：乳癌診療ガイドライン2 疫学・診断編 2022年版．金原出版，2022
2) 日本乳癌学会(編)：臨床・病理 乳癌取扱い規約 第18版．金原出版，2018
3) WHO Classification of Tumours Editorial Board (ed)：WHO Classification of Tumours 5th edition, Breast Tumours. IARC, 2019
4) Hoda SA, et al：Rosen's Breast Pathology 5th ed. Wolters Kluwer, 2021
5) 日本病理学会(編)：乳癌・胃癌HER2病理診断ガイドライン 第2版．金原出版，2021

第20章 女性生殖器

A 発生・構造・機能・発生異常

A 発生・構造・機能

女性生殖器は外陰，腟，子宮，卵管，卵巣から構成され（図20-1），子宮は体部と頸部に分けられる．外陰や腟，子宮頸部腟部（頸部のうち腟腔に突出する部分）は重層扁平上皮に，子宮頸部腟部以外の頸部や体部，卵管は腺上皮（単層円柱上皮）に覆われる．

腟の上半分，子宮，卵管は胎生期のミュラー管 müllerian duct に由来し，腟の上半分と子宮は左右のミュラー管の癒合によって形成される．癒合の起こらない上部ミュラー管が左右卵管となる．外陰および腟の下半分は尿生殖洞に由来する．卵巣は原始生殖索から発生する．

女性生殖器は，生涯および月経周期の各期で変化するホルモン動態によって，その形態を変化させる．最もダイナミックな変化は内膜にみられ，平均28日の周期で増殖と分泌，剥脱が繰り返されている．これらは視床下部-下垂体系のホルモンに制御され，卵巣から分泌されるエストロゲンとプロゲステロンの作用によって起こる．内膜においては，エストロゲンは内膜腺および間質の増殖を促進し，プロゲステロンは分化（腺細胞の分泌や間質細胞の脱落膜化）をもたらす．

B 発生異常・発育障害

ミュラー管の限局性あるいは全長にわたる癒合不全によって，さまざまな形態の腟・子宮の形成不全が起こる（図20-2）．腟閉鎖は尿生殖洞の発達異常によって起こる．

B 外陰の病変

A 外陰の炎症

1 外陰炎 vulvitis

外陰部の感染症の多くは，性感染症 sexually transmitted disease（STD）である．梅毒による一連の病変（→ 第4章「感染症」，84頁参照）のほか，クラミジア *Chlamydia trachomatis* による性病性リンパ肉芽腫症（外陰部の潰瘍形成に始まる有痛性鼠径リンパ節炎），ヘルペスウイルス感染症，カンジダ外陰炎などがある．

2 バルトリン腺炎 bartholinitis

バルトリン腺の非特異的炎症で，急性期には膿瘍を形成することがある．バルトリン腺囊胞は，炎症の持続や反復の結果，慢性炎症細胞浸潤や線維化が起こって排泄口が閉塞し，囊胞化したものである．

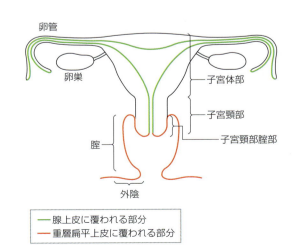

図20-1 女性生殖器の構造

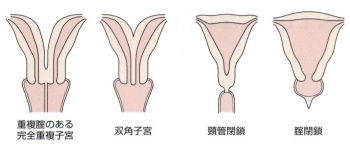

図 20-2　女性生殖器の発生異常
ミュラー管の癒合不全の程度によって重複子宮，双角子宮，頸管閉鎖などの形態を示す．腟閉鎖は尿生殖洞の発生異常による．

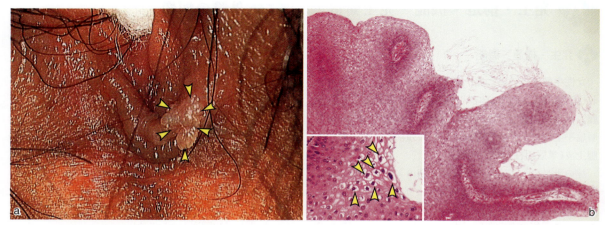

図 20-3　尖圭コンジローマ
a．外陰部に乳頭状腫瘤の形成が認められる（▷）．〔写真提供：厚生中央病院産婦人科　池田俊一先生〕
b．コイロサイトーシスを伴う重層扁平上皮の乳頭状増殖からなる．腫大と辺縁不整，クロマチン増量を示す核の周囲に白く抜ける明庭（▷）がみられる（挿入図）．

B ● 外陰の腫瘍，腫瘍類似病変

1 ● 尖圭コンジローマ condyloma acuminatum

ヒト乳頭腫（パピローマ）ウイルス human papillomavirus（HPV）の感染による良性疣状病変で，外陰のほか，腟および頸部にも起こる．主に HPV6 型あるいは 11 型といったローリスク群（→ 631 頁参照）の HPV 感染による．

肉眼的には，外陰部皮膚あるいは粘膜の境界明瞭な白色低乳頭状隆起性病変で，しばしば多発し，癒合傾向を示す（図 20-3a）．組織学的には，HPV 感染による細胞異型（コイロサイトーシス）（→ 632 頁参照）を伴う重層扁平上皮の乳頭状増殖がみられる（図 20-3b）．

2 ● 扁平上皮癌および前駆病変

a 外陰部上皮内腫瘍
vulvar intraepithelial neoplasia（VIN）

VIN は，外陰重層扁平上皮における極性の乱れや核異常を示す上皮内病変である．多くは HPV 感染によるものであるが，HPV 感染と無関係な一群も知られており，高齢者に多い HPV 非関連扁平上皮癌の前駆病変とされる．

b 扁平上皮癌

外陰に発生する扁平上皮癌はその発生機序により 2 つの型に分類される．第 1 の型は比較的若年の喫煙者にみられ，HPV 感染に関連すると思われるもの，第 2 の型は高齢者に多い HPV 非関連群である．

3 ● 乳房外パジェット病 extramammary Paget disease

重層扁平上皮内に，腺癌細胞（Paget 細胞）が増殖する

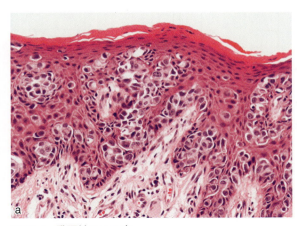
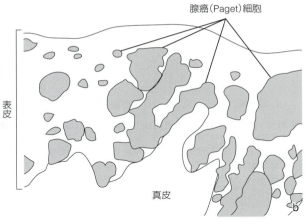

図 20-4　乳房外 Paget 病
表皮重層扁平上皮内に，明るい細胞質を有する類円形の腺癌 (Paget) 細胞が小胞巣状に増殖する．

病態である．Bartholin 腺あるいは汗腺由来のがんと考えられている．肉眼的には外陰の慢性皮膚炎様の地図状局面がみられ，組織学的には重層扁平上皮の主に基底層付近に，核小体の目立つ大型偏在核と胞体内粘液を有する腺癌 (Paget) 細胞が，孤細胞性あるいは小胞巣状に増殖する (図 20-4)．多くの症例で腺癌細胞は上皮内にとどまるが，時に基底膜を越えて浸潤し，腫瘍形成や遠隔転移をきたす．

C 腟の病変

A 腟炎

腟炎は，臨床的に頻度の高い婦人科疾患であり，感染によるものが多い．原因病原体として，カンジダ，トリコモナス原虫 (図 20-5)，大腸菌，ブドウ球菌などがあげられる．

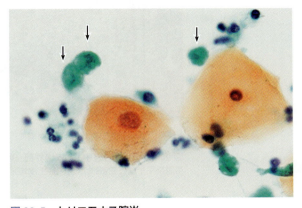

図 20-5　トリコモナス腟炎
腟頸部細胞診標本上にみられたトリコモナス原虫 (→)．

B 腟の腫瘍

腟にみられる悪性腫瘍は，婦人科臓器悪性腫瘍の 1〜2% とまれである．
a 扁平上皮癌および前駆病変
腟悪性腫瘍の 90% が扁平上皮癌であり，前駆病変として腟上皮内病変 vaginal intraepithelial neoplasia (VAIN) がある．多くは HPV 感染による．
b ブドウ状肉腫 botryoid sarcoma
小児にまれに発生する横紋筋肉腫で，肉眼的に腟から軟らかいブドウの房状のポリープが突出することからこの名がある (→ 第 23 章「軟部組織」700 頁参照)．
c 悪性黒色腫 malignant melanoma
通常は皮膚に発生する悪性黒色腫が腟に発生することがある．皮膚原発に比して予後不良である．

D 子宮頸部の病変

1 子宮頸部の炎症

a 仮性びらん pseudo erosion，真性びらん true erosion
子宮頸部においては，腟から連続する重層扁平上皮と頸管から連続する粘液性単層円柱上皮 (頸管腺上皮) が接しており，扁平上皮円柱上皮境界部 squamocolumnar

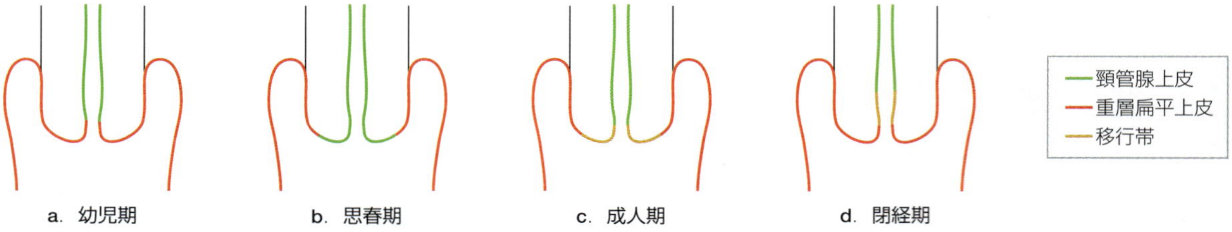

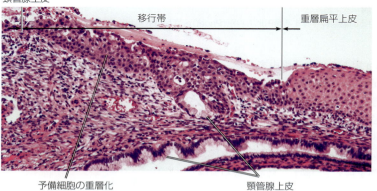

図 20-6　年齢による扁平上皮円柱上皮境界部（SCJ）の位置の変化
a. 幼児期には SCJ は頸管内にあり，腟腔には露出していない．
b. 思春期に SCJ の下降が起こり，頸管腺上皮は外反し頸部腟部を覆うようになる．
c. 各種刺激によって移行帯が形成される．
d. 閉経期には SCJ はふたたび頸管内に移動する．

図 20-7　扁平上皮円柱上皮境界部（SCJ）
重層扁平上皮と頸管腺上皮（円柱上皮）の間で予備細胞が重層化している．

junction（SCJ）と呼ばれている．SCJ の位置は年齢によって異なり（図 20-6），思春期前および閉経後は頸管内に存在し，コルポスコピーなどで観察することができない．思春期に達すると SCJ は腟方向に下降し頸管腺上皮が外反して子宮腟部の一部を覆うようになる．肉眼的に白っぽくみえる重層扁平上皮に比して，外反した円柱上皮は直下の毛細血管などを透過して赤くただれてみえることから，「仮性びらん」と呼ばれる（子宮腟部びらん portio vaginalis erosion）．この状態は物理的要因や感染などにより傷害を受けやすく，上皮欠損（真性びらん）や再生が繰り返される．再生に際しては，SCJ に存在する予備細胞 reserve cell が重要な役割を担っている．予備細胞は，頸管腺上皮の下層にみられる 1 層の幼若な細胞で，重層扁平上皮および腺上皮への分化能を有する．刺激によって予備細胞は重層化し（予備細胞増生 reserve cell hyperplasia），多くの場合，重層扁平上皮に分化して扁平上皮化生 squamous metaplasia の状態となる．これら一連の現象が起こる領域は移行帯 transfor-mation zone と呼ばれ，HPV 感染および腫瘍発生の場として重要視されている（図 20-7）．

b 感染性炎症

頸部では非特異的な炎症のほか，クラミジア，ヘルペスウイルスなどによる，性行為によって伝播する頸管炎もみられる．

❷ 子宮頸管ポリープ endocervical polyp

子宮頸部に発生する粘膜隆起性病変で，通常無症状であるが，大きいものは出血や帯下増加の原因となる．組織学的には，異型に乏しい頸管腺上皮と線維性間質で構成されており，内部にしばしば囊胞状に拡張する頸管腺が分布する（図 20-8）．先端部には物理的刺激によるびらんがみられることがある．扁平上皮化生が起こることもある．時に扁平上皮内病変などの腫瘍性病変が併存する．

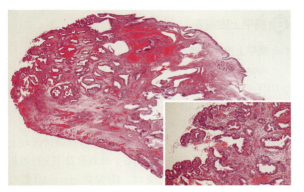

図 20-8　頸管ポリープ
頸管腺上皮と線維性間質で構成されており，内部には種々の程度の小型頸管腺の増生がみられる．頸管腺上皮に異型は認められない（挿入図）．

表 20-1　子宮頸部腫瘍および前駆病変の組織分類

1. 扁平上皮病変および前駆病変
　(1) 扁平上皮内病変 squamous intraepithelial lesion (SIL)
　　a. 軽度扁平上皮内病変 low-grade SIL (LSIL)
　　b. 高度扁平上皮内病変 high-grade SIL (HSIL)
　(2) 扁平上皮癌
2. 腺腫瘍および前駆病変
　(1) 上皮内腺癌(HPV 関連，HPV 非依存性)
　(2) HPV 関連腺癌
　(3) HPV 非依存性胃型腺癌
3. その他の上皮性腫瘍
　(1) 腺扁平上皮癌(HPV 関連)
　(2) 小細胞癌(HPV 関連)

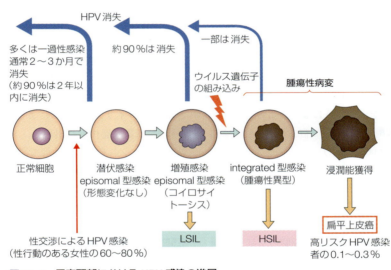

図 20-9　子宮頸部における HPV 感染の進展

❸ 子宮頸部の腫瘍性病変

　学生が知っておくべき子宮頸癌の組織分類について，「WHO 分類 第 5 版」(2020)および「子宮頸癌取扱い規約 第 5 版」(2022)をもとに表 20-1 に示す．

Ⓐ HPV 感染と子宮頸癌の発生

　子宮頸部の腫瘍性病変のほとんどは HPV 感染によるものである．

　現在 HPV には 180 種以上の型が確認されている．性器粘膜に感染する HPV はがんの発生との関連性によって「ハイリスク群」と「ローリスク群」に分けられる．ハイリスク群としては 16 型，18 型，31 型，33 型，52 型，58 型などが報告されており，その中でも 16 型と 18 型は子宮頸癌との関連性が最も強いとされている．ローリスク群には尖圭コンジローマの原因ウイルスとして知られる 6 型や 11 型などが含まれ，この群ががんの発生をきたすことはきわめてまれである．

　HPV は主に性行為によって感染する(図 20-9)．感染は無症状で，多くの場合細胞性免疫によってウイルスは除去され通常 2〜3 か月以内，約 90％ が 2 年以内に消失する．HPV の生涯感染率は 60〜80％ とされており，ありふれた感染症といえる．

　しかし一部は潜伏感染(形態学的には変化はみられない)の状態となり，さらにウイルス粒子を産生する増殖感染の状態に移行する．増殖感染状態では，基底細胞が中層細胞や表層細胞に分化する間にウイルスの複製が進

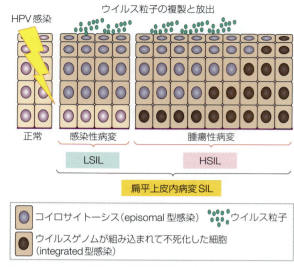

図20-10　HPV感染と子宮頸部扁平上皮内病変

み，個々の細胞は数十〜数百コピーのウイルス粒子を有する結果，核異型，多核化，核周囲明庭に特徴づけられるコイロサイトーシスを示すようになる．このときウイルスはepisome（環状構造）の状態で宿主のDNAとは独立して存在する（episomal型感染）．

ハイリスクHPVが感染した場合，episomal型感染が続くうち，何らかの理由で宿主DNAへの組み込みが起こることがある（integrated型感染）．組み込まれたウイルス由来のDNAがコードする蛋白質は，*TP53*遺伝子や*Rb*遺伝子を不活化することで宿主細胞の不死化，腫瘍化を促し，さらに他の発がん促進因子（喫煙や免疫不全など）が加わって発がんに結びついていく．

ハイリスクHPVの感染の多くが一過性感染で終わるが，約10％の女性で感染が持続し，そのうち約10％（ハイリスクHPV感染者の1％）で宿主のDNAへの組み込みが起こり，さらにその10〜30％（ハイリスクHPV感染者の0.1〜0.3％）で浸潤能を獲得すると推測されている．感染から浸潤癌までに至るまでの期間は8〜15年程度と考えられている．

Advanced Studies

1 ● 子宮頸癌ワクチン

子宮頸癌ワクチンの接種は世界各国で広く推奨されている．わが国においても2013年4月定期接種に追加されたものの，直後に体の痛みなどの副反応が問題となり積極的な呼びかけは中止された．その後，国内や海外で有効性や安全性のデータが報告されていることなどを受け，2022年4月から接種の推奨が再開された．

B 扁平上皮病変

1 ● 扁平上皮内病変

squamous intraepithelial lesion (SIL)

HPVの感染によって生じる重層扁平上皮の形態変化を扁平上皮内病変（SIL）と呼ぶ．

a 軽度扁平上皮内病変 low-grade SIL (LSIL)

HPVは，性行為などによって起こる移行帯付近の上皮の損傷部位から，予備細胞あるいは重層扁平上皮の基底細胞に感染する．LSILとは，HPVのepisomal型の増殖感染状態による形態変化であり，ハイリスク群でもローリスク群でも起こりうる．基底層付近の細胞にはほとんど形態学的変化はないが，重層扁平上皮の中〜表層細胞にコイロサイトーシスが認められる（図20-10, 11b）．自然消退することが多く，HSILに移行するのは10％未満と考えられている．

b 高度扁平上皮内病変 high-grade SIL (HSIL)

HPVのDNAが宿主のDNAに組み込まれて不死化した細胞の増殖からなる腫瘍性病変が想定されており，ほとんどがハイリスクHPVによる．不死化した細胞（腫瘍細胞）は基底層付近に出現し，当初は中〜表層にコイロサイトーシスを残した状態で認められる．増殖に伴って腫瘍細胞は次第に重層化し，最終的には上皮のほぼ全層を占めるようになる（図20-10, 11c）．多数の核分裂像が観察され，多極分裂など異常核分裂像もしばしば認められる．

Advanced Studies

c 従来の分類との対比

子宮頸部扁平上皮内病変については，国際的にもわが国においても，cervical intraepithelial neoplasia (CIN) 分類が用いられていた．これは重層扁平上皮内における異型細胞の増殖の程度による分類法で，異型細胞が重層扁平上皮の下層1/3に限局する場合CIN1，下層2/3までの場合CIN2，重層扁平上皮の2/3を超えて異型細胞が分布していればCIN3とするものである．

わが国の日常婦人科臨床の場では，従来のCIN分類法を用いてCIN1およびCIN2については経過観察，CIN3を治療対象とする施設が多いことから，病理組織診断報告においてもSIL表記だけでなくCIN分類の併記を求められることが多い．分類概念が異なるためSIL分類と完全に対応させることはできないが，おおむねCIN2・CIN3とHSILは同等とされ，LSILはCIN1と併記される．

2 ● 扁平上皮癌 squamous cell carcinoma

【概念，定義】

重層扁平上皮への分化を示す浸潤癌である．

【疫学】

わが国における子宮頸癌は，かつては女性におけるがんの死亡原因の上位を占めるものであった（1970年代ま

D. 子宮頸部の病変 ● 633

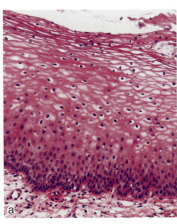 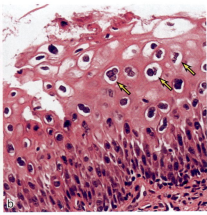 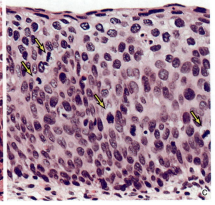

図 20-11　子宮頸部扁平上皮内病変
a. 正常の重層扁平上皮．基底膜から異型のない細胞が重層し，表層で扁平化する．
b. LSIL．重層扁平上皮の中〜表層に核周囲明庭を有するコイロサイトーシス（→）を認める．基底層付近の細胞には異型は認められない．
c. HSIL．重層扁平上皮の全層性に異型細胞が増殖している．多数の核分裂像（→）を伴う．

表 20-2　子宮頸癌と子宮体癌の対比

	子宮頸癌	子宮体癌
リスクファクター	HPV 感染が起こりやすい状況にある人	肥満，糖尿病，未産婦，エストロゲン製剤の長期使用
好発年齢	30〜60 歳（30〜40 歳代にピーク）	40〜60 歳（50 歳代にピーク）
分布	途上国で多い	欧米先進国で多い
前駆病変	SIL	子宮内膜増殖症
組織型	80〜85％：扁平上皮癌 15〜20％：腺癌	ほとんどが腺癌

で胃癌に次いで2位）．その後，衛生環境の改善やがん検診の普及とともに順調に減少したものの，罹患数としては90年代に底値を迎え，2000年代からは漸増傾向にある．子宮頸癌の約80〜85％が扁平上皮癌である（表20-2）．

【成因】
　HPV感染がほぼすべての扁平上皮癌の病因とされる．わが国ではHPV16型によるものが最も多く，18型がこれに次いでおり，16型と18型合わせて6割前後とされる．

【病理形態像】
　肉眼的には，カリフラワー状の外向性腫瘤を形成するもの（図20-12），中央部に潰瘍を形成するもの，壁内に内向性に浸潤するものなどがある．
　組織学的には，扁平上皮への分化を示す腫瘍細胞が，大小の不規則な胞巣を形成して浸潤・増殖する．胞巣中心部に角化真珠がみられるものを角化型（図20-13），角化の不明瞭なものを非角化型とよぶ．

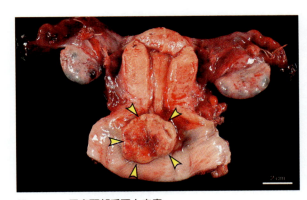

図 20-12　子宮頸部扁平上皮癌
頸部に約4 cm大の外向性腫瘤（▷）を認める．

C　腺癌 adenocarcinoma

　子宮頸部における腺癌は，頸癌全体の15％程度で扁平上皮病変に比して頻度が低いが，近年増加傾向にある．前がん病変として間質浸潤を示さない上皮内腺癌が知られている．

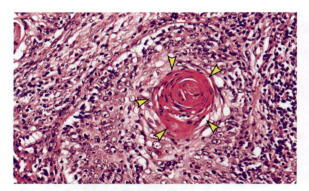

図20-13 子宮頸部扁平上皮癌（角化型）
浸潤胞巣の中心部に角化真珠（▷）の形成が認められる．

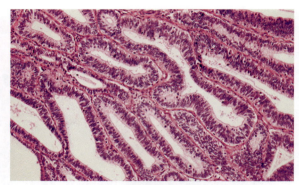

図20-14 HPV関連腺癌，通常型
腫瘍細胞は頸管腺上皮に類似するが，正常頸管腺上皮（図20-7）に比べて粘液が少なく，核が混み合って重層するようにみえる．

組織型としては，HPV関連腺癌が80〜85％を占める．なかでも通常型と呼ばれるものは，複雑に分岐する（図20-14）．複雑に分岐する腺構造を呈し，癒合腺管や篩状・乳頭状腺管が観察される．腫瘍細胞は高円柱状で核は重層化し，核型不整や核小体明瞭化が顕著である．多数の核分裂像を認める．

Advanced Studies
頸部腺癌の多くはHPV感染によるが，HPVに関連しない腺癌も存在する．胃の幽門腺に類似する粘液を有する腺癌（HPV非依存性胃型腺癌）はわが国の頸部腺癌の15〜20％を占める．HPV関連の腺癌に比べて予後が悪い．

D その他の子宮頸癌

Advanced Studies
子宮頸部には扁平上皮癌，腺癌のほかに，肺に発生する小細胞癌（→408頁参照）と相同の癌や腺扁平上皮癌などが発生する．特に小細胞癌は他の組織型に比して予後が悪いのが特徴である．

【臨床像】
子宮頸癌の治療は，進行程度によって異なり，子宮頸部に限局する場合（臨床病期Ⅰ期）は，浸潤の深さによって術式が決定される．浸潤の深さが3mm以内のものは単純子宮全摘術（妊孕性温存を望む場合には頸部の一部のみを切除する円錐切除術が選択されることもある），3〜5mmのものは準広汎子宮全摘術が適用されることが多い．5mmを超える浸潤癌に対しては基本的には広汎子宮全摘術や骨盤リンパ節郭清が行われるが，病期の進んだ症例では手術療法に放射線療法あるいは同時化学放射線療法（化学療法と放射線療法を並行して行う）を組み合わせることもある．Ⅲ期以上（骨盤壁などに浸潤遠隔転移など）では放射線あるいは同時化学放射線療法が第一選択となる．

E 子宮頸部細胞診

わが国における子宮頸癌検診は1970年代に開始され，子宮頸癌罹患率の減少に大きな役割を果たしてきた．検診には頸部擦過細胞診が広く用いられており，その判定結果によって精査あるいは経過観察を行うためのガイドラインが確立されている．細胞診判定には日母分類（日本母性保護産婦人科医会の分類）が長く用いられてきたが，2008年以降は世界標準であるベセスダシステムが積極的に取り入れられ，現在では日母分類の判定とベセスダシステムの判定を併記する施設や自治体が多い．日母分類とは，子宮頸部細胞診の生みの親であるPapanicolaouが考案したPapanicolaou分類を改変したもので，クラスⅠ，Ⅱ，Ⅲa，Ⅲb，Ⅳ，Ⅴの6段階で細胞判定を行う．ⅠとⅡは良性，Ⅲa，Ⅲb，Ⅳは扁平上皮内病変，Ⅴは浸潤癌に相当する．これに対してベセスダシステムでは，異常なし negative for intraepithelial lesion or malignancy（NILM），LSIL（図20-15a），HSIL（図20-15b），SCCといった記述的な報告様式となっている（表20-3）．

Advanced Studies
a ベセスダシステムの始まり
1987年 The Wall Street Journalが子宮頸部細胞診の精度管理の不備を告発し，大きな社会問題となった（Pap. Scandal）．これを受けて1988年米国 National Institute of Health（NIH）から新たな細胞診断の基準（ベセスダシステム）が発信され，現在では細胞診断の世界標準となっている．ベセスダシステムの名はNIH本部のあるメリーランド州ベセスダの地名に由来する．

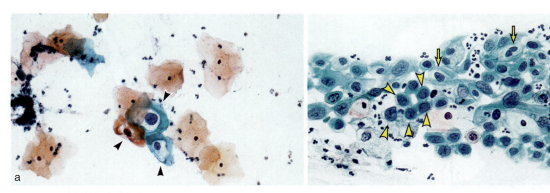

図 20-15　膣頸部細胞診標本にみられる LSIL と HSIL
a. LSIL の細胞像（コイロサイトーシス）．周囲に見られる扁平な細胞の核に比べて明らかに腫大した核の周囲に明庭がみられる（▶）．図 20-11b も参照．
b. HSIL の細胞像．細胞質がとても狭い（N/C 比が高い）細胞が敷石状に認められる（▷）．核は不整形で，LSIL の細胞にみられたような核周囲明庭は明らかでない．LSIL と思われる細胞も少数認められる（→）．

表 20-3　ベセスダシステムと日母分類

細胞診判定	ベセスダシステム	NILM	LSIL	HSIL		SCC
	日母分類	クラスⅠ，Ⅱ	クラスⅢa	クラスⅢb	クラスⅣ	クラスⅤ
組織診断		異常なし	LSIL	HSIL		扁平上皮癌

NILM：negative for intraepithelial lesion or malignancy，LSIL：low-grade squamous intraepithelial lesion（軽度扁平上皮内病変），HSIL：high-grade squamous intraepithelial lesion（高度扁平上皮内病変），SCC：squamous cell carcinoma（扁平上皮癌）．

E 子宮体部の病変

A 子宮内膜炎 endometritis

　急性内膜炎は分娩や流産後の細菌感染が主な原因であり，内膜に好中球が主体の炎症細胞浸潤が起こる．
　慢性内膜炎には，急性から移行するもののほか，子宮内避妊具によるもの，結核性あるいは淋菌性，特発性などがある．組織学的には内膜腺の増生がみられ，間質に形質細胞やリンパ球などの炎症細胞浸潤をみる．結核性内膜炎では類上皮細胞肉芽腫がみられる．慢性内膜炎は不妊の原因となる．

B 腺筋症 adenomyosis

　子宮筋層内において，子宮内膜組織が平滑筋の増生を伴って島状に増殖する病態であり，子宮壁はびまん性に肥厚する（図 20-16）．ここにみられる内膜は，通常は非機能性である（月経周期によって変化しない）．好発年齢は 30～50 歳代で，無症状のこともあるが，月経困難症や月経過多を起こすこともある．

C 子宮内膜症 endometriosis

　子宮内膜症とは，子宮内膜組織が子宮内膜外に異所性に存在する病態である．存在部位としては卵巣や骨盤腹膜などの頻度が高いが，骨盤リンパ節や結腸直腸壁，横隔膜，胸膜などにみられることもある．
　組織学的には，卵巣や腹膜などの本来は子宮内膜が存在しない部位に，内膜間質を伴う内膜腺を認める．月経周期に伴って周期性出血を起こすため，ヘモジデリンを貪食するマクロファージを伴うことが多い．卵巣に起こったものはしばしば内部に凝血を入れる嚢胞（子宮内膜症性嚢胞）を形成する（図 20-17）．凝血の性状からチョコレート嚢胞と呼ばれることもある．腹膜に起こるものは出血後に線維化や癒着を引き起こし，不妊や疼痛の原因となる．
　内膜症の発生にはいくつかの機序が考えられており，①月経期に剝離した内膜断片が卵管を通り抜けて腹腔内に定着する「子宮内膜移植説」，②卵巣や腹膜を覆う中皮（体腔上皮）が何らかの刺激によって子宮内膜上皮に化生する「体腔上皮化生説」などがよく知られている．いずれも確定的とはいえず，いまだ明らかになっていないのが現状である．

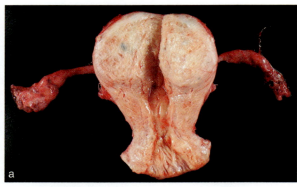
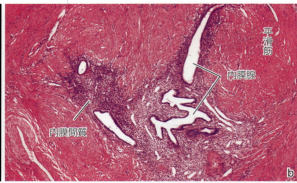

図 20-16　腺筋症
a. 子宮体部筋層の著明な肥厚を認める．筋層割面は渦巻状模様を呈する．
b. 平滑筋層に取り囲まれるように，内膜間質と内膜腺からなる島状の子宮内膜組織が認められる．

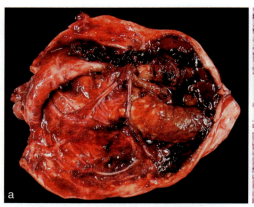
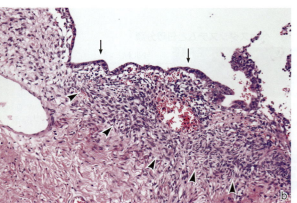

図 20-17　卵巣に生じた子宮内膜症性囊胞
a. 単房性囊胞の内部に出血や凝血塊の付着が認められる．
b. 囊胞内面は内膜腺上皮（→）に覆われ，上皮下に出血を伴う内膜間質（▶）を認める．

D 子宮内膜ポリープ

　子宮内膜の広基性あるいは有茎性隆起性病変で，大きさは 2〜3 cm 程度のものが多い．幅広い年齢に発生し，不正性器出血や不妊症の原因となることがある．

　組織学的には異型のない内膜腺上皮と間質の増生で構成され，間質は子宮内膜基底層様に緻密である場合や膠原線維性の場合がある（図 20-18a）．多くの症例で間質の中に壁の厚い血管の増生がみられる（図 20-18b）．

　乳癌の術後治療に用いられる抗エストロゲン製剤（タモキシフェン）の長期投与の合併症としてみられることがあり，通常のものに比べ大きく多発する傾向がある．

　子宮内膜ポリープの表面や内部に，エストロゲン非依存性の癌や内膜増殖性病変が発生することがあり，高齢者ではその頻度が高くなる．

E 子宮内膜増殖性病変
（子宮体部上皮性腫瘍と関連病変）

　子宮内膜増殖症，子宮内膜異型増殖症，子宮内膜癌を総称して，子宮内膜増殖性病変と呼ぶ（表 20-4）．エストロゲンの過剰状態を背景に発生し，過形成性病変〜腫瘍性病変を含む連続的な概念である．なお，子宮頸癌に対比される「子宮体癌」は子宮内膜癌とほぼ同義である．

1 ● 子宮内膜増殖症

endometrial hyperplasia without atypia

　子宮内膜増殖症はエストロゲン過剰状態による過形成性の病変である．閉経前後に好発し，臨床症状の多くは不正性器出血である．画像的に内膜のびまん性肥厚が認められる．

E. 子宮体部の病変 ● 637

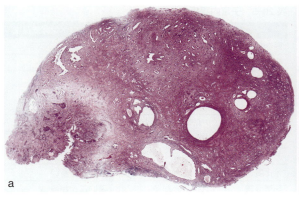
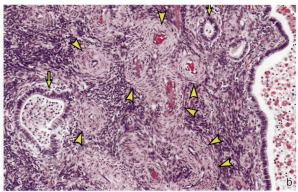

図 20-18　子宮内膜ポリープ
a. 子宮鏡下に切除された子宮内膜ポリープの全体像．内膜腺上皮と間質の増生で構成される．
b. 内膜腺(→)間にみられる緻密な間質の中に壁の厚い血管(▷)の増生がみられる．

表 20-4　子宮体部腫瘍および前駆病変の主な組織型

1. 上皮性腫瘍および前駆病変
(1) 前駆病変
a. 子宮内膜増殖症
b. 子宮内膜異型増殖症
(2) 子宮内膜癌
a. 類内膜癌
b. 漿液性癌
c. 癌肉腫
2. 間葉性腫瘍
(1) 平滑筋腫
(2) 平滑筋肉腫
(3) 子宮内膜間質腫瘍

学生が知っておくべき子宮体部腫瘍の組織分類について，「WHO分類 第5版」(2020)および「子宮体癌取扱い規約 第5版」(2022)をもとにまとめた．

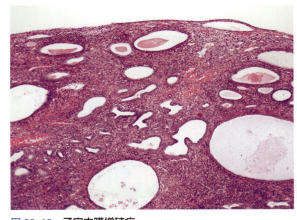

図 20-19　子宮内膜増殖症
内膜腺の極性の乱れや嚢胞状の拡張がみられる．間質の拡大もみられ，全体としてスイスチーズ様の像を呈する．

　エストロゲン過剰は，特にプロゲステロンによって拮抗されないままに持続する状態が問題となる．具体的には，閉経前後にみられる無排卵，エストロゲン製剤の長期投与，エストロゲン産生卵巣腫瘍(顆粒膜細胞腫や莢膜細胞腫など)などが原因となりうる．
　組織学的には，異型を伴わない子宮内膜腺の過剰増殖が認められ，増殖する腺の形態は増殖期内膜腺上皮に類似している．正常周期内膜にみられる，基底層から子宮内腔に向かって腺が規則正しく配列して伸びていく構築が消失していることが特徴である．初期には，腺の大型化や嚢胞状拡張などで表される腺の増生とともに，間質の増殖も認められ，その像はスイスチーズ様と表現される(図 20-19)．さらに増殖が進むと間質量が減少し，分岐した腺が入り組んで増殖するようになる．核腫大や核小体明瞭化などの細胞異型は基本的に認められない．

2 ● 子宮内膜異型増殖症
atypical endometrial hyperplasia

　細胞異型を伴う子宮内膜腺の過剰増殖状態で，腫瘍性増殖が想定されている．細胞異型とは，核の腫大と円形化，空胞化，核小体の明瞭化，極性の乱れ，核の重積などをいう．前がん病変に位置づけられ，20～25%の頻度で子宮内膜癌に移行する可能性がある．
　組織学的には，核異型を伴う内膜腺上皮が不規則に分岐・拡張し，密に入り組んで増殖する．間質がきわめて狭いために腺と腺が間質の介在なく接するようにみえる背中合わせ(back-to-back)構造が特徴的である(図 20-20)．間質浸潤がみられないことで類内膜癌と区別されており，このことは非浸潤性類内膜腺癌の概念も含まれることを意味する．

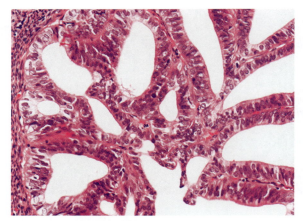

図 20-20　子宮内膜異型増殖症
内膜腺の密に入り組んだ増殖がみられ，間質はほとんどみられない．腺上皮には核の腫大や偽重層化などの異型は認められる．

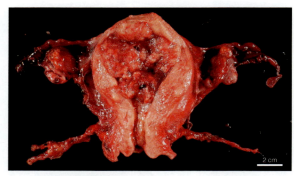

図 20-21　子宮内膜癌
びまん性外向型の増殖を示す子宮内膜癌．

3 ● 子宮内膜癌 endometrial carcinoma

【概念】
子宮内膜の腺上皮に由来する悪性腫瘍である．

【疫学】
わが国における子宮内膜癌はライフスタイルの欧米化とともに近年急激に増加している（1970年代の年間罹患数1,000人未満→2010年代の年間罹患約15,000人）．かつては子宮頸癌と子宮体癌の罹患率の割合はおよそ4：1であったが，現在では子宮頸癌を大きく上回り1：1.7となっている．

閉経前後の未産婦に多く，最近では閉経前の30～40歳代での発症例も増加している．若年発症例ではしばしば肥満を合併する．リスクファクターとして肥満，糖尿病，未産婦，エストロゲン製剤の長期使用などがあげられる（表20-2）．

表 20-5　子宮内膜癌の分類

	エストロゲン依存性	エストロゲン非依存性
好発年齢	閉経前～閉経早期	閉経後
頻度	80～90%	10～20%
発生機序	子宮内膜増殖症，子宮内膜異型増殖症を経た多段階発がん	de novo 発生
遺伝子異常	PTEN, KRAS など	p53 など
背景内膜	子宮内膜増殖症	萎縮性内膜
おもな組織型	類内膜癌	漿液性癌
分化度	高分化が多い	低分化が多い
筋層浸潤	浅いことが多い	深いことが多い
予後	比較的良好	不良

【成因】（表20-5）
子宮内膜癌の多くはエストロゲン持続状態によって起こるとされる（エストロゲン依存性）．エストロゲン依存性の内膜癌では，持続的なエストロゲン刺激により，段階的に PTEN や KRAS などの遺伝子変異が累積され，子宮内膜増殖症から子宮内膜異型増殖症を経て類内膜癌に至るというシークエンスが想定されている．

腫瘍発生にエストロゲン過剰状態があまり関与しない一群も知られている（エストロゲン非依存性）．閉経後の高齢者に多く，肥満や不妊などとの関連は薄い．p53 の変異によって de novo 発がんが起こるとされる．

乳癌の術後治療に用いられる抗エストロゲン製剤（タモキシフェン）の長期投与も子宮内膜癌の危険因子として知られている．

【病理形態像】
肉眼的には，がんの広がり方によって限局型とびまん型，増殖様式によって子宮内腔に向かい発育する外向型と筋層方向に向かい発育する内向型に分けられる．エストロゲン依存性では外向型が多い傾向がある（図20-21）．

最も頻度の高い組織型は類内膜癌で，子宮内膜癌の約90％を占める．増殖期内膜腺上皮に類似するが，核の強い偽重層化や核腫大を伴う腺上皮が，不規則に入り組んだ管状構造を呈して増殖する（図20-22, 23）．エストロゲン依存性内膜癌の代表的組織型であり，その前駆病変とされる子宮内膜増殖症や子宮内膜異型増殖症を混在することが多い．類内膜癌は組織学的分化度によってGrade 1～3（G1～G3）に分類される（他臓器における高分化，中分化，低分化におおむね相当）．G1 ではほぼ全体が明瞭な管腔構造からなっており，充実性成分（腺腔形成のみられない成分）が5％以下にとどまる（図20-22）．充実性成分が5～50％であれば G2，50％を超

E. 子宮体部の病変 ● 639

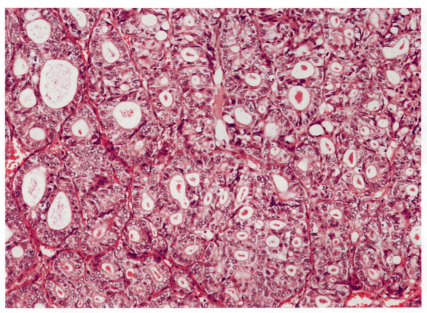

図 20-22　類内膜癌（G1）
明瞭な腺腔形成がみられ，充実性成分はほとんどみられない．

えれば G3 とする（図 20-23）．
　エストロゲン非依存性内膜癌の代表的組織型は漿液性癌である．卵巣に認められる高異型度漿液性癌の組織像（後述する図 20-31）と同様に N/C 比が高く，核小体の目立つ大型異型核を有する腫瘍細胞が乳頭状構造を呈して増殖する．背景子宮内膜は萎縮性である．筋層浸潤やリンパ管侵襲が強く，初期段階で経卵管的に腹膜播種を起こすことがある．

【臨床像】
　臨床症状としては不正性器出血で発見される例がほとんどであり，経腟エコーなどの画像で内膜肥厚所見が得られることが多い．内膜細胞診や内膜組織診を経て確定診断となる．エストロゲン依存性は臨床進行期の早い段階で発見される患者が多く，予後良好であるのに対し，エストロゲン非依存性は一般的に予後不良である．

> **Advanced Studies**

4　癌肉腫 carcinosarcoma
　癌腫成分と肉腫成分からなる悪性腫瘍である．組織発生において両者の起源は同一単クローンとされ，肉腫成分は癌腫成分が脱分化して肉腫様形態を示したものと考えられている（上皮間葉転換）（→ 第 9 章「腫瘍」，266 頁参照）．
　子宮内腔にポリープ状に発育するのが特徴で，通常は出血や壊死を伴う（図 20-24a）．
　癌腫成分は漿液性癌であることが多い．肉腫成分として，平滑筋肉腫，子宮内膜間質肉腫，未分化肉腫などの同所性（子宮に本来存在する組織に分化）成分に限られるものを同所性癌肉腫といい，軟

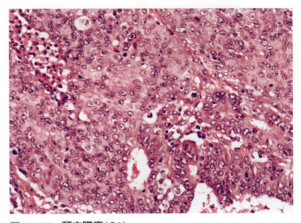

図 20-23　類内膜癌（G3）
充実性成分が多くを占めており，腺腔形成は一部に認められるのみである．

骨肉腫，横紋筋肉腫，骨肉腫など異所性（子宮に本来存在しない組織に分化）成分がみられるものを異所性癌肉腫という（図 20-24b）．

F 間葉性（非上皮性）腫瘍（表 20-4）

a 平滑筋腫 leiomyoma
　最も頻度の高い非上皮性良性腫瘍である．小型のものは無症状であるが，多発あるいは大型のものは腹部膨満，過多月経，月経困難症の原因となる．
　肉眼的には，弾性硬の球状腫瘤（図 20-25a）で，割面

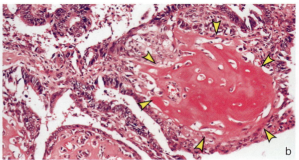

図 20-24　異所性癌肉腫
a. 子宮内腔を充満する不規則なポリープ状増殖が認められる.
b. 腺癌成分の間質に骨形成（▷）が認められる.

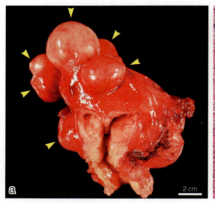
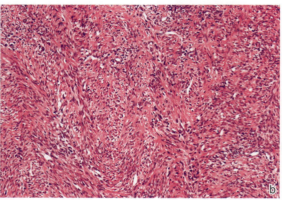

図 20-25　平滑筋腫
a. 体部筋層内に球状の腫瘤が多発している（▷）.
b. 異型に乏しい平滑筋細胞の増殖からなる. 核分裂像や壊死は認められない.

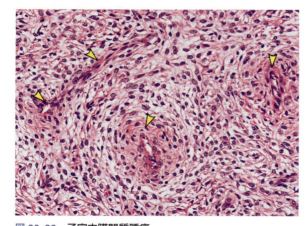

図 20-26　子宮内膜間質腫瘍
らせん動脈に類似する多数の小血管（▷）の周囲に，腫瘍細胞の同心円状の配列がみられる.

では渦巻様の線維走行が特徴的である．組織学的には，異型に乏しい平滑筋細胞が束をなして錯綜しながら増殖する．硝子化や嚢胞変性，石灰化などの二次的変性像がしばしば認められる．核分裂像はほとんど認められない（図 20-25b）．

b　平滑筋肉腫 leiomyosarcoma

平滑筋由来の悪性腫瘍で，まれである．核異型を伴う異型平滑筋細胞の密な増殖からなり，多数の核分裂像や凝固壊死像をみる．

　Advanced Studies　

c　子宮内膜間質腫瘍 endometrial stromal tumours

内膜間質細胞に類似した細胞からなるまれな腫瘍である．内膜間質細胞類似の腫瘍細胞が，正常内膜にみられるらせん動脈に類似する多数の小血管を介在しながらびまん性に増殖し，血管周囲に同心円状の配列がみられる．周囲組織に対して境界明瞭で圧排性に増殖するものを子宮内膜間質結節と呼んで良性の範疇とし，脈管侵襲や浸潤性増殖を示すものを低悪性度子宮内膜間質肉腫とするが，強拡大視野では両者の組織形態にほとんど差異はみられない（図 20-26）．

F 卵管の病変

1 卵管炎 salpingitis

ほとんどが骨盤炎症性疾患の一部として認められる。骨盤炎症性疾患は，骨盤腹膜炎，卵巣・卵管膿瘍，付属器炎など，骨盤腔内に生じる炎症性疾患の総称である。

細菌やクラミジアなどの上行性感染によって生じる。卵管の閉塞や狭窄が起こることで不妊症の原因となる。閉塞していない部分に滲出液や膿が貯留してソーセージ状の腫脹をきたし，それぞれ卵管留水腫，卵管留膿腫と呼ばれる。

2 卵管癌 tubal cancer

卵管上皮から発生する癌で，ほとんどが高異型度漿液性癌である。現在では，卵巣高異型度漿液性癌の多くが，卵管上皮で発生しごく早期に卵巣に転移し卵巣で発育したものであると認識されている（→ 642 頁参照）。

G 卵巣の病変

1 卵巣の非腫瘍性病変

1 多嚢胞性卵巣症候群
polycystic ovary syndrome（PCOS）

卵胞嚢胞の多発による両側卵巣の腫大と，これによるホルモン症状に特徴づけられる症候群である（詳細は産婦人科の成書を参照のこと）。胎生期に卵巣の莢膜細胞からアンドロゲンが過剰に産生されることが PCOS の中心病態であるとするアンドロゲン曝露説が提唱されている。

血中ホルモン値の異常として，アンドロゲン高値，黄体化ホルモン luteinizing hormone（LH）高値，エストロゲン高値がみられ，これらによって月経異常（無月経，稀発月経，無排卵周期症），肥満，多毛，不妊症などのさまざまなホルモン症状がみられる。エストロゲン高値状態の持続は子宮内膜癌のリスクファクターとなる。

卵巣は通常の 2 倍以上に腫大し，割面にてほぼ均等な大きさ（2～8 mm 程度）の卵胞が多数認められる（超音波検査では 10 個以上の卵胞が，腫大卵巣外縁にリング状に配列するネックレスサインとして描出される）。組織学的には，卵巣被膜の肥厚とともに，黄体化を欠く顆粒膜細胞層（顆粒膜細胞増殖障害）とその周囲の黄体化莢膜細胞層で構成される発育異常卵胞の多発がみられ，卵胞間に間質性莢膜細胞の過形成を伴う。

2 卵巣腫瘍

卵巣に発生する腫瘍はきわめて多種多彩である。これらは発生母地の違いにより，上皮性腫瘍，性索間質性腫瘍，胚細胞腫瘍の 3 群に大別される（表 20-6）。このほか，他臓器からの転移性腫瘍も存在する。悪性度からは，良性，境界悪性，悪性の 3 つに分類される。境界悪性は卵巣腫瘍独特のカテゴリーで，悪性腫瘍とするほどの強い増殖性や致死的増殖を示すものではないが，腹膜播種（境界悪性腫瘍では腹膜インプラントという用語を用いる）やリンパ節転移，再発をきたしうるものである。

主な卵巣癌の特徴を表 20-7 に示す。

A 上皮性腫瘍

卵巣腫瘍のうち約 60～70% を占める。上皮成分は 6 種に分類されており，それぞれ良性・境界悪性・悪性腫瘍が存在する。

良性腫瘍は異型に乏しい腫瘍細胞で構成され，組織構築も単純であるが，増殖活性を増すにつれて細胞異型が増して構築も複雑化する（境界悪性）。最終的には浸潤能を獲得し，強い細胞異型と破壊性間質浸潤を示す悪性腫瘍（腺癌）に進展する。

1 漿液性腫瘍 serous tumors

最も頻度の高い卵巣腫瘍であり，特に高異型度漿液性癌はわが国の卵巣上皮性悪性腫瘍のなかで最も頻度が高く約 45% を占めている。

多くは単房嚢胞性で（図 20-27），内容液は漿液性・黄色調であるが，悪性では血性内容液を有することがある。卵巣表面から外向性に発育する，表在性乳頭状増殖を示す場合もある（図 20-28）。

組織学的には，卵管上皮に類似する立方状細胞が，乳頭状構造を呈して増殖する像が基本となる。良性では，核異型のほとんどみられない立方状細胞が，広い間質を軸とする乳頭状に増殖する（図 20-29）。線毛がみられることもある。境界悪性では，軽度～中等度の核異型を示す腫瘍細胞が，狭小な間質を軸とする複雑な乳頭状構造を呈して増殖するが，間質浸潤はみられない（図 20-30）。漿液性癌には，低異型度と高異型度の 2 種が存在

表 20-6　卵巣腫瘍の発生母地・特徴・主な組織型

		上皮性腫瘍	性索間質性腫瘍	胚細胞腫瘍
発生母地		卵管上皮：漿液性 起源不明：粘液性 子宮内膜症：類内膜・明細胞・漿液粘液性 移行上皮遺残：Brenner	卵胞を構成する細胞（顆粒膜，莢膜）	生殖細胞（卵子）
頻度		60～70%	5～10%	15～20%
腫瘍の特徴		腺系分化を有する腫瘍	ホルモン活性を有する腫瘍が多い	胎児発生にかかわるさまざまな形態を模倣する腫瘍
主な組織型	良性	漿液性嚢胞腺腫 粘液性嚢胞腺腫 Brenner 腫瘍	莢膜細胞腫 線維腫 Sertoli-Leydig 細胞腫（高分化型）	成熟奇形腫
	境界悪性/ 低悪性度/ 悪性度不明	漿液性境界悪性腫瘍 粘液性境界悪性腫瘍 漿液粘液性境界悪性腫瘍	顆粒膜細胞腫 Sertoli-Leydig 細胞腫（中分化型）	未熟奇形腫（グレード1，2）
	悪性	高異型度漿液性癌 低異型度漿液性癌 粘液性癌 類内膜癌 明細胞癌	線維肉腫 Sertoli-Leydig 細胞腫（低分化型）	卵黄嚢腫瘍 胎芽性癌 非妊娠性絨毛癌 未熟奇形腫（グレード3）

表 20-7　主な卵巣癌の特徴

		漿液性癌	粘液性癌	明細胞癌
頻度（卵巣上皮性悪性腫瘍のうち）		30%	5%	25%
肉眼的特徴		単房嚢胞性	多房嚢胞性	単房嚢胞性
組織学的特徴	細胞質	好酸性，狭小	粘液性	明調
	構築	乳頭状	管状・篩状	乳頭状・管状
	その他	砂粒小体	良性，境界悪性成分を混在	内膜症合併 硝子様物質の沈着 ホブネイルパターン
進行		早い	遅い	早い
予後		悪い	良い	悪い
化学療法感受性		良好	不良	不良

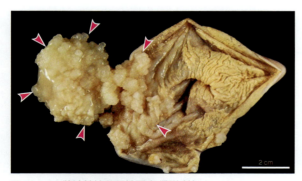

図 20-27　漿液性境界悪性腫瘍（嚢胞性）
単房性嚢胞の内部に粗大顆粒状～小結節状の乳頭状増殖（▶）が認められる．

するが，ほとんどが高異型度である．高異型度漿液性癌では，核異型の強い大型腫瘍細胞で構成される複雑な乳頭状増殖を特徴とし，周囲間質の線維化を伴う破壊性間質浸潤が認められる（図 20-31）．

漿液性腫瘍では，良性悪性を問わずしばしば砂粒小体（石灰化小体）がみられ，漿液性腫瘍の特徴的所見とされる．

Advanced Studies

a 卵巣高異型度漿液性癌の発生母地

遺伝性乳癌卵巣癌症候群の患者において予防的に切除された卵管上皮において，高頻度に漿液性卵管上皮内癌 serous tubal intraepithelial carcinoma（STIC）がみられることなどの事実から，2010 年 Kurman らは「卵巣高異型度漿液性癌とは，卵管采で発生した癌がごく初期に卵巣に転移し，あたかも卵巣原発であるかのように卵巣内で発育したものである」との説を提唱した．さまざまな議論が重

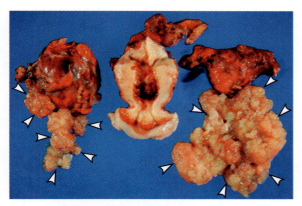

図 20-28　漿液性境界悪性腫瘍（表在性）
両側卵巣の表面に粗大顆粒状〜小結節状の乳頭状増殖（▷）が認められる．

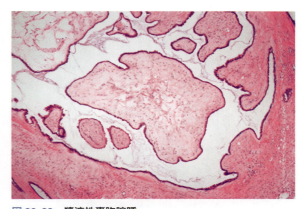

図 20-29　漿液性嚢胞腺腫
浮腫状の広い間質を伴って乳頭状に増殖する．腺上皮は異型に乏しい1層の立方上皮である．

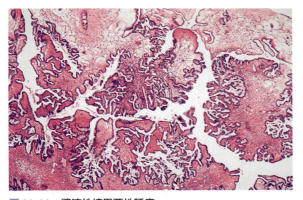

図 20-30　漿液性境界悪性腫瘍
複雑な乳頭状構造を示す腺の増殖が認められる．間質浸潤は認められない．

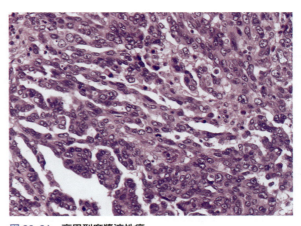

図 20-31　高異型度漿液性癌
異型の強い腫瘍細胞の乳頭状増殖が認められる．

ねられた後に，現在ではこの説がほぼ受け入れられており，WHO分類およびわが国の取扱い規約にも採用されている．

b　その他の卵巣上皮性腫瘍の発生母地

卵巣は，腹膜に覆われた状態で腹腔内に存在するが，元来卵巣には上皮は存在しない．それにもかかわらず，なぜ卵巣に上皮性腫瘍が発生するのかという疑問が長らく呈されてきた．その回答の1つが前項の高異型度漿液性癌の卵管上皮発生説である．卵管上皮は，低異型度漿液性癌や漿液性境界悪性腫瘍の発生母地とも考えられている．

粘液性腫瘍の起源はいまだ判明していない．

明細胞腫瘍や類内膜腫瘍の発生母地は，卵巣に存在する子宮内膜症であることが古くから知られており，同じく子宮内膜症を発生母地とする漿液粘液性腫瘍とあわせて子宮内膜症関連卵巣腫瘍 endometriosis-related ovarian neoplasm (ERON) と呼ばれている．

ブレンナー腫瘍 Brenner tumor の起源は卵巣・卵管周囲にしばしば存在する，胎生期の移行上皮遺残と考えられている．

2　粘液性腫瘍 mucinous tumors

おもに胃腸型粘液を有する腺上皮の増殖からなる腫瘍である．粘液性腫瘍全体のなかでは良性（粘液性嚢胞腺腫）が80％を占める．粘液性境界悪性腫瘍は，卵巣境界悪性腫瘍全体の70％を占める最も頻度の高い境界悪性腫瘍であり，日常病理診断の場でもしばしば遭遇する．粘液性悪性腫瘍（粘液性癌）は卵巣上皮性悪性腫瘍のうちのわずか5％程度を占めるに過ぎないまれな癌である．

多くは多房嚢胞性で（図20-32），内部には種々の粘稠度を示す粘液を入れる．

組織学的には，粘液を有する腺上皮に裏打ちされる嚢胞が多数形成される．良性では核異型のほとんどみられない1層性の粘液性上皮のみからなるが（図20-33），境界悪性では腺内腔に向かう複雑な乳頭状構造が目立つ

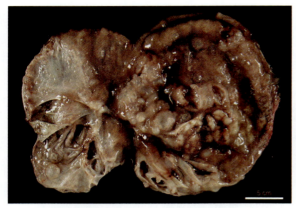

図 20-32　粘液性腫瘍
多房性嚢胞の内部に種々の粘稠度の粘液を入れている（図は粘液性境界悪性腫瘍）．

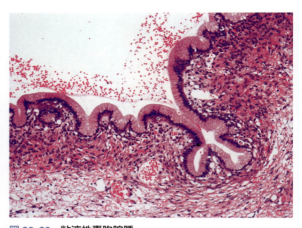

図 20-33　粘液性嚢胞腺腫
腫瘍細胞は1層性で，細胞質内に粘液を有し，核は小さく基底側にそろっている．腺上皮は胃腺窩上皮に類似する．

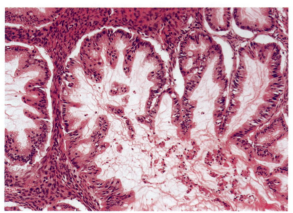

図 20-34　粘液性境界悪性腫瘍
腺構造がやや複雑になり，腺内腔に向かう乳頭状構造がみられる．核は重層化している．

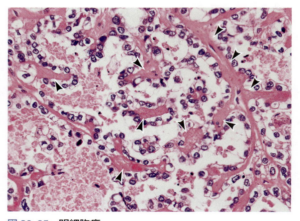

図 20-35　明細胞癌
明調な細胞質と核異型の目立つ大型類円形異型核を有する細胞が，乳頭状に増殖している．間質に硝子様物質（基底膜様物質）の沈着（▶）がみられる．

（図 20-34）．悪性では，核異型が目立ち，核の重層化のみられる異型粘液性上皮が主体となり，間質浸潤を伴う．悪性度が増すにつれて細胞内粘液は減少する傾向がある．

3 ● 明細胞腫瘍 clear cell tumors

　明調な細胞質を有する腫瘍細胞の増殖からなる腫瘍である．良性と境界悪性はきわめてまれで，ほとんどが悪性（明細胞癌）である．欧米ではまれな組織型とされるが，わが国では卵巣上皮性悪性腫瘍の約25％を占め，漿液性癌に次ぐ．高頻度に子宮内膜症を合併することで知られる．

　肉眼的には，単房嚢胞の内部に，1～数個の乳頭状あるいは結節状の充実部分を有する．内膜症性嚢胞に発生することも多い．

　組織学的には，明調な細胞質と核異型の目立つ大型類円形異型核を有する細胞が，乳頭状・管状に増殖する像からなる．間質にはしばしば硝子様物質（基底膜様物質）の沈着がみられる．核が釘のように飛び出してみえるホブネイル hobnail パターンとともに，明細胞癌の特徴的所見である（図 20-35）．

Advanced Studies

4 ● 類内膜腫瘍 endometrioid tumors

　子宮内膜腺上皮細胞に類似する腫瘍細胞からなる腫瘍である．良性と境界悪性はまれで，ほとんどが悪性（類内膜癌）である．内膜症性嚢胞内に発生することもある．

B 性索間質性腫瘍 sex cord-stromal tumors

卵胞を形成する顆粒膜細胞や莢膜細胞に由来する腫瘍である．全卵巣腫瘍の5〜10%を占める．精巣にも相同的腫瘍が発生する．

1 線維腫 fibroma，莢膜細胞腫 thecoma

膠原線維を産生する線維芽細胞（外莢膜細胞）に類似した細胞からなるもの（線維腫）から，内莢膜細胞に近い性質を有する細胞が優勢なもの（莢膜細胞腫）までを含む一連の腫瘍群として扱われることが多い．莢膜細胞腫はエストロゲン産生性である．

2 顆粒膜細胞腫 granulosa cell tumor

顆粒膜に由来する腫瘍で成人型（閉経前後）と若年型（10歳前後）に分けられる．エストロゲン産生性腫瘍であるため，それぞれ閉経後の内膜増殖性病変や性早熟症の原因となることがある．成人型では，コール-エクスナー Call-Exner 小体と呼ばれる，卵胞を模倣する構造（微小濾胞）を呈するのが特徴で，核には溝が認められる（図20-36）．

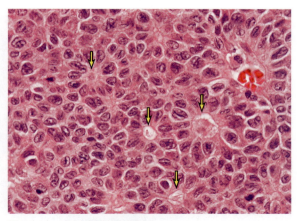

図20-36 成人型顆粒膜細胞腫
核溝を有する腫瘍細胞からなる．Call-Exner 小体（→）の形成がみられる．

Advanced Studies
3 セルトリ-ライディッヒ細胞腫 Sertoli-Leydig cell tumor

精巣の発生段階にみられる性索を模倣する腫瘍で，精巣における生殖細胞の支持細胞であるセルトリ Sertoli 細胞と，間質細胞であるライディッヒ Leydig 細胞の増殖からなる．多くは若年成人に発生しアンドロゲン産生能を有する．

C 胚細胞腫瘍 germ cell tumors

原始生殖細胞（卵母細胞）に由来する腫瘍である．精巣にも相同的腫瘍が発生するが，各組織型別の頻度は精巣とは異なる．全卵巣腫瘍の15〜20%を占める．

1 成熟奇形腫 mature teratoma

奇形腫は，胚細胞腫瘍のうち体細胞組織を模倣する組織からなる腫瘍である．成熟奇形腫は胚細胞腫瘍のなかで最も頻度の高い良性腫瘍で，20歳代に好発する．

肉眼的には，内部に1〜数個の結節を有する単房囊胞性腫瘍で，内容は毛髪や角化物を含む皮脂腺分泌物である（図20-37a）．

組織学的には，成熟した2〜3胚葉の組織からなるのが基本で，多くの場合で囊胞内面は角化性重層扁平上皮（表皮）に覆われ，結節部分に種々の体細胞組織を含んでいる．外胚葉組織として皮膚付属器（毛髪，皮脂腺，汗腺），歯，神経組織が，中胚葉組織として脂肪組織，軟骨，骨が，内胚葉組織として甲状腺などがみられる頻度が高い（図20-37b）．

Advanced Studies
2 その他の主な胚細胞腫瘍

a 未熟奇形腫 immature teratoma
奇形腫のうち，構成組織が種々の程度に胎児組織様の未熟性を示すものである．未熟組織として最も頻度が高いのは神経成分で，胎生期の神経管様構造が認められる．未熟奇形腫は神経管構造の多寡によって Grade 1〜3 に分類されており，神経管構造が多い（Grade 3）のほうが悪性度が高い．

b 卵黄囊腫瘍 yolk sac tumor
腫瘍性の胚細胞が卵黄囊を模倣する方向に分化し，α-フェトプロテイン α-fetoprotein（AFP）を産生する悪性腫瘍である．好発年齢は30歳以下で，予後は不良である．

c ディスジャーミノーマ（未分化胚細胞腫） dysgerminoma
精巣に発生するセミノーマと相同の悪性腫瘍で，10〜20歳に好発する．化学療法・放射線療法への感受性が高い．

D 転移性腫瘍 metastatic tumors

他臓器からの悪性腫瘍が卵巣に転移する場合，その経路はリンパ行性，血行性，播種性のいずれもありうる．消化管からの播種性転移の頻度が高く，そのほかには乳腺，子宮，膵，胆道系などを原発とするがんも卵巣に転移しやすい．

転移性卵巣癌は両側性であることが多く（約70%），肉眼的には多結節状を呈することが多い．

クルーケンベルグ腫瘍 Krukenberg tumor は，細胞質に粘液胞を有する低分化な腺癌細胞が，間質細胞の増生を背景に増殖するもので，原発巣としては胃が最も多い．30歳以下の若年者に好発し，予後不良である（図20-38）．

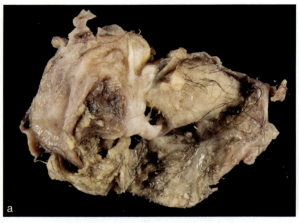
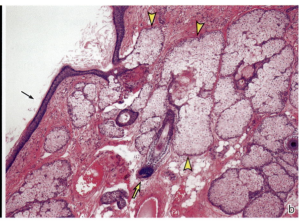

図20-37 成熟嚢胞性奇形腫
a. 単房性嚢胞の内部に，毛髪や皮脂成分を入れる．
b. 表皮(→)，皮脂腺(▷)，毛嚢(⇒)などの形成が認められる．

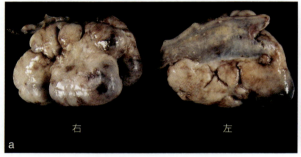
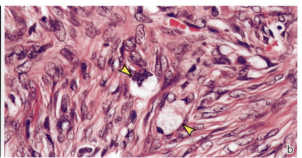

図20-38 Krukenberg 腫瘍
a. 両側卵巣の腫大が認められる．
b. 間質細胞が増生する中に印環細胞(▷)が認められる．

E 臨床との関連

　卵巣腫瘍の治療は，手術療法が原則である．良性腫瘍の場合は腫瘍のみあるいは患側卵巣・卵管を切除する．境界悪性腫瘍の場合は子宮，両側卵管・卵巣，大網切除が基本であり，悪性腫瘍の場合はこれに加えてリンパ節郭清が必要となる．ただし，腫瘍の悪性度を術前に知るのは困難であることから，迅速病理診断によって組織診断を確定した後に術式を決定する方法がとられることが普通である．

　組織型や進行期によっては，術後あるいは術前化学療法が併用される．悪性上皮性腫瘍の場合，タキサン製剤とプラチナ製剤を組み合わせて用いるのが一般的である．手術および化学療法を施行した場合の5年生存率はⅠ期で約90％，Ⅱ期で約70％，Ⅲ期以上では約30％である．

H 妊娠に関連する疾患

A 異所性妊娠 ectopic pregnancy

　受精卵が子宮内膜外に着床する現象で，そのほとんどは卵管に生じる(卵管妊娠)．その他の場所では，卵巣，腹腔，卵管間質部(卵管が子宮底部を通る部分)などがある．

　組織学的には，胎児および胎盤組織の形成，着床部付近組織の脱落膜変化が認められる．内膜においては腺上皮のアリアス・ステラ Arias-Stella 反応や間質細胞の脱落膜反応がみられる．

【臨床像】
　卵管妊娠では，胎児の発育や胎盤組織の卵管壁貫通などの原因で卵管破裂が起こり，急性腹症をきたす．破裂

が起こるまでは，正常妊娠と同様に月経停止や尿中ヒト絨毛性ゴナドトロピン human chorionic gonadotropin（βHCG）高値などがみられる．

B 胎盤の感染症 chorioamnionitis

1 急性絨毛膜羊膜炎

全妊娠の2割程度，早産の7割程度にみられる，頻度の高い病変である．細菌や真菌による腟炎が子宮頸管炎を経て，上行性に進展する感染（経腟感染）で，組織学的には羊膜や絨毛膜に好中球の浸潤がみられる．さらに進行すると羊水，臍帯，胎児に波及し，切迫早産や早産の原因となる．

2 慢性絨毛炎と母体感染症の血行性感染

慢性絨毛炎は，絨毛にリンパ球主体の慢性炎症像を示す病変である．そのうち90％は原因不明であるが，10％がトキソプラズマ，サイトメガロウイルス cytomegalovirus（CMV）や梅毒などの母体の特異的感染に関連するとされる（血行性感染）．CMVや梅毒による感染は，胎児の先天性CMV感染症（肝脾腫，小頭症，難聴など）や先天梅毒（肝脾腫，発育不全，水頭症など）をきたす原因となる．

C 絨毛性疾患

絨毛は胎盤を形成する主要構成成分であり，合胞体性栄養膜細胞と細胞性栄養膜細胞の2層の栄養膜細胞に覆われている．栄養膜細胞の異常増殖によって起こる疾患を絨毛性疾患と呼ぶ．胞状奇胎，侵入奇胎，絨毛癌が代表的疾患である．

1 胞状奇胎 hydatidiform mole

絨毛における栄養膜細胞の異常増殖と間質の浮腫を特徴とする病変をいう．古典的には，絨毛の水腫状腫大が肉眼的に短径2mmを超えるものとされてきたが，妊娠週齢が早期の場合には2mmを超えないものもあるため，現在は組織学的検査によって診断される．

【臨床像】

わが国を含む東アジアや東南アジアで多くみられるが欧米では少ない．40歳以上で発生率が高い．妊娠初期からの不正性器出血や妊娠悪阻症状がみられ，子宮は妊娠週数に比して大きく軟らかい．尿中および血中hCG高値となる．治療は子宮内容除去術による．

図 20-39 全胞状奇胎
イクラ状に腫大する絨毛を認める．

a 全胞状奇胎 total hydatidiform mole

大部分の絨毛が水腫状腫大をきたすもので，組織学的には栄養膜細胞の異常増殖と絨毛間質の浮腫が認められ，胎児成分は存在しない（図20-39）．細胞遺伝学的には，雄核発生による2倍体で，すべての染色体が父親由来である．核のない卵子に1～2個の精子が受精して発生する．十数％が侵入胞状奇胎に進展する．

b 部分胞状奇胎 partial hydatidiform mole

正常絨毛と水腫状絨毛の混在からなる病態で，組織学的には一部の絨毛において栄養膜細胞の増殖と間質の浮腫が認められ，胎児成分がみられることが多い．健常卵子に2個の精子が受精して発生する3倍体が多い．侵入胞状奇胎への進展は約3％である．

2 侵入胞状奇胎 invasive mole

胞状奇胎（全奇胎あるいは部分奇胎）絨毛が子宮筋層あるいは筋層の血管への侵入像を示すものをいう．ほとんどが胞状奇胎に続発する．

3 絨毛癌 choriocarcinoma

細胞性栄養膜細胞と合胞体性栄養膜細胞の増殖からなり，絨毛を欠く悪性腫瘍である（図20-40，41）．妊娠性絨毛癌と非妊娠性絨毛癌に分けられる．

肉眼的には出血・壊死の強い脆弱な腫瘤で，組織学的には，異型の強い細胞性栄養膜細胞と合胞体性栄養膜細胞の2細胞性（2相性）増殖が特徴である．

【臨床像】

胞状奇胎と同様，アジアに多く欧米では少ない．絨毛癌の先行妊娠の約50％が奇胎であり，25％は流産，25％は正常満期妊娠である．

早期より血行性転移をきたしやすく，肺，腟，脳などに転移巣を形成する．

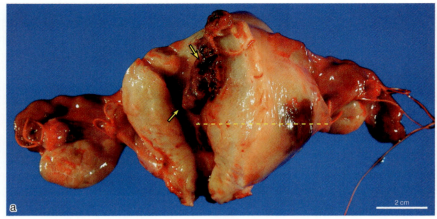
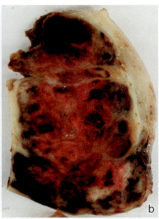

図 20-40　絨毛癌
a. 筋層内に腫瘤が形成され，一部が内膜面にポリープ状に露出する（→）.
b. aの点線部分の割面像（固定後）．出血・壊死の強い腫瘤が筋層内に形成されている．

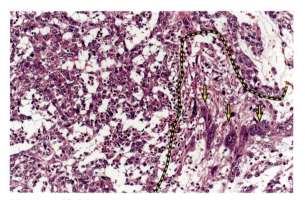

図 20-41　絨毛癌
類円形〜紡錘形の細胞性 trophoblast（点線の左側や右上に多数分布）と好酸性胞体を有する合胞体 trophoblast（→）の2相性の細胞の増殖からなる．

従来は致死的疾患であったが，化学療法によって治療成績が向上し（寛解・治癒率85〜95％），治療後の正常妊娠〜出産例が多数報告されている．

●参考文献
1) Kurman RJ, et al（eds）：Blaustein's Pathology of the Female Genital Tract 7th ed. Springer, 2019
2) WHO Classification of Tumours Editorial Board（ed）：WHO Classification of Tumours 5th ed. Female Genital Tumours. IARC Publications, 2020
3) 深山正久，他（編）：外科病理学 第5版．文光堂，2020
4) 日本産科婦人科学会，日本病理学会（編）：子宮頸癌取扱い規約 病理編 第5版．金原出版，2022
5) 日本産科婦人科学会，日本病理学会，日本医学放射線学会，日本放射線腫瘍学会（編）：子宮頸癌取扱い規約 臨床編 第4版．金原出版，2020
6) 日本産科婦人科学会，日本病理学会（編）：子宮体癌取扱い規約 病理編 第5版．金原出版，2022
7) 日本産科婦人科学会，日本病理学会（編）：卵巣腫瘍・卵管癌・腹膜癌取扱い規約 病理編 第2版．金原出版，2022
8) 安田政実，他（編）：腫瘍病理鑑別診断アトラス子宮頸癌 第2版．文光堂，2018
9) 森谷卓也，他（編）：腫瘍病理鑑別診断アトラス子宮体癌．文光堂，2014
10) 坂本穆彦（編）：子宮頸部細胞診運用の実際―ベセスダシステム2014準拠 第2版．医学書院，2017

第21章 男性生殖器

男性生殖器には精巣，前立腺，陰茎・陰囊が含まれる．本章ではこれらの臓器に関して，主として発生異常，腫瘍，炎症などについて学習する．

A 精巣・性腺

1 発生・構造・機能

腫瘍などの発生母地を理解するうえで必要な発生に関する知識を簡単にまとめる．

胚子の性は受精時に遺伝子的に決定されるが，胎生7週までは男性または女性の形態的特徴は現れない．**原始生殖細胞** primordial germ cells は発生の早期に出現し，生殖堤と呼ばれる部位にアメーバ運動により移動する．通常，胎生6週に原始生殖細胞は生殖堤に侵入する．このとき，生殖堤に原始生殖細胞が到達しない場合は生殖腺は発生せず，純粋性腺形成異常症 pure gonadal dysgenesis となる．

原始生殖細胞が生殖堤に到達するころに，体腔上皮は増殖し，間葉系に侵入して不規則な細胞索(原始生殖索 primitive sex cord)を形成し，原始生殖細胞を取り囲む．胎生6〜7週目には，男女の内性器の起源となる**ウォルフ管** wolffian duct(中腎管)と**ミュラー管** müllerian duct(中腎傍管)を2本ずつ確認できるが，精巣の分化は卵巣より早く，男性胚子は増殖を続け，胎生7〜8週中に生殖腺の髄質深くに侵入する．

胎生8週では男女両性の外性器は全く同じで，どちらの性へも分化できる能力をもっている．その後男性ではY染色体上にある**SRY遺伝子** sex-determining region Y が働くことによって，生殖索が精巣 testicle へと発育する．原始生殖索は互いに吻合した明瞭な一連の細胞索を形成し，精巣索 testis cord を形成する．その後厚い線維性結合組織の層である白膜(精巣被膜 tunica

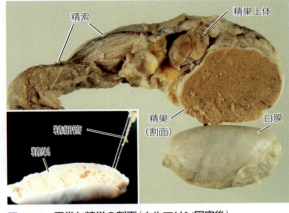

図 21-1　正常な精巣の割面(ホルマリン固定後)
精巣は厚い白膜に覆われており，上極に精巣上体が位置する．精管および精巣動静脈は精索という束となって，陰囊から鼠径部を通過して腹腔内へ入る．精巣内には細い精細管が折れ重なるように充満し，ピンセットなどでつまむと，糸のように引ける(挿入図)．

albuginea)が形成される．胎児精巣が順調に発育すると胎児精巣にある**セルトリ細胞** Sertoli cell が**抗ミュラー管ホルモン** anti-müllerian hormone(AMH)を産生し，胎生8〜10週の短期間に女性の子宮や卵管のもとになるミュラー管の発育を抑制する．一方，**ライディッヒ細胞** Leydig cell からは男性ホルモンである**テストステロン**が，胎生8〜10週頃から上昇し，ウォルフ管を刺激して，精巣上体，精管，精囊，射精管などの男性内性器をつくる(なお前立腺は尿生殖洞由来)．胎生7か月で精巣は鼠径管を通過し，胎生8か月で陰囊に入る．

成熟した精巣は約4〜5 cm径で，中には精細管がぎっしりと詰まっている．門部では精巣網を形成し，輸出管から精巣上体を経由して精管へとつながる．精巣の疾患を理解するうえで，正常の精巣，精巣上体，精索の肉眼像(ホルマリン固定後，図21-1)および組織像を示す(図21-2)．

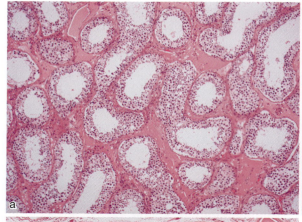
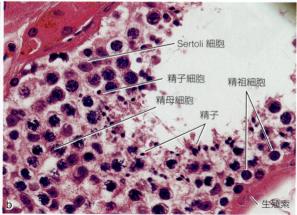
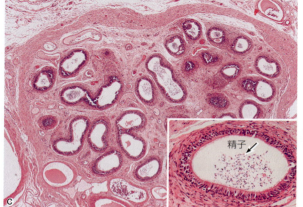

図 21-2　正常な精巣および精巣上体
a. 正常精巣の弱拡大像．管状の構造が精細管
b. 正常精巣の強拡大像．支持細胞であるSertoli細胞と生殖細胞がみられる．精祖細胞から細胞分裂を示す精母細胞をへて，有核の精子細胞となり細胞質が失われて成熟精子が形成される．
c. 精巣上体の組織像．上皮には線毛があり，内部に多数の精子が認められる（挿入図）．

2 発生異常に伴う疾患

　発生異常に伴う疾患としては，性染色体異常に伴う性分化疾患としてクラインフェルター Klinefelter 症候群やターナー Turner 症候群，性腺形成不全，性腺分化異常など性分化疾患があげられるが，それらの解説は第8章「染色体・遺伝子および発生の異常」（→229頁参照）にゆずる．本項では停留精巣について取り扱う．

a 停留精巣

　精巣は胎生8か月で腹腔内から陰囊下部に下降し，通常，出生時には陰囊内に位置するが，男児新生児の1〜5％で陰囊下部に下降せずに，腹腔内，鼠径管内などにとどまった状態で出生する．この精巣が陰囊下部に下降しない状態が**停留精巣** cryptorchidism である．停留精巣でも多くが出生2か月までに陰囊下部に下降するが，6か月過ぎても下降しない場合には陰囊内に精巣を固定する固定術の適応が検討される．これは腹腔内や鼠径管内では陰囊より1〜2℃体温が高く，精細管機能障害により精子形成能低下が起こり，やがて精管消失などの器質的変化が生じ，不可逆的な**不妊**の原因となるためである．また停留精巣では一般と比較して胚細胞腫瘍の発生頻度が数倍と高くなることも指摘されている．そのために機能が期待できない場合には摘出手術が行われる場合もある．

3 男性不妊症

　男性原因がある不妊症で，精子形成障害，精子運動障害，精路閉塞などによる通過障害などがあげられる．精液検査では，**乏精子症** oligospermia，**無精子症** azospermia および**精子不動症**（精子無力症）asthenospermia などに分類される．

　精路通過障害としては先天性では精管欠損症，後天性では精巣捻転症，精索静脈瘤，精管結紮術，鼠径ヘルニア術後による精管閉塞，精巣上体炎などがある．

　精巣捻転症 testicular torsion は精索（図21-1参照）を軸として精巣が捻転し，その結果，精巣に循環障害が生じた疾患である．小児から思春期，過激な運動中あるい

は就寝中に起こることが多く，通常は激痛を訴える．組織学的には発症初期，4時間程度までは循環障害による浮腫，うっ血，出血などが組織像としてみられるが，4時間以上では器質的変化が加わり精子形成細胞の脱落などが起こりはじめる．12時間で精細管の壊死を伴う出血性梗塞を示すため，発症からの迅速な対応が必要とされる疾患である．

また**精索静脈瘤** varicocele testis は精索蔓状静脈叢が静脈瘤に伴ううっ血によりこぶ状に膨隆する疾患で，左精巣静脈に多いとされる．この理由は，左内精索静脈は右に比べ長く，左腎臓静脈と直角に合流することなどがあげられており，静脈の圧力が高くなることにより静脈瘤が生じやすいとされる．一般男性の約10〜20％に認められ，また男性不妊症の原因の約30〜40％を占める．初期は自覚症状に乏しいとされるが，静脈瘤によるうっ血が長期化あるいは高度になると，うっ血により精巣内温度が2〜3℃上昇し，精巣内の活性酸素の増加や低酸素状により精子形成が障害され，男性不妊の原因となる．

4 炎症

原因菌などにより好発部位や進展様式が異なるので，まとめて理解されたい．

a 精巣炎 orchitis, testitis

精巣に起こる炎症として，よく知られたものに**耳下腺炎性精巣炎** mumps orchitis がある．これは流行性耳下腺炎ウイルス，ムンプスウイルスの精巣への感染によって起こるものである．幼児期の流行性耳下腺炎では，精巣炎を起こす頻度は低いが，成人で罹患した流行性耳下腺炎では約20〜30％に精巣炎が併発するとされる．片側性が多いが，約1/3が両側性に発症する．組織学的には間質性の炎症細胞浸潤で，徐々に精細管の萎縮が進行し，両側性の場合には男性不妊の原因になる．

また梅毒による場合は**梅毒性精巣炎** syphilitic orchitis といわれ，精巣間質を主座とする炎症細胞浸潤が認められる．無痛性で陰嚢水腫を合併するものは硬い一方，壊死性の病変はゴムのような弾性をもつ腫瘤を形成することから**ゴム腫** gumma といわれる．精巣上体に炎症が波及することはまれである．

b 精巣上体炎 epididymitis

尿路上皮感染や前立腺炎などに続発することが多く，精巣上体が腫大し，膿瘍形成による有痛性の腫瘤を形成する．やがて炎症は精巣にも波及する．原因菌としては大腸菌や淋菌などがある．結核菌が原因になる場合には他臓器の結核病巣同様の乾酪壊死 caseous necrosis を伴った類上皮肉芽腫を形成するが，炎症が精巣に及ぶことはまれとされている．

また細菌やウイルスではなく，精子が精巣上体(精子を蓄える器官)の間質に侵入して，**異物型肉芽腫性炎**が生じることがある．大きさは数mmから数cm程度で，避妊目的の精管結紮後などに認められる．組織学的には肉芽腫性病変である結核との鑑別が問題になるが，既往歴，精管結紮の有無のほか，組織学的に乾酪壊死病変があるかなどが鑑別として役に立つ．

5 腫瘍性病変

精巣腫瘍の頻度はわが国では10万人に1人という頻度で希少がんにあたるが，20〜30歳代の青壮年期の男性に限れば最も頻度が高い腫瘍である．組織学的には**胚細胞腫瘍，性索間質性腫瘍，胚細胞および性索間質性両者をもつ腫瘍，その他の精巣腫瘍，血液リンパ組織性腫瘍，集合管と精巣網の腫瘍，傍精巣組織の腫瘍，精管および精巣付属器の間葉系腫瘍，転移性腫瘍**など種々に大別される．このうち胚細胞腫瘍が90％以上を占め，ついでリンパ腫(びまん性大細胞型B細胞性リンパ腫)が多いとされ，性索間質性腫瘍などその他の腫瘍はきわめて少ないとされる．2016年に精巣腫瘍のWHO分類が大きく改訂され，従来の組織型よりも組織発生の違いを優先した分類となったが，本項では従来の分類に従って，胚細胞腫瘍および代表的な性索間質性腫瘍について学習する．

A 胚細胞腫瘍 germ cell tumor

a セミノーマ seminoma

セミノーマの好発年齢は後述する他の胚細胞腫瘍よりもやや高く30〜40歳代で，胚細胞腫瘍のなかでは最も頻度が高い腫瘍である．精巣以外にも，卵巣や尾仙骨部，後腹膜，縦隔，頭蓋内(松果体)などにも発生するが，卵巣に発生した場合には**未分化胚細胞腫** dysgerminoma，頭蓋内に発生した場合には**胚細胞腫(ジャーミノーマ** germinoma)の診断名になるので注意されたい．

セミノーマは，肉眼的には灰白色調充実性腫瘍を形成する(図21-3a)．組織学的には，典型例では胚細胞由来の腫瘍細胞は核小体明瞭なクロマチンが粗い核を有し，グリコーゲンに富んだ明るく比較的豊かな胞体を伴った

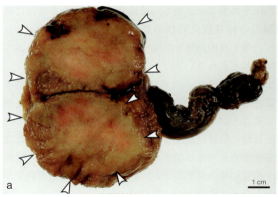
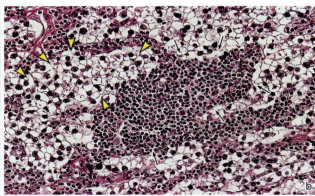

図 21-3 セミノーマ
a. ホルマリン固定後の割面の肉眼像. 灰白色充実性の腫瘍が認められる (▷).
b. 組織像. 明るく豊かな細胞質を有する生殖細胞由来の腫瘍細胞 (▷) と小型リンパ球の集簇巣 (→) が認められ, いわゆる two cell pattern を示す.

腫瘍細胞が, 敷石状に増殖する. 腫瘍細胞個々の細胞境界は明瞭で, びまん性単調に増殖する腫瘍であり, 間質には多数のリンパ球や組織球浸潤を伴い, 腫瘍細胞とリンパ球浸潤との two cell pattern を示す (図 21-3b). 時に胚細胞由来の腫瘍細胞が好酸性細胞質を示す症例や, 線維化や肉芽腫形成を伴う症例もある. これら腫瘍細胞には免疫染色で**胎盤性アルカリホスファターゼ** placental alkaline phosphatase (PLAP) や **c-kit** (CD117) などの抗体が腫瘍細胞に陽性像を示す. 脈管侵襲 (リンパ管侵襲や静脈侵襲) などが認められる症例では, 肺や鎖骨上窩のリンパ節などに遠隔転移をきたす. 大きいものでは多数の分裂像や壊死を伴うことがあり, 以前は退形成性セミノーマ anaplastic seminoma とされ, 通常のセミノーマの亜型として区別されていたが, その後, 予後に有意な差はないなどの報告が多数寄せられたことから, 現在は区別しないで診断する. 放射線感受性が高い腫瘍であり, 局所や遠隔転移再発巣には放射線療法が施行される. またプラチナ製剤に対する感受性も高く, シスプラチンなどを含む多剤併用化学療法にて, 多臓器転移が認められる症例でも比較的良好な予後が得られている.

Advanced Studies

精母細胞性腫瘍 spermatocytic tumor は, 従来は精母細胞性セミノーマとして, セミノーマの一亜型として扱われていたが, その後組織発生, 臨床像いずれの観点からも全く別の腫瘍であることが明らかにされ, 現在は GCNIS (germ cell neoplasia in situ) 非関連胚細胞腫瘍に分類されている. 精母細胞性腫瘍は 50 歳以降の発症が多く, 胚細胞腫瘍のうちの 2〜12% とされる. 発生部位は精巣で, セミノーマのように精巣以外の部位に発生することはない. また他の組織型との混合型はなく, 多くは良性腫瘍の範疇で転移はしない. 肉眼的には, みずみずしい浮腫状の充実性腫瘍を形成し, 通常壊死はみられない. 組織像は小型リンパ球様細胞, 中型細胞および径 100 μm 程度の大型細胞の 3 種類の細胞よりなるのが特徴とされる. 腫瘍細胞の胞体は好酸性で, グリコーゲンは有さず, また免疫組織化学では胎盤性アルカリホスファターゼは陰性となり, 通常のセミノーマとは区別される. また間質にはリンパ球浸潤がみられないこともセミノーマとの違いである.

b 胎児性癌 embryonal carcinoma

精巣の胚細胞腫瘍の 5〜10% を占める腫瘍で, 20〜30 歳代が好発年齢であり, 腫瘍マーカーとしては β ヒト絨毛性ゴナドトロピン β-human chorionic gonadotropin (β-hCG) や α フェトプロテイン α-fetoprotein (AFP) が上昇することが示唆されている. 肉眼的には軟らかい充実性腫瘍を形成することが多く, しばしば高度の壊死や出血を伴い, 転移率が高く予後不良とされてきたが, 近年の化学療法の進歩により予後は徐々に改善しつつある. 組織学的には大型の核小体を有する核と, 明るく豊かな細胞質を有する腫瘍細胞が管状, 乳頭状あるいは充実性など種々の組織構築を示して増殖する (図 21-4). セミノーマと比較すると細胞境界は不明瞭で, リンパ球浸潤や肉芽腫の形成は目立たない. また脈管侵襲や精索および精巣上体への腫瘍の浸潤がしばしば認められる. 純粋型は少なく, 他の腫瘍成分を含む混合型胚細胞腫瘍の一成分として出現することが多い. 診断の補助にはいくつかの免疫染色 (CD30 など) が有用であるとされている (図 21-4 挿入図).

c 卵黄嚢腫瘍 yolk sac tumor

卵黄嚢腫瘍は, 胎児期の卵黄嚢や尿膜管, 胎児外肺葉への分化を示す腫瘍とされ, 血中の AFP が高値を示す. 組織発生の違いや発症年齢などの違いから, 思春期前型 prepubertal type (以下前型) と思春期後型 postpubertal type (以下後型) の 2 つに大別される. 前型は思春期前の

A. 精巣・性腺　653

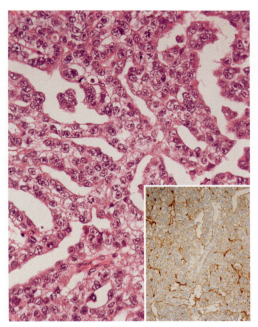

図 21-4　胎児性癌
組織像．大型の核小体を有する核と，明るく豊かな胞体を有する腫瘍細胞が腺管構造を示して増殖．挿入図はその CD30 による免疫組織化学像で，細胞膜に陽性像を示す．

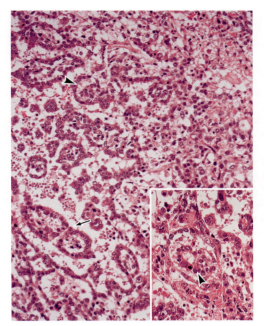

図 21-5　卵黄嚢腫瘍
組織像．管状および乳頭状構造を示す腫瘍細胞が，比較的ゆるい結合性で増殖する．8 の字型のくびれを有する polyvesicular vitelline パターン（→）が認められる．▶は腎糸球体様の構造で Schiller-Duval 小体である．

精巣腫瘍では最も頻度が高く約 60％を占め，主として小児に発症する．多くは単一の組織型（純粋型）で良性の経過をたどるが，まれに血行性の遠隔転移をする症例もある．一方，後型は純粋型ではなく混合型胚細胞腫瘍の一成分として認められることが多く，転移はリンパ行性転移を主とし，後腹膜リンパ節などに転移がみられる．腫瘍の肉眼像は前型，後型ともに黄色調の充実性腫瘍で，組織学的にはともに小囊胞・網状，大囊胞状，粘液腫状，肝様，管腔状・胞巣状などさまざまな組織構築を示して増殖する（図 21-5）．特に乳頭状増殖を示す症例において，腎臓の糸球体に類似したシラー-デュバル小体 Schiller-Duval body といわれる特徴的な構造を認めることがあるが，その頻度は全症例の約 20％程度と頻度は高くない．また，管状増殖を示す症例では「8 の字型」のくびれを有する polyvesicular vitelline pattern と呼ばれる特異的な腺管構造を示し，診断の決め手となることがある．免疫染色では AFP などが診断の補助となる．

d 絨毛癌 choriocarcinoma

絨毛癌の好発年齢は 20〜30 歳代で，血中の β-hCG が異常高値を示す．高度の血行性転移を示し，肺などの転移巣からの血痰などを初発症状として発見されることもまれではない．また約 10％の症例で女性化乳房など

図 21-6　絨毛癌
肉眼像．高度の出血・壊死を示す暗赤色調の腫瘍（▷）で，出血性梗塞が鑑別となる．

が認められる．腫瘍は肉眼的には高度の出血性壊死を伴う（図 21-6）．組織学的には妊娠性絨毛癌と同様に，細胞性栄養膜細胞 cytotrophoblast と多核の合胞体性栄養膜細胞 syncytiotrophoblast が，通常は合胞体性栄養膜細胞が細胞性栄養膜細胞の表面を覆うような二相性を示して増殖する．脈管侵襲が高頻度に認められ，そのために血行性転移をきたしやすい．免疫染色では β-hCG などが陽性を示し診断の補助となる．なお，広範囲に壊死が認められる際には，精巣の出血性壊死が鑑別となるが，

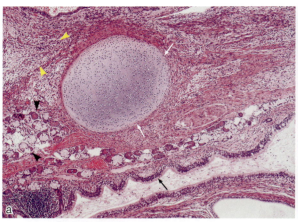 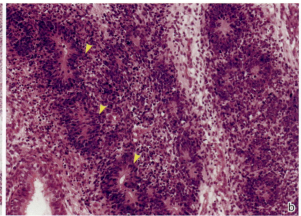

図 21-7　奇形腫の組織像
a. 腺上皮(→)や混合腺(▶)，軟骨組織(⇨)および脳組織(▷)が認められる．
b. 未熟な神経管組織(▷)もみられるが，精巣では未熟成分の有無で奇形腫を分類しない．

絨毛癌では壊死部でも β-hCG が陽性像を示すので鑑別に役立つ．

e 奇形腫 teratoma

奇形腫は異なった胚葉成分(内・中・外胚葉)のいくつかの組み合わせからなる腫瘍である．旧分類では卵巣奇形腫と同様，精巣奇形腫も成熟奇形腫 mature teratoma と未熟奇形腫 immature teratoma に区別されていたが，精巣では腫瘍性成分の未熟成分の有無や割合で良悪性が分かれるわけではなく，発症年齢により転移などの有無が異なることから，現在は思春期前発症(思春期前奇形腫)と思春期以降発症(思春期後奇形腫)とに大別されている．

思春期前奇形腫は，小児の精巣腫瘍の約30%と卵黄嚢腫瘍について頻度が高く，4歳未満に多いとされる．転移はきわめてまれとされているが，卵黄嚢腫瘍と合併することがあり，その場合には転移する．一方，思春期後奇形腫は腫瘍細胞の分化の程度にかかわらず，すべて悪性として扱う．特にリンパ節転移巣や他臓器転移巣では腫瘍細胞の分化が著しくよく，一見すると良性腫瘍のようにみえることがあるが，その場合にも悪性腫瘍として扱う．肉眼的には多嚢胞性腫瘍を形成することが多く，組織学的には卵巣の奇形腫同様，外胚葉由来の成分としては，皮膚やその付属器，毛髪，網膜色素上皮，脳や神経など，中胚葉由来の成分としては骨・軟骨組織，歯，筋組織，脂肪組織など，内胚葉由来の成分としては腸管粘膜組織，呼吸器などがさまざまな割合で出現する腫瘍であり，分化の程度も未熟な成分から成熟した成分までさまざまである(図 21-7)．なお，奇形腫の成分から非胚細胞性(≒体細胞性)悪性腫瘍が生じることがあるが，卵巣の奇形腫では扁平上皮癌が多いのに対して，精巣では腺癌や肉腫が多く，肉腫としては横紋筋肉腫，平滑筋肉腫，血管肉腫などが多いとされている．

B 性索間質性腫瘍 sex cord-stromal tumors

性索間質性腫瘍には，性索の成分のみからなる腫瘍，間質成分のみからなる腫瘍および両者が混在した腫瘍が含まれる．成人では精巣腫瘍全体の2〜5%，小児では約25%を占める．約5%が悪性腫瘍である．単一型 pure type，混合型および分類不能型 mixed and unclassified sex cord-stromal tumors に大別される．

1 単一型

腫瘍全体が Leydig 細胞，Sertoli 細胞，顆粒膜細胞もしくは莢膜細胞のいずれかの分化を示す腫瘍が含まれる．

a ライディッヒ細胞腫 Leydig cell tumor

間質細胞腫 interstitial cell tumor ともいわれる．Leydig 細胞は発見者であるドイツの解剖学者フランツ・ライディッヒ Franz Leydig に由来する．腫瘍細胞が精巣間質にみられるライディッヒ細胞に類似した細胞よりなる腫瘍で，基本的には良性腫瘍であるが，約5%が悪性ライディッヒ細胞腫 malignant Leydig cell tumor である．発症年齢は幅広く，性索間質性腫瘍のなかで最も多い．臨床的には小児期に発症すると，性毛発育，声変わり，陰茎肥大などの思春早熟を，成人に発症すると

乳房肥大，女性化乳房などの女性化性徴が認められる．肉眼的には，黄褐色調を示す分葉状・結節状の充実性腫瘍で，出血や壊死はまれである．組織学的には，小型円形核と豊富な好酸性の胞体を有する大型腫瘍細胞よりなり，褐色調のリポフスチン顆粒がしばしば認められる．またラインケ類結晶体 Reinke crystalloid と呼ばれる棍棒状の結晶（図21-8）が約30％の症例で認められる．

b セルトリ細胞腫 Sertoli cell tumor

Sertoli 細胞は，イタリアの組織学者エンリコ・セルトリ Enrico Sertoli に由来する．精細管の基底層から管腔側に伸びる生殖細胞を支持している丈の高い大型細胞で，作用としては精子形成の際の生殖細胞への栄養の供給，精子形成の際に除去された細胞質の貪食，インヒビン inhibin（精子形成を調節するペプチドホルモン）の分泌などの働きをもつ．また，細胞同士が**血液精巣関門** blood-testis barrier を形成する．Sertoli 細胞腫は，そのSertoli 細胞に類似の腫瘍細胞からなる腫瘍で，多くは良性腫瘍であるが，約5％が転移などを示す悪性セルトリ細胞腫 malignant Sertoli cell tumor である．組織学的には，好酸性あるいは淡明な胞体を有する腫瘍細胞が，管状あるいは索状の細胞構築を示して増殖する．硬い腫瘍で，間質に石灰沈着を伴うこともある．免疫組織化学ではインヒビンA，カルレチニンおよびSF1などに加えて，β-カテニンが核に陽性となる．

c 顆粒膜細胞腫 granulosa cell tumor

顆粒膜細胞とは本来，卵巣の未受精卵の周囲を囲んでいる細胞で，顆粒膜細胞腫は顆粒膜細胞への分化を示す良性腫瘍である．若年型と成人型に大別されるが，組織像が異なるため注意が必要である．若年型は胞体が豊かな細胞よりなり，濾胞状あるいは嚢胞状の細胞構築を示して増殖する．成人型は胞体に乏しく，核が密に増殖するようにみえる．核所見が特徴的であり，しばしば深い切れ込みを有するコーヒー豆様核が認められる．また小型濾胞様構造を示す**コール-エクスナー小体** Call-Exner body が認められる（図21-9）．

Advanced Studies

d 莢膜細胞腫-線維腫群腫瘍 tumors in the fibro-thecoma group
性腺間質あるいは白膜由来とされる線維芽細胞様の腫瘍細胞からなる．すべて良性とされている．

2 混合型および分類不能型

前述の Leydig 細胞腫，Sertoli 細胞腫，顆粒膜細胞腫および莢膜細胞腫-線維腫群腫瘍の4成分のうち，2種類以上が混在して認められる場合を混合型とする．悪性の症例では，腫瘍成分中に悪性 Leydig 細胞腫や悪性 Sertoli 細胞腫の成分が認められる．なお，いずれの組織型にも分類しがたい腫瘍を分類不能型とする．

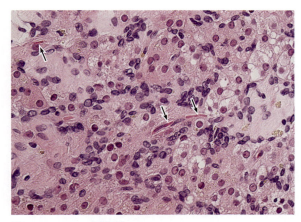

図 21-8 Leydig 細胞腫
組織像．比較的小型の円形核をもつ，豊富な好酸性の胞体を伴う腫瘍細胞よりなる．胞体には褐色調のリポフスチン顆粒がしばしば認められ，棍棒状の Reinke 類結晶体（→）が認められる．

C 精巣上体の腫瘍

精巣上体にもまれながら腫瘍が発生することがある．その代表はアデノマトイド腫瘍 adenomatoid tumor であり，組織像が特徴的で，精巣上体以外の臓器にも発生する．精巣上体では20～40歳代に発症し，1～5cm大の無痛性腫瘍として認められる．組織像は立方あるいは扁平上皮により囲まれた腺管様の空隙を有し，発生学的に中皮細胞由来と考えられている．

B 精管・精索・精嚢・射精管

A 構造・機能

精管 deferent duct は精巣上体尾部に蓄えられている精子を前立腺まで運ぶ径約3mmの管で，組織学的には線毛を有する腺上皮が管腔側に，筋上皮が腺管の基底側にあり，2相性構築を示す．精管の壁は平滑筋組織で形成され，精子は蠕動運動により管内を運搬される（精管内の精子はまだ運動能がない）．精管が前立腺に入り込む直前部は太く，**精管膨大部**と呼ばれ射精直前の精子が一時的に蓄えられる構造になっている．

精索 spermatic cord は，精管や精巣動静脈，神経，リンパ管などが脂肪組織を含む結合組織で束ねられた径2cm ほどの太い索状物で（図21-1参照），精巣挙筋を含んでいる．左右の鼠径部から鼠径管を通って腹腔内に入り込む．長い索状物で中に含まれる精管は成人では約40cm長にもなる．

精嚢 seminal vesicle は前立腺の頭側や膀胱に張りつ

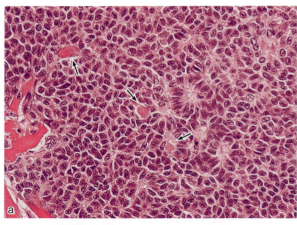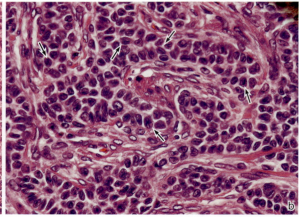

図 21-9　顆粒膜細胞腫
a．弱拡大像．胞体が乏しく，核が密に増殖するようにみえる．小型濾胞様構造を示す Call-Exner 小体（→）が認められる．
b．強拡大像．核には「しわ」があるコーヒー豆様核（核溝）が特徴的である（→）．

くような形で左右 1 対あり，精液の約 70％を占める精嚢液を分泌する（精子を蓄える場所ではないことに注意）．精嚢液はフルクトースなどを含む淡黄色の粘り気のある液体である．

　精嚢管と精管は前立腺に入る直前に合流して，左右それぞれ 1 本の管，**射精管** ejaculatory duct になり，前立腺精丘で，左右それぞれ尿道に開口する．

疾患

　精管炎 deferentitis は通常は急性精巣上体炎，急性前立腺炎，精嚢炎などに続発して起こり，精管のみに単独で炎症が起こることはまずない．精索全体に及んだ場合には**精索炎** funiculitis となる．症状としては鼠径部から下腹部にかけての疼痛があり，右側の場合には虫垂炎との鑑別が困難なこともある．

　精嚢炎 seminal vesiculitis は細菌感染に伴う急性精嚢炎と慢性精嚢炎とがあり，前者は通常は急性前立腺炎を合併するため，発熱，排尿痛，血尿などの症状が出る．後者では射精時痛が特徴とされる．

　精索静脈瘤 varicocele testis の原因は精索内の蔓状静脈叢の静脈血管弁の障害とされる．症例の 95％以上が左の陰嚢に発生する．これは左右精巣静脈の解剖学的な相違に由来するもので，右精巣静脈は直接下大静脈に注ぐが，左精巣静脈は腎静脈を介して下大静脈に注ぐため，血液のうっ滞が起こりやすいことに由来する．精索静脈瘤では精子の減少や Leydig 細胞の萎縮など精巣機能の低下が進行するが，静脈瘤の手術により機能は改善する．

C 前立腺

1 発生・構造・機能

　前立腺 prostate は膀胱と尿道の接合部の隆起である尿生殖洞から，胎生 12 週より発生を開始する．尿生殖洞は内側の上皮と外側の間葉系細胞よりなり，上皮は胎児精巣より分泌されるアンドロゲンの作用により，間葉系細胞に入り込むような形で急速に伸展・分枝する．一方，間葉系細胞はテストステロンやαジヒドロテストステロンの作用により平滑筋などに分化する．前立腺の大部分は尿生殖洞に由来しているが，中心部では前立腺部尿道に開口する導管を形成し，この導管は精管，射精管と同じウォルフ管由来であることが知られている．この発生学的起源の違いにより，ウォルフ管由来の中心域（前立腺全体の 25％）および移行域（同 5％）を内腺，尿生殖洞由来の辺縁域（同 75％）を外腺とする分類もある．成人の前立腺はクルミ大程度の大きさであり，その全体像（図 21-10a）と割面（図 21-10b）を示す．前立腺部尿道で導管から分泌された前立腺液と精液および精嚢液が混じって初めて精子は運動能を獲得する．

　前立腺の機能はまだ十分に解明されていないが，精液の約 20％を占める前立腺液をつくる働きがある．前立

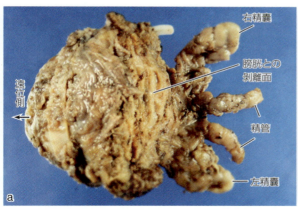 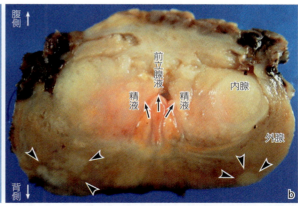

図 21-10　前立腺
a. 全体の肉眼像．近位側は膀胱に接し，精管および左右精嚢が結合する．遠位側は尿道へと続く．左右の精嚢は精嚢管と一緒になって，1本の管となり，前立腺小丘の中央部に開口する．
b. 割面の前額断肉眼像．前立腺には内腺と外腺があり，肉眼的にも明瞭に区別できる．中央に尿道があるが，尿道内に突き出すように前立腺小丘が認められ，中央に前立腺導管が，左右に精管が開口し，射精時に分泌される．なお，外腺にみられる白色調の結節はがん胞巣である（▶）．

腺液は弱アルカリ性の白濁した液体で，酸性ホスファターゼ，クエン酸，亜鉛などを含む．また，酸性の腟内では保護液としても働くと考えられている．精液の特有な「栗の花」の香りは，前立腺液に含まれるスペルミン spermine という物質に由来する．また，排尿のコントロールにも関与しているといわれる．

Advanced Studies

2　炎症

前立腺の疾患で最も多いのが前立腺炎 prostatitis であるが，病態などがまだ明らかにされていないものが多い．近年は米国のNIH (National Institute of Health)による分類が使用されることが多い．NIHの分類によると，前立腺炎は①急性細菌性前立腺炎，②慢性細菌性前立腺炎，③慢性非細菌性前立腺炎/慢性骨盤疼痛症候群，④無症候性炎症性前立腺炎の4型に分類される．①は尿路感染症に続発することが多く，特に高齢者では大腸菌によるものが多い．青年では性感染症としてクラミジアによるものもみられる．特異性炎としては結核による結核性前立腺炎もみられたが，現在はほとんど遭遇することはなくなった．②は①が慢性化したものであり，慢性炎症により前立腺の線維化や結石形成が原因となって前立腺導管閉塞が起こり，さらに炎症が遷延化すると考えられている．③は本来は感染が証明されない無菌性の慢性前立腺炎を指すが，一般細菌以外の病原微生物の関与が推測されている．後者の慢性骨盤疼痛症候群は，前立腺のみならず前立腺周囲や骨盤内臓器における有痛性疾患も含んでいる．④とは炎症による自覚症状がなく，例えば前立腺癌などを疑って採取された針生検検体に，病理組織学的に，偶発的に炎症像が見いだされるものである．

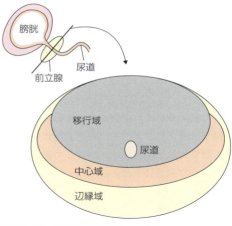

図 21-11　前立腺前額断シェーマ

3　前立腺肥大症
benign prostatic hyperplasia（BPH）

前立腺（図21-11）は組織学的に分泌腺と平滑筋よりなる間質を豊富に含む臓器であるが，加齢とともにその構成成分である腺管あるいは間質の一方または両方の増殖により前立腺全体の容量が増すものが前立腺肥大である．ほとんどが移行域に発症する．疫学的には60歳以上では約50％，85歳までに男性の約90％が前立腺肥大となり，そのうち約25％に症状が出現するとされる．移行域に発症するために前立腺部尿道が圧迫され，症状としては排尿障害，残尿感，頻尿などが出現する．前立

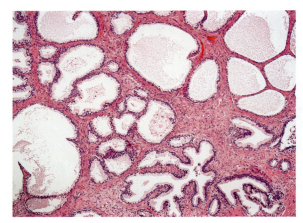

図 21-12　前立腺肥大症
組織像．平滑筋を含む線維性間質内に大小の腺管が増殖する．

表 21-1　乳癌と前立腺癌の比較

乳癌	前立腺癌
乳管から発生：乳管癌 85～90%	導管から発生：導管癌 5%
小葉から発生：小葉癌 10～15%	腺房から発生：95%
エストロゲン感受性	アンドロゲン感受性
単発が多い	しばしば多発
骨転移は溶骨性転移	骨転移は造骨性転移
骨転移後も予後が比較的いい（ビスホスホネート製剤が効果）	骨転移後の有効な治療法がないこともあり（CRPC）

腺は本来，アンドロゲンに依存する臓器であり，アンドロゲンの上昇とともに，思春期まで急激に重量が増加するが 30 歳代以降では増加率が激減することがわかっている．しかしながら再び高齢者で容量を増し，前立腺肥大が発生するのであるが，その機構はまだ完全には解明されていない．

組織学的には，腺管の増殖や腺上皮の過形成性変化あるいは萎縮性変化，間質平滑筋細胞の増殖が種々の程度・割合で認められる．腺管には上皮の内腔への乳頭状増殖や扁平上皮化生および基底細胞過形成などがみられる．また間質には平滑筋線維が錯綜して密に増殖する平滑筋腫のような結節（leiomyomatous nodule）が認められることがある（図 21-12）．

Advanced Studies

治療法は，軽症では無治療経過観察が行われ，排尿を含めた日常生活の指導により約 1/4 の患者に症状の改善が認められる．他に薬物療法，低侵襲治療，外科手術などがある．薬物療法としては，抗アンドロゲン薬（効果は比較的緩徐で，中止すると肥大が再燃することもある）や α 遮断薬（膀胱頸部および前立腺の平滑筋を弛緩させることで排尿障害改善．効果が比較的早く現れ，持続的な効果も期待できる）がある．低侵襲治療としては，ステントの留置，レーザー治療や高温熱療法などがあるが，まだ長期成績に関するデータに乏しい．外科手術は経尿道的前立腺切除術 transurethral resection of prostate（TUR-P）が広く普及している．この手術療法が排尿障害の改善に最も有効とされている．

4　前立腺癌 prostatic cancer

前立腺に発症する腫瘍のほとんどは悪性腫瘍でさらにその大部分は腺癌である．男性の部位別がん罹患率では前立腺癌が最も多く（2018 年），年齢調整死亡率は 2005 年をピークに減少傾向にある．前立腺癌のマーカーとしては血中の前立腺特異抗原 prostate-specific antigen（PSA）が，スクリーニングあるいは術後のフォローアップに有用である．PSA は前立腺の腺上皮細胞から分泌されるタンパクで，通常は射精の際に精液中に分泌され，精液中のゼリー化成分を分解することで精子の運動能を高める役割に関与するが，一部は血中に取り込まれる．PSA が上昇する疾患としては，前立腺癌，前立腺肥大症，前立腺炎などがあり，基準値は 0.1 ng/mL であるが，一般に 4 ng/mL を超えた場合に「PSA 高値」とされ，他の理学的所見と合わせてフォローアップまたは前立腺針生検の対象となる．また術後再発・転移のマーカーとしても有用である．なお PSA は唾液腺腫瘍の一部でも高値を示す場合があり，鑑別が必要である．

前立腺癌は解剖学的には辺縁域（外腺）に発生しやすく，また組織レベルでは，前立腺液を産生する腺房発症が全体の約 95%，前立腺液を尿道に運ぶための導管発症が約 5% とされている．しばしば前立腺内に多発する傾向があり，多発症例が全体の半数以上を占める．同じホルモン依存癌である乳癌と比較すると乳癌は乳管（導管）由来が全体の 85～90% であり，小葉発生は 10～15% とされている．乳癌でも小葉発生の場合は乳腺内に多発病変を形成することがしばしばあるが，前立腺癌が腺内多発，乳癌では単発症例が多い理由は組織学的発生部位の違いということで理解できる．また前立腺癌の遠隔転移としては骨転移の頻度が最も高い．前立腺癌の骨転移は骨芽細胞が腫瘍細胞により活性化された結果，骨形成性の造骨性転移の形態をとり，X 線などで骨硬化像としてとらえられる．前立腺癌と乳癌の相違をまとめた（表 21-1）．

前立腺癌の組織型は大部分が腺癌で，高分化型（良性の腺管との鑑別がしばしば難しい分化した腺管よりなるがん），中分化型（高分化型と低分化型の中間），低分化型（腺管形成が不明瞭ながん）に分類されている．高分化

C. 前立腺 ● 659

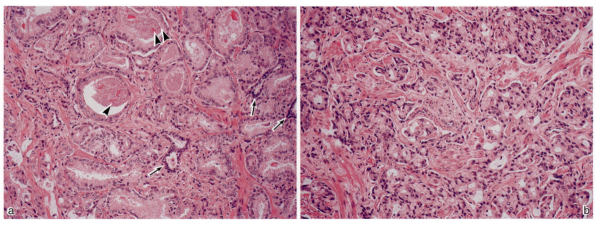

図 21-13　前立腺癌
a. 高分化型から一部中分化型前立腺癌の組織像. 内腔に crystalloid と呼ばれる針状物が認められる（▶）. なお, 小型核の腺上皮よりなる腺管が散見されるが, これらは既存の前立腺腺管であり, がんではない（→）.
b. 低分化型を主とする前立腺癌の組織像. 不規則な胞巣を形成している.

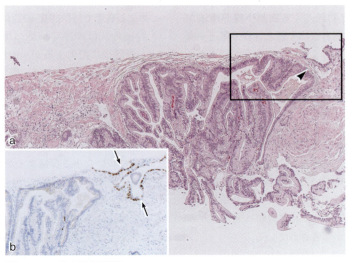

図 21-14　前立腺導管癌
a. 組織像. 内腔に乳頭状に発育する比較的明瞭な, 大型の胞巣を形成する.
b. a の□部分の拡大（少し面が変わっている）. p63 による免疫組織化学では茶色に染色されている基底細胞（→）ががん胞巣では欠落しており（▶）, 浸潤癌であることがわかる.

型腺癌の腺管内には, 針状の類結晶体 crystalloid が認められることがある. なお, 導管癌は比較的大型の腺管を形成するのが特徴である（図 21-13, 14）. 近年は治療方針の決定や予後予測の観点から **Gleason 分類** が広く採用されている.

Advanced Studies

Gleason 分類とは 1966 年に米国の Donald F. Gleason が最初に提唱した前立腺癌の評価方法である. 大きな特徴は 2 点あり, 1 点目は腫瘍の分化度や細胞異型を考慮せず, 腫瘍の組織構築や浸潤パターンのみに着目して 1〜5 の 5 段階のグレードに分類する点, もう 1 点は, 前立腺癌の組織像の多様性を考慮して, 腫瘍構成成分の中で最も量的に優勢のグレードを primary grade, 2 番目に優勢のグレードを secondary grade として, これらを合算したスコアを Gleason score（GS）とし, 前立腺癌の病理診断をスコアで表現するという点である. その後, いくつかの修正が加えられ今日に至っているが, WHO でも Gleason 分類が推奨されるようになり, また治療法もこの GS に対応するように決められるようになり, 前立腺癌の病理診断として国際的に使用されている.

前立腺癌の治療に関しては, 手術療法として前立腺全摘術がある. 前立腺癌は前立腺内に限局することが多い

が，背側にある精囊や平滑筋層が連続している膀胱などに浸潤が及ぶこと，また前立腺に接して両側を走行する太い神経血管束にも浸潤が及ぶことがあるため，手術では通常は両側の精囊を切除し，神経血管束も合併切除する必要があることがある．またリンパ行性転移としては骨盤内のリンパ節(特に閉鎖リンパ節)に転移することがあり，手術時に郭清される．

ほかにがん細胞がアンドロゲン感受性であることから，アンドロゲン抑制のための精巣摘出術，LH-RHアゴニスト，抗アンドロゲン薬などの内分泌療法が行われる．しかし，内分泌療法は病期の進行とともに奏効率が低下し，骨転移症例ではしばしば**去勢抵抗性前立腺癌** castration-resistant prostatic cancer(CRPC)となり治療に難渋することもある．放射線療法では，これまでの外照射療法に加えて，近年ヨウ素125(^{125}I)などの放射性線源を長径4mm程度の小さなカプセルに封じ込め，それを前立腺内に50～100個刺入する**密封小線源療法**が行われる．この療法は外照射療法で懸念される尿道や直腸などへの放射線被曝を大きく軽減できる点が利点とされている．なお線源からの放射線は徐々に半減し，約1年でほぼ放出されなくなるため，摘出せず永久に刺入したままでよいとされている．

前立腺癌は一般的には発育が緩徐ながんとされるが，従来より比較的若年に発症し進行が速いがんがあることが知られていた．近年，それらのがんの中に家族性発症が認められる症例が含まれていることが指摘され，乳癌と同じ**BRCA1遺伝子**を有する家系が報告され注目されている．BRCA1遺伝子を有する前立腺癌は通常のがんよりも悪性度が高いことが報告されている．

Advanced Studies

a BRCA1(breast cancer susceptibility gene 1)
がん抑制遺伝子の一種．BRCA1は1994年に三木義男らにより，家族性乳癌・卵巣癌の原因遺伝子として同定された．BRCA1はDNA損傷時のシグナル伝達において重要な役割を担うが，その変異により遺伝子不安定性を生じ，乳癌や卵巣癌，他に膵癌や前立腺癌の発症に関与している．BRCA1変異を伴う家系では，若年性癌の頻度が高く，また進行が速く，これまで有効な治療に乏しかったが，DNA修復酵素阻害分子標的薬が臨床試験で有望な結果を示しており，開発が期待されている．

b ラテント癌，臨床癌，オカルト癌
前立腺癌を理解するうえで，ラテント癌，臨床癌そしてオカルト癌という用語の理解が必要である(→第9章「腫瘍」，243頁参照)．ラテント癌は偶発癌あるいは臨床癌に対して非臨床癌といわれ，例えば膀胱癌での膀胱摘出時に合併切除された前立腺や，解剖時などに前立腺内にがんが発見されるもので，臨床癌と異なり地域差が少なく，加齢に伴って増加し，50歳以上では約20～30%にがんが発見されるとされている．多くが臨床癌とならずに経過するとされているが，経時的にその一部が臨床癌へと進展する．臨床癌は臨床的にがんとして扱われる病変であり，いわゆる通常のがんである．オカルト癌は，原発巣の症状の前に転移巣の症状で発見されるがんである．例えば，前立腺癌は骨に転移しやすい特徴があるが，骨の症状により前立腺癌が発見される場合を指す．

D 陰茎・陰囊

炎症

a 硬性下疳 hard chancre

陰茎 penis の特異的炎症として知られているのが梅毒(*Treponema pallidum* の感染)による硬性下疳である．梅毒の感染後から約3週間で陰茎に発症し，低い周堤を伴う小さいクレーター状・単発性の潰瘍性病変を陰茎に形成する(梅毒第1期)．通常は瘙痒感や疼痛はない．組織学的には，高度の形質細胞浸潤と線維芽細胞の増殖よりなる病変で特徴的な炎症像(肉芽腫の形成など)はない．「硬性」は線維芽細胞の増殖による．この丘疹は1～5週間後に消失するが，治癒したわけではなく適切な治療が施されなければ，梅毒第2期へと進行する．鑑別診断としては潰瘍性病変を形成する感染症で，ヘルペスウイルスによる丘疹があげられるが，疼痛を伴う点で鑑別が可能である．

b 亀頭包皮炎 balanoposthitis

亀頭についた小さな傷などから細菌などが感染して発症する．亀頭や包皮に時にかゆみを伴った主として地図状の発赤を伴う小丘疹として認められるが，真菌感染症などの場合には白色のカス状物が付着したりする．病原菌に合わせて抗菌薬や抗真菌薬の入った軟膏を塗布する．包茎者に多いとされ，亀頭部の不潔(恥垢)も原因の1つとされる．なお，いわゆる性行為感染症ではない．

腫瘍性病変

a 尖圭コンジローマ condyloma acuminatum

陰茎に発症する腫瘍性病変としては最も頻度が高いものであり，肉眼的には乳頭状の小隆起を亀頭や陰茎などに形成し，しばしば多発する．**ヒトパピローマウイルス** human papillomavirus(HPV)の感染が関与するが，約100種類のHPVのうち尖圭コンジローマに関係するのは**6型**と**11型**である．組織学的には真皮の間質を伴って乳頭状あるいはカリフラワー状に増殖する像が認められる．表皮の顆粒層にはやや粗大なケラトヒアリン顆粒が出現し，核周囲明庭を有する細胞が増殖する(図

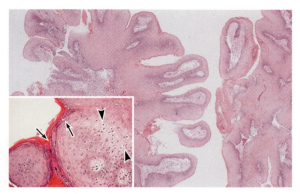

図 21-15 尖圭コンジローマ
組織像．乳頭状に増殖する像．増殖する上皮には核周囲明庭を有する細胞（▶）や粗いケラトヒアリン顆粒（→）が認められる．

21-15）．治療は，腫瘍切除であるが，HPV に対する治療が行われるわけではなく，腫瘍を切除したとしても HPV を完全に除去することはできないため，性交により他人に感染させる可能性がある〔性感染症 sexually transmitted disease（STD）/sexually transmitted infection（STI）〕．

Advanced Studies

【真珠様陰茎小丘疹 pearly penile papules】
　陰茎亀頭冠に冠状に，米粒大の比較的大きさのそろった白色小丘疹が多発する（1個の丘疹は 1〜2 mm 程度）．青年男性の約 20％ に自然発生する生理的現象．組織学的には，脂肪細胞の過形成が腫瘤を形成する．尖圭コンジローマとしばしば混同されるが本症は性病ではなく感染もしない．なお，女性でも同じような症状が大陰唇などに認められ vestibular papillae of the vulvae といわれる．

b 陰茎癌 penile cancer

わが国では高齢者に多く，大部分の組織型は**扁平上皮癌**である．従来，比較的若年者にみられる非角化型扁平上皮癌では HPV が検出され，高齢者の角化型扁平上皮癌では HPV 検出はまれとされていたが，日本人陰茎癌では in situ hybridization（ISH）法による検索で HPV 感染が約半数に認められ，高分化癌，角化傾向の強いがんが有意に多かったとの報告も認められる．肉眼的には亀頭，冠状溝，包皮などに発生し，カリフラワー状の腫瘤を形成するのが一般的であるが，潰瘍などを形成する場合もある（痛みを伴う）．組織学的には角化を示す高分化型が多くを占める．浸潤が表皮下の結合組織にとどまる場合と陰茎海綿体まで浸潤した症例では後者の予後が有意に悪く，リンパ節転移，他臓器転移をきたし予後不良である．

c 陰囊腫瘍

陰囊は皮膚の一部であり，皮膚（皮膚付属器）に起こりうる腫瘍が発生することがある．特に表皮内癌である**ボーエン病** Bowen disease，表皮内腺癌である**パジェット病** Paget disease など，手術の対象となる腫瘍も発生する．

●参考文献
1) Eble JN, et al：Pathology and Genetics of Tumours of the Urinary System and Male Genital Organs. IARC Press, 2004
2) 日本泌尿器科学会（編）：泌尿器科癌取扱い規約 抜粋．金原出版，2013
3) 日本泌尿器科学会，他（編）：精巣腫瘍取扱い規約 第4版．金原出版，2018

第22章 脳・神経

A 構造

A 神経系の構成

1 ● 中枢神経系 central nervous system と末梢神経系 peripheral nervous system

中枢神経系は脳と脊髄からなり，脳には**大脳・小脳・脳幹**（中脳・橋・延髄）・**間脳**（視床・視床下部）が含まれる（図22-1）．末梢神経系は脳・脊髄以外の神経であり，12対の**脳神経**と31対の**脊髄神経**とその神経節からなる．感覚神経と運動神経を含む**体性神経**と，交感神経と副交感神経を含む**自律神経**に大別される．

2 ● 神経細胞 neuron

神経細胞は神経系の多様な機能を直接的に担う細胞で，酸素およびエネルギーの要求性がきわめて高い．**細胞体** soma と細胞突起（**樹状突起** dendrite，**軸索** axon）から構成され，運動神経細胞と感覚神経細胞など種類の異なる神経細胞では，細胞突起の数や広がりが異なる（図22-2）．中間径フィラメントとしてニューロフィラメント neurofilament を有する．障害に対しては，細胞の腫大や萎縮，壊死，封入体の形成などの反応を示す．

3 ● グリア細胞 glial cell（膠細胞 glia）

中枢神経系のグリア細胞には**星状膠細胞**（星細胞 astrocyte）と**乏突起膠細胞** oligodendrocyte，**上衣細胞** ependymal cell，**ミクログリア**（小膠細胞 microglia）が含まれる．

星細胞は細胞質突起に富んだグリア細胞で（図22-3），神経系の恒常性維持のためにさまざまな生理学的・生化学的役割を果たしている．脳組織の損傷時には，核の腫大や細胞の肥大，細胞数の増加，線維形成・瘢痕化（**グリオーシス** gliosis）といった一連の反応を示す．中間径フィラメントとして神経膠線維酸性タンパク glial fibrillary acidic protein（GFAP）をもつ．乏突起膠細胞は文字

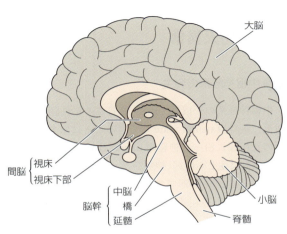

図 22-1 脳全体の模式図

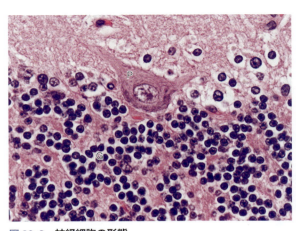

図 22-2 神経細胞の形態
小脳皮質のプルキンエ細胞（P）と顆粒細胞（G）．両者はいずれも神経細胞であるが，両者の形態は大きく異なる．

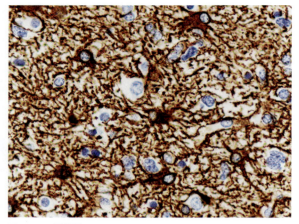

図 22-3　星細胞
細胞質突起は GFAP に対する免疫組織化学的染色で明瞭となる．

表 22-1　神経系の評価に用いられる特殊染色

ニッスル Nissl 染色	神経細胞のニッスル小体（粗面小胞体）を青紫色に染める
ルクソールファスト青染色	髄鞘を青く染める
クリューヴァー-バレラ Klüver-Barrera（KB）染色	Nissl 染色とルクソールファスト青染色の重染色
ボディアン Bodian 染色	軸索や樹状突起の観察に適した銀染色
ガリヤス-ブラーク Gallyas-Braak 染色	神経原線維変化や老人斑などの異常構造物の観察に適した銀染色

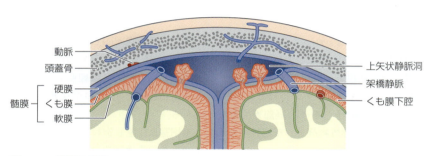

図 22-4　髄膜の構造

通り細胞質突起に乏しい膠細胞で，中枢神経系で**髄鞘** myelin sheath を形成する．皮質では神経細胞を取り巻くように配列し，白質では有髄線維の間に一列に配列するのが特徴である．末梢神経系では**シュワン細胞** Schwann cell が髄鞘を形成する．上衣細胞は脳室を裏打ちする細胞である．神経外胚葉由来の上皮である**脈絡叢** choroid plexus も脳室の一部に存在し，髄液の産生に関与する．ミクログリアはマクロファージに相当する免疫担当細胞である．

4　**髄膜** meninges

脳・脊髄は骨と髄膜により覆われ，保護されている．髄膜は外側から**硬膜** dura mater，**くも膜** arachnoid mater，**軟膜** pia mater からなる（図 22-4）．

 染色法

HE 染色では，神経細胞や星細胞の細胞突起，髄鞘はいずれも好酸性に染色され，これらを識別することは困難である．このため中枢神経系の組織を詳細に評価するうえでは，さまざまな特殊染色（表 22-1）や免疫組織化学的染色が必要となる．

B　先天異常

A　中枢神経系の発生

中枢神経系の形成は，胎生 18 日ごろに外胚葉の正中付近に神経板 neural plate ができることに始まる．神経板の正中線に沿って神経溝 neural groove ができ，神経溝の両側に生じる隆起（神経ひだ neural fold）が閉じて**神経管** neural tube が形成される（図 22-5）．神経管はやがて皮膚外胚葉（表在外胚葉）から分離する．

神経管の頭側，尾側がそれぞれ脳，脊髄に分化する．脳の発生段階においては，脳胞と呼ばれる複数の膨隆が

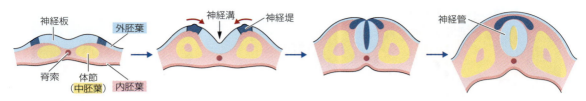

図 22-5　神経管の形成

表 22-2　神経管閉鎖不全症の分類

	二分脊椎	二分頭蓋
開放性	脊髄髄膜瘤	無脳症
潜在性	髄膜瘤 潜在性二分脊椎	脳瘤

形成され，最も頭側に存在する前脳胞が終脳胞と間脳胞の2つに分離し，終脳胞が左右の大脳半球となる．

脳胞腔は脳室となり，その周囲では未熟な細胞が増殖・分裂を繰り返し，神経細胞や膠細胞が産生される．神経細胞は脳表に向かって移動し，皮質 cortex が形成される．大脳の容量や表面積は次第に増大し，脳溝 sulcus や脳回 gyrus ができる．

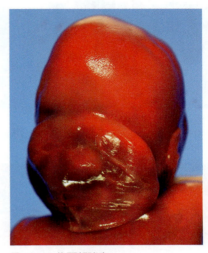

図 22-6　後頭部脳瘤

B 神経管閉鎖不全症 neural tube defect

神経管の閉鎖障害による脳・脊髄の形成異常で，頭蓋骨や脊椎の欠損を伴う病態である．外表からの病変の視認性により開放性と潜在性に分類され，両者の相違は病変成立時の神経管の閉鎖の有無により生じる（表 22-2）．

Advanced Studies

a 二分脊椎 spina bifida
尾側の神経管閉鎖障害により発生する．脊髄髄膜瘤は開放性二分脊椎で，障害部では椎弓や皮膚も欠損するため，脊髄が表面に露出する．大半の症例にはキアリ Chiari 奇形が合併する．

b 二分頭蓋 cranial bifida
頭側の神経管の閉鎖障害により発生する．骨欠損部から頭蓋内容が脱出した状態を脳瘤と称し（図 22-6），内容物によって髄膜瘤（脳脊髄液と髄膜のみ），髄膜脳瘤（神経組織を含む）に分類される（図 22-7）．無脳症は最も重篤な病態で，頭蓋，皮膚が欠損し，脳も形成されない．

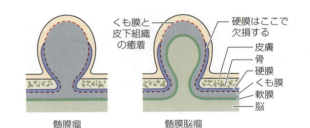

図 22-7　脳瘤の形態分類

C キアリ奇形 Chiari malformation

小脳扁桃や脳幹の一部が大(後頭)孔を越えて脊柱管内に下垂する先天異常である．Chiari 奇形 1 型では小脳扁桃の下垂があり，脊髄空洞症(脊髄の中に髄液貯留腔ができた状態)を高率に伴う．Chiari 奇形 2 型は小脳虫部と第四脳室，延髄の下垂で，脊髄髄膜瘤と水頭症を合併する．

Advanced Studies

D 大脳の形成異常

脳胞形成期の異常として全前脳胞症（左右の大脳半球の分離の障害）や脳梁欠損症，神経細胞の移動障害として滑脳症が代表的である．

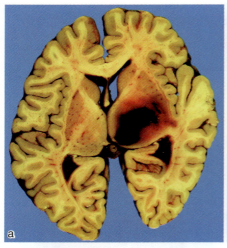
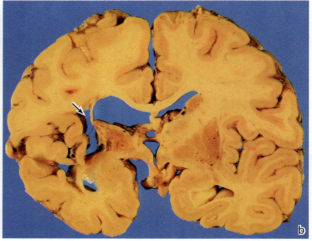

図 22-8　高血圧性脳出血
a. 視床出血. b. 陳旧化した被殻出血. 血腫は吸収され，空洞となっている(→).

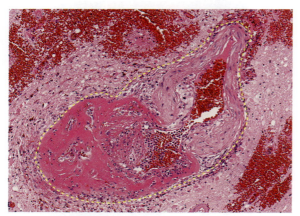

図 22-9　微小動脈瘤
フィブリノイド変性を伴い瘤化した脳内小動脈(破線).

となる．Willis動脈輪を構成するのは内頸動脈，前大脳動脈，前交通動脈，後大脳動脈，後交通動脈である．

くも膜下腔を走行する動脈から分枝した動脈が脳実質内に入る．大脳基底核や視床を灌流する**穿通枝**(深部穿通枝)は，脳底部の中大動脈や後大脳動脈・後交通動脈から分枝する．

Advanced Studies

1　脳血管の組織学的特徴

頭蓋内の筋性動脈は，同径の頭蓋外動脈に比し中膜平滑筋が菲薄で，外弾性板を欠いている．また，脳内小血管の内皮細胞は，上皮細胞と同様の密着結合で相互に結合しており，脳血液関門を構成する．

C　脳血管障害

1　脳血管の解剖

脳は酸素・エネルギー要求性の高い臓器である．脳の重量は体重の2%に過ぎないが，心拍出量の約15%の血液が供給され，全身の酸素消費量の約20%，全グルコース消費量の約25%が費やされる．

脳に分布する動脈系には，前方を灌流する内頸動脈系と後方を灌流する椎骨・脳底動脈系が存在する．両系統は脳底部で吻合して**ウィリス動脈輪** circle of Willis を形成しており，血管閉塞による血流途絶時の側副路の基盤

2　脳血管障害 cerebrovascular disease

脳血管障害とは脳血管の病変により脳実質に生じる生じる障害の総称で，**脳卒中** stroke/cerebral apoplexy(卒中とは突然倒れるの意)は脳血管障害の急性型に相当するものである．脳血管障害には脳血管性認知症など慢性の病態も含まれる．

脳卒中はかつてわが国の死因の第1位であったが，昭和40年代より減少し，現在では悪性新生物，心疾患，老衰に次ぐ第4位となっている．しかしながら，患者が要介護となる原因疾患として最も頻度が高く，脳卒中の発生予防は，わが国の医療が取り組むべき最重要課題の1つである．脳卒中のなかでは，高齢化に伴い脳梗塞の頻度が増加傾向にある一方，高血圧症に対する治療の普及などにより脳内出血の発生頻度は減少してきている．

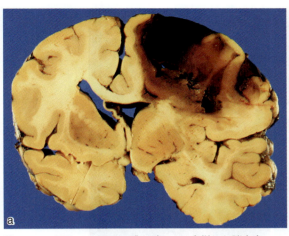 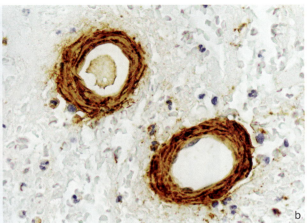

図 22-10 アミロイドアンギオパチーに合併した脳出血
a. 脳表付近に粗大な血腫が形成されている．
b. 出血部組織のアミロイドβタンパク免疫組織化学的染色．血管壁が陽性となっており，アミロイド血管症の所見である．

A 高血圧性脳出血 hypertensive cerebral hemorrhage

【概念，定義】

　高血圧が原因と考えられる脳出血（**脳内出血** intracerebral hemorrhage）で，脳内出血の約8割を占める．大脳基底核部（特に被殻）と視床での発生頻度が高い．脳内の小動脈の破綻により生じ，穿通枝（深部穿通枝）の破綻が原因となることが多い．穿通枝は主幹動脈からの分岐が直角的であるため，高血圧の影響を受けやすいとされる．

【臨床像】

　高齢，男性，高血圧，飲酒などが危険因子である．症状は出血に伴う組織破壊による局所症状と，血腫と浮腫による一般徴候（頭痛，悪心・嘔吐，意識障害など）に大別される．日中活動時，特に朝方と夕方の発症が多い．突発的に発症し，症状が漸次進行し，数時間以内の経過で完成する．

【病理形態像】

　通常，血腫は単発性で，周囲の脳実質との境界は明瞭である．脳室への穿破がしばしばみられる．急性期には周囲に浮腫が目立つ．出血は梗塞に比べて周囲組織の損傷が軽い傾向がある（図 22-8）．

　脳内の小径動脈には，加齢や高血圧，糖尿病などにより，フィブリノイド変性・脂肪硝子変性 lipohyalinosis，微小動脈瘤，細動脈硬化などと呼ばれる形態異常（small vessel disease と総称される）を生じる（図 22-9）．こうした血管は壁が脆弱化しており，出血やラクナ梗塞を生じる背景となる．

B アミロイドアンギオパチー（アミロイド血管症） amyloid angiopathy

　アミロイド沈着による血管障害であり，非高血圧性脳出血の原因となりえる．まれに家族性に発生する例があるが，多くは孤発例であり，その大半はアミロイドβタンパクの沈着によるもので，アルツハイマー Alzheimer 病やダウン Down 症候群での高率な合併が知られる．アミロイドアンギオパチーに合併する出血は大脳の皮質下に発生することが多い（図 22-10）．

C くも膜下出血 subarachnoid hemorrhage

【概念，定義】

　くも膜下腔への出血で，外傷性と特発性（非外傷性）に分類される．後者では**脳動脈瘤** cerebral aneurysm の破裂によるものの頻度が高く（図 22-11），次いで動静脈奇形からの出血が多い．脳腫瘍や感染症なども原因となりうる．

【臨床像】

　臨床的には今までに経験したことのない突然の激しい頭痛（後頭部が多い），悪心・嘔吐が特徴であり，約半数で意識障害も出現する．動脈瘤からの小出血や瘤の増大による警告症状（主に頭痛）が先行して認められることがある．いったん止血が得られても，再出血，血管攣縮の危険もあり，致死率の高い疾患である．

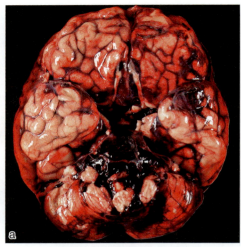
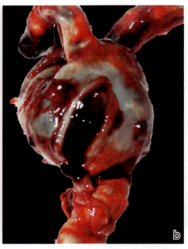

図 22-11　脳動脈瘤破裂によるくも膜下出血
a. 脳動脈瘤破裂によるくも膜下出血の解剖例．脳底部に血液の貯留がみられる．
b. 破裂した脳底動脈先端部の嚢状動脈瘤．

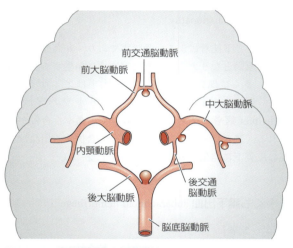

図 22-12　嚢状動脈瘤の好発部位
前交通動脈，内頸動脈-後交通動脈分岐部，中大脳動脈，脳底動脈先端などが好発部位である．

Advanced Studies

1 ● 脳動脈瘤

　脳動脈の局所的な拡張である脳動脈瘤は，さまざまな機序（先天性，動脈硬化性，感染性，外傷性，解離性など）によって成立する．形態的には嚢状動脈瘤 saccular aneurysm と紡錘状動脈瘤 fusiform aneurysm に分類される．
　嚢状動脈瘤は頸部と体部を有するポリープ状の瘤で，脳動脈瘤の95％の頻度を占める．剖検症例の検索では2～5％程度の人にみつかるとされ，血管の分岐部に好発する（図 22-12）．瘤の径の増大に比例して，破裂の危険性が高まる．組織学的に瘤壁は内弾性板と中膜平滑筋を欠き，線維性結合組織から構成される．先天的な壁構造の異常があり，高血圧などの後天的要因が加わって成立すると考えられている．

　紡錘状動脈瘤は血管全体が拡張するもので，粥状硬化症を基盤に発生し，脳底動脈に好発する．破裂の危険性は低い．

D 脳梗塞 cerebral infarction

　脳梗塞は脳の局所的な虚血性障害であり，大半は血栓や塞栓による動脈の閉塞が原因となる．アテローム血栓性脳梗塞，心原性脳塞栓症，ラクナ梗塞が主な臨床病型である．

1 ● アテローム血栓性脳梗塞
atherothrombotic cerebral infarction

【概念，定義】
　頭蓋内の主幹動脈や頸動脈の粥状硬化を基盤とする脳梗塞であり，急性期脳梗塞の約 1/3 を占める．
　① 血栓性，② 塞栓性，③ 血行力学性の3つの発生機序がある（図 22-13）．①は粥状硬化部に血栓が形成されたり，粥腫が破綻したりすることで，同部が高度に狭窄ないし閉塞するものである．②は内頸動脈や椎骨動脈部など中枢側の動脈の粥状硬化部に形成された血栓が遊離して塞栓子となり，末梢血管を閉塞するものである．③は粥状硬化による主幹動脈の狭窄に加え，低血圧や心不全などによる灌流圧の低下を生じた際に発生し，分水嶺梗塞を呈することが多い．

【臨床像】
　高血圧，糖尿病，脂質代謝異常症，喫煙が主な危険因子である．一過性の脳虚血症状（一過性脳虚血発作）がし

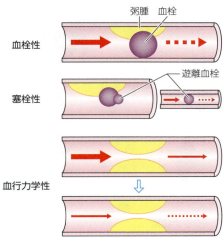

図 22-13　アテローム血栓性脳梗塞の発生機序

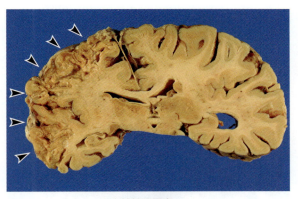

図 22-14　アテローム血栓性脳梗塞
右中大脳動脈領域の梗塞（貧血性梗塞）（→）．梗塞部は液状化し，組織が崩れている．

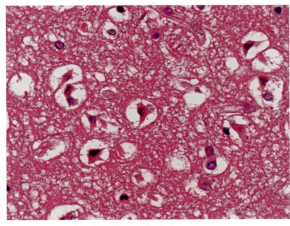

図 22-15　急性期脳梗塞の組織所見
神経細胞は萎縮し，細胞質が強く好酸性を帯びている．周囲の基質は一部空胞化している．

しばしば先行する．夜間や安静時に発症することが多い．発症は緩徐で，症状が数時間から数日にかけて階段状に進行するのが一般的である．

【病理形態像】

　発症早期の脳の梗塞部位は肉眼的に同定しがたいが，次第に皮質と白質のコントラストの不明瞭化や軟化を生じ，周囲の浮腫も目立ってくる．時間経過とともに梗塞部は液状化し（図22-14），内容はやがて吸収され，空洞を生じる．

　組織学的には急性期には，神経細胞は萎縮し，核の濃縮，核小体の消失と細胞質の好酸化がみられ〔red (dead) neuron〕，周囲の基質には空胞を生じる（図22-15）．炎症反応として当初は好中球の浸潤が目立つが，次第にマクロファージの浸潤が目立ってくる．心臓の場合，陳旧化した梗塞巣は線維組織に置換されるが，陳旧化した脳梗塞巣は周囲にグリオーシスがみられるものの，中心部は空洞となる．

> **Advanced Studies**

a 分水嶺梗塞 watershed infarction
　動脈灌流領域の境界部に発生する梗塞で，血行力学的機序により生じる．境界部は循環の最末梢部に相当するため，虚血の影響を受けやすい．

2 ● 心原性脳塞栓症 cardiogenic cerebral embolism

【概念，定義】

　心房や心室，弁膜に形成された血栓や疣贅が分離して塞栓子となることで発生する．急性期脳梗塞の約1/3を占める．背景病変としては非弁膜症性心房細動や心筋梗塞の頻度が高い．

【臨床像】

　日中活動時の発症が多い．急な血流途絶を生じ，側副血行に乏しいままに虚血を生じるため，突発完成型の臨床像を呈することが多い．脳梗塞のなかでは最も予後不良である．

【病理形態像】

　しばしば出血性梗塞を呈する（図22-16）．

> **Advanced Studies**

a 出血性梗塞
　梗塞部の脳組織内に出血を生じた状態で，血栓・塞栓子の溶解や移動による血流の再開，あるいは静脈の閉塞により生じる．塞栓性梗塞の約60%にみられるとされる．多くは塞栓症発症の1〜3病日に生じる．

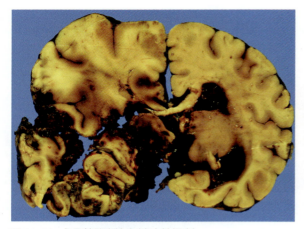

図 22-16　心原性脳塞栓症(出血性梗塞)
心房細動を背景にもつ患者に生じた心原性脳塞栓症．右中大脳動脈領域の出血性梗塞で，脳室への穿破を生じている．

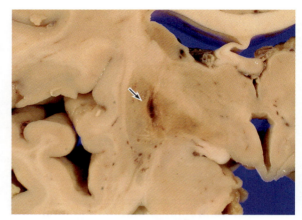

図 22-17　ラクナ梗塞
被殻部のラクナ梗塞．空洞が確認される(→)．

3 ● ラクナ梗塞 lacunar infarction

【概念，定義】
　単一の穿通枝領域の梗塞で，最大径 15 mm までの小梗塞である．大脳基底核，視床，内包，橋などが好発部位で，レンズ核線条体動脈，視床膝状体動脈などが責任血管となる．高血圧や糖尿病が危険因子である．高血圧に伴う形態異常(small vessel disease)をもつ動脈の閉塞や微小血栓・塞栓により発生する．

【臨床像】
　一般に軽症で，無症状のこともあるが，部位に応じた症状(ラクナ症候群)を生じる．

【病理形態像】
　直径 15 mm 以下の空洞状病変(ラクナとは小さな空洞の意)として見いだされることが多く(図 22-17)，周囲にグリオーシスを伴う．

Advanced Studies

E その他の血管障害

a 脳動静脈奇形 arteriovenous malformation
　脳の動脈と静脈が毛細血管網を介さずに吻合する異常で，先天的な異常と考えられている．吻合部には壁構造の異常な短絡血管が発達する．短絡血管は脆弱であり，血管奇形のなかでは最も出血の危険が高い．

b もやもや病 moyamoya disease
　両側内頸動脈終末部に進行性の狭窄・閉塞をきたす病態で，大脳基底核部に側副血行路として異常血管網が発達する．小児と成人(30〜40 歳代)に好発し，発生には遺伝性素因が関与する．小児では一過性脳虚血発作や脳梗塞など，脳虚血症状を呈し，成人では虚血のほか，出血をきたすことがある．

F 脳ヘルニア cerebral herniation

　頭蓋骨は硬く，容易には変形しないため，脳内の出血や腫瘍，あるいはこれらに随伴する浮腫などにより頭蓋内容の容積が増大すると，内部圧が上昇することになる．頭蓋内圧の正常値は 5〜10 mmHg 程度であるが，15 mmHg を超える状態が持続することを**頭蓋内圧亢進**とよぶ．
　容積の増大が著しい場合には，行き場を失った脳が隣接する構造や頭蓋外へ脱出することになる．これが脳ヘルニアである(図 22-18)．脳ヘルニアでは脱出により脳が損傷されて，意識障害や呼吸停止などの重篤な障害をきたすことがしばしばある．

D 頭部外傷

　頭部外傷には外力による直接損傷に加え，受傷後の低酸素，低血圧あるいは頭蓋内の浮腫などにより二次的に生じる損傷がある．臨床病理学的に**局所的損傷**と**広範性損傷**に分類され，前者に脳挫傷や頭蓋内血腫が含まれ，後者には脳震盪やびまん性軸索損傷が含まれる．頭部外傷による死亡は不慮の事故死の約半数を占めている．

1 ● 脳挫傷 cerebral contusion
　外力による限局的な脳の損傷である．発生機序としては頭蓋内で脳が移動し，脳の先端部が頭蓋骨と衝突して生じることが多い．外力の加わった場所の直下および対

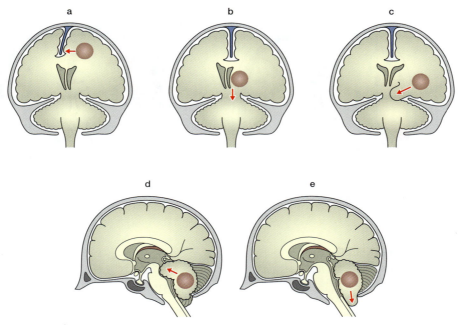

図 22-18 脳ヘルニア
a. 帯状回ヘルニア，b. 中心性テント切痕ヘルニア，c. 鉤ヘルニア，d. 上行性テント切痕ヘルニア，
e. 小脳扁桃ヘルニア．b～e は致死的となりうる．

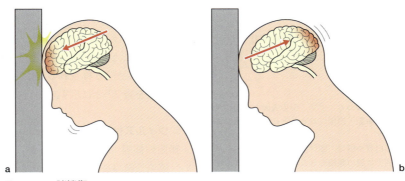

図 22-19 脳挫傷
a. 直撃損傷，b. 対側損傷．

側の損傷を，それぞれ直撃損傷 coup injury，対側損傷 contrecoup injury と称する(図 22-19)．

2 ● 急性硬膜外血腫 acute extradural hematoma

頭蓋骨と硬膜の間に形成される血腫である．原因の多くは外傷で，10～20歳代に発生のピークがある．中硬膜動脈が出血源となることが多い(図 22-20a)．頭痛，嘔吐，眠気，意識障害などが主な症状であるが，約 1/3 の症例で，意識清明期を経て発症する．予後不良の病態であったが，CT の普及により早期診断・早期治療(血腫除去)が可能となり，死亡率は低下した．

3 ● 急性硬膜下血腫 acute subdural hematoma

硬膜とくも膜の間の急激な形成された血腫である(本来，硬膜とくも膜の間に生理的な腔は存在しない)．主に外傷により発生し，架橋静脈の破綻や脳挫傷による脳表血管の損傷により生じる(図 22-20b)．予後は不良である．

4 ● 慢性硬膜下血腫 chronic subdural hematoma

緩徐な経過(通常，3 週以上)で，硬膜とくも膜の間に形成された血腫である．高齢者に多く，軽微な外傷を契機に発生することが多い．画像上は硬膜下の三日月状の

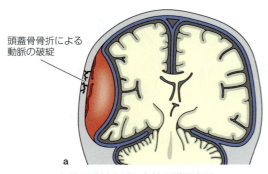
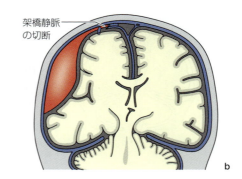

図 22-20　急性硬膜外血腫と急性硬膜下血腫
a. 急性硬膜外血腫, b. 急性硬膜下血腫.

表 22-3　主な中枢神経系ウイルス感染症

髄膜炎	エコーウイルス, コクサッキーウイルス, ムンプスウイルス
脳炎	単純ヘルペスウイルス, 水痘帯状疱疹ウイルス, 麻疹ウイルス*, JCウイルス*, 日本脳炎ウイルス
脊髄炎	ポリオウイルス
脳症	インフルエンザウイルス, HIV

* 遅発性感染症を生じる.

血腫が典型的である．頭痛，意識障害，精神症状，歩行障害，片麻痺などの症状を呈する．

Advanced Studies

5 ● びまん性軸索損傷

　強い外力で脳に回転加速度が加わることで，脳の表面と深部にずれを生じ，神経線維が広範に断裂・損傷されることによる障害である．重度の意識障害をきたす．
　肉眼的に急性期には大脳白質や脳梁，脳幹部などに出血がみられることがあり，長期生存例では脳の萎縮をきたす．組織学的には切断された軸索にはアミロイド前駆タンパクが蓄積し，切断の近位部は丸く腫大する．

E 感染性疾患

　脳・脊髄は骨や髄膜，脳血液関門により外部環境から隔離されているため感染を生じにくいが，いったん感染が成立すると致死的となることがまれではない．病原体の侵入には直達性，血行性あるいは神経行性の経路がある．実質内（**脳炎，脊髄炎**），髄膜（**髄膜炎**）あるいは両者（**髄膜脳炎，髄膜脊髄炎**）が炎症の場となる．実質の炎症は，その局在から灰白質脳炎，白質脳炎に分類される．炎症を伴わない脳実質の障害は**脳症**と称される．

A ウイルス感染症

　脳・脊髄にウイルス感染が成立すると，ウイルスの増幅による直接的な細胞障害，あるいはリンパ球やマクロファージが主体となる炎症反応による障害を生じる．一部のウイルスは感染した神経細胞や膠細胞に特徴的な封入体を形成する．また，急性散在性脳脊髄炎のように，ウイルス感染が免疫反応を惹起し，自己免疫学的機序により神経系に障害をきたすこともある．また，一部のウイルス感染では，数か月から数十年に及ぶ潜伏期間を経て発症することがあり，**遅発性ウイルス感染症**（スローウイルス感染症）と称される．中枢神経系の主なウイルス感染症を**表 22-3**に示す．

1 ● ウイルス性髄膜炎 viral meningitis

　無菌性髄膜炎とも称されるが，厳密には同義ではない．感染性髄膜炎で最も頻度が高く，エンテロウイルスが原因となることが多い．

2 ● 単純ヘルペス脳炎 herpes simplex encephalitis

　病因が同定される脳炎はウイルス性のことが多く，単純ヘルペスウイルス感染による脳炎が最も頻度が高い．主に口唇ヘルペスの原因となる HSV-1 型の感染による．HSV-1 型は初回感染後は三叉神経節に潜伏し，ストレスなどが原因で再活性化する．単純ヘルペス脳炎では側頭葉内側が傷害されることが多く，前頭葉眼窩面，島回，帯状回などもしばしば傷害される．病巣では出血や壊死をきたす（図 22-21）．

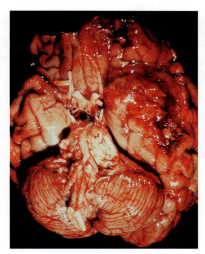

図 22-21　単純ヘルペス脳炎
左側頭葉に壊死，出血を生じている．

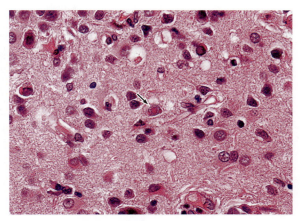

図 22-22　亜急性硬化性全脳炎
核内封入体が観察される（矢印）．

3 ● 亜急性硬化性全脳炎
subacute sclerosing panencephalitis (SSPE)

【概念，定義】

麻疹ウイルスによる**遅発性ウイルス感染症**である．ウイルスゲノムの変異や宿主側の免疫応答の脆弱性が持続感染をもたらすとされる．

【臨床像】

麻疹罹患後数年から10年を経過して発症する．注意力・集中力低下，性格変化や行動異常によって始まり，徐々に退行，ミオクローヌスや失立発作などをきたし，意識障害，昏睡に至る予後不良の疾患である．

【病理形態像】

肉眼的には長期経過例で脳の萎縮が目立つ．組織学的には髄膜や脳実質の血管周囲などにリンパ球やマクロファージの浸潤がみられる．大脳皮質・白質，基底核，脳幹が障害されやすい．皮質では神経細胞の脱落，ミクログリアの増生，星細胞の増殖がみられる．神経細胞やグリア細胞にウイルス封入体が観察される（図 22-22）．

4 ● 進行性多巣性白質脳症 progressive multifocal leukoencephalopathy (PML)

【概念，定義】

JCウイルス（ポリオーマウイルス属）が原因となって中枢神経系に脱髄を生じる病態である．多くの人においてJCウイルスは腎尿細管上皮などに潜伏感染状態にあり，免疫抑制下で再活性化する．

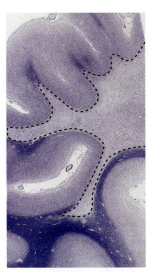

図 22-23　進行性多巣性白質脳症
大脳に広範な脱髄を生じており，髄鞘染色（KB染色）で白質の染色性が低下している（破線）．

【臨床像】

通常は高度の免疫抑制下に発症し，血液疾患やHIV感染症，自己免疫疾患などが背景病変として多い．

【病理形態像】

白質に多巣性の脱髄斑を形成する（図 22-23）．脱髄斑の内部や周囲で乏突起膠細胞に封入体が観察される．また，異型を示す星細胞がしばしば増生する．

Advanced Studies

5 ● 急性灰白髄炎（ポリオ）

エンテロウイルスの一種であるポリオウイルスの感染で，脊髄・脳幹の運動神経細胞が選択的に侵される．わが国では1961年以降に生ワクチンが普及し，1980年以降，野生株での発症者はいない．

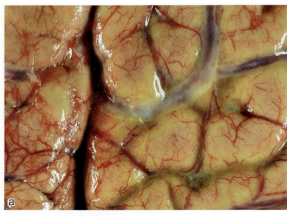
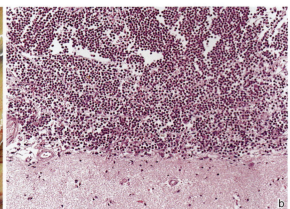

図 22-24　細菌性髄膜炎
a. 肉眼的に脳表の一部が黄染している．
b. 肉眼的な黄染部では，くも膜下腔に好中球の浸潤が高度に認められる．

6　インフルエンザ脳症

インフルエンザウイルス感染が契機となり，急性発症の意識障害を主徴とする症候群で，サイトカインの過剰産生（サイトカインストーム）が原因と考えられている．しばしば死亡や神経学的後障害をもたらす．

7　HIV 脳症

HIV 感染による脳症であり，認知機能や運動機能の障害をきたすもので，HIV 関連認知・運動複合とも称される．HIV 感染そのものによる障害や免疫反応などにより発生する．抗ウイルス療法の進歩により予後不良の脳障害は減少している．組織学的には白質の変性や多核巨細胞の浸潤が認められる．

B　細菌感染症

中枢神経系の細菌感染症は，一般臓器に比し発生頻度は低いが，致死率の高い病態である．好中球の浸潤が主体となる化膿性炎症を引き起こし，急性の経過を示すことが多い．結核菌など菌種によってはリンパ球や組織球の反応が主体となり，慢性の経過をたどる．

1　細菌性髄膜炎 bacterial meningitis

細菌感染に伴って生じる髄膜とくも膜下腔の急性炎症である．急性に発症し，発熱，頭痛，髄膜刺激症状，意識障害，頭蓋内圧亢進症状（悪心・嘔吐）などを呈する．

年齢により起炎菌の頻度は大きく異なる．新生児から生後 2 か月にかけての起炎菌は多彩であるが，β 溶連菌と大腸菌の頻度が多い．幼児から小児期にかけてはインフルエンザ菌や肺炎球菌が多く，成人では肺炎球菌が多い．

肉眼的には超急性期の症例では脳浮腫や出血が中心となり，発症後 48 時間以降に髄膜の混濁や膿の形成が顕在化し（図 22-24a），当初は脳底部や円蓋部に目立つ．組織学的に急性期には高度の好中球浸潤がみられる（図 22-24b）．

2　結核性髄膜炎 tuberculous meningitis

他の結核病巣からの結核菌の血行性伝播による髄膜炎で，一般に臨床症状は緩徐進行性である．結核性髄膜炎では脳底部に肉芽腫性炎症を生じる．

Advanced Studies

3　神経梅毒 neurosyphilis

梅毒トレポネーマ（*Treponema pallidum*）の感染による神経障害である．梅毒感染は近年増加傾向にある．無症候型，髄膜血管型（梅毒性髄膜炎，ゴム腫を含む），実質型（脊髄癆，進行麻痺），視神経萎縮型に分類される．

C　真菌感染症

日和見感染症として発症することが多い．隣接器官からの直接伝播，あるいは遠隔臓器からの血行性伝播により感染が成立する．カンジダ，アスペルギルス，クリプトコッカス，ムコールが主な起炎菌である．髄膜炎や脳膿瘍をきたし，アスペルギルスやムコールなど血管侵襲性の強い菌種では梗塞を生じることもある（図 22-25）．

D　脳膿瘍 cerebral abscess

脳実質内に膿が貯留した病態である（図 22-26）．従来は耳鼻科領域からの感染の波及が多かったが，血行性伝播の頻度が増加傾向にある．起炎菌としては連鎖球菌や黄色ブドウ球菌が多い．日和見感染では真菌感染も多い．

E. 感染性疾患 ● 675

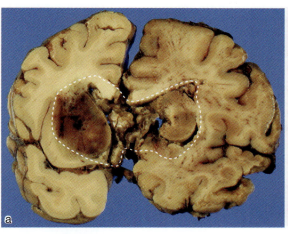
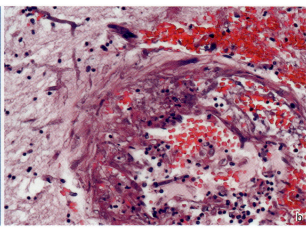

図 22-25　真菌感染（ムコール症）
a. 基底核部を中心に脳実質の破壊，壊死を生じている（点線）．
b. 病変部の組織像．血管内外に糸状真菌が観察される．真菌の血管侵襲により梗塞を生じていた．赤く染色された枝のようなものが菌糸．

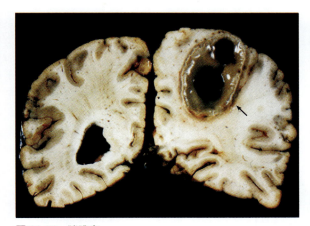

図 22-26　脳膿瘍
脳実質内に膿が貯留している（→）．

耳鼻科領域の炎症巣からの波及では前頭葉や側頭葉に単発性の病巣が形成されることが多いが，血行性伝播の場合は多巣性に病巣が形成されることも多い．局所の壊死と炎症反応であり，炎症細胞は急性期には好中球が主体であるが，時間の経過した病巣ではリンパ球やマクロファージが目立ってくる．

E　プリオン病　prion disease

【概念，定義】

プリオン病とは病態の成立や伝播にプリオン（prion＝proteinaceous infectious particle，タンパク性感染粒子）が関与している疾患群である（表22-4）．特発性（孤発性クロイツフェルト-ヤコブ病 Creutzfeldt-Jakob disease），

表 22-4　プリオン病の分類

ヒトのプリオン病	
特発性	孤発性 Creutzfeldt-Jakob 病
遺伝性	遺伝性 Creutzfeldt-Jakob 病，ゲルストマン-シュトロイスラー-シャインカー Gerstmann-Sträussler-Scheinker 病，致死性家族性不眠症，全身性 PrP アミロイドーシス
獲得性	クールー，医原性 Creutzfeldt-Jakob 病（硬膜移植，下垂体製剤，角膜移植など），変異型 Creutzfeldt-Jakob 病
動物のプリオン病	
ヒツジ，ヤギ	スクレイピー
ウシ，ヤギ	ウシ海綿状脳症
シカ	慢性消耗病
ネコ	ネコ海綿状脳症
ミンク類	伝達性ミンク脳症
ラクダ	ラクダプリオン病

遺伝性，獲得性に分類され，多くは特発性である．
　正常のプリオンタンパク質（PrP^c）は主に中枢神経系に存在しており，タンパク質分解酵素（プロテアーゼ）により完全に分解され，感染性はない．PrP^c が異常な構造をもつプロテアーゼ抵抗性のプリオンタンパク質（PrP^{Sc}）に変化し，これが脳内で蓄積して，神経細胞を障害するとプリオン病が発症する．PrP^{Sc} と接触したPrP^c は，PrP^{Sc} を鋳型にして PrP^{Sc} に構造変換すると考えられている．
　プリオンの滅菌（不活性化）には細菌やウイルスに対し

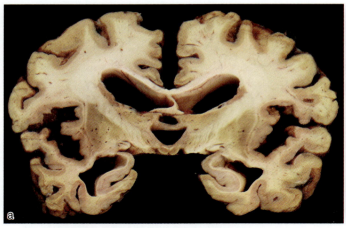
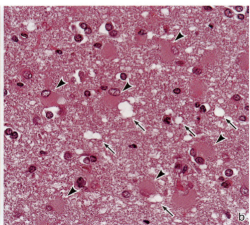

図 22-27　孤発性 Creutzfeldt-Jakob 病
a．大脳皮質の萎縮が目立ち，脳溝の開大，脳室の拡張を生じている．
b．大脳皮質に多数の小空胞（→）が認められる．星細胞（▶）の肥大，増加を伴っている．

て用いられる一般的な滅菌・消毒法は無効であり，病理検体の取扱いや病理解剖の実施に際しては特別な感染対策が必要となる．

【臨床像】

孤発性 Creutzfeldt-Jakob 病はヒトプリオン病の 80% を占める．60 歳代の発症が多く，亜急性に進行する神経精神症状を示し，多くは 6 か月〜1 年の経過で死亡する．

【病理形態像】

肉眼的に，孤発性 Creutzfeldt-Jakob 病の多くの症例では，さまざまな程度の脳萎縮がみられ，特に大脳皮質の萎縮が目立つ（図 22-27a）．同様に脳萎縮をきたす Alzheimer 病と異なり海馬は保たれる傾向にある．組織学的には大脳・小脳皮質など灰白質を中心に，小空胞が多発する**海綿状変化**がみられ，神経細胞の脱落やグリオーシスを伴う（図 22-27b）．空胞は神経細胞の突起内に形成される変化である．

  神経変性疾患

神経変性疾患とは脳血管障害や感染，中毒，代謝障害などの明確な原因がなく，特有の領域の神経系統が侵される疾患の総称である．臨床的には潜在的に発症し，緩徐だが進行性の症状を呈する．多くの疾患の発症に特定のタンパクの構造異常や凝集が関与する（表 22-5）．

A　アルツハイマー病 Alzheimer disease

【概念，定義】

緩徐進行性の記憶障害を主体とした認知症をきたす疾患である．1907 年にドイツの精神科医 Alois Alzheimer が 50 歳代の女性症例を報告したことに始まる．認知症のなかで最多を占める．まれな家族発生例があるが，多くは孤発性で加齢や遺伝学的背景，環境因子が発症に寄与する．脳内に**アミロイドβタンパク（Aβ）**と**タウタンパク**の異常蓄積が認められる．

【臨床像】

記憶障害で発症して，その進行に伴い，さまざまな高次脳機能の障害がみられるようになる．

【病理形態像】

肉眼的に脳は萎縮し，脳室が拡大する．萎縮は側頭葉，頭頂葉，前頭葉にみられ，特に側頭葉の内側の海馬領域に目立つ（図 22-28）．

組織学的には大脳皮質を中心に，**老人斑** senile plaque や**神経原線維変化** neurofibrillary tangle が広く形成され（図 22-29），神経細胞の脱落を伴う．老人斑は Aβ が神経細胞外に凝集して形成される．神経細胞内に形成される神経原線維変化は，らせん状の微細線維 paired helical filament からなり，その主成分は過剰にリン酸化されたタウタンパク（微小管関連タンパク）である．老人斑や神経原線維変化は高齢者でも認められるが，その出現量は限定的である．

表 22-5　神経変性疾患で認められる蓄積タンパク質

蓄積タンパク質	疾患
アミロイドβ	Alzheimer 病
タウ	Alzheimer 病，Pick 病，進行性核上性麻痺，皮質基底核変性症
α-シヌクレイン	Parkinson 病，Lewy 小体型認知症，多系統萎縮症
ポリグルタミン	Huntington 病，遺伝性脊髄小脳変性症の一部
TDP-43	筋萎縮性側索硬化症，前頭葉側頭葉変性症の一部

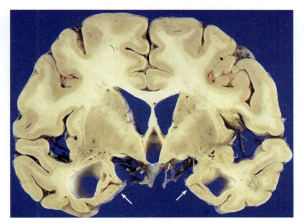

図 22-28　**Alzheimer 病**
側頭葉内側の萎縮が目立ち(⇨)，側脳室の拡大を生じている．

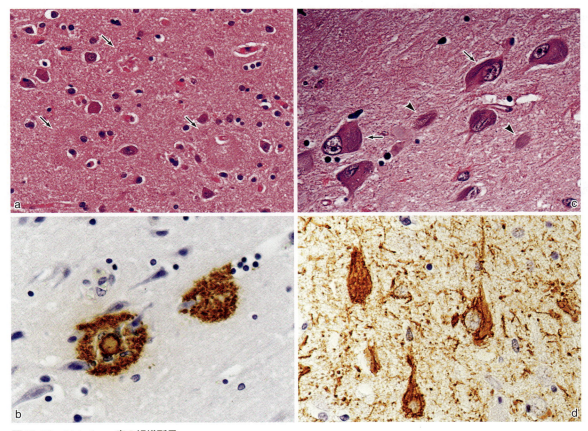

図 22-29　**Alzheimer 病の組織所見**
a．HE 染色で老人斑は境界不明瞭な好酸性の円形領域として認められる(→)．
b．老人斑はアミロイドβタンパクに対する免疫組織化学的染色にて陽性となる．
c．神経原線維変化は細胞質内の好塩基性構造物(→)で，神経細胞脱落後も残存することがある(▶)．
d．神経原線維変化はリン酸化タウタンパクに対する免疫組織化学的染色にて陽性となる．神経原線維変化のみならず，神経細胞突起にもリン酸化タウタンパクの蓄積があるため，糸状の陽性像も見て取れる．

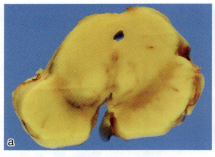

図 22-30　Parkinson 病
a．Parkinson 病では黒質の色素脱失が認められる．b．正常対照．

Advanced Studies

1　Alzheimer 病の関連遺伝子

アポリポタンパク E 遺伝子（ApoE）には 3 種類の対立遺伝子があり（ε2，ε3，ε4），ε4 を有する場合，Alzheimer 病の発症の危険率が高くなり，疾患感受性遺伝子と考えられている．

家族性 Alzheimer 病の原因遺伝子として，アミロイド前駆タンパク（APP）遺伝子，プレセニリン 1（PSEN1）遺伝子およびプレセニリン 2（PSEN2）遺伝子が知られている．

2　アミロイドカスケード仮説

遺伝性 Alzheimer 病の原因遺伝子が Aβ の産生にかかわる遺伝子であることや，Aβ の蓄積が神経原線維変化を含めた他の異常に先行することなどから，Alzheimer 病発症においては Aβ の蓄積が中心的な役割を果たしているとする仮説である．

B　パーキンソン病 Parkinson disease

【概念，定義】

中脳黒質のドパミン神経細胞を中心に，中枢・末梢神経系の広範囲の神経細胞に，**α-シヌクレイン**の異常沈着が起こり，神経細胞の脱落を生じる疾患で，錐体外路症状を呈する代表的疾患である．

【臨床像】

孤発例が多いが，1 割弱は家族性に発生する．孤発例は 50〜70 歳代の発症が多く，家族性症例ではより若年で発症する傾向がある．運動症状と非運動症状を呈し，前者では動作緩慢，振戦，固縮，姿勢反射障害など，後者では自律神経障害，精神症状，認知機能障害，嗅覚障害，睡眠障害などが主なものである．

【病理形態像】

肉眼的には黒質の色素脱失が認められる（図 22-30）．組織学的に黒質ではメラニン色素をもつドパミン神経細胞の脱落があり，残存する神経細胞には**レビー小体** Lewy body が認められる（図 22-31）．Lewy 小体の主要構成成分は α-シヌクレインで，α-シヌクレインは通常ではシナプス前終末に局在するタンパクである．黒質のほか，青斑核，動眼神経核，迷走神経背側核，マイネルト Meynert 基底核や末梢の自律神経系などにも病変が形成される．

C　レビー小体型認知症 dementia with Lewy body

【概念，定義】

脳幹や大脳皮質など広範囲にわたる **Lewy 小体**の出現を特徴とし，進行性の認知機能の低下やパーキンソニズムを呈する疾患である．認知症をきたす疾患のなかでは，Alzheimer 病，血管性認知症に次いで頻度が高い．

【臨床像】

進行性の認知機能障害が必須症状であり，動揺性の認知機能，高度の幻視，パーキンソニズムの 3 つが中核症状となる．

【病理形態像】

Parkinson 病で認められる Lewy 小体が脳幹のほか，大脳皮質にも多数出現する．皮質に出現する Lewy 小体は境界が不明瞭で，皮質型 Lewy 小体と呼ばれる（図 22-32）．多くの例で神経原線維変化や老人斑も観察される．

D　ピック病 Pick disease

【概念，定義】

前頭・側頭葉の萎縮とこれによる機能障害をきたす神経変性疾患である**前頭側頭葉変性症** frontotemporal lobar degeneration（FTLD）〔臨床的用語は前頭側頭型認知症 frontotemporal dementia（FTD）〕の 1 つで，神経細胞内に特徴的な封入体（**ピック球**）が形成される疾患である．

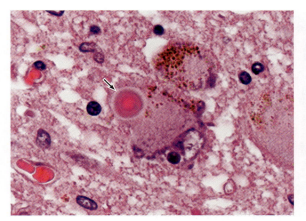

図 22-31　Lewy 小体
神経細胞の細胞質内に形成された好酸性構造物で周囲に明暈を伴う（→）．

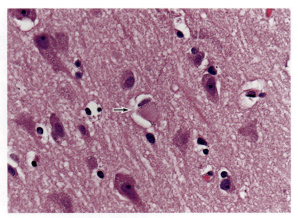

図 22-32　皮質型 Lewy 小体
境界が不明瞭で，周囲の明暈を欠いている（→）．

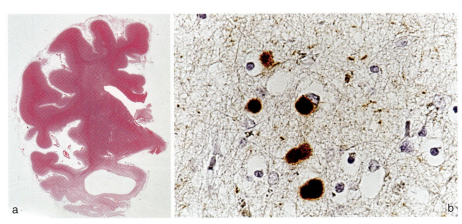

図 22-33　Pick 病
a．前頭葉・側頭葉の高度の萎縮がみられる（ルーペ像）．
b．Pick 球（リン酸化タウタンパクに対する免疫組織化学的染色）．

【臨床像】
　情緒障害，人格障害，自制力低下，異常行動などの症状が特徴的である．

【病理形態像】
　前頭葉，側頭葉の萎縮がみられる（図 22-33a）．萎縮した大脳皮質では神経細胞が著明に減少し，残存する神経細胞にはピック球が形成される．ピック球の主な成分は過剰にリン酸化されたタウタンパクである（図 22-33b）．

E ハンチントン病 Huntington disease

　舞踏運動と精神症状，認知機能障害を中核症状とする常染色体顕性（優性）遺伝性疾患である．ポリグルタミン病の1つで，原因遺伝子は huntingtin 遺伝子である．

30〜40 歳代に好発する．
　肉眼的には線条体，特に尾状核の萎縮が特徴的で，これに伴い側脳室の前角が拡大する（図 22-34）．進行すると大脳，脳幹，小脳を含めた脳全体の萎縮を生じる．線条体では小型神経細胞を中心に神経細胞の脱落が認められる．

Advanced Studies

1　ポリグルタミン病

　遺伝子の一部には CAG など 3 塩基単位の繰り返し配列が存在するが，特定の遺伝子で繰り返し数が異常に増加することにより生じる疾患を総称して，トリプレットリピート病と呼ぶ．ポリグルタミン病はトリプレットリピート病の1つであり，グルタミンをコードする翻訳領域の CAG リピート数が増加し，異常に伸びたグルタミン鎖（ポリグルタミン）の毒性により発症する．代表疾患として Huntington 病，遺伝性脊髄小脳変性症の一部があげられる．

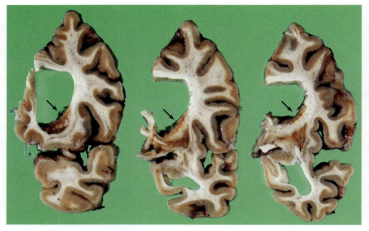

図 22-34　Huntington 病
進行した症例で全体的に萎縮がみられるが，線条体の萎縮が高度であり，尾状核は菲薄化している(→)．

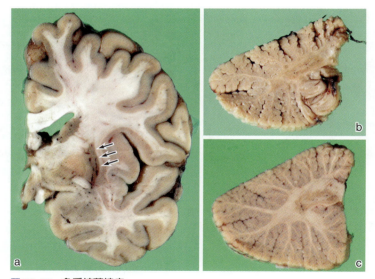

図 22-35　多系統萎縮症
被殻(a，→)と小脳(b)の萎縮が目立つ(同一患者)．c．小脳の正常対照．

F 脊髄小脳変性症
spinocerebellar degeneration (SCD)

　脊髄小脳変性症は，小脳あるいはその連絡路の変性をきたし，運動失調症状を主徴とする神経変性疾患の総称である．約 7 割が孤発性，約 3 割が遺伝性である．孤発性 SCD には，変性が小脳に限局する皮質性小脳萎縮症と，大脳基底核や自律神経系，錐体路などにも広がる多系統萎縮症に分類され，後者が多い．遺伝性 SCD には原因遺伝子の同定された多数の病型が存在し，その大半が常染色体顕性遺伝を示す．

1　多系統萎縮症 multiple system atrophy
　脳幹，基底核，小脳，錐体路，自律神経など，多系統の中枢神経系に進行性の障害をきたす疾患である(図 22-35)．病初期の主要徴候が小脳性運動失調である**オリーブ橋小脳萎縮症**，パーキンソニズムである**線条体黒質変性症**，自律神経障害である**シャイ-ドレーガー** Shy-Drager **症候群**を包括する概念である．病態の進行とともに三大徴候が重複するようになり，病理学的にも三者

F. 神経変性疾患 ● 681

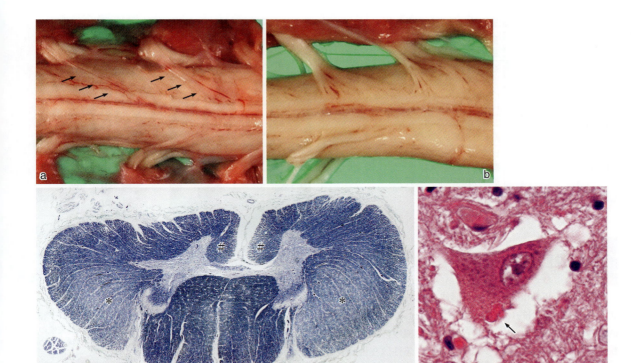

図 22-36　筋萎縮性側索硬化症
a．筋萎縮性側索硬化症の脊髄では，正常対照（b）と比較して，前根が萎縮し，菲薄化している（→）．
c．側索（外側皮質脊髄路）（＊）の変性．前皮質脊髄路（#）の変性も見て取れる（KB染色）．
d．脊髄前角細胞に認められた Bunina 小体（→）．

の所見は共通することから多系統萎縮症と総称されるに至っている．α-シヌクレインの異常蓄積が認められる疾患である．

　組織学的には神経細胞や乏突起膠細胞の核や細胞質内に α-シヌクレインの異常な沈着が認められる．

2 ● マシャド–ジョゼフ病 Machado-Joseph disease

　最も頻度の高い遺伝性 SCD である．ATXN3 遺伝子の CAG リピートの異常伸長が原因で，リピートが長いほど若年で発症する．"びっくり眼"とよばれる特徴的な顔貌がみられる．

G 筋萎縮性側索硬化症 amyotrophic lateral sclerosis

【概念，定義】

　上位運動神経と下位運動神経の両方が選択的に障害され，進行性に全身性の筋萎縮をきたす疾患である．RNA 結合タンパクである **TDP-43 タンパク**が神経細胞の細胞質内で異常に凝集・蓄積する．

【臨床像】

　90％以上は孤発例であるが，一部は家族性で，その多くは常染色体顕性遺伝形式をとる．孤発例は主に中年以降に発症し，男性に頻度が高い．呼吸筋も障害され，全経過2〜4年で人工呼吸器の装着が必要となる，もしくは死亡に至る．

【病理形態像】

　上位運動神経の障害は，大脳皮質運動野の運動神経細胞の変性・脱落による．下位運動神経の障害は，脳幹の運動を司る諸核（迷走神経背側核，顔面神経核など），脊髄前角の運動神経細胞の変性・脱落による．脊髄では脊髄前角の神経細胞の脱落により，前根の萎縮が認められる．残存する神経細胞には**ブニナ Bunina 小体**と呼ばれる異常構造物が観察される．また，上位運動神経の障害に伴って錐体路の変性が認められる（図 22-36）．

表 22-6　中枢神経系で脱髄を生じる主な疾患

自己免疫学的疾患	多発性硬化症，急性散在性脳脊髄炎
ウイルス感染	進行性多巣性白質脳症，亜急性硬化性全脳炎，HIV脳症，HTLV-1関連脊髄症
先天性疾患	副腎白質ジストロフィー，異染性白質ジストロフィー
栄養・代謝障害，中毒性疾患	ビタミンB_{12}欠乏症，橋中心髄鞘崩壊症，抗癌剤投与に伴う白質脳症，一酸化炭素中毒

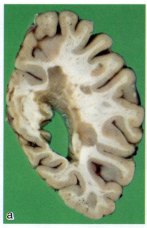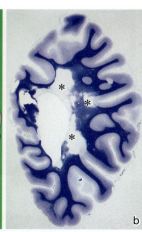

図 22-37　多発性硬化症
a. 脱髄巣は周囲の白質と異なり，灰〜褐色を帯び出ている．
b. a と同一割面の髄鞘染色（KB染色）標本．脱髄が確認される（＊）．

脱髄

　脱髄 demyelination とは髄鞘形成細胞の異常・障害により，髄鞘が選択的に崩壊・消失をきたし，軸索は相対的に保たれる病態である．自己免疫学的機序の関与する疾患（脱髄疾患）としては多発性硬化症，急性散在性脳脊髄炎が代表的である．感染症や栄養・代謝障害，中毒性などにより脱髄を生じることもある（表 22-6）．

1　多発性硬化症 multiple sclerosis
【概念，定義】
　中枢神経系の脱髄疾患として最も頻度が高い疾患である．再発と寛解を繰り返し（**時間的多発**），中枢神経系のさまざまな部位が障害される（**空間的多発**）のが特徴である．末梢神経系の障害はなく，中枢神経系の髄鞘を標的とした自己免疫疾患と考えられる．

【臨床像】
　欧米に比し，日本は頻度が低く，8〜9人/10万人程度の有病率とされるが，近年増加傾向にある．女性に多い．多くは再発・寛解を繰り返すが，発症時から慢性進行性の経過をたどる場合もある．傷害部位に応じてさまざまな臨床症状を呈する．

【病理形態像】
　肉眼的に脱髄巣は白質本来の色調を失った大小の斑状領域として認められる（図 36-37a）．組織学的には髄鞘染色で染色性の低下・消失が確認される（図 22-37b）．血管周囲にはリンパ球やマクロファージの浸潤が認められる．

Advanced Studies
2　急性散在性脳脊髄炎 acute disseminated encephalomyelitis
　急性に発症し，基本的に単相性の経過を示す中枢神経系脱髄疾患である．小児に多い．感染後（麻疹，風疹，水痘，流行性耳下腺炎など）やワクチン接種後に発症し，原因が特定できない特発性の症例も存在する．感染性の場合，病原体由来の抗原と髄鞘抗原との類似性により，髄鞘を標的とした免疫反応を生じることで発症する．病理学的には静脈周囲性の脱髄と炎症細胞浸潤が特徴的である．

代謝・中毒性疾患

A　先天性代謝異常症

　先天性代謝異常症では神経系がしばしば標的となる（表 22-7）．例えば，先天性脂質代謝異常症の多くが中枢神経系を障害するが，これは神経系には髄鞘などに脂質が豊富に含まれることを反映している．代謝経路の障害による前駆物質の蓄積や代謝産物の欠乏により，神経系の構造・機能の障害を生じる．

Advanced Studies
1　副腎白質ジストロフィー adrenoleukodystrophy
　白質ジストロフィーとは，髄鞘を一次的に障害する遺伝性，進行性の病態の総称である．副腎白質ジストロフィーは大脳白質の脱髄と副腎皮質の機能不全を特徴とするX連鎖性遺伝性疾患である．ペルオキシソーム膜タンパクである ABCD1 に遺伝子変異による機能欠損を生じ，極長鎖脂肪酸が組織内に蓄積する．髄鞘の形成・維持が障害され，大脳に広範な脱髄を生じる（図 22-38）．

2　異染性白質ジストロフィー metachromatic leukodystrophy
　主にアリルスルファターゼAの欠損により，大脳白質，末梢神経，腎などにスルファチドが蓄積する常染色体潜性（劣性）遺伝性疾患で，中枢・末梢神経系の脱髄をきたす．蓄積物質はトルイジンブルー染色でピンク色を呈するなど，染色色素の本来の色とは異なる染色性（異染性）を示す．

表 22-7 神経系を障害する主な先天性代謝異常症

脂質代謝異常	GM1 ガングリオシドーシス，GM2 ガングリオシドーシス，Niemann-Pick 病，Gaucher 病，Fabry 病，Krabbe 病，副腎白質ジストロフィー，異染性白質ジストロフィー
ムコ多糖症	Hurler 症候群，Hunter 症候群，Sanfilippo 症候群，Morquio 症候群
糖蛋白代謝異常	シアリドーシス，ガラクトシアリドーシス
アミノ酸代謝異常	フェニルケトン尿症，ホモシスチン尿症，メープルシロップ尿症，Hartnup 病，尿素サイクル異常症
核酸代謝異常	Lesch-Nyhan 症候群
金属代謝異常	Wilson 病，Menkes 病
ポルフィリン代謝異常	ポルフィリン症

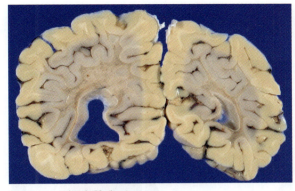

図 22-38 副腎白質ジストロフィー
白質は灰～淡褐色調を帯び著しく容積を減じてる．
注：皮質の色調が表面と深部で異なるのは固定状態の相違によるもので，病変とは無関係である．

表 22-8 ビタミン欠乏と神経障害

欠乏ビタミン	神経症状
ビタミン B_1	Wernicke-Korsakoff 症候群，末梢神経障害
ニコチン酸	末梢神経障害，脳症，視神経萎縮，脊髄後側索変性
パントテン酸	末梢神経障害
ビタミン B_6	末梢神経障害，脳症，新生児では痙攣
葉酸	末梢神経障害，連合変性症，乳児では痙攣，知能障害
ビタミン B_{12}	末梢神経障害，亜急性連合変性症，視神経障害，脳症
ビタミン A	夜盲
ビタミン E	末梢神経障害，脊髄後側索障害，小脳失調

〔望月秀樹，他：ビタミン欠乏症．水野美邦（編）：神経内科ハンドブック—鑑別診断と治療，第 5 版．医学書院，2016 より改変して転載〕

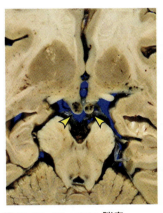

図 22-39 Wernicke 脳症
両側乳頭体に出血が認められる（▷）．

B 栄養障害，後天性代謝異常

1 ビタミン欠乏症

ビタミン欠乏症は末梢神経障害や脳症をきたしやすい（表 22-8）．

Advanced Studies

a ウェルニッケ-コルサコフ症候群 Wernicke-Korsakoff syndrome
ビタミン B_1 は糖質代謝に不可欠であり，不足時にはエネルギー要求性の高い神経系に障害が出やすい．Wernicke-Korsakoff 症候群はビタミン B_1 欠乏による症候群で，しばしばアルコール多飲が背景にある．Wernicke 脳症は急性・亜急性に発症する脳症で，意識障害，外眼筋麻痺，運動失調を三徴とする．Korsakoff 症候群は慢性期の症候であり，記銘力の低下と作話が特徴である．病理学的には乳頭体や視床下部，中脳水道灰白質周囲や第四脳室底に浮腫や出血が見られ（図 22-39），慢性期には乳頭体の萎縮が目立ってくる．

b 亜急性脊髄連合変性症
subacute combined degeneration of spinal cord
ビタミン B_{12} 欠乏による脊髄障害で側索と後索が両側性に障害される．ビタミン B_{12} は髄鞘の形成・維持に必要な栄養素である．

2 代謝性脳症

後天的な代謝性脳障害（脳症）は，低酸素症や心血管系異常，あるいは肝不全や尿毒症といった全身性疾患の合併症として生じ，しばしば脳全般に影響を及ぼし，意識障害や痙攣，精神症状などをきたす．

Advanced Studies

a 低酸素性虚血性脳症 hypoxic-ischemic encephalopathy
低酸素や脳の全般的虚血が原因で生じる脳障害の総称である．さまざまな発生機序や臨床病理像を示す病態を包括するもので，心停

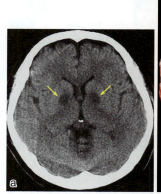
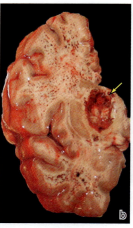

図 22-40 一酸化炭素中毒
a. CT にて両側淡蒼球に低吸収域を認める(→).
b. 淡蒼球に出血を伴った壊死が認められる(→). また, 白質には点状出血が広範にみられる.

止後脳症もこれに含まれる. 低酸素や虚血により障害されやすい部位があり, 大脳皮質の一部, 海馬の CA1 領域, 被殻, 視床, 小脳プルキンエ細胞などがあげられる(病因や患者の年齢により障害されやすい部位の詳細は異なる).

b 肝性脳症 hepatic encephalopathy
急性あるいは慢性の高度の肝機能障害に伴って出現する脳症で, 意識障害やさまざまな精神神経症状を呈する. タンパク質の分解産物であるアンモニアが肝臓で代謝されず, 高アンモニア血症を生じることが主な原因である. アンモニアの毒性により星細胞が障害され, 核が淡明に腫大した AlzheimerⅡ型グリアと呼ばれる特徴的な細胞像を呈する.

C 中毒

金属(水銀, ヒ素, 鉛など), 化学物質(有機溶剤, 農薬, アルコール, ガス, 医薬品, 違法薬物など), 自然毒(フグ毒, ボツリヌス毒, キノコ毒など)を含め, 神経系に中毒作用を及ぼす有害物質は多岐にわたる.

1 エタノール中毒

アルコール多飲者にみられる中毒である. エタノールは血液脳関門を容易に通過し, 急性中毒ではエタノールの血中濃度と相関した臨床症状を呈する. 常習的多飲者に生じる神経系障害には, **Wernicke-Korsakoff 症候群**, 小脳萎縮, 視神経萎縮, 多発ニューロパチーなどがあり, エタノールそのものの毒性による障害のほかに, 栄養・代謝異常に伴う二次的障害が含まれる. 断酒に伴って振戦や幻覚などの禁断・離脱症状を呈することもある.

表 22-9 主な脳腫瘍

膠腫	膠芽腫, IDH 野生型, 星細胞腫, IDH 変異, 乏突起膠腫, IDH 変異および 1p/19q 共欠失
上衣性腫瘍	上衣腫
胎児性腫瘍	髄芽腫
末梢神経腫瘍	神経鞘腫, 神経線維腫
髄膜腫瘍	髄膜腫
トルコ鞍部腫瘍	下垂体腺腫(下垂体前葉神経内分泌腫), 頭蓋咽頭腫
間葉系腫瘍	孤立性線維性腫瘍, 血管芽腫
その他	リンパ腫, 胚細胞性腫瘍

2 一酸化炭素中毒

一酸化炭素中毒は火災や都市ガスの不完全燃焼, 練炭の使用, 自動車排気ガスへの曝露などで生じる. 一酸化炭素は酸素よりヘモグロビンへの親和性が高く, 酸素の運搬を阻害するとともに, ミトコンドリアのチトクローム酸化酵素を阻害することで, 低酸素およびエネルギー欠乏による神経細胞障害を生じる. 病理学的に中枢神経系においては, 淡蒼球の対称性壊死が特徴的で(図 22-40), 大脳皮質や海馬, 小脳などの低酸素・虚血性障害, 白質の脱髄性変化なども生じる.

I 脳腫瘍

脳腫瘍とは頭蓋内に発生する腫瘍で, 脊柱管内の腫瘍も含めることが多い. 脳実質に発生する腫瘍のほか, 髄膜に発生する腫瘍も含まれ, 多数の腫瘍型が知られる(表 22-9). 原発性脳腫瘍は人口 10 万人あたり 20 人程度の発生頻度である. 全体としては髄膜腫, 下垂体腺腫(下垂体内分泌腫瘍), 膠芽腫の順に頻度が高いが, 年齢により発生する腫瘍の頻度が大きく異なり, 小児では髄膜腫や下垂体腺腫はまれである.

A 膠腫 glioma

脳実質に発生する腫瘍で, 膠細胞の特徴を有するものである. 従来は星細胞に類似した星細胞腫, 乏突起膠細胞に類似した乏突起膠腫など, 腫瘍細胞の形態的特徴に基づいて分類されていたが, 近年は腫瘍の分子遺伝学的特徴に基づいた分類が導入されている. 腫瘍細胞における**イソクエン酸脱水素酵素** isocitrate dehydrogenase (IDH)遺伝子(*IDH1*遺伝子もしくは*IDH2*遺伝子)の変

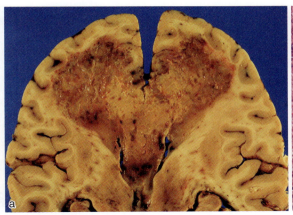
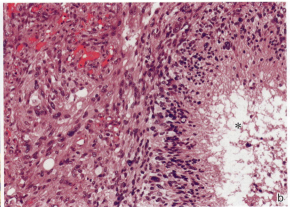

図 22-41　膠芽腫
a. 脳梁を介して両側の大脳半球に広がっている（butterfly glioma）．
b. 高度の異型を示す腫瘍細胞の密な増殖から成る．一部に壊死を伴っており（＊），壊死巣の周囲には腫瘍細胞が密に配列している（偽柵状配列と呼ばれる）．

異や1番染色体短腕・19番染色体長腕の欠失の有無などが分類の指標となる．

1 ● 膠芽腫，IDH 野生型 glioblastoma, IDH-wild type

【概念，定義】

星細胞系分化を示す高悪性度の膠腫である．最新の世界保健機関（WHO）分類では IDH 遺伝子変異がないことが，診断要件の1つとなっている．

【臨床像】

中高年者に好発し，大脳半球の発生が多い．多くの場合，MRI 画像上でガドリニウム造影効果があり，典型的にはリング状の増強効果を示す．予後不良である．

【病理形態像】

肉眼的には境界不明瞭な腫瘤で，しばしば出血や壊死を伴う．浸潤性が強く，一側の大脳半球に発生した腫瘍が，脳梁を介して対側に進展することがあり，"butterfly glioma" と称される（図 22-41a）．組織学的に腫瘍細胞は高度の異型性を示すことが多く，細胞密度は高く，核分裂像が多数認められる．しばしば腫瘍内血管において内皮細胞や周皮細胞などの構成細胞の増殖がみられること（微小血管増殖と称される）や，壊死がみられることも特徴である（図 22-41b）．

Advanced Studies

2 ● 星細胞腫，IDH 変異 astrocytoma, IDH-mutant

IDH 遺伝子変異のある膠腫で，乏突起膠腫にみられる1番・19番染色体の異常は認められない．腫瘍細胞は細胞突起をもつなど星細胞の形態的特徴をもつことが多い．腫瘍細胞の増殖活性や壊死の有無などを指標に，3段階の悪性度分類がなされる．膠芽腫に比べて予後は良好である．

3 ● 乏突起膠腫，IDH 変異および 1p/19q 共欠失
oligodendroglioma, IDH-mutant and 1p/19q-codeleted

IDH 遺伝子変異ならびに1番染色体短腕と19番染色体長腕の欠失を有する膠腫である．乏突起膠細胞に類似した円形核を有する単調な腫瘍細胞からなることが多い．星細胞腫に比し，化学療法に対する反応性が良好で，予後がよい傾向がある．

B ● 髄芽腫 medulloblastoma

小脳に発生する**胎児性腫瘍**である．胎児性腫瘍とは未分化な腫瘍細胞からなる脳実質性腫瘍を指し，胎児に発生する腫瘍を意味するものではない．小児に好発し，患者の80％は15歳未満である．生物学的には高悪性度の腫瘍であるが，放射線や化学療法に対する感受性が高い傾向があり，5年生存率は60〜70％である．組織学的には細胞質に乏しい小型の未分化な細胞の密な増殖からなる．ロゼット状の配列（**ホーマー・ライト Homer Wright 型ロゼット**）が特徴的である（図 22-42）．

C ● 神経鞘腫（シュワン細胞腫 schwannoma）

シュワン細胞の増殖からなる良性腫瘍である．頭蓋内では第Ⅷ脳神経の前庭枝からの発生が多い（いわゆる**聴神経腫瘍**）．孤発例のほか，**神経線維腫症 2 型**を背景にした発生が知られる．組織学的には，紡錘形の腫瘍細胞の増殖からなり，細胞密度の高い領域と低い領域（それぞれ Antoni A 領域，B 領域と呼ばれる）を含む．腫瘍細胞の核が一列に配列する（柵状配列）のが特徴的である（図 22-43）．

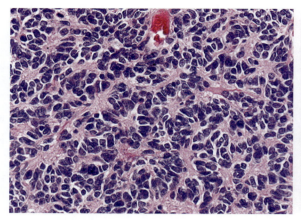

図 22-42　髄芽腫
細胞質の乏しい未熟な細胞の増殖からなる．好酸性基質を取り囲むように腫瘍細胞が配列している（Homer Wright 型ロゼット）．

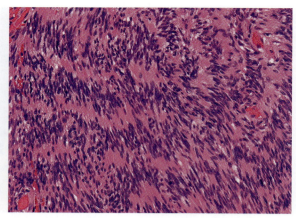

図 22-43　神経鞘腫
紡錘形腫瘍細胞の増殖がみられ，核が柵状配列を示している．

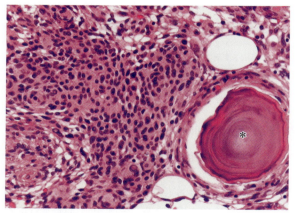

図 22-44　髄膜腫
髄膜皮細胞類似の腫瘍細胞の増殖からなる．同心円状の石灰化（砂粒体）が認められる（＊）．

D 髄膜腫 meningioma

髄膜皮細胞（くも膜部に存在する多彩な細胞の総称）から発生する腫瘍で，通常は硬膜の内面に接して増殖する．最も頻度の高い原発性脳腫瘍である．中高年者に好発し，女性に多い．多数の組織亜型が知られ，大半は良性である．腫瘍細胞は髄膜皮細胞に類似し，腫瘍内には石灰沈着（砂粒体）がしばしばみられる（図 22-44）．

E 下垂体腺腫 pituitary adenoma（下垂体神経内分泌腫瘍 pituitary neuroendocrine tumor）

下垂体前葉細胞に由来する良性腫瘍である（→第 18 章「内分泌」，584 頁参照）．幅広い年齢層に発生するが，小児期の発生は比較的稀である．成長ホルモン細胞腺腫，プロラクチン細胞腺腫など，腫瘍細胞のホルモン産生性に基づいて分類がなされ，ホルモン過剰に伴う臨床症状を呈する腺腫を機能性腺腫と呼ぶ．

F 頭蓋咽頭腫 craniopharyngioma

頭蓋咽頭管の遺残組織からの発生が想定される良性の上皮性腫瘍である．トルコ鞍上部を主座とすることが多く，視床下部・下垂体機能低下や視力・視野障害，頭痛などが臨床症状となる．口腔に発生する歯原性腫瘍に類似したエナメル上皮腫型（図 22-45）と扁平上皮乳頭型が存在する．

G 血管芽腫 hemangioblastoma

豊富な毛細血管の介在を伴って間質細胞と呼ばれる腫瘍細胞が増殖する良性腫瘍である（図 22-46）．孤発例のほか，**フォン・ヒッペル-リンダウ病** von Hippel-Lindau disease を背景にした発生が知られる．孤発例は成人に好発し，小脳での発生が多い．von Hippel-Lindau 病合併例では若年にも発生し，小脳のほか，脳幹，脊髄などにも多発する傾向がある．

H 転移性脳腫瘍

原発性脳腫瘍よりも頻度の高い脳腫瘍である．肺癌，消化器癌，乳癌などの頻度が高い．これらがん腫に比し

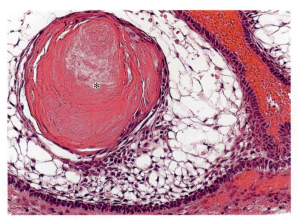

図 22-45　頭蓋咽頭腫
エナメル上皮腫型の頭蓋咽頭腫．好酸性の角化物の集塊（wet keratin と呼ばれる）が特徴的である（＊）．

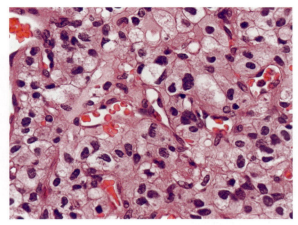

図 22-46　血管芽腫
毛細血管の介在を伴って明るい細胞質をもつ腫瘍細胞（間質細胞）が増殖している．

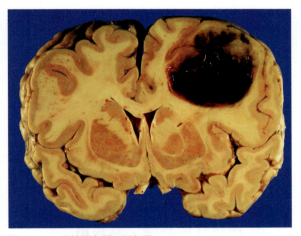

図 22-47　悪性黒色腫の脳転移

表 22-10　主な末梢神経疾患

病因	主な疾患
免疫・炎症性	ギラン-バレー Guillain-Barré 症候群，慢性炎症性脱髄性多発根ニューロパチー，血管炎性ニューロパチー
遺伝性	遺伝性運動感覚ポリニューロパチー，家族性アミロイドポリニューロパチー
感染性	Hansen 病，帯状疱疹，HIV 感染症，ライム病
代謝性	糖尿病，慢性腎不全，甲状腺機能低下症，ビタミン欠乏
中毒性	重金属中毒，有機溶剤中毒，アルコール中毒，薬物性障害（ビンクリスチン，シスプラチン）
腫瘍性	傍腫瘍症候群，多発性骨髄腫
圧迫性	手根管症候群，肘部管症候群

発生頻度は低いが，悪性黒色腫は脳転移を生じやすい腫瘍である（図 22-47）．髄腔内に癌が播種した状態を髄膜癌腫症あるいは癌性髄膜炎と呼ぶ．

Advanced Studies

I 遺伝性腫瘍症候群

神経系腫瘍を生じる遺伝性腫瘍症候群が多数知られている．

a **神経線維腫症 1 型** neurofibromatosis type 1

NF1 遺伝子の異常による常染色体顕性遺伝疾患．かつてはフォン・レックリングハウゼン von Recklinghausen 病と称された．わが国では 4,000 人に 1 人の罹患率とされる．神経線維腫が多発するほか，カフェ・オ・レ斑，そばかす様皮膚斑などが特徴である．

b **神経線維腫症 2 型** neurofibromatosis type 2

NF2 遺伝子の異常による常染色体顕性遺伝疾患．わが国では 40,000 人に 1 人の罹患率である．典型的には両側に聴神経腫瘍（神経鞘腫）が認められる．ほかに髄膜腫や膠腫，若年性の白内障などが生じる．

c **結節性硬化症** tuberous sclerosis

TSC1 ないし TSC2 遺伝子の異常による常染色体顕性遺伝疾患．わが国では 6,000 人に 1 人の罹患率である．顔面の血管線維腫，てんかん，精神遅滞を三徴とする．大脳皮質に結節状病変，脳室下の過誤腫も知られる．

d **von Hippel-Lindau 病**

VHL 遺伝子の異常による常染色体顕性遺伝疾患．わが国では 1,000 人弱の患者数とされる．血管芽腫，網膜血管腫，腎細胞癌，褐色細胞腫などを生じる．

J　末梢神経疾患

末梢神経が障害される疾患を総称して**末梢神経障害**あるいは**ニューロパチー**と呼ぶ．末梢神経障害は病因（表 22-10），機能（感覚性，運動性，自律神経性），病理・

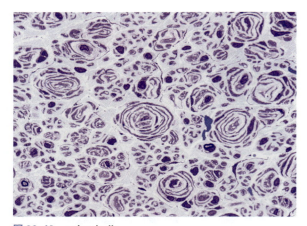

図 22-48　onion bulb
遺伝性運動感覚ニューロパチーの腓腹神経生検標本．エポン包埋トルイジンブルー染色．

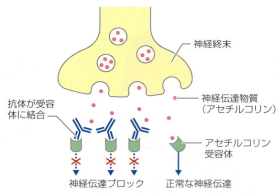

図 22-49　重症筋無力症の発症機序

電気生理学（軸索障害，脱髄），分布（単神経炎，多発性単神経炎，多発神経炎）などの観点から分類される．

1　ギラン-バレー症候群 Guillain-Barré syndrome

急性の運動麻痺をきたす自己免疫性の多発神経炎である．大部分の症例で発症の数日〜2週間前に上気道感染や消化器感染が先行する．消化器感染の場合，*Campylobacter jejuni* が原因であることが多い．末梢神経に存在する糖脂質であるガングリオシドに対する抗体がしばしば血中で上昇し，発症への関与が推測されている．先行感染が契機となって抗ガングリオシド抗体が産生されている可能性がある．典型例では下肢末端から徐々に麻痺が上行し，4週間以内に症状のピークを迎え，その後は改善に向かう．病理・電気生理学的に脱髄型（急性炎症性脱髄性多発ニューロパチー）と軸索障害型（急性運動軸索性ニューロパチー）が存在する．

2　遺伝性運動感覚ニューロパチー（シャルコー-マリー-トゥース病 Charcot-Marie-Tooth disease）

遺伝性運動感覚性ニューロパチー（Charcot-Marie-Tooth 病）は，遺伝性ニューロパチーのうち運動神経と感覚神経が障害されるものである．原因遺伝子は100種以上知られており，PMP22遺伝子，MPZ遺伝子，Cx32遺伝子の異常が半数以上を占める．病理・電気生理学的に脱髄型，軸索型，中間型に大別される．四肢，特に下肢遠位部の筋力低下と感覚障害が特徴的である．

病理学的には腓腹神経生検で，脱髄型では節性脱髄や **onion bulb** の形成，軸索型では有髄線維の著明な減少が認められる．onion bulb は変性した軸索周囲をシュワン細胞の突起が取り巻くものである（図 22-48）．

Advanced Studies

3　遺伝性トランスサイレチンアミロイドーシス hereditary ATTR amyloidosis（家族性アミロイドポリニューロパチー familial amyloid polyneuropathy）

アミロイド沈着による末梢神経障害をきたす常染色体顕性遺伝性疾患である．トランスサイレチン遺伝子の変異により生じることが多く，異常なトランスサイレチンタンパクがアミロイドを構成する．末梢神経以外にも全身諸臓器にアミロイドの沈着をきたす疾患で，従来，肝移植が唯一の治療法であったが，異常なトランスサイレチンを標的とした薬物が開発され，治療法が大きく変わりつつある．

K　神経筋接合部・筋疾患

骨格筋の形態や機能に異常をきたす疾患には，筋の支配神経を侵す疾患（神経原性疾患）のほか，神経筋接合部の疾患および筋そのものに異常のある疾患が存在する．

A　神経筋接合部疾患

1　重症筋無力症 myasthenia gravis

神経筋接合部の刺激伝導が障害される自己免疫疾患である．シナプス後膜上のアセチルコリン受容体や筋特異的チロシンキナーゼなどに対して自己抗体が作用することで発症する（図 22-49）．外眼筋，嚥下筋，体幹・四肢の筋力低下をきたし，易疲労性，日内変動を呈する．胸腺腫，甲状腺疾患，関節リウマチなどを合併する．

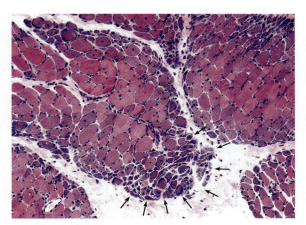

図 22-50 皮膚筋炎
筋束辺縁部の筋線維の萎縮（小径化）が認められる（→）．

Advanced Studies

2 ● ランバート-イートン筋無力症候群
Lambert-Eaton myasthenic syndrome

傍腫瘍症候群の1つである．神経筋接合部の神経末端に存在するカルシウムチャネルを阻害する自己抗体が産生され，これによりアセチルコリンの遊離が低下することで，神経筋伝導の障害を生じる．背景となる腫瘍は肺小細胞癌が最も多い．

B 筋疾患

筋疾患（ミオパチー）は骨格筋に病変の主座がある疾患で，炎症性筋疾患（筋炎），遺伝性筋疾患（筋ジストロフィー，先天性ミオパチー，ミトコンドリア病，糖原病など），内分泌疾患に伴う筋疾患，中毒・薬物に起因する筋疾患などを含む．

1 ● 皮膚筋炎 dermatomyositis

炎症性筋疾患（筋炎）は，まれに感染が原因となるが，多くは自己免疫学的機序に基づいて発生する．皮膚筋炎は筋炎症状と特徴的な皮膚症状を呈する自己免疫性の炎症性筋疾患である．女性に多く，進行性の筋萎縮，筋力低下を示し，体幹や四肢近位筋，頸筋などの筋が障害されやすい．**ヘリオトロープ疹**（眼瞼部の紫紅色浮腫性紅斑），**ゴットロン Gottron 徴候**（手指関節背面の紫紅色紅斑）などが特徴的皮膚症状である．血中には筋炎特異的自己抗体や筋炎関連自己抗体がしばしば検出される．組織学的には筋束周辺部の筋線維萎縮が特徴的である（図 22-50）．

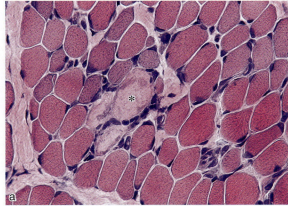
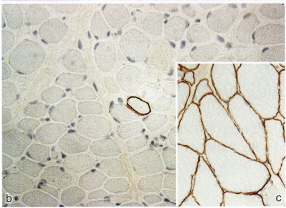

図 22-51 Duchenne 型筋ジストロフィー
a. 筋線維の壊死が認められる（*）．
b. 抗ジストロフィン抗体を用いた免疫染色でほぼ完全な発現欠失が認められる．
c. 正常筋におけるジストロフィンの発現．

2 ● デュシェンヌ型筋ジストロフィー
Duchenne muscular dystrophy

筋ジストロフィーは筋線維の壊死・再生を主体とし，進行性に筋力低下と筋萎縮をきたす遺伝性疾患の総称である．Duchenne 型筋ジストロフィーは**ジストロフィン遺伝子**の異常による筋ジストロフィーである．X 染色体潜性遺伝を示し，男児に発生する．ジストロフィンは骨格筋や心筋の細胞膜を裏打ちする細胞骨格蛋白質で，Duchenne 型筋ジストロフィーの患者では，遺伝子変異によりジストロフィンの発現はほぼ完全に欠失し，筋細胞が壊れやすくなる．2〜4 歳頃に歩行異常で発症し，10 歳頃までには歩行ができなくなる．

組織学的には筋線維の大小不同，壊死・再生が認められる（図 22-51a）．末期には筋線維は著明に減少し，線維性結合組織や脂肪組織に置換される．心筋や横隔膜も

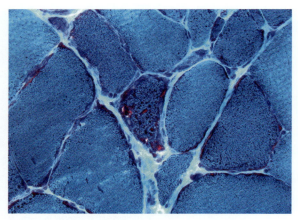

図 22-52　赤色ぼろ線維

傷害される．抗ジストロフィン抗体を用いた免疫染色で，ジストロフィン蛋白の発現欠失が確認される（図22-51b）．

3 ミトコンドリア病 mitochondrial disease（ミトコンドリア脳筋症 mitochondrial encephalomyopathy）

ミトコンドリア病はミトコンドリアが一次的に障害されて生じる疾患の総称である．ミトコンドリアは細胞の生存に不可欠なエネルギーをATPの形で産生する細胞内小器官であり，ミトコンドリア病ではエネルギー要求の高い脳や筋に障害が現れることが多い．多数の病型が存在するが，慢性進行性外眼筋麻痺 chronic progressive external ophthalmoplegia（CPEO），MELAS（mitochondrial myopathy, encephalopathy, lactic acidosis and stroke-like episodes：ミトコンドリア脳筋症・乳酸アシドーシス・脳卒中様発作症候群），MERRF（myoclonus epilepsy associated with ragged-red fibers：赤色ぼろ線維を伴うミオクローヌスてんかん）の三大病型が半数以上を占める．ミトコンドリアDNAが原因の病型は母系遺伝を示す．

組織学的には，ゴモリトリクローム染色で，特徴的な**赤色ぼろ線維** ragged-red fiber が認められる（図22-52）．筋線維内のミトコンドリア増加を反映して赤染し，染色色素の特性で赤染部が崩れやすいため，ぼろ線維と命名されている．

● 参考文献
1) 東京都医学研・脳神経病理データベース（https://pathologycenter.jp/index.html）

第23章 軟部組織

A 非腫瘍性病変

筋肉の病変は筋原性疾患（ミオパチー myopathy）と神経原性筋疾患（ニューロパチー neuropathy）があるが，それらは第22章「脳・神経」で扱う（→687頁参照）．

1 感染症

軟部組織の感染症は皮膚，内臓，骨の病巣から直接波及するもの，あるいは外傷や手術の合併症として生じるものが多い．細菌感染症として，主に溶連菌が真皮浅層に感染する**丹毒 erysipelas**，主として黄色ブドウ球菌が真皮に感染し，真皮深層から皮下組織に及ぶ広範囲の感染症を引き起こす**蜂窩織炎 phlegmon**，溶連菌や混合感染による真皮から皮下組織にかけての感染症で，浅層筋膜を中心にして急速に周辺へ拡大する**壊死性筋膜炎 necrotizing fasciitis** に分類される．結核，非結核性抗酸菌症，放線菌症などによって軟部組織の肉芽腫性炎症が生じる．

2 滑液包炎 bursitis

滑液包は滑膜組織で覆われた囊胞であり，特に関節周囲で滑走する筋肉，腱および皮膚と骨突出部の間にみられる．臨床的に，関節周囲の痛み，発赤，腫脹が特徴的である．最も多くみられる滑液包炎は慢性的な機械的刺激が原因となって，滑液包に非感染性の炎症をきたしたものである．部位は膝蓋前，肘頭，大転子，踵部に多い．組織学的に，線維性に肥厚した囊胞壁には毛細血管の増生と慢性炎症細胞浸潤が目立ち，内腔面へのフィブリン沈着が認められる．通常，内壁に滑膜被覆細胞がみられるが，病変が長期間持続した場合は滑膜被覆細胞が消失していることが多い．

3 腱鞘炎 tenosynovitis

腱鞘炎は腱の周囲を覆う腱鞘の炎症である．臨床症状として，患部の伸展時の痛みと腫れがみられる．腱自体の炎症である腱炎 tendinitis を合併することが多い．腱鞘炎には腱の骨への付着部に発生する腱付着部炎も含まれる．慢性的な機械的刺激により腱鞘が肥厚し，腱の円滑な滑走が障害される．その代表的なものに，ばね指 trigger finger とド・ケルバン病 de Quervain disease がある．ばね指は中年女性に多く，指のMP（中手指節）関節の掌側屈筋腱が腫瘤状に肥厚し，曲げ伸ばしの際，ロッキングを生じる．de Quervain 病も中年女性に多く，長母指外転筋腱と短母指伸筋腱が，橈骨茎状突起部と伸筋支帯に絞扼されて疼痛や腫脹をきたす．腱鞘炎の治療として，腱鞘切開術が行われる場合がある．採取された腱鞘には，組織学的に散在性の線維軟骨化生を伴った線維性肥厚および粘液変性がみられる．

4 手根管症候群 carpal tunnel syndrome

手根管症候群とは，正中神経が屈筋支帯もしくは横手根靱帯と手根骨で覆われた手根管部でさまざまな原因で圧迫を受け，知覚障害と運動障害をきたす疾患である．臨床的には，正中神経の支配領域のしびれ・痛み，母指球筋の萎縮や筋力低下を生じる．原因としては，手の過度の使用，妊娠によるむくみ，骨折や腫瘤による手根管の圧迫，長期間の血液透析によるアミロイド沈着などがある．中年以降の女性に多く起こる．

5 ガングリオン ganglion

ガングリオンは粘稠性の高い粘液を内容とする囊胞性病変である．臨床症状として，関節包や腱鞘のある場所に，米粒大〜ピンポン玉大の腫瘤がみられる．関節周囲の腱鞘などの線維性組織の粘液変性により生じると考えられている．組織学的に，囊胞壁は細胞成分や血管の乏しい線維組織からなり，被膜細胞を欠く．

表 23-1　全国軟部腫瘍登録の代表的な組織型
（2006〜2019 年）

組織診断
良性腫瘍
脂肪腫 lipoma
線維腫 fibroma
結節性筋膜炎 nodular fasciitis
腱鞘巨細胞腫 tenosynovial giant cell tumor
平滑筋腫 leiomyoma
血管腫 hemangioma
グロムス腫瘍 glomus tumor
神経鞘腫 neurinoma（シュワン細胞腫 schwannoma）
神経線維腫 neurofibroma
粘液腫 myxoma
中間群腫瘍
デスモイド型線維腫症 desmoid-type fibromatosis
孤立性線維性腫瘍 solitary fibrous tumor
隆起性皮膚線維肉腫 dermatofibrosarcoma protuberans
悪性腫瘍
脂肪肉腫 liposarcoma
粘液線維肉腫 myxofibrosarcoma
横紋筋肉腫 rhabdomyosarcoma
平滑筋肉腫 leiomyosarcoma
血管肉腫 angiosarcoma
悪性末梢神経鞘腫瘍 malignant peripheral nerve sheath tumor
滑膜肉腫 synovial sarcoma
未分化多形肉腫 undifferentiated pleomorphic sarcoma

特に重要なものを**太字**で示した．

表 23-2　代表的な軟部腫瘍における染色体転座と融合遺伝子

腫瘍	染色体転座	融合遺伝子
良性腫瘍		
結節性筋膜炎	t(17;22)(p13;q13)	MYH9-USP6
腱鞘巨細胞腫	t(1;2)(p13;q37)	COL6A3-CSF1
中間群腫瘍		
孤立性線維性腫瘍	inv(12)(q13q13)	NAB2-STAT6
隆起性皮膚線維肉腫	t(17;22)(q22;q13)	COL1A1-PDGFB
悪性腫瘍		
粘液型脂肪肉腫	t(12;16)(q13;p11)	FUS-DDIT3
	t(12;22)(q13;q12)	EWSR1-DDIT3
胞巣型横紋筋肉腫	t(2;13)(q35;q14)	PAX3-FOXO1
	t(1;13)(p36;q14)	PAX7-FOXO1
滑膜肉腫	t(X;18)(p11;q11)	SS18-SSX

であり，良性腫瘍は悪性腫瘍（肉腫）より数が多い．中間群腫瘍には局所再発しやすいが，遠隔転移することはない群と局所再発しやすく，まれに遠隔転移する可能性のある群の2つがある．これらのなかからあげた代表的な組織型を**表 23-1** に示すが，ここに示した疾患だけで，登録された全軟部腫瘍の約80％の頻度を占めている．

腫瘍性病変

軟部腫瘍総論

1 ● 分類

　軟部腫瘍とは臓器，中枢神経，リンパ細網系を除く全身の骨外性・非上皮性組織に発生する間葉系腫瘍である．軟部腫瘍が正常に分化した組織から生じる証拠は乏しいが，筋肉・脂肪・線維性組織，血管および神経への分化を再現する組織ごとに分類される．いくつかの軟部腫瘍では，対応する正常組織はないものの一定の臨床病理学的特徴があることから，明確な疾患概念として命名されている．

2 ● 頻度

　良性軟部腫瘍の多くは切除されていないことから，軟部腫瘍の正確な頻度を推定するのは難しい．しかしながら，わが国の全国軟部腫瘍登録に登録された軟部腫瘍81,351例中，良性腫瘍，中間群腫瘍，悪性腫瘍はそれぞれ 55,618例（68％），2,693例（3％），19,959例（25％）

3 ● 発生機序

　多くの軟部腫瘍の成因は不明である．しかしながら，一部では放射線療法が関係していることは実証されている．少数例であるが，熱傷あるいは外傷と続発性肉腫の発生との関係が知られている．大多数の軟部腫瘍は孤発性に生じるが，少数例は遺伝子症候群との関連がみられ，**神経線維腫症 1 型** neurofibromatosis type 1（NF 1）に神経線維腫，悪性末梢神経鞘腫瘍，**ガードナー症候群** Gardner syndrome にデスモイド型線維腫症，**リーフラウメニ症候群** Li-Fraumeni syndrome に横紋筋肉腫がそれぞれ発生することがよく知られている．現在，軟部腫瘍は全身に広く分布する間葉系幹細胞の突然変異によって発生することが示されている．約30％の軟部腫瘍では，特異的染色体転座による遺伝子異常で，キメラ転写因子をコード化する融合遺伝子（キメラ遺伝子）が形成される．しかしながら，このような異常転写因子が腫瘍性形質転換を引き起こすかどうかは不明である．これらの遺伝子異常はきわめて特異的なので，FISH（fluorescence in situ hybridization）や逆転写 PCR reverse transcription PCR（RT-PCR）による遺伝子検査は病理診断に有用な情報を提供してくれる（**表 23-2**）．

4 ● 臨床的特徴

　軟部腫瘍は全身どの部位にも発生するが，およそ40％は下肢（特に大腿），20％は上肢，10％は頭頸部，

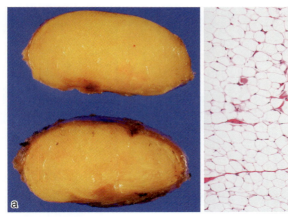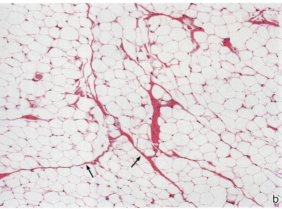

図 23-1　脂肪腫
a. 黄色調で均一な分葉状腫瘤.
b. 大きさのそろった成熟脂肪細胞が薄い線維性隔壁(→)で区画されている.

30％は体幹と後腹膜に生じる．肉腫は男性が女性より多く(1.4：1)みられ，年齢とともにその頻度は増加する．肉腫の15％は小児に発生し，脳腫瘍，血液系腫瘍，ウィルムス腫瘍に次いで4番目に多い．肉腫はある年代に特異的で，横紋筋肉腫は小児，滑膜肉腫は若年成人，脂肪肉腫と線維肉腫は中高年者に発生する傾向がある．

5　予後因子

正確な組織診断は肉腫の予後を規定するうえで重要である．細胞学的特徴と腫瘍細胞の増殖パターンは診断に有用な形態学的特徴であるが，診断を確定するうえでは十分でない場合がある．このようなときに，特に免疫組織化学と遺伝子学的検索は補助的診断法として欠かすことができない．

軟部肉腫の多くの組織型にとって，組織学的悪性度は重要である．腫瘍分化度，高倍視野での核分裂像数，壊死範囲の評価に基づいて3段階の悪性度評価を行う．

病期分類は予後と肉腫の十分な切除範囲を決定するうえで有用である．**国際対がん連合** Union for International Against Cancer Control (UICC) の **TNM分類** が軟部肉腫の治療に用いられるが，腫瘍径，部位，深さ，悪性度，転移の有無に基づいて分類される．

一般的に，皮膚および皮下の浅在性腫瘍は深部発生の腫瘍より予後良好である．深在性・高悪性度の軟部肉腫患者では，腫瘍径が20 cm以上だと80％に，5 cm以上だと30％に転移が生じる．軟部肉腫の10年生存率は約40％である．

2　脂肪性腫瘍

A　脂肪腫 lipoma

【概念，定義，成因】

脂肪腫は成熟脂肪細胞からなる良性腫瘍である．良性軟部腫瘍のなかで最も頻度が高い．中高年者の体幹や頸部に好発する．多くは皮下に発生し，浅在性であるが，深部の骨格筋内に発生することもある．後者は**筋肉内脂肪腫** intramuscular lipoma と呼ばれ，脂肪腫が筋線維間に浸潤性に発育する．

脂肪腫の多くで染色体12q13-15の異常が検出される．

【病理形態像】

肉眼的に，境界明瞭で黄色調で均一な分葉状腫瘤を形成する(図23-1a)．組織学的には，大きさのそろった成熟脂肪細胞が増殖し，薄い線維性隔壁で区画される(図23-1b)．

【臨床像】

脂肪腫は無痛性の軟らかい腫瘤として気づかれることが多い．浅在性脂肪腫は通常5 cmより小さい．画像検査では，内部は均一で皮下脂肪と同等の信号を呈する．摘出で再発することはないが，深在性のものは境界が不明瞭で，摘出が不完全となると，再発することがある．

B　脂肪肉腫 liposarcoma

成人の軟部肉腫では最も頻度が高く，異型脂肪腫様腫瘍/高分化脂肪肉腫，脱分化脂肪肉腫，粘液型脂肪肉腫，多形型脂肪肉腫の主に4つに分類されている．

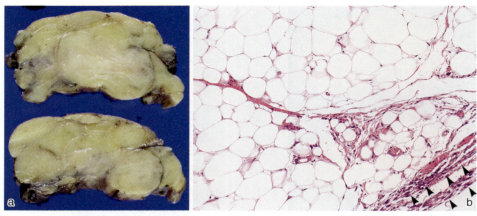

図 23-2　異型脂肪腫様腫瘍/高分化脂肪肉腫
a. 分葉状，多結節状に増殖する充実性・黄白色調腫瘤．
b. 大小の空胞状胞体をもつ脂肪細胞を取り囲む線維性隔壁に異型紡錘形細胞（▶）が混在している．

1 異型脂肪腫様腫瘍 atypical lipomatous tumor/高分化脂肪肉腫 well-differentiated liposarcoma

【概念，定義，成因】

　異型脂肪腫様腫瘍/高分化脂肪肉腫は全脂肪肉腫の40〜45％を占め最も頻度が高い．中高年者に好発し，四肢（特に大腿の深部）に最も多く発生し，後腹膜，傍精巣部が続く．遠隔転移をきたさないため中間群腫瘍に分類されている．

　CDK4，*HMGA2*，*MDM2* などの遺伝子を含む 12q13-15 領域の増幅が検出される．

【病理形態像】

　肉眼的に，境界明瞭な分葉状の黄白色調腫瘤を形成する（図 23-2a）．組織学的には，脂肪細胞に大小不同がみられ，線維性隔壁に異型紡錘形細胞あるいは多核の多形細胞が散在性に出現する（図 23-2b）．

【臨床像】

　脂肪肉腫のほとんどは自覚症状として四肢では数か月から数年にわたって徐々に増大する無痛性腫瘤として現れる．後腹膜では偶然発見されることが多く，時に20 cm 以上の腫瘍径となる．画像検査では，高分化脂肪肉腫は脂肪腫と異なり内部の構造は不均一である．脂肪肉腫の治療は外科的な広範切除である．四肢発生例では広範切除が可能なことが多いが，後腹膜発生例では完全な切除縁を得ることが難しい．したがって，四肢では後腹膜と比べて局所再発率が低いが，後腹膜ではほぼ全例に再発がみられる．高分化脂肪肉腫は再発を繰り返すと脱分化脂肪肉腫へ進展する危険性が高くなる．

2 脱分化脂肪肉腫 dedifferentiated liposarcoma

【概念，定義，成因】

　脱分化脂肪肉腫（図 23-3）は同一の腫瘍内で高分化脂肪肉腫成分に隣接して高悪性度の未分化多形性肉腫成分を伴う．高齢者の後腹膜に最も多く発生し，四肢や精索にも生じる．高分化脂肪肉腫の10％に脱分化が生じ，特に後腹膜の高分化脂肪肉腫からのものが多く，四肢発生例からは少ない．

　高分化脂肪肉腫と同様の遺伝子異常が認められる．特に *MDM2* と *CDK4* 遺伝子増幅を検出することは高分化および脱分化脂肪肉腫の診断にも有用である（図 23-3d）．

【病理形態像】

　肉眼的には，灰白色調のしばしば壊死を伴う脱分化部分を含む多結節状の黄色調腫瘤である（図 23-3a）．組織学的には，高分化脂肪肉腫成分に隣接して未分化多形肉腫や成人線維肉腫の像がみられることが多い（図 23-3b）．また，骨や軟骨の成分が認められることがある．免疫組織化学では MDM2 が核に陽性となる（図 23-3c）．

【臨床像】

　画像検査では，高分化脂肪肉腫の部分と，より不均一な信号を呈する脱分化部分が隣接して描出される．予後は高分化脂肪肉腫と比較して不良であり，長期間にわたって再発を繰り返して腫瘍死することが多い．

B. 腫瘍性病変 ● 695

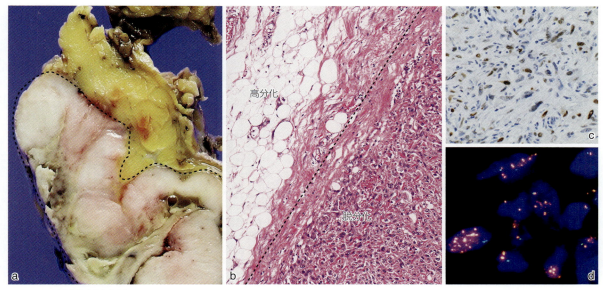

図 23-3　脱分化脂肪肉腫
a. 灰白色調の脱分化部分（点線）を含む多結節状の黄色調腫瘤．
b. 高分化脂肪肉腫成分と未分化多形肉腫の像を示す脱分化部分との境界は明瞭．
c. 脱分化部分の免疫組織化学で MDM2 が核に陽性．
d. FISH で *MDM2* 遺伝子の赤シグナル数が増加．

3 ● 粘液型脂肪肉腫 myxoid liposarcoma
【概念，定義，成因】
　粘液型脂肪肉腫（図 23-4）は全脂肪肉腫の 15〜20％を占める．30〜40 歳代の若年成人の下肢深部軟部組織に好発し，大腿発生が最も多い．
　95％の症例で，特異的染色体転座 t(12;16)(q13;p11) による融合遺伝子 *FUS-DDIT3* が検出され，残りの症例で t(12;22)(q13;q12) による *EWSR1-DDIT3* が検出される（図 23-4b）．

【病理形態像】
　肉眼的には，黄褐色調のゼラチン状割面をもつ多結節状腫瘤で，円形細胞の多い部分では白色調を呈する．組織学的には，豊富な粘液状基質と樹枝状毛細血管の中に，均一な円形ないし卵円形細胞が空胞をもった脂肪芽細胞とともに増殖している（図 23-4a）．核クロマチンが増量し，分裂像を伴う円形細胞が多く認められることがある．

【臨床像】
　粘液型脂肪肉腫の画像所見は，ほかの粘液性軟部腫瘍と同様に，MRI T1 強調画像で低信号，T2 強調画像で高信号を呈する．ガドリニウムによる造影効果を認める場合が多い．局所再発をきたすことが多く，1/3 の患者に遠隔転移を生じる．円形細胞成分の占める割合の高い腫瘍は予後不良である．

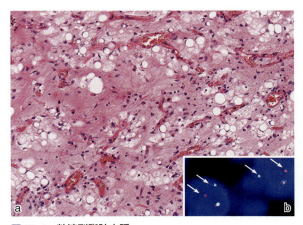

図 23-4　粘液型脂肪肉腫
a. 粘液状基質と樹枝状毛細血管を背景に，空胞をもった脂肪芽細胞が認められる．
b. *DDIT3* 遺伝子分離プローブを用いた FISH で *DDIT3* 遺伝子再構成による赤と緑シグナルの分離が検出される（→）．

Advanced Studies
4 ● 多形型脂肪肉腫 pleomorphic liposarcoma
【概念，定義，成因】
　多形型脂肪肉腫は全脂肪肉腫の 5％を占めるまれな亜型である．中高年者の四肢に好発する．

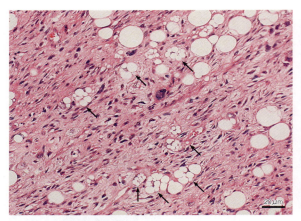

図 23-5　多形型脂肪肉腫
多形性に富む紡錘形および巨細胞からなり，細胞質内に種々の量の脂肪滴を含む脂肪芽細胞（→）が認められる．

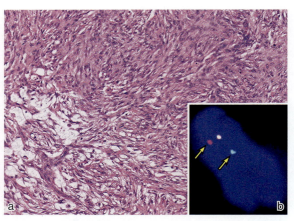

図 23-6　結節性筋膜炎
a．炎症細胞浸潤と漏出赤血球を伴う粘液状基質を背景に紡錘形細胞が羽毛状に増殖する．
b．*USP6* 遺伝子分離プローブを用いた FISH で *USP6* 遺伝子再構成による赤と緑シグナルの分離が検出される（→）．

他の脂肪肉腫と異なり，特異的染色体転座や 12q13-15 領域の遺伝子増幅は検出されない．
【病理形態像】
　肉眼的には，充実性で黄白色調の多結節状腫瘤を形成する．組織学的には，多形性に富む紡錘形および巨細胞からなり，巨大で多空胞状の脂肪芽細胞を認める（図 23-5）．
【臨床像】
　高頻度に遠隔転移をきたし，予後不良である．

③ 線維性腫瘍

1 ● 結節性筋膜炎 nodular fasciitis
【概念，定義，成因】
　結節性筋膜炎（図 23-6）は若年成人の上肢，体幹，頭頸部に好発する良性腫瘍である．筋膜表面に生じ，皮下脂肪組織へ進展することが多い．
　特異的染色体転座 t(17;22)(p13;q13) による融合遺伝子 *MYH9-USP6* が検出され（図 23-6b），自然消褪することもあることから，一過性の腫瘍性病変と解釈されている．
【病理形態像】
　組織学的には，紡錘形の線維芽細胞が膠原線維を交えて束状に増殖する（図 23-6a）．粘液状基質を背景に線維芽細胞がまばらに羽毛状に増殖することもある．リンパ球を主体とする炎症細胞浸潤および出血像を伴うことが多い．核分裂像が比較的多いため，悪性軟部腫瘍と誤られる可能性がある．
【臨床像】
　1～2か月で急速に増大するが，5 cm を超えることはない．自発痛または圧痛がある．摘出のみで治癒し，再発することはほとんどない．

2 ● デスモイド型線維腫症 desmoid-type fibromatosis
【概念，定義，成因】
　デスモイド型線維腫症は深在性に発生する線維芽細胞性腫瘍で浸潤性増殖を特徴とする．発生部位によって，四肢と腹壁以外の体幹部に発生する腹壁外デスモイド，腹直筋などの腹壁に発生する腹壁デスモイド，腸間膜や骨盤腔などに発生する腹腔内デスモイドに分けられる．腹壁外デスモイドは若年女性の肩甲帯と大腿に多く発生する．腹壁デスモイドは妊娠中，出産後の女性に多い．腹腔内デスモイドは消化管ポリポーシスを主徴とする **Gardner 症候群** を伴うものがある．
　Gardner 症候群を伴った腹腔内デスモイドでは高率に ***APC*** 遺伝子異常を伴う．背景疾患のない孤発性のデスモイド型線維腫症では **β-カテニン** β-catenin 遺伝子 *CTNNB1* の点突然変異が高率にみられる．これらの遺伝子異常によって β-カテニンの核内集積が起こり，細胞増殖が促進されることが腫瘍発生に関与している．手術や外傷などの既往との関連も認められる．
【病理形態像】
　割面の肉眼所見では，やや光沢のある白色調の硬い腫瘤で，周囲の組織との境界が不明瞭となる（図 23-7a）．組織学的には，豊富な膠原線維と小型の血管形成を伴って細長く均一な紡錘形細胞が増殖する（図 23-7b）．辺縁部では周囲の脂肪や骨格筋組織に浸潤性増殖する．免

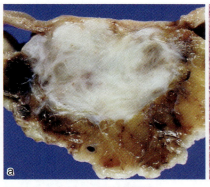 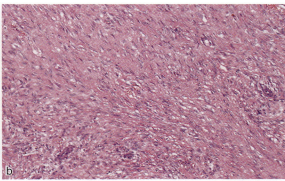 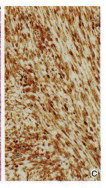

図 23-7 デスモイド型線維腫症
a. 腹腔内デスモイドは白色調腫瘤を形成し，周囲の小腸間膜へ浸潤する．
b. 豊富な膠原線維と小型血管を伴い，紡錘形細胞が緩やかな束状配列を示す．
c. 免疫組織化学で紡錘形細胞の核と細胞質にβ-カテニンが陽性．

疫組織化学ではβ-カテニンが核と細胞質に陽性となる（図 23-7c）．

【臨床像】

腹壁外デスモイドでは，徐々に増大する可動性のない硬い腫瘤を呈し，辺縁は不明瞭なことが多い．腫瘍径は5〜10 cm のことが多い．摘出後に局所の再発傾向は強いが，転移はしない中間群に分類されている．

3 孤立性線維性腫瘍 solitary fibrous tumor

【概念，定義，成因】

孤立性線維性腫瘍は鹿角状に分枝し，薄壁の拡張した血管が特徴的な線維芽細胞性腫瘍である．

12q13 における微小な逆位とそれに基づく融合遺伝子 *NAB2-STAT6* が検出される．

【病理形態像】

肉眼的に周囲との境界が明瞭な白色調の硬い多結節状病変で，大きさは 5〜10 cm 径のものが多い（図 23-8a）．組織学的には，硝子化した厚い膠原線維束の間に短紡錘形細胞が不規則に配列する（図 23-8b）．鹿角状の分枝した血管腔が散在する．核異型は乏しく，核分裂像は少ないことが多い．免疫組織化学で CD34 が陽性となり（図 23-8c），変異 STAT6 の核内発現が認められる（図 23-8d）．

【臨床像】

中年成人に多く，四肢・体幹の皮下および後腹膜・腹腔の深部軟部組織，肺，甲状腺，心膜，腎，前立腺，頭蓋内などの臓器にも発生する．辺縁明瞭な徐々に増大する無痛性腫瘍として現れる．多くの例は良性の経過をたどるが，術後の局所再発だけでなく，稀に遠隔転移を生じる中間群に分類されている．年齢，核分裂像数，腫瘍径，腫瘍壊死が予後予測モデルのリスク因子としてコンセンサスを得ている．

4 隆起性皮膚線維肉腫
dermatofibrosarcoma protuberans

【概念，定義，成因】

隆起性皮膚線維肉腫（図 23-9）は真皮および皮下に生じる表在性の低悪性度の線維芽細胞腫瘍である．10〜40歳で初発することが多く，胸壁，背部，腹壁などの体幹に好発する．10〜15％の症例で，より悪性度の高い線維肉腫様成分が出現する．

特異的染色体転座 t(17;22)(q22;q13) による融合遺伝子 *COL1A1-PDGFB* が検出される（図 23-9d）．

【病理形態像】

肉眼的に皮膚から皮下組織にかけて，比較的境界明瞭な白色調で充実性の結節状腫瘤を形成する（図 23-9a）．組織学的には，多形性がみられない比較的均一な紡錘形細胞が高い細胞密度で，花むしろ状・車軸状に配列する（図 23-9b）．皮下へ浸潤すると脂肪細胞を腫瘍内に取り込み，蜂の巣状の構造を示す．線維肉腫様成分については，腫瘍細胞の核異型と分裂像が増すことで，杉綾模様を呈する．免疫組織化学では CD34 が陽性となる（図 23-9c）．

【臨床像】

腫瘍は数年から 10 年以上に及んで緩徐に発育する．皮膚表面から結節状ないし塊状に隆起する腫瘍を形成し，潰瘍を伴うことがある．治療は広範切除が原則である．術後の局所再発率が高く，まれに遠隔転移を示す中

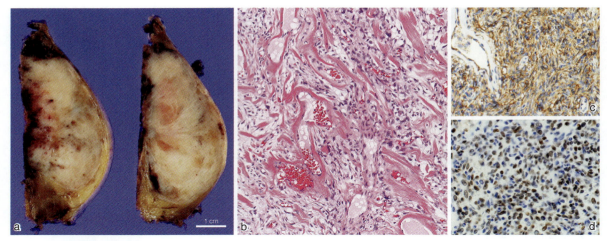

図 23-8　孤立性線維性腫瘍
a. 境界明瞭な白色調の多結節状腫瘤を形成．
b. 紡錘形細胞が硝子化した膠原線維と鹿角状に分枝した血管腔を伴い，不規則に配列する．
c. 免疫組織化学で CD34 に陽性．
d. 免疫組織化学で STAT6 が核に陽性．

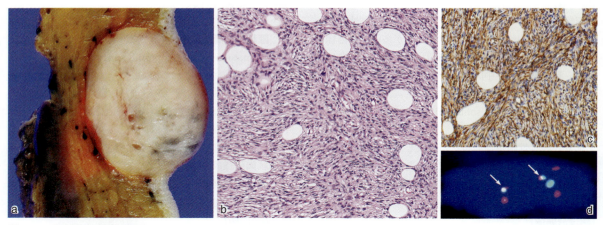

図 23-9　隆起性皮膚線維肉腫
a. 皮下から真皮にかけて隆起した白色調の均一な結節状腫瘤を形成．
b. よくそろった紡錘形細胞が脂肪細胞を蜂の巣状に取り込み，花むしろ状に配列する．
c. 免疫組織化学で CD34 に陽性．
d. FISH で *COL1A1-PDGFB* 融合遺伝子（赤と緑のシグナルの隣接）シグナルが 2 個検出される（⇒）．

間群に分類されている．線維肉腫様成分を伴った症例では遠隔転移の頻度が増す．

5　粘液線維肉腫 myxofibrosarcoma
【概念，定義】
　かつて粘液型悪性線維性組織球腫と呼ばれていた粘液状基質に富み，多形性が目立たず低悪性度から中等悪性度のものが主体を占める悪性線維性腫瘍である．

【病理形態像】
　肉眼的に多結節状のゼラチン状あるいは粘液状の腫瘤を形成する（図 23-10a）．組織学的には紡錘形あるいは多角形細胞が粘液状基質と豊富な小血管網を背景に多結節状に発育する（図 23-10b）．リンパ球を主体とする炎症細胞浸潤もみられる．脂肪芽細胞に類似するが，粘液をいれた偽脂肪芽細胞が出現する．

【臨床像】
　高齢者の四肢に好発する．皮下を中心に表在性に，時

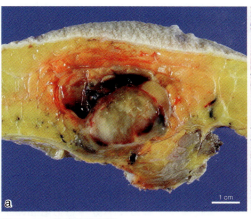
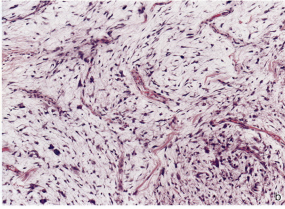

図 23-10　粘液線維肉腫
a. 白色調の部分を交えた多結節状の粘液状腫瘤.
b. 紡錘形ないし多角形細胞が粘液状基質と豊富な小血管網を背景に増殖する.

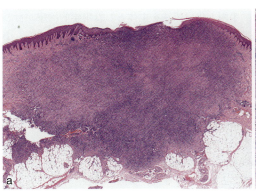
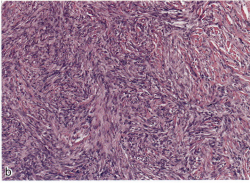

図 23-11　皮膚線維腫
a. 真皮を中心に左右対称的な輪郭.
b. 厚い膠原線維を巻き込んで，紡錘形細胞が花むしろ状，束状配列を示す.
c. 免疫組織化学で SMA に陽性.

に筋肉内において，緩徐に発育するものが症例の大半を占める．術後の局所再発率が高い．

4　線維組織球性腫瘍

1　線維性組織球腫 fibrous histiocytoma

【概念，定義】

　線維性組織球腫は皮膚に発生する**皮膚線維腫** dermatofibroma と皮下に生じる深在性線維性組織球腫があるが，前者の頻度が圧倒的に高い．皮膚線維腫は若年〜中年の体表の各所に生じ，体幹より四肢が多い．

【病理形態像】

　皮膚線維腫は最大径1〜2 cm の境界明瞭な硬い隆起性腫瘤を形成する．病変の中央は真皮に位置し，輪郭は丸みを帯びわずかにくさび形となる（図23-11a）．深在性線維性組織球腫は皮膚線維腫より大きく，境界はより明瞭である．組織学的には均一な紡錘形細胞が主体となって花むしろ状，束状に配列し，病変の辺縁部で厚い膠原線維増生を巻き込む（図23-11b）．種々の程度の炎症細胞，泡沫細胞，ヘモジデリン貪食細胞を混在する．深在性線維性組織球腫は基本的に同一の組織像を示すが，皮膚線維腫より細胞密度が高い．免疫組織化学では平滑筋マーカー α-smooth muscle actin（SMA）が陽性となる（図23-11c）．

【臨床像】

　不完全切除あるいは辺縁切除だと再発することがあるが，転移はみられない．

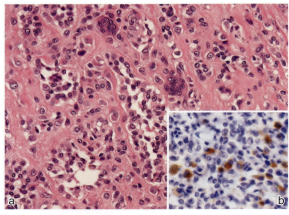

図 23-12　腱鞘巨細胞腫
a. 限局型では組織球様単核細胞と破骨細胞様多核巨細胞が線維性間質に囲まれて増殖する．
b. 免疫組織化学でいくつかの単核細胞は CSF1 に陽性．

2 腱鞘巨細胞腫 tenosynovial giant cell tumor

【概念，定義，成因】

　腱鞘巨細胞腫は関節，滑液包および腱鞘の滑膜に生じ，滑膜分化を示す病変の一群を包含する．限局型とかつて色素性絨毛結節性滑膜炎と呼ばれていたびまん型がある．限局型は 30〜50 歳の女性の手に多く発生する．びまん型は 40 歳以下の膝関節滑膜に好発する．
　特異的染色体転座 t(1;2)(p13;q37) による融合遺伝子 *COL6A3-CSF1* が検出される．

【病理形態像】

　組織学的には限局型は分葉状の境界明瞭な病変で，類円形から多角形の組織球様単核細胞が破骨細胞様多核巨細胞や泡沫細胞とともに結節状に増殖する（図 23-12a）．硝子様硬化を示す線維性間質やヘモジデリン沈着を伴う．びまん型は基本的に限局型と同様の細胞で構成され類似した組織像であるが，境界の不明瞭な浸潤性増殖を示し，破骨細胞型多核巨細胞も目立たないことが多い．滑膜腔を模した裂隙形成がみられる．免疫組織化学でいずれも CSF1 の発現が認められる（図 23-12b）．

【臨床像】

　限局型は手指の関節部に無痛性腫瘤として発生する．腫瘍の増大は緩やかであるが，X 線像で近接する骨の侵食がみられることがある．術後に局所再発することがあるが，遠隔転移はなく予後は良好である．びまん型は局所再発率が 40〜60％と高い．

5 横紋筋性腫瘍

1 横紋筋肉腫 rhabdomyosarcoma

【概念，定義】

　横紋筋肉腫は小児で最も多い軟部肉腫である．全身のいかなる部位にも発生するが，頭頸部もしくは泌尿生殖器に好発する．四肢では骨格筋に生じる．組織学的に胎児型（図 23-13），胞巣型（図 23-14），多形型（図 23-15），紡錘形細胞・硬化型（図 23-16）の 4 つに分類されている．免疫組織化学では横紋筋マーカー desmin と muscle-specific actin（HHF35）に加えて（図 23-15b），未熟な横紋筋芽細胞のマーカーである myogenin や MyoD1 が陽性である（図 23-13c, 14d, 16b）．

【臨床像】

　横紋筋肉腫は悪性度が高く，通常は放射線治療と組み合わせ，手術と化学療法を主体とした集学的治療が行われる．腫瘍の組織学的亜型と部位が予後に影響する．小児の胎児型の一部であるブドウ状肉腫型の予後はよく，胞巣型，多形型は予後不良である．*MyoD1* 遺伝子変異を伴う紡錘形細胞・硬化型は変異を伴わないものに比して予後不良である．

a 胎児型横紋筋肉腫 embryonal rhabdomyosarcoma

　胎児型は全横紋筋肉腫の 60％を占める．さらにブドウ状肉腫型，退形成型が含まれる．10 歳以下の小児に発生することが多く，眼窩，鼻腔，口腔，中耳などの頭頸部領域と膀胱，腟，精索，前立腺などの泌尿生殖器に好発する．

【成因】

　IGF2 遺伝子を含む染色体 11p15.5 の欠失が高頻度に検出される．

【病理形態像】

　肉眼的には，境界不明瞭な軟らかい灰白色調腫瘤を形成する．ブドウ状肉腫型は粘膜表面からポリープ状に突出し，ブドウの房状形態を示す（図 23-13a）．組織学的には腫瘍細胞はさまざまな段階の胎芽形成期の骨格筋に類似し，粘液状基質を背景に小型円形および紡錘形の**横紋筋芽細胞** rhabdomyoblast がびまん性に増殖する．横紋筋芽細胞はオタマジャクシ型やラケット状で，豊富な好酸性胞体をもち，細胞質に横紋構造を認めることがある．ブドウ状肉腫型では粘膜上皮下に未分化な小型円形細胞が密に集合する部分がみられる（図 23-13b）．

b 胞巣型横紋筋肉腫 alveolar rhabdomyosarcoma

　胞巣型横紋筋肉腫は全横紋筋肉腫の 20％を占める．思春期から若年成人の四肢の骨格筋に好発する．

B. 腫瘍性病変 701

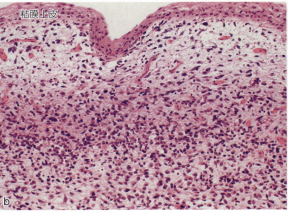
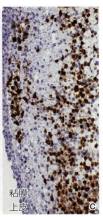

図 23-13　胎児型横紋筋肉腫
a. 子宮腟部のブドウ状肉腫型はポリープ状，ブドウの房状腫瘤を形成する．
b. 粘膜上皮下に小型円形細胞が密に集合する．
c. 免疫組織化学で小型円形細胞の核に myogenin が陽性．

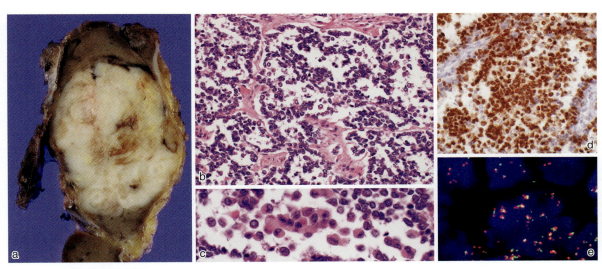

図 23-14　胞巣型横紋筋肉腫
a. 筋肉内の灰白色調の多結節状腫瘤．
b. 中型円形細胞が線維性隔壁で区画されて胞巣状に配列し，隔壁に沿ってつるし柿状に配列．
c. 豊富な好酸性胞体をもった横紋筋芽細胞．
d. 免疫組織化学で myogenin に陽性．
e. FISH で PAX3-FOXO1 融合遺伝子（赤と緑のシグナルの隣接）シグナルの増幅．

【成因】
　特異的染色体転座 t(2;13)(q35;q14) による融合遺伝子 *PAX3-FOXO1*，t(1;13)(q36;q14) による *PAX7-FOXO1* が検出される（図 23-14e）．

【病理形態像】
　肉眼的には，深部筋肉内に線維性組織を含み，壊死，出血を伴うこともある灰白色調の腫瘤を形成する（図 23-14a）．組織学的には，中型円形細胞が線維性隔壁で区画される胞巣状構造が特徴的なものとして認められる（図 23-14b）．胞巣中心部では腫瘍細胞はまばらであるが，辺縁部では隔壁に付着して一列に並んだつるし柿状にみえる．腫瘍細胞の細胞質は乏しいが，豊富な好酸性胞体と偏在核をもった横紋筋芽細胞も認められる（図 23-14c）．

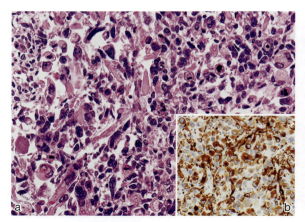

図 23-15　多形型横紋筋肉腫
a. 奇怪な核と好酸性胞体をもつ多角形，円形あるいは紡錘形細胞が増殖する．
b. 免疫組織化学で desmin に陽性．

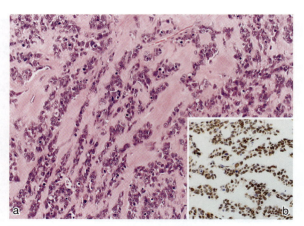

図 23-16　紡錘形細胞・硬化型横紋筋肉腫
a. 硝子化間質に囲まれて腫瘍細胞が偽胞巣状に配列．
b. 免疫組織化学で MyoD1 に陽性．

Advanced Studies

c 多形型横紋筋肉腫 pleomorphic rhabdomyosarcoma

多形型横紋筋肉腫は成人の深部軟部組織に発生するまれな亜型である．組織学的には，ほかの多形性肉腫に類似して大型で，時に多核の奇怪な好酸性胞体をもつ横紋筋芽細胞が出現する（図23-15a）．

d 紡錘形細胞・硬化型横紋筋肉腫 spindle cell/sclerosing rhabdomyosarcoma

紡錘形細胞・硬化型横紋筋肉腫は小児と成人に発生するまれな亜型である．小児では傍精巣領域に多く，成人では頭頸部に多いが，硬化形態を示すものは小児・成人とも四肢に多い．組織学的には，ほぼ均一な紡錘形細胞が硝子硬化性の線維性基質を種々の程度に伴って束状あるいは渦巻状に配列し，横紋筋芽細胞がまばらに混在する（図23-16a）．

平滑筋性腫瘍

1 平滑筋腫 leiomyoma

【概念，定義】

平滑筋腫は良性の平滑筋性腫瘍で，軟部組織に発生するものは少ない．子宮が最も多く，次いで消化管，特に食道，大腸，直腸に発生する．消化管皮膚，乳頭，陰嚢，陰唇の立毛筋に生じる皮膚平滑筋腫がある．

【病理形態像】

肉眼的には，境界明瞭な白色調の多結節状の腫瘤を形成する（図23-17a）．組織学的には，紡錘形細胞が束状に配列し，それが縦横に錯綜する（図23-17b）．腫瘍細胞の胞体は好酸性で，核は細長く両端は鈍である．異型は乏しく，分裂像は少ない．免疫組織化学では平滑筋マーカー desmin と SMA が陽性である（図23-17c）．

【臨床像】

子宮平滑筋腫の不妊を含めたさまざまな症状は，数や大きさ，部位に影響を受ける．皮膚平滑筋腫は多発して痛みを伴うことがある．摘出で治癒しうるが，多発性腫瘍の場合は数が多くて完全切除は難しい．

2 平滑筋肉腫 leiomyosarcoma

【概念，定義】

平滑筋肉腫は全軟部肉腫の 10〜20％を占める．成人に発生し，男性より女性が多い．発生部位として後腹膜や骨盤が多く，四肢の深部軟部組織と皮膚が続く．

【病理形態像】

肉眼的には，境界明瞭な白色ないし灰白色調の腫瘤である（図23-18a）．大きな腫瘍では，出血，壊死，嚢胞性変化を示すことがある．組織学的に好酸性胞体と葉巻状の核をもつ紡錘形細胞が束状に錯綜する（図23-18b）．低分化腫瘍では多形性がみられ，核分裂像が多い．免疫組織化学では SMA, muscle-specific actin, desmin などの筋原性マーカーが複数陽性となる（図23-18c）．

【臨床像】

症状として，無痛性の硬い腫瘤を形成する．後腹膜腫瘍は巨大化し，腹部症状を呈することがある．治療は腫瘍の大きさ，部位，悪性度による．浅在性ないし皮膚の平滑筋肉腫は通常小さく予後はよい．一方，後腹膜腫瘍は大きく，完全切除は難しい．したがって，局所再発と遠隔転移をきたして予後不良である．

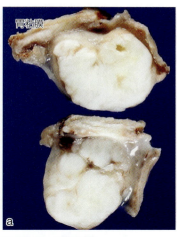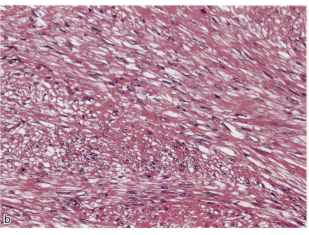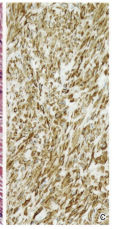

図 23-17　平滑筋腫
a. 胃の粘膜下に境界明瞭な白色調の多結節状腫瘤を形成する．
b. 好酸性胞体をもった紡錘形細胞が低い細胞密度で束状に配列する．
c. 免疫組織化学で desmin に陽性．

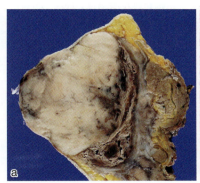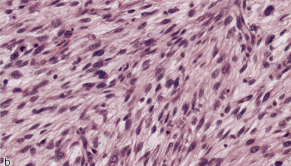

図 23-18　平滑筋肉腫
a. 皮下に境界明瞭な灰白色調の結節状腫瘤を形成する．
b. 好酸性胞体と葉巻状の核をもった紡錘形細胞が束状に錯綜する．核分裂像が目立つ．
c. 免疫組織化学で SMA に陽性．

7 血管性・血管周皮性腫瘍

1 血管腫 hemangioma

【概念，定義】

　近年，多様な良性血管病変の病因が明らかにされて，これらが血管腫 hemangioma と血管形成異常 vascular malformation の 2 群に分けられてきている．血管腫という用語は真の腫瘍として細胞増殖の結果生じた病変に適用されることが推奨されている．通常，毛細血管サイズの血管で構成され，患者と比べて不釣り合いに急速に増大するが，組織型によっては退縮する場合がある．一方，血管形成異常は胚性血管系の発達異常である．通常は出生時に明らかであり，ほとんどの場合，患者に比例して成長し，増殖活性をほとんどあるいは全く示さない．それらは，異常な動脈，静脈，毛細血管またはリンパ管で構成されており，多くの場合それらが組み合わされている．このなかで，静脈形成異常/静脈血管腫 venous malformation/venous hemangioma は皮下または深部軟部組織に存在し，手足に生じる場合が多い．

【病理形態像】

　静脈形成異常/静脈血管腫は組織学的に通常大きな厚い壁の筋肉血管で構成されており，これらはさまざまに拡張し，血栓症や静脈結石が形成される場合がある（図 23-19）．大きく拡張した血管は壁が薄くなり，**海綿状血管腫**を模倣する．

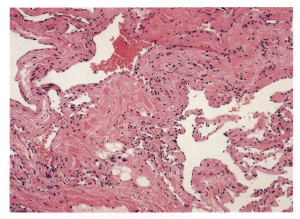

図 23-19　静脈形成異常/静脈血管腫
海綿状血管を交え，さまざまな大きさに拡張した壁の厚い静脈血管からなる．

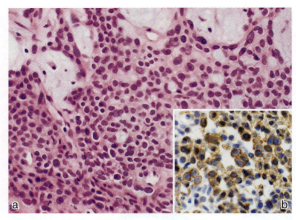

図 23-20　グロムス腫瘍
a. 浮腫性間質を伴って，好酸性の淡明な胞体をもち，細胞境界明瞭な円形細胞が索状に増殖する．
b. 免疫組織化学で SMA に陽性．

Advanced Studies

2 ● グロムス腫瘍 glomus tumor
【概念，定義】
　グロムス腫瘍は小動静脈吻合部に存在し，温度調整にかかわる平滑筋細胞に類似したグロムス細胞からなる良性腫瘍である．
【病理形態像】
　組織学的には，毛細血管周囲にグロムス細胞が集まって索状に増殖する．グロムス細胞は均一な小型円形細胞で，細胞境界は明瞭である（図 23-20a）．免疫組織化学では SMA には陽性であるが，desmin は陰性である（図 23-20b）．
【臨床像】
　四肢（特に爪床）に通常 1 cm 以下の小さな赤紫色の結節を形成し，発作性の激痛を伴う．摘出によって治癒する．

3 ● 血管肉腫 angiosarcoma
【概念，定義，成因】
　血管肉腫は血管内皮の悪性腫瘍である．高齢者に多く，全身のいかなる部位にも発生するが，皮膚，軟部組織，乳腺に好発する．
　皮膚血管肉腫は頭部外傷が病因と考えられている．リンパ節郭清を伴った乳癌根治術後の上肢のリンパ浮腫に続発するもの（スチュワート-トレーヴス Stewart-Treves 症候群），放射線照射後に発生するものがある．
【病理形態像】
　皮膚血管肉腫は多発性の紅斑として生じ，次第に境界不明瞭な隆起性の出血性病変として認められ，皮膚潰瘍を伴う．組織学的には血管形成の度合いに応じて，低分化な部分から分化した部分まで混在してみられる（図 23-21a）．分化した部分では，異型内皮細胞が単層から多層に配列して増殖し，不規則に吻合した血管腔を形成する．低分化な部分では血管腔をつくらずに紡錘形細胞が充実性に増殖する．免疫組織化学では CD34，CD31，ERG などの内皮細胞マーカーが陽性である（図 23-21b）．放射線照射とリンパ浮腫に関連した血管肉腫では，*MYC* 遺伝子の増幅がみられ，免疫組織化学で MYC が強陽性を示す（図 23-21c）．
【臨床像】
　血管肉腫の予後はきわめて悪く，早期に局所再発，さらに肺転移をきたして 50％の患者は 2 年以内に死亡する．5 年生存率は 10～20％である．

8　末梢神経腫瘍

1 ● 神経鞘腫 schwannoma と神経線維腫 neurofibroma
【概念，定義】
　良性末梢神経鞘腫瘍は，神経外胚葉または神経堤起源と考えられる組織から発生し，神経のさまざまな細胞成分，例えば Schwann 細胞，神経周膜細胞，線維芽細胞を反映する一連の特徴を示している．神経に発生するこれらの腫瘍は，神経上膜または神経周膜に完全に囲まれているため，それらの膜が容易に摘出できる真の被膜となっている．神経鞘腫では分化した Schwann 細胞の形態が多少でも認められるが（図 23-22），神経線維腫は Schwann 細胞から線維芽細胞に至るまでのさまざまな細胞形態を示している（図 23-23）．神経鞘腫と神経線維腫はほとんどの場合で組織構築，細胞成分，関連する症候群および細胞遺伝学的異常によって互いに区別できる特徴的な病変である（表 23-3）．

B. 腫瘍性病変 ● 705

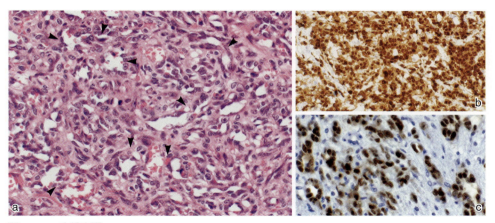

図 23-21　血管肉腫
a. 放射線照射後の乳腺血管肉腫では，異型内皮細胞が不規則に分枝吻合した血管腔を形成する（►）．
b. 免疫組織化学で核に ERG が陽性．
c. 免疫組織化学で核に MYC が陽性．

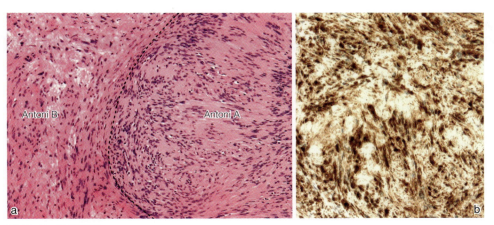

図 23-22　神経鞘腫
a. 紡錘形細胞が密に核の柵状配列を伴って渦巻状増殖を示す Antoni A 領域（右側）と，疎らに束状配列する Antoni B 領域（左側）．
b. 免疫組織化学で紡錘形細胞の核と細胞質に S-100 蛋白がびまん性に陽性．

2　悪性末梢神経鞘腫瘍
malignant peripheral nerve sheath tumor

【概念，定義】
　悪性末梢神経鞘腫瘍は末梢神経から発生する高悪性度の軟部腫瘍である．神経線維腫症 1 型 neurofibromatosis（NF）1 から発生するものが 50％近くを占めている．中高年者の四肢，体幹，頭頸部に好発する．NF1 に続発するものは発症年齢が低い．

【病理形態像】
　肉眼的に坐骨神経などの神経幹から発生する場合は神経と連続する大きな腫瘤を形成する．割面は白色から黄褐色調で，出血・壊死を伴うことが多い（図 23-24a）．組織学的には，紡錘形の細長く伸びた腫瘍細胞が束状に錯綜する（図 23-24b）．粘液に富む疎な部分と密な細胞増殖を示す部分が混在する疎密配列を示す．渦巻き状配列もみられる．核分裂像は多く，多形性肉腫形態をとることもある．免疫組織化学では S-100 蛋白陽性の場合が多いが，良性末梢神経鞘腫瘍に比してその頻度は低く，程度も減弱している．高悪性度の腫瘍ではメチル化されたヒストン蛋白である H3K27me3 の発現消失がみられることが多い（図 23-24c）．

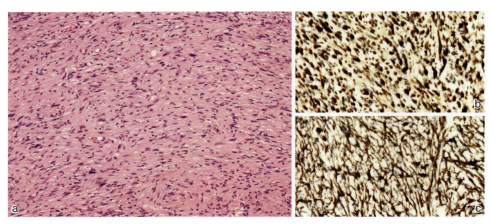

図 23-23　神経線維腫
a. 波状の核をもつ紡錘形細胞とやや大型の紡錘形細胞が膠原線維を伴って増殖する.
b. 免疫組織化学で多くの紡錘形細胞は S-100 蛋白に陽性だが, 陰性の紡錘形細胞も混在している.
c. 免疫組織化学で CD34 陽性の紡錘形細胞が格子状パターンを示す.

表 23-3　神経鞘腫と神経線維腫の比較

	神経鞘腫	神経線維腫
年齢	20〜50 歳	20〜40 歳, NF 1 ではより若い
好発部位	頭頸部, 四肢の屈側部, 後腹膜, 縦隔, 脊髄後根, 聴神経	皮膚神経, NF 1 では深部
被膜形成	通常あり	通常なし
組織構築	被包化された腫瘍でアントニー Antoni A および B 領域からなり, 蔓状パターンはまれ	限局性, びまん性, 蔓状パターン
関連する症候群	ほとんどの病変は孤発性, 一部の NF 2 と神経鞘腫症, まれに NF 1	ほとんどの病変は孤発性, いくつかの NF 1
免疫組織化学	細胞の核と細胞質における S-100 蛋白のびまん性陽性	S-100 蛋白陽性細胞にばらつき 格子状パターンを示す CD34 陽性の線維芽細胞
悪性形質転換	非常にまれ	孤発例ではまれだが, NF 1 患者の 2〜3％で発生

NF 1 および NF 2：神経線維腫症 1 型および 2 型.

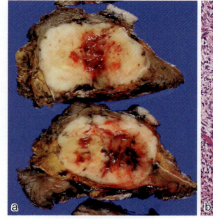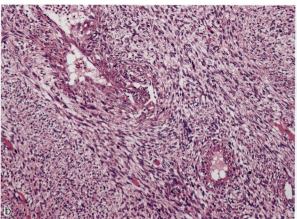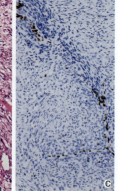

図 23-24　悪性末梢神経鞘腫瘍
a. 筋肉内に黄白色調の巨大な腫瘤を形成し, 出血, 壊死を伴う.
b. 紡錘形細胞が血管周囲に渦巻き状, 束状に配列して錯綜する.
c. 免疫組織化学で H3K27me3 は血管内皮細胞に陽性だが, 紡錘形細胞に発現消失している.

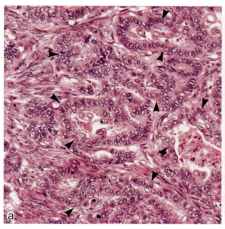 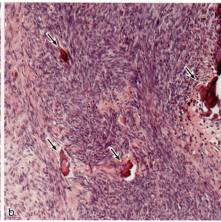 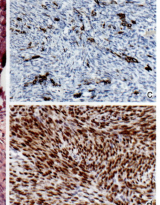

図 23-25　滑膜肉腫
a. 二相型では上皮細胞が腺腔形成を示し（▶），その周囲で紡錘形細胞が束状に配列する．
b. 単相型では紡錘形細胞が単調に束状配列を示し，石灰化を伴う（→）．
c. 免疫組織化学で単相型の紡錘形細胞の一部にサイトケラチン（AE1/AE3）が陽性．
d. 免疫組織化学で単相型の紡錘形細胞の核に SS18-SSX が陽性．

【臨床像】
　悪性末梢神経鞘腫瘍の予後は不良で，特に体幹部の発生，腫瘍径が 5 cm を超える，局所再発および高悪性度腫瘍は予後不良と関係する．

9　分化不明の腫瘍

1　滑膜肉腫 synovial sarcoma
【概念，定義，成因】
　滑膜肉腫は腺腔形成などさまざまな上皮性分化を示す悪性腫瘍である．大部分は思春期から若年成人の深部軟部組織で発生し，多くの場合，関節近傍，腱鞘に好発する．頭頸部や内臓に発生することもある．
　特異的染色体転座 t(X;18)(p11;q11) による **SS18-SSX 融合遺伝子**が検出される．

【病理形態像】
　肉眼的には，白色調の多結節状腫瘤を形成し，周囲組織へ浸潤する．組織学的には，滑膜肉腫は二相型か単相型に分けられる．二相型では立方形から円柱状の上皮細胞が腺腔を形成し，あるいは充実性索状に増殖し，紡錘形細胞が上皮細胞周囲で束状に配列する（図 23-25a）．多くの腫瘍は単相型で，紡錘形細胞が単調に束状に配列する（図 23-25b）．石灰化物質の沈着が特徴的で，画像検査で描出される場合がある．免疫組織化学では vimentin 以外に上皮性マーカーである cytokeratin および EMA が陽性である（図 23-25c）．滑膜肉腫の融合遺伝子産物を認識する SS18-SSX 抗体は感度と特異性の高い免疫染色マーカーとして知られている（図 23-25d）．

【臨床像】
　数年にわたって徐々に増大する腫瘤として気づかれ，疼痛を伴うことがある．滑膜肉腫の予後はさまざまで，主な転移先は，肺，骨，リンパ節である．最大径 5 cm を超える腫瘍，高悪性度腫瘍，低分化領域が 20％ を超える腫瘍は予後不良と関係する．

Advanced Studies

2　筋肉内粘液腫 intramuscular myxoma
【概念，定義，成因】
　豊富な粘液状基質と異型の乏しい紡錘形細胞からなる良性腫瘍である．
　線維性骨異形成と同様に，G 蛋白 α の *GNAS* 遺伝子の活性化点突然変異が高頻度にみられる．

【病理形態像】
　腫瘍は最大径 5 cm 以上の大きさのものが多く，割面では粘性のある分葉状腫瘤を示す（図 23-26a）．組織学的には，均一で核異型が軽度の紡錘形細胞が豊富な粘液状基質を背景に繊細な小血管を伴ってまばらに増殖する（図 23-26b）．

【臨床像】
　成人の大腿，肩，臀部の筋肉内に好発する．周囲の骨格筋へ浸潤性に発育するが，切除後の再発はまれで，転移をきたすことはない．線維性骨異形成との合併例はマザブロウ Mazabraud 症候群とよばれる．

3　未分化多形肉腫 undifferentiated pleomorphic sarcoma
【概念，定義】
　かつて悪性線維性組織球腫 malignant fibrous histiocytoma と呼ばれていた未分化多形肉腫 undifferentiated pleomorphic sarcoma は独立した疾患単位というよりも，特定の分化をとらえにくいきわめて

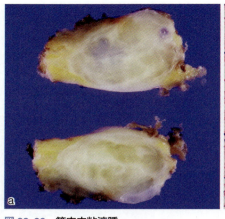
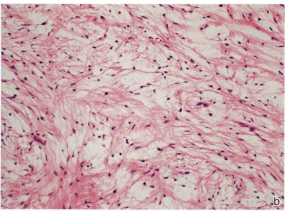

図 23-26　筋肉内粘液腫
a. 光沢のあるゼラチン様の白色調分葉状腫瘤.
b. 豊富な粘液状基質と小血管を伴って紡錘形細胞がまばらに増殖する.

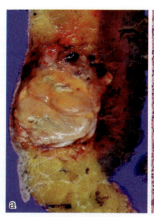
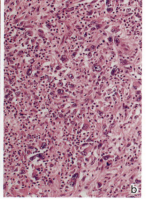

図 23-27　未分化多形肉腫
a. 出血と壊死を交えた多結節状, 灰白色調腫瘤.
b. 核の異型性と多形性の目立つ紡錘形ないし多角形細胞が, 多数の好中球浸潤を伴って花むしろ状に配列する.

低分化な種々の肉腫の一群を表すものと一般に解釈されている. つまり, 脂肪肉腫, 平滑筋肉腫, 横紋筋肉腫などの他の軟部肉腫が低分化な多形肉腫形態を示すことがあり, また, 脱分化型脂肪肉腫の脱分化成分は未分化多形肉腫像を呈することから, この腫瘍の診断には除外診断が求められる. したがって, 現在は未分化多形肉腫と診断される症例は少ない. 放射線照射後の続発性肉腫の多くは未分化多形肉腫像を示す. 未分化多形肉腫は高齢者に多く, 四肢の深部軟部組織や体幹に好発する. 組織学的に高悪性度腫瘍が多く予後不良で, 局所再発に加え肺, リンパ節への転移もまれではない.

【病理形態像】
　肉眼的には, 灰白色から淡褐色調の多結節状病変で, 出血や壊死を伴うことが多い(図 23-27a). 組織学的には, 核の異型性と多形性の目立つ紡錘形ないし多角形細胞が花むしろ状に配列する(図 23-27b). 核分裂像は多い. 時に奇怪な核をもつ単核あるいは多核の巨細胞が出現する. 好中球, 組織球(泡沫細胞)などの炎症細胞が多少とも混在する.

●参考文献
1) 日本整形外科学会 骨・軟部腫瘍委員会, 国立がん研究センター(編)：全国軟部腫瘍登録一覧表. pp29, 国立がん研究センター, 2019
2) WHO Classification of Tumours Editorial Board：WHO Classification of Tumours 5th ed, Soft tissue and bone tumours. IARC Press, 2020
3) Goldblum JR, et al(eds)：Enzinger & Weiss's Soft tissue tumors 7th ed. Elsevier, 2019
4) 長谷川 匡, 他(編)：悪性軟部腫瘍　改訂・改題第 2 版. 文光堂, 2021
5) 久岡正典, 他：軟部組織, 深山正久, 他(編)：外科病理学　第 5 版-II巻. pp1544-1606, 南江堂, 2020

第24章 骨・関節

骨

A 構造・発生

A 種類と解剖

成人には206個の骨があり，頭蓋骨，脊椎や骨盤などを構成する体幹骨と，上下肢を構成する体肢骨に分けられる．その形状から長管骨，短骨，扁平骨，不規則骨に分類される．関節を形成する骨は表面に関節軟骨を有する．骨は構成成分として骨質，骨膜，骨髄よりなり，主体は骨質である．骨の最外側は緻密骨である**皮質骨** cortical bone よりなり，その内部により骨密度の低い**海綿骨** cancellous bone を認める．組織学的に，骨はコラーゲンが不規則に並ぶ**線維性骨** woven bone と，コラーゲンが平行に並ぶ骨質層が重なる**層板骨** lamellar bone とに区別される．

B 構造と構成成分

解剖学的に長管骨は**骨端** epiphysis，**骨幹端** metaphysis，**骨幹** diaphysis に区分される（図24-1）．成長期までは骨端と骨幹端の境界に**骨端軟骨板** epiphyseal cartilage plate（**成長板** growth plate）が存在し，長軸方向の成長に寄与する．

小児と成人ともに，骨幹端は豊富な海綿骨と血行，さらに特殊なループ状の血管構造を有するため，血行性感染や悪性腫瘍の骨転移の好発部位となる．

微小解剖学的に，骨は皮質骨では**オステオン** osteon，海綿骨ではパケット packet と呼ばれる骨構造単位 bone structural units（BSUs）より構成される．オステオンは直径200 μm程度の同心円状層板骨からなり，長軸方向の中心には栄養血管の入った中心管（ハヴァース管 haversian canal）が走行しており，異なるBSUs同士は中心管を垂直方向につなげる**フォルクマン** Volkmann **管**によって連絡されている．

骨の構成成分としては無機質，有機基質，細胞，水分がある．無機質は骨重量の75％を占め，その大部分はカルシウムとリンを主成分としたハイドロキシアパタイトの結晶格子からなる．有機基質は骨重量の25％を占め，その約90％はコラーゲン（大部分はⅠ型コラーゲン）である．細胞には**骨芽細胞** osteoblast（図24-2a），**骨細胞** osteocyte（図24-2a），**破骨細胞** osteoclast（図24-2b）がある．骨芽細胞は立方形または紡錘形の単核細胞で，骨組織や類骨組織の表面に一列に配列して骨基質を産生し，骨形成を行う．一部は自身で作成した骨基質中に埋没し，骨細胞となる．骨細胞は骨形成細胞の最終分化段階の細胞で，骨組織中に最も多く存在する．破骨細胞は骨吸収を行う造血系細胞由来の多核巨細胞であり，骨ミネラルを分解する水素イオン（H^+）やカテプシンKなどの骨基質タンパクを分解する酵素を分泌する．

C 代謝とリモデリング

骨は成長が終わった後も，外観は変わらずに破骨細胞による骨組織の吸収と骨芽細胞による骨形成によって，一般的な骨の新陳代謝として絶えず改築が起こっており〔**リモデリング**（**骨改築**）〕，正常人においても常に起こっている．リモデリングの制御は破骨細胞による骨吸収に対する制御と，骨芽細胞による骨形成に対する制御から成り立ち，通常は両者のバランスがとれている．機械的負荷に対して骨の構造を順応させるため，骨芽細胞を活性化することで骨の外形を変えることもある．

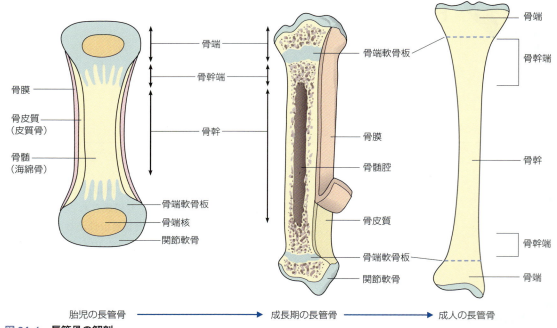

図 24-1　長管骨の解剖

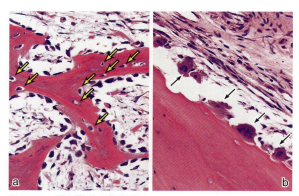

図 24-2　骨を構成する細胞
a. 骨表面を縁取り骨形成を行う骨芽細胞および骨基質内に存在する骨細胞（➡）．
b. 骨表面に存在し，骨吸収を行う多核の破骨細胞（→）．

D 代謝制御に関与する因子

骨代謝に関与する因子として代表的なものに，カルシウム調節ホルモンである上皮小体ホルモン，活性型ビタミンD，カルシトニン，成長ホルモン，甲状腺ホルモン，インスリン，性ホルモン（アンドロゲンとエストロゲン），副腎皮質ホルモンがある．その他の重要な制御因子として骨誘導因子 bone morphogenic protein （**BMP**），線維芽細胞増殖因子 fibroblast growth factor （FGF），副甲状腺ホルモン関連タンパク質 parathyroid hormone-related peptide（**PTHrP**），NF-κB 活性化受容体 receptor activator of NF-κB（**RANKL**）があげられる．BMP は骨形成誘導因子であり，間葉系幹細胞の骨芽細胞や軟骨細胞への分化を誘導する．FGF は成長軟骨や骨芽細胞に発現し，これらの細胞の分化や増殖に関与する．PTHrP は骨芽細胞や軟骨細胞において，そのレセプタと共発現している．RANKL は破骨細胞の活性化や分化に関与する．

E 発生と成長

ヒトの骨格はまず軟骨の形成によって始まり，中心部に骨化が生じて骨へと置換されていく．この過程は**軟骨内骨化** enchondral ossification と呼ばれ，大部分の骨はこの機序で骨となる．鎖骨と頭蓋骨では，結合組織内に骨芽細胞が遊走することにより，薄い層板骨形成によって骨化が起こり，これを**膜性骨化** membranous ossification と呼ぶ．長管骨ではまず中央部の軟骨内に骨化が起こって一次骨化中心と呼ばれ，この部位に血管が進入して一次骨髄腔が形成され，骨幹部および骨幹端部が骨化する．次いで両端の軟骨内に骨化巣が出現して二次骨化中心と呼ばれ，骨端核 epiphyseal secondary ossification center とも呼ばれる．骨端核が大きくなると骨端部も骨

化し，骨端部と骨幹端部の間に軟骨細胞が柱状に配列した骨端軟骨板もしくは成長板と呼ばれる軟骨組織が明瞭となる．組織学的に軟骨細胞が柱状に配列する（図24-3）．骨端軟骨板は骨端側より骨幹端方向への骨の長軸方向への成長を担っている．

B 発生と形態の異常

先天性あるいは後天性に骨関節に主病変を有する症候群を骨系統疾患と呼び，そのうち全身の骨格に構造的あるいは形態的異常を生じた病態を骨軟骨異形成症と呼ぶ．以下のような疾患が代表的である．

1 ● 軟骨無形成症 achondroplasia
【概念，臨床像】
3型線維芽細胞増殖因子受容体 fibroblast growth factor receptor 3（*FGFR3*）遺伝子ヘテロ接合変異によって，骨端軟骨板における軟骨内骨化が障害される疾患である．四肢短縮型の低身長を呈し，鼻根部の平坦化や顎骨突出などの特有な顔貌を示す．
【病理形態像】
骨端軟骨板の成熟が不良で，軟骨細胞の肥大や軟骨柱の形成不全を認める．

2 ● 軟骨低形成症 hypochondroplasia
【概念，臨床像】
軟骨無形成症と同じく *FGFR3* 遺伝子異常によって引き起こされる．軟骨無形成症の軽症型で表現型はさまざまであり，乳幼児期以降に徐々に低身長が目立ち始める．

3 ● 骨形成不全症 osteogenesis imperfecta
【概念，臨床像】
I型コラーゲン線維の質的・量的異常を引き起こすことによる骨の脆弱性のために**易骨折性**や骨の変形をきたす遺伝性疾患で，常染色体顕性（優性）遺伝を示すものと潜性（劣性）遺伝を示すものがある．全身の骨は**骨粗鬆症**の状態となり，頻回の骨折により荷重長管骨は彎曲変形をきたす．結合組織全般の異常のため，骨症状以外に靱帯弛緩，青色強膜，歯牙異常などの症状も伴う．
【病理形態像】
骨梁は骨細胞数が増加し，層板骨になることはまれで，線維性骨であることが多い．骨折後に過剰な仮骨組

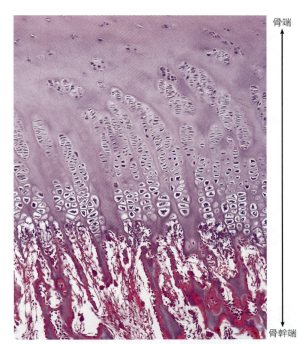

図24-3　骨端軟骨板における軟骨細胞柱状配列
骨幹端側で軟骨内骨化を生じることにより，骨の長軸方向への成長を担う．

織を形成することがある．過剰仮骨は自然消褪する．

C 代謝性疾患

A 骨粗鬆症 osteoporosis
【概念，臨床像】
骨の絶対量の減少により，骨折が起こりやすくなる状態である．
原発性と原因疾患が明らかな二次性のものとがある．原発性には，さらに閉経後女性に発生する**閉経後骨粗鬆症**と高齢の男女に生じる**老人性骨粗鬆症**がある．二次性のものは表24-1のようなさまざまな原因疾患による．いずれもさまざまな原因でリモデリングの異常が起こり，骨吸収が骨形成を上回った状態であり，結果として骨量の減少をきたす．原発性は高齢女性に圧倒的に多く，骨折としては脊椎椎体圧迫骨折，大腿骨近位部骨折，橈骨遠位部骨折が多い．
【病理形態像】
皮質骨および海綿骨は菲薄化が著しく，海綿骨骨梁の細小化および途絶といった骨構造の変化を認める（図

表24-1 二次性骨粗鬆症の原因

1. 内分泌性
   - 甲状腺機能亢進症
   - 副甲状腺機能亢進症
   - Cushing症候群
   - 先端巨大症
   - 性腺機能低下
   - 糖尿病
2. 栄養性
   - ビタミンC欠乏症（壊血病）
   - カルシウム欠乏
   - タンパク質欠乏（低栄養状態）
   - ビタミンA・D過剰
3. 薬剤
   - 副腎皮質ステロイド
   - ヘパリン
   - メトトレキサート
4. 先天性
   - 骨形成不全症
   - Marfan症候群
5. 不動性
   - 全身性（長期臥床，対麻痺，廃用症候群，宇宙飛行）
   - 局所性（骨折後のギプス固定など）
6. その他の疾患
   - 骨軟化症
   - 関節リウマチ
   - アルコール使用障害
   - 肝疾患

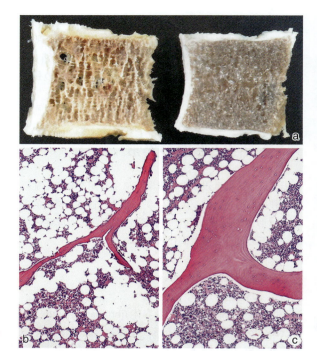

図24-4　骨粗鬆症
a. 骨粗鬆症（左）と正常（右）の脊椎椎体断面の肉眼像．骨密度の低下により菲薄化した骨梁が目立つ．
b, c. 組織像．骨粗鬆症（b）では正常（c）に比較して骨梁の幅が狭く，先細りや途絶を認める（bとcは同一倍率）．

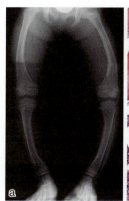 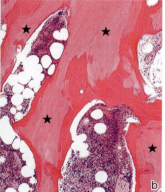

図24-5　くる病と骨軟化症
a. くる病の単純X線像．骨端軟骨板の幅の増大，骨幹端のカップ様変形および骨幹部の彎曲変形を認める．
b. 骨軟化症の組織像（吉木法による染色）．淡い好酸性骨梁（★）周囲に赤燈色の類骨の増加を認める．
〔写真提供：九州大学整形外科〕

24-4）．骨粗鬆症が高度な場合は，大腿骨頭などの荷重部に顕微鏡的に観察される微小骨折と，その修復像である仮骨の像を認めることがある．

くる病 rickets，骨軟化症 osteomalacia

【概念，臨床像】

骨軟化症とはさまざまな原因によって骨基質の石灰化障害が起こり，**類骨**が増加をきたした状態であり，骨端軟骨板の閉鎖前の小児に発症した場合は**くる病**と呼ばれる．**ビタミンDの代謝障害**によって引き起こされることが多く，① ビタミンD，カルシウムあるいはリン摂取不足による栄養性のもの，② ビタミンD代謝障害によるもの，③ **リン再吸収障害**などによるもの，④ 抗てんかん薬などの薬剤性のものがある．骨軟化症では骨痛や筋力低下を呈する．くる病の典型例では低身長，脊柱の後彎，荷重による両脚のO脚あるいはX脚変形をきたし，骨X線像では骨端軟骨板の幅が広がり，骨幹端のカップ様変形を伴う（図24-5a）．血清データでは**低リン血症**と**ALPの高値**を呈する．

【病理形態像】

くる病では骨端軟骨板から骨幹端に骨化できない軟骨が増加し，軟骨細胞の柱状配列の乱れや類骨の増加を認める．骨軟化症では皮質骨および海綿骨の幅や長さは変わらないが，骨梁周囲および骨皮質のハヴァース管内面も石灰化を伴わない類骨で覆われる（図24-5b）．

副甲状腺機能亢進症 hyperparathyroidism

【概念，臨床像】

副甲状腺ホルモン parathyroid hormone（PTH）の過剰

産生により引き起こされた病態である．原発性のものは副甲状腺過形成，腺腫やがんによるPTH分泌亢進から高カルシウム血症，高カルシウム尿症，低リン血症をきたす．慢性腎不全やくる病，骨軟化症に続発する二次性と，二次性副甲状腺機能亢進症が長期間持続し，副甲状腺のPTH分泌能が過剰になった三次性とがある．臨床的に高カルシウム血症による全身倦怠感，筋力低下，疲労感，消化性潰瘍などで発症し，線維性骨炎などを認める骨病変型，腎結石を認める腎結石型，症状がないか軽度の全身倦怠感のみの生化学型の3型がある．

【病理形態像】

進行すると単純X線で大腿骨や脛骨に単発あるいは多発する骨透亮像が出現し，肉眼的には出血のために褐色調を呈することから**褐色腫** brown tumor と呼ばれる．組織学的に褐色腫は多数の破骨型多核巨細胞の出現を伴った線維性組織よりなり，出血，ヘモジデリン沈着，反応性骨形成も認められ，後述する**骨巨細胞腫**の組織像に類似する．

Advanced Studies

 骨パジェット病 Paget disease of bone

中高年者に発症する慢性骨疾患であり，破骨細胞による骨のリモデリングが活性化することによって症状が引き起こされる．欧米では55歳以上の3％に発症すると報告されているが，わが国ではまれである．多骨性に侵されることが多く，頭蓋骨，骨盤，脊椎，大腿骨などに好発する．0.3％の患者に二次性に悪性骨腫瘍（パジェット肉腫 Paget sarcoma）が発生し，組織学的には骨肉腫が多い．

【病理形態像】

活動期には，大型破骨細胞による骨吸収と，骨芽細胞による骨形成がさかんな像の混在を認める．後期になると，不規則な骨吸収と骨形成の結果として形成される新生骨に不規則なセメント線を認め，**mosaic pattern** と呼ばれる．

 骨折

【概念，臨床像】

骨組織が外力によって連続性が絶たれた状態であり，原因によって**外傷性骨折**，**病的骨折**，**疲労骨折**がある．病的骨折は，骨形成不全などの先天性骨疾患，骨粗鬆症などの代謝性骨疾患，骨腫瘍，化膿性骨髄炎などの感染症によって病的状態になった骨に生じた骨折である．疲労骨折は，機械的負荷が骨の同一部位に繰り返し加わることにより，脛骨，腓骨，中足骨などの骨幹部に好発する．

【病理形態像】

組織学的に，炎症期，修復期，再造成（改変）期に分けられる．

① 炎症期：骨折部の骨には骨壊死が生じ，破綻した血管から出血した血腫と炎症によってさまざまな増殖因子が放出され，肉芽組織が形成される．

② 修復期：周囲の骨膜の増殖・肥厚が生じ，その中に膜性骨化が，骨折部の血腫や肉芽組織内には軟骨が形成され，内部に軟骨内骨化が生じ，徐々に幼若な骨組織（**仮骨** callus）に置換されていく．

③ 再造成期：形成された線維性骨が層板骨に置換される．

E 循環障害

1 骨壊死 osteonecrosis

【概念，臨床像】

骨折直後や感染によって骨壊死が発生するが，非感染性で原因不明の骨壊死は**無腐性壊死** aseptic necrosis あるいは**特発性骨壊死** idiopathic osteonecrosis とも呼ばれる．大腿骨頭の関節軟骨直下に好発し（図24-6a, b），特発性のほかに大腿骨頸部骨折，ステロイド治療，アルコール多飲などに続発することもある．骨壊死による関節面の陥没のため，関節が変形して運動時痛や可動域制限が生じ，二次性の**変形性関節症**に進展する．潜函病などの減圧症に続発する骨壊死は骨幹部や骨幹端部に発生して無症状なことが多く，**骨梗塞** bone infarction として区別される．

【病理形態像】

罹患した骨梁において，骨小窩内の骨細胞の核が消失して空胞様にみえ（empty lacuna），周囲の骨髄脂肪も壊死に陥る（fat necrosis, 図24-6c）．時間の経過とともに肉芽組織と線維骨が形成されて修復が始まる．壊死骨周囲に新生骨が添加される像も観察される．

 感染症

A 化膿性骨髄炎 pyogenic osteomyelitis

1 急性化膿性骨髄炎 acute pyogenic osteomyelitis

【概念，臨床像】

男児に多く，菌血症により大腿骨，脛骨，上腕骨などの長管骨骨幹端部に菌が到達して発症する．原因菌は**黄色ブドウ球菌** *Staphylococcus aureus* が最も多いが，乳

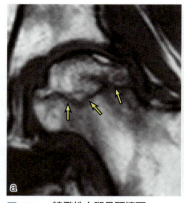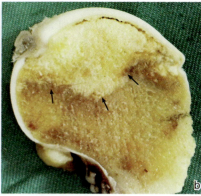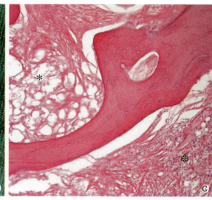

図 24-6　特発性大腿骨頭壊死
a．MRI．大腿骨頭関節軟骨直下に境界明瞭な病変を認める（→）．
b．肉眼像．
c．組織像．b で黄白色の壊死した領域（→）が，骨梁の骨小窩内の骨細胞の核の消失（empty lacuna）と周囲骨髄の脂肪壊死（＊）および肉芽組織（✻）として観察される．
〔写真提供：九州大学整形外科〕

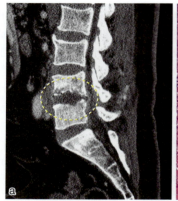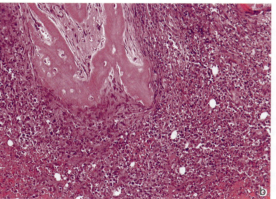

図 24-7　急性化膿性骨髄炎
a．CT 像．第 4 腰椎椎体下部と第 5 椎体上縁の骨破壊像（点線）を認める．
b．組織像．骨髄腔内に好中球を中心とした高度の炎症細胞浸潤と介在する骨梁を認める．

幼児では *Haemophilus influenzae* も多い．発熱とともに罹患骨の激しい疼痛や運動制限を引き起こす．骨幹端部が関節包内にある大腿骨近位部では**化膿性股関節炎**へと進展する．成長期の骨幹端部の骨端軟骨板直下では，解剖学的に血流速度が低下するために菌が生着しやすくなり，この部位に好発する．成人は骨端軟骨板が消失しているため，さまざまな部位に発生する（図 24-7a）．

【病理形態像】
初期には骨髄内に化膿性炎症が認められ，骨膜下に波及すると骨膜下膿瘍を形成する．さらに骨膜を破って筋肉や皮下に達すると皮膚に**瘻孔** fistula を形成する．組織学的には，急性期には骨梁の壊死と骨髄腔内の好中球浸潤を認める（図 24-7b）．骨髄内では骨壊死を生じ，この壊死骨は**腐骨** sequester と呼ばれる．さらに時間が経つと腐骨周囲の健常骨や骨膜下に反応性の骨形成が起こって腐骨を取り囲み，この新たに形成された骨を**骨柩** involucrum と呼ぶ．

2 ● 慢性化膿性骨髄炎 chronic pyogenic osteomyelitis

開放骨折や手術後に続発性に起こるものもあるが，急性化膿性骨髄炎から移行することが多い．腐骨が吸収されないため，細菌が残存して炎症が遷延化する．骨幹端部に発生した場合，骨端軟骨板損傷のために成長障害を起こし，脚長差や変形が生じる．病巣部の骨脆弱性のた

表 24-2　骨腫瘍の分類

1. 軟骨性腫瘍 chondrogenic tumors 良性 　骨軟骨腫 Osteochondroma 　内軟骨腫 Enchondroma 　軟骨粘液線維腫 Chondromyxoid fibroma 　軟骨芽細胞腫 Chondroblastoma 中間群（局所侵襲性） 　滑膜性軟骨腫症 Synovial chondromatosis 悪性 　軟骨肉腫 Chondrosarcoma, grade 1-3 　脱分化型軟骨肉腫 Dedifferentiated chondrosarcoma 　間葉型軟骨肉腫 Mesenchymal chondrosarcoma 　淡明細胞型軟骨肉腫 Clear cell chondrosarcoma 2. 骨形成性腫瘍 Osteogenic tumors 良性 　類骨骨腫 Osteoid osteoma 中間悪性（局所侵襲性） 　骨芽細胞腫 Osteoblastoma 悪性 〔髄内骨肉腫〕 　骨肉腫 Osteosarcoma 　　骨芽細胞型 Osteoblastic 　　軟骨芽細胞型 Chondroblastic 　　線維芽細胞型 Fibroblastic 　二次性骨肉腫 Secondary osteosarcoma 　低悪性度中心型骨肉腫 Low grade central osteosarcoma 〔表在性骨肉腫〕 　傍骨性骨肉腫 Parosteal osteosarcoma 　骨膜性骨肉腫 Periosteal osteosarcoma 　高悪性度表在性骨肉腫 High grade surface osteosarcoma 3. 線維性腫瘍 Fibrogenic tumors 悪性 　線維肉腫 Fibrosarcoma	4. 脈管性腫瘍 Vascular tumors 良性 　血管腫 Hemangioma 悪性 　類上皮血管内皮腫 Epithelioid hemangioendothelioma 　血管肉腫 Angiosarcoma 5. 富破骨細胞性巨細胞腫瘍 Osteoclastic giant cell rich tumors 良性 　動脈瘤様骨嚢腫 Aneurysmal bone cyst 　非骨化性線維腫 Non-ossifying fibroma 中間群（局所侵襲性，稀転移性） 　骨巨細胞腫 Giant cell tumor of bone 6. 脊索性腫瘍 Notochordal tumors 悪性 　脊索腫 Chordoma 7. その他の骨間葉系腫瘍 Other mesenchymal tumors of bone 良性 　単純性骨嚢腫 Simple bone cyst 　線維性骨異形成 Fibrous dysplasia 　骨線維性異形成 Osteofibrous dysplasia 悪性 　アダマンチノーマ Adamantinoma 　未分化多形肉腫 Undifferentiated pleomorphic sarcoma 8. 造血細胞性腫瘍 Hematopoietic neoplasms of bone 　形質細胞腫 Plasmacytoma of bone 　非 Hodgkin リンパ腫 Primary non-Hodgkin lymphoma 　ランゲルハンス細胞組織球症 Langerhans cell histiocytosis 9. 骨軟部組織発生未分化小円形細胞肉腫 Undifferentiated small round cell sarcomas of bone and soft tissue 悪性 　ユーイング肉腫 Ewing sarcoma 10. 転移性骨腫瘍 Metastatic bone tumor

WHO 分類（2020 年）をもとに医学生の知っておくべき分類をまとめた．

めに病的骨折が起こることもある．長期に皮膚瘻孔があった場合，この部位から慢性刺激による扁平上皮癌が発生することがある．組織学的には，骨髄内の肉芽組織は線維化・瘢痕化し，炎症細胞もリンパ球と形質細胞が主体となる．

B 結核性骨髄炎 tuberculous osteomyelitis

【概念，臨床像】

　近年増加傾向にあり，最も頻度の高いものは脊椎に発生する**結核性脊椎炎** tuberculous spondylitis であり，約半数を占める．小児から高齢者までの広い年齢層に発症し，下位胸椎と上位腰椎に好発して**脊椎カリエス**とも呼ばれる．病巣が椎間板にも及び，進行すると椎体が圧潰して脊柱の後彎変形をきたし，対麻痺を伴うこともある．椎体の骨皮質が破壊され，冷膿瘍を生じ，進行すると腸腰筋に沿って膿瘍は沈下し，流注膿瘍となる．

【病理形態像】

　組織学的には，肺結核と同様に結核症の特徴である類上皮細胞にラングハンス型巨細胞を交えた，**乾酪壊死性肉芽腫**の形成を認める．

骨腫瘍

　腫瘍が産生する基質と腫瘍細胞の形態的な特徴に従って組織型が分類される．腫瘍細胞が軟骨基質を産生する悪性腫瘍は軟骨肉腫と診断され，破骨型多核巨細胞が多数出現するものは骨巨細胞腫とされることなどがその例である．表 24-2 は **WHO 分類**（2020 年）を改変した主な骨腫瘍である．生物学的態度に関しては良悪性の**中間群腫瘍**も定義されており，これには局所破壊性に浸潤性

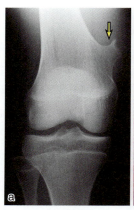
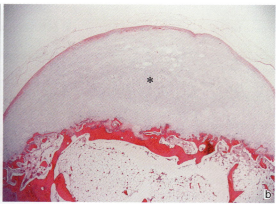

図 24-8　骨軟骨腫
a. 単純X線像．大腿骨遠位骨幹端部に骨性の隆起した腫瘤を認める（→）．先端の軟骨帽は写っていない．
b. 組織学的に先端は硝子軟骨組織よりなる軟骨帽に覆われ（＊），基部では軟骨内骨化を認めて脂肪髄を含む成熟した骨組織へと移行していく．

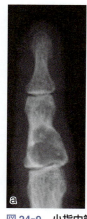
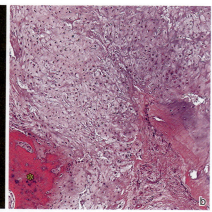

図 24-9　小指中節骨に発生した内軟骨腫
a. 単純X線像．内部に点状の石灰化を伴った境界明瞭な溶骨像を認める．
b. 組織学的に腫瘍は硝子軟骨組織よりなり，軟骨細胞に異型を認めず，一部で石灰化や骨化を伴っている（＊）．

発育を示すもの（**局所侵襲性**）と，ごくまれに遠隔転移をきたすもの（**稀転移性**）とが含まれる．原発性骨腫瘍は好発年齢や好発部位に特徴があり，ある程度腫瘍の種類を絞り込むことができる．一般的に骨肉腫やユーイング肉腫 Ewing sarcoma などの悪性腫瘍は，若年者の骨幹端部や骨幹の成長する部位に好発し，骨端部に悪性腫瘍が発生することはまれであり，軟骨芽細胞腫などの良性腫瘍が発生する．

1 骨腫瘍の頻度

わが国の集計では，良性骨腫瘍は**骨軟骨腫，内軟骨腫，骨巨細胞腫，類骨骨腫，血管腫，脂肪腫**の順に多く認められ，軟骨性腫瘍の頻度が高い．悪性骨腫瘍では，原発性骨腫瘍は転移性骨腫瘍に比較して，その頻度はかなり低い．全悪性腫瘍中に占める原発性悪性骨腫瘍の頻度は 0.2％ とされており，まれな悪性腫瘍である．原発性悪性骨腫瘍の組織型別頻度は，形質細胞腫とリンパ腫を除けばわが国，欧米ともに**骨肉腫，軟骨肉腫，Ewing肉腫，脊索腫，未分化多形肉腫**の順に多く認められる．

2 軟骨形成性腫瘍

A 骨軟骨腫 osteochondroma

【概念，臨床像】

外骨腫 exostosis とも呼ばれ，良性骨腫瘍のなかで最も頻度が高い．軟骨内骨化によって成長する骨に発生し，20歳未満の長管骨骨幹端部に発生し（図 24-8a），中でも大腿骨遠位，上腕骨近位，脛骨近位に好発する．通常は単発性であるが遺伝性に多発するものがあり，軟骨肉腫への悪性化の危険性は単発性のものと比較して高い．

【病理形態像】

骨と連続した有茎性の骨性腫瘍を形成し，表層に**軟骨帽** cartilage cap と呼ばれる厚い硝子軟骨組織を有するのが特徴である．基部には軟骨内骨化と同様の石灰化と骨

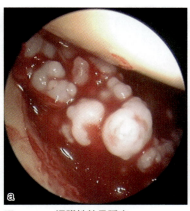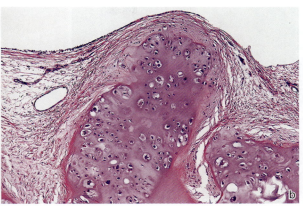

図 24-10　滑膜性軟骨腫症
a．膝関節鏡による肉眼像．多数の大小不同の軟骨を膝関節内に認める．
b．組織学的に多結節性の硝子軟骨組織が滑膜組織に覆われる．

化を認め，連続する既存の骨と同様な脂肪髄が存在する（図 24-8b）．急激な腫瘤の増大，骨の成長停止後の腫瘤の増大や軟骨帽の厚さが 2 cm を超える場合は，軟骨肉腫への悪性化が示唆される．

B　内軟骨腫 enchondroma

【概念，臨床像】
　骨内に発生する単発性の軟骨性腫瘍であり，若年者の手足の小長管骨に好発する（図 24-9a）．大腿骨遠位骨幹端部や上腕骨近位骨幹端部にも発生する．通常は無症状であるが，検診や病的骨折で偶然発見されることが多い．身体の片側に骨格の変形をきたすほど内軟骨腫が多発したものを**オリエ病** Ollier disease，Ollier 病と同じ多発性の内軟骨腫に軟部組織の血管腫を伴ったものを**マフッチ症候群** Maffucci syndrome と呼ぶ．両者とも軟骨肉腫への悪性化をきたすことがあるが，その頻度は Ollier 病のほうが高い．

【病理形態像】
　分化した硝子軟骨組織を分葉状に骨内に認め，しばしば石灰化や骨化を伴う（図 24-9b）．細胞密度の増加，粘液変性および細胞異型を伴うことがあり，軟骨肉腫との鑑別が問題となることがあるが，軟骨組織の周辺に圧排された骨組織を認め，周囲軟部組織や骨髄内への浸潤はみられない．

C　滑膜性軟骨腫症 synovial chondromatosis

【概念，臨床像】
　成人の膝関節に好発し，股・肩・肘・足関節などにも発生する（図 24-10a）．関節内滑膜に大小多数の軟骨性結節が化生性に形成される疾患である．

【病理形態像】
　病変は滑膜組織に覆われた硝子軟骨結節よりなり（図 24-10b），中心部には骨化や脂肪髄を伴う場合は，**滑膜性骨軟骨症** synovial osteochondromatosis とも呼ばれる．軟骨細胞には軽度の異型や，基質の粘液状変化や星状細胞といった軟骨肉腫類似の組織像を呈することもある．

D　軟骨芽細胞腫 chondroblastoma

【概念，臨床像】
　10 歳代の長管骨骨端部に発生し，脛骨近位，大腿骨遠位，上腕骨近位が好発部位である．臨床的に骨巨細胞腫との鑑別が問題となるが，20 歳以上に発生することは少ない．

【病理形態像】
　細胞境界明瞭で好酸性の細胞質を有する単核の細胞がシート状に増生し，しばしば単核細胞の核には**核溝**も認められる．破骨型多核巨細胞も混在し，多く認めるときは骨巨細胞腫との鑑別が問題となる．淡好酸性の無構造な軟骨様基質を島状に認める．個々の細胞を取り囲むように，chicken-wire calcification と呼ばれる特徴的な網目状の石灰化を認めることもある．

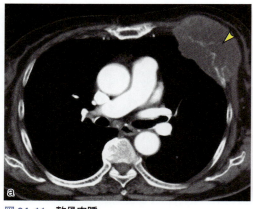
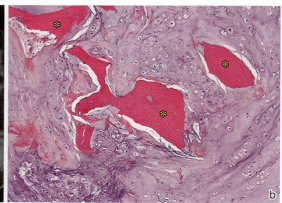

図 24-11 軟骨肉腫
a. 第4肋骨に発生した軟骨肉腫のCT像. 肋骨の骨皮質を破壊し, 軟部組織に進展する腫瘤（▷）を認める.
b. grade 1 軟骨肉腫の組織像. 異型の軽度な軟骨細胞を含む硝子軟骨組織が既存の骨梁（＊）を取り囲むように進展する（permeating pattern）.

E 軟骨肉腫 chondrosarcoma

【分類】

　軟骨を形成する悪性骨腫瘍であり, **通常の軟骨肉腫** chondrosarcoma, まれで特殊なものとして **淡明細胞型軟骨肉腫** clear cell chondrosarcoma, **脱分化型軟骨肉腫** dedifferentiated chondrosarcoma, および **間葉性軟骨肉腫** mesenchymal chondrosarcoma がある. 骨軟骨腫や内軟骨腫などの良性軟骨性腫瘍の悪性転化によるものは **二次性軟骨肉腫** secondary chondrosarcoma と呼ばれる. 悪性度に関して, 四肢骨発生の **grade 1 の腫瘍**は局所侵襲性で転移をきたさないので, **中間群腫瘍**として取り扱われる. 異型軟骨性腫瘍とも呼ばれる.

【概念, 臨床像】

　通常の軟骨肉腫は中高年の骨盤, 肋骨（図 24-11a）, 大腿骨近位, 上腕骨近位に好発し, やや男性に多い. 二次性はまれであるが20歳代に多い. 骨肉腫と比較して発育は緩徐で, 局所再発は多いものの転移は比較的まれである. 単純X線で, 長管骨発生例では境界不明瞭な骨内の溶骨像と点状石灰化および骨皮質の圧排像が認められる.

【病理形態像】

　通常の軟骨肉腫は, 異型を有する軟骨細胞を含んだ **硝子軟骨組織**の **多結節状増殖**よりなり, 骨皮質の層板骨への浸潤や圧排像を認める. 髄腔内では既存の層板骨骨梁を軟骨組織が取り囲む **permeating pattern** を認め（図 24-11b）, 軟骨の石灰化や骨化も観察される. 組織学的悪性度により grade 1～3 の3段階に分けられ, 低悪性度の grade 1 の軟骨肉腫と良性の内軟骨腫を細胞異型のみで区別するのは不可能であり, permeating pattern の有無が鑑別の指標となる. grade 2 の腫瘍では, 軟骨細胞の形態が紡錘形から星状となり, 軟骨基質に粘液腫状変化を伴う. grade 3 では, 腫瘍細胞の多形性が顕著となり, 軟骨芽細胞型骨肉腫との鑑別が必要となるが, その頻度はきわめて低い.

3 骨形成性腫瘍

A 類骨骨腫 osteoid osteoma, 骨芽細胞腫 osteoblastoma

【概念, 臨床像】

　骨形成性腫瘍であり, 類骨骨腫と骨芽細胞腫は臨床像が異なるのみで, 組織像は共通である. 類骨骨腫は若年者や小児に多く認められ, 大腿骨頸部と脛骨が好発部位であるが, 脊椎椎弓にも発生する. 多くは大きさが 1 cm を超えない. 単純X線像では周囲に著明な骨硬化像を伴う 1 cm 以下の楕円形の溶骨性病変, すなわち **ナイダス** nidus が特徴的であり（図 24-12a）, 良性腫瘍である. 骨芽細胞腫は 10歳代の脊椎後方要素に好発し, 大腿骨近位および遠位, 脛骨近位, 距骨や踵骨にも発生する. 類骨骨腫とは大きさで区別され, 骨芽細胞腫は 2 cm 以上であり, 転移はきたさないが骨破壊像を伴うこともあることより, 局所侵襲性中間群腫瘍とされている.

骨—G. 骨腫瘍　719

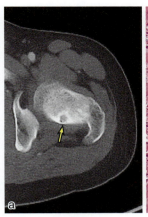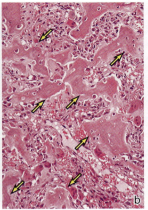

図 24-12　類骨骨腫
a. 大腿骨頸部 CT. 骨透亮像と周囲の骨硬化像 nidus（➡）を認める.
b. 組織像. 周囲を骨芽細胞に縁取りされた豊富な類骨や骨形成を認め（➡），血管に富んだ線維性間質を伴う.

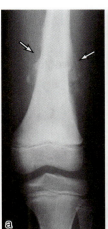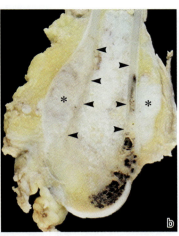

図 24-13　通常型骨肉腫
a. 単純 X 線像. 大腿骨遠位骨幹端部髄腔内に造骨像と溶骨像の混在を認め，骨膜反応（➡）を伴っている.
b. 切除標本の肉眼像. 髄腔内から骨皮質（▶）を越えて周囲の軟部組織内（*）に灰白色の腫瘤を形成している.

【病理形態像】
　類骨骨腫の nidus の部分と骨芽細胞腫の病変は，互いに吻合する豊富な類骨や線維骨骨梁とそれを縁取る骨芽細胞からなる（図 24-12b）．間質は拡張した豊富な血管を伴う疎な線維性血管結合組織で，種々の程度に破骨型多核巨細胞を伴う．

B　骨肉腫 osteosarcoma

【分類】
　表 24-2 に示すように，発生部位と組織像の組み合わせによって多数の亜型が存在する．頻度が高く骨内に発生する**髄内骨肉腫** medullary osteosarcoma と，骨表面に発生するまれな**表在性骨肉腫** surface osteosarcoma に分けられる．髄内骨肉腫では**通常型骨肉腫**が最も多く，一般的に骨肉腫といえば，この通常型骨肉腫を指すことが多い．その他に，二次性，低悪性度中心型といった特殊型がある．表在性骨肉腫としては，**傍骨性，骨膜性，高悪性度表在性骨肉腫**がある．悪性度に関しては低悪性度中心型，傍骨性，骨膜性は低悪性度であり，治療に際して化学療法は必要ない．

【概念，臨床像】
　通常型骨肉腫は 10 歳代の長管骨骨幹端部に好発し，大腿骨遠位，脛骨近位および上腕骨近位が好発部位である．単純 X 線では溶骨像と造骨像が不規則に混在し，急速な腫瘍の増大を反映して **Codman 三角**や **sunburst appearance** と呼ばれる顕著な骨膜反応を呈する（図 24-13a）．肉眼的には，骨内腫瘍が骨皮質を破壊し，周囲の軟部組織にまで進展することが多い（図 24-13b）．

【病理形態像】
　組織学的には，腫瘍細胞が**腫瘍性類骨**を産生する悪性腫瘍と定義されており，腫瘍細胞の悪性度，形態および類骨以外の成分もさまざまであることから，非常に多彩な組織像を呈する．
　通常型は間質の性状によって腫瘍性類骨や骨の産生が豊富な**骨芽細胞型** osteoblastic（図 24-14a），軟骨基質を伴う**軟骨芽細胞型** chondroblastic（図 24-14b），類骨産生に乏しく紡錘形腫瘍細胞の密な増殖よりなる**線維芽細胞型** fibroblastic に分けられる．この 3 者で予後による差は認めない．
　髄内骨肉腫の特殊なものは以下のような組織像を示す．

① **二次性**：放射線照射後および骨 Paget 病や線維性骨異形成などの先行性骨病変に続発し，通常型骨肉腫の像を呈する
② **低悪性度中心型**：細胞異型が軽度で，傍骨性骨肉腫，線維性骨異形成，類腱線維腫などに類似した像を呈する．

Advanced Studies

1　表在性骨肉腫 surface osteosarcoma
　髄内骨肉腫に比較すると頻度は低く，傍骨性骨肉腫がその中で最も多く全骨肉腫の 4%，骨膜性骨肉腫は 2% を占め，高悪性度表在

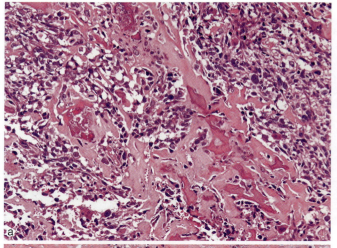
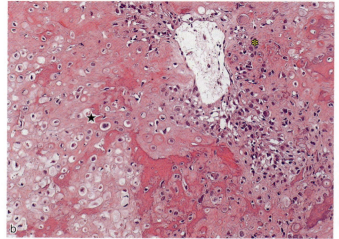

図 24-14 通常型骨肉腫
a. 骨芽細胞型では，高度異型細胞により豊富な腫瘍性類骨や骨形成を認める．
b. 軟骨芽細胞型では，硝子軟骨基質を伴った大小不同の異型軟骨細胞（★）と好酸性の腫瘍性類骨（＊）を認める．

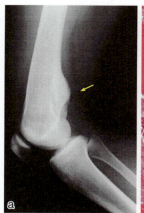
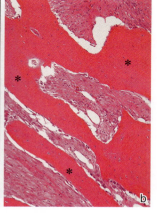

図 24-15 傍骨性骨肉腫
a. 単純 X 線像．大腿骨遠位後方に骨皮質と連続する骨性腫瘤を認める（→）．
b. 組織学的に平行に走行する幅の広い骨梁（＊）と介在する異型の軽度な紡錘形細胞の疎な束状配列を伴った線維性組織よりなる．

性骨肉腫は 1％ 未満と非常にまれである．傍骨性骨肉腫は 20 歳代に多く，大腿骨遠位後方の表面に好発する（図 24-15a）．単純 X 線で骨に接して骨形成性の腫瘤を形成する．組織学的に平走あるいは吻合する豊富な骨梁と，介在する細胞密度の低い軽度の異型を有する紡錘形細胞の増殖よりなる（図 24-15b）．

4 脈管性腫瘍

第 23 章「軟部組織」参照（→ 703 頁）．

5 富破骨細胞性巨細胞腫瘍

1 動脈瘤様骨囊腫 aneurysmal bone cyst

【概念，臨床像】
　10〜20 歳代の長管骨骨幹端部に好発し，骨内に血液を満たした多房性囊胞を形成する．単純 X 線で骨皮質の膨隆・菲薄化を伴った溶骨像を示し，MRI では血液

成分による液面形成が特徴である．
【病理形態像】
　血液を満たした大小の囊胞腔を認め，線維性囊胞壁に内皮細胞などの被覆細胞は認めない．囊胞壁には硝子化，炎症細胞浸潤，破骨型多核巨細胞，類骨形成などを伴う．囊胞壁の成分が充実性に増殖して囊胞成分が目立たない症例があり，**充実型動脈瘤様骨囊腫** solid variant of aneurysmal bone cyst，あるいは**修復性巨細胞肉芽腫** giant cell reparative granuloma とも呼ばれる．修復性巨細胞肉芽腫は手足の小長管骨に好発する．

2 ● 非骨化性線維腫 non-ossifying fibroma
【概念，臨床像】
　小児に多く，長管骨骨幹端部に偏在性に発生する．大腿骨遠位に最も多く認められ，脛骨遠位，脛骨近位の順に多い．自然消褪することがあり，真の腫瘍ではなく腫瘍類似病変と考えられている．
【病理形態像】
　異型のない紡錘形線維芽細胞様細胞および組織球様細胞が，**花むしろ状** storiform pattern/**渦巻状**に配列し，破骨型多核巨細胞を伴う．泡沫状組織球の集簇，ヘモジデリン沈着および反応性の骨形成を伴うことも多い．

3 ● 骨巨細胞腫 giant cell tumor of bone
【概念，臨床像】
　20〜30歳代に多く，長管骨では骨端部に発生し大腿骨遠位（図 24-16a），脛骨近位，橈骨遠位，上腕骨近位に多い．脊椎の椎体や仙骨にも発生する．骨皮質の破壊を伴って周囲軟部組織に浸潤することもある．
【病理形態像】
　腫瘍は円形あるいは卵円形の単核間質細胞の増殖と破骨型多核巨細胞の混在よりなる（図 24-16b）．核分裂像は通常多数観察されることが多い．破骨型多核巨細胞は典型例では大型で，広範に均一に分布する．泡沫状組織球や反応性の類骨，骨形成を伴うことも多い．典型的な良性の組織像を呈しながら臨床的に肺転移をきたすことがあり，**転移性骨巨細胞腫**と呼ばれる．悪性例も存在し，通常の良性骨巨細胞腫の成分に隣接して明らかな悪性成分を認めるものを**原発性悪性巨細胞腫**，再発後に腫瘍全体が悪性腫瘍の像を呈するものを**二次性悪性巨細胞腫**と呼ぶ．

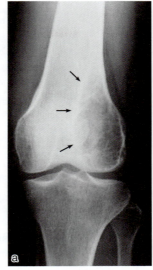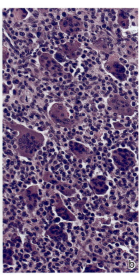

図 24-16　骨巨細胞腫
a．単純X線像．大腿骨遠位骨端部に辺縁硬化像を伴った偏在性の溶骨像を認める（→）．
b．組織学的に腫瘍は単核の円形から卵円形間質細胞のシート状増殖と多数の破骨型多核巨細胞よりなる．

6 ● 脊索性腫瘍

1 ● 脊索腫 chordoma
【概念，臨床像】
　中高年者の仙尾骨椎体および頭蓋骨の斜台部に好発する低悪性度腫瘍である．頸椎，腰椎，胸椎の椎体にも発生する．仙尾骨発生例では背部痛や仙尾部痛によって発症し，腫瘍が大きな場合は神経障害により膀胱直腸障害を引き起こす．斜台発生例では頭痛や複視で発症する．
【病理形態像】
　線維性隔壁で隔てられた**分葉状の腫瘤**を形成し，腫瘍は豊富な粘液状基質を背景に腫瘍細胞の**胞巣状**，コード状あるいは**索状配列**よりなる（図 24-17a）．核分裂像はほとんど認められない．豊富な好酸性の細胞質を有する上皮様細胞と，特徴的な細胞質内に多数の空胞を有するいわゆる **physaliphorous cell** が混在する（図 24-17b）．免疫組織化学では，**brachyury** が陽性となり診断的価値が高い．

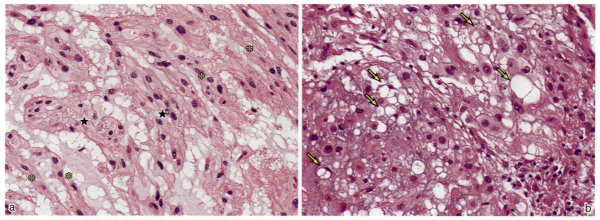

図 24-17　脊索腫
a. 豊富な好酸性細胞質を有する上皮様細胞が粘液基質を背景に胞巣状(★),索状(✱)に配列する.
b. 多空胞性細胞を有する physaliphorous cell(→)も認める.

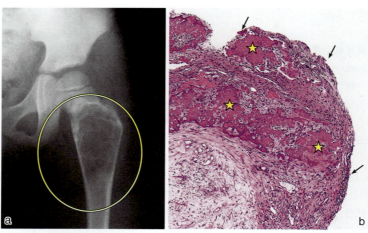

図 24-18　単純性骨囊腫
a. 単純X線像. 大腿骨近位骨幹端から骨幹にかけて多房性の溶骨像(黄線)を認める.
b. 組織学的に線維性囊胞壁(→)にセメント様の石灰化沈着物(☆)を認める.

7 その他の骨間葉系腫瘍

1 単純性骨囊腫 simple bone cyst

【概念, 臨床像】

　20歳未満の小児・若年者に発生し,上腕骨近位と大腿骨近位の骨幹端部が好発部位である(図 24-18a). 腸骨や踵骨に発生するものは成人例に多い. 長管骨では骨端軟骨板に接して存在するが,骨端軟骨板消失後はより骨幹部側へ移動する. 偶然あるいは病的骨折によって発見されることが多い.

【病理形態像】

　骨内に境界明瞭な漿液性または淡血性の内容液を入れた,薄い膜様組織に包まれた囊腫様病変である. 囊胞壁は線維性結合組織よりなり,囊胞壁を被覆する細胞はみられない. **セメント様の石灰化した沈着物**を認め(図 24-18b),破骨型多核巨細胞を散在性に伴う. 出血やヘモジデリンの沈着を認めることもある.

2 線維性骨異形成 fibrous dysplasia

【概念, 臨床像】

　10歳代の顎骨,頭蓋骨,大腿骨近位,肋骨に好発し,

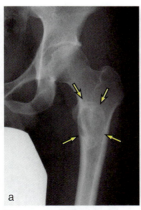
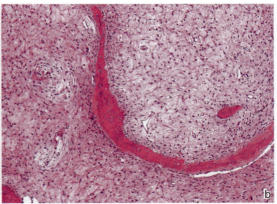

図 24-19　線維性骨異形成
a．単純 X 線像．大腿骨近位骨幹部に境界明瞭なすりガラス状陰影を認める（→）．
b．組織学的に線維性組織中に C 字型に彎曲した未熟な線維性骨を認める．

骨髄内に線維性組織の増殖と未熟な骨梁を伴う病変である．**単骨性** monostotic のものと**多骨性** polyostotic のものとがあり，単骨性の頻度が高い．単純 X 線では境界明瞭な**すりガラス状病変**として認められる（図 24-19a）．骨の変形や病的骨折によって発見される．大腿骨頸部発生例では**羊飼いの杖** shepherd's crook **状変形**をきたす．

【病理形態像】
　異型のない紡錘形細胞の増殖と線維性組織および幼若な線維性骨の形成よりなる．線維性骨は典型例では骨芽細胞による縁取りはみられず，アルファベットの"C"または"Y"字型にゆるやかに彎曲した線維性骨よりなる（図 24-19b）．分子遺伝学的にほぼ全例で GNAS1 遺伝子異常が検出される．

3　骨未分化多形肉腫
undifferentiated pleomorphic sarcoma of bone

【概念，臨床像】
　かつて**骨悪性線維性組織球腫** malignant fibrous histiocytoma（MFH）of bone と呼ばれていた悪性骨腫瘍で，広い年齢層に分布し，なかでも 40 歳以上の中高年者に比較的多く認められる．大腿骨遠位と脛骨近位および骨盤に好発する．良性病変に続発する二次性悪性腫瘍の 1 つとしても重要であり，骨梗塞や骨 Paget 病に続発し，他の疾患で放射線治療を受けた照射野に放射線照射後肉腫として発生することもある．

【病理形態像】
　大小不同が顕著な多形性を有する異型紡錘形細胞や多角形腫瘍細胞が，**花むしろ状**に配列 storiform pattern する．腫瘍細胞が束状配列や無秩序な配列を示すこともある．腫瘍巨細胞，破骨型多核巨細胞，泡沫状組織球の集簇や慢性炎症細胞浸潤を種々の程度に伴う．腫瘍細胞に基質産生を認めないことが診断根拠として重要であり，類骨産生を認める場合は骨肉腫，軟骨形成を認める場合は脱分化型軟骨肉腫の診断となる．除外診断であるので，高齢者の骨腫瘍で本腫瘍を疑わせる組織像を認めた場合は，**肉腫様癌の骨転移**の可能性を除外する必要がある．

8　造血細胞性腫瘍

1　ランゲルハンス細胞組織球症
Langerhans cell histiocytosis

【概念，臨床像】
　ランゲルハンス細胞の腫瘍性増殖による病変で，**骨好酸球性肉芽腫** eosinophilic granuloma of bone とも呼ばれる．骨に単発および多発するもの，骨病変に加えて皮膚病変，内臓病変あるいは視床下部病変を伴うものなどがあり，骨単発例の予後は良好である．小児から若年者の頭蓋骨に好発し，その他，大腿骨，骨盤，顎骨，肋骨，脊椎などにも発生する．単純 X 線像は，境界明瞭な打ち抜き像 punched out lesion から骨破壊像や骨膜反応を伴う悪性腫瘍を示唆するような像まで多彩である．

【病理形態像】
　卵円形の核と好酸性の細胞質および特徴的なコーヒー豆様の核の切れ込みを有する**ランゲルハンス細胞**の増殖よりなる（図 24-20）．リンパ球，形質細胞および好酸球などの炎症細胞浸潤を種々の割合で伴い，好酸球を多数

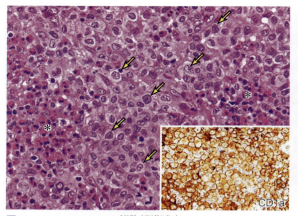

図 24-20　**Langerhans 細胞組織球症**
核に切れ込みを有する（➡）Langerhans 細胞のシート状増殖と好酸球の集簇（＊）を認める．腫瘍細胞は免疫組織化学で CD1a が陽性となる（挿入図）．

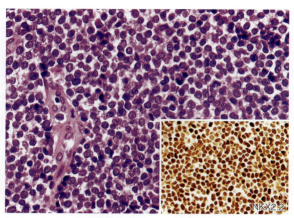

図 24-21　**Ewing 肉腫**
腫瘍は細胞質に乏しい小円形細胞のシート状増殖よりなる．免疫組織化学で腫瘍細胞の核に NKX2.2 が陽性となる（挿入図）．

伴っていることが多い．破骨型多核巨細胞もしばしば認められる．ランゲルハンス細胞は免疫組織化学でS-100 タンパク，CD1a（図 24-20 挿入図）およびランゲリン langerin に陽性となる．電子顕微鏡では細胞質内にラケット様あるいは棍棒状様の**バーベック顆粒** Birbeck granules が認められる．

9　骨軟部組織発生未分化小円形細胞肉腫

1 ● ユーイング肉腫 Ewing sarcoma

【概念，臨床像】

　小児や若年者に好発し，男児に多く認められる．小児の悪性骨腫瘍では骨肉腫に次いで 2 番目に多い腫瘍である．長管骨の骨幹端部や骨幹部に好発し，大腿骨，脛骨，腓骨，上腕骨などに多く認められる．骨盤や肋骨でも発生頻度が高い．**発熱**などの炎症症状に加えて，血液検査上も**赤沈の亢進**や **CRP の上昇**を認め，単純 X 線での溶骨像とタマネギの皮様と称される**層状の骨膜反応**の所見と併せて骨髄炎との鑑別が臨床上問題となることがある．

【病理形態像】

　細胞質に乏しい未分化小円形細胞がシート状あるいは分葉状に増殖する（図 24-21）．細胞質には**グリコーゲン**を有することが多く，**PAS 染色陽性**となる．一部では神経への分化を示唆するような**ロゼット形成**を認めることがある．組織学的にリンパ腫との鑑別が問題となるが，腫瘍細胞は免疫組織化学で CD99 および NKX2.2（図 24-21 挿入図）に陽性となる．分子遺伝学的に 85 ％ に融合遺伝子 *EWSR1-FLI1* が，10～15 ％ に *EWSR1-ERG* が検出され，診断的価値が高い．同じ組織像と遺伝子異常を有する腫瘍が軟部組織にも発生する（骨外性 Ewing 肉腫）．

10　転移性骨腫瘍 metastatic bone tumor

【概念，臨床像】

　原発性悪性骨腫瘍に比較して格段に多い．原発巣として肺癌，乳癌，前立腺癌，甲状腺癌，腎癌が多い．単純X 線上，通常は溶骨像を示すが，乳癌や前立腺癌では造骨性の変化を示すことが多い．四肢の長管骨では転移巣が大きくなると病的骨折をきたし，痛みや可動制限が生じ，脊椎は圧迫骨折による痛みや脊髄圧迫による麻痺症状を呈する．

【病理形態像】

　原発巣と類似した形態を呈するがん細胞の増殖よりなる．X 線上で造骨性変化が認められる前立腺癌などは顕著な骨形成を示し，骨肉腫との鑑別が問題となることがある．肺癌や腎癌でがん細胞が紡錘形に変化した肉腫様癌の転移では，原発性骨腫瘍である線維肉腫や骨未分化多形肉腫の像に類似する．

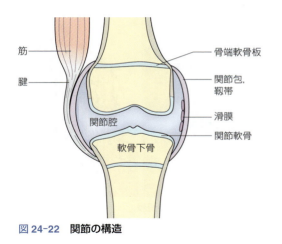

図 24-22　関節の構造

図 24-23　正常関節軟骨
関節面は平滑で（＊），規則正しい層構造を有する硝子軟骨組織よりなり，関節軟骨下骨（✻）へと移行する．

関節

A　構造

　関節には，関節腔をもって滑液で満たされる**可動関節**と，脊椎椎間板などのように線維軟骨で連結されてわずかな可動性しかもたないか，ほとんど動かない**不動関節**とがある．可動関節は骨，**関節軟骨，関節包，滑膜，靱帯**などから構成される（図 24-22）．関節軟骨は**硝子軟骨**であり，層構造をもち（図 24-23），**Ⅱ型コラーゲン**を多量に含む．関節包の内面を覆う滑膜は表面には細かい絨毛を有している．滑膜には毛細血管網と小静脈が豊富で，関節腔を満たす**滑液**の産生・代謝を担う．関節軟骨は主に滑液から栄養されている．関節軟骨には血行がなく，損傷部位を修復するための細胞供給が乏しいことから，いったん関節軟骨が損傷を受けると，その変化は骨折と違って非可逆的となる．

B　変性疾患

A　変形性関節症 osteoarthritis

【概念，臨床像】
　関節疾患のなかで最も頻度が高く，関節構成組織の退行性変化による慢性進行性疾患であり，高齢の女性に頻度が高い．罹患関節の疼痛や関節水腫による腫脹，可動制限などの症状をきたす．膝関節に最も多く，股関節など（図 24-24a）の他の四肢荷重関節や手指関節にも認められる．脊椎にも発生し，**変形性脊椎症** spondylosis deformans と呼ばれる．閉経後の女性に好発して手指の遠位指節間関節に起こるものは**ヘバーデン** Heberden **結節**と呼ばれる．

【病理形態像】
　初期には関節軟骨の変性によって，軟骨細胞の消失，軟骨表面が毛羽立つ**細線維化** fibrillation（図 24-24b），軟骨細胞が集簇してみえる**軟骨細胞集合化** chondrocytic cloning が認められる．進行すると関節軟骨に長軸方向の裂隙を生じる．関節軟骨が菲薄化したり，変性の結果欠損したりすると，その部分は線維性軟骨により被覆される．さらに進行すると軟骨下骨が完全に露出し，**象牙化** eburnation と呼ばれる．末期には軟骨下骨に線維性組織からなり，粘液様物質を満たした**囊胞形成** cyst formation を認め，関節辺縁には反応性の骨増殖による**骨**

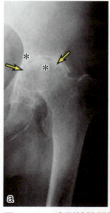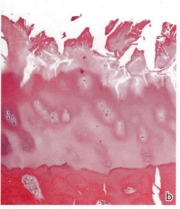

図 24-24　変形性股関節症
a. 単純X線像．関節裂隙が狭小化し（→），大腿骨頭は扁平化して楕円形に変形し，臼蓋側と大腿骨頭側の関節面に骨硬化像も認める（＊）．
b. 組織学的に関節軟骨表面には細線維化と裂隙を認め，軟骨細胞の集合化も顕著である（図 24-23 と比較）．

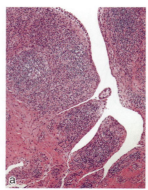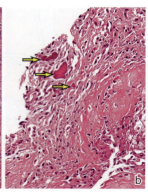

図 24-25　関節リウマチの滑膜
a. 滑膜組織が絨毛状に増殖し，リンパ球の浸潤と間質の線維化を認める．
b. 進行期には破壊された骨片が滑膜組織内に取り込まれる（→）．

C 炎症性疾患

A 関節リウマチ rheumatoid arthritis

【概念，臨床像】
　全身性疾患であり，多発性の関節の腫脹と疼痛を主症状とする．滑膜の増殖・炎症が持続することにより，慢性進行性の関節破壊を引き起こす．その結果，関節の変形・疼痛・動揺性を生じることによって著しい機能障害をきたす．進行すると関節外症状として皮下リウマトイド結節 rheumatoid nodule，肺線維症，血管炎，反応性 AA アミロイドーシスなどがみられることもある．難治性で重篤な症状を伴うものは悪性関節リウマチと呼ばれる．

【病理形態像】
　滑膜組織は絨毛状に増殖し，間質には血管の増生とうっ血を伴う（図 24-25a）．活動期には滑膜組織中へのリンパ球と形質細胞の浸潤が顕著で，**フィブリンの滲出**を表面に認める．持続する炎症のために滑膜組織が肉芽組織様に変化し，関節軟骨表面を覆うようになったものは**パンヌス** pannus と呼ばれ，進行するとパンヌスは骨内にも侵入する．進行すると関節軟骨や骨が破壊されるが，断片化したこれらの組織が関節腔内の滑膜に沈着する（図 24-25b）．皮下の**リウマトイド結節**の形成を合併することがあり，組織学的に中心部の**フィブリノイド壊死巣**，その周囲の組織球による柵状配列と，さらに外側のリンパ球や形質細胞よりなる**肉芽腫**を形成する．

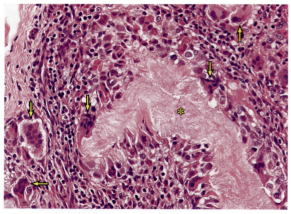

図 24-26　痛風結節
尿酸ナトリウム結晶沈着物（＊）の周囲を組織球，異物型多核巨細胞（→），リンパ球が取り囲み，異物肉芽腫の像を呈する．

棘 osteophyte が形成され，これらは単純X線でも確認できる．滑膜組織は軽度の絨毛状増殖を示し，軽度慢性炎症細胞浸潤を伴い，滑膜炎の像を呈する．

Advanced Studies

B 人工関節置換術後のゆるみ loosening

　人工関節置換術後の合併症として股関節部に多く認められる．臼蓋側の材料であるポリエチレンが摩耗し，その摩耗粉が関節周囲で組織球に貪食される．組織学的に，線維性間質中に多くの摩耗粉を貪食した組織球および異物型多核巨細胞が出現する．

関節—D．代謝異常と関連する疾患 ● 727

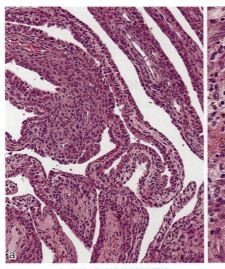
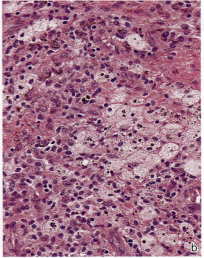

図 24-27　色素性絨毛結節性滑膜炎
a．弱拡大．病変は絨毛状の発育パターンを示す．
b．強拡大．組織球様細胞および泡沫状細胞よりなり，茶褐色のヘモジデリン沈着を伴う．

D 代謝異常と関連する疾患

A 痛風 gout

【概念，臨床像】

　尿酸の生成・排泄異常による**高尿酸血症** hyperuricemia によって尿酸ナトリウム結晶が関節，皮下組織，腎髄質に沈着する．急性関節炎発作，腎障害，痛風結節や尿路結石の形成などの臨床症状を引き起こす．急性関節炎は母趾の MP 関節に好発する．尿酸ナトリウム結晶がさまざまな組織に沈着してチョーク様結節を形成し，**痛風結節** gouty tophus を形成することもあり，滑膜，関節下骨領域，耳介，肘頭部などに好発する．

【病理形態像】

　痛風結節は尿酸ナトリウム結晶が多結節性に沈着し組織球，異物型多核巨細胞，リンパ球および線維芽細胞によって取り囲まれ，異物肉芽腫の像を呈する（図 24-26）．ホルマリン固定標本では尿酸ナトリウム結晶が流出してしまい，顕微鏡で観察できないが，100％エタノールで固定すると針状の結晶物を観察できる．

B 偽痛風 pseudogout

【概念，臨床像】

　ピロリン酸カルシウム calcium pyrophosphate dehydrate（CPPD）結晶が関節に沈着する病態で，加齢とともに増加して高齢者に多く認められる．痛風様の急性関節炎発作を起こしたものを**偽痛風**，関節軟骨や椎間板に沈着して石灰化を起こしたものを**軟骨石灰化症** chondrocalcinosis，関節周囲に沈着して腫瘤を形成したものを**結節性偽痛風** tophaceous pseudogout と呼ぶ．CPPD 結晶沈着は膝の半月板や椎間板，手の線維軟骨に好発する．

【病理形態像】

　CPPD 結晶は軟骨組織に沈着したときは周囲に反応を認めないが，靱帯や滑膜組織に沈着したときに島状に軟骨化生や痛風結節のような異物反応を伴う．CPPD 結晶は水に不溶であり，HE 染色では紫色に染色され，偏光顕微鏡による観察では菱形から長方形を示す．

Advanced Studies

C 血液透析による骨・関節病変

　長期血液透析例では β_2-ミクログロブリンからなるアミロイドが骨・関節に沈着し，骨破壊や骨萎縮を引き起こし，透析アミロイド症と呼ばれる．軟部組織にも沈着し，そのなかでも手根管に沈着したものは正中神経麻痺を症状とする手根管症候群 carpal tunnel syndrome を引き起こす（→ 第 23 章「軟部組織」，691 頁参照）．

E 感染性関節炎

1 化膿性関節炎 pyogenic arthritis

敗血症時の関節外からの血行性感染，隣接する軟部組織や骨髄炎からの波及，外傷や関節穿刺からの直接感染によって起こる．乳幼児では大腿骨近位骨幹端部の**急性化膿性骨髄炎**から波及する．成人では膝・足・肩・肘関節などに好発し，**黄色ブドウ球菌**によるものが多い．組織学的には，滑膜表層にフィブリンの滲出と好中球を主体とした炎症細胞浸潤を認め，増生した滑膜内にも顕著な好中球浸潤と血管拡張が認められる．

2 結核性関節炎 tuberculous arthritis

全身結核症の一病態として他の部位の結核感染巣から血行性に骨端部に結核性骨髄炎が起こり，これが関節内に波及して発症する．まれに直接滑膜に感染して発症することもある．肺結核患者に多いため，高齢者が多い．組織学的には，滑膜組織や軟部組織中に乾酪壊死性の類上皮細胞肉芽腫の形成を認める．

F 関節の腫瘍および腫瘍類似疾患

1 腱鞘巨細胞腫 giant cell tumor of tendon sheath

成人女性の手指の腱鞘滑膜や IP 関節に好発し，境界明瞭な結節性の腫瘤を形成する良性腫瘍である．腫瘤は**多結節性**で組織球様の単核細胞，破骨型巨細胞，泡沫細胞およびヘモジデリン貪食細胞よりなる．**線維性間質の硝子化やコレステリン裂隙**も伴う．

2 色素性絨毛結節性滑膜炎／びまん型巨細胞腫 pigmented villonodular synovitis/diffuse type giant cell tumor

【概念，臨床像】

関節内に絨毛状の破壊性発育形態を呈する病変で，若年成人女性に多く，膝関節に好発し，股・足・肘関節にも多い．転移はきたさない良性腫瘍であるが高率に局所再発をきたし，**局所破壊性増殖**と**頻回の再発**により関節機能がしばしば荒廃する．

【病理形態像】

病変は絨毛状および結節性の増殖を示し（図24-27a），周囲組織に浸潤性に発育する．腫瘍は主に組織球様単核細胞，慢性炎症細胞，ヘモジデリン貪食細胞，泡沫細胞および破骨型巨細胞よりなる（図24-27b）．

●参考文献

1) 石田 剛, 他：非腫瘍性骨関節疾患の病理．文光堂, 2003
2) Unni KK, et al：Dahlin's Bone Tumors 6th edition. Lippincott Williams & Wilkins, 2009
3) WHO Classification of Tumours Editorial Board (ed)：WHO Classification of Tumours. Soft Tissue and Bone Tumours, 5th ed. WHO, 2020
4) 岩本幸英 (編)：神中整形外科学 改訂第 23 版．南山堂, 2013
5) 小田義直：骨・関節・軟部組織．青笹克之 (監修)：解明病理学 第 4 版．pp771-806, 医歯薬出版, 2017

第25章 皮膚・感覚器

皮膚

 A 正常組織

皮膚は，表皮，真皮および皮下脂肪織（皮下組織）からなる（図25-1）．表皮を構成する（重層）扁平上皮は，**角化細胞** keratinocytes と呼ばれ，基底層で分裂し，有棘層，顆粒層，角質層と成熟した後，皮表に剥離する（図25-2）．**メラノサイト** melanocytes は基底層の高さに位置し，メラニンを産生する．**ランゲルハンス細胞** Langerhans cells は，表皮の表層に位置し突起を伸ばして，外界から皮膚への抗原提示細胞として働く．ただし，HE（ヘマトキシリン・エオジン）染色標本でLangerhans細胞を識別することはできない．

皮膚付属器には，**毛包（毛嚢）**，**汗腺**および**皮脂腺**が含まれる．毛髪（毛，毛幹）は，深部先端に位置する**毛母基** hair matrix を構成する**毛母細胞** matrical cells（hair matrix cells）から産生され，毛包（角化細胞）に包まれている．汗腺は**エクリン腺** eccrine glands と**アポクリン腺**

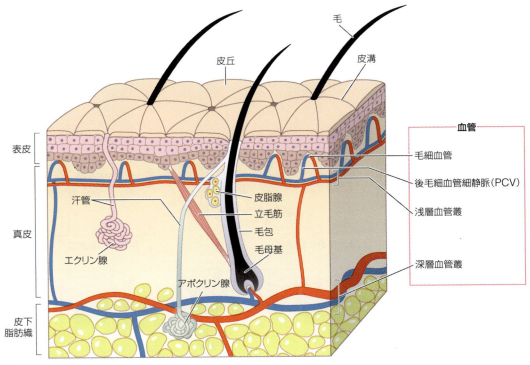

図 25-1　皮膚の正常構造
皮膚は，表皮，真皮，皮下脂肪織から構成される．真皮に，毛包，汗腺，皮脂腺などの皮膚付属器がある．血管に富む．

apocrine glands があり，汗管を経て皮表に汗を分泌する．アポクリン腺は，**アポクリン分泌** apocrine secretion（**断頭分泌** decapitation secretion）が特徴的な大型で好酸性の細胞から構成される．汗管は内腔を，好酸性で大型の**小皮縁細胞** cuticular cells が裏打ちし，外側を N/C 比が高く小型の**孔細胞** poroid cells が取り巻いている．

血管は，動脈血が皮下脂肪織から入ってきて，深層血管叢を形成した後に上行し，浅層血管叢を形成する．真皮乳頭層で毛細血管となり，後毛細血管細静脈 postcapillary venules（PCV）を経て浅層血管叢に戻り，下行していく．動静脈は常に並走する．

B 発疹学

皮疹の表現の仕方についてまとめた（図 25-3）．

a 斑 macule
　平坦な病変．
- 紅斑 erythema
- 紫斑 purpura
- 色素斑 pigmentation

b 盛り上がる充実性の病変
- 丘疹 papule：＜1 cm
- 局面 plaque：≧1 cm
- 結節 nodule：1〜3 cm
- 腫瘤 tumor：≧3 cm

c 水疱 bulla, blister, **小水疱** vesicle
　透明な水溶液を含む病変．

d 膿瘍 abscess
　好中球が限局性に浸潤した病変．

e 膿疱 pustule
　水疱内に好中球を多数含む病変．

f 嚢胞 cyst
　上皮で裏打ちされた空洞性病変．

g 膨疹 urtica, wheal
　真皮の限局性の浮腫．

h 表皮の欠損
- びらん erosion：表皮の表層だけ（一部）の欠損．
- 潰瘍 ulcer：表皮全層の欠損．

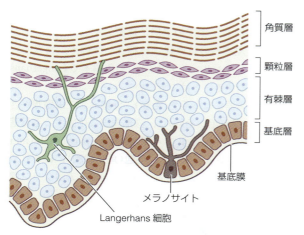

図 25-2　表皮の構造
表皮は，基底細胞，有棘細胞，顆粒細胞，角質細胞から構成され，4 層からなる．

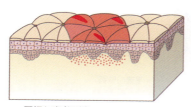
a．平坦な斑（紅斑）

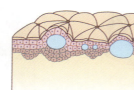
b．平坦な斑（紫斑）

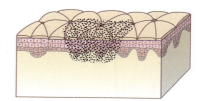
c．平坦な斑（色素斑）

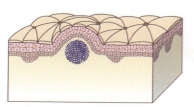
d．隆起する丘疹，局面結節，腫瘤

e．水疱，小水疱

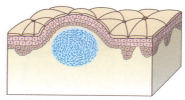
f．膨疹

図 25-3　皮膚の発疹（皮疹）の種類

炎症性疾患

A 湿疹 eczema

【定義，概念】

"湿疹 eczema"は，外的刺激に対し一定の共通する臨床・病理学的特徴を示す皮膚炎 dermatitis の総称である．臨床像は多彩で，原因，発生部位，および時期などにより，「アトピー性皮膚炎 atopic dermatitis」「汗疱 pompholyx, dyshidrosis」「接触皮膚炎 contact dermatitis」「自家感作性皮膚炎 autosensitization dermatitis」「脂漏性皮膚炎 seborrheic dermatitis」「貨幣状湿疹 nummular eczema」「皮脂欠乏性湿疹 asteatotic eczema」などさまざまな疾患名が冠されており，俗称の「手湿疹」や「オムツかぶれ」なども含まれる．臨床的に痒みを伴う．組織学的にはいずれも共通した特徴を呈する．

【病理形態像】

急性期の湿疹で共通する所見は，表皮角化細胞間の浮腫（**海綿状態** spongiosis）で（図 25-4），そのために正常では不明瞭な細胞間橋が明瞭にみえる．高度になると水疱を形成する．やがて浮腫は減弱し，持続的な搔破の影響により，慢性期は過角化と表皮突起の延長をきたして表皮が肥厚する．治癒せずに慢性化すると，皮膚が硬化して皮野（皮丘と皮溝の凹凸）が明瞭になる**苔癬化** lichenification をきたす．

B 蕁麻疹 urticaria

【定義，概念，臨床像】

蕁麻疹は，食べ物，薬剤，機械的刺激などに対するアレルギー反応で，突然発赤を伴う**膨疹**（境界明瞭に盛り上がった紅色の扁平隆起性病変）を生じるが，数時間で跡形もなく消褪する（図 25-5）．肥満細胞の脱顆粒が関与する真皮内の浮腫である．

特に顔面（眼瞼，口唇，頬）や喉頭・咽頭に発症する病態を，**クインケ浮腫** Quincke edema（**血管浮腫** angioedema）という．重症では喉頭・咽頭の強い浮腫により呼吸困難をきたして，生命にかかわる．

【病理形態像】

真皮浅層を主座とする，限局した浮腫である．

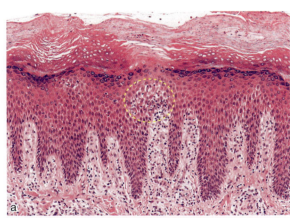

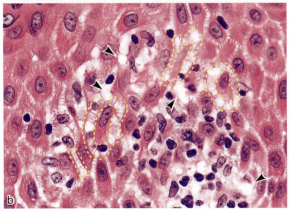

図 25-4 湿疹
a. 表皮内に海綿状態（浮腫）をきたしている（黄線）．角層の肥厚や表皮突起が延長しているのは，経過が長いことを意味している．
b. 細胞と細胞との間を梯子のように結ぶ細胞間橋が，浮腫のために明瞭にみられ（黄線間），一部は断裂している（▶）．

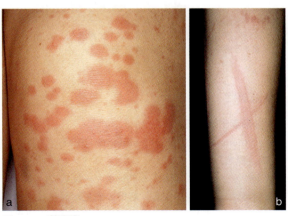

図 25-5 蕁麻疹
a. 境界明瞭な隆起性の膨疹で，さまざまな形態を示す．数時間で完全に消失する．
b. 皮膚を強くこすることにより，人工蕁麻疹が生じる（皮膚描記症 dermographia）．

〔写真提供：赤坂虎の門クリニック皮膚科 大原國章先生〕

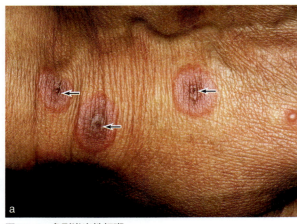
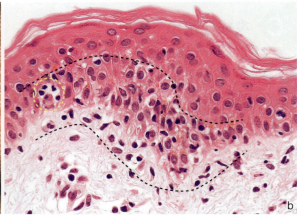

図 25-6 多形滲出性紅斑
a. あたかも瞳孔（→）を有する虹彩（黒目）に似た境界明瞭な円形の紅斑が，手首と手背に散在している．〔写真提供：赤坂虎の門クリニック皮膚科 大原國章先生〕
b. 表皮と真皮の境界部（黒点線間）に炎症の主座があり，リンパ球が表皮内にも浸潤している．角化細胞がリンパ球に取り囲まれ，個細胞壊死/衛星細胞壊死がみられる（黄線）．

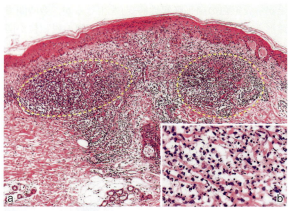

図 25-7 Sweet 病
a. 真皮内に好中球が結節状に浸潤している（黄線）．
b. 浸潤する細胞の大多数は，好中球である．

C 紅斑症

1 多形滲出性紅斑
erythema exsudativum multiforme（EEM）

【定義，概念】

薬剤やウイルスに起因するアレルギー反応で，四肢に左右対称性に紅斑が出現し，新旧の病変が混在してさまざまな形態（多形）を示す．重症化すると，びらんや水疱が全身に及ぶが，体表面積の 10％未満の場合は，**粘膜皮膚眼症候群** mucocutaneous ocular syndrome（スティーブンス-ジョンソン Stevens-Johnson 症候群）と呼ばれ，さらに全身の 30％を超えると **中毒性表皮壊死症** toxic epidermal necrosis（TEN）に進展し，高い死亡率を示す．

【臨床像】

"虹彩状 iris lesion" あるいは "標的状 target lesion" と表現される，滲出性（滲出液を伴う）紅斑が，四肢伸側に左右対称性に生じ，遠心性に拡大する（図 25-6a）．

【病理形態像】

組織学的にも多彩（多形）であるが，基本は表皮真皮境界部の空胞状変性（液状変性）と角化細胞の個細胞壊死である（図 25-6b）．リンパ球に取り囲まれた角化細胞は **個細胞壊死** individual cell necrosis に陥り（衛星細胞壊死 satellite cell necrosis），完全に核が消失すると **シバット小体** Civatte body（細胞様小体 cytoid body，膠様物質/コロイド小体 colloid body，硝子様小体/ヒアリン小体 hyaline body，好酸性小体 eosinophilic body）と呼ばれ，重症化すると数が増える．

2 スイート病 Sweet disease（**急性熱性好中球性皮膚病** acute febrile neutrophilic dermatosis）

【定義，概念】

臨床的に発熱と造血器系の悪性腫瘍（白血病や骨髄異形成症候群）の合併で知られる．組織学的には，好中球の浸潤により特徴づけられる原因不明の疾患である．

【臨床像】

発熱に引き続き，有痛性の紅斑，局面，結節が急激に発症する．ベーチェット Behçet 病が先行，合併することがあり，両者の異同はいまだに不明である．

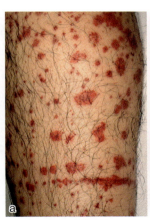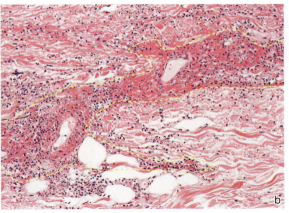

図 25-8 **IgA 血管炎（アナフィラクトイド紫斑病）**
a. 皮疹．下腿に無数の点状出血を認める．〔写真提供：赤坂虎の門クリニック皮膚科 大原國章先生〕
b. 血管周囲を鮮紅色（好酸性）のフィブリノイド物質が析出している（黄線間）．同部位や周囲には，核が破砕した好中球が多数浸潤する．

【病理形態像】
真皮内に好中球が結節状に浸潤する（図 25-7）．血管炎（好中球の核破砕）は通常みられない．

3 ● 紅皮症 erythroderma

【定義，概念】
紅皮症は疾患名ではなく，皮疹が全身に広がった病態を表す症候群名である．

【臨床像】
原因疾患として，湿疹，尋常性乾癬，水疱症，ウイルス感染症，膠原病，悪性腫瘍（菌状息肉症，セザリー Sézary 症候群），薬剤などの頻度が高い．

【病理形態像】
それぞれの原因疾患による．

D 血管炎，紫斑病

1 ● IgA 血管炎 IgA vasculitis（**アナフィラクトイド紫斑病** anaphylactoid purpura, 旧名：**ヘノッホ-シェーンライン紫斑病** Henoch-Schönlein purpura）

【定義，概念】
免疫複合体（抗 IgA 抗体と補体など）が血管に沈着して惹起される免疫複合体血管炎で，小型血管に生じる**白血球破砕性血管炎** leukocytoclastic vasculitis（**壊死性血管炎**）の代表的疾患である．

【臨床像】
小児に好発し，溶連菌（上気道炎）などを抗原として抗 IgA 抗体が産生され，腎臓，関節，消化管などの細血管に免疫複合体が沈着する．皮膚では浸潤を触れる点状出血が両下腿に発症し，大腿，上肢に上行する（図 25-8a）．

【病理形態像】
後毛細血管細静脈（PCV）〜細静脈レベルの小型血管が侵され，血管内皮細胞の腫大や出血とともに，血管周囲に核破砕を伴う好中球の浸潤やフィブリノイド物質が析出し，膠原線維はフィブリノイド壊死をきたす（図 25-8b）．

2 ● 結節性多発動脈炎 polyarteritis nodosa（PN）
（旧名：**結節性動脈周囲炎** periarteritis nodosa, **結節性汎動脈炎** panarteritis nodosa, **クスマウル-マイアー病** Kussmaul-Maier disease）

【定義，概念】
免疫複合体性血管炎のうち，比較的大型の動脈を侵す，白血球破砕性血管炎の代表的疾患である．

【臨床像】
腎臓，心臓，消化管，肝臓，脳など全身の血管で血管炎を生じて予後が悪いが，皮膚症状は PN の 25％以上にみられ，診断の契機になることが多い．血管炎が皮膚のみに限局する皮膚型 PN は予後良好である．皮膚では下腿に網状皮斑（リベド）や結節を生じる．

【病理形態像】
真皮深層から皮下脂肪織に存在する比較的大型の動脈（小動脈，筋性動脈）を主座とする，白血球破砕性血管炎を生じる（図 25-9）．

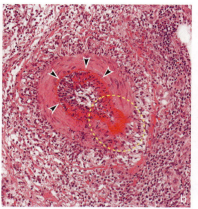

図 25-9　結節性多発動脈炎（PN）
a. 病変の主座は皮下脂肪織の比較的大型の動脈に存在する．
b. 内弾性板が，好酸性に変性している（▶）．内皮細胞の残骸，好中球，補体，免疫グロブリンなどの血漿タンパクを含んだフィブリノイド物質が血管内膜に析出し，一部は中膜に及んでいる（黄線）．

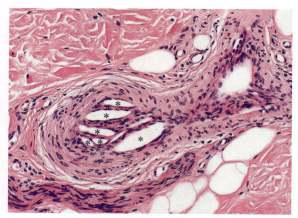

図 25-10　コレステロール結晶塞栓症
小動脈の内腔に，"針状"と形容されるコレステロール結晶（塞栓子）を入れ，内腔が完全に閉塞している（＊）．

3　コレステロール結晶塞栓症
cholesterol crystal embolism（blue toe syndrome）

【定義，概念】
　動脈硬化症の粥状硬化巣からコレステロール結晶が剥離し，小動脈を塞栓することで，臓器の虚血や壊死をきたす．皮膚のほか，腎臓，脾臓，膵臓，消化管，心筋，骨格にも発生しやすい．

【臨床像】
　趾先に生じる．網状皮斑に始まり，紫斑（blue toe），潰瘍，壊疽などをきたし，同部位が痛む．

【病理形態像】
　真皮〜皮下脂肪織の小動脈の内腔に，コレステロール結晶が塞栓子となり内腔を閉塞する（図 25-10）．コレステロール結晶は標本を作製する過程で溶出し，HE 標本では裂隙のように抜けて見える．塞栓子のある動脈の支配領域は，虚血により壊死に陥る．

E　水疱症

1　尋常性天疱瘡 pemphigus vulgaris

【定義，概念】
　角化細胞（表皮）の細胞間接着分子であるデスモグレイン（dsg）のうち，表皮下方に分布する自己抗体により，細胞間接着が障害されて水疱を形成する，自己免疫性水疱症の代表的疾患である．

【臨床像】
　40〜60 歳代に好発し，口腔粘膜のびらんや潰瘍で発症し，その後全身の皮膚に弛緩性水疱（破れやすい水疱）を生じる．

【病理形態像】
　基底層の直上で表皮内水疱が形成され，基底細胞が（西洋の）墓石状を呈する（**墓石状外観** tombstone appearance，墓石の列 row of tombstones，図 25-11）．基底細胞とそれより直上の有棘細胞との間に **棘融解** acantholysis をきたし，水疱内に細胞間橋を失い丸くなった棘融解細胞が浮遊する．水疱内や水疱底の真皮には好酸球が浸潤する．蛍光抗体法で，表皮深層の角化細胞間に IgG や C3 が沈着する．

2　落葉状天疱瘡 pemphigus foliaceus

【定義，概念】
　角化細胞（表皮）の細胞間接着分子であるデスモグレイン（dsg）のうち，表皮上方に分布する dsg1 に対する自己抗体により，細胞間接着が障害されて水疱を形成する，自己免疫性水疱症である．

【臨床像】
　40〜50 歳代に好発し，顔面中央から始まり，頭部，胸部，背部などに拡がる．水疱は弛緩性で容易に破れやすく，乾燥して落屑が（あたかも落葉がパラパラと舞い落ちるように）次々に剥離する．口腔粘膜は侵さない．

【病理形態像】
　角質層下（表皮の浅層），あるいは肥厚した顆粒層下に，疱膜が薄い水疱を形成する（図 25-12）．水疱底の真皮には好酸球が浸潤する．蛍光抗体法で，表皮浅層の角

皮膚—C. 炎症性疾患 ● 735

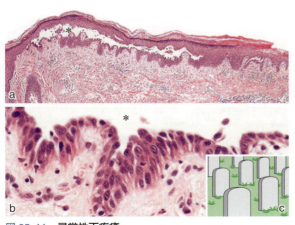

図 25-11　尋常性天疱瘡
a. 棘融解により，基底細胞を1層残し(墓石状外観，c)，水疱(＊)を形成する．
b. 真皮内には，好酸球が浸潤する．

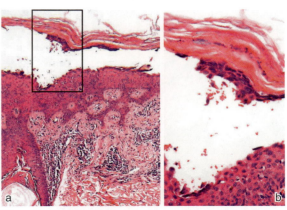

図 25-12　落葉状天疱瘡
水疱は，角質層〜顆粒層の直下に形成される．疱膜が薄いため容易に破れ，木の葉のように次々に剥離する．

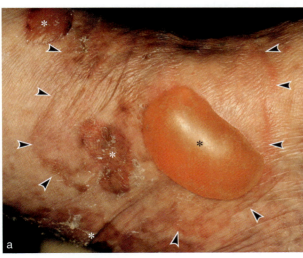

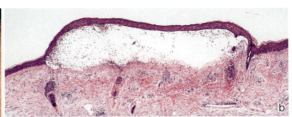

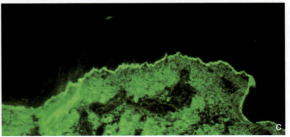

図 25-13　水疱性類天疱瘡
a. 85歳女性の左下腿の内踝．緊満性の水疱が形成され(＊)，周囲に紅斑を伴う(▶)．すでに破れた水疱も多数ある(❋)．
　〔写真提供：赤坂虎の門クリニック皮膚科　大原國章先生〕
b. 表皮全体が疱膜となるため，水疱は破れにくく，まるで鏡餅をはめ込んだような緊満性水疱を形成する．水疱内や真皮には，好酸球が浸潤する．
c. 蛍光抗体直接法．表皮の基底膜に，IgGが線状に沈着する．

化細胞間にIgGやC3が沈着する．

3 ● 水疱性類天疱瘡 bullous pemphigoid

【定義，概念】

基底膜のヘミデスモゾーム蛋白である，BP180とBP230に対する自己抗体により，基底膜が障害されて表皮直下で水疱を形成する自己免疫性水疱症である(図25-13a)．

【臨床像】

高齢者の，上腕内側，臍，腋窩，鼠径部などに好発する．大小さまざまな緊満性水疱が多発する．

【病理形態像】

表皮下に，鏡餅をはめこんだような形の水疱を形成する(図25-13b, c)．水疱底の真皮には好酸球が浸潤する．蛍光抗体法で基底膜に，IgGやC3が線状に沈着する．

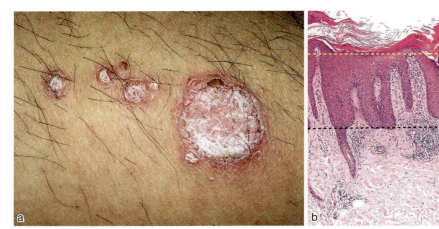

図 25-14　尋常性乾癬
a. 銀白色雲母状の鱗屑を載せる大小の境界明瞭な紅斑が散在している．〔写真提供：赤坂虎の門クリニック皮膚科　大原國章先生〕
b. 表皮突起がほぼ等長（黒線）に延長している．行き場を失った真皮は挙上し，こすると（黄線）点状出血をきたす Auspitz 現象をきたすことが理解できる．
c. 角質層内に Munro 微小膿瘍（好中球の浸潤巣，黄線）を形成する．顆粒層は消失している．

F 炎症性角化症

1 尋常性乾癬 psoriasis vulgaris

【定義，概念】
　炎症により，表皮の過角化をきたす疾患群，炎症性角化症の代表的疾患である．原因はいまだに判明していない．

【臨床像】
　銀白色雲母状鱗屑を戴せる境界明瞭な紅斑で，四肢伸側（肘，膝），頭部および体幹に撒布する（図25-14a）．**蠟片現象**は，皮疹の表面を軽くこすると白い落屑がボロボロと剝がれる現象で，さらに続けると点状の出血が現れる（**アウスピッツ現象** Auspitz sign，血露現象，アウスピッツ血露現象）．

【病理形態像】
　角化症の本質である，角化のターンオーバーの亢進を反映した組織像（①～⑤）：① 錯角化（角質層で核が残存）を伴う過角化，② 顆粒層の消失，③ 表皮突起の等長の延長，④ 狭くなった真皮の挙上，⑤ 毛細血管の増生，に加え炎症性疾患として，⑥ 好中球が小集簇性に角質層内～角質層下に浸潤する（**マンロー微小膿瘍** Munro microabscess，図 25-14b）．

2 扁平苔癬 lichen planus

【定義，概念】
　炎症により，表皮の過角化をきたす疾患群，炎症性角化症の代表的疾患である．原因はいまだに判明していないが，薬剤（降圧薬など），化学薬品（現像液など），歯科金属アレルギー，慢性移植片対宿主病，および C 型肝炎などとの関連などが指摘されている．

【臨床像】
　手背，前腕，下腿に中央がわずかに陥凹した紫紅色の丘疹が多発する（図 25-15a）．口腔粘膜に，レース状白苔が出現する（図 25-15b）．

【病理形態像】
　表皮真皮境界部に病変の主座があり，リンパ球が真皮浅層で帯状に浸潤する．表皮はリンパ球により削り取られ，表皮突起が鋸歯（ノコギリの歯）状を呈する（図 25-15c）．

G 膠原病 collagen disease

　全身臓器の膠原線維にフィブリノイド変性を生じることからこの名があるが，弾性線維や細網線維も侵されるので，欧米では"**結合組織病** connective tissue disease"と呼ばれる．さらに膠原病では，関節，筋肉，骨などの痛みを伴う頻度が高いことから，これらの運動器官に"痛みがある"という意味の"リウマチ rheumatism"を語源とした，"**リウマチ性疾患** rheumatic disease"とも呼ぶ．原因論からは，自分自身の構成要素を標的にした免疫反応であることから，"**自己免疫疾患** autoimmune disease"の範疇に入る．膠原病には，エリテマトーデス，関節リウマチ，皮膚筋炎，強皮症など 15 あまりの疾患が含まれる．

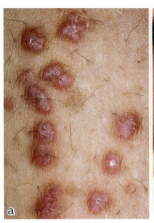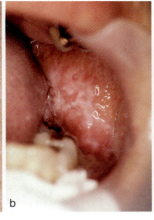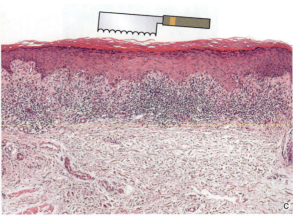

図 25-15　扁平苔癬
a. 手首に，中央に陥凹を伴う紫紅色の丘疹が線状に配列している．
b. 口腔粘膜に生じたレース状白苔．〔a，bの提供：赤坂虎の門クリニック皮膚科　大原國章先生〕
c. 病変の主座は表皮真皮境界部にあり，リンパ球が帯状に浸潤する（黄線）．表皮突起が鋸歯状を呈する．過角化および顆粒層が肥厚している．

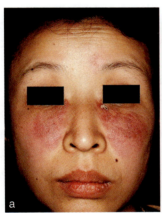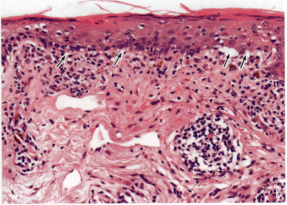

図 25-16　エリテマトーデス
a. まるで蝶が羽を広げたように，両頬に紅斑が広がる（蝶形紅斑）．〔写真提供：赤坂虎の門クリニック皮膚科　大原國章先生〕
b. 空胞状変性（液状変性，→）をきたし，表皮内にリンパ球が浸潤している．

1　エリテマトーデス erythematosus
〔**紅斑性狼瘡** lupus erythematosus（LE）〕

【定義，概念】
全身性エリテマトーデス systemic lupus erythematosus（**SLE**）と皮膚に限局性に発症する**慢性円板状エリテマトーデス** discoid lupus erythematosus（**DLE**）とがある．DLE は SLE の主な皮膚病変だが，DLE があるからといって，SLE の一病変ということではない．

【臨床像】
若い女性に発症する．紅斑が両側の頬に蝶のように分布する"**蝶形紅斑** butterfly lesion"が有名である（図 25-16a）．皮膚以外では，レイノー Raynaud 現象，腎炎，心外膜炎などを生じる．DLE では，特徴的な鱗屑が付着した円板状で境界明瞭な萎縮性紅斑を形成する（図 25-17a）．

【病理形態像】
LE に共通する所見は，① 基底膜の空胞変性（液状変性），② 真皮の浮腫・粘液の沈着，③ 真皮の膠原線維のフィブリノイド変性（鮮紅色に変性）である．

DLE では ①〜③ に加え，毛包の表皮真皮境界部でリンパ球が結節状に浸潤する（図 25-17b）．

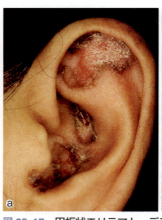
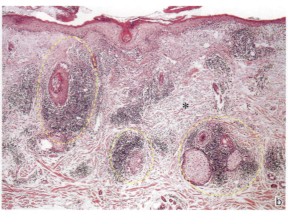

図 25-17　円板状エリテマトーデス(DLE)
a. 耳介に、薄い鱗屑を被る境界明瞭な角化性の紅斑が多発している．〔写真提供：赤坂虎の門クリニック皮膚科　大原國章先生〕
b. 毛包や皮脂腺の周囲にリンパ球が結節状に浸潤している(黄丸)．背景は粘液の沈着や浮腫により、膠原線維が離開している(＊)．

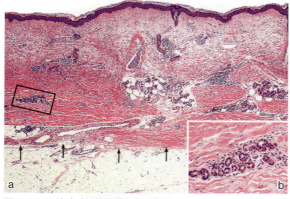

図 25-18　強皮症(浮腫期～硬化期)
a. 真皮上層は浮腫が、下層は膠原線維束が肥厚する．膠原線維の増加により、真皮と皮下脂肪織との境界が直線的である(→)．
b. 汗腺小葉内の脂肪織が線維化によって置換された．"bound down appearance" を示す．

2 ● 皮膚筋炎 dermatomyositis

【定義，概念】
皮膚と筋肉を侵す疾患で、**抗 Jo-1 抗体**をはじめ複数の自己抗体が出現する．

【臨床像】
特徴的な皮膚症状が多い．特に、① 両側の上眼瞼が紫紅色を呈して腫脹する、**ヘリオトロープ疹** heliotrope rash と、② 手指関節の背面の角化を伴う紅斑、丘疹である**ゴットロン徴候** Gottron sign は有名である．他臓器では、③ 間質性肺炎や ④ 内臓悪性腫瘍の合併が知られる．

【病理形態像】
基底膜の**液状変性(空胞変性)**と真皮内の浮腫は高度だが、真皮内の炎症細胞浸潤は比較的軽度である．

3 ● 強皮症 scleroderma

【定義，概念】
強皮症は皮膚が線維化により硬くなる病態で、臨床的に内臓にも硬化が生じる**進行性全身性強皮症** progressive systemic sclerosis (**PSS**) と、皮膚病変だけの**限局性強皮症** localized scleroderma に分けられる．

【臨床像】
Raynaud 現象(60％)で初発することが多い．皮膚は浮腫や線維化で硬くなり、**仮面様顔貌**や**舌小帯萎縮**が起こる．抗セントロメア抗体、抗トポイソメラーゼⅠ抗体(抗 Scl-70 抗体)、抗 RNA ポリメラーゼⅢ抗体などの出現は、診断的価値が高い．

【病理形態像】
① **浮腫期**には真皮～皮下脂肪織に浮腫が増す．② 真皮深層の膠原線維束が腫大する(図 25-18)．③ 汗腺小葉内の脂肪細胞が膠原線維に置換される(bound-down appearance)．④ **硬化期**になると、真皮全層が厚い膠原線維によって置換され、皮下脂肪織との境界が直線状となる．⑤ 膠原線維は癒合し均質化する．⑥ **萎縮期**には表皮が萎縮し、真皮は皮膚付属器が消失する．⑦ 皮下脂肪織まで膠原線維に置換され、⑧ 血管も硬化により閉塞し、皮膚は虚血性壊死に陥る．

H 代謝異常

1 アミロイドーシス amyloidosis

【定義，概念】

アミロイドと呼ばれる異常な線維を形成するタンパクが，皮膚や内臓に沈着し，機能障害を引き起こす．全身性と限局性に大別され，全身性は多発性骨髄腫などによる免疫細胞性〔アミロイド軽鎖（L鎖）による〕と，透析性〔β_2ミクログロブリン（β_2M）による〕がある．皮膚に限局するアミロイドーシスでは，角化細胞に由来するアミロイド苔癬 lichen amyloidosis と，脂漏性角化症，基底細胞上皮腫（癌），ボーエン Bowen 病などで壊死した細胞がアミロイドとして沈着する続発性皮膚アミロイドーシス secondary localized amyloidosis，および限局性結節性アミロイドーシス localized nodular amyloidosis がある．

【臨床像】

限局性のアミロイドーシスにより心臓では拡張・収縮障害や不整脈を，消化管では便秘や下痢を，腎臓ではネフローゼ症候群を，皮膚や皮下脂肪織では，紫斑や手根管症候群などを生じる．

【病理形態像】

組織学的にアミロイドは両染性〜淡好酸性を示す均質な沈着物で（図 25-19a），コンゴーレッド染色やダイロン dylon（ダイレクトファーストスカーレット direct fast scarlet：DFS）染色で，橙赤色（オレンジ色）に染色され（図 25-19b），偏光で観察すると黄緑色 apple green を発する．全身性アミロイドーシスの免疫細胞性アミロイドーシスでは，血管や附属器周囲および脂肪細胞を取り巻くように沈着する（amyloid rings）．皮膚のアミロイド苔癬は，真皮乳頭層で延長した表皮突起に取り囲まれた小球として沈着する（図 25-19a）．限局性結節性アミロイドーシスは，真皮〜皮下脂肪織にかけてびまん性にアミロイドが沈着する．

I 肉芽腫 granuloma

肉芽腫は，**組織球 histiocyte の集簇巣**である．組織球はあたかも上皮細胞のように互いに接着して配列することから"類上皮 epithelioid cell"の別名があるため，**類上皮肉芽腫** epithelioid granuloma とも呼ばれる．肉芽腫には，類結核（乾酪）肉芽腫 tuberculoid (caseating) granuloma（乾酪壊死を有する），サルコイド肉芽腫 sarcoidal granuloma（乾酪壊死がなく境界明瞭），化膿性肉芽腫

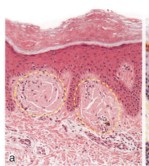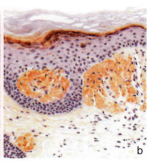

図 25-19　アミロイドーシス，アミロイド苔癬
a. 表皮突起に取り囲まれ，アミロイドが小球状に沈着している．
b. コンゴーレッド染色やダイロン染色で，橙赤色（オレンジ色）に染まる．

suppurative granuloma（中央部に好中球が浸潤する），柵状肉芽腫 palisaded granuloma（中央部に粘液，フィブリン，変性膠原線維，脂質，異物などを入れ，組織球の核が柵状に配列する），異物肉芽腫 foreign body granuloma（異物を組織球が貪食する），黄色肉芽腫 xanthogranuloma（泡沫状組織球やツートン Touton 型巨細胞より構成される）がある．

1 皮膚結核 cutaneous tuberculosis

【定義，概念】

結核菌はグラム陽性桿菌で，色素で染めると酸やアルカリで脱色されないことから**抗酸菌**の範疇に属する．抗酸菌はほかに，**非結核性抗酸菌** nontuberculous mycobacteria（NTM）と**らい菌** Mycobacterium leprae が含まれる．

【臨床像】

結核は，免疫力が低下した状態〔化学療法や免疫抑制剤の投与中，後天性免疫不全症候群（AIDS）患者など〕で罹患しやすい．皮膚結核には，病変部位に結核菌が増殖している真性皮膚結核として，**尋常性狼瘡** lupus vulgaris とリンパ節や骨から皮膚に連続性に感染する**皮膚腺病** scrofuloderma とがある．結核菌の菌体に対する一種のアレルギー反応である**結核疹** tuberculid もあり，バザン Bazin 硬結性紅斑はその代表的疾患で，菌体は皮膚の病変部位にはいない．

【病理形態像】

中央部に乾酪壊死を有する類結核型の肉芽腫を形成する（図 25-20）．乾酪壊死を類上皮細胞（組織球）が取り囲み，外側にリンパ球が浸潤する．類上皮細胞はしばしば融合し多核になり，**ラングハンス巨細胞** Langhans giant

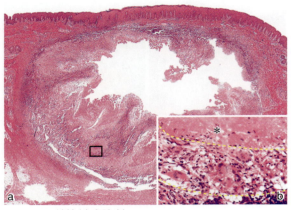

図 25-20　結核（皮膚腺病）
a. リンパ節から直接皮膚に波及し，肉芽腫が集簇して大型の結節を形成している．中央部は乾酪壊死物質が充塡されている．
b. a の□の拡大像．乾酪壊死（*）の周囲を，細胞質の境界が不明瞭な類上皮細胞が取り巻いている（黄線間）．組織球が融合したLanghans 巨細胞も散見される．

cells と呼ばれる．結核菌はチール-ニールセン染色で，鮮紅色の細長い棒状を呈する．

2 ● サルコイドーシス sarcoidosis
【定義，概念】
　肺，リンパ節，皮膚など多臓器に**サルコイド肉芽腫**を形成する原因不明の全身性疾患である．外傷による異物反応が病態の本質とも推測されている．
【臨床像】
　肺内および肺門部のリンパ節が両側性に腫大（bilateral hilar lymphadenopathy：BHL）する．眼，骨，肝臓および心臓などに，サルコイド肉芽腫を形成する．**血清ACE**（angiotensin converting enzyme）が上昇する．
　皮膚では，結節型，局面型，びまん浸潤型，皮下型，瘢痕浸潤型，結節浸潤型など多彩な像を呈する（図 25-21a〜c）．
【病理形態像】
　サルコイド肉芽腫の組織学的な特徴は，① 乾酪壊死を伴わない，② 小型の，③ 境界明瞭な結節の集簇巣で，④ リンパ球浸潤は乏しく（naked tubercle），⑤ 間質は線維化をきたし，⑥ 組織球が異物を貪食することがある．⑦ **星芒小体** asteroid body や**シャウマン小体** Schaumann body がしばしばみられる（図 25-21d〜g）．

J 脂肪織炎

1 ● 結節性紅斑 erythema nodosum
【定義，概念】
　病変の主座を皮下脂肪織の隔壁に置く病態で，両下腿に有痛性の紅色結節を形成する．多彩な原因疾患を背景に有する 1 つの臨床・病理パターンである．
【臨床像】
　紅斑を伴う有痛性の皮下結節を両側下腿に生じ，比較的急性に経過し，多くは数週間で消褪する（図 25-22a）．潰瘍の形成はない．
【病理形態像】
　皮下脂肪織の小葉隔壁を中心とする炎症（septal panniculitis）が，臨床的な"結節"をかたちづくる．"紅斑"は，真皮の血管の拡張による．急性期には小葉隔壁に浮腫や好中球浸潤をきたし（図 25-22b），経過とともにTouton 型巨細胞を伴う肉芽腫（組織球の集簇巣）が浸潤する（図 25-22c）．陳旧化すると小葉隔壁は線維化に至る．

K 感染症

1 ● ウイルス性疣贅 viral warts
【定義，概念】
　ヒトパピローマウイルス human papillomavirus（HPV）**感染症**で，**尋常性疣贅** verruca vulgaris は発癌性が低いHPV2/27/57 型などが原因ウイルスとなる．**尖圭コンジローマ** condyloma acuminatum は HPV6/11 型が多い．
【臨床像】
　尋常性疣贅は，子どもの手指・手足背，足底などの四肢末端に好発する．乳頭状に隆起する，単発ないし多発性病変を形成する．尖圭コンジローマは，外陰部や肛門周囲の皮膚や粘膜に発生する性行為感染症である．
【病理形態像】
　いずれの HPV 感染症の病変も，①〜③ の共通する所見を呈する．① 乳頭状の増殖と表皮突起の内方へ向く延長（図 25-23a），② 層状の錯角化を伴う過角化（図25-23b），③ **核周囲 halo** の形成（**コイロサイトーシス** koilocytosis，図 25-23c）．尋常性疣贅では，時間とともにケラトヒアリン顆粒が楔状に増加する（図 25-23d）．

皮膚―D. 皮膚の腫瘍性病変 ● 741

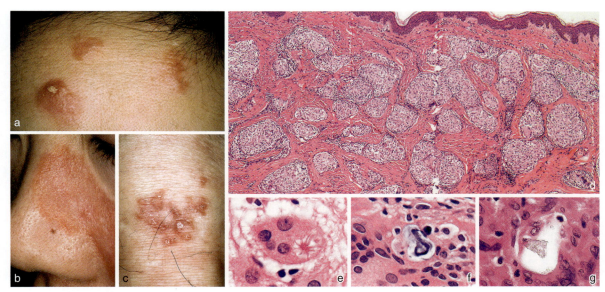

図 25-21　サルコイドーシス
a. 結節型．額に，1〜3 cm 大の淡紅色結節が多発している．
b. 局面型．鼻根〜左頰におよび，境界明瞭な扁平浸潤局面を形成している．
c. 瘢痕浸潤型．膝に，外傷性の瘢痕が赤みを帯びて隆起し，鱗屑を載せている．〔a〜c の提供：赤坂虎の門クリニック皮膚科　大原國章先生〕
d. リンパ球浸潤が乏しく境界明瞭なサルコイド肉芽腫（naked granuloma）が集簇している．
e. 星芒小体．星形を呈し多核巨細胞（組織球）の細胞質内に存在している．
f. Schaumann 小体．カキの殻状に層状を呈する石灰化した小体．
g. 瘢痕浸潤型でみられた異物．光輝性の異物が多核巨細胞に貪食されている．

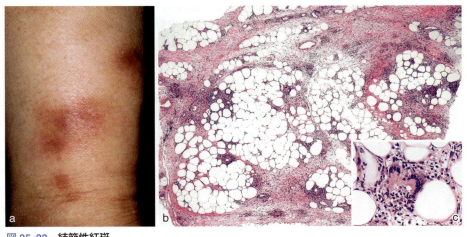

図 25-22　結節性紅斑
a. 両側下腿に，有痛性の紅斑が散在している．〔写真提供：赤坂虎の門クリニック皮膚科　大原國章先生〕
b. 皮下脂肪織の小葉隔壁が浮腫や線維化によって肥厚している．
c. 多核巨細胞を混じる組織球が浸潤している．

D 皮膚の腫瘍性病変

　組織学的に皮膚の腫瘍性疾患は他臓器と同様に，弱拡大像（対物レンズの 2 倍や 10 倍）で，良性腫瘍であれば境界が明瞭（左右対称）で，悪性腫瘍であれば不明瞭である．強拡大（対物レンズの 20 倍や 40 倍）による良性か悪性かの判断は，**核の所見**で決まる．悪性腫瘍では，**核異型**（nuclear atypia，核の丸からの隔たりのこと）が高度でクロマチンが濃縮し（hyperchromatic, 核の青色の部位

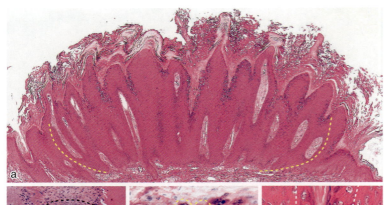
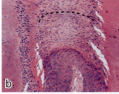
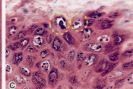
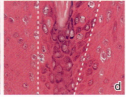

図25-23　尋常性疣贅
a. 過角化を伴い乳頭状に増殖し，表皮突起は中央に向い延長している（黄線）．HPV感染症に共通する弱拡大像である．
b. 乳頭状の頂部で，錯角化が層状（黒線に平行）に形成されている．
c. 核が濃縮し核周囲の細胞質が淡明となる（核周囲halo），コイロサイトーシスがみられる（黄線）．
d. 乳頭状の陥凹部で，青紫色のケラトヒアリン顆粒が楔状に増加する（白線間）．

と淡明な部位との濃淡が明瞭であること），大型の核小体を有している（「核小体が明瞭」と表現される）．

腫瘍細胞の"分化 differentiation"は**細胞質の所見**で判断する．以前は，腫瘍細胞の"**起源 origin**"と表現していたが，元の細胞を推測することは不可能であるため，近年ではエビデンスを重視した"分化"の方向や程度として表す．分化は腫瘍細胞が正常細胞と類似（模倣）していることにより，その細胞への分化があると判断し，類似性の程度により，高分化-中分化-低分化と分類される．例えば，癌細胞に角化や細胞間橋があれば，扁平上皮細胞，角化細胞への分化がある（＝扁平上皮癌）といえ，腺管の形成や分泌物の産生があれば，腺上皮細胞への分化（腺癌，皮膚であれば汗腺のがんが多い）と診断される．

A 表皮系腫瘍

1 ● 老人性色素斑 lentigo senilis，senile lentigine，老人性黒子 senile freckle，日光（性）黒子 solar lentigo，actinic lentigo，いわゆるシミ

【定義，概念】
日光（紫外線）に何十年間も曝露されることによる，皮膚の（腫瘍というより単なる）老化現象といえる．

【臨床像】
顔面や手背など露光部に好発する褐色調の大小の斑状病変で，悪性黒色腫（悪性黒子）との鑑別が時として必要になる．レーザー焼灼で治癒しうる．一部は隆起し，脂漏性角化症に移行する．

【病理形態像】
表皮突起が細く延長し，基底層はメラニン色素が増加する．

2 ● 脂漏性角化症 seborrheic keratosis（老人性疣贅 verruca senilis）

【定義，概念】
脂漏（脂っぽい），さらには角化症（角化する病気）という，本質を表していない疾患名だが，実際には，毛包の基底細胞が増殖する良性腫瘍性病変である．

【臨床像】
高齢者の日光（紫外線）曝露部に多発する，褐色～黒色調の丘疹，局面あるいは小結節などさまざまな形態を呈する（図25-24a）．背景の皮膚に，老人性色素斑が多発していることが多い．臨床的には，日光角化症，Bowen病，基底細胞癌，悪性黒色腫などとの鑑別がしばしば問題となる．脂漏性角化症が急激に多発すると，胃癌などの内臓悪性腫瘍の発生（**レーザー-トレラ Leser-Trélat症候群**）を疑う．悪性化はしないので，治療は基本的に単純切除である．

【病理形態像】
本来1層しかない基底細胞が，数十層に増殖することにより腫瘤を形成する（図25-24b）．偽角質囊腫と呼ばれる角化物（角質）を入れる囊胞様構造（実際には囊胞ではなく，表皮とトンネル状に連続していることから，"偽"が付せられる）を形成し，しばしばメラニンが増加

皮膚—D. 皮膚の腫瘍性病変 ● 743

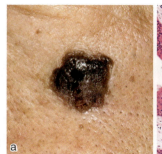
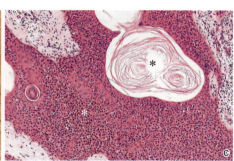
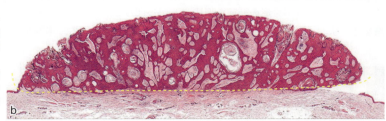

図 25-24　脂漏性角化症
a. 頬に, 境界が比較的明瞭な茶褐色調の局面を形成している. 〔写真提供：赤坂虎の門クリニック皮膚科 大原國章先生〕
b. 表皮のレベル(黄線)から表層(上方)に向かう隆起性病変を形成する. 表皮から連続し, 左右対称性であることから, 表皮角化細胞による良性腫瘍であることがわかる.
c. 正常では 1 層しかない基底細胞がシート状(塊状)に増殖し, メラニンが増加している(＊). 核異型はない. 偽角質嚢腫を形成する(＊).

する(図 25-24c).

3 ● 表皮の悪性腫瘍

表皮角化細胞の悪性腫瘍(癌)は, **扁平上皮癌**とも**有棘細胞癌** squamous cell carcinoma とも呼ばれ(同義), 長期の日光(紫外線)曝露に起因して発症する. 癌が真皮に浸潤せずに表皮内にとどまっている病態は, 総称として**上皮内癌(表皮内癌)** carcinoma *in situ* (CIS) と呼ばれ, 皮膚の上皮内癌 squamous cell carcinoma *in situ* には, **日光角化症**と **Bowen 病**とがある. これら上皮内癌の 2 疾患は, 臨床的にも病理組織学的にも特徴的な所見を呈することから, 独立した疾患名が冠されている. 両者は予後がよく, 何十年間も表皮内にとどまり転移をきたさないことから, 疾患の本質よりも予後を重視する皮膚科医によって, "癌"と呼ばずに, 日光角化"症"および Bowen "病"という, 腫瘍性病変でさえない疾患名が伝統的に使用され続けている. 乳房外 Paget "病"も同様である.

扁平上皮癌には前癌病変が存在する. 瘢痕(熱傷瘢痕ほか), 色素性乾皮症(常染色体潜性遺伝), 放射線障害, 汗孔角化症, 疣贅状表皮発育異常症などがある.

a 日光角化症 solar keratosis (**光線角化症** actinic keratosis, **老人性角化腫** keratoma senile, **老人性角化症** senile keratosis)

【定義, 概念】

病名のとおり, 長期におよぶ日光(紫外線)の影響により高齢者に発症する扁平上皮癌の上皮内癌である. 真皮に浸潤することは非常にまれ(5〜10% 以下)で, 転移することはまずない.

【臨床像】

日光に何十年も曝露する, 高齢者の顔面や手背に好発する(図 25-25a).

【病理形態像】

表皮の深部(基底細胞)を中心に, 角化細胞の核が腫大や核異型を示し, 異常角化や過角化を伴う(図 25-25b). 真皮に, 日光に長期に曝露された査証である, 弾性線維の変性像(**日光弾力線維症** solar elastosis)が顕著にみられる.

b ボーエン病 Bowen disease

【定義, 概念】

1912 年に最初に本疾患を提唱した, John T Bowen (米国)に敬意を表した疾患名が使用され続けている. 本質は扁平上皮癌の上皮内癌である. 日光曝露のほかに, 慢性的なヒ素(井戸水の摂取)が関与するが, 真の原因は不明である. 真皮への浸潤は日光角化症よりもさらにまれで, 転移することはまずない.

【臨床像】

必ずしも日光曝露のない体幹や四肢など全身に生じる. 比較的境界明瞭な黒褐色局面を形成する(図 25-26a).

【病理形態像】

日光角化症と異なり, 核異型を示す腫瘍性の角化細胞が表皮の全層にわたり増殖する. 複数の腫瘍細胞の核と核が, あたかも"薪を束ねた"ように密接する"clumping cells"，個細胞壊死，および**核分裂像**が特徴的である(図 25-26b)．

c 扁平上皮癌（有棘細胞癌）squamous cell carcinoma (SCC)

【定義，概念】

皮膚で扁平上皮癌というと通常は，（上皮内癌ではなく）真皮に浸潤した癌（浸潤癌）を指す．

【臨床像】

日光に何十年も曝露された高齢者の顔面や手背に好発する．角化を伴う不整形の結節を形成する．しばしば潰瘍をきたす．

【病理形態像】

表皮から連続性に，核異型を示す角化細胞が不規則な胞巣を形成し，真皮に浸潤する．分化が高いと，胞巣の中央部で角化をきたす(図 25-27)．

d ケラトアカントーマ keratoacanthoma

【定義，概念】

浸潤する腫瘍細胞の核異型が癌（扁平上皮癌）に匹敵するにもかかわらず，臨床的には無治療で自然に治るという特徴から，"〜癌(〜carcinoma)"と呼ばずに"〜oma"という良性腫瘍を想起させる疾患名が冠されている．本態が良性疾患であるのか，自然消褪をきたす扁平

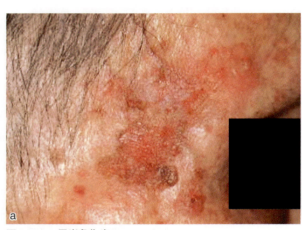 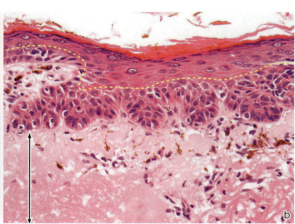

図 25-25 日光角化症
a. 高齢者の右こめかみに，わずかに角化する紅色局面を形成している．周囲に萎縮性の紅斑が多発する．〔写真提供：赤坂虎の門クリニック皮膚科 大原國章先生〕
b. 基底細胞が数層に重積し，核は腫大し異型を示す（黄線より深部）．特徴的に，表皮表層部分の角化細胞は核異型がないようにみえる．真皮で弾性線維が両染性で塊状に変性している（日光弾力線維症，↔）ことから，長期に紫外線に曝露された皮膚であることがわかる．

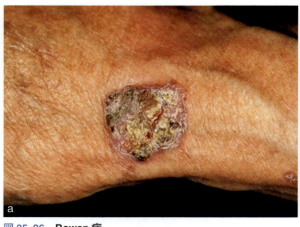 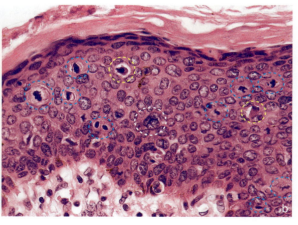

図 25-26 Bowen 病
a. 右手首内側．楕円形で境界明瞭な黒褐色の局面で，痂皮を載せる．〔写真提供：赤坂虎の門クリニック皮膚科 大原國章先生〕
b. N/C 比が高い腫大した異型細胞が，全層性に増殖している．"薪の束"を意味する clumping cells（白線），核分裂像（青線），個細胞壊死（黄線）が多数みられることが特徴である．

上皮癌であるかはいまだに決着していない．

【臨床像】

1, 2か月で急速に大きくなり，3〜6か月で自然に消褪する．再発や転移はない．

【病理形態像】

弱拡大では左右対称性の隆起性病変で，中央部に角化物を入れる．病変の両側の表層を正常の表皮が覆う（overhanging epidermal lip，図25-28a）．腫瘍細胞は，通常の扁平上皮癌とは異なり，"すりガラス状"で好酸性の細胞質 ground glass cytoplasm を有する N/C 比が低い大型細胞である（図25-28b）．核異型は胞巣の辺縁部でしばしば高度で，強拡大では扁平上皮癌との鑑別が困難である．

e 基底細胞癌 basal cell carcinoma（BCC）

【定義，概念】

局所の皮膚を破壊する浸潤癌であるにもかかわらず，転移をきたすことがないため，基底細胞癌と呼ばずに，"**基底細胞上皮腫**" basal cell epithelioma（BCE）と，あたかも良性腫瘍であるかのような疾患名と両方が使用され続けている．

【臨床像】

高齢者の顔面に好発する黒色調の結節である（図25-29a）．表面に拡張した樹枝状血管 arborizing vessels がみえる．

【病理形態像】

潰瘍をきたすことが多い．表皮から連続性に不規則な胞巣を形成する．腫瘍細胞は，N/C 比が高いものの，核は小型で核異型は乏しく，核小体も目立たない．胞巣の辺縁で腫瘍細胞の**核は柵状に配列**し，真皮との間に裂隙を形成する（図25-29b）．真皮にはしばしば，腫瘍細胞の壊死（アミロイド），間質性粘液，およびメラニンなどが沈着する．

f 乳房外パジェット病 extramammary Paget disease

【定義，概念】

重層扁平上皮で構成される表皮から発生するにもかかわらず腺癌であることから，起源が不明である．乳癌において，癌細胞が乳管内を進展し，乳房の皮膚に達した病態を「**乳房パジェット病** mammary Paget disease」

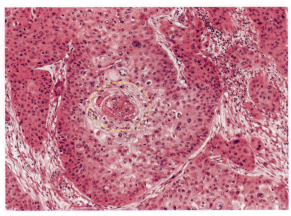

図 25-27　扁平上皮癌
核異型を有する角化細胞が，不規則な胞巣を形成し，浸潤している．胞巣の中央部で角化をきたすことから（黄線），比較的分化の高い扁平上皮癌である．

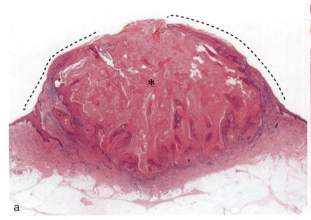

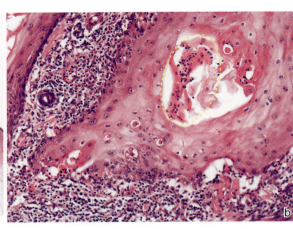

図 25-28　ケラトアカントーマ
a. 弱拡大像．左右対称性で，全体としては境界明瞭な腫瘤を形成する．両側を正常な表皮が上下の唇のように覆う（overhanging epidermal lip，黒線）．中央には大量の角化物を入れる（＊）．
b. 中拡大像．増殖する細胞は N/C 比が低い大型好酸性の角化細胞で，胞巣内は好中球が浸潤（黄線）し，周囲にはリンパ球が無数に浸潤する．

（乳癌そのもの）と呼ぶため，これと対比して，**乳房外 Paget 病**と呼ばれる．ただし，乳房 Paget 病と乳房外 Paget 病は，組織学的にも免疫組織学的にも相同の所見を示す．

Bowen 病と同様に，何年も真皮に浸潤をきたすことがないため，「癌」ではなく最初の報告者の名前を冠した診断名が使用され続けている．

【臨床像】

外陰部に好発する，湿疹様の紅斑である（図 25-30a）．ごくまれに，腋窩にも発生する．何年も表皮内にとどまるが，真皮内に浸潤すると転移をきたして死亡に至る．

【病理形態像】

癌細胞は大型で核が異型性を示し，表皮内を不規則孤立性ないし小集簇性に進展する（パジェット様増殖 pagetoid spread）．広義の腺癌であることから細胞質は粘液を産生し，核は一側に押しやられる．核小体も目立つ（図 25-30c）．

いったん真皮内に浸潤をきたした癌細胞は，形態も免疫染色の結果も乳癌と相同の所見を示す．

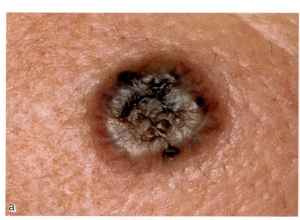
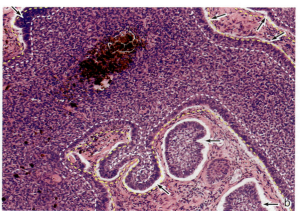

図 25-29　基底細胞癌（基底細胞上皮腫）
a．頬に発症した噴火口状の結節で，灰色〜黒色調を呈する．立ち上がりの部位に無数の不規則な血管が走行している．〔写真提供：赤坂虎の門クリニック皮膚科　大原國章先生〕
b．N/C 比が高い腫瘍細胞が不規則な胞巣を形成し，間質（正常な真皮）との間に特徴的な裂隙を形成する（→）．胞巣の辺縁で，腫瘍細胞の核が柵状配列 nuclear palisading を示す（黄線と白線の間）．

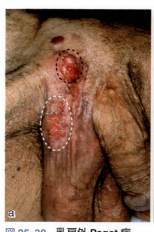
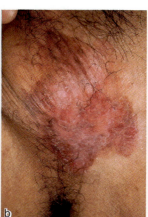
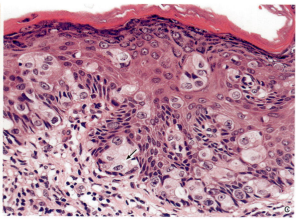

図 25-30　乳房外 Paget 病
a, b．男性の外陰部．湿疹に類似する紅斑が不規則に広がり，a は一部でびらん（白線）や結節（黒線）を形成する．〔写真提供：赤坂虎の門クリニック皮膚科　大原國章先生〕
c．癌細胞は大型で核が偏在し，細胞質は粘液を産生するため周囲の角化細胞より青みが強い（両染性）．孤立性あるいは小集簇性に表皮内を進展する．一部で管腔（→）を形成する．

B 皮膚付属器腫瘍

1 ● 表皮嚢胞 epidermal cyst（**表皮嚢腫，類表皮嚢胞，類表皮嚢腫** epidermoid cyst，**粉瘤** atheroma）

【定義，概念】

表皮というより毛囊が拡張した非腫瘍性の囊胞性疾患である．内部に角化物（粉，垢の意味）が溜まるので，**粉瘤**という俗称もある．

【臨床像】

どこにでもできる．軟毛に生じた同様の囊胞は，**稗粒腫** milium といい，軟毛の多い眼瞼周囲や前額部に好発する．

【病理形態像】

毛包が囊胞状に拡張し，内部に層状の角化物を入れる（図 25-31）．

2 ● 石灰化上皮腫 calcifying epithelioma

【定義，概念】

毛をつくる毛母細胞への分化を示す良性腫瘍である．実は石灰化をきたすことは稀であるため，海外では**毛母腫** pilomatricoma, pilomatorixoma の名称で知られる．

【臨床像】

若年者の四肢，顔面，頸部に好発する，硬い腫瘍である．

【病理形態像】

真皮内に境界明瞭な腫瘤を形成し，**好塩基性細胞** basophilic cells と**陰影細胞** shadow cells から構成される（図 25-32）．好塩基性細胞は毛母細胞を模倣する細胞である．N/C 比が高く，粗いクロマチンと明瞭な核小体を有し，核分裂像が多いが，これらは正常の毛母細胞の特徴であり，悪性所見と誤認してはならない．陰影細胞は，正常に分化できずに細胞が形骸化した毛（毛幹）である．石灰化は陰影細胞に生じる．

3 ● 汗孔腫 poroma

【定義，概念】

汗管への分化を示す良性腫瘍である．エクリン腺かアポクリン腺かは，現在は問わないし，名称にも冠さない（2018 年 WHO 分類）．

【臨床像】

下肢や足底に好発し，悪性転化（**汗孔癌** porocarcinoma）をしうる．

【病理形態像】

正常汗管が表皮内汗管 acrosyringium から真皮内汗管のいずれを模倣する（分化がある）かにより，多彩な像を

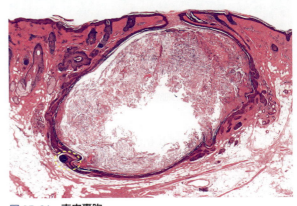

図 25-31　表皮囊胞
毛囊が拡張し囊胞を形成し，内部に角化物を入れる．毛囊深部が確認できる（黄線）．

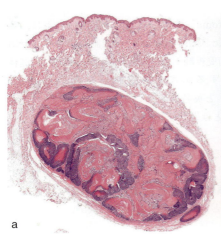

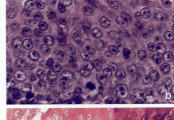

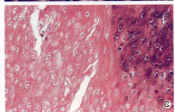

図 25-32　石灰化上皮腫（毛母腫）
a. 真皮内に境界明瞭な腫瘤を形成するので，皮膚付属器系の良性腫瘍と判断される．
b. 好塩基性細胞は，通常の腫瘍であれば悪性の所見（N/C 比が高い，クロマチンが濃縮，核分裂像）があるが，毛をつくる活動性の高い毛母細胞の模倣にすぎず，悪性腫瘍と誤認してはならない．
c. 陰影細胞は，毛母細胞が（本来は完全に消失しキューティクル状の毛に）成熟しきれずに，細胞形が不完全に残った細胞である．

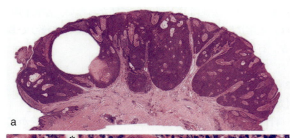

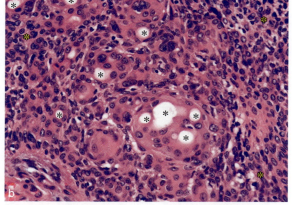

図 25-33 汗孔腫
a. 表皮内に発生する境界明瞭な腫瘍で，表皮内汗管に類似する（分化がある）ことから，汗孔腫と判断できる．
b. 好酸性で大型の小皮縁細胞は細胞質内や細胞間に小孔を開け（＊），周囲には小型の孔細胞が増殖している（✻）．

呈する．構成細胞はいずれも，管腔を有する大型好酸性の**小皮縁細胞**と外側の N/C 比が高い小型の**孔細胞**である（図 25-33）．

4 ● 脂腺癌 sebaceous carcinoma

【定義，概念】
　脂腺への分化を示す癌である．眼瞼部の発生が多いが，それ以外の部位であれば，**ミュア-トーレ** Muir-Torre **症候群**（MTS）を疑う必要がある．

【臨床像】
　多くは眼瞼のマイボーム腺由来だが（図 25-44 参照），それ以外の頭頸部にも発生する．MTS は，皮膚の脂腺系病変，ケラトアカントーマ，類上皮嚢胞，外毛根鞘嚢胞 trichilemmal cyst に加え，消化管のポリープや癌，喉頭癌，泌尿生殖器系の癌，卵巣癌などを併発する．*MSH2*，*MSH6*，*MLH1* などの DNA ミスマッチ修復遺伝子の変異に起因する常染色体顕性（優性）遺伝性疾患である．

【病理形態像】
　脂質を産生し淡明で泡沫状を呈する細胞質と，異型核

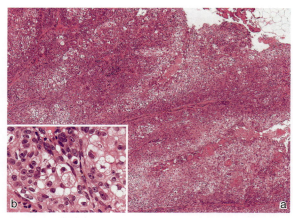

図 25-34 脂腺癌
a. 中央部が次第に N/C 比の低い淡明な腫瘍細胞で構成される胞巣が集簇している．
b. 脂腺分化の特徴として，泡沫状を呈する脂質滴が核を押すため，核はゴツゴツした岩のようにみえる．

を有する腫瘍細胞が浸潤する．脂質の多寡により細胞の大きさ，N/C 比および泡沫状の程度がさまざまである（図 25-34）．

C 間葉系腫瘍

1 ● シュワン細胞腫（シュワノーマ）schwannoma（神経鞘腫 neurilemmoma，neurinoma）

【定義，概念】
　末梢神経の神経線維束のうち，軸索 axon を取り巻いているシュワン細胞 Schwann cell が増殖する良性腫瘍である．

【臨床像】
　単発の皮下腫瘍である．"**神経線維腫症**" 2 型（"neurofibromatosis" type 2）は，髄膜腫と両側の**聴神経鞘腫** "acoustic neuroma" で知られる〔本質からいえば，英語名は acoustic "schwannoma" と表記されるべきである．聴神経（前庭神経＋蝸牛神経）のうち圧倒的に前庭神経から発生するので，**前庭神経鞘腫** "vestibular schwannoma" と英名は正しく表記されている〕．
　神経線維腫とは異なり，悪性転化はない．

【病理形態像】
　被膜を有する皮下腫瘤を形成する．核が柵状（観兵式様配列）に配列する**ベロケイ小体** Verocay body を形成する **Antoni A 領域**と，腫瘍細胞が少数で粘液が豊富な **Antoni B 領域**とから構成される（図 25-35）．

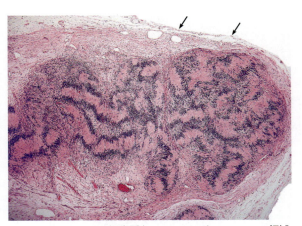

図 25-35　Schwann 細胞腫（シュワノーマ），Antoni A 領域
被膜によって被覆される腫瘤（→）である．核が両側に柵状に配列し中央の細胞質を囲む構造（Verocay 小体）が目立つ．

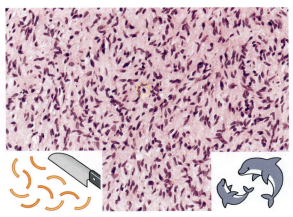

図 25-36　神経線維腫
腫瘍細胞は，"せん切りの人参"あるいは，"イルカのジャンプ"と比喩される曲がりくねった核を有し，細胞境界は不明瞭である．特徴的に肥満細胞が浸潤する（黄丸）．

2 ● 神経線維腫 neurofibroma

【定義，概念】
　末梢神経腫瘍のなかで最も頻度が高く，末梢神経を構成する Schwann 細胞，軸索，膠原線維，神経周膜などすべての構成要素が増殖する良性腫瘍である．

【臨床像】
　90％は孤立性だが，残りは多発性で**神経線維腫症1型** neurofibromatosis type 1（NF 1），**レックリングハウゼン病** von Recklinghausen disease を合併する．NF1では，思春期〜青年期に悪性転化（悪性末梢神経鞘腫）がありうる．

【病理形態像】
　真皮内に，被膜を伴わないが，比較的境界明瞭な腫瘤を形成する．"せん切りの人参 shredded carrot"，あるいは"イルカのジャンプ diving dolphins"と形容される，波状の核を有する腫瘍細胞が真皮内で結節状に増殖する（図 25-36）．亜型のびまん性神経線維腫は，皮下脂肪織まで深く進展する．

3 ● 隆起性皮膚線維肉腫
　　　　dermatofibrosarcoma protuberans（DFSP）

【定義，概念】
　皮下脂肪織を主座とする，線維芽細胞系の低悪性度腫瘍である．

【臨床像】
　20〜30歳代の体幹や四肢近傍に固い腫瘤を形成する．増殖が緩徐で，受診までに10年以上を要することがしばしばある．余剰環状染色体ないし t（17;22）（q22;q13）が存在し，それらに基づく COL1A1-PDGFB 融合遺伝子がほぼ全例に認められる．
　手術で断端が陽性になることが多く，しばしば再発するが，転移することはない．

【病理形態像】
　腫瘍細胞は紡錘形で，花むしろ状 storiform pattern（車軸状 cart wheel，むしろ唐草模様や風車が近いか）に増殖する（図 25-37）．免疫染色で，CD34 抗体でびまん性に陽性となる．

4 ● 血管肉腫 angiosarcoma

【定義，概念】
　血管ないしリンパ管内皮細胞の悪性腫瘍である．

【臨床像】
　特徴的に，高齢男性の頭部に好発する．易出血性の紅斑ないし紫斑で，進行すると結節や潰瘍を生じる（図 25-38a）．しばしば多発し境界が不明瞭であるため，手術で完全に取りきることが難しい．悪性度が高く，早期に肺，肝臓，リンパ節などに転移し，予後が不良である．

【病理形態像】
　異型細胞が，正常の分布に一致しない不規則な脈管を形成し浸潤する（図 25-38b）．内腔に赤血球を入れ，周囲に出血を伴う．脈管腔を裏打ちする内皮細胞は，高度の核異型やクロマチンの濃縮および明瞭な核小体を有し，多数の核分裂像が出現する．免疫組織学的に，**CD31 抗体**で陽性である．

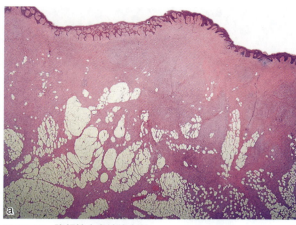
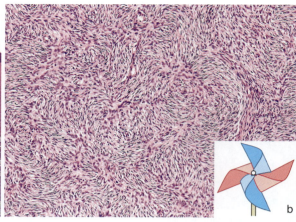

図 25-37　隆起性皮膚線維肉腫
a. 病変の主座は皮下脂肪織に存在し，境界不明瞭に広範囲に広がり，真皮内にも進展している．低悪性度腫瘍らしく，脂肪細胞を完全に破壊することなく，脂肪細胞の間を縫うように増殖している．
b. 花むしろ状（車軸状）と呼ばれる，特徴的な流れを示す構造を呈する．むしろ風車に近い配列にもみえる．核異型は乏しい．

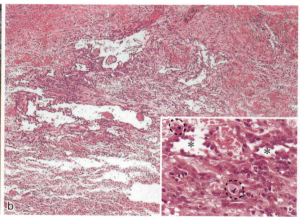

図 25-38　血管肉腫
a. 頭部に不規則な紫斑が広がり，中央部は結節を形成している．〔写真提供：赤坂虎の門クリニック皮膚科　大原國章先生〕
b. 不規則な血管が増生し，出血を伴う．
c. 異型細胞は血管腔（＊）を裏打ちしたり，充実性に浸潤する．異型核分裂像がみられる（黒丸）．

5　カポジ肉腫 Kaposi sarcoma

【定義，概念】

ヒトヘルペスウイルス 8 human herpesvirus-8（HHV-8，カポジ肉腫関連ヘルペスウイルス Kaposi sarcoma-associated herpesvirus：KSHV）が関与する，血管ないしリンパ管内皮細胞の中間悪性腫瘍（局所破壊性だが遠隔転移はしない）である．自然消褪をきたしうることから，腫瘍というより，反応性増殖性病変の可能性も残る．

【臨床像】

AIDS 患者や臓器移植などで免疫抑制薬を投与するなどした免疫不全の患者に好発する．免疫不全状態が改善されると，半数は自然に消褪する．紫斑を生じ，進行すると局面や結節を形成する．放射線照射が著効する．

【病理形態像】

血管肉腫に比較し，腫瘍細胞の核異型が乏しく，血管腔の形成が不明瞭である（図 25-39a, b）．スリット状の脈管腔の内外に赤血球が漏出する．HHV-8 の存在を免疫染色で必ず確認する（図 25-39c）．

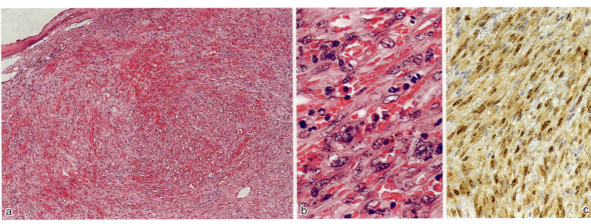

図 25-39　Kaposi 肉腫
a．紡錘形細胞が，渦を巻くような特徴的な増殖をする．血管肉腫と異なり，血管腔の形成は不明瞭で出血が目立つ．
b．強拡大像．異型紡錘形細胞が比較的均一に増殖し，赤血球が間もに分け入る．
c．HHV-8（LANA1）免疫組織染色．腫瘍細胞の核内に点状のシグナルを認める．

D メラノサイト系病変

1 色素性母斑 pigmented nevus, nevus pigmentosus,
　母斑細胞母斑 nevocellular nevus, nevus cell nevus,
　色素細胞母斑 melanocytic nevus

【定義，概念】

　いわゆる黒子(ほくろ)のことで，メラノサイトの母斑("nevus"は先天異常という意味)で，誰もが有している．

【臨床像】

　先天性に生じることが多いが後天性発症もある．通常，色素性母斑から悪性黒色腫が発生することはないが，例外的に巨大色素性母斑(病変内の毛髪の有無や分布により，獣皮様母斑や海水着型母斑 bathing trunk nevus などの名称がある)と呼ばれる，先天性で 20 cm を超える大型の色素性母斑からは，悪性黒色腫を生じることがある．

　頭頸部に圧倒的に多い．

【病理形態像】

　正常のメラノサイトとは異なり，樹枝状というより類円形で，細胞質内にメラニンをさまざまな程度に有する．核も類円形で異型性はない．若年者の母斑細胞は，表皮内に限局して胞巣を形成する(**境界母斑** junctional nevus)．20 歳前後までに徐々に真皮内に滴落し，表皮内と真皮に存在する(**複合母斑** compound nevus，図 25-40)．成人以降は真皮に限局する(**真皮内母斑** intradermal nevus)．母斑細胞は真皮浅層では類円形でメラニンを豊富に有するが，深部に向かうにつれ徐々にメラニン

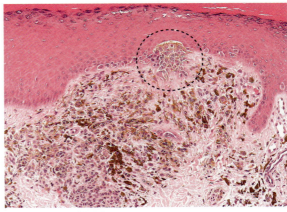

図 25-40　色素性母斑
表皮内で胞巣を形成する色素性母斑は，真皮内に滴落しつつある（黒線）．悪性腫瘍でないにもかかわらず，基底膜を越えて真皮に進展する現象は興味深い．真皮内の母斑細胞は類円形の小型細胞である．濃い茶色の細胞は，真皮の過剰なメラニンを貪食したマクロファージ（組織球）である．ここでは母斑細胞の"成熟"は不明瞭である．

の産生が乏しい紡錘形細胞となる(**成熟** maturation)．

2 青色母斑 blue nevus

【定義，概念】

　色素性母斑のうち，病理学的に真皮に限局する紡錘形でメラニンを豊富に有し，臨床的に青色調を呈する．

【臨床像】

　青黒色調を呈する 1 cm 大までの小丘疹で，顔面，手背，腰臀部に好発する．

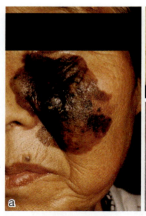
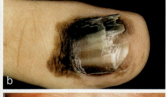
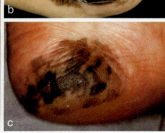
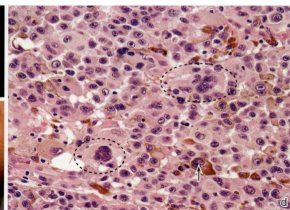

図 25-41 悪性黒色腫
a-c. いずれも ABCDE ルールが当てはまる．
a. 悪性黒子型黒色腫（左頬）．色調が不整な大型色素斑が 20 年かけて徐々に拡大し，中央部に結節を形成した．
b. 末端型黒色腫（爪甲下悪性黒色腫，左拇指）．爪に黒色〜灰色調の線条があり，周囲の皮膚にも黒褐色斑が広がる（Hutchinson 徴候）．
c. 末端肢端型黒色腫（左踵）．踵の内側に，黒褐色調で色調も形態も不規則な色素斑が広がる．
〔a～c の写真提供：赤坂虎の門クリニック皮膚科 大原國章先生〕
d. 結節型．大小の異型細胞が細胞質内にメラニンを有しており，メラノサイト系の腫瘍と判断される．核異型が高度で，クロマチンは濃縮し，核小体が明瞭である．核内細胞質偽封入体もみられる（→）．多形性（同じ細胞における形態の差異）が高度で，多核細胞もある（黒線）．

【病理形態像】
メラニンを豊富に有する紡錘形の母斑細胞が，真皮浅層〜中層に結節状に増殖する．

3 ● 悪性黒色腫（メラノーマ）malignant melanoma

【定義，概念】
メラノサイトの悪性腫瘍で，真皮に浸潤をきたすと生命予後が非常に悪い．

【臨床像】
臨床形から古典的に 4 型に分類される．**悪性黒子** lentigo maligna（LM，malignant melanoma *in situ*）は紫外線が要因となり高齢者の顔面に好発し，数年間（しばしば 10 年以上）表皮内にとどまる．いったん真皮内に浸潤をきたすと，**悪性黒子型黒色腫** lentigo maligna melanoma（LMM）と疾患名が変わり，予後が不良である（図 25-41a）．**表在拡大型黒色腫** superficial spreading melanoma（SSM）は白人に多いタイプで，紫外線の影響が少ない男性の体幹や女性の大腿に好発し，自然消褪がありうることで知られる．**末端黒子型黒色腫** acral lentiginous melanoma（ALM，**肢端黒子型黒色腫**）は，諸外国に比較し日本人に圧倒的に多いタイプで（悪性黒色腫全体の 42％を占める），足底や趾の爪に好発する（図 25-41b, c）．ダーモスコープによる観察が診断に役立つ．**結節型黒色腫** nodular melanoma（NM）は表皮内を水平に広がる期間が短く，すぐに真皮に浸潤し結節を形成するタイプで，すべての MM の終末像という考えもある．予後が最も悪い．

臨床診断には ABCDE ルールが役立つ．A：asymmetry（左右非対称），B：border irregularity（境界不明瞭），C：color variegation（色調の濃淡不整），D：diameter more than 6 mm（直径 6 mm 以上），E：evolution（大きさ・形態・色調などの変化）．

治療は完全な切除で，**センチネルリンパ節**に転移があれば所属リンパ節を郭清する．すでに進行し手術による摘出が困難な例や転移がある例では，免疫チェックポイント阻害薬や分子標的薬などの化学療法が用いられる．

【病理形態像】
悪性黒色腫の細胞はほかの悪性腫瘍と同様に，核異型が高度でクロマチンが濃縮するとともに，特に大型の核小体が大型で目立つ（図 25-41d）．細胞形は，小型，大型，紡錘形，多核，樹枝状などあらゆる形態を呈しうる．細胞質内のメラニンの程度はさまざまで，ほとんどメラニンを産生しない例もある（無色素性悪性黒色腫）．免疫組織学的には，S-100 蛋白，HMB-45，Melan-A/MART-1，Sox-10 などで陽性である．

予後は，真皮内の深達度に依存し，深いほど悪い〔Breslow の厚さ：表皮顆粒層から腫瘍細胞の最深部までの深さ（mm）や，Clark のレベル分類（Ⅰ：表皮に限

皮膚—D. 皮膚の腫瘍性病変 ● 753

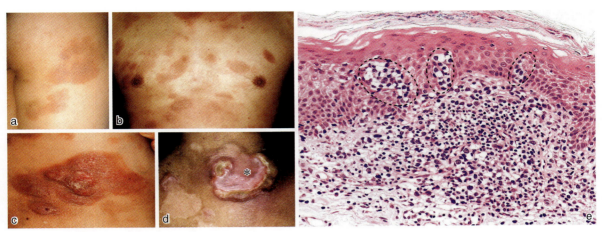

図 25-42　菌状息肉症
a. 紅斑期．紅褐色の不整形の斑状局面で，表面にはさざ波状の細かいしわがある．
b. 扁平浸潤期．紅褐色の病変が多発している．個々の病変は全体としてごく軽度に隆起し，触ると健常皮膚よりも分厚く感じる．
c. 腫瘤期．局面全体が盛り上がっている．内部に結節が生じており，赤くびらんしている部分もある．
d. 腫瘤期．結節は大型化し，中心治癒性・遠心性に拡大している．表面は潰瘍化し，灰紅色の痂皮を付している(*)．〔a〜dの写真提供：赤坂虎の門クリニック皮膚科　大原國章先生〕
e. 組織像．表皮内に，異型リンパ球が集簇するPautrier微小膿瘍を形成する(黒丸)．真皮内の腫瘍性リンパ球は異型性が乏しく，炎症性のリンパ球との鑑別が難しい．

局，Ⅱ：真皮乳頭層にわずかに浸潤，Ⅲ：真皮乳頭層を埋める浸潤，Ⅳ：真皮網状層に達する，Ⅴ：皮下脂肪織に達する〕で表す．他にも多数の核分裂像や潰瘍の存在は予後不良の因子である．

古典的4型の組織学的特徴を下記に示す．
- LM/LMM：異型メラノサイトが基底層に沿い，孤立性ないし線状に増殖する．真皮内には長年の紫外線照射による弾性線維の変性像(solar elastosis)がある．
- SSM：異型メラノサイトが表皮全層性に，不規則孤立性ないし小集簇性に増殖するパジェット様増殖が目立つ．
- ALM：異型メラノサイトが，皮溝部よりも皮丘部の表皮突起に優位に増殖する．
- NM：しばしば潰瘍をきたし，真皮内に結節を形成する．

E　リンパ球系病変

1　菌状息肉症 mycosis fungoides

【定義，概念】
　本質はT細胞性(CD4＋/CD8－)の悪性リンパ腫であるが，病悩期間が長く予後がよいことと，真菌症mycosisと誤認されてきた歴史から，伝統的な疾患名が使用され続けている．

【臨床像】
　紅斑の寛解と再燃を繰り返す長い(数年)**紅斑期**に始まり，腫瘤(塊/結節)を形成する時期(**扁平浸潤期**)を経て，最終的には大型の結節や腫瘤を形成する**腫瘤期**へと進行する(図 25-42a)．

【病理形態像】
　紅斑期には，腫瘍性リンパ球の異型性は目立たず真皮乳頭層に少数浸潤し，さまざまな程度で表皮内へ侵入する(図 25-42b)．扁平浸潤期では，表皮内に小集簇巣を形成するようになり，腫瘍細胞が好中球と誤認されていた歴史から，"**ポートリエ微小膿瘍** Pautrier microabscess" と呼ばれる．進行するとリンパ球は異型性を増し，真皮に集簇性に浸潤する．腫瘤期では大型の結節を形成する．

　なお，**Sézary症候群**の皮膚組織像は，菌状息肉症と相同であり，臨床的に紅皮症を呈すること，強い搔痒，リンパ節の腫大，および末梢血中に異型リンパ球が出現することなどが異なる．

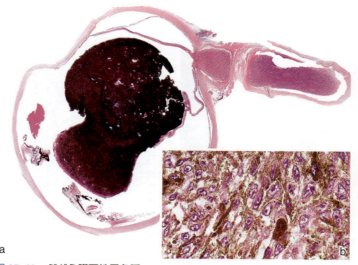

図 25-43　ぶどう膜悪性黒色腫
a. ぶどう膜から連続性に，眼内を埋めるように黒色腫瘤を形成する．
b. 核小体が明瞭で細胞質内にメラニンを産生する異型細胞がびまん性に増殖している．

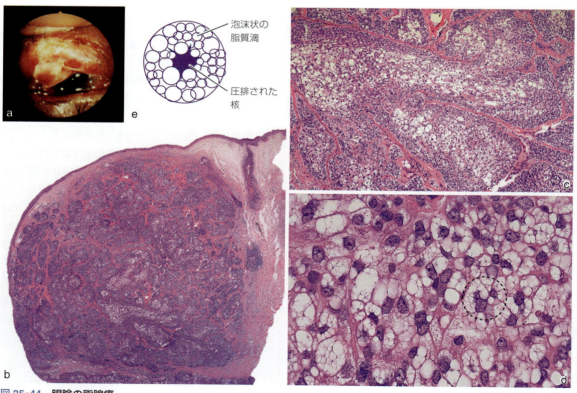

図 25-44　眼瞼の脂腺癌
a. 上眼瞼の不規則な腫瘤により視界が塞がれている．
b. 皮膚と眼瞼粘膜の境に，類円形の腫瘤を形成している．
c. 中央部が淡明な腫瘍細胞で構成される不規則な胞巣が浸潤している．
d. 脂腺分化の特徴として，泡沫状を呈する脂質滴が核を押すため，e で示したように核はゴツゴツした岩のように見える（黒線ほか）．

感覚器

　感覚器とは，外来の物理的または化学的刺激を受容し，中枢神経に伝える器官のことである．

　代表的な感覚器として，皮膚（触覚器），眼（視覚器），耳（聴覚器），鼻（嗅覚器），舌（味覚器）があげられるが，皮膚の疾患については本章の前半で詳しく解説した．また舌を含む口腔粘膜の疾患については，第13章「口腔・唾液腺」を参照されたい（→ 422 頁参照）．

　その他の視覚器，聴覚器，嗅覚器は，悪性腫瘍が発生することはまれであり，ほとんどが希少癌（人口10万人あたり6例未満にしか発症しない癌）である．そのなかでも，医学生が病理学的知識として知っておくべき代表的な視覚器の疾患を紹介する．

1 ● ぶどう膜悪性黒色腫

　正常のぶどう膜（脈絡膜，光彩，網様体）のうち，脈絡膜に存在するメラニンを産生するメラノサイトによる悪性腫瘍で，成人の眼内悪性腫瘍では最多を占める．進行すると眼球摘出が必要になる（図 25-43）．

2 ● 脂腺癌 sebaceous carcinoma

　眼の付属器に発生することが多い（→ 748 頁も参照）．眼瞼に生じる悪性腫瘍は，基底細胞癌，扁平上皮癌，脂腺癌の3大疾患がほぼ同頻度で多い．脂腺癌は，眼瞼のマイボーム腺 meibomian gland から発生する（図 25-44）．

● 参考文献
1) 真鍋俊明（監），三上芳喜（編）：外科病理診断学 原理とプラクティス．金芳堂，2018
2) 泉 美貴：みき先生の皮膚病理診断 ABC 1. 表皮系病変 2版．学研メディカル秀潤社，2021
3) 泉 美貴：みき先生の皮膚病理診断 ABC 2. 付属器系病変．学研メディカル秀潤社，2007
4) 泉 美貴：みき先生の皮膚病理診断 ABC 3. メラノサイト系病変．学研メディカル秀潤社，2009
5) 泉 美貴，他：みき先生とゆう子先生の皮膚病理診断 ABC 4. 炎症性系病変．学研メディカル秀潤社，2014

付録1 病理実習のてびき

A 病理実習では何を学ぶのか

近年の医学教育カリキュラムにおいては，「病理実習」は ① 基礎医学としての病理学総論のなかで行われるもの，② 臓器別教育の各臓器の解剖，生理に引き続く基礎部分として行われるもの，そして ③ 臨床実習 bedside learning のなかで病院病理部門の実習として行われるものがある．それぞれの内容について，各大学においてさまざまに工夫をこらして行っていると思われる．本付録では多くの大学で病理実習として行われる内容の代表的なものを紹介し，なかでも病理組織実習とCPC実習について詳しく解説する．

A 病理組織実習

病理学は，疾患を肉眼および顕微鏡レベルの形態の変化としてとらえる学問であるので，上記の ①，② にあたる低学年における病理実習として多くの大学で行われているのは，**病理組織実習**，すなわち病理学総論・各論の講義で学んだ各種疾患の形態的変化を，自ら顕微鏡標本を観察し理解しようとするものである．

B CPC実習

多くの大学では剖検（病理解剖）例を用いた**臨床病理検討会 clinicopathological conference（CPC）形式の実習**が取り入れられている．実際の症例においては，疾患による変化は単一の臓器にとどまらず，複数の臓器にまたがる異常から病態が成り立っていることや，臨床症状と病理学的な形態変化との関連を学ぶことができる．これは低学年でも高学年でも教育効果の高い方法である．

C 病院病理実習

前述した ③ の高学年の病院実習として，**剖検の見学**を行う大学は多いと思われる．また病院における病理診断の実際を疑似体験する**病院病理（外科病理）実習**を高学年で行うカリキュラムも多いと思われるが，「標本のスケッチをするだけでない病理学がある」こと，「病理で学ぶことが診療に生かされる」ことを知ってもらうため，低学年で実施することも有意義であろう．

Advanced Studies
D その他

現代においては，多くの疾病の本質は形態が変化することではなく，形態変化を引き起こしている分子生物学的な異常であることが明らかにされている．病理学講義においては，多くの疾病の遺伝子変異についての解説がなされている．しかし，病理実習として**遺伝子異常を検索する実習**（遺伝子増幅の検索や遺伝子配列の決定など）を行っている大学は少ないと思われる．ただし，組織切片上でタンパクや遺伝子発現を証明する免疫組織化学や in situ hybridization を用いた標本は，学生実習にもしばしば登場する．

動物を用いてヒトに起こりうるある種の病態を再現する，**実験病理学の実習**を取り入れることも可能である．一例としてマウスの肝部分切除実験があげられる．部分切除後の肝の旺盛な再生を細胞増殖能の亢進から確認することができる．しかし，このような取り組みは近年の臨床実習を重視するカリキュラムにはなじみにくく，広く行われているとはいいがたい．

B 病理組織実習

病理組織実習の目的は疾患のある組織を顕微鏡的に観察し，総論・各論で学んだ知識をより確かなものとすることである．その日の実習のテーマについて，講義で学んだことを再確認しておくことは重要である．当日観察する標本の解説や必要な基礎知識が記された実習シラバスがある場合は，一読してから実習に臨む．

病理組織学の基本は，疾患のある組織と正常組織との

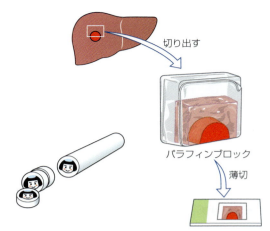

図1　金太郎飴とパラフィンブロック
金太郎飴はどこを切っても金太郎の顔が現れる．パラフィンブロックも薄切を重ねても同じ絵柄の組織が連続する．

形態の違いを認識し，その意味を考えることであるから，正常組織の知識があることが前提である．組織学の復習をしておくことが望ましいが，少なくとも**組織学アトラスを用意し，実習中，常に参照できるようにしておく**必要がある．

実習用に用意された標本は基本的にすべて患者から切除・生検されたものである．**標本の向こう側にそれぞれの人格のある生きた人間がいる**ことを意識すれば，おのずと標本の取り扱いや観察は丁寧になるであろう．

1　標本の取り扱い

病理組織実習で扱われる標本は，病理組織標本，顕微鏡標本，病理標本，組織標本，プレパラート，ガラス標本，ガラスなどさまざまな名称で呼ばれるが，基本的に同じものを指している．病理組織標本には識別のためにラベルが貼り付けてあるか，あるいは一側に2cm程度の不透明部（フロスト部）があり，そこに情報が印字されている．標本を持つ際にはこのラベル部分の側面を持つようにし，ガラス面には触れないようにする．汚れが付くと観察の支障となるので，汚れやほこりがあった場合は清拭する．

Advanced Studies
1　なぜ同じ標本が人数分あるのか？
　病理組織標本は，組織をホルマリン固定し，パラフィンに包埋したパラフィンブロックの表面から切片を薄切し，染色を施したものである．切片1枚の厚さは3〜5μmであるので，連続して薄切すれば100枚の薄切片を作製してもパラフィンブロックは1mmも減らないことになる．病理解剖や手術で得られた臓器から作製されるパラフィンブロックの厚みは5mm程度なので，1学年分の標本を1個のパラフィンブロックから作製することが可能である．また，実習に用いるパラフィンブロックでは病変が材料を貫通している，つまり薄切を進めても病変が金太郎飴（図1）のように同じように存在し続ける部分が選ばれるため，多少薄切する面が変化しても弱拡大レベルであればおおむね同様の形態変化が観察できる．しかし細胞の大きさ（赤血球は径7.5μm）を考えれば，強拡大レベル・細胞レベルの像は，標本によって変わってくる．ほかの人の標本にはみえた細胞が，自分の標本の同じ場所にみえないのは当然のことである．

2　貴重な標本
　実習標本は患者からいただいたものであるため，大切にしなければならないことはいうまでもないが，標本のなかには別の意味で貴重なものもある．発生頻度がきわめて低い疾患は，当然材料の入手が困難である．一例として糖原病などがあげられる．また有名な病態ではあるが，今日では医療の進歩により，典型的な病理像を呈する状態が少ない疾患もある．一例をあげればループス腎炎のワイヤーループ病変で，今日における全身性エリテマトーデス systemic lupus erythematosus（SLE）の剖検例では，多くの場合治療による修飾が加わっており，一目でそれとわかる腎標本が入手できる機会は少なくなっている．
　病理組織標本には剖検や手術によって得られる材料と，治療方針の決定などのために採取される生検材料とがある．生検は患者への侵襲を少なくするため，ごく小さな検体が採取されることが多い．腎臓や肝臓などの針生検材料が実習標本として用いられることがあるが，1mm程度の太さの円筒型の材料なので，ここから得られる切片数は少なく，貴重なものと考えるべきである．

2　標本のできるまで

医学生の病理実習では標本作製を体験することはないと思うが，観察している標本がどのように作製されたものか知ることは意義がある．手順について概説する．

患者から切除された組織は数時間から数日程度かけて，**ホルマリン固定**がなされる．病理医により肉眼的に観察され，顕微鏡的観察により病理診断を行うにふさわしい，病変を代表する場所，すなわち病理組織標本とするべき場所が選択され，スライドガラスに載るサイズの組織片が切り取られる．この作業を**切り出し**と呼ぶ（図2a）．

切り出された組織片はパラフィンに**包埋**される（図2b）．包埋は組織片に含まれる水分をパラフィンに置き換える過程である．水とパラフィンは直接混ざり合うことはないので，まず水をアルコールに置換し，その後アルコールを有機溶剤に置換し，最終的に有機溶剤をパラフィンに置換することで完了する．この過程は機械により自動化されており，およそ一晩かけて行われる．組織の内部までパラフィンが浸透し，さらに組織周囲もパラフィンで囲んで固められたものが**パラフィンブロック**である．

B. 病理組織実習 ● 759

1. ホルマリン固定

2. 切り出し

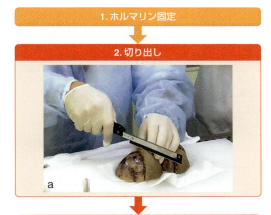

3. パラフィン包埋
・パラフィン浸透
　（水 → アルコール → 有機溶剤 → パラフィン）
・ブロック作製

4. 薄切
・ミクロトームで薄切
・スライドガラスへ貼り付け
・伸展・乾燥

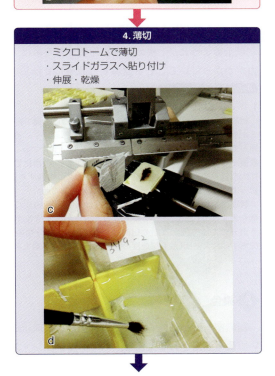

5. 染色
・脱パラフィン
　（有機溶剤 → アルコール → 水）
・各種染色
・脱水（アルコール → 有機溶剤）

6. 封入
封入剤とカバーガラスをかける

標本が載っている仕切りのついた板をマッペ Mappe（独）（かばんやフォルダを意味する）という．英語では slide folder．形が似ているため「障子」と呼ぶこともある．

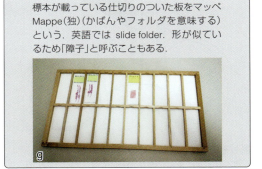

図2　病理組織標本作製の手順

付1　病理実習のてびき

表1　病理組織標本に用いられる代表的な染色

染色の名称	色	染色されるもの	用途
HE（ヘマトキシリン・エオジン hematoxylin eosin）染色	青紫色	核酸，軟骨，石灰化物	基本の染色
	赤色	細胞質，膠原線維，筋，赤血球	
PAS（periodic acid-Schiff）染色（PAS反応）	赤紫色	グリコーゲン，粘液，基底膜，糖タンパク，糖脂質	グリコーゲン，粘液の証明，アメーバ・真菌確認，腎糸球体の基本の染色
マッソン・トリクローム Masson trichrome 染色，アザン azan 染色	青色	膠原線維，基底膜	線維化部分の明瞭化
	赤色	筋，赤血球	
EVG（エラスチカ・ワンギーソン elastica van Gieson）染色	黒色	弾性線維	弾性線維の明瞭化，がんの血管侵襲の検索，血管破壊の評価
	赤色	膠原線維	
	黄色	筋	
鍍銀染色	黒色	細網線維（好銀線維）	線維化の評価，細胞接着性の評価
	赤紫色	膠原線維	
PAM 染色	黒色	基底膜，細網線維	腎糸球体の検索
コンゴーレッド染色	橙色	アミロイド	アミロイド沈着の検索
グロコット Grocott 染色	黒色	真菌	真菌確認
ベルリンブルー染色	青色	ヘモジデリン	鉄の確認，アスベスト小体の確認
ボディアン Bodian 染色	黒褐色	神経原線維	軸索病変，神経原線維変化の検索
クリューヴァー-バレラ Klüver-Barrera 染色	青色	髄鞘	脱髄など中枢神経の検索
ニッスル Nissl 染色	紫色	ニッスル顆粒	

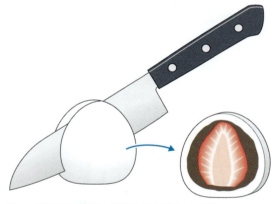

図3　最もその本質・特徴を表す割面の一例
こうして最大縦断面とすることで，中心に苺，その外側に餡，最外部を餅が包んでいることが一目瞭然となる．切り出しとは「映え」な断面を作ること！

パラフィンブロックからスライドガラスに載せる切片を削り出すことを**薄切**という（図2c）．この作業は多くの施設では，ミクロトームという機器を用い1枚1枚手作業で行われる．薄切された切片はスライドガラスに貼り付けられた後（図2d），検索の目的に合わせた各種の**染色**が施される（図2e）．組織片を染色する前には組織内外のパラフィンを有機溶剤で溶かし出し，アルコールと水で洗浄する．組織の染色はほとんどが多重染色で，多数の工程を経て，何種類もの染料で染めていく．染色が終了した組織片は，アルコールと有機溶剤に浸して水分を除き（脱水），封入剤とともにカバーガラスがかけられる（図2f）．

以上のように，1枚の標本を作製するために大変な労力がかかっていることも認識して観察してほしい．

Advanced Studies

1 ● どこを切り出すか

組織学・病理組織学は，組織の断面（病理では割面と呼ばれることが多い）から薄くそぎ落とした組織片に染色を施し，それに光を通して見た像の情報を知見として蓄積してきた学問である．組織の表面をいくら拡大しても病理組織診断には至らず（消化管診断学の拡大内視鏡や皮膚科のダーモスコピーがこれに相当する），組織を切って割面を出さなければ顕微鏡観察は始まらない．

病理診断において観察すべき割面とは，① 最も病変の本質・特徴を表す部分（図3），② 治療方針の決定に必要な情報が評価できる部分である．例えば癌の症例においては TNM 分類の T 因子を決定する最大割面（最も深達度の深い部分）と切除断端である．

A 染色

組織標本には染色を施して観察する．病理組織学において**最も汎用される染色は，ヘマトキシリン・エオジン hematoxylin-eosin（HE）染色である．基本的にすべての組織標本に対して HE 染色が施され，必要に応じて HE 染色以外の特殊染色が追加される．

表2 免疫組織化学で使用される代表的な抗体

抗体名	陽性となる主な細胞・組織	主な使われ方
CD3	T細胞	リンパ腫の診断，炎症細胞の解析
CD20 (L26)	B細胞	リンパ腫の診断，炎症細胞の解析
S-100	神経	神経系腫瘍，黒色腫の診断
サイトケラチン(CK)	上皮	がんの診断．さまざまな種類があり，発現するCKによってがんの原発を推定
ポドプラニン(D2-40)	リンパ管内皮	がんのリンパ管侵襲の同定
CD56 (NCAM)	神経，神経内分泌細胞	神経内分泌腫瘍，白血病の診断
シナプトフィジン	神経，神経内分泌細胞	神経内分泌腫瘍の診断
クロモグラニンA	神経内分泌細胞	神経内分泌腫瘍の診断
p53	がん細胞(がん抑制遺伝子変異に関連して異常な遺伝子産物が蓄積)	腫瘍の良悪性の鑑別
HER2	がん細胞(増殖因子受容体)	抗がん剤の標的分子．トラスツズマブの適応判断
カルレチニン	中皮	中皮腫の診断
αSMA	平滑筋	平滑筋腫瘍の診断，筋上皮細胞の確認

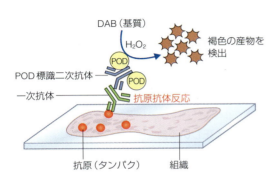

図4 免疫組織化学の原理
組織切片上の目的とするタンパクのエピトープ(抗原決定基)が存在すれば，抗原抗体反応により一次抗体が結合する．一次抗体はマウスやウサギなどの動物細胞が産生する免疫グロブリンであるが，それらに対する抗体を二次抗体として結合させ，このユニットをさまざまな方法で可視化する．多くの検出系では基質にDABを用いるため，陽性部分は褐色となる．

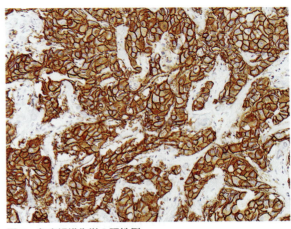

図5 免疫組織化学の陽性例
乳癌におけるHER2タンパク発現．褐色部分が目的とするタンパクが発現している部分である．この標本では細胞の膜部分に発現していることがわかる．HER2分子は細胞膜に局在する増殖因子受容体なので，この結果は合理的である．

　HE染色のヘマトキシリンは青紫色の色素で主に核酸を染色し，エオジンは赤色の色素で，細胞内外の各基質や小器官を微妙に異なる色調に染める．組織標本における色の表現として，**ヘマトキシリンに濃く染まっている(青紫色が強い)状態を好塩基性，エオジンに濃く染まっている(赤色が強い)状態を好酸性**という．

　特殊染色として，組織のもっている糖原(グリコーゲン)，粘液，各種の線維などを化学的反応を用いて明瞭化する染色(組織化学)と，組織がもつ特定のタンパク質の存在部位を抗原抗体反応を利用して同定する免疫染色(免疫組織化学)とがある．主な組織化学的特殊染色を表1に示す．

　免疫組織化学の原理を図4に示す．免疫組織化学に用いられる各種タンパクに対応する抗体は病院病理の現場で日常的に用いられるものだけでも100種類以上あるが，学生実習標本に利用される可能性のある代表的なものを表2に示す．抗体名は同定しようとするタンパク名で呼ばれるものと，抗体を産生する細胞のクローン名で呼ばれるものがある．なお，抗原抗体反応の起こっている部位(タンパクの局在部位)を，ジアミノベンジジン(DAB)を基質としたペルオキシダーゼ(POD)の酵素反応により褐色に発色させて可視化するDAB染色が一般的である(図5)．腎生検においては，蛍光物質で標識した抗体を反応させ，蛍光顕微鏡でタンパクの局在と量を判定する蛍光抗体法が用いられる．

　その他，目的とする遺伝子の存在を組織標本上で検出

図6 白衣の袖にかざして標本を見る

する in situ hybridization 法も腫瘍における Epstein-Barr ウイルスの存在や治療標的分子の増幅の検出などに用いられる.

3 顕微鏡観察

A 病理組織標本を手に取ったら

顕微鏡のステージに標本を載せる前に、ラベルと染色の種類を確認する。次にガラスに載っている組織を肉眼的に観察することが大切である。白衣の袖など、白い背景にかざしてみると、組織の形や色合いがよくわかる（図6）。色合いは均一なのか、違う部分が存在するのかを見る。HE 染色の場合、紫色が濃い部分が細胞の核が密にある部分であり、腫瘍細胞あるいは炎症細胞が集まっている部分、すなわち病変部である可能性が高い。この後の顕微鏡観察に向け、病変部、境界部、非病変部の見当をつける。

同時に臓器は何かを考える。標本が配布される際に臓器名が示される場合が多いが、情報がなくても実質臓器か、肺か、消化管か程度は見当がつくはずである。各臓器の肉眼レベルで同定できる大まかな構造を想起し、病変はどのような分布をしているのかを表現してみる。肺であれば胸膜、気管支・血管束、小葉構造を意識し、「胸膜下に」や「小葉辺縁に」など、消化管であれば層構造を考え、「粘膜から固有筋層を貫き漿膜下層に及ぶ」などと、肉眼あるいは「ルーペ（虫めがね）像」レベルでの所見を説明できるように努める。この段階でほぼ実物大のスケッチを描き、この後、顕微鏡観察した部位をその図中に示すとよい。

B 顕微鏡の調整

顕微鏡の各部の名称を図7に示す.

病理組織実習を行う際は、正しく調整された顕微鏡を正しく用いることが重要である。調整や使用方法が正しくないと、「顕微鏡酔い」を誘発し、本来ないはずの疲労が生じることになる。病理実習が苦痛なものとなり、学生にとっての病理学の印象が悪くなることは指導する側も恐れるところである.

調整が正しく行われている顕微鏡を用いた場合、使用者が行うことは ① 正しい姿勢で検鏡すること（図8）、② 光源を適切な明るさに設定すること（図9）、③ 目幅を正しく調整すること（図10）、④ 左右の視力差を補正するために視度を合わせることである。保管の状況によっては、収納のために向きを変えてあった接眼部を観察用の正しい方向に設定することも観察前に行う必要がある。顕微鏡は精密機械であるので、移動の際に強い衝撃を与えてはならない。接眼部の方向を変える場合はねじを緩めて回転させ、正しい位置でねじを緩みのないように確実に締める。不必要に強く締めすぎないこと.

1 ● 検鏡する正しい姿勢

背筋を伸ばして着席し、目の高さが接眼レンズの位置（後述のアイポイント）に来るように、椅子の高さを調整する（図8）。体格によっては顕微鏡の下に台（厚いカタログなど）を入れてもよい。必要があれば指導者に相談すること。観察者は顕微鏡を体の正面に置き、まっすぐに向き合うこと.

2 ● 照明系の調整

照明系は、光源が発する光を標本に集光し視野を均一に照明（ケーラー Köhler 照明という）するための機構で、光源、フィルタ（色温度変換フィルタ、減光フィルタ）、視野絞り、開口絞り、コンデンサから構成される.

a 電源スイッチの入れ方と明るさの調整

電源のスイッチを入れる際は、明るさ（電圧）調整ボリュームを最も暗い位置にする。また電源を切る際にもボリュームを下げておくことを習慣にするとよい。明るさ（電圧）調整ボリュームを徐々に上げて、適切な明るさで観察する。電圧が低いと赤みが強くなる。必要以上の明るさで観察している学生が多いが、**過度な明るさは疲労の原因となる**.

b 光軸の調整（図9）

光が視野の中心に来るように光軸を調整するが、これ

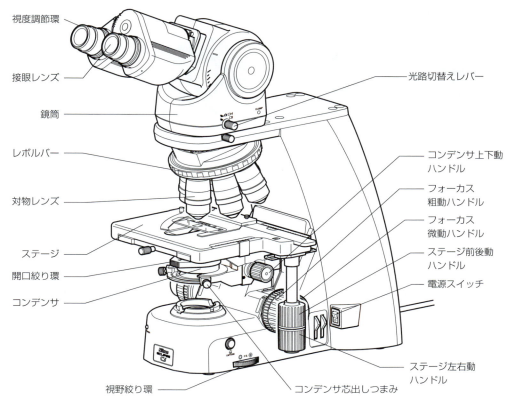

図7 顕微鏡各部の名称
〔資料提供:(株)ニコンインステック〕

は一度正しく調整されれば，**通常は毎回調整する必要はない**．光軸を確認するには①コンデンサを最も上に上げた状態とする，②ステージに載せた組織標本に対し対物レンズ10倍でピントを合わせる，③視野絞りを絞る，④コンデンサを上下して視野絞りの像（多角形にみえる）が最も明瞭になるようにする（コンデンサは最も上からわずかに下がった状態になる），⑤視野絞り像が視野の中心にあることを確認する．もし中心にない場合は左右一対のコンデンサ芯出しつまみを動かして調整するが，**調整が必要と思われた場合は経験ある指導者の指示を受ける**ようにする．

c 開口絞り

開口絞りは観察像のコントラストと分解能に関係する．開口絞りを開くと分解能は高くなるがコントラストが低下し，絞るとコントラストは高くなるが分解能が低下する．理想的な開口絞りの開き方は対物レンズによって異なり，低倍率では開き，高倍率では絞るようにする．接眼レンズを外して覗いてみて，開口絞り像の直径が明るい円形部分の直径の70〜80％くらいになるよう

図8 正しい検鏡姿勢
背筋を伸ばして座り，自然に目の位置に接眼レンズが来るように椅子の高さを調整する．必要であれば顕微鏡の下に厚いカタログなどを入れてもよい．

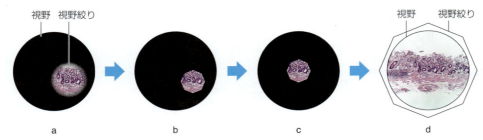

図9　光軸の合わせ方
コンデンサを最も上げた状態で，対物レンズ10倍で標本にピントを合わせる．視野絞りを絞ると輪郭のぼけた小さい丸い像がみえる（a）．コンデンサを下し，視野絞りの像が明瞭な多角形になるようにする（b）．この像が視野の中心に来るようにコンデンサ芯出しつまみを動かして調整する（c）．視野絞りを，視野よりわずかに広く開いた状態にする（d）．

に開口絞り環を回して調整するのが理想であるが，通常の観察においては常に最も開放された位置にしておいて問題ない．

以上，照明系の調整についてやや詳しく述べたが，通常の実習での観察においては，①光源は明るすぎない状態，②視野絞りと開口絞りは最も開いた状態，③コンデンサの高さは最も上からわずかに下がった位置であれば大きな問題はない．開口絞りを絞ってみて，像のみえ方の違いを確認するのは構わないが，終わったら開いた状態に戻しておくこと．調整が必要と思われた場合は指導者の指導のもとに行うようにする．

3 ● 接眼レンズの調整
a 目幅調整
実習には双眼顕微鏡が使われる．両眼視を適切に行うためには，まずは左右の**接眼レンズの間隔を自分の目幅に合わせる**必要がある．目幅が適切に調整されているかを確認するには，まず左目を閉じ，右目だけで顕微鏡を覗き，次に右目を閉じ，左目で顕微鏡を覗き，最後に両眼で顕微鏡を覗いてみる．このときそれぞれの視野がずれるようであれば目幅が適切でない可能性がある．また，顕微鏡を覗く目の位置（アイポイント）も重要である（図10）．対物レンズを低倍率にし，光源を点灯させ，接眼レンズに薄い白い紙を当ててみると，レンズからの光が紙に投影される（図10a）．紙をレンズから少しずつ離していくと，光の口径は小さくなり，最も小さくなった位置がアイポイントである（図10b）．この位置から遠くを見るように接眼レンズを覗くようにする（図10c）．

b 視度調整
観察者による視力の差，あるいは左右の視力の違いを顕微鏡で調整するのが**視度調整**である．まず視度調節環がある接眼レンズ側の目を閉じ，反対側の目だけで標本を見て，フォーカス粗動・微動ハンドルを回してピントを合わせる．次に視度調節環がある接眼レンズ側の目で標本を見ながら，視度調節環を回すことでピントを合わせる．

顕微鏡に慣れておらず，両眼視が苦手という学生が多いが，ここまでの**調整を十分に行い，両目で遠くを見るように覗く**と両眼視が可能となる．

C ● 顕微鏡観察

1 ● 標本の向き
皮膚や消化管など上皮層のある標本は上皮（粘膜・表皮）が上側になるようにして観察する．通常の顕微鏡ではステージに載せた向きと180°反転（上下が反転）した像が接眼レンズからはみえる（図11）．

2 ● 低倍率での観察
観察は必ず最低倍率（対物レンズ4倍）から始めること．これには標本を破損することなくピントを合わせることと，標本全体の様子を把握するという2つの意味合いがある．

a ピントの調整
その日の最初の標本をステージに載せる際には，標本と対物レンズがぶつからないよう，ステージが十分下がっていることを確認する．ステージを大きく上下する場合は粗動ハンドルを用いるが，粗動ハンドルでステージを上げる場合はステージを目視しながら行い，標本に対物レンズをぶつけて破損することがないよう注意する．接眼レンズを覗いた状態で粗動ハンドルを動かす際

B. 病理組織実習 ● 765

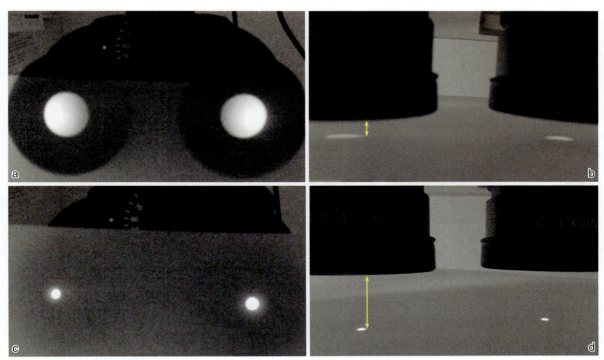

図10 アイポイントの位置を知る
a. 接眼レンズに薄い紙を付けると光源の光がみえる.
b. 紙を接眼レンズから少しずつ離していくと, 光が小さく明るくなり, 収束するポイント(焦点)がある(c, d). そこがアイポイントである.
c, d. 接眼レンズと紙との距離を意識して, この位置に目をもってくるようにする.

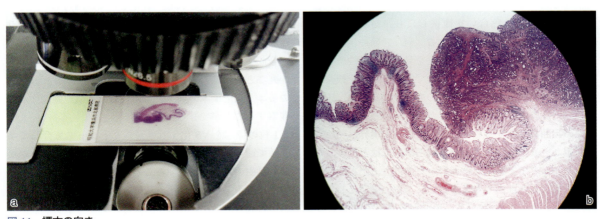

図11 標本の向き
ステージには上下反転して載せると(a), 接眼レンズを覗いたときに正しい方向にみえる(b). 皮膚や消化管などは, 接眼レンズを覗いたときに表皮・粘膜が上に来るように観察する. なお, aでは目視しやすいように標本の下に白い紙を置いているが, 実際の観察時には必要ない.

は, ステージを下げる動作でピントを合わせるようにすると標本を破損することがない.

正しく調整された顕微鏡では, 一度低倍率でピントを合わせれば隣のレンズに切り替えてもピントは大きくずれることはなく, わずかに微動ハンドルを操作するだけ

でピントは合うはずである. 高倍率にしたときに粗動ハンドルは不用意に動かさないこと. また, 倍率を変えるときは対物レンズそのものではなくレボルバーのリング部分に手をかけて回転させる.

1枚目をピントが合った状態で観察した後, 標本を交

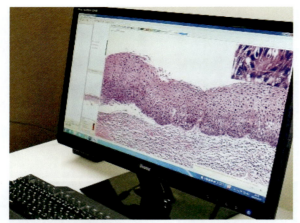

図12　バーチャルスライド
取り込まれた画像情報はパソコンのモニタ上でルーペ像から強拡大までピント合わせなしに観察することができる．画像を撮影（キャプチャ）することも容易である．

換する際には，ステージの高さはそのままで，対物レンズを低倍率の位置にして行う．高倍率のレンズは長く，ピントが合った状態では標本とレンズとの距離がきわめて近いため，高倍率レンズの位置で標本を交換しようとすると標本を破損する可能性が高い．

b 標本全体を把握する

前述したように，肉眼で標本に載っている組織の大きさ，個数，位置，色合いを観察したら，**対物レンズ4倍で全体をくまなくスキャン**する．病理診断の現場においては標本の隅にあるがんの小片を見ずに「悪性所見なし」と診断したら見落とし・誤診である．組織を観察しながら考えることは，**どの臓器のものか**に始まり，正常の範囲内か**異常なものか**，異常があるとすると，**どのくらいの範囲に存在する**のか，**正常と異常の境界**は明瞭か不明瞭か，異常とされる部分は**解剖学的にはどのような部分か**，などである．思考過程としては，上記と同時に異常と判断した理由も考えることになる．異常とした部分は細胞が多すぎる（腫瘍？　炎症細胞浸潤？）のか，少なすぎる（壊死？　線維化？）のか，あるいは細胞の並び方がおかしいのか，細胞の種類は多彩（炎症）か単調（腫瘍）かといったことを同時進行で判断している．このあたりでだいたいの診断が思い浮かんでいることが多い．強拡大にする以前に考えておくことは多い．大まかにいって「**細胞の並び方レベル**」のことはここで考えておく．

3　倍率を上げての観察

倍率は基本的に一段階ずつ上げること．弱拡大で観察したときにより細かく観察したいと考えた点を確認していく．**どのような細胞が増えているのか**（好中球：急性炎症，リンパ球・形質細胞：慢性炎症，組織球・類上皮細胞：肉芽腫性炎症），単調な細胞増殖（腫瘍），異常な形の細胞（悪性腫瘍）と診断が絞り込まれていく．診断を確定するために**特徴的な細胞所見**（例：甲状腺乳頭癌の核内細胞質封入体など）を探していく場合もある．大まかにいえば強拡大では個々の「細胞の所見」を中心に観察する．

4　バーチャルスライド
virtual slide (VS)/whole slide imaging (WSI)

近年，病理学教育および病理診断の現場において，バーチャルスライド virtual slide (VS) の利用が拡がっている．VSとは，スライドガラス上の組織切片全体を，高倍率の対物レンズで拡大，撮影し，デジタル画像化するシステム，あるいはそのデジタル画像をいう（図12）．そのシステムは①撮影・デジタル画像化するスキャナ，②画像をデジタルデータとして保存するサーバ，③画像をモニタ上で観察するためのソフトウェアであるビューワから構成される．スキャナには四角形の画像を連続して撮影・合成する面撮影（タイリング）方式と，ラインセンサにより線状（ストライプ）画像情報を取り込んで合成するラインスキャン方式とがある．病理組織標本が丸ごと高精細の画像情報となっており，コンピュータのモニタ上で標本の隅々まで連続した顕微鏡画像として観察することができる．

1枚の標本をVS化すれば，ネットワークを介して多人数で観察が可能であり，標本の褪色や破損の心配がない．学生の人数分用意することが困難な生検検体や特殊染色標本の実習での使用も可能となる．また外来講師が自らの施設のサーバのVS画像をインターネット経由で出講先の学生に観察させて実習を行うことも考えられる．

近年はVSを中心とした病理組織実習が増え，実際の標本に触れる機会は減ったかもしれないが，取り扱いの基礎は本付録で学んでほしい．VSといえども，前述の方法で作製された顕微鏡標本をデジタル化したものであるので，均一な厚さに薄切され，歪みなく伸展され，むらなく染色された美しい標本の作製が重要であることはいうまでもない．

5 スケッチ

顕微鏡で観察したら，そこからどのような思考で疾患の成り立ちを理解したかを整理し，知識を定着させることが大切である．そのために病理組織標本のスケッチを行い，そこにみられる組織・細胞の名称や病理学的所見を記入することを課している大学が多いと思われる．スケッチをするためには組織構築や細胞の形態をしっかり把握する必要があり，視野中の風景を漫然と眺めることにとどまらない「能動的な観察」が行われることが期待される．一方で「スケッチすべき部分を探していると顕微鏡酔いをするので苦痛である」「絵を描くのが下手なので楽しくない」「教科書の写真と同じものを探してスケッチするならはじめから教科書の写真をスケッチすればよい」といった感想をもつ学生も残念ながら少なくない．正常組織と病変との形態の変化を観察することで，病気の成り立ちについて考え，理解を深めるという本来の目的が，教科書と同じような部分を探し出して，絵を描くという単なる義務的な作業に成り下がっているようである．

少しでも実習が有意義なものとなるよう，筆者の見聞したスケッチに関するコツを記述する．

1 顕微鏡酔い

これについては前述のとおり，光源，目幅，視度が正しく調整された顕微鏡を正しい姿勢で用いれば，かなり軽減されることが期待される．

2 スケッチすべき像の探し方

特徴的な像を自ら探すことが学修として大切と考えるが，基本的に弱拡大で病変の分布を把握しながら探すこと．強拡大にしたまま非病変部をさまよっている学生が意外と多い．また教科書に記載された所見が，すべて1か所にみられるわけではない．場合によってはいくつかの視野をスケッチしたり，視野を合成したりする必要がある．

3 絵が下手

病変の特徴を理解し表現していれば，絵が下手でも構わない．指導者は**美術的な絵の上手下手で実習成績を評価するわけではない**．病理組織学におけるスケッチは美術のデッサンとは違うので，輪郭・境界線は短い線を重ねるより，1本の線として描くほうが好ましい．色鉛筆のみでは輪郭が不明瞭になりがちなので，精密に鉛筆で輪郭線を描き，色鉛筆で色付けすることを推奨する指導者もいる（参考文献1を参照）．そのスケッチが「何を言わんとしているのか」明瞭となるよう，適切な倍率で適切な範囲を描画する．

見たままを描き写すことも重要であるが，全く発想を変えて，写実的なスケッチではなく，思い切って**イラスト風の模式図（シェーマ）を描いてみるのも一案**と考える（図13）．こうすると変化の特徴とその意義がより明瞭に記憶に残るかもしれない（参考文献2を参照）．

4 顕微鏡を見てスケッチするのが苦手

検鏡して観察することが重要とする指導者の意見と，教科書の図を写すほうが楽という学生の希望との折衷案として，検鏡して探した視野をデジタルカメラ，スマートフォンあるいはタブレット端末などで撮影し，その画像をスケッチする方法もある．スマートフォンなどのレンズ部分を顕微鏡の接眼レンズから約1.5 cm離して撮影するとピントが合いやすい．1.5 cmの距離を取るのにはスライドガラスの空き箱や消しゴムなどが利用できる．慣れてくると指のみで適切な距離を保持できるようになる．また，タブレット端末はスマートフォンより大きく保持しやすい．

デジタル画像の活用という点では，前述のVSも利用価値が大きく，自ら視野を探して撮影した画像をコンピュータに取り込み，プレゼンテーションソフトを用いて所見を記入するという実習も考えられる．手を動かして絵を描くことで病変の成り立ちを「体で理解する」ことが重要なものはスケッチし，「探し出す」ことに主眼が置かれるものは写真を撮ることで済ませる，などメリハリのある実習を考える時期にきているのかもしれない．

C CPC型剖検例検討実習

A CPCとは

CPCは，前述のとおりclinicopathological conference（臨床病理検討会）の略である．ある症例の臨床所見（症状，身体所見，画像所見，検査所見）と病理所見とを照らし合せて検討することで，その病態を明らかにしていくものである．生検・手術材料を用いたCPCも行われるが，多くは剖検例について行う．臨床の現場においては，生前になされた診断や治療が的確であったかを検証する場ともなる．

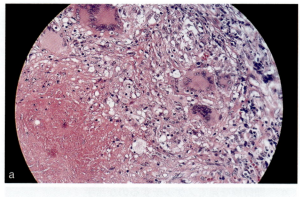
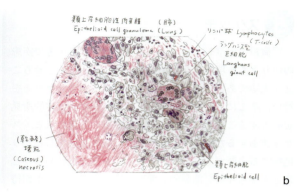
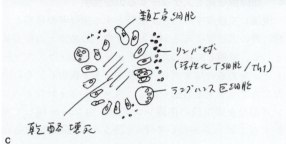

図 13　写実的スケッチとシェーマ
a. 実際の顕微鏡像（スマートフォンで撮影）．
b. 写実的にスケッチしてみた．所要時間約 50 分．観察しながら気付いてほしいことの一例を示す．
　① 壊死を囲んでいる細胞は形がわかりにくいな．円形でも紡錘形でもない．何となく長細いものが多くて，細胞質はふっくらして豊富なようだ．これが類上皮細胞か．
　② 細胞質が泡沫状の細胞が混在しているぞ．マクロファージに似ているな．そうか，類上皮細胞はマクロファージの仲間なんだ．
　③ 類上皮細胞とラングハンス Langhans 型巨細胞の核は似ている部分があるぞ．Langhans 型巨細胞は類上皮細胞が融合したものなんだ．
c. 類上皮細胞性肉芽腫で最低限理解するべきことをシェーマ化．所要時間 3 分．

B　CPC 実習の目的

　病理学の学修ではまず臓器ごとに病変を学ぶが，剖検がなされた症例を用いると，個々の臓器の変化にとどまらず，1 つの病態が複数の臓器の変化から成り立っている，あるいはある臓器の変化が，他の臓器にも影響を及ぼしているといった関連性を知ることができる．また，病理学的な変化と臨床症状や検査値との関連についても学ぶことができる．

　低学年で剖検例を用いた実習を行う際に問題となるのは，学生の臨床的な知識の不足である．指導者側が簡単な臨床解説を用意したり，補足説明をしたりすることも有用であるが，学生側も「まだ習っていないから」と物怖じせずに，自ら内科・外科の教科書を紐解いてみれば基本的な病態については理解できるものが多いはずである．

　今日，インターネット上の情報を適切に利用することも重要な能力である．また PubMed, 医学中央雑誌など基本的な文献検索方法について知るよい機会とも考えられる．インターネット上の情報は玉石混淆であり，その発信者が信頼できる組織であることを確認することが大切である．またプレゼンテーションの際に**インターネットからの情報を引用する際には，雑誌や書籍からの引用と同様，出典を明記すること．**

C　実習の進め方

　10 人ほどのグループに分かれて各グループが 1 症例を担当し，最終日にプレゼンテーションを行う形式が一般的である．病院で行われる実際の CPC では，まず臨床医がその症例の臨床像について述べ，次に病理医が病理解剖所見を説明し，最後に臨床・病理間での討論となるが，CPC 実習では臨床医の役割と病理医の役割を学生が分担して行う．

　臨床医の役割の学生は臨床情報の解析を行い，症状や検査値から病態を推測する．臨床的に問題となったこ

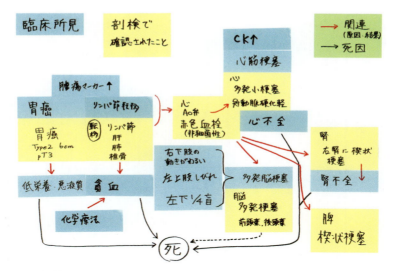

図14　付箋を用いた剖検症例のまとめ
付箋を用いて剖検症例の病態を整理した一例．臨床所見・病理所見を付箋に書き出し，それらを病態ごとにまとめて模造紙やホワイトボードに貼り，相互の関連を矢印などで示していく．グループで討論しながらの共同作業がしやすい方法である．
〔長嶋洋治，他：横浜市立大学における病理学教育の工夫．病理と臨床 32：440-445，2014 を改変して作成〕

と，剖検して知りたいことを箇条書きにして整理しておくとよい．病理医の役割の学生は，剖検所見を整理・解析する．肉眼所見と組織所見を臓器ごとに抽出した後，病態ごとに並べ直して整理してみる（例えば，脳梗塞，心筋梗塞，腎硬化症を動脈硬化の関連病変としてまとめてみるなど）．そして討論・考察として臨床側があげた問題点に対する回答，症状や検査値と病理所見との対応，死に至る病態の整理（フローチャートを作成してみるのもよい）を行う．

病態の整理の方法の一例として付箋を用いる方法を紹介する（詳細は参考文献 4 を参照）．臨床経過のなかのエピソード・イベント，異常検査所見，剖検肉眼所見，組織所見などを付箋 1 枚に 1 つずつ記載し，次々にホワイトボードや模造紙に貼っていく．おおむね出尽くしたところで，それらのなかで関係あるものをグループとして島状にまとめて貼り直してみる．それらが相互に原因と結果である所見群を矢印で結んでいくと，その結果として病態を表すフローチャートができあがることになる（図14）．

プレゼンテーションの際のコツとして，文字は大きく，図を有効に活用することをあげる．また，組織像を提示する際は思い切って高倍率にしたほうがよいことが多い．ヒトの目の水晶体は接眼レンズの次のもう 1 つの顕微鏡レンズともいわれ，目的の構造物を無意識にズームアップして見ているようである．初心者は目で見てちょうどよいと思った倍率からもう 1 段倍率を上げた写真も撮影しておくとよい．供覧できる写真の枚数に余裕があれば，病変の像を正常像とともに提示すると理解しやすい．

●参考文献
1) 伊藤智雄：Introduction．深山正久（編）：病理組織マップ＆ガイド．pp1-5，文光堂，2014
2) 市原 真：スケッチよりもシェーマ．市原 真：いち病理医の「リアル」．pp64-76，丸善出版，2018
3) 木村雅友，他：病理学実習の工夫―スマートフォンでの組織像撮影を利用して．病理と臨床 32：683-687，2014
4) 長嶋洋治，他：横浜市立大学における病理学教育の工夫．病理と臨床 32：440-445，2014

付録2 セルフアセスメント

　セルフアセスメントは，臨床情報と組織写真の提示から，病理組織学的診断を導くトレーニングを行う目的で作成した．5つの選択肢のなかから1つの正解を選ぶ方式となっている．772〜786頁の「問題」のパートと，787〜795頁の「解答と解説」のパートの2部からなる構成で，領域別に合計30問の問題を用意した．「解答と解説」のパートには本文の参照頁も記載したので，ぜひ問題自体の解説文と併せて確認し，より理解を深めていただきたい．

　本書は医学生を主な読者対象とする教科書であることから，選択肢に登場する疾患の選定や問題の難易度は，CBTおよび医師国家試験を念頭において設定した．高学年の学生であれば，一度は目や耳にした疾患がほとんどと思われる．実際の臨床でもよく出会う疾患であり，この設問程度の情報からしっかりと診断を導けるようになっていただきたい．なお，個人情報に配慮し，問題文中の患者の年齢，性別，臨床情報は変更されている．

　掲載した組織写真の拡大率は以下の通りである．
　弱拡大：20〜40倍程度，中拡大：100倍程度，強拡大：200〜400倍程度．

問1　骨髄穿刺吸引検体

患者：60歳代，男性．
腰痛，背部痛の精査で，多発する溶骨性病変を指摘され来院した．血清Mタンパクの異常な増加，尿中Bence Jonesタンパクを認める．骨髄生検像を提示する．**病理組織学的な診断は何か？**

1. 癌の転移 metastatic carcinoma
2. 急性骨髄性白血病 acute myeloid leukemia
3. 骨髄線維症 myelofibrosis
4. 多発性骨髄腫 multiple myeloma
　（形質細胞性骨髄腫 plasma cell myeloma）
5. 真性多血症 polycythemia vera

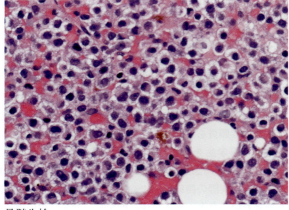

骨髄生検

問2　リンパ組織

患者：30歳代，女性．
発熱にて来院．頸部・腋窩リンパ節の腫大を認め，腋窩リンパ節を生検した．**病理組織学的な診断は何か？**

1. 癌の転移 metastatic carcinoma
2. 濾胞性リンパ腫 follicular lymphoma
3. 結核性リンパ節炎 tuberculous lymphadenitis
4. サルコイドーシス sarcoidosis
5. 反応性濾胞過形成/リンパ節炎 reactive follicular hyperplasia/lymphadenitis

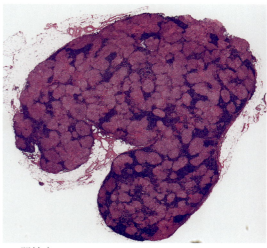

a．弱拡大

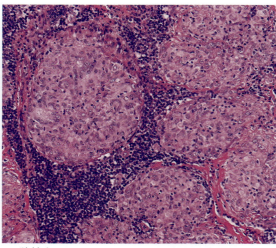

b．強拡大

問3　リンパ組織

患者：70歳代，男性．
2か月前より，頸部リンパ節の腫大を自覚して来院．画像検査にて複数の頸部・鎖骨上・縦隔・後腹膜のリンパ節腫大を認め，頸部リンパ節生検を施行した．**病理組織学的な診断は何か？**

1. 癌の転移 metastatic carcinoma
2. 濾胞性リンパ腫 follicular lymphoma
3. サルコイドーシス sarcoidosis
4. 反応性濾胞過形成／リンパ節炎
　　reactive follicular hyperplasia/lymphadenitis
5. びまん性大細胞型B細胞リンパ腫
　　diffuse large B-cell lymphoma（DLBCL）

　　a．弱拡大　　　　　b．弱拡大
　　　　　　　　　　　（bcl-2の免疫組織化学）

問4　循環器

患者：50歳代，男性．
自宅にて前胸部痛，呼吸苦を訴えていた．突然意識消失となり，心肺停止状態で救急搬送され，治療に反応せず死亡に至った．死亡原因検索のため，病理解剖が行われ，心臓に病変がみられた．**病理組織学的な診断は何か？**

1. 心筋炎 myocarditis
2. 拡張型心筋症 dilated cardiomyopathy
3. 急性心筋梗塞 acute myocardial infarction
4. 肥大型心筋症 hypertrophic cardiomyopathy
5. 心サルコイドーシス cardiac sarcoidosis

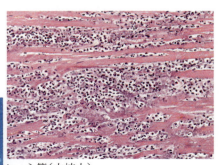

b．心筋（中拡大）

a．肉眼所見

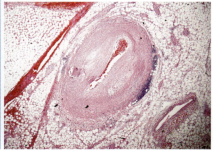

c．左冠動脈前下行枝（弱拡大）

問5　呼吸器

患者：70歳代，男性．過去に40本/日×30年の喫煙歴がある．
胸部X線検査で，肺左上葉の胸部異常陰影を指摘された．精査にて左上葉腫瘤のほか，多発肝転移も認められた．
気管支擦過・洗浄細胞診検査および経気管支肺生検が施行された．**病理組織学的な診断は何か？**

1. 腺癌 adenocarcinoma
2. 小細胞癌 small cell carcinoma
3. 扁平上皮癌 squamous cell carcinoma
4. 腺扁平上皮癌 adenosquamous carcinoma
5. カルチノイド腫瘍 carcinoid tumor

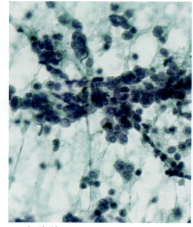
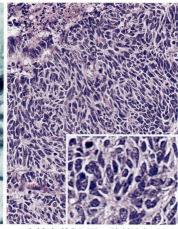

a. 細胞診　　　　　　　　　b. 中拡大（挿入図：強拡大）

問6　呼吸器

患者：50歳代，女性．
関節リウマチの治療のため免疫抑制薬を投与されていた．咳嗽と微熱の継続のため，胸部X線検査を行ったところ，
右肺上葉肺尖部の結節影を指摘され，部分切除が施行された．**病理組織学的な診断は何か？**

1. 結核 tuberculosis
2. 腺癌 adenocarcinoma
3. 間質性肺炎 interstitial pneumonia
4. 扁平上皮癌 squamous cell carcinoma
5. サルコイドーシス sarcoidosis

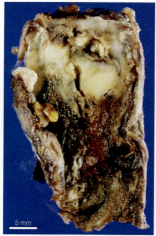
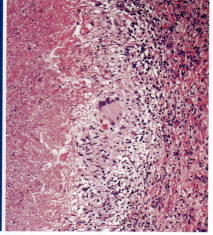

a. 肉眼所見　　　　　　　　b. 強拡大

問7　呼吸器

患者：60歳代，女性．喫煙歴なし．
1年前から咳嗽が出現し，近医で保存的に加療されていた．症状が継続し，胸部X線検査にて右上肺野に腫瘤影を認めたため，気管支擦過・洗浄細胞診検査および経気管支肺生検が施行された．**病理組織学的な診断は何か？**

1. 腺癌 adenocarcinoma
2. 小細胞癌 small cell carcinoma
3. 扁平上皮癌 squamous cell carcinoma
4. 線毛細胞（良性）ciliated cell
5. カルチノイド腫瘍 carcinoid tumor

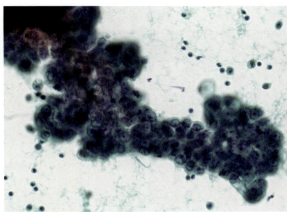
a．細胞診

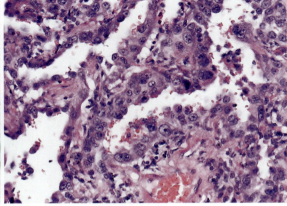
b．強拡大

問8　消化管

患者：60歳代，男性．
検診にて貧血を指摘され，内視鏡検査を行ったところ，胃体下部に発赤を伴う隆起性病変を認め，生検を行った．**病理組織学的な診断は何か？**

1. 胃炎 gastritis
2. 過形成性ポリープ hyperplastic polyp
3. 管状腺腫 tubular adenoma
4. 管状腺癌 tubular adenocarcinoma
5. 印環細胞癌 signet-ring cell carcinoma

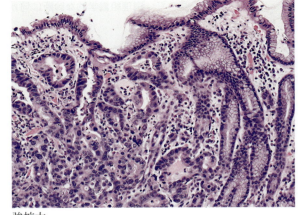
強拡大

問9　消化管

患者：50歳代，男性．
20年ほど前に胃のバリウム検査を受け，胃体下部小彎の2 cm以下の小さい病変を指摘され，経過観察されていた．今回，精査にて約3 cm程度に増大しており，生検での診断後に部分切除が施行された．**病理組織学的な診断は何か？**

1. 管状腺腫 tubular adenoma
2. 管状腺癌 tubular adenocarcinoma
3. 平滑筋腫 leiomyoma
4. 消化管間質腫瘍 gastrointestinal stromal tumor(GIST)
5. 神経内分泌腫瘍 neuroendocrine tumor

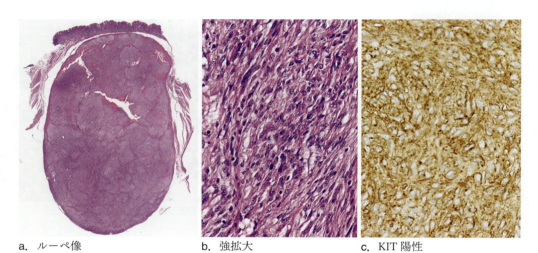

a．ルーペ像　　　b．強拡大　　　c．KIT陽性

問10　消化管

患者：50歳代，女性．
嘔気・嘔吐などの消化器症状を主訴に来院．上部消化管内視鏡検査にて，胃体下部後壁にやや範囲の不明瞭な10 mm前後の病変を認めた．**病理組織学的な診断は何か？**

1. 胃炎 gastritis
2. 黄色腫 xanthoma
3. 管状腺腫 tubular adenoma
4. 管状腺癌 tubular adenocarcinoma
5. 印環細胞癌 signet-ring cell carcinoma

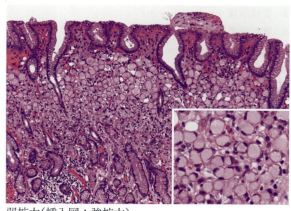

弱拡大（挿入図：強拡大）

問11　消化管

患者：80歳代，女性．
貧血・便潜血陽性の精査のため，大腸内視鏡検査を施行された．S状結腸に隆起性病変を認め，切除（ポリペクトミー）された．**病理組織学的な診断は何か？**

1. 大腸炎（良性）colitis
2. 過形成性ポリープ hyperplastic polyp
3. 管状腺腫 tubular adenoma
4. 管状腺癌 tubular adenocarcinoma
5. リンパ腫 lymphoma（悪性リンパ腫 malignant lymphoma）

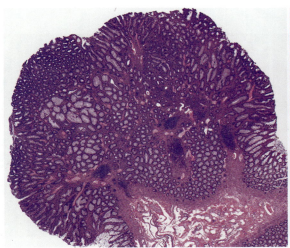
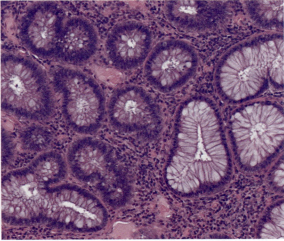

a．弱拡大　　　　　　　　　　　　　　b．強拡大

問12　消化管

患者：70歳代，男性．
貧血・便潜血陽性の精査のため，大腸内視鏡検査が施行され，直腸に腫瘍を指摘された．低位前方切除術が施行された．**病理組織学的な診断は何か？**

1. 管状腺腫 tubular adenoma
2. 管状腺癌 tubular adenocarcinoma
3. 扁平上皮癌 squamous cell carcinoma
4. 潰瘍性大腸炎 ulcerative colitis
5. 神経内分泌腫瘍 neuroendocrine tumor

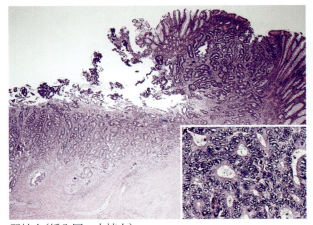

弱拡大（挿入図：中拡大）

問13　肝臓

患者：60歳代，男性．
20年前に胃潰瘍で入院した際に，C型慢性肝炎を指摘された．肝機能異常を当時から指摘されていたが，無症状のため通院加療していなかった．今回，全身倦怠感のため来院し，肝臓に結節性病変を認め，肝部分切除が施行された．**病理組織学的な診断は何か？**
1. 慢性肝炎 chronic hepatitis
2. 肝硬変 liver cirrhosis
3. 肝細胞癌 hepatocellular carcinoma
4. 胆管細胞癌 cholangiocellular carcinoma
5. 転移性肝癌 metastatic liver cancer

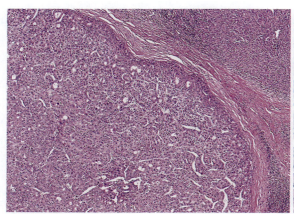
a. 弱拡大

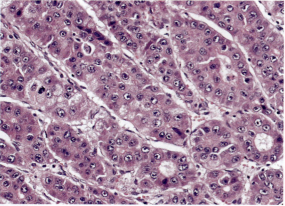
b. 強拡大

問14　膵臓

患者：70歳代，男性．
黄疸を指摘され，精査の結果，膵頭部に腫瘤を指摘され，切除が行われた．**病理組織学的な診断は何か？**
1. 膵炎 pancreatitis
2. 浸潤性膵管癌 invasive ductal carcinoma
3. 膵管内乳頭粘液性腫瘍
    intraductal papillary mucinous neoplasms
4. 神経内分泌腫瘍 neuroendocrine tumor
5. 粘液性嚢胞腫瘍 mucinous cystic neoplasm

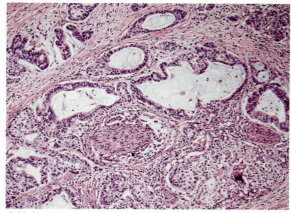
中拡大

問 15　腎臓

患者：60 歳代，女性．
人間ドックで右腎腫瘤を指摘された．精査にて，直径約 5 cm の境界明瞭な腫瘤を右腎下極に認め，右腎摘除術が施行された．**病理組織学的な診断は何か？**

1. 腎芽腫 nephroblastoma（ウィルムス腫瘍 Wilms tumor）
2. 尿路上皮癌 urothelial carcinoma
3. 嫌色素性腎細胞癌 chromophobe renal cell carcinoma
4. 淡明細胞型腎細胞癌 clear cell renal cell carcinoma
5. 乳頭状腎細胞癌 papillary renal cell carcinoma

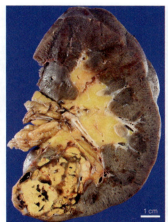
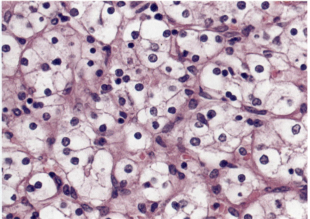

a．肉眼所見　　　　　　b．強拡大

問 16　腎臓

患者：50 歳代，男性．
両下腿の浮腫，体重増加にて来院．低アルブミン血症，尿タンパク（4+）を認め，ネフローゼ症候群と診断された．ネフローゼ症候群の精査のため，腎生検が施行された．**病理組織学的な診断は何か？**

1. 膜性腎症 membranous nephropathy
2. 微小糸球体変化 minor glomerular abnormalities
3. 膜性増殖性糸球体腎炎
   membranoproliferative glomerulonephritis（MPGN）
4. 巣状分節性糸球体硬化症
   focal segmental glomerulosclerosis（FSGS）
5. メサンギウム増殖性糸球体腎炎
   mesangial proliferative glomerulonephritis

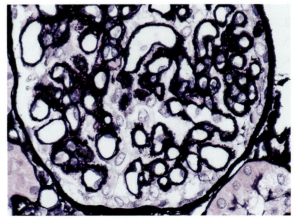

PAM 染色

問 17　腎臓

患者：70歳代，男性．
高血圧・糖尿病にて10年以上の通院加療歴がある．約1年前からタンパク尿と腎機能障害を指摘されるようになり，以後腎機能低下が進行するため，腎生検が行われた．**病理組織学的な診断は何か？**

1. IgA 腎症　IgA nephropathy
2. 膜性腎症　membranous nephropathy
3. 糖尿病性腎症　diabetic nephropathy
4. アミロイドーシス　amyloidosis
5. 巣状分節性糸球体硬化症　focal segmental glomerulosclerosis（FSGS）

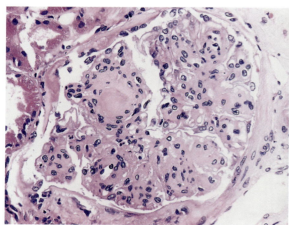

a．HE 染色

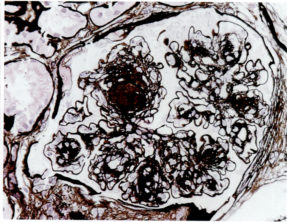

b．PAM 染色

問 18　膀胱

患者：70歳代，男性．
肉眼的血尿にて来院．超音波検査にて，膀胱壁に約3cmの不整な腫瘤を認めたため，膀胱鏡検査を行ったところ，多発する乳頭状病変を認めた．**病理組織学的な診断は何か？**

1. 腺癌　adenocarcinoma
2. 乳頭腫　papilloma
3. 尿路上皮癌　urothelial carcinoma
4. 扁平上皮癌　squamous cell carcinoma
5. 尿路上皮過形成　urothelial hyperplasia

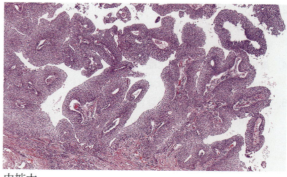

中拡大

問 19　甲状腺

患者：50 歳代，女性．
約 20 年前に乳癌の既往がある．右頸部腫瘤を自覚し，超音波検査を施行された．甲状腺に石灰化を伴う約 1 cm の腫瘤を認めた．**病理組織学的な診断は何か？**

1. 髄様癌
   medullary carcinoma
2. 乳頭癌
   papillary carcinoma
3. 濾胞癌
   follicular carcinoma
4. 腺腫様甲状腺腫
   adenomatous goiter
5. 転移性腫瘍（乳癌の転移）
   metastatic breast carcinoma

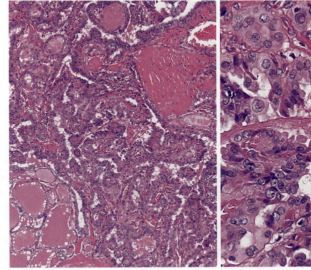

a．弱拡大　　　　　　　　b．強拡大

問 20　乳腺

患者：30 歳代，女性．
右乳腺腫瘤を 3 年前から自覚していた．増大傾向を示す約 4 cm の腫瘤を認め，切除を行った．**病理組織学的な診断は何か？**

1. 線維腺腫 fibroadenoma
2. 乳管内乳頭腫 intraductal papilloma
3. 非浸潤性乳管癌 ductal carcinoma *in situ*
4. 浸潤性乳管癌 invasive ductal carcinoma
5. 浸潤性小葉癌 invasive lobular carcinoma

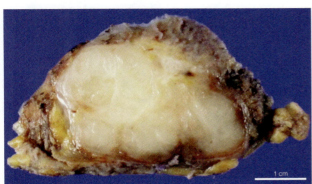
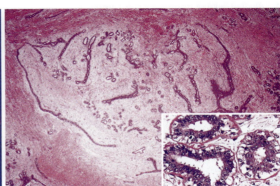

a．肉眼所見　　　　　　　b．弱拡大（挿入図：強拡大）

問21　乳腺

患者：50歳代，女性．
右乳房腫瘤を自覚して受診．超音波検査にて直径約3cmの腫瘤を認め，切除が行われた．**病理組織学的な診断は何か？**

1. **線維腺腫** fibroadenoma
2. **良性葉状腫瘍** benign phyllodes tumor
3. **乳管内乳頭腫** intraductal papilloma
4. **非浸潤性乳管癌** ductal carcinoma *in situ*
5. **浸潤性乳管癌** invasive ductal carcinoma

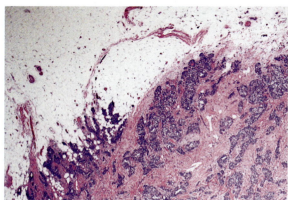

a．弱拡大

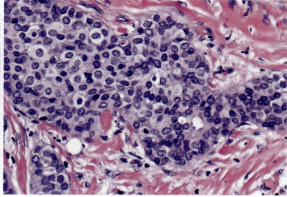

b．強拡大

問22　女性生殖器

患者：20歳代，女性．
2年前，妊婦検診時に約3cmの右卵巣嚢胞性腫瘤を指摘された．出産後，経過観察されていたが，約5cmに増大傾向を示し，腹腔鏡下切除術が施行された．**病理組織学的な診断は何か？**

1. **子宮内膜症性嚢胞** endometriotic cyst
2. **成熟奇形腫** mature teratoma
3. **未熟奇形腫** immature teratoma
4. **顆粒膜細胞腫** granulosa cell tumor
5. **類内膜癌** endometrioid carcinoma

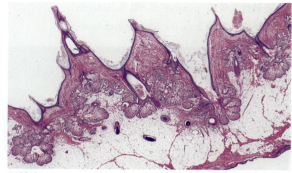

弱拡大

問 23 女性生殖器

患者：30 歳代，女性．
不正性器出血にて近医を受診し，子宮頸部細胞診にて異常が指摘されたため，来院した．子宮頸部生検で診断が確定し，子宮摘出術が施行された．**病理組織学的な診断は何か？**

1. 低異型度上皮内腫瘍 low grade intraepithelial neoplasia(LSIL)
2. 高異型度上皮内腫瘍 high grade intraepithelial neoplasia(HSIL)
3. 上皮内腺癌 adenocarcinoma *in situ*
4. 扁平上皮癌 squamous cell carcinoma
5. 腺癌 adenocarcinoma

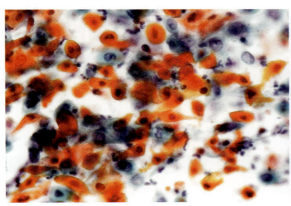

a. 細胞診

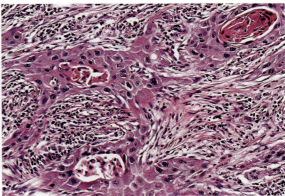

b. 組織像（中拡大）

問 24 女性生殖器

患者：50 歳代，女性．
閉経後不正性器出血を主訴に来院．超音波検査にて，内膜の肥厚を認めたため，内膜生検が施行された．**病理組織学的な診断は何か？**

1. 漿液性癌 serous carcinoma
2. 明細胞癌 clear cell carcinoma
3. 類内膜癌 endometrioid carcinoma
4. 扁平上皮癌 squamous cell carcinoma
5. 子宮内膜増殖症 endometrial hyperplasia

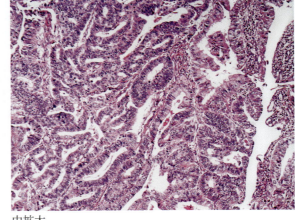

中拡大

問 25　男性生殖器

患者：20 歳代，男性．
左精巣の腫大を自覚して来院．無痛性の鶏卵大の精巣腫瘍がみられた．腫瘍マーカーは陰性であった．左精巣摘出術が施行された．**病理組織学的な診断は何か？**

1. 精巣炎 orchitis
2. 胎児性癌 embryonal carcinoma
3. 卵黄嚢腫瘍 yolk sac tumor
4. セミノーマ/精上皮腫 seminoma
5. リンパ腫 lymphoma
　（悪性リンパ腫 malignant lymphoma）

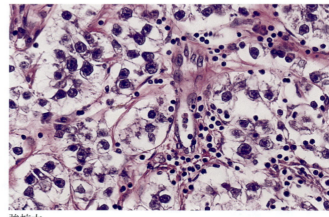

強拡大

問 26　脳・神経

患者：70 歳代，男性．
2 年前に右頸部リンパ節のリンパ腫（悪性リンパ腫：びまん性大細胞型 B 細胞リンパ腫）の既往がある．左上肢・下肢の脱力や麻痺を自覚して来院．頭部 MRI 検査で，右頭頂葉から前頭葉にかけてリング状にエンハンスされる病変を認めた．**病理組織学的な診断は何か？**

1. 膠芽腫 glioblastoma
2. 上衣腫 ependymoma
3. 星細胞腫 astrocytoma
4. リンパ腫 lymphoma
　（悪性リンパ腫 malignant lymphoma）
5. 乏突起膠腫 oligodendroglioma

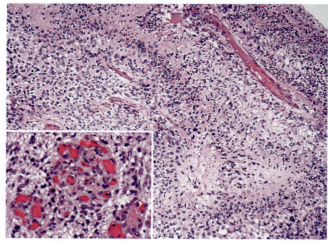

弱拡大（挿入図：強拡大）

問 27　軟部組織

患者：40 歳代，女性．
嘔気や胃痛などの消化器症状で来院．画像検査にて，偶発的に後腹膜に直径約 20 cm の腫瘤がみつかり，腫瘍摘出術が施行された．**病理組織学的な診断は何か？**

1. 脂肪腫 lipoma
2. 脂肪織炎 panniculitis
3. 後腹膜線維症 retroperitoneal fibrosis
4. 高分化脂肪肉腫 well-differentiated liposarcoma
5. 脱分化脂肪肉腫 dedifferentiated liposarcoma

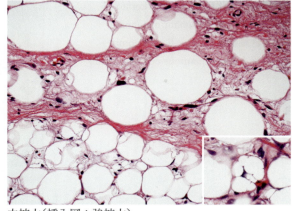

中拡大(挿入図：強拡大)

問 28　骨

患者：10 歳代，男性．
2 か月前より左膝周囲の痛みを自覚し来院．X 線，MRI にて左大腿骨遠位骨幹端から骨端に骨膜反応を伴う造骨像と溶骨像が混在する病変を認めた．**病理組織学的な診断は何か？**

1. 骨腫 osteoma
2. 骨髄炎 osteomyelitis
3. 骨肉腫 osteosarcoma
4. 軟骨肉腫 chondrosarcoma
5. 骨折による仮骨 callus

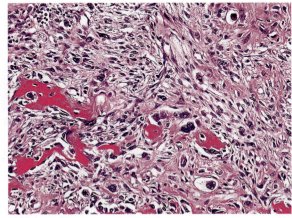

強拡大

問 29　皮膚

患者：70 歳代，男性．
数年前に右背部皮膚に出現した黒褐色，最大径約 2 cm の黒褐色の扁平隆起性皮膚結節の精査のため来院．最近増大傾向を認めていた．皮膚腫瘍切除を行った．**病理組織学的な診断は何か？**

1. 色素性母斑 melanocytic nevus
2. 脂漏性角化症 seborrheic keratosis
3. 悪性黒色腫 malignant melanoma
4. 基底細胞癌 basal cell carcinoma
5. 扁平上皮癌 squamous cell carcinoma

a. 肉眼所見

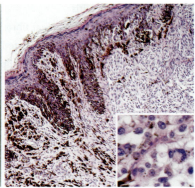
b. 中拡大

問 30　皮膚

患者：70 歳代，男性．
2 か月前より口腔内に多数のアフタを認め，強い疼痛がみられる．また，四肢にも微小な水疱を繰り返しており，水疱を認める右手首屈側より生検を行った．蛍光抗体染色にて，表皮基底膜部に IgG と C3 の沈着を認めた．**病理組織学的な診断は何か？**

1. 乾癬 psoriasis
2. 扁平苔癬 lichen planus
3. 扁平上皮癌 squamous cell carcinoma
4. 尋常性天疱瘡 pemphigus vulgaris
5. 水疱性類天疱瘡 bullous pemphigoid

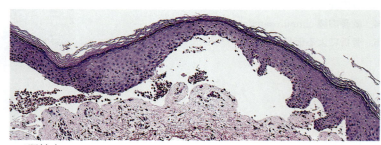
a. 弱拡大

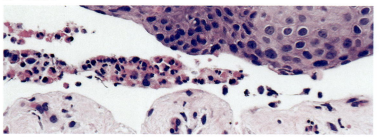
b. 強拡大

解答と解説

問1　骨髄穿刺吸引検体

 多発性骨髄腫 multiple myeloma
（形質細胞性骨髄腫 plasma cell myeloma）
※本文参照頁（→ 317 頁）

　多発する溶骨性病変，M 蛋白の増加，尿中 Bence Jones タンパクの出現などはいずれも多発性骨髄腫の特徴的な臨床像，検査所見である．組織学的には，骨髄生検，骨髄クロット，骨髄スメアのいずれにおいても，偏在した類円形核をもつ形質細胞様細胞がシート状，一様に増殖する．スメアでは，形質細胞の特徴である核周囲明庭や車軸状の凝集したクロマチンと淡塩基性細胞質を認める．形質細胞に類似する場合は，比較的高分化な場合であり，大型で，多形性，核異型の目立つ低分化な腫瘍の場合もある．免疫組織化学では，CD38, CD56, CD138 が陽性となり，多くの例で κ 鎖か λ 鎖の一方のみ陽性となる monoclonality を認める．多発する溶骨性病変は癌の全身骨転移でもみられる所見なので，臨床的には鑑別にあがるが，組織像は全く異なるので，病理診断で鑑別ができる．骨髄線維症は，原発性の場合は，線維性結合織の増加と異常な巨核球の増加がみられる．急性骨髄性白血病や真性多血症では，骨髄生検にて細胞の密度が高い点は共通するが，白血病は幼若な異型細胞が一様に増殖するも，スメアで形質細胞様の形態は示さず，臨床像，表面抗原も全く異なる．

問2　リンパ組織

 サルコイドーシス sarcoidosis
※本文参照頁（→ 63 頁）

　弱拡大（問題の写真 a）でリンパ節全体に結節性病変がみられ，強拡大（問題の写真 b）で壊死を伴わない類上皮細胞性肉芽腫を認め，サルコイドーシスの特徴である非壊死性類上皮肉芽腫を示している．通常，肉芽腫を形成するのは，選択肢のなかでは結核性リンパ節炎のみであり，他の選択肢では一般的にはみられない．癌の転移としては，腋窩リンパ節は乳癌の転移の頻度が高い．濾胞性リンパ腫では，小型でくびれのある胚中心細胞類似細胞 centrocyte-like cell が濾胞構造を形成して増殖する．結核性リンパ節炎は乾酪壊死を伴う類上皮肉芽腫を呈する．ラングハンス Langhans 型巨細胞は結核などの抗酸菌感染で有名であるが，サルコイドーシスでもみられる．反応性リンパ節炎では，リンパ濾胞の胚中心の拡大はみられるが，肉芽腫の形成はみられない．

問3　リンパ組織

 濾胞性リンパ腫 follicular lymphoma
※本文参照頁（→ 332 頁）

　リンパ濾胞の胚中心 B 細胞由来とされるリンパ腫（悪性リンパ腫）である．弱拡大（問題の写真 a）で示すように，腫瘍細胞が濾胞様構造を呈して増殖する．リンパ濾胞の胚中心が腫大し，胚中心同士が隣接するようにみえる．濾胞性リンパ腫では，7 割程度で *BCL2* 遺伝子を巻き込む染色体転座がみられるため，免疫組織化学（問題の写真 b）では，濾胞胚中心様構造において bcl-2 タンパクが腫瘍細胞に陽性となる．反応性リンパ節炎では bcl-2 が陰性となり診断に役立つ．濾胞構造を認めるため，びまん性大細胞型 B 細胞リンパ腫（DLBCL）は，ここでは除外されるが，濾胞性リンパ腫から DLBCL が生じた場合には bcl-2 は陽性となる．

問4　循環器

 急性心筋梗塞 acute myocardial infarction
※本文参照頁（→ 358 頁）

　肉眼的（問題の写真 a を再掲）には，左室前壁（○）に左室壁全層にわたる出血がみられ，一部に裂隙（→）を認める．これは，貫壁性梗塞 transmural infarction と心破裂を考える肉眼像である．組織像は，心筋（問題の写真 b）には，著明な好中球浸潤と心筋の好酸性化，核の消失がみられる．左冠動脈前下行枝（問題の写真 c）には，動脈硬化による高度の狭窄を認め，組織学的にも冠動脈硬化症による急性心筋梗塞に一致する．好中球浸潤が目立つことから，心筋梗塞の発症より 12〜24 時間が経過していたと考えられる．本症例は心筋梗塞による心破裂

により，心囊内に出血し，心タンポナーデのため急死に至った．他の選択肢の病理学的特徴については，心筋炎は，炎症細胞浸潤が目立つという点では，顕微鏡的には鑑別にあがる可能性はあるが，原因としてはウイルス性心筋炎が多く，その場合リンパ球などの単球主体の炎症細胞浸潤と心筋細胞の変性，筋線維の融解壊死を呈する．また，巨細胞性心筋炎，心サルコイドーシスによる肉芽腫性心筋炎，好酸球性心筋炎などにおいても，好中球浸潤が主体となることはない．拡張型心筋症は，心重量の増加や心腔の拡張を示す肉眼像が特徴であり，組織像は非特異的であるが，心筋の線維化や残存心筋の代償性肥大がみられる．肥大型心筋症は，肉眼的には左室壁の高度の肥大を示し，組織像では肥大心筋の錯綜配列を認める．心サルコイドーシスは，心筋に非壊死性類上皮肉芽腫を形成する．上記は，いずれも突然死の原因となりうる疾患である．

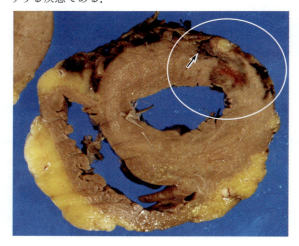

問5　呼吸器

正解 2　小細胞癌 small cell carcinoma
※**本文参照頁**（→ 408 頁）

　細胞診（問題の写真 a）では，小型で細胞質に乏しく，核/細胞質（N/C）比の高い，核クロマチン増量（濃く青くみえる）細胞が多数採取されている．核小体はみられない．細胞診におけるこのパターンは小細胞癌かリンパ腫（悪性リンパ腫）の可能性が高いが，リンパ腫よりも核密度の増加や核クロマチンの濃染がみられ，核小体がみられないため，小細胞癌に一致する．組織像（問題の写真 b を再掲）でも，核クロマチンの増量，N/C 比の高い細胞が密に増殖し，核小体は目立たない．核分裂像（）も散見される．神経内分泌系腫瘍の特徴であるロゼット構

造（→）もみられる．免疫組織化学にて，シナプトフィジンやクロモグラニンなどの神経内分泌マーカーが陽性となる．腺癌は核小体明瞭で，核は偏在し，細胞質内粘液や管状構造の形成など，腺系細胞の特徴がみられる．扁平上皮癌では角化や細胞間橋がみられ，細胞診で角化細胞がオレンジ G 好染細胞として出現する．カルチノイド腫瘍は小細胞癌と比較して，核が円形で異型に乏しく，核分裂像が目立たない．

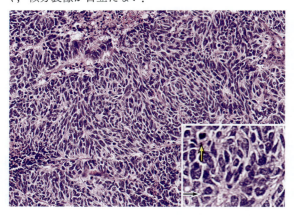

問6　呼吸器

正解 1　結核 tuberculosis
※**本文参照頁**（→ 395 頁）

　肉眼所見（問題の写真 a）では，黄白色の壊死を思わせる色調の病変を伴う結節性病変が確認できる．組織像（問題の写真 b）で，好酸性領域（問題の写真 b 左側）に示す壊死部（乾酪壊死）と周囲には多核細胞からなる Langhans 型巨細胞を伴う類上皮肉芽腫がみられる．異型細胞はみられない．画像的に肺の結節性病変が指摘された場合に，間質性肺炎，結核，腺癌・扁平上皮癌などの肺腫瘍が鑑別にあげられ，わが国では組織診断ではじめて結核とわかることが少なくない．組織像は上記の変化は結核以外には通常認めない．サルコイドーシスは組織学的には肉芽腫を形成するので鑑別にあげられるが，壊死はみられない．結核は，初感染で肺尖部などの肺末梢に初感染巣を形成し，所属リンパ節に病変が生じた場合，両病変を併せて初期感染群と呼ぶ．

問7　呼吸器

正解 1　腺癌 adenocarcinoma
※**本文参照頁**（→ 406 頁）

　細胞診（問題の写真 a）では，大型で核小体明瞭な異型

細胞が重積性に，分岐を示すような大型集塊を形成して出現している．組織像では，中心に線維血管間質を有する乳頭状増殖を示す核小体明瞭な異型細胞の増殖を認め，腺癌の所見である．細胞診では，乳頭状・管状構造が立体的な構造として出現すると理解する必要がある．通常，腺癌は核小体が明瞭で，核は細胞の端に寄る（偏在）．小型の集塊や単個の細胞で出現する場合も核小体は明瞭で，核が偏在し，細胞質に粘液をみることもある．他の選択肢との鑑別としては，小細胞癌は問5の写真のように結合性が低下し，細胞質がほとんどみられないN/C比の高い核の濃染色した小型の腫瘍細胞が増殖し，核小体は目立たない．扁平上皮癌は，分化型であればオレンジG好染性の角化細胞がみられ，シート状に増殖し，腺管構造は示さない（臓器は異なるが問22を参考にされたい）．線毛細胞は，気管支擦過細胞診では，気管から気管支にかけて分布する鑑別が重要な細胞であるが，線毛があることが特徴であり，核腫大や核小体が時に明瞭になることがあるが線毛を確認すれば良性と判断できる．カルチノイド腫瘍では核小体がみられず，核は円形で異型がみられない．結合性も細胞診では低下しており，大型集塊は形成しない．

実性ないし，線維性結合組織内に核が偏在し，細胞質内粘液の豊富な腫瘍細胞が増殖する．

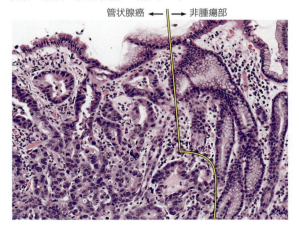

管状腺癌 ←→ 非腫瘍部

問8 消化管

 正解 4　管状腺癌 tubular adenocarcinoma
※本文参照頁（→ 452頁）

　問題の写真の右側では，粘液を有する淡明な細胞質と基底側に核が配列した正常の腺窩上皮からなる腺管がみられる．写真中央から左側では，表層上皮に異型は目立たないが，その直下から深部では腺管構造が不明瞭で，不規則に連結したようにみえ，細胞質の粘液もわかりにくくなり，代わりに好酸性の細胞質と腫大した核が目立つ．核分裂像も複数みられる．明らかに核の腫大した部位とそうでない部位が明瞭に存在することがわかる．左側の核の腫大した部位が管状腺癌で，右側が非腫瘍部である．腫瘍かどうかの鑑別には，核の配列が保たれた正常部と比較して，核の腫大，配列の乱れ，構造異型（腺管の癒合，手をつないだように連結する像）の有無に留意する．胃炎や過形成性ポリープでも核小体が明瞭にみえ，核腫大を示す反応性異型を示すこともあるが，構造異型や領域性の異型細胞の増殖は示さない．腺腫の場合は管状構造が明瞭で，核は正常に比べて軽度腫大するが，核は基底部に存在し，構造異型もみられない．間質浸潤も認めない．印環細胞癌は腺管構造を形成せず，充

問9 消化管

 正解 4　消化管間質腫瘍
gastrointestinal stromal tumor（GIST）
※本文参照頁（→ 456頁）

　ルーペ像（問題の写真a）では，上部の粘膜には病変の連続性がなく，粘膜下に境界明瞭な結節を形成している．組織学的には，比較的異型の目立たない紡錘形細胞が密に増殖し（問題の写真b），粘膜下腫瘍の所見である．消化管において，紡錘形細胞からなる粘膜下腫瘍としては，平滑筋系腫瘍とGISTがあげられるが，頻度としては80％以上がGISTである．GISTは固有筋層内に存在し，消化管の蠕動運動を調節するカハールCajal介在細胞への分化を示し，多くの場合は受容性チロシンキナーゼをコードする *c-kit* 遺伝子の変異を有するため，免疫組織化学（問題の写真c）ではKITが陽性となる．チロシンキナーゼ受容体であるPDGFRα（platelet-derived growth factor receptor α）の変異を有する一部の場合は，KIT陰性になる．平滑筋系腫瘍もKITは陰性である．腫瘍の大きさや核分裂像の数が再発などの予後と相関している．また，KIT陽性の転移性GISTに対しては，KITタンパクのチロシンキナーゼ活性を特異的に阻害する分子標的薬であるイマチニブ imatinib に腫瘍縮小効果があるため，KIT陽性かどうかは，診断だけでなく治療方針にもかかわる．

問10 消化管

 印環細胞癌 signet-ring cell carcinoma
※本文参照頁（→ 452頁）

　細胞質内の粘液貯留が顕著なため，核は圧排されて細胞の辺縁に三日月状の核となって存在するが（問題の写真の挿入図），間質の小型リンパ球に比べて，核自体は増大し，核クロマチンも濃染している印環細胞癌の像である．低分化腺癌の像であり，本症例では，粘膜内で増殖しているが，進行癌であるスキルス胃癌では，粘液の目立たない結合性の低下した孤在性細胞や腫瘍細胞の小集塊を形成する低分化腺癌と混在し，線維性結合組織を伴って深部まで浸潤増殖する．鑑別として，泡沫細胞からなる黄色腫は組織像が類似するが，泡沫細胞では核腫大や核クロマチン増量を示さない．他の選択肢は，印環細胞を見逃さなければ，形態的には鑑別にあがらない．

問11 消化管

 管状腺腫 tubular adenoma
※本文参照頁（→ 472頁）

　弱拡大（問題の写真a）で隆起性病変であることがわかる．強拡大（問題の写真b）では，右側の腺管では細胞質の杯細胞の領域が比較的広く，核は小型で基底側に位置している．左側の腺管では核がやや重積・腫大し，右側と比べて青くみえるが，核は基底側に位置しており，管状構造は明瞭で，構造異型はみられない．領域性の変化であることから，腫瘍性病変の所見であり，炎症や過形成性ポリープは除外される．核は基底側に位置しており，構造異型や浸潤像もみられないことから管状腺癌も除外される．間質のリンパ球に異型や増殖性変化はみられず，リンパ腫（悪性リンパ腫）も除外される．管状腺腫の所見である．

　管状腺腫は大腸の良性腫瘍であり，組織学的には，核密度が増加し，核は細長く重積するので，非腫瘍部の腺管と比べて弱拡大で青くみえるが，核は基底側に並び，管状構造は明瞭で，癒合腺管形成などの構造異型はみられず，核異型，核分裂像は目立たない．

問12 消化管

 管状腺癌 tubular adenocarcinoma
※本文参照頁（→ 474頁）

　弱拡大（問題の写真）では潰瘍性病変を形成して，間質や固有筋層に浸潤しており，強拡大（問題の写真の挿入図）では問11の管状腺腫と比較して，腺管の癒合や核異型が目立つ．中分化腺癌の所見である．管状腺腫では浸潤性病変がみられない．神経内分泌腫瘍は粘膜下腫瘍の形態をとり，浸潤性に増殖は示すが，核は円形で，異型や核分裂像，壊死はみられず，索状・胞巣状・リボン状配列など，管状腺癌と異なる配列を示す．免疫組織化学でシナプトフィジンやクロモグラニンAなどの神経内分泌マーカーが陽性となる．

問13 肝臓

 肝細胞癌 hepatocellular carcinoma
※本文参照頁（→ 504頁）

　腫瘍は結節性，膨張性に増殖し，線維性被膜で背景の非腫瘍部と境界をなす（問題の写真a）．強拡大（問題の写真b）では，核は腫大し，核小体は明瞭で，好酸性の細胞質をもった腫瘍細胞が，索状配列や腺管様の管腔を有する偽腺管を形成して増殖している．中分化型肝細胞癌の所見である．背景にC型慢性肝炎の長期罹患歴のある結節性病変として，最も可能性が高いのが肝細胞癌である．組織学的には，肝硬変の再生結節や，頻度は高くないものの腫瘍類似病変との鑑別が重要であるが，偽腺管の形成がある点および非腫瘍部と比較して核異型や核腫大などを認める点で除外できる．胆管細胞癌では被膜形成はみられず，結節形成も典型的ではない．通常は線維性間質を伴って，肝実質内に浸潤性に管状構造を伴い増殖する．転移性肝癌では大腸癌の転移の頻度が高い．病歴が重要であるが，組織学的に大腸癌の転移巣は，浸潤性増殖を示し，腺管内壊死の目立つ管状腺癌が特徴である．

問14 膵臓

 浸潤性膵管癌 invasive ductal carcinoma
※本文参照頁（→ 526頁）

　背景は線維化を示し，正常の膵組織はみられない．管状構造は保たれているが，大小，拡張やいびつな形をした腺管が無秩序に存在し，内腔には粘液を含むものもある．上皮細胞の核は重積や核クロマチンの増加などの異常も認める浸潤性膵管癌の所見である．写真中央には神経組織がみられるが，神経組織のまわりにも腺癌の浸潤を認める．膵炎，特に自己免疫性膵炎は腫瘤を形成することがあり，画像的に鑑別が問題となることがある．膵

炎の場合は，腺房組織や導管に異型はみられず，炎症細胞浸潤のみみられるが，慢性化した部位では，腺房組織は消失し，線維化と膵島が残存する．膵管内乳頭粘液性腫瘍と粘液性嚢胞腫瘍は，嚢胞性病変を画像的，肉眼的に認め，組織学的にも，粘液産生の目立つ高円柱上皮からなる．膵癌も粘液産生は目立つが，肉眼的に確認できるレベルの嚢胞性病変があることが診断の定義であり，この写真の像には一致しない．神経内分泌腫瘍は，浸潤性増殖は示すが，核は円形で，異型や核分裂像，壊死はみられず，索状・胞巣状・リボン状配列など，腺癌と異なる配列を示す．免疫組織化学でシナプトフィジンやクロモグラニン A などの神経内分泌マーカーが陽性となる．

問 15　腎臓

 淡明細胞型腎細胞癌
clear cell renal cell carcinoma
※本文参照頁（→ 566 頁）

肉眼所見（問題の写真 a を再掲）にて，腎下極に黄色で，大小の結節からなり，一部出血を伴う比較的周囲と境界明瞭な約 5 cm の腫瘤を認める（○）．組織像（問題の写真 b）では，細胞質が淡明な腫瘍細胞が充実性・胞巣状に増殖している．胞巣間には豊富な毛細血管を伴っている．腎癌の最も一般的な組織型である．尿路上皮癌は，腎臓の場合は腎盂腫瘍であり，腎芽腫は通常 10 歳以下の小児腫瘍で，未熟な腎芽様の腫瘍細胞が増殖し，淡明な細胞は認めない．尿路上皮由来の腫瘍であることから，本症例の組織学的類似性はない（問 18 参照）．嫌色素性腎細胞癌やオンコサイトーマは好酸性・微細顆粒状の細胞質が特徴的である．乳頭状増殖はみられないことから乳頭状腎細胞癌は除外される．

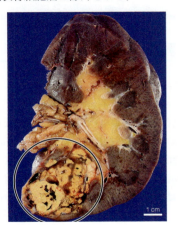

問 16　腎臓

 膜性腎症 membranous nephropathy
※本文参照頁（→ 544 頁）

PAM 染色標本において，びまん性に毛細血管壁の肥厚がみられ，"スパイク spike" と呼ばれる棘状の突起が基底膜から飛び出したように複数箇所でみられる．スパイクは，IgG の顆粒状の沈着物を避けて，その間隙に染色色素が入り込んで黒く染まることからみられる所見である．膜性腎症の特徴的な所見であるが，病期によっては不明瞭なこともある．蛍光抗体法では，IgG が顆粒状に毛細血管壁に沿って陽性を示す．他の選択肢との鑑別については，ネフローゼ症候群は選択肢のいずれの場合にもみられる臨床像であり，スパイク形成などの特徴的な組織像を示す膜性腎症の所見の有無を常に確認することが重要である．

問 17　腎臓

 糖尿病性腎症 diabetic nephropathy
※本文参照頁（→ 553 頁）

糖尿病性腎症は臨床像として，タンパク尿，高血圧，腎機能低下を示し，糖尿病が背景にあることが，当然だが重要である．

組織像（問題の写真 a, b を再掲）は，HE 染色と PAM 染色のいずれにおいても，メサンギウム領域の拡大および PAM 染色で黒色に染色される細胞外基質の増加，基底膜の肥厚がみられ，細胞外基質の蓄積によりメサンギウム領域が結節性に変化した，糖尿病性腎症に特徴的なキンメルスティール-ウィルソン Kimmelstiel-Wilson 結節（→）がみられる．膜性腎症は高齢者，タンパク尿，ネフローゼ症候群の場合には念頭におく必要があるが，光学顕微鏡的には，毛細血管壁の肥厚と PAM 染色にてスパイクの形成や点刻像が重要である．巣状分節性糸球体硬化症は，Kimmelstiel-Wilson 結節を分節性硬化と判断すると間違える可能性はあるが，他の部位でのメサンギウム領域の拡大・基質の増加はみられない．IgA 腎症とアミロイドーシスは，基質の増加を示す点で類似し，鑑別にあがるが，Kimmelstiel-Wilson 結節は示さない．形態的な判断が難しい場合は，蛍光抗体染色にて IgA の沈着の有無やコンゴーレッド染色にてアミロイドの沈着の有無を確認する．

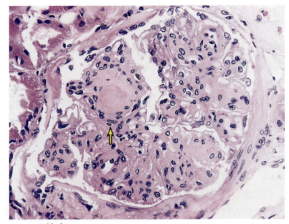

a. HE 染色

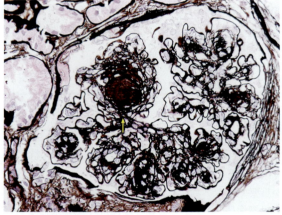

b. PAM 染色

問18　膀胱

 3　尿路上皮癌 urothelial carcinoma
※本文参照頁(→ 575 頁)

　異型を伴った尿路上皮が多層化し，線維血管間質を有する乳頭状発育を示す尿路上皮癌の所見である．腎盂・尿管・膀胱における腫瘍はほとんどが尿路上皮癌で，尿管や膀胱に多発する傾向が強く，また切除後に再発することも多い．組織学的には，異型度の程度により低異型度尿路上皮癌と高異型度尿路上皮癌に分けられる．低異型度尿路上皮癌は本症例のように乳頭状発育を示し，間質浸潤は示さないが，高異型度尿路上皮癌は，膀胱壁などの間質浸潤や脈管浸潤を示し，予後不良である．良性病変の乳頭腫や尿路上皮過形成では，上皮はほぼ正常の異型のみられない尿路上皮からなり，問題の写真のような広範な乳頭状増殖性病変は示さない．扁平上皮癌や腺癌は膀胱ではまれである．高異型度尿路上皮癌では，尿路上皮癌の一部が扁平上皮や腺への分化を示すことがあるが，その場合は尿路上皮癌と診断される．

問19　甲状腺

 2　乳頭癌 papillary carcinoma
※本文参照頁(→ 594 頁)

　弱拡大(問題の写真 a)で正常の甲状腺にはみられない乳頭状構造(線維血管間質を中心に周囲を腫瘍細胞が取り巻く構造)が複雑に入り組んでいる．強拡大(問題の写真 b を再掲)では，乳頭癌に特徴的な核クロマチンが，リンパ球と比較して薄くみえるすりガラス状核で，核内細胞質封入体(→)や核溝(→)がみられる．髄様癌はシート状・充実性に増殖し，核形不整も目立ち，免疫組織化学でカルシトニン陽性となる．濾胞癌や腺腫様甲状腺腫は濾胞構造が主体で，すりガラス状核は示さない．乳癌も乳頭状構造を示すことはあるが，上記の核所見は示さない．

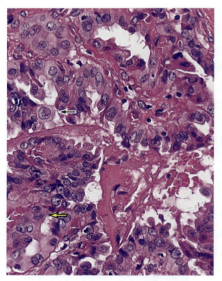

問20　乳腺

 1　線維腺腫 fibroadenoma
※本文参照頁(→ 617 頁)

　肉眼所見(問題の写真 a)では，境界明瞭な白色の結節性病変がみられる．組織像は，弱拡大(問題の写真 b)では，浮腫性間質と線維性間質を伴い，管状・スリット状の腺成分が混在してみられる．強拡大(問題の写真 b の挿入図)では，腺管の好酸性の細胞質をもつ内側の乳管上皮細胞と，淡明な細胞質をもつ外側の筋上皮細胞の二

相性が保たれている．これらの所見に一致するのは線維腺腫である．

良性腫瘍のなかでは最も頻度が高く，20〜30歳代に好発する．他の選択肢との鑑別は，乳管内乳頭腫は良性病変で，乳管上皮が乳管内に乳頭状に増殖を示す病変であり，組織像は異なるものの，二相性が保たれる点は共通である．非浸潤性乳管癌と浸潤性乳管癌では二相性がみられず，浸潤性増殖も本症例では認めない．

問21　乳腺

 浸潤性乳管癌 invasive ductal carcinoma
※本文参照頁(→ 622頁)

弱拡大(問題の写真a)で，乳腺の既存構造はみられず，線維性結合組織および脂肪組織内に浸潤性に増殖する．強拡大(問題の写真b)では，管腔形成も一部みられるが，充実性に増殖して二相性はみられない．浸潤性乳管癌の所見である．他の選択肢はいずれも浸潤性増殖を示さない．

問22　女性生殖器

 成熟奇形腫 mature teratoma
※本文参照頁(→ 645頁)

卵巣腫瘍の囊胞壁の組織像である(問題の写真を再掲)．内腔側は角化を伴う分化良好な扁平上皮に覆われ，壁内には脂腺(→)，毛乳頭(→)などの皮膚様構造を認める．いずれも分化した構築であり，未熟な中枢神経組織や浸潤性の異型を示すがん成分は認めない．最も一般的な成熟奇形腫の組織像である．胚細胞腫瘍のなかでは最も頻度が高い良性腫瘍で，20歳代に好発する．肉眼的には，毛髪や角化物・皮脂などの分泌物の混在した泥状黄白色物を囊胞内に含有していたことが示唆される．子宮内膜症性囊胞はチョコレート囊胞とも呼ばれ，内腔に

血液や褐色の内容液を含み，組織学的には，囊胞壁に内膜組織や褐色色素を貪食したマクロファージがみられる．未熟奇形腫は，成熟奇形腫の所見に加えて，神経管に類似した管状の未熟な構造がみられる．顆粒膜細胞腫は，性索間質性腫瘍で，若年者を含むあらゆる年齢層に発生しうるが，好発年齢は50〜55歳である．2/3がエストロゲン産生性である．コーヒー豆様の核溝を伴う円形核をもつ腫瘍細胞が充実性，シート状，索状配列を示す．囊胞性変化を伴うこともある．

問23　女性生殖器

 扁平上皮癌 squamous cell carcinoma
※本文参照頁(→ 632頁)

細胞診(問題の写真a)では，異常角化を示すオレンジG好染性で突起の伸びたような細胞質とクロマチンの濃染核を有する異型細胞が多数出現し，角化を伴う扁平上皮癌の所見である．他の選択肢の疾患では，角化型異型細胞は出現しない．組織像(問題の写真bを再掲)では，癌真珠(→)の形成などの異常角化を認め，間質に浸潤性に増殖するやや広い好酸性で多稜形の細胞質をもった腫瘍細胞が増殖している．扁平上皮癌の典型像である．子宮頸部扁平上皮癌は，ハイリスクHPV感染によるがんであり，30〜40歳代の女性に多い．前がん病変の早期発見のため，細胞診での検診が行われている．

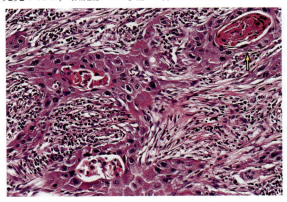

問24　女性生殖器

 類内膜癌 endometrioid carcinoma
※本文参照頁(→ 638頁)

腺管が間質を介さずに隣り合わせに複数連続する癒合腺管形成や腺腔の不明瞭な腺系配列を示し，核小体明瞭で核重積や核腫大が目立つ．類内膜癌の所見である．癒

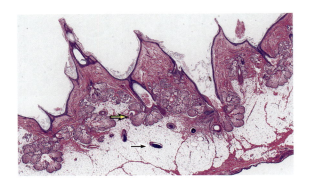

合腺管形成や壊死は，内膜増殖症などの良性病変にはみられず，核異型の程度も内膜増殖症の程度を逸脱している．他の選択肢では，子宮体癌としては，漿液性癌と明細胞癌が鑑別にあがるが，漿液性癌・明細胞癌は乳頭状構造を示し，漿液性癌は類内膜癌よりも核異型や核分裂像が目立つ．明細胞癌の典型像は淡明な細胞質を有する．

問 25　男性生殖器

 セミノーマ/精上皮腫 seminoma
※本文参照頁(→ 651 頁)

　大型で核小体明瞭な円形核と淡明な細胞質をもつ腫瘍細胞が充実性・胞巣状に増殖し，小型リンパ球が混在する two cell pattern を認める．セミノーマの所見である．20〜50 歳代にみられる精巣の胚細胞腫瘍の約 90% を占める．組織所見や two cell pattern が確認できれば，患者年齢も併せて他の選択肢との鑑別・除外は容易であるが，高齢者の場合は，臨床的にも組織学的にも，リンパ腫（悪性リンパ腫）との鑑別が問題となる．また，実際には胎児性癌や卵黄嚢腫瘍などの他の胚細胞腫瘍を合併することがある．

問 26　脳・神経

 膠芽腫 glioblastoma
※本文参照頁(→ 685 頁)

　核腫大と多形性に富む腫瘍細胞が増殖し，細胞密度は高い．好酸性の壊死を取り囲むように索状に腫瘍細胞が配列する柵状壊死 palisading necrosis や腎臓の糸球体に類似した微小血管の血管内皮の増殖を伴った集簇 glomeruloid microvascular proliferation（問題の写真の挿入図）を認め，膠芽腫の所見である．リング状に造影される脳病変として膠芽腫は代表的ではあるが，転移性腫瘍やリンパ腫（悪性リンパ腫），炎症性疾患も含め，他の病変でもみられる．

問 27　軟部組織

 高分化脂肪肉腫
well-differentiated liposarcoma
※本文参照頁(→ 694 頁)

　背景には線維化を伴い，大小不同の脂肪細胞の増殖がみられる．線維性隔壁には，核異型や核クロマチンの増量を示す異型紡錘形細胞や大小の脂肪滴と異型核からなる脂肪芽細胞 lipoblast（問題の写真の挿入図）が認められる．高分化脂肪肉腫の所見である．高分化脂肪肉腫は中高年の大腿深部や後腹膜などに好発する．脂肪織炎，後腹膜線維症，脂肪腫は，それぞれ組織学的に類似点はあるが，異型細胞の出現が重要な鑑別点である．脱分化脂肪肉腫は，高分化脂肪肉腫と比べて脂肪細胞がほとんどみられず，紡錘形細胞が密に増殖する像を呈する．後腹膜に発生した場合は，無症状で偶発的に 20 cm を超える巨大腫瘤としてみつかることも少なくない．このため，手術で取り切ることが難しく，再発することが多い．また，高分化脂肪肉腫から悪性度の高い脱分化脂肪肉腫に進展することがある．

問 28　骨

 骨肉腫 osteosarcoma
※本文参照頁(→ 719 頁)

　多形性の強い細胞が増殖し，好酸性の不整な無構造の形成を示す類骨（再掲した問題の写真の➔）を認め，骨肉腫の所見である．臨床情報の年齢や病変部位も骨肉腫の好発年齢・好発部位と一致する．選択肢の骨腫，骨髄炎，骨折による仮骨には異型細胞はみられない．骨肉腫でも軟骨を形成することがあり，軟骨肉腫の鑑別が難しい場合があるが，軟骨肉腫は一般的に中高年者の骨盤や大腿骨などに好発し，分葉状の硝子軟骨の増殖，粘液状基質がみられ，石灰化はみられるが骨や類骨の形成はみられない．

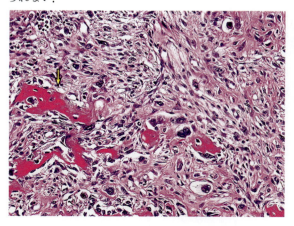

問29　皮膚

  正解 3　悪性黒色腫 malignant melanoma
※本文参照頁(➡ 752 頁)

　直径 2 cm の黒色隆起性病変で色調の薄い部分や，びらんもみられる．組織像は，表皮内から直下の真皮にメラニン色素と思われる著明な褐色色素の沈着と一部多核細胞を含む核小体明瞭な異型大型細胞が充実性に増殖している．並ぶような上皮性配列，結合性は示さない．悪性黒色腫の所見である．メラノサイト系の腫瘍のなかで最も悪性度が高い腫瘍である．鑑別として，同じメラノサイト系腫瘍の良性病変である色素性母斑(いわゆるほくろ)も，扁平ないしやや隆起する病変で黒色を示すが，まず 2 cm という大きさにはならず，色調が一様で，境界明瞭な病変である．組織学的には，異型や核分裂像を示さない母斑細胞(メラノサイト)が表皮内や真皮において小型の境界明瞭な結節を形成して増殖する像がみられる．脂漏性角化症や基底細胞癌は，メラニン色素を病変に含む場合に肉眼的に黒くみえるため，臨床的に悪性黒色腫の鑑別にあがることがある．しかし，組織像は，脂漏性角化症は異型のない有棘細胞からなるドーム状隆起を示す病変で，基底細胞癌は基底細胞様細胞が真皮内に浸潤性に増殖し，腫瘍胞巣の辺縁に柵状配列と裂隙を形成する上皮性腫瘍であり，組織像が全く異なる．

問30　皮膚

  正解 5　水疱性類天疱瘡 bullous pemphigoid
※本文参照頁(➡ 735 頁)

　自己免疫性水疱症として，鑑別にあげられる代表的疾患は尋常性天疱瘡，水疱性類天疱瘡，後天性表皮水疱症である．選択肢は，水疱を組織学的に確認した時点で，乾癬と扁平苔癬は除外され，異型がみられない点から扁平上皮癌も除外される．水疱症の鑑別点は，尋常性天疱瘡は表皮内水疱，水疱性類天疱瘡や後天性表皮水疱症は表皮下水疱を形成する点である．問題の写真では，表皮が真皮との境界部で持ち上がり(問題の写真 a)，水疱を形成し，好酸球を含む炎症細胞浸潤を水疱内や真皮浅層に認める表皮下水疱の所見である(問題の写真 b)．問題文のように表皮基底膜部の IgG や補体の沈着を蛍光抗体染色で確認する．臨床的には抗 BP180 抗体，抗 BP230 抗体の測定も重要である．

①単純五十音順によって配列した．
②先頭の文字が数字，欧文の用語は，すべて欧文索引に収めてある．略称が欧文の用語などは欧文索引も活用されたい．冠名用語に関してはカタカナ表記も和文索引に掲載した．
③「──」でつないだ用語はすぐ上の用語に続くものである．また「──，」のあとの語句は用語の補足のために付している．
④**太字**のページ数は主要説明箇所を示す．

あ

アイゼンメンジャー症候群　354
アウエル小体　314
アウエルバッハ神経叢　433, 460
アウスピッツ現象　736
アカラシア　435
アカントアメーバ　87
亜急性硬化性全脳炎(SSPE)　77, 673
亜急性甲状腺炎　591
亜急性脊髄連合変性症　683
悪液質　281
悪性関節リウマチ　124
悪性高血圧症　193, 558
悪性黒子(LM)　752
悪性黒子型黒色腫(LMM)　752
悪性黒色腫　**752**, 795
　──，口腔の　427
　──，腟の　629
　──，鼻の　380
　──の脳転移　687
悪性腫瘍の組織型　244
悪性腫瘍の命名法　241
悪性腎硬化症　194, 558
悪性線維性組織球腫　707
悪性中皮腫　411
悪性末梢神経鞘腫瘍　705
悪性リンパ腫→リンパ腫をみよ
アクチンフィラメント　13, 26
亜広汎壊死　484
顎の披裂　419
アザラシ肢症　220
アザン染色　760
アジソン病　197, **605**
足場依存性増殖　262
アショフ体(結節)　65
　──の巨細胞　63
アショフの細葉　376
アズール顆粒　37, 97, 314
アストログリア　22
アスピリンジレンマ　182
アスピリン喘息　391
アスベスト　272, 400, 411
アスベスト症　411
アスベスト小体　400
アスペルギルス症　86, 378
アゾパルディ現象　408
圧負荷　189
圧脈拍　191
アデニン(A)　207
アデノウイルス　76, 399
アデノマトイド腫瘍　655

アテローム(アテローム性プラーク，アテローム硬化性プラーク)　**342**, 343
アテローム血栓性脳梗塞　668
アテローム硬化性狭窄　344
アテローム性動脈硬化　342
アトピー性皮膚炎　731
アドレナリン　192
アナザルカ　170
アナジー　107, **109**
アナフィラキシーショック　116, 197
アナフィラクトイド紫斑病　733
アナフィラトキシン　41
アニサキス　90, 441
アフタ性口内炎　424
アフラトキシン　272, 508
アポA-1タンパク　144
アポBタンパク　144
アポE欠損症　146
アポクリン化生　615
アポクリン汗腺　613
アポクリン腺　729
アポクリン分泌　730
アポ(リポ)タンパク　144
アポトーシス　19, 275
　──，T細胞の　109
　──，肝炎の　491
アポトーシス抑制，がん遺伝子　277
アミノ酸　153
　──の分解　153
アミノ酸代謝　152
アミノ酸代謝障害，肝臓の　485
アミリン　141
アミロイド　154
アミロイドβタンパク(Aβ)　676
アミロイドAタンパク　67
アミロイドアンギオパチー(アミロイド血管症)　667
アミロイドーシス　154
　──，肝臓の　486
　──，消化管の　470
　──，腎臓の　554
　──，肺限局性の　387
　──，皮膚の　739
アミロイドカスケード仮説，Alzheimer病　678
アミロイド腫瘍，肺の　387
アミロイド腎症　554
アミロイド苔癬　739
アミロイドタンパク　154
アメーバ症　87
アメーバ性肝膿瘍　494
アメーバ赤痢　469
アラキドン酸代謝産物　43

アルコール硝子体　148
アルコール使用障害，先天異常の原因　221
アルコール性肝炎　501
アルコール性肝硬変　502
アルコール性肝障害　501
アルコール性肝線維症　501
アルコール性脂肪肝　148, 501
アルサス反応　117
アルツハイマー病　676
アルドステロン　603
アルドステロン産生腺腫　606
アルビニズム　153
アルポート症候群　218, 554
アレル　202, 216
アレルギー　116
アレルギー性紫斑病　306
アレルギー性肉芽腫性血管炎→好酸球性多発血管炎性肉芽腫症をみよ
アレルギー性鼻炎　58, 377
アレルギー反応による炎症　36
アンジェルマン症候群　237
安定狭心症　358
アンドロゲン曝露説　641

い

胃　440
異栄養性石灰化　163
異栄養性石灰化症　387
胃炎　441
　──に伴う腸上皮化生　32
異化　136
胃下垂症　441
胃癌　448
　──の疫学　283
異型カルチノイド　408
異型狭心症　358
異型結節(DN)　508
異型脂肪腫様腫瘍　694
異形成　246
　──，喉頭の　380
異型性　246
異型肺炎　83
医原性癌　283
移行上皮癌　245
移行帯　630
遺残　222
萎縮　31
萎縮性胃炎　31
胃小窩　440
異常ヘモグロビン症　233
胃静脈瘤　441
異常癒合　221

移植　110
移植腎　564
胃食道逆流症（GERD）　436
移植片対宿主反応（GVHR）　110
移植片対宿主病（GVHD）　20, **111**
異所性胃粘膜　434, 458
異所性胸腺　413
異所性甲状腺組織　589
異所性膵　222, 440, 458, 520
異所性臓器　411
異所性妊娠　646
異数体，染色体数の　206, 268
胃生検　455
胃腺腫　448
異染性白質ジストロフィー　682
一塩基置換　212
一系統異形成を伴う骨髄異形成症候群（MDS-SLD）　309
一次リンパ組織　107
胃腸管嚢胞　412
胃腸管のショック　198
一酸化炭素中毒　684
一酸化窒素（NO）　45, 193
一酸化窒素合成酵素（NOS）　45
胃底腺　440
胃底腺型腺癌　454
胃底腺ポリープ　446, **447**
遺伝暗号　207
遺伝形質　202
遺伝子　202, 207
　——の組換え　212
　——の構造　210
　——の量的効果　212
遺伝子異常　220
遺伝子型　216
遺伝子座　208
遺伝子増幅，がん遺伝子の活性化　277
遺伝子地図　208
遺伝子発現　210
遺伝情報の組換え　203
遺伝性運動感覚ニューロパチー　688
遺伝性家族性アミロイドーシス　367
遺伝性球状赤血球症　299
遺伝性疾患　202
遺伝性出血性毛細血管拡張症　306
遺伝性腎症　554
遺伝性トランスサイレチンアミロイドーシス　154, 688
遺伝性乳癌卵巣癌症候群（HBOC）　157, 619, 642
遺伝性非ポリポーシス大腸癌（HNPCC）　158, 278, 475
遺伝的異常を伴う急性骨髄性白血病　315
遺伝病　217
伊東細胞　481
イニシエーション，発がんの　271
イヌ糸状虫症　399
胃粘膜　440
　——，異所性　434
異物型（多核）巨細胞　63, 396
異物型肉芽腫性炎　651
異物肉芽腫　63, **66**, 739
　——，乳腺の　614

胃蜂窩織炎　441
胃ポリープ　446
イマチニブ　260, 457
イムノブロット法　214
イレウス　463
いわゆる乳腺症　615
陰窩　460
印環細胞癌，胃の　452, 790
インキンタムシ　85
陰茎　660
陰茎癌　661
インスリノーマ　610
インスリン　137, 609
　——と血糖調節障害　140
　——と脂質代謝　140
インスリン依存性　138
インスリン産生細胞　520, 609
インスリン抵抗性　139
インターフェイス肝炎　491
インターフェロン　490
インターロイキン（IL）-1　45
インテグリン　26, 28
咽頭結膜熱　76
イントロン　208
イントロン-エクソン結合部変異　212
院内肺炎　394
陰嚢　660
陰嚢腫瘍　661
インヒビン　655
インフラマソーム　102
インフルエンザウイルス　76, 398
インフルエンザ菌　394
インフルエンザ脳症　674

う

ウィスコット-オルドリッチ症候群　128, 305
ウィップルの三徴　610
ウィップル病　462
ウィリス動脈輪　666
ウイルス　70
　——，腫瘍　272
ウイルス感染症　73
　——，口腔粘膜の　422
　——，中枢神経系の　672
ウイルス性がん遺伝子（v-onc）　275
ウイルス性肝炎　488
ウイルス性髄膜炎　672
ウイルス性肺炎　398
ウイルス性疣贅　740
ウイルス様顆粒　550
ヴィルズング管　520
ウィルソン病　486
ウィルヒョウ　6, 153
ウィルヒョウ転移　454
ウィルムス腫瘍　568
ウェゲナー肉芽腫症→多発血管炎性肉芽腫症をみよ
ヴェサリウス　4
ウェスターマーク徴候　184
ウェスタン法　214
ウェステルマン肺吸虫　**91**, 399

ウェルシュ菌→*Clostridium perfringens*をみよ
ウェルナー症候群　278
ウェルニッケ-コルサコフ症候群　683
ウェルニッケ脳症　683
ウェルマー症候群　611
ウォーターハウス-フリーデリクセン症候群　198, 605
ウォルフ管　649, 656
ウシ海綿状脳症（BSE）　92
齲蝕　420
右心不全　190
渦巻状　721
打ち抜き像　723
打ち抜き様潰瘍　124, 467
うっ血　169
うっ血肝　487
うっ血性肝硬変　487, 488, 496
うっ血性肝腫大　190
うっ血性心不全　173, 191
うっ血性脾腫　190
うっ滞　47
うっ滞性乳腺炎　614
羽毛様変性　485
ウロキナーゼ　181
ウロビリノーゲン　160
運搬 RNA（tRNA）　210

え

エイズ　78
衛星細胞壊死　732
エイムズ試験　270
栄養膜細胞　647, 653
エヴァンス症候群　300
エーラス-ダンロス症候群　155, 233
液状検体処理法（LBC）　258
液状変性，表皮基底膜の　738
液性免疫　94
エキノコックス　91, 399, 494
エクソン　208
エクリン腺　729
エコノミークラス症候群　182, 385
壊死　18
壊死性炎症反応　490
壊死性筋膜炎　691
壊死性血管炎　733
壊死性コア　343
壊死性歯周疾患　423
壊死性膵炎　522
エストロゲン　618, 627
壊疽　184
壊疽性炎　62
壊疽性口内炎　423
壊疽性虫垂炎　479
エタノール中毒　684
エナメル質　417
エナメル上皮腫　426
エピゲノム　237
エピジェネティクス　237
エピデルモフィトン属　85
エフェクター細胞　108
エフェクター細胞傷害性 T 細胞（CTL）

エプスタイン-バーウイルス（EBV）
　　　　　74, 272, 304, 322, 379
エラスチカ・ワンギーソン van Gieson
　（EVG）染色　760
エリスロポエチン（EPO）　288
エリスロポエチン産生　538
エリテマトーデス　737
塩基　207
塩基除去修復　157
炎症　34
　── にかかわる細胞　36
　── の全身への影響　66
炎症細胞浸潤　37
炎症性 DCM（iDCM）　364
炎症性角化症　736
炎症性偽腫瘍，肝臓の　513
炎症性偽腫瘍，乳腺の　614
炎症性筋線維芽細胞腫　403
炎症性疾患，皮膚の　731
炎症性線維性ポリープ　448
炎症性腸疾患（IBD）　463
炎症性乳癌　624
炎症性腹部大動脈瘤　346
炎症性浮腫　58
炎症性メディエータ　27
延髄　663
円柱細胞乳頭腫　379
エンテロウイルス属　423
エンドサイトーシス　11
エンドセリン（ET）　193
エンドソーム　11
エンドトキシンショック　101
エンベロープ　70

お

横隔膜ヘルニア　441
　── に合併する肺低形成　381
横顔裂　419
横溝　482
黄色肉芽腫　739
黄色肉芽腫性腎盂腎炎　562
黄色肉芽腫性胆嚢炎　516
黄色ブドウ球菌　395, 713, 728
　──，スーパー抗原　105
黄体形成ホルモン（LH）　581
黄疸　160, 484
オウム病　84
オウム病クラミジア　399
横紋筋芽細胞　700
横紋筋性腫瘍　700
横紋筋肉腫　700
　──，鼻の　380
大型血管炎　350
オートクリン　27
オートファジー　22
オーラルフレイル　431
緒方洪庵　6
オカルト癌　243, 660
オステオン　709
オスラー-ウェーバー-ランデュ病　306
おたふくかぜ　428
オプソニン化　50
オプソニン作用　102

オムツかぶれ　731
オリーブ橋小脳萎縮症　680
オリエ病　717
オリゴヌクレオチド　214
オルブライト遺伝性骨ジストロフィー
　　　　　601
オンコサイトーマ，腎臓の　569
温式抗体　300

か

ガードナー症候群　692, 696
カーニー複合体　371, 606
カーリング潰瘍　198, 444
外陰　627
外陰炎　627
外陰部上皮内腫瘍（VIN）　628
回帰熱ボレリア　84
回帰発作　74
外向性乳頭腫　379
外骨腫　716
外傷性骨折　713
外傷性脂肪壊死，乳腺の　614
外歯瘻　420
海水着型母斑　751
疥癬　91
回虫症　90
回腸　459
改訂シドニー分類　442
解糖　137
解糖系　137
開放性潰瘍　445
外方性尿路上皮乳頭腫　575
外膜　339
界面活性物質，肺の　376
海綿骨　709
海綿状血管腫，肝臓の　511
海綿状態　731
潰瘍　61
　──，口腔粘膜の　424
　──，皮疹　730
潰瘍性大腸炎（UC）　464
カイロミクロン（CM）　144
カイロミクロンレムナント（CMR）　144
下咽頭梨状窩瘻　591
カウデン病　478
カウンシルマン小体　483
過栄養性脂肪肝　147
化学性胃炎　443
化学走性　26
化学伝達物質　35
化学発がん　270
化学発がん物質　271
化学物質による肺病変　401
芽球化　39
芽球増加を伴う骨髄異形成症候群（MDS-
　EB）　310
架橋壊死　484
核　12
核黄疸　161
角化　245
角化細胞　729
角化症，炎症性　736
顎下腺　428

核型　204
顎関節症　431
核ゲノム　207
顎口蓋裂　419
顎口腔領域の腫瘍　426
顎骨内病変　420
核酸　155
核酸代謝異常　155
角質層，食道の　434
核小体　12
隔絶抗原　120
拡張型心筋症（DCM）　364
拡張期血圧　167, 191
獲得免疫系　94
　── を構成する細胞　98
核内調節，がん遺伝子　277
顎嚢胞　421
核膜　12
核膜孔　12
過形成　30
過形成性細動脈硬化　341
過形成性瘢痕　24
過形成性ポリープ（HP）
　　　　　31, 446, 447, 454, 458, 471
鵞口瘡　423
過誤腫　243, 448
過誤腫性ポリープ　471
仮骨　713
カサバッハ-メリット症候群　181
過酸化脂質　15
加湿器肺　401
下肢閉塞性動脈硬化症，糖尿病による
　　　　　142
過剰歯　419
下唇裂　418
下垂体　581
　── の炎症性疾患　584
下垂体癌　586
下垂体機能低下症　583
下垂体茎　581
下垂体細胞　582
下垂体細胞腫　586
下垂体腫瘍　584
下垂体腺腫（下垂体神経内分泌腫瘍）
　　　　　584, 686
下垂体卒中　584
下垂体低形成　583
下垂体無形成　583
ガス壊疽　62, 80
ガス交換　376
ガストリノーマ　459, 610
化生　32
仮性クループ　378
仮性半陰陽　229
仮性びらん，子宮頸部の　629
かぜ症候群　377
家族性Ⅲ型脂質異常症　146
家族性アミロイドポリニューロパチー
　（FAP）→遺伝性トランスサイレチンア
　ミロイドーシスをみよ
家族性高コレステロール血症（FH）
　　　　　146, 231
家族性甲状腺髄様癌（FMTC）　598

家族性高トリグリセリド血症　146
家族性大腸腺腫症(ポリポーシス)(FAP)
　　　　　　　　　　　278, 475, **477**
　　──に合併する甲状腺癌　596
　　──の胃病変　447
家族性地中海熱　131
家族性乳癌　278, 619
家族性乳癌卵巣癌　660
下大静脈症候群　189
カタル性胃炎　441
カタル性炎　58
カタル性胆嚢炎　516
カタル性虫垂炎　479
滑液　725
滑液包炎　691
喀血　175
褐色萎縮　31, 483
褐色硬化　170
褐色細胞腫　196, 607
褐色腫　713
活性化誘導型細胞死　109
活性酸素種　15
滑脳症　665
滑膜　725
滑膜性骨軟骨症　717
滑膜性軟骨腫症　717
滑膜肉腫　707
滑面小胞体(sER)　10
括約血管　168
カテコールアミン　192, 603
可動関節　725
カドヘリン　28
カドミウム　272
過粘稠症候群　318
化膿性炎　59
化膿性関節炎　728
化膿性肝膿瘍　495
化膿性胸膜炎　410
化膿性股関節炎　714
化膿性骨髄炎　713
化膿性胆嚢炎　516
化膿性肉芽腫　739
化膿性膜　61
カハール介在細胞　456
痂皮　59
痂皮化炎　59
過敏症　36
過敏性肺臓炎　117
過敏反応　116
カフェ・オ・レ斑　687
カプシド　70
カプラン症候群　402
花粉症　377
貨幣状湿疹　731
可変領域　106
過膨張　389
カポジ肉腫　750
カポジ肉腫関連ヘルペスウイルス　750
ガマ腫　424
鎌状赤血球症　159, 233, 299
ガムナ-ガンディ小体　170
仮面様顔貌　738
カリクレイン-キニン系　192

ガリヤス-ブラーク染色　664
顆粒球　**37**, 97, 291
顆粒球コロニー刺激因子(G-CSF)　44
顆粒球マクロファージコロニー刺激因子
　(GM-CSF)　44
顆粒細胞腫, 食道の　439
顆粒膜細胞腫　645, 655
カルシウム代謝　538
カルシウム代謝障害　161
カルシトニン　162, 588
カルタゲナー症候群　383
カルチノイド腫瘍　192
　　──, 胃の　453
　　──, 十二指腸の　459
　　──, 大腸の　476
　　──, 肺の　408
カルンケル　574
加齢性石灰化大動脈弁　369
ガレノス　4, 35
川崎病　350
がん　240
　　──の遺伝性　269
　　──の疫学　281
　　──の進展　255
　　──の多中心性発生　274
　　──の単中心性発生　274
　　──の転移　265
　　──の免疫逃避　115
　　──の免疫療法　280
　　──の予防　283
肝移植の病理　513
がん遺伝子　275
　　──の活性化機構　277
　　──の分類　275
肝うっ血　170
肝炎, アルコール性　501
肝炎ウイルス　488
　　──による肝細胞癌　508
管外増殖性糸球体腎炎　547
肝外胆管　514
肝外胆管癌　518
肝外門脈閉塞症(EPO)　487
感覚器　755
肝芽腫　511
肝癌　503
　　──の疫学　283
　　──の腫瘍マーカー　508
がん幹細胞仮説　250, 274
がん関連遺伝子, 乳癌の　619
換気　376
間期　202
肝吸虫症　494
肝吸虫による肝硬変　498
ガングリオン　691
間欠性跛行　185, 344
がんゲノム医療　259
がん原遺伝子　275
汗孔角化症　743
汗孔癌　747
汗孔腫　747
肝硬変　487, **495**
　　──, C型慢性肝炎から　493

　　──, アルコール性　502
　　──に伴う門脈圧亢進症　188
　　──の分類　495
感作　116
癌臍　511
幹細胞　25
肝細胞癌(HCC)　498, 504, 790
肝細胞腺腫　503
含歯性嚢胞　421
カンジダ　85, 436
　　──, 口腔　423
カンジダ外陰炎　627
間質性肺炎　392
間質性浮腫性膵炎　522
間質性膀胱炎　573
肝紫斑病　488
癌腫　241
肝障害, 薬物性　502
管状絨毛腺腫, 大腸の　472
管状腺癌, 胃の　789
管状腺癌, 大腸の　790
管状腺腫
　　──, 胃型　448
　　──, 大腸の　472, 790
　　──, 腸型　448
環状染色体　206
環状鉄芽球　309
環状鉄芽球を伴う骨髄異形成症候群
　(MDS-RS)　310
肝静脈閉塞症　488
肝小葉　481
癌真珠　407, 427, 438, 793
がん随伴(関連)マクロファージ(TAM)
　　　　　　　　　　　　　　114
癌性胸膜炎　410
癌性脳症　684
癌性腹膜炎　454
肝性ポルフィリン症　485
癌性リンパ管症　454
関節　725
　　──の腫瘍　728
関節軟骨　725
関節包　725
関節リウマチ(RA)　117, 124, 726
汗腺　729
頑癬　85
肝線維症　496
　　──, アルコール性　501
感染症　70
　　──, 炎症の原因　35
　　──, 口腔粘膜の　422
　　──, 骨の　713
　　──, 腎臓の　560
　　──, 中枢神経系の　672
　　──, 軟部組織の　691
　　──, 皮膚の　740
感染症の予防及び感染症の患者に対する医
　療に関する法律(感染症法)　72
感染性胃炎　441
感染性関節炎　728
感染性食道炎　436
感染性心内膜炎　371
感染性腸炎　468

感染性肺炎　394
感染性腹部大動脈瘤　346
完全大血管転位症(TGA)　357
完全治癒　52
肝臓　481
　──の寄生虫疾患　494
　──の梗塞　186
　──の再生　484
　──の脂肪化　484
　──の腫瘍　503
　──の循環障害　487
　──の代謝障害　484
癌胎児性抗原(CEA)　268, 509
癌治療関連心筋障害　367
冠動脈イメージング　344
肝動脈化学塞栓術(TACE)　186
肝動脈系の循環障害　488
冠動脈硬化症　195
肝動脈塞栓術(TAE)　186
癌取扱い規約分類　259
肝内結石症　500
管内増殖性糸球体腎炎　545
肝内胆汁うっ滞　485
癌肉腫，子宮体癌　639
癌肉腫，食道の　439
間脳　663
肝膿瘍　495
肝のショック　199
肝脾腫　311
がん不均一性　255
肝副葉　482
肝不全　514
貫壁性梗塞　358, 787
汗疱　731
汗疱状白癬　85
がん免疫サイクル　114
がん免疫編集説　112
顔面の披裂　419
肝葉萎縮　482
間葉系腫瘍　748
間葉上皮転換(MET)　266
間葉性腫瘍，子宮体癌　639
肝様腺癌　453
がん抑制遺伝子　234, 277
　──の不活化機構　278
乾酪壊死　19, 62, 81, 788
乾酪壊死性肉芽腫　715
肝類洞　482
寒冷凝集素症(CAD)　300

キアリ奇形　665
奇異性塞栓症　182, 355
偽遺伝子　211
気管　375
　──の形成異常　377
気管気管支アミロイドーシス　387
気管狭窄　377
器官形成期　219
気管支　375
気管支炎　390
気管支拡張症　390
気管支原性嚢胞　382, 412, 434

気管支喘息　37, 117, 391
気管支肺異形成　388
気管支肺炎　391
気管支肺胞洗浄(BAL)　387
気管食道瘻　377, 434
気胸　410
菊池-藤本病　323
奇形→先天異常および形成異常をみよ
奇形腫(テラトーマ)　242
　──，精巣の　654
キサンチン　155
義歯性潰瘍　424
義歯性線維腫　427
器質化　53
器質化肺炎　392
騎乗栓子　183
寄生体　225
寄生虫疾患，肝臓の　494
寄生虫症　90
寄生虫性肝硬変　498
寄生虫に対する炎症　37
寄生虫による肝細胞癌　508
偽性副甲状腺機能低下症　601
偽足，白血球の　50
偽痛風　727
基底細胞癌　745
基底細胞上皮腫　745
基底細胞母斑症候群　422
基底層，食道の　434
基底膜　339
亀頭包皮炎　660
キニン類　41, 192
機能障害　35
機能性腺腫　686
機能層，食道の　434
機能的小葉(機能的細葉)の概念　481
偽ペルゲル-フェット核異常　309
偽ポリープ　465
偽膜性炎　59
偽膜性大腸炎　468
偽膜性腸炎　79
キメラ　206
逆位　206, 212
逆説的過形成　606
逆説的塞栓症　182
逆転写酵素　214
逆流症　368
逆流性食道炎　436
逆行性回腸炎　464
キャッスルマン病　412
キャッスルマンリンパ腫　324
キャップ構造　211
キャップスラードロップ　554
吸収不良症候群　462
丘疹　730
嗅神経芽腫　379
求心性肥大　189
急性胃拡張　441
急性胃粘膜病変(AGML)　441
急性ウイルス肝炎　490
急性炎症　34, 46
　──の形態像　58
急性灰白髄炎　673

急性化膿性甲状腺炎　591
急性化膿性骨髄炎　713
急性化膿性乳腺炎　614
急性間質性肺炎(AIP)　393
急性冠症候群　180, 344, 358
急性気管支炎　390
急性期タンパク　67
急性偽膜性カンジダ症　423
急性巨核芽球性白血病(AMKL)　315
急性抗体関連型拒絶，移植腎の　565
急性喉頭炎　378
急性喉頭蓋炎　378
急性硬膜外血腫　671
急性硬膜下血腫　671
急性呼吸窮迫症候群(ARDS)　394
急性骨髄性白血病(AML)　307, 313
　──，遺伝的異常を伴う　315
急性骨髄単球性白血病(AMMoL)　314
急性細気管支炎　390
急性散在性脳脊髄炎　672, 682
急性縦隔炎　412
急性絨毛羊膜炎　647
急性循環不全　191
急性食道炎　436
急性腎盂腎炎　560
急性腎炎症候群　539
急性心筋梗塞　787
急性心血管イベント　344
急性進行性腎炎症候群　539
急性腎不全　539
急性膵炎　522
急性ストレス性潰瘍　444
急性声門下喉頭炎　378
急性単芽球/単球性白血病(AMoL)　314
急性胆嚢炎　516
急性虫垂炎　479
急性動脈閉塞　345
急性乳腺炎　614
急性尿細管傷害・壊死(ATI/ATN)　198, 560
急性熱性好中球性皮膚病　732
急性鼻炎　377
急性副腎機能不全　605
急性副鼻腔炎　377
急性プラーク変化　344
急性閉塞性化膿性胆管炎　516
急性膀胱炎　573
急性リウマチ熱　369
急性リンパ芽球性白血病(ALL)　307, 316
吸虫感染症　90
キュットネル腫瘍　429
橋　663
凝固異常　307
凝固壊死　19
凝固系　176
凝固血栓　178
狭窄症　368
狭心症　186, 358
胸水　410
行政解剖　8
胸腺　108
　──の病変　413
胸腺過形成　413

胸腺癌　414
胸腺腫　414
胸腺神経内分泌腫瘍　414
胸腺低形成症候群　129
胸腺様分化を示すがん(CASTLE)　599
蟯虫症　90
共通骨髄系前駆細胞(CMP)　288
共通リンパ系前駆細胞(CLP)　288
強皮症　123, 738
強皮症腎クリーゼ　123, 558
胸腹部結合体　224
胸部結合体　224
胸部大動脈瘤　347
胸膜腔　410
莢膜細胞腫，卵巣の　645
莢膜細胞腫-線維腫群腫瘍　655
胸膜腫瘍　411
胸膜の病変　410
胸膜斑　401, 411
共優性　216
巨核球　291
局面，皮疹　730
棘融解　734
虚血　14, 184
虚血性心筋症　361
虚血性心疾患(IHD)　358
虚血性組織傷害　185
虚血性大腸炎　462
虚血性腸疾患　462
巨細胞性肝炎　494
巨細胞性心筋炎　363
巨細胞性動脈炎　350
鋸歯状腺腫，大腸の　472
鋸歯状病変，大腸の　471
鋸歯状病変，虫垂の　480
巨人症　222, 585
去勢抵抗性前立腺癌(CRPC)　660
巨赤芽球性貧血　297
巨舌症　419
拒絶反応，肝移植の　513
拒絶反応，臓器移植の　110
巨大児　221
巨大色素性母斑　751
巨大タンパクの沈着症・異常症　154
巨大リンパ節過形成　324
ギラン-バレー症候群　117, 126, 688
切り出し　758
起立性低血圧　196
筋萎縮性側索硬化症　681
菌塊　86
筋球体　378
筋強直性ジストロフィー　233
菌血症　61
筋原線維　353
菌交代現象　73
筋ジストロフィー　232
筋疾患　689
菌状息肉症　753
近親婚　218
筋性血管　168
筋性動脈　339
筋節サルコメア　353
筋線維芽細胞　24

筋肉内脂肪腫　693
筋肉内粘液腫　707
銀白色雲母状鱗屑　736
キンメルスティール-ウィルソン結節
　　142, 553, 791
キンメルスティール-ウィルソン症候群
　　553

く

グアニン(G)　207
クイノーの区域分類　481
クインケ水腫　172
クインケ浮腫　731
空気質血管　168
空気塞栓症　183, 385
空腸　459
空調肺　401
偶発症　243, 660
空胞変性，表皮基底膜の　738
クールー　92
クエン酸回路　137
クスマウル-マイアー病　733
クッシング潰瘍　444
クッシング症候群　585, 605
クッシング病　585, 605
グッドパスチャー症候群
　　117, 127, 384, 540, 547
クッパー細胞　39, 481, 491
クボステック徴候　601
組換え　203, 212
くも膜　664
くも膜下出血　174, 195, 667
クラインフェルター症候群　204, 229
グラヴィッツ腫瘍　566
クラススイッチ　107
クラブ細胞　376
グラフト　110
クラミジア　83, 399, 627
グラム陰性桿菌感染症　80
グラム陰性球菌感染症　80
グラム陽性桿菌感染症　79
グラム陽性球菌感染症　79
グリア細胞　663
グリア瘢痕　22
グリオーシス　663
クリオグロブリン　352
クリオグロブリン血症性血管炎　352
クリグラー-ナジャー症候群　161
グリケーション　140
グリコーゲン　137
グリセロリン脂質　144
グリソン鞘　481
グリソン分類　658
クリック　207
クリプトコッカス腫　397
クリプトコッカス症　86
クリューヴァー-バレラ染色　664, 760
クルーク細胞腺腫　585
クルーク変性　583
クルーケンベルグ腫瘍　252, 454, 645
クループ性炎　59
グルカゴノーマ　610
グルカゴン　609

グルカゴン産生細胞　520, 609
グルクロン酸抱合　159
グルコース-6-リン酸脱水素酵素(G6PD)
　　欠損症　299
グルコース輸送担体(GLUT)　140
クルシュマンらせん体　391
グルテン過敏性腸疾患　462
くる病　163, 712
グレーヴス病　127, 590
クレチン顔貌　589
クレチン症　589
クレブシエラ　395
クローン性造血　308
クローン病(CD)　466
クロイツフェルト-ヤコブ病(CJD)　92
　　――，孤発性　675
クロウ-深瀬症候群　324
グロコット染色　760
クロストリジウム感染症　79
クロスプレゼンテーション　105
グロビン　159
クロマチン　12
クロム　272
クロム親和性細胞　603
グロムス腫瘍　704
クロンカイト-カナダ症候群　448, 479
クワシオルコル　148

け

頸管閉鎖　628
経気道感染　72
経口感染　72
蛍光抗体法　761
軽鎖(L鎖)　106
形質細胞　36, 39, 108
形質細胞腫瘍　317
形質細胞性骨髄腫　787
形質細胞性乳腺炎　614
痙縮性膀胱　580
形成異常　218
形成異常スクリーニング，妊娠中の　226
系統解剖　8
軽度扁平上皮内病変(LSIL)　632
経尿道的前立腺切除術(TUR-P)　658
珪肺結節　400
珪肺症　400
経皮感染　72
経皮的冠動脈インターベンション後の冠動
　　脈　344
外科病理学　4
外科病理実習　757
劇症型溶血性連鎖球菌感染症　79, 105
劇症肝炎　488, 492
下血　175
血圧　191
血圧調節　538
血液　288
血液型不適合輸血　301
血液凝固因子　176
血液凝固系XII因子　41
血液形態検査　293
血液検査　292
血液細胞　36

血液循環　166
血液精巣関門　655
結核　81, 788
　──, 口腔　423
　──, 腎　562
　──, 腸　468
　──, 皮膚　739
結核疹　739
結核性関節炎　728
結核性骨髄炎　715
結核性髄膜炎　674
結核性脊椎炎　715
結核性肉芽腫　65
血管　339
　──の病変　341
血管　184, 349, 733
　──に関連した肺胞出血　384
血管芽腫　686
血管奇形　703
血管筋脂肪腫, 肝臓の　512
血管筋脂肪腫, 腎臓の　569
血管作動性アミン　40, 192
血管作動性物質　40, 193
血管弛緩因子(EDRF)　193
血管腫　703
血管収縮因子(EDCF)　193
血管障害　306
　──, 高血圧性　195
血管神経性水腫　172
血管新生　23, 40, 57
　──, 腫瘍細胞の　264
血管性・血管周皮性腫瘍　703
血管透過性亢進にかかわるケミカルメディエータ　40
血管透過性亢進のメカニズム　47
血管内凝固　180
血管内超音波(IVUS)　344
血管内皮細胞　37, 40, 193
血管内皮細胞増殖因子(VEGF)　26, 44, 264
血管肉腫
　──, 肝臓の　512
　──, 心臓の　372
　──, 軟部組織の　704
　──, 皮膚の　749
血管浮腫　731
血管迷走神経反射　196
血管免疫芽球性T細胞リンパ腫　334
血管攣縮性狭心症　358
血球系細胞　36
血球貪食症候群(HPS)　304, 336
血胸　410
血行性転移　252
　──, 胃の　455
結合組織病　736
欠失　212
血腫　174
血漿　292
血小板　36, 39, 176
血小板活性化因子(PAF)　44
血小板機能異常　305
血小板系異常　305
血小板減少症　305

血小板産生低下　305
血小板増加症　305
血小板無力症　305
血小板由来成長因子(PDGF)　26
欠如歯　419
血清　292
血清病　117
結石　572
結節, 皮疹　730
結節型黒色腫(NM)　752
結節性アミロイドーシス, 肺の　387
結節性偽痛風　727
結節性筋膜炎　696
結節性硬化症　687
結節性紅斑　740
結節性再生性過形成　513
結節性多発動脈炎(PN/PAN)(結節性動脈周囲炎, 結節性汎動脈炎)　351, 555, 733
結節性リンパ球優位型 Hodgkin リンパ腫　335
血栓　39, 176
血栓症　176
　──の治療と予防　181
血栓性血小板減少性紫斑病(TTP)　306, 557
血栓性微小血管症(TMA)　306, 557
血栓塞栓症　182
血中の尿素窒素濃度　153
血島　292
血糖調節障害, インスリンと　140
血尿　538, 578
血餅　292
血友病　175, 235, 307
血友病A　227
血露現象　736
ケトアシドーシス　141
ゲノム　207
ゲノムDNA　202
ゲノムインプリンティングに関連する遺伝性疾患　237
ゲフィチニブ　260
ケミカルメディエータ　35, 40
　──, 血管透過性亢進にかかわる　40
　──, 組織傷害作用をもつ　44
　──, 疼痛にかかわる　45
　──, 白血球遊走促進の　44
　──, 発熱にかかわる　45
ケラトアカントーマ　744, 745
ケルクリング襞　457
ケルスス　34
ゲルストマン-シュトロイスラー-シャインカー症候群(GSS)　92
ゲル/ゾル変換　48
ケロイド　24
ゲロタ筋膜　535
減圧症　183
牽引性憩室　435
限界板　491
嫌気性呼吸　137
限局性強皮症　738
限局性結節性アミロイドーシス　739
限局性結節性過形成(FNH)　513

限局性脂肪化　513
限局性中皮腫　411
原始心臓管　353
原始生殖細胞　649
腱鞘炎　691
腱鞘巨細胞腫　700, 728
減数分裂　203
限性遺伝　218
原生動物　72
原虫　72
原虫症　87
原発性アメーバ性髄膜脳炎　87
原発性アルドステロン症　194, 606
原発性硬化性胆管炎(PSC)　499
原発性/骨髄腫合併アミロイドーシス　554
原発性骨髄線維症(PMF)　313
原発性色素性小結節性副腎疾患(PPNAD)　606
原発性糸球体病変　542
原発性胆汁性胆管炎(PBC)　500
原発性免疫不全症　128
顕微鏡観察　762
顕微鏡的血尿　538
顕微鏡的多発血管炎(MPA)　352
　──の肺胞出血　384

こ

コイロサイト　76
コイロサイトーシス　740
抗GBM抗体(抗基底膜抗体)　384
抗GBM病　547
高IgM症候群　129
好塩基球　36, 39, 97
好塩基球増多症　303
口蓋垂裂　419
口蓋裂　221, 419
抗核抗体(ANA)　120
膠芽腫　794
　──, IDH野生型　685
硬化性糸球体腎炎　549
硬化性縦隔炎　412
硬化性肺胞上皮腫　403
硬癌　244, 450
抗がん剤による免疫不全　132
交感神経系傍神経節腫　607
広基性鋸歯状腺腫/ポリープ(SSA/P)　471
好気性呼吸　137
抗基底膜抗体(抗GBM抗体)　384
抗菌薬, 先天異常の原因　221
口腔　417
　──の加齢　431
口腔カンジダ症　423
口腔結核症　423
口腔潜在的悪性疾患(OPMDs)　426
口腔粘膜感染症　422
口腔粘膜病変　422
高血圧　193
高血圧性血管障害　195
高血圧性心疾患　195
高血圧性腎障害　195
高血圧性脳血管障害　195
高血圧性脳出血　667

高血圧性脳症　195
高血圧性網膜症　194
抗原　94
抗原受容体　94
抗原処理　104
抗原提示，MHCによる　103
抗原提示細胞　39
膠原病　119, 736
　──に合併する肺病変　402
　──に伴うリンパ節症　323
抗好中球抗体による糸球体基底膜傷害　540
抗好中球細胞質抗体（ANCA）　547
孔細胞　730, 748
膠細胞　663
絞窄肝　482
交差性塞栓症　182
交差反応性B細胞の活性化機構　121
好酸球　36, 37, 97
好酸球減少症　303
好酸球性胃炎　444
好酸球性食道炎　436
好酸球性心筋炎　362
好酸球性多発血管炎性肉芽腫症（EGPA）　352
　──の肺胞出血　384
好酸球性肉芽腫→炎症性線維性ポリープをみよ
好酸球性副鼻腔炎　377
好酸球増多症　66, 303
抗酸菌　739
抗酸菌感染症　81
好酸性細胞型濾胞腺腫　593
好酸性小体　732
好酸体　483, 490
抗糸球体基底膜抗体病　352
高脂血症　146
鉱質コルチコイド　603
膠質浸透圧　170
膠腫　684
恒常性　136
溝状舌　419
甲状舌管嚢胞　588
甲状腺　587
　──の穿刺吸引細胞診（FNAC）　593
　──の乳頭癌　594
　──ベセスダシステム　593
甲状腺癌　593
甲状腺機能亢進症　589
甲状腺機能低下症　589
甲状腺クリーゼ　589
甲状腺原基　587
甲状腺刺激ホルモン（TSH）　581
甲状腺腫　592
甲状腺腫瘍　592
甲状腺腺腫　593
甲状腺中毒症　589
甲状腺低形成　588
甲状腺内胸腺腫（ITET）　599
甲状腺無形成　588
口唇裂　418
腔水症　170
硬性下疳　84, 660

光線角化症　743
構造異型　246
梗塞　184
　──, 各臓器の　186
拘束型心筋症　366
梗塞後心室リモデリング　361
抗体依存性細胞媒介性細胞傷害（ADCC）　117, 280
抗体産生不全症　129
抗体のアイソタイプ　106
抗体の多様性　106
高窒素血症　153, 539
膠着　47
膠着血栓　178
好中球　36, 37, 97
　──の機能異常　303
好中球アルカリホスファターゼスコア　302
好中球異常　302
好中球減少症　130, 303
好中球増多症　66, 302
好中球プール　291
鉤虫症　90
後腸　433
後天性凝固障害　307
後天性多発性囊胞腎（ACDK）　564
後天性免疫不全症候群（AIDS）　78, 132
喉頭潰瘍　379
喉頭気管気管支炎　378
喉頭結核　378
喉頭結節　379
喉頭ジフテリア　378
喉頭軟弱症　377
喉頭乳頭腫　380
喉頭の異常　377
高度扁平上皮内病変（HSIL）　632
高トリグリセリド血症　146
高尿酸血症　156, 727
高拍出性心不全　189
高発がん家系　234
紅斑　730
広汎壊死　484
紅斑症　732
紅板症　426
紅斑性カンジダ症　423
紅斑性狼瘡（LE）　737
後鼻孔閉鎖　377
高比重リポタンパク（HDL）　144
紅皮症　733
後負荷　189
高分化管状腺癌　451
高分化脂肪肉腫　694, 794
合胞体性栄養膜細胞　647, 653
硬膜　664
硬膜外血腫　671
硬膜下血腫　671
抗ミュラー管ホルモン　649
後毛細血管細静脈（PCV）　730
肛門周囲静脈叢　188
膠様物質　732
膠様変性　318
高リポタンパク血症　146
抗リン脂質抗体症候群　123

誤嚥性肺炎　394, **395**
ゴーシェ細胞　151
ゴーシェ病　151, 234, 320
コール-エクスナー小体　645, 655
コーンハイム　35
小型血管炎　351
呼吸器　375
呼吸細気管支　375
呼吸細気管支炎を伴う間質性肺疾患（RB-ILD）　393
コクサッキーウイルス　399
　──A群　423
黒子　751
コクシジオイデス症　398
黒色壊死　184
黒色真菌症　85
コケイン症候群（CS）　157
古細菌　71
孤在性キャッスルマン病　324
個細胞壊死　732, 744
骨　709
　──の感染症　713
　──の腫瘍　715
　──の代謝性疾患　711
　──のリモデリング　162, 709
骨悪性線維性組織球腫　723
骨壊死　713
骨化　710
骨改築　709
骨芽細胞　709
骨芽細胞腫　718
骨幹　709
骨・関節病変，血液透析による　727
骨幹端　709
骨基質　709
骨枢　714
骨吸収　162
骨吸収抑制　588
骨棘　725
骨巨細胞腫　721
骨形成　162, 709
骨形成性腫瘍　718
骨形成不全症　163, 711
骨系統疾患　711
骨好酸球性肉芽腫　723
骨構造単位　709
骨梗塞　713
骨細胞　709
骨質　709
骨腫瘍　715
　──, 転移性　724
骨髄　107, 709
　──の微小環境　290
骨髄異形成症候群/骨髄増殖性腫瘍（MDS/MPN）　296, 307, 309, 310
骨髄炎，結核性　715
骨髄巨核球　39
骨髄検査　293
骨髄腫腎　554
骨髄性病変, がんの転移による　318
骨髄性ポルフィリン症　485
骨髄占拠性病変による貧血　297
骨髄増殖性腫瘍（MPN）　307, 310

和文索引(こ〜し)

骨髄塞栓症　385
骨髄転移，肺癌の　318
骨髄不全，先天的な　131
骨髄抑制　132
骨折　713
骨粗鬆症　163, 711
骨代謝　709
骨代謝異常　163
骨端　709
骨端核　710
骨端軟骨板　709
コッドマン三角　719
ゴットロン徴候　123, 689, 738
骨軟化症　163, 712
骨軟骨異形成症　711
骨軟骨形成性気管気管支症　377
骨軟骨形成性気管支症　377
骨軟骨腫　716
骨軟部組織発生未分化小円形細胞肉腫
　　　724
骨肉腫　713, 719, 794
骨パジェット病　713
骨盤炎症性疾患　641
骨膜　709
骨未分化多形肉腫　723
骨誘導因子(BMP)　710
骨リモデリング　162, 709
古典的 Hodgkin リンパ腫　335
古典的肝小葉　481
古典的鋸歯状腺腫(TSA)　471
古典的経路，補体の　41, 50, 102
コドン　207
ゴナドトロピン　581
ゴナドトロピン産生腺腫　585
ゴナドトロフ　581
孤発性クロイツフェルト-ヤコブ病　675
コプリック斑　77
個別化医療，がんの　259
ゴム腫　651
固有筋層，食道の　434
コラーゲン　27
　——の異常　155
孤立性壊死結節　513
孤立性線維性腫瘍　697
コルサコフ症候群　683
ゴルジ装置　10
コルチコトロフ　581
コルチゾール　603
コルチゾール産生腺腫　606
コレステリン塞栓症　183
コレステロール　144
コレステロール結晶塞栓症　734
コレステロールポリープ　517
コレラ　58
コロイド小体　732
コロイド浸透圧　170
コロナウイルス　77, 399
混合型肝癌　510
混合結節性肝硬変　496
混合血栓　178
混合腫瘍　242
コンゴーレッド染色　760
コン症候群　606

根尖性歯周炎　420
混濁腫脹　16
コンパニオン診断　260

さ

サーファクタント，肺の　376
細管状構造　550
再灌流傷害　14, 361
細気管支　375
鰓弓　222
細菌　71
細菌感染症　79
　——，口腔粘膜の　423
　——，中枢神経系の　674
細菌性髄膜炎　674
細菌性肺炎　394
細菌由来ペプチド　44
サイクリン　25
再興感染症　73
鰓後体　587
再上皮化　23
細静脈　339
臍静脈　188
再生　22
再生医療　25
再生不良性貧血(AA)　296, 301
再疎通　179
細胆管細胞癌　509
臍腸間膜管遺残　222
細動脈　339
細動脈硬化　341
細動脈硬化症　149
サイトメガロウイルス(CMV)
　　　74, 399, 436
　——，先天異常の原因　220
サイトメガロウイルス腸炎　469
鰓嚢胞　424
再発乳癌　626
細胞異型　246
細胞運動　25
細胞外基質　27
細胞間橋，扁平上皮癌の　245
細胞骨格　12
　——の変化，腫瘍細胞の　262
細胞死　17
　——，活性化誘導型　109
細胞周期　25
細胞傷害　13, 34
細胞傷害性 T 細胞(CTL)　22,98
　——，がん免疫　280
細胞診　257
細胞診断　7
細胞性栄養膜細胞　647, 653
細胞性がん遺伝子(c-onc)　275
細胞性免疫　94
細胞内共生説　209
細胞内シグナル，腫瘍細胞の　264
細胞内シグナル伝達，がん遺伝子　276
細胞内小器官　10
細胞の基本構造　10
細胞病理学説　6
細胞分裂　203
細胞膜　10

細胞様小体　732
細胞老化　264
サイロキシン(T_4)基　588
サイログロブリン(Tg)　588
サイロトロフ　581
柵状壊死　794
柵状肉芽腫　739
柵状配列　685
鎖骨下動脈盗血症候群　187
サザン法　214
さじ爪　295
左心低形成症候群　356
左心不全　190
刷子縁　460
雑種細胞形成法　227
サテライト細胞　22
砂糖きび肺　401
サドル塞栓　385
サブクリニカル Cushing 症候群　609
サラセミア　233, 298
サリドマイド，先天異常の原因　220
砂粒小体　164, 642
サルコイドーシス　402, 740, 787
サルコイド肉芽腫　65, 739, 740
サル肉腫ウイルス(SSV)　276
サルモネラ症　81
酸塩基平衡　538
サンガー法　215
三原色説　235
酸性プロテアーゼ　44
三尖弁　353
サントリーニ管　520

し

歯　417
　——の発生　419
　——の病変　419
ジアルジア症　87
シークエンス法　215
シート状配列　245
シーハン症候群　583
シェーグレン症候群　125, 428
シェーンライン-ヘノッホ紫斑病→IgA 血管炎をみよ
ジェンナー　94
紫外線による発がん　273
自家感作性皮膚炎　731
歯牙腫　426
耳下腺　428
耳下腺炎性精巣炎　651
歯冠　417
弛緩性膀胱　580
敷石像　466
色覚異常　235
色素細胞母斑　751
色素性肝硬変　496
色素性乾皮症(XP)　157, 234, 278, 743
色素性絨毛結節性滑膜炎/びまん型巨細胞腫　728
色素性母斑　751
色素代謝異常　158
色素沈着　158
色素斑　730

806 ● 和文索引(し)

子宮　627
子宮頸癌　272
　——，HPV 感染と　631
子宮頸管ポリープ　630
子宮頸癌ワクチン　632
子宮頸部異型形成　247
子宮頸部細胞診　634
子宮頸部の病変　629
糸球体　536
糸球体基底膜(GBM)　537
糸球体疾患，系統的血管病変に伴う　555
糸球体疾患の終末像　549
糸球体腎炎の発症機序　539
糸球体性タンパク尿　538
糸球体病変
　——，原発性　542
　——，代謝性疾患に伴う　553
　——，二次性　549
子宮体部の病変　635
子宮腟部びらん　630
子宮内膜異型増殖症　637
子宮内膜移植説　635
子宮内膜炎　635
子宮内膜癌　638
子宮内膜間質腫瘍　640
子宮内膜症　635
子宮内膜症性嚢胞　635
子宮内膜増殖症　636
子宮内膜増殖性病変　636
子宮内膜ポリープ　636
軸索　663
シクロオキシゲナーゼ　43
刺激　13
歯原性角化嚢胞　421
歯原性腫瘍　426
自己炎症性疾患　131
自己寛容　107
自己寛容破綻，環境要因による　120
自己抗体　120
自己免疫疾患　54, 107, 119, 736
　—— の発症機序　120
自己免疫性胃炎　443
自己免疫性肝炎(AIH)　494
自己免疫性膵炎　524
自己免疫性溶血性貧血(AIHA)
　　　　　　　　　117, 126, 300
歯根嚢胞　421
歯根膜(歯周靱帯)　417
脂質異常症　146
脂質(性)コア　180, 342
脂質代謝　143
　——，インスリンと　140
脂質代謝障害　143
　——，肝臓の　484
獅子面　82
歯周病　420
視床　663
視床下部　663
視床下部ホルモン　582
指状嵌入細胞(IDC)　40, 336
矢状溝　482
糸状虫症　90
歯髄　417

歯髄炎　420
ジストマ症　90
ジストロフィン　235
ジストロフィン遺伝子　689
次世代シークエンス法(NGS)　215
脂腺癌　748, 755
自然免疫系　94
　—— を構成する細胞群　96
自然免疫不全症　130
自然リンパ球(ILC)　97
歯槽骨　417
四体液説　4
肢端黒子型黒色腫　752
市中肺炎　394
疾患感受性遺伝子　237
漆喰腎　562
シックハウス症候群　401
実験病理学　4
湿潤肺　169, 198
湿疹　731
シップル症候群　611
ジデロファージ　169
シトシン(C)　207
視度調整　764
歯肉炎　420
歯肉癌　427
シバット小体　124, 732
紫斑　175, 730
紫斑病　733
ジフテリア炎　59
司法解剖　8
脂肪肝　147, 484
　——，アルコール性　501
脂肪酸　144
脂肪織炎　740
脂肪腫，心臓の　372
脂肪腫，軟部組織の　693
脂肪浸潤　521
脂肪性腫瘍　693
脂肪線条　150, 343
脂肪塞栓症　182, 385
脂肪肉腫　693
　——，高分化型　794
脂肪斑　150, 343
脂肪変性　16
　——，肝臓の　484
シミ　742
指紋様構造　550
シャーピー線維　417
シャイ–ドレーガー症候群　680
シャウマン小体　65, 740
斜顔裂　419
若年性関節リウマチ　124
若年性ポリポーシス　448, 478
車軸状　749
射精管　656
シャツキーリング　435
シャルコー–マリー–トゥース病　688
シャルコー–ライデン結晶　391
シャルコーの三主徴　516
シャワーエンボリ　182
シャント　166

縦隔
　—— の炎症　412
　—— の腫瘍　412
　—— の先天異常　411
　—— の嚢胞発生　412
縦隔原発大細胞型 B 細胞リンパ腫　412
周期性好中球減少症　130
充血　35, 47, 169
住血吸虫症　90, 487
重鎖(H 鎖)　106
充実型動脈瘤様骨嚢腫　721
充実性偽乳頭状腫瘍，膵臓の　530
充実性細胞巣　588
収縮期血圧　166, 191
収縮期高血圧　193
収縮不全　359
周術期薬物療法，乳癌の　624
重症急性呼吸器症候群(SARS)　73, 77
重症筋無力症　117, 127, 413, 688
重症先天性好中球減少症　130
重症熱性血小板減少症候群(SFTS)　92
重症複合免疫不全症(SCID)　128
従性遺伝　218
修正大血管転位　358
縦走潰瘍　466
十二指腸　457, 459
十二指腸炎　458
十二指腸憩室　458
十二指腸静脈瘤　458
十二指腸ポリープ　458
周皮細胞　339
獣皮様母斑　751
修復性巨細胞肉芽腫　721
周辺帯壊死　484
終末細気管支　375
終末糖化物質(AGE)　140
終末乳管-小葉単位(TDLU)　613
絨毛　460
絨毛癌
　——，縦隔の　412
　——，精巣の　653
　——，卵巣の　647
絨毛心　58
絨毛性疾患　647
絨毛腺腫，大腸の　472
粥腫　151, 342
宿主対移植片反応(HVGR)　110
粥状硬化，糖尿病による　142
粥状硬化症　149, 180, 195
粥状性動脈硬化　342, 358
手根管症候群　691, 727
樹状細胞(DC)　36, 39, 98
樹状細胞関連疾患　336
樹状突起　663
腫脹　35, 240
出血　173
出血性炎　61
出血性梗塞　185, 361, 669
出血性膵炎　522
出血性素因　174
出生前診断　225
術中迅速診断　7, 256
シュニッツラー転移　252, 454

シュミット症候群　605
腫瘍　240
　──, 関節の　728
　──, 膵臓の　525
　──, 肺の　403
　──, 皮膚付属器の　747
　──　細胞の増殖　263
　──　組織の構成成分　244
　──　における染色体異常　231
　──　に対する免疫反応　112
　──　の移植　262
　──　の局所浸潤　251
　──　の診断　256
　──　の生物学　260
　──　の染色体異常　268
　──　の増殖速度　250
　──　の単クローン発生　274
腫瘍ウイルス　272
腫瘍壊死因子(TNF)-α　45
主要塩基性タンパク質　97
腫瘍間質形成　265
腫瘍抗原　268, 280
腫瘍随伴症候群　409
腫瘍性病変, 皮膚の　741
主要組織適合遺伝子複合体(MHC)　103
腫瘍微小環境(TME)　244
腫瘍マーカー　249
　──, 肝癌の　508
腫瘍免疫　279
腫瘤, 皮疹　730
シュワン細胞　664
シュワン細胞腫(シュワノーマ)　685, 748
循環器　339
循環血液量　166
循環障害　166
　──, 肝臓の　487
　──, 肝動脈系の　488
　──, 骨の　713
　──, 食道の　435
純粋性腺形成異常症　649
上衣細胞　663
漿液化膿性炎　59
漿液滲出　58
漿液性炎　58
漿液性カタル　58
漿液性胸膜炎　58, 410
漿液性腫瘍　641
漿液性心嚢炎　58
漿液性嚢胞腫瘍, 膵臓の　528
漿液性腹膜炎　58
漿液性卵管上皮内癌(STIC)　642
漿液線維素性炎　58
消化管　433
消化管アミロイドーシス　470
消化管間質腫瘍(GIST)　456, 789
消化管ポリポーシス　477
上気道の病変　377
小結節性肝硬変　496
小結節性肺胞上皮細胞過形成　404
小膠細胞　663
症候性高血圧症　193
猩紅熱　79

小細胞癌
　──, 呼吸器の　788
　──, 尿路の　579
　──, 肺癌の　408
紙様児　225
硝子化索状腫瘍　599
硝子血栓　178
硝子細動脈硬化　554
硝子滴変性　17
硝子軟骨　725
硝子変性　16
硝子膜症　388
小循環　166
硝子様細動脈硬化　341
硝子様細動脈硬化症　558
硝子様小体　732
小静脈　339
上唇裂　418
小水疱　58
　──, 皮疹　730
小舌症　419
常染色体異常　227
常染色体顕性遺伝(常染色体優性遺伝)
　　　　　　　　　　　216, 231
常染色体顕性(成人型)多発性嚢胞腎
　　(ADPKD)　564
常染色体潜性遺伝(常染色体劣性遺伝)
　　　　　　　　　　　218, 234
上大静脈症候群　187
条虫感染症　91
小腸　459
小腸上皮性腫瘍　475
小児ネフローゼ症候群　543
小脳　663
小皮縁細胞　730, 748
上皮間葉転換(EMT)　254, 266
上皮細胞のバリア機構　96
上皮成長因子(EGF)　263
上皮内癌　247
　──, 喉頭の　380
上皮内腫瘍　247
　──, 食道の　438
小胞体　10
静脈　339
静脈奇形, 静脈血管腫　703
静脈血栓　179
静脈弁　339
消耗色素　31
小葉
　──, 肝臓の　481
　──, 乳腺の　613
　──, 肺の　375
小葉間結合組織(小葉間中隔)　376
小葉中心性肺気腫　389
除去修復　211
職業癌　283
職業性膀胱癌　576
食細胞異常症　130
褥瘡性潰瘍　424
食道　433
食道胃接合部領域　434
食道炎　436
食道拡張　435

食道癌　437
食道狭窄　435
食道憩室　435
食道静脈瘤　188, 435, 499
食道粘膜　434
食道嚢胞　412
食道閉鎖　434
助産師手位　601
女性仮性半陰陽　221
女性化乳房症　615
女性生殖器　627
ショック　196
　──, 各臓器の　198
ショック肺　198
シラクモ　85
シリカ(SiO$_2$)　400
シリコン肉芽腫　615
自律神経　663
ジルベール症候群　161
脂漏性角化症　742
脂漏性皮膚炎　731
心 Fabry 病　367
心アミロイドーシス　367
新犬山分類　491
腎盂　535
腎盂癌　569
腎盂腎炎　560, 572, 574
心外膜　353
唇顎口蓋裂　419
腎芽腫　568
新型コロナウイルス感染症(COVID-19)
　　　　　　　　　　　73, 78, 399
真菌　71
心筋炎　361
真菌感染症　85
　──, 口腔粘膜の　423
　──, 中枢神経系の　674
真菌球　397
心筋梗塞　186, 358
　──　による心破裂　787
心筋症　363
真菌性肺炎　396
心筋層　353
腎筋膜　535
神経因性排尿障害　580
神経因性膀胱　580
神経芽細胞腫群　608
神経芽腫　278
　──, 縦隔の　412
　──, 副腎の　608
神経管　664
神経幹細胞　22
神経管閉鎖　226
神経管閉鎖不全症　665
神経筋接合部疾患　688
神経系　663
　──　の染色法　664
　──　の先天異常　664
神経原性腫瘍, 縦隔の　412
神経原性ショック　197
神経原線維変化　676
神経溝　664
神経細胞　663

神経鞘腫　685, 704
　──, 縦隔の　412
　──, 皮膚の　748
神経節芽腫　608
神経節腫　608
神経節神経芽腫, 縦隔の　412
神経線維腫　704
　──, 縦隔の　412
　──, 皮膚の　749
神経線維腫症 1 型(NF 1)
　　　　　　　687, 692, 705, 749
神経線維腫症 2 型(NF 2)　687, 748
神経内分泌細胞腫瘍, 食道の　439
神経内分泌腫瘍, 肺の　408
神経内分泌腫瘍(NEN)　532
神経内分泌腫瘍(NET), 十二指腸の　459
神経内分泌腫瘍(NET), 膵臓の　610
神経梅毒　674
神経板　664
神経ひだ　664
神経変性疾患　676
腎結核症　562
心血管性虚脱　196
腎結石症　563
心(臓)原性ショック　191, 197, 359
心原性脳塞栓症　669
進行胃癌　450
腎硬化症　341, 558
進行癌　243
人工関節置換術後のゆるみ　726
新興感染症　73
進行性壊疽性鼻炎　334
進行性全身性強皮症(PSS)　738
進行性多巣性白質脳症(PML)　673
腎細胞癌　566
　──, 淡明細胞型　791
心疾患, 高血圧性　195
心室細動　359
心室中隔欠損症(VSD)　355
侵襲　13
滲出　48
滲出液　48, 170
滲出性胸水　410
滲出性病変　553
腎腫瘍　566
真珠様陰茎小丘疹　661
浸潤　325
浸潤癌, 乳癌の　621
浸潤性小葉癌　623
浸潤性膵管癌　526, 790
浸潤性乳管癌　622, 793
浸潤性尿路上皮癌　576
腎症, 糖尿病性　791
腎障害, 高血圧性　195
尋常性乾癬　736
尋常性天疱瘡　734
尋常性疣贅　740
尋常性狼瘡　739
腎小体　535
腎静脈　538
腎錐体　535
真性クループ　378
腎生検　541

新生児壊死性腸炎　463
新生児肝炎　494
新生児呼吸窮迫症候群(RDS)　376, 388
新生児メレナ(新生児下血)　175
新生児溶血性貧血　301
真性多血症(真性赤血球増加症)　312
真性半陰陽　229
真性びらん, 子宮頸部の　629
新生物　240
心臓　353
　──の重量　189
　──のショック　198
腎臓　535
　──の感染症　560
　──のショック　198
　──の囊胞性疾患　563
心臓サルコイドーシス　363
心臓腫瘍　371
心臓性肝硬変　170, 190
心臓粘液腫　371
心臓弁　353
靱帯　725
人体病理学　4
診断病理学　4
腎柱　535
腎動脈　538
浸透率　231, 237
心内膜　353
心内膜下梗塞　358
心内膜床　353
腎乳頭　535
侵入胞状奇胎　647
心囊　353
腎杯　535
塵肺症　399
心破裂　360
　──, 心筋梗塞による　787
真皮　729
腎病理用語　541
心不全　189
腎不全　539
心不全細胞　169, 383
心房細動　195
心房中隔欠損症(ASD)　355
心膜炎　361
心膜囊胞　412
蕁麻疹　117, 731
腎門　535
腎葉　535
唇裂　221
親和性成熟　107

す

スイート病　732
膵炎　521
髄外造血　292
膵芽腫　531
髄芽腫　685
膵仮性囊胞　522
水癌　423
膵癌　525
膵管癌, 浸潤性　790
膵管内管状乳頭状腫瘍　528

膵管内好酸性細胞型乳頭状腫瘍　528
膵管内腫瘍　527
膵管内乳頭粘液性腫瘍　527
膵管融合不全　521
髄質線維腫, 腎臓の　569
膵脂肪腫症　521
水腫変性　16
膵腫瘍, 転移性　533
髄鞘　664
膵上皮内腫瘍性病変(PanIN)　527
水腎症　563, 572
膵臓　519
　──, 内分泌腺　609
　──の腫瘍　525
　──の代謝障害　521
　──の無・低形成　521
膵・胆管合流異常　520
垂直感染　72
　──, B 型肝炎の　489
膵島炎　141
膵島細胞症　610
水痘帯状疱疹ウイルス(VZV)　74, 422
髄内骨肉腫　719
膵内分泌腫瘍　610
水分調節　538
水平感染, B 型肝炎の　489
水疱　58
　──, 皮疹　730
水泡音　384
水疱症　734
水疱性類天疱瘡　735, 795
膵ポリペプチド産生細胞　520, 609
髄膜　664
髄膜炎　674
髄膜炎菌性髄膜炎　80
髄膜腫　686
髄膜脳瘤　377
髄膜瘤　221
髄様癌, 甲状腺の　593, **598**
髄様癌, 乳癌の　623
スーパー抗原　105
スキルス胃癌　450
スクレイピー　92
スケッチ　767
スタンフォード分類　348
スチュワート-トレーヴス症候群
　　　　　　　　　　626, 704
スティーブンス-ジョンソン症候群　732
ストレス　13
ストレス潰瘍　198
砂時計胃　441, 446
スパイク　70, **545**, 791
スピロヘータ感染症　84
スフィンゴ糖脂質　144
スフィンゴミエリン　144
スフィンゴリピドーシス　151
スフィンゴリン脂質　144
スプライシング　211
スペルミン　657
スポロゾイト　301
スポロトリコーシス　85
スリット膜　537
スローウイルス感染症　672

せ

正角化性上皮過形成　424
生活習慣病　193
精管　655
精管炎　656
性感染症(STD)　469, 574, 627, 661
精管膨大部　655
制御性T細胞　100
　── ,がん免疫にかかわる　114
　── による免疫抑制　109
制御性T細胞欠損症　130
性クロマチン検査法　227
生検　256
制限酵素　214
制限酵素断片長多型性の解析(RFLP)　215
星細胞　481
星細胞腫，IDH変異　685
精索　655
精索炎　656
性索間質性腫瘍，精巣の　654
性索間質性腫瘍，卵巣の　645
精索静脈瘤　651, 656
精子不動症(精子無力症)　650
脆弱X症候群　230
成熟奇形腫，縦隔の　412
成熟奇形腫，卵巣の　645, 793
星状膠細胞　663
星状小体→星芒体をみよ
精上皮腫　794
生殖堤　649
青色母斑　751
成人T細胞白血病/リンパ腫(ATLL)　72, 334
静水圧　170
性腺　649
性腺刺激ホルモン　581
性腺刺激ホルモン産生腺腫　585
性染色体　203
性染色体異常　229
精巣　649
精巣炎　651
精巣奇形腫　654
精巣決定因子(TDF)　229
精巣索　649
精巣腫瘍　651
精巣上体炎　651
精巣上体の腫瘍　655
精巣捻転症　650
精巣被膜　649
生体肝移植　513
声帯ポリープ(声帯結節)　379
声帯麻痺　377
正中頸嚢胞　588
正中頸瘻　222
正中臍索　571
正中菱形舌炎　419
成長板　709
成長ホルモン(GH)　581
精嚢　655
精嚢液　656
精嚢炎　656

正の選択　108
性病性リンパ肉芽腫症　627
生物兵器　73
性別判定　227
星芒体(星状小体)　85, 740
精母細胞性腫瘍　652
声門下狭窄　377
声門浮腫　58
生理的炎症　34
生理的シャント　166
精路通過障害　650
赤芽球　291
赤芽球性白血病(PEL)　315
赤芽球性ポルフィリン症　485
赤芽球癆　296
脊索腫　721
脊索性腫瘍　721
赤色血栓　178
赤色梗塞　185
赤色ぼろ線維　690
赤色ぼろ線維を伴うミオクローヌスてんかん(MERRF)　690
脊髄　663
脊髄小脳変性症(SCD)　680
脊椎カリエス　715
石綿肺　400
赤痢アメーバ　87, 494
赤痢菌　306
セザリー症候群　753
癤　61
石灰化小体　642
石灰化上皮腫　747
節外性NK/T細胞リンパ腫，鼻型　334, 380
節外性濾胞辺縁帯リンパ腫→MALTリンパ腫をみよ
石灰沈着　163
石灰沈着症，肺の　387
舌下腺　428
舌癌　427
赤血球円柱　538
赤血球系の異常　293
赤血球指数　294
赤血球増加症　302
赤血球喪失(出血)による貧血　301
赤血球破壊亢進　299
赤血球破砕症候群　301
赤血球輸血　110
接触感染　72
接触性皮膚炎　118, 731
接触阻止　262
接着分子　26, 28
接吻潰瘍　445
舌癒着　419
セミノーマ，縦隔の　412
セミノーマ，精巣の　651, 794
セメント質　417
セリアック病　462
セルカリア皮膚炎　91
セルトリ細胞　649
セルトリ細胞腫　655
セルトリ-ライディッヒ細胞腫　645
セレクチン　28

セロコンバージョン　489, 491
セロトニン　40, **46**
線維化　22, 57
線維芽細胞　40
　── ,肉芽組織の形成　56
線維芽細胞増殖因子(FGF)　710
線維筋性内膜過形成　341
線維腫，顎口腔の　427
線維腫，卵巣の　645
線維性骨　709
線維性骨異形成　722
線維性骨化　162
線維性腫瘍　696
線維性組織球腫　699
線維性被膜　180
線維性プラーク　344
線維腺腫　242
　── ,乳腺の　617, 792
線維素　44
線維素凝塊　179
線維組織球性腫瘍　699
線維素性炎　58
線維素性胸膜炎　410
線維素性滲出物　48
線維素性肺炎　59
線維嚢胞症(線維嚢胞性変化)　615
線維斑(線維性硬化巣)　151
腺癌　244
　── ,呼吸器の　788
　── ,子宮頸癌の　633
　── ,十二指腸の　459
　── ,食道の　439
　── ,虫垂の　480
　── ,尿路の　579
　── ,肺癌の　406
前がん状態　454
潜函病　183
前がん病変(前駆病変)　255, 454
腺筋症　635
尖圭コンジローマ
　── ,陰茎の　660
　── ,外陰(女性生殖器)の　628
　── ,皮膚の　740
穿孔性潰瘍　445
穿孔性腹膜炎　446
前骨髄球性白血病(APL)　314
潜在癌　243
潜在性甲状腺機能低下症　591
栓子　182
穿刺吸引細胞診　258
　── ,甲状腺の　593
　── ,乳癌の　624
腺腫　241
　── ,十二指腸の　459
　── ,大腸の　471
　── ,虫垂の　479
　── のがん化　448
腺腫様過形成　508
腺腫様甲状腺腫　600
腺症　615
線状潰瘍　445
線条体黒質変性症　680
染色　760

染色体　202
　──の不分離　206, 219
　──不安定性　206, 268
染色体異常　204, 219
　──，腫瘍における　231
染色体転座，がん遺伝子の活性化　277
染色体物質　203
染色体分析　227
　──，マントル細胞リンパ腫の　330
染色体領域　202
染色法，神経系の　664
全身性ATTRwtアミロイドーシス　154
全身性エリテマトーデス(SLE)
　　　　　　　　117, 121, 549, 737
　──の肺胞出血　384
全身性硬化症(SS)　123
全身性糖原病　143
全身性肥満細胞症(SM)　303
全前脳胞症　377, 665
選択圧，がん細胞の　255
選択性タンパク尿　543
先端巨大症　585
センチネルリンパ節　252
　──の生検，乳癌の　624
蟯虫　72
線虫感染症　90
蟯虫症　90
前腸　433
穿通枝，脳の　666
穿通性潰瘍　445
先天異常　202
　──，神経系の　664
　──の発生原因　219
先天性核酸代謝異常　156
先天性クレチン病　221
先天性心疾患(CHD)　353
先天性成長ホルモン分泌不全症　222
先天性声門下狭窄　377
先天性大動脈二尖弁　370
先天性胆道拡張症　515
先天性トキソプラズマ症　88
先天性肺気道奇形　382
先天性肥厚性幽門狭窄　440
先天性風疹症候群　356
先天性副腎過形成(CAH)　604
先天性免疫不全症候群　46
前頭側頭葉変性症（前頭側頭型認知症）
　　　　　　　　　　　　　　　678
セントラルドグマ　207
セントロメア　204
前負荷　189
腺扁平上皮癌，食道の　439
腺扁平上皮癌，肺癌の　407
腺房細胞癌，唾液腺　431
腺房細胞腫瘍，膵臓の　529
全胞状奇胎　647
全末梢血管抵抗　191
線毛，気管支の　376
線毛不動症候群（線毛機能不全症）　383
腺葉，乳腺の　613
線溶系（線溶現象）　44, 177
線溶系亢進　181
腺様嚢胞癌，食道の　439

腺様嚢胞癌，唾液腺の　430
前立腺　656
前立腺液　656
前立腺炎　657
前立腺癌　658
　──の疫学　282
前立腺特異抗原(PSA)　658
前立腺肥大症　657

そ
双角子宮　628
走化性　26
早期胃癌　449
臓器移植に関連した免疫反応　110
早期癌　243
臓器組織の発生異常　222
象牙化　726
象牙質　417
造血幹細胞　288
造血器　288
造血細胞性腫瘍　723
　──の発生　292
　──の分化　288
相互転座　206
傍糸球体装置　191
巣状壊死　483
創傷治癒　22, 58
巣状分節性糸球体硬化症(FSGS)　543
巣状分節性病変　543
増殖因子　26, 263
　──，がん遺伝子　276
増殖因子レセプタ，がん遺伝子　276
増殖性炎　62
相同組換え修復　157
挿入　212
層板骨　709
象皮症　172
僧帽弁　353
相補性DNA(cDNA)　214
足細胞　536, 537
塞栓　179
塞栓子　371
塞栓症　182
足突起　537
続発性脂質異常症　146
続発性/反応性アミロイドーシス　554
続発性皮膚アミロイドーシス　739
続発性免疫不全　128, 132
側副循環　186
組織幹細胞　25
組織間葉系細胞　36
組織球　39, 96
組織球関連病変　336
組織球性壊死性リンパ節炎　323
組織球肉腫　336
組織再構築（組織リモデリング）　24
組織修復　22, 34
組織傷害作用をもつケミカルメディエータ
　　　　　　　　　　　　　　　44
組織診　256
組織診断　7
組織鉄　294

組織プラスミノーゲンアクチベータ
　　(t-PA)　177, 181
卒中　175
そばかす様皮膚斑　687
ソマトスタチン　609
ソマトスタチン産生細胞　520, 609
ソマトトロフ　581
粗面小胞体(rER)　10
ゾリンジャー-エリソン症候群
　　　　　　　　446, 459, 610
蹲踞姿勢　357

た
ターナー症候群　229
ターナーの歯　420
ターミナルデオキシヌクレオチジルトラン
　　スフェラーゼ(TdT)　316
ダイアモンド-ブラックファン貧血(DBA)
　　　　　　　　　　　　　　297
体液病理学　4
胎芽期　219
胎芽病　219
体幹骨　709
体腔上皮化生説　635
退形成　247, 248
退形成腫瘍　248
退形成性セミノーマ　652
大結節性肝硬変　496
大細胞癌，肺癌の　407
大細胞神経内分泌癌(LCNEC)　409
体細胞突然変異，抗体の　107
体細胞分裂　203
胎児型横紋筋肉腫　700
体肢骨　709
胎児消化管類似癌　453
胎児性癌，縦隔の　412
胎児性癌，精巣の　652
胎児性抗原　268
胎児性腫瘍　685
胎児性水俣病　221
胎児病　219
代謝　136
　──，アミノ酸　152
　──，核酸　155
　──，骨　709
　──，脂質　143
　──，糖　137
代謝異常
　──，核酸　155
　──，骨　163
　──，色素　158
　──，中枢神経系の　682
代謝障害　136
　──，カルシウム　161
　──，肝臓の　484
　──，脂質　143
　──，膵臓の　521
　──，胆汁色素　159, 484
　──，タンパク質　152
　──，鉄　161
　──，糖　137
　──，無機物　161
代謝性疾患，骨　711

――に伴う糸球体病変　553
代謝性尿細管障害　563
代謝脳症　683
第XII因子　41
体循環　166
大循環　166
帯状壊死　483
代償性肺気腫　390
帯状疱疹，口腔の　422
体性神経　663
苔癬化　731
大腸　460
大腸炎関連癌　465
大腸癌　473
――の疫学　283
大腸菌感染症　80
大腸憩室症　470
大腸ポリープ　470
大動脈解離　348
大動脈縮窄症　187
大動脈弁　353
大動脈瘤　345
――に対する血管内治療　348
第二経路，補体の　41, 50, 102, 551
大脳　663
胎盤の感染症　647
大葉性肺炎　392
対立遺伝子　202, 216
対立遺伝子交換　212
多因子性遺伝　202
タウタンパク　676
ダウン症候群　204
唾液腺　428
唾液腺炎　428
唾液腺腫瘍　430
多核巨細胞　39, 63
高安動脈炎　350
タキソール　12
ダグラス窩　454
多形型横紋筋肉腫　702
多形型脂肪肉腫　695
多形滲出性紅斑（EEM）　732
多形性　248
多形腺腫　242, 430
多系統萎縮症　680
多系統の異形成を伴う骨髄異形成症候群（MDS-MLD）　310
多血症　302
多重癌　283
唾石症　428
多腺性自己免疫症候群　129
多臓器不全（MOF）　199
多段階発がん　255, 273, 279
多中心性キャッスルマン病　324
多中心性発生，がんの　274
脱顆粒　39, 50, 97
脱髄　682
脱分化脂肪肉腫　694
種と土壌仮説　266
多嚢胞性卵巣症候群（PCOS）　641
多倍数体，染色体数の　206
多発血管炎性肉芽腫症　352, 378, 402
――の肺胞出血　384

多発性筋炎　123
多発性硬化症　682
多発性骨髄腫　787
多発性内分泌腫瘍症（MEN）　611
――1型　611
――2型　598, 608, 611
多脾　319
多包条虫　91, 495
多ホルモン産生腺腫　586
タモキシフェン，子宮内膜症の危険因子　638
単一遺伝子疾患（単因子性遺伝病）　202
単核球症症候群　322
胆管炎　516
胆管細胞癌　509
胆管細胞腺腫　503
単眼症　377
胆管内上皮内腫瘍（BilIN）　509, 518
胆管内乳頭状腫瘍（IPNB）　510, 519
胆管の疾患　499
単球　36, 39
単球異常　304
単球増多症　66
単クローン性γグロブリン血症（MGUS）　317
炭坑夫塵肺症　400
炭酸リチウム，先天異常の原因　221
胆汁　481
胆汁うっ滞　484
胆汁湖　496
胆汁酸　481
胆汁色素代謝障害　159, 484
胆汁栓　496
単純脂質　143
単純性潰瘍　467
単純性骨嚢腫　722
単純性脂肪肝（NAFL）　502
単純ヘルペスウイルス（HSV）　73, 399, 422, 436
――，先天異常の原因　220
――による脳炎　672
単純疱疹，口腔の　422
男性化副腎皮質腫瘍　606
弾性血管　168
男性生殖器　649
弾性動脈　339
男性乳癌　624
男性不妊症　650
胆石症　515
単体形成異常　222
単中心性発生，がんの　274
断頭分泌　730
胆道閉鎖症　514
丹毒　691
胆囊　514
胆囊炎　516
胆囊癌　518
胆囊腺筋腫症　517
胆囊蓄膿　516
胆囊ポリープ　517
タンパク質代謝障害　152
タンパク尿　538
単包条虫　495

淡明細胞型腎細胞癌　791
短腕　204

ち

チアノーゼ性心疾患　353
チェディアック-東症候群　46, 130
遅延型過敏反応　55
遅延型細胞性免疫反応　513
蓄膿症　60, 377
致死性家族性不眠症　92
致死性正中肉芽腫　334, 380
地図状潰瘍　466
腟　627
――の病変　629
腟炎　629
腟閉鎖　627
チトクローム p450　271
遅発性ウイルス感染症　672
緻密斑　537
チミン（T）　207
チャーグ-ストラウス症候群→好酸球性多発血管炎性肉芽腫症をみよ
中型血管炎　350
中型静脈　339
中間型リポタンパク（IDL）　146
中間径フィラメント　13
中間帯壊死　484
中腎　649
中心性出血性壊死　170
中心帯壊死　483
中腎傍管　649
虫垂　479
虫垂腫瘍　479
中枢神経系　663
――の感染症　672
――の代謝異常　682
――の中毒　684
中性脂肪　144
中性脂肪代謝障害　144
中性プロテアーゼ　44
中腸　433
中東呼吸器症候群（MERS）　73, 77
中毒，中枢神経系の　684
中毒性多結節性甲状腺腫　590
中毒性表皮壊死症　732
中脳　663
中皮腫　272, 411
中分化管状腺癌　451
中膜　339
治癒潰瘍　445
腸炎ビブリオ　81
腸管 Behçet 病　124, 466
腸管外アメーバ症　87
長管骨　709
腸管出血性大腸菌　81
腸肝循環　146, 160
腸間膜動脈閉塞症　463
腸関連リンパ組織（GALT）　433
蝶形紅斑　121, 737
腸結核　468
腸骨胸結合体　224
腸上皮化生　442
――，胃炎に伴う　32

聴神経腫瘍　685
腸チフス　81
超低比重リポタンパク(VLDL)　144
重複, 遺伝子の　212
重複, 染色体の　206
重複奇形　224
重複子宮　628
重複性囊胞　434
重複尿管　579
長腕　204
直接作用型抗ウイルス薬(DAA)　490
チョコレート囊胞　635
貯蔵鉄　161, **294**
治療関連骨髄性腫瘍(tMN)　316
チロシン血症　485
陳旧性出血巣　170

つ

ツァーンの梗塞　186, 487
通常型乳管過形成　615
痛風　156, 727
痛風結節　156, 727
痛風腎　156, 563
痛風発作　156
ツェンカー憩室　435
ツツガムシ病　83
ツベルクリン反応　118, **119**

て

手足口病　423
低異型度および高異型度非浸潤性乳頭状尿
　路上皮癌　576
低異型度虫垂粘液性腫瘍(LAMN)　480
低栄養による免疫不全　132
定型カルチノイド　408
低形成　221
低血圧　196
低血糖症　143
抵抗血管　168
低酸素　14
低酸素性虚血性脳症　683
定常領域　106
ディジョージ症候群　129, 413, 600
低身長症　222
ディスジャーミノーマ　645
ディッセ腔　481
低比重リポタンパク(LDL)　144
低分化癌, 甲状腺の　592, **597**
低分化腺癌　452
低密度リポタンパク(LDL)受容体　231
低容量性ショック　197
停留精巣　650
デーン粒子　489
適応　13, **29**
デコイ細胞　76
手湿疹　731
テストステロン　649
デスモイド型線維腫症　696
デスモグレイン　734
デスモゾーム　366
テタニー発作　601
鉄芽球性貧血　298
鉄過剰症　521

鉄欠乏性貧血　161, 295
鉄代謝障害　161
鉄動態　294
テベシウム静脈　166
デュシェンヌ型筋ジストロフィー
　　　　　　　　　　　　235, 689
デュビン-ジョンソン症候群　161
デルタ肝炎ウイルス　490
テロメア　204, 264, 268
テロメラーゼ　204
転移　251
　── の臓器特異性　255
　── のメカニズム　254
転移性腫瘍
　──, 肝臓の　511
　──, 骨の　724
　──, 心臓の　371
　──, 膵臓の　533
　──, 脳の　686
　──, 肺の　410
　──, 副腎の　609
　──, 卵巣の　645
　──, リンパ節の　337
転移性石灰化　164
転移性石灰化症　387
転移促進因子　267
転移抑制因子　267
殿結合体　224
転写　210
点状出血　175
伝染性肝炎→A型肝炎をみよ
伝染性紅斑　75
伝染性単核球症(IM)　322
伝染性軟属腫　75
点突然変異　212
天然痘　75
癜風　85
伝令RNA(mRNA)　210

と

トゥートン型巨細胞　65, 740
同化　136
頭蓋咽頭腫　587, 686
頭蓋結合体　224
頭蓋内圧亢進　670
頭蓋披裂　221
洞管　61
頭胸結合体　224
動原体　203
糖原病　143, 234, 485
島細胞腫瘍　610
糖鎖抗原　268
糖質コルチコイド　603
同種免疫性溶血性貧血　301
糖新生　138
透析アミロイドーシス　155
糖代謝　137
糖代謝障害　137
　──, 肝臓の　485
銅代謝障害, 肝臓の　486
糖タンパク質　28
疼痛　35

　── にかかわるケミカルメディエータ
　　　　　　　　　　　　　　　　45
糖尿病　138, 485, 521, 609
　──, 先天異常の原因　221
　── に伴う脂肪肝　147
　── の合併症　141
　── の膵臓における病理組織像　141
糖尿病性血管合併症　140
糖尿病性糸球体硬化症　142
糖尿病性神経症　142
糖尿病性腎硬化症　553
糖尿病性腎症　142, 553, 791
糖尿病性網膜症　142
頭部外傷　670
頭部白癬　85
ドゥベイキー分類　348
動脈　339
動脈解離　345
動脈管開存症(PDA)　356
動脈硬化　341
　──, 糖尿病による　142
動脈硬化症　149
動脈性塞栓　184
動脈内視鏡(CAS)　344
動脈瘤　345
動脈瘤様骨囊腫　720
同腕染色体　206
トガウイルス感染症　78
トキソプラズマ症　88
　──, 先天異常の原因　220
鍍銀染色　760
特異的リンパ節炎　322
特発性器質化肺炎(COP)　393
特発性血小板減少性紫斑病(ITP)
　　　　　　　　　　117, 127, 305
特発性骨壊死　713
特発性肺線維症(IPF)　393
特発性肺動脈性肺高血圧症　195
特発性肺ヘモジデローシス　384
特発性門脈圧亢進症(IPH)　487
特発性リンパ球性間質性肺炎(LIP)　394
吐血　175
ド・ケルバン病　691
突然変異, がん遺伝子の活性化　277
突発性発疹　75
ドナー　110
ドライバー遺伝子　260
トラコーマクラミジア　399
トラスツズマブ　260
トランジション　212
トランスサイレチン(TTR)　154
トランスバージョン　212
トランスフェリン　161, **294**
トリアシルグリセロール　144
鳥インフルエンザウイルス　398
鳥飼い肺　401
トリカルボン酸回路　137
トリグリセリド　144
トリグリセリド rich リポタンパク　144
トリグリセリド代謝障害　144
トリコフィトン　85
トリコモナス症　88
トリソミー　206, 219

トリプルネガティブ乳癌　626
トリプレットリピート病　679
トリヨードサイロニン(T_3)基　588
トルコ鞍　581
　　── の腫瘍　586
トルコ鞍空洞症候群　583
トルソー症候群　183
トルソー徴候　601
トロホゾイト　301
トロンボキサン A_2　43
トロンボポエチン(TPO)　288
貪食　39
　　──，白血球の　50
貪食空胞　39
貪食能　96

な

内視鏡的粘膜下層剥離術(ESD)　455
内視鏡的粘膜切除術(EMR)　455
内歯瘻　420
内臓逆位症　222
内臓脂肪症候群　152
内軟骨腫　717
内反性乳頭腫　379
内反性尿路上皮乳頭腫　575
内皮細胞　339
内分泌　581
内分泌異常，肝硬変による　499
内分泌細胞癌，胃の　453
内分泌細胞癌，大腸の　476
内分泌細胞腫瘍　476
内膜　339
ナチュラルキラーT細胞　97
ナチュラルキラー(NK)細胞　39, 97, 481
　　──，がん免疫　280
夏型過敏性肺(臓)炎　401
ナイダス　718
鉛中毒　157
ナルセン腺腫　586
軟口蓋裂　419
軟骨芽細胞腫　717
軟骨形成性腫瘍　716
軟骨性骨化　162
軟骨石灰化症　727
軟骨低形成症　711
軟骨内骨化　710
軟骨肉腫　718
軟骨帽　716
軟骨無形成症　711
ナンセンス変異　212
軟部腫瘍　692
軟部組織　691
軟膜　664

に

ニーマン-ピック細胞　152
ニーマン-ピック病　151, 320
二顔体　224
肉眼的血尿　538
肉芽腫　23, **739**
肉芽腫性炎　63
肉芽腫性心筋炎　363
肉芽腫性リンパ節炎　322

肉芽組織　24, 53, 56
肉腫　242, 245
肉腫様癌，肺癌の　408
ニクズク肝　170, 487
ニコチン，先天異常の原因　220
二次性高血圧症　193, **194**
二次性糸球体病変　549
二次性脂質異常症　146
二次性心筋症　366
二次性副腎皮質機能低下症　605
二重体　224
二重らせん構造　207
二次リンパ組織　108
　　── における免疫寛容　109
日母分類(日本母性保護産婦人科医会の分類)　634
ニッケル　272
日光角化症　743
日光(性)黒子　742
日光弾力線維症　743
ニッスル染色　**664**, 760
ニッチ　290
二頭体　224
二分脊椎　221, 665
二分頭蓋　665
日本住血吸虫症　90, 494
　　── による肝硬変　498
　　── による肝細胞癌　508
ニューモシスチス肺炎　87, 133, 398
ニューロパチー　687
乳管　613
乳癌　618
　　── の疫学　282
乳管拡張症　614
乳管過形成　615
乳管癌，浸潤性　793
乳管周囲性乳腺炎　614
乳管内乳頭腫　617
乳腺　613
乳腺炎　614
乳腺葉　613
乳頭　613
乳頭癌，甲状腺の　592, **594**, 792
乳頭筋機能不全　359
乳頭腫　241
　　──，顎口腔の　427
　　──，鼻の　379
乳頭腫症　379
乳頭状線維弾性腫　372
乳頭状腺腫，腎臓の　569
乳頭腺腫　451
乳頭部癌　518
乳糖不耐症　462
乳糖分解酵素　462
乳房外パジェット病　628, 745
乳房切除後リンパ管肉腫　626
乳房パジェット病　745
乳瘤　617
尿管　571
尿管炎　574
尿細管　537
尿細管炎　559
尿細管間質性腎炎(TIN)　558

尿細管障害，代謝性　563
尿細管性タンパク尿　538
尿酸値が増加する疾患　156
尿生殖洞　571, 627
尿素回路　153
尿道　571
尿道炎　574
尿毒症　59, 153, 539
尿毒症性肺　153
尿の産生　538
尿崩症　583
尿膜管遺残　222, 579
尿膜管癌，尿路の　579
尿路　571
尿路結石　572
尿路上皮　571
尿路上皮癌　245, 575, 792
尿路上皮内癌　576
尿路上皮乳頭腫　575
尿路閉塞性炎症性疾患　572
妊娠高血圧腎症　112
妊娠中の形成異常スクリーニング　226
　　── と免疫寛容　112
　　── に関連する疾患　646

ぬ

ヌクレオカプシド　70
ヌクレオチド　155
ヌクレオチド・核酸除去修復　157

ね

ネオ抗原　114
猫鳴き症候群　228
猫の目症候群　228
ネコひっかき病　65
熱感　35
ネックレスサイン　641
熱帯性スプルー　462
熱帯熱マラリア　88
ネフローゼ症候群　539, 543
ネフロン　535
粘液型脂肪肉腫　695
粘液癌　452
　　──，乳癌の　623
粘液関連リンパ組織型節外性辺縁帯リンパ腫(MALTリンパ腫)，甲状腺の　598
粘液水腫　197, 589
粘液水腫性昏睡　589
粘液性腫瘍，卵巣の　643
粘液性嚢胞腫瘍(MCN)
　　──，肝臓の　510
　　──，膵臓の　528
　　──，胆道の　519
粘液線維肉腫　698
粘液粘稠症　382
粘液(貯留)嚢胞　424
粘液嚢胞腺癌　510
粘液変性　17
捻髪音　393
粘表皮癌　431
粘膜下層，食道の　434
粘膜関連リンパ組織(MALT)　108
粘膜筋板　433

粘膜固有層，食道の 434
粘膜皮膚眼症候群 732

の

脳 663
　——のショック 198
膿 52, 59
脳回 665
脳幹 663
膿球 59
膿胸 411
脳血管障害 666
　——，高血圧性の 195
脳血管の解剖 666
膿血症 61
脳溝 665
脳梗塞 186, 195, 668
　——の融解壊死 19
　——の予防 182
脳挫傷 670
脳室 665
脳出血（脳内出血） 195, 667
脳腫瘍 684
嚢状中膜壊死 347, 349
嚢状動脈瘤 345, 668
脳水腫（脳浮腫） 172
膿清 59
膿性カタル 59
膿性滲出物 59
脳卒中 666
脳動静脈奇形 670
脳動脈瘤 668
脳軟化症 186
脳膿瘍 674
農夫肺 401
脳ヘルニア 670
脳胞 664
膿疱，皮疹 730
嚢胞
　——，甲状腺の 600
　——，食道の 434
　——，乳腺の 615
　——，皮疹 730
嚢胞膵 521
嚢胞性疾患，腎臓の 563
嚢胞性腫瘍，膵臓の 528
嚢胞性線維症 235, 382, 521
嚢胞腺腫 241
嚢胞発生，縦隔の 412
膿瘍 23, 60
　——，皮疹 730
膿瘍形成 52
膿瘍膜 61
脳梁欠損症 665
膿漏 59
ノザン法 214
ノルアドレナリン 192

は

バーキットリンパ腫 272, 277, 333
パーキンソン病 678
ハーゲマン因子 41
バージャー病 185, 187, 345

バー小体 203
バーチャルスライド 766
バーベック顆粒 402, 724
ハーマン-リッチ症候群 394
肺 375
　——のMALTリンパ腫 409
　——の腫瘍 403
　——のショック 198
　——の石灰沈着症 387
　——の転移性腫瘍 410
肺アスペルギルス症 397
肺うっ血 169, 383
パイエル板 460
肺炎 391
肺炎球菌 79, 394
肺炎クラミジア 399
バイオテロ 73
肺過誤腫 403
肺芽腫 408
肺化膿症 394
肺癌 404
　——の骨髄転移 318
　——の前駆病変 405
肺カンジダ症 396
肺気腫 45, 388
肺吸虫症 91
肺虚脱 387
肺区域 375
肺クリプトコッカス症 397
肺結核 395
敗血症 46, 61
敗血症性ショック 197
肺血栓塞栓症 384
肺高血圧症 195, 386
肺梗塞 386
杯細胞，気管支の 376
胚細胞腫瘍
　——，縦隔の 412
　——，精巣の 651
　——，卵巣の 645
杯細胞腺癌（杯細胞型カルチノイド） 480
肺腫瘍塞栓性微小血管症 183
肺循環 166, 376
肺水腫 169, 383
胚性幹細胞 25
肺性心 190, 386
肺塞栓症 183, 384
肺低形成症 381
肺動脈狭窄症（PS） 356
肺動脈血栓症 384
肺動脈性肺高血圧症（PAH） 195
肺動脈弁 353
梅毒 84, 627
　——，先天異常の原因 220
梅毒性精巣炎 651
ハイドロキシアパタイト 709
肺膿瘍 394
肺分画症 381
バイポーマ 610
肺胞 375
肺胞管（肺胞道） 375
肺胞出血 384

肺胞上皮細胞 376
肺胞性肺炎 391
肺胞タンパク症 387
肺胞嚢 375
肺胞微石症 387
肺胞マクロファージ 39
肺ムーコル症 398
肺葉 375
廃用萎縮 31
ハインツ小体 299
ハヴァース管 709
ハウザー型潰瘍癌 446
白色血栓 178
白色梗塞 185
薄切 760
白癬 85
バクテリオファージ 70
白板症 424
白皮症 153
白膜 649
剥離細胞診 257
剥離性間質性肺炎（DIP） 393
パクリタキセル 12
パケット 709
破骨細胞 39, 709
バザン硬結性紅斑 739
パジェット肉腫 713
パジェット病 623
　——，陰嚢の 661
橋本病 127, 591
播種 252, 454
播種性血管内凝固症候群（DIC）
　　　　　　　　83, 180, 557
破傷風 79
バセドウ病 117, 127, 590
パターン認識受容体 101
破綻性出血 174
ばち状指 357
発育抑制 221
発がんの二段階説 270
発がん物質 271
白血球 36
　——の異常 302
　——の活性化 51
　——の走化性 50
　——の貪食 50
　——の辺縁趨向とローリング 48
　——の遊走，急性炎症における 48
白血球接着不全症 46
白血球増多症 66
白血球破砕性血管炎 733
白血球遊走促進のケミカルメディエータ
　　　　　　　　　　　　44
白血病 242
　——の疫学 283
ハッチンソン三徴候 220
ハッチンソンの菌 420
バッド-キアリ症候群 188, 488
発熱にかかわるケミカルメディエータ 45
鼻の乳頭腫 379
鼻ポリープ（鼻茸） 377
花むしろ状 721, 723, 749
花筵状線維化 125

ばね指　691
パパニコロウ分類　634
ハマダラカ　88
パラインフルエンザウイルス　398
パラクリン　27
パラフィノーマ　615
パラフィンブロック　758
パラミクソウイルス感染症　77
バリア機構，上皮細胞の　96
針刺し事故，肝炎の　489, 490
バルトリン腺炎　627
パルボウイルス B19　297
パルボウイルス感染症　75
バレット食道　32, 436
半陰陽　229
バンクロフト糸状虫症　90
半月体形成　541
半月体形成性糸球体腎炎　127, 547
パンコースト症候群　409
バンコマイシン耐性球菌（VRE）　395
瘢痕　22, 52, 56, 743
瘢痕治癒　52
斑状菌　420
斑状出血　175
汎小葉性肺気腫　389
伴性遺伝　218
伴性顕性遺伝　218
伴性潜性遺伝　218, 235
ハンセン病　82
バンチ病（バンチ症候群）　487
ハンチントン病　679
ハンナ病変　573
パンヌス　124, 726
晩発性皮膚ポルフィリン症　485
ハンプ　546
反復性持続性血尿　539
ハンプトンのこぶ徴候　184

ひ

ヒアリン小体　732
非アルコール性脂肪性肝炎（NASH）　502, 508
非アルコール性脂肪性肝疾患（NAFLD）　502
非遺伝性乳癌　619
非遺伝性老人性全身性アミロイドーシス
　→全身性 ATTRwt アミロイドーシスをみよ
鼻咽腔血管線維腫　380
鼻咽頭癌　379
脾うっ血　170
皮下脂肪織（皮下組織）　729
鼻カタル　58
光干渉断層法（OCT）　344
鼻腔副鼻腔癌　379
鼻腔副鼻腔乳頭腫　379
非結核性抗酸菌症　82, 396
鼻硬化症　377
鼻膠腫，377
鼻硬腫菌　377
肥厚性胃炎，肥厚性胃症　443
非骨化性線維腫　721

非細菌性血栓性心内膜炎（NBTE）　179, 371
皮脂欠乏性湿疹　731
皮脂腺　729
皮質　665
皮質骨　709
脾腫　320
微絨毛　460
微小管　12
微小癌　243
微小巨核球　309
微小糸球体変化　543
微小循環系，炎症における変化　46
微小転移　266
非上皮性腫瘍，子宮体癌　639
微小変化型ネフローゼ症候群（MCNS）　543
微小変化群（MCD）　543
皮疹　730
非浸潤性小葉癌（LCIS）　621
非浸潤性乳管癌（DCIS）　621
非浸潤性平坦状尿路上皮癌　576
ヒスタミン　39, **40**
ヒストプラズマ症　398
ビスホスホネート関連顎骨壊死（BRONJ）　420
微生物　70
脾臓　318
肥大　29
肥大型心筋症　364
ビタミン B$_{12}$ 欠乏　297
ビタミン C 欠乏　306
ビタミン K 欠乏　175
ビタミン欠乏症　683
非チアノーゼ性心疾患　353
ピック病　678
びっくり眼　681
羊飼いの杖状変形　723
必須アミノ酸　152
ピット細胞　481
ヒト T 細胞白血病ウイルス（HTLV-1）　72, 78, 273
非特異性間質性肺炎（NSIP）　393
非特異性急性骨髄性白血病　313
非特異的リンパ節炎　322
人食いバクテリア　81
ヒト染色体分染パターン　205
ヒトパピローマウイルス（HPV）　76, 272, 628, 631, 660
ヒトヘルペスウイルス 8 型（HHV8）　272, 750
ヒト免疫不全ウイルス　78, 132
非必須アミノ酸　152
皮膚　729
　── の炎症性疾患　731
　── の腫瘍性病変　741
皮膚黄色腫　146
皮膚癌　273
皮膚筋炎　123, 689, 738
皮膚結核　739
皮膚糸状菌症　85
皮膚線維腫　699
皮膚腺病　739

皮膚肥満細胞症（CM）　303
皮膚病性リンパ節症　323
皮膚付属器　729
皮膚付属器腫瘍　747
ビブリオ感染症　81
ヒポクラテス　4
非翻訳 RNA　211
肥満細胞　36, **39**, 97
肥満細胞異常　303
肥満細胞症　303
びまん性糸球体腎炎（GN）　544
びまん性軸索損傷　672
びまん性大細胞型 B 細胞リンパ腫（DLBCL）
　──，甲状腺の　598
　──，鼻の　380
　──，非特定型（NOS）　333
びまん性肺胞傷害（DAD）　394
びまん性半月体形成性糸球体腎炎　63
びまん性汎細気管支炎　390
病院病理実習　757
病学通論　6
表現型　202, 216
表在拡大型黒色腫　752
表在性骨肉腫　719
瘭疽　61
病的炎症　34
病的骨化　164
病的骨折　713
標的赤血球　295
表皮　729
　── の腫瘍　742
表皮嚢腫　747
表皮嚢胞　747
標本の取り扱い　758
病理解剖（学）　4, 7
病理学　4
病理実習　757
日和見感染症　73
びらん，皮疹　730
ビリオン　70
ビリベルジン　159
ピリミジン塩基　155
ピリミジンダイマー　157
稗粒腫　747
ビリルビン　481
ビリルビン代謝　159
非臨床癌　660
ヒルシュスプルング病　461
ビルハルツ住血吸虫症　576
非連続性毛細血管　339
疲労骨折　713
ピロリ菌 → ヘリコバクター・ピロリをみよ
ピロリジジンアルカロイド　488
ピロリン酸カルシウム（CPPD）　727
貧血，赤血球喪失（出血）による　301
貧血，慢性疾患による（ACD）　297
貧血症　294
貧血性梗塞　185

ふ

ファゴソーム　39
ファブリカ　4

ファブリ病　152, 367
ファロー四徴症(TOF)　356
ファンコーニ貧血　131, 296
不安定狭心症　358
不安定プラーク　180
フィブリリン　233
フィブリン　44, 176
フィブリンキャップ　553
フィブロネクチン　28
フィラデルフィア染色体(Ph)　277, 311
フィラリア症　172
風疹　78
──, 先天異常の原因　220
風船様変性　491
プール熱　76
フェニルケトン尿症　153, 234
フェリチン　161, 294
フェロポルチン　297
不応性貧血　310
フォルクマン管　709
フォン・ヴィレブランド病　307
フォン・ギールケ病　143
フォン・ヒッペル-リンダウ病
　　　　567, 608, 686, 687
フォン・レックリングハウゼン病
　　　　608, 687, 749
不完全優性　216
副経路→第二経路をみよ
副交感神経系傍神経節腫　608
複合脂質　143
副甲状腺　600
副甲状腺過形成　601
副甲状腺機能亢進症　157, 601, 712
副甲状腺機能低下症　601
副甲状腺腫瘍　601
副甲状腺ホルモン(PTH)　162, 588, 600
副甲状腺ホルモン関連タンパク質
　　(PTHrP)　710
複合免疫不全症　128
副腎　602
──のショック　198
──転移性癌　609
副腎偶発腫瘍　609
副腎クリーゼ　605
副腎腫瘍　606
副腎髄質　603
副腎性アンドロゲン　603
副腎性器症候群　221, 604
副腎白質ジストロフィー　682
副腎皮質　603
副腎皮質癌　606
副腎皮質機能亢進症　605
副腎皮質機能不全症　604
副腎皮質刺激ホルモン(ACTH)　581
副腎皮質腺腫　606
副腎ホルモン　192
副膵　520
腹水の原因　173
副脾　319, 521
副鼻腔炎　377
副副腎　603
腹部大動脈瘤(AAA)　346
フクロウの眼　63, 436, 469

腐骨　714
不死化, 細胞の　261
浮腫　35, 47, 170
腐食性胃炎　441
腐食性食道炎　436
不整脈　359
不整脈原性右室心筋病(ARVC)　366
豚インフルエンザウイルス　398
フック　4
物理的溶血性貧血　301
不動関節　725
ブドウ球菌感染症　79
ブドウ球菌性熱傷様皮膚症候群(SSSS)　79
ブドウ状肉腫, 腟の　629
ブドウ状肉腫, 鼻の　380
ぶどう膜悪性黒色腫　755
ブニナ小体　681
不妊症, 男性　650
負の選択　108
腐敗性炎　62
富破骨細胞性巨細胞腫瘍　720
部分的結節形成　513
部分胞状奇胎　647
不分離, 染色体の　219
ブラ　410
ブラジキニン　41, 46, 192
プラスミノーゲン　177
プラスミン　44, 177
プラダー-ウィリー症候群　237
ブランダン-ヌーン嚢胞　424
ブランマー病　590
フリーラジカル　14, 15, 45
プリオン病　78, 675
不良肉芽　23
プリン塩基　155
ブルーム症候群　278
篩型乳頭癌　596
ブルネル腺　433, 458, 460
ブルネル腺過形成/過誤腫　458
フレームシフト　212
ブレブ　410
フローサイトメトリー法(FCM)　293
プローブ　214
プログレッション　271
プロゲステロン　627
プロスタグランジン(PG)　43, 45
プロスタサイクリン　43
プロセシング　211
プロテアーゼ　28
プロテオグリカン　28
プロモーション, 発がんの　271
プロラクチン(PRL)　581
分化　247
分化抗原(CD)シリーズ　257
分子標的治療　260, 268
分子病理学　4
分子病理学的診断　259
分子模倣　120
分水嶺梗塞　669
糞線虫症　90
分染法　204
分泌型抗体　106
噴門腺　440

分離腫　244
粉瘤　747
分類不能型免疫不全症　129
分裂期(M期)　202

へ

ヘアリー細胞白血病　317
平滑筋腫, 子宮体癌　639
平滑筋腫, 軟部組織の　702
平滑筋性腫瘍, 食道の　439
平滑筋性腫瘍, 軟部組織の　702
平滑筋肉腫, 子宮体癌　640
平滑筋肉腫, 軟部組織の　702
平均血圧　191
平均赤血球ヘモグロビン(MCH)　294
平均赤血球ヘモグロビン濃度(MCHC)
　　　　294
平均赤血球容積(MCV)　294
閉経後骨粗鬆症　711
閉塞性黄疸　485
閉塞性過膨張　390
閉塞性換気障害　389
閉塞性血栓　178
閉塞性血栓性血管炎　345
閉塞性細気管支炎　390
閉塞性細気管支炎器質化肺炎(BOOP)
　　　　393
閉塞性胆汁性肝硬変　496
閉塞性動脈硬化症(ASO)　344, 345
ベーチェット病　124
──, Sweet病との合併　732
──, 腸管　466
壁在血栓　178, 360
ベセスダシステム, 甲状腺　593
ベセスダシステム, 子宮頸癌の　247, 634
ヘテロクロマチン　12, 203
ヘテロ接合体　216
ベドナーのアフタ　424
ペニシリン耐性肺炎球菌(PRSP)　395
ヘノッホ-シェーンライン紫斑病→IgA血
　　管炎をみよ
ヘバーデン結節　726
ヘパリン　39, 182
ヘプシジン　297
ヘマトキシリン・エオジン染色　760
ヘマトキシリン体　550
ヘミ接合体　216
ヘム　159
ヘモグロビン　159, 294
ヘモグロビン代謝障害　159
ヘモクロマトーシス　161, 485, 521
ヘモジデリン　294
ヘモジデローシス　161, 486
ヘリオトロープ疹　123, 689, 738
ヘリコバクター・ピロリ(H. pylori)
　　　　81, 441
──による胃炎　442
ペルオキシソーム　12
ベルジェ病　551
ベルナール-スーリエ病　305
ヘルパーT細胞　100
ヘルパンギーナ　423
ヘルペスウイルス　73, 627

――,先天異常の原因 220
ヘルペス脳炎 74
ベルリンブルー染色 760
ベロケイ小体 748
ベロ毒素 80, 557
変異 211
変異原性 270
辺縁趨向 47
変形性関節症 713, 725
変形性脊椎症 726
変性 16
胼胝性潰瘍 445
扁平上皮円柱上皮境界部(SCJ) 629
扁平上皮過形成 424
扁平上皮癌 244
　――,陰茎の 661
　――,外陰の 628
　――,顎口腔の 427
　――,喉頭の 380
　――,子宮頸部の 632, 793
　――,腟の 629
　――,尿路の 579
　――,肺の 406
　――,皮膚の 744
扁平上皮内病変(SIL) 632
扁平上皮乳頭腫,食道の 437
扁平上皮乳頭腫,鼻の 379
扁平苔癬,口腔の 425
扁平苔癬,皮膚の 736
弁膜疾患 368
ヘンレループ 537

ほ

ポイツ–ジェガース症候群 448, 478
保因者 218
傍隔壁性肺気腫 389
蜂窩織炎 60, 691
蜂窩織炎性虫垂炎 479
蜂窩肺 393
膀胱 571
膀胱炎 573
膀胱憩室 579
縫合線 371
膀胱尿管逆流(VUR) 560, 574, 580
傍糸球体装置(JGA) 537
放射線性膀胱炎 573
放射線による発がん 273
放射線肺炎 401
膨出性憩室 435
胞状奇胎 647
膨疹 730, 731
紡錘形細胞・硬化型横紋筋肉腫 702
紡錘状動脈瘤 345, 668
乏精子症 650
放線菌症 80, 423
胞巣型横紋筋肉腫 700
包虫症 495
乏突起膠細胞 663
乏突起膠腫,IDH 変異および 1p/19q 共欠失 685
包埋 758
ボーエン病,陰囊の 661
ボーエン病,皮膚の 743

ポートリエ微小膿瘍 753
ホーマー・ライト型ロゼット 380, 685
ボーマン囊 535
ほくろ 751
母子感染 72
　――,B 型肝炎の 489
母子間免疫寛容 112
ホジキンリンパ腫 335
ホスト 110
墓石状外観 734
舗装化 47
補体
　――系反応の経路 41
　――による免疫応答 102
　――のアナフィラトキシン活性と白血球走化作用 102
補体依存性細胞傷害(CDC) 117
補体欠損症 131
補体分解物 40, 44
ポックスウイルス感染症 75
発作性寒冷ヘモグロビン尿症(PCH) 300
発作性夜間ヘモグロビン尿症(PNH) 301
発疹チフス 83
発赤 35
ポッター症候群 224
ボツリヌス中毒 79
ボディアン染色 664, 760
母斑細胞母斑 751
母斑性基底細胞癌症候群 422
ホブネイルパターン 644
ホモシスチン尿症 153
ホモ接合体 216
ポリ A 211
ポリープ 241, 446
ポリオーマウイルス属 76, 673
ポリオ 673
ポリグルタミン病 679
ポリポーシス 446
ポルフィリン 159
ポルフィリン症 485
ホルボールエステル 271
ホルマリン固定 758
ホルモン,先天異常の原因 221
ホルモン受容体 619
ホルモン受容体陽性乳癌 626
ボレリア属 84
本態性血小板血症(ET) 313
本態性高血圧症 193
本態性脂質異常症 146
ポンプ機能不全 359
ポンペ病 143, 234
翻訳 210

ま

マイクロ RNA 211
マイクロアレイ法 215
マイクロサテライト不安定性(MSI) 158, 475
マイクロフィラメント 13
マイコプラズマ 82, 394
マイスナー神経叢 433, 460
膜型抗体 106
マクサム–ギルバート法 215

膜傷害 15
膜侵襲複合体(MAC) 102
膜性炎 59
膜性骨化 710
膜性腎症 544, 791
膜性増殖性糸球体腎炎(MPGN) 547
膜内骨化 162
膜様細気管支 376
マクロファージ 36, 39, 96, 481
　――,がん免疫にかかわる 114, 280
　――,慢性炎症における 54
マザブロウ症候群 707
マシャド–ジョゼフ病 681
麻疹 77
麻疹ウイルス 398, 673
マスト細胞 36, 39, 97
マダニ刺症 91
末期癌 243
末梢血検査 292
末梢神経系 663
末梢神経疾患 687
末梢性 T 細胞リンパ腫,非特定型 334
マッソントリクローム染色 760
末端巨大症 585
末端黒子型黒色腫 752
マトリックスメタロプロテアーゼ(MMP) 28, 56
マフッチ症候群 717
マラコプラキア 574
マラセチア 85
マラッセの上皮遺残 421
マラリア 88, 301
マラリア感染抵抗性 233
マルファン症候群 155, 233, 347, 348
マレー糸状虫症 90
マロリー–ワイス症候群 435
マロリー小体 148
慢性胃炎 442
慢性萎縮性鼻炎 377
慢性移植糸球体炎 566
慢性ウイルス肝炎 491
慢性炎症 34, 54
　――の形態像 62
　――への移行,急性炎症から 53
慢性円板状エリテマトーデス 737
慢性活動性抗体関連拒絶,移植腎の 565
慢性化膿性骨髄炎 714
慢性肝障害の腹水 172
慢性気管支炎 390
慢性硬化性唾液腺炎 429
慢性好酸球性白血病(CEL) 313
慢性甲状腺炎 127, 591
慢性好中球性白血病(CNL) 313
慢性喉頭炎 378
慢性硬膜下血腫 671
慢性骨髄性白血病(CML) 311
慢性縦隔炎 412
慢性絨毛炎 647
慢性食道炎 436
慢性腎盂腎炎 561
慢性腎炎症候群 539
慢性心筋炎 363
慢性進行性外眼筋麻痺(CPEO) 690

ま

慢性腎臓病（CKD） 539
慢性腎不全 157, 539
慢性膵炎 522
慢性増殖性炎 62
慢性胆囊炎 516
慢性肉芽腫症（CGD） 46, 130, 235
慢性鼻炎 377
慢性非化膿性破壊性胆管炎（CNSDC） 500
慢性肥厚性カンジダ症 423
慢性肥厚性鼻炎 377
慢性副鼻腔炎 377
慢性閉塞性肺疾患（COPD） 390
慢性膀胱炎 573
慢性リンパ性白血病/小リンパ球性リンパ腫（CLL/SLL） 307, 316
マンソン住血吸虫症 487
　　――による肝細胞癌 508
マントル細胞リンパ腫 332
　　――の染色体分析 330
マンロー微小膿瘍 736

み

ミオグロビン 159
ミオシンフィラメント 26
ミオパチー 689
ミカエリス-ガットマン小体 574
ミクリッツ細胞 377
ミクログリア 39, 663
ミクロスポルム属 85
未熟奇形腫，卵巣の 645
水いぼ 75
ミスセンス変異 212
ミスフォールドタンパク質 105
ミスマッチ修復（MMR） 158
ミズムシ 85
三日熱マラリア 88
密封小線源療法 660
ミトコンドリア 10
ミトコンドリア遺伝子異常症 209
ミトコンドリア遺伝子の遺伝性疾患 236
ミトコンドリアゲノム 207, 209
ミトコンドリア脳筋症 210, 236, 690
ミトコンドリア脳筋症・乳酸アシドーシス・脳卒中様発作症候群（MELAS） 690
水俣病 221
未分化癌，甲状腺の 592, 597
未分化大細胞リンパ腫 334
未分化多形肉腫 707
未分化胚細胞腫 645
ミヤイリガイ 90, 494
脈圧 191
脈絡叢 664
宮崎肺吸虫 91, 399
ミュア-トール症候群 748
ミュラー管 627, 649
ミラーの二次小葉 376

む

無βリポタンパク血症 462
無顆粒球症 303
無気肺 387
無機物代謝障害 161
無形成 221
無限増殖能 261
ムコール症 86, 378
無心体 225
無精子症 650
ムチン 96
無痛性甲状腺炎 592
無頭蓋症 221
無脳症 221
無発生 221
ムンプスウイルス 77, 428
　　――の精巣への感染 651

め

明細胞腫瘍，卵巣の 644
迷入 222
迷入膵 520
メープルシロップ尿症 153
メサンギウム間入 547
メサンギウム基質 537
メサンギウム細胞 536, 537
メサンギウム増殖性腎炎 545
メサンギウム毛細血管性糸球体腎炎 547
メサンギウム融解 557
メタボリックシンドローム 152, 193
メチシリン耐性黄色ブドウ球菌（MRSA） 395
メチニコフ 35
メッケル憩室 461
メドゥーサの頭 188, 499
メトトレキサート治療による免疫不全 132
メネトリエ病 444
メモリー細胞 108
メラノーマ 752
メラノサイト 729
メラノサイト系病変 751
メルカーソン-ローゼンタール症候群 419
メルゼブルグの三徴 590
メロゾイト 301
免疫応答 101
免疫寛容 107
　　――，妊娠と 112
免疫関連有害事象（irAE） 115
免疫グロブリン 94
　　――，新生児における 106
免疫系 94
免疫順応 112
免疫染色（免疫組織化学） 761
免疫チェックポイント分子 114
免疫調節異常症 129
免疫特権 111
免疫複合体性小型血管炎 352
免疫不全関連リンパ増殖性疾患 132
免疫不全症 128
免疫抑制薬による免疫不全 132
免疫抑制薬の腎毒性 566
メンケベルグ型動脈硬化 341
メンケベルク中膜石灰化 149
メンデルの法則 216

も

毛細血管 339
毛細血管拡張性運動失調症 129

毛細リンパ管 341
網状赤血球 291
毛包（角化細胞） 729
毛包（毛嚢） 729
毛母基 729
毛母細胞 729
毛母腫 747
モザイク 206
モノソミー 206, 219
もやもや病 670
モルガーニ 4
門脈 481
門脈圧亢進症 170, 172, 435, 498
　　――，肝硬変に伴う 188
門脈圧亢進性胃症 499
門脈域 481

や

ヤーヌス体 224
薬害ヤコブ 92
薬剤アレルギーに続発するリンパ節症 322
薬剤関連顎骨壊死（MRONJ） 420
薬剤耐性菌 73
薬剤による呼吸器障害 401
薬剤溶出性ステント（DES） 345
薬物性肝障害 502
山極勝三郎 6, 270
山田分類 446
山中伸弥 25, 210
ヤンセン父子 4

ゆ

ユーイング肉腫 724
融解壊死 19
有機水銀，先天異常の原因 221
有棘細胞癌 744
有棘層，食道の 434
ユークロマチン 12, 203
融合遺伝子 212
有糸分裂 203
疣贅 178, 371
優性遺伝→（常染色体）顕性遺伝をみよ
疣贅状表皮発育異常症 743
有窓性毛細血管 339
遊走阻止因子（MIF） 55
有毛細胞白血病 317
幽門下垂 441
幽門腺 440
癒合性壊死 484
癒合不全 221
輸送鉄 161

よ

癰 61
溶血 299
溶血性尿毒症症候群（HUS） 306, 557
溶血性連鎖球菌感染後急性腎炎（PSAGN） 546
葉酸欠乏 297
葉状腫瘍 626
羊水塞栓症 183, 385
幼虫移行症 90

容量血管　167
容量負荷　189
溶連菌, スーパー抗原　105
吉田肉腫　262
四日熱マラリア　88

ら

らい菌　82
ライ症候群　484
ライソソーム→リソソームをみよ　151
ライディッヒ細胞　649
ライディッヒ細胞腫　654
ライム病　84
ラインケ類結晶体　655
ラウス肉腫ウイルス(RSV)　272
ラクトトロフ　581
ラクナ梗塞　670
落葉状天疱瘡　734
ラテント癌　660
ラ島→ランゲルハンス島をみよ
ラトケ嚢胞　586
ラヌーラ　424
ラパポートの肝細胞葉構造説　481
ラミニン　28
ラミン　12
卵円孔開存症　355
卵黄嚢腫瘍
　──, 縦隔の　412
　──, 精巣の　652
　──, 卵巣の　645
卵管　627
卵管炎　641
卵管癌　641
卵管妊娠　646
卵管留水腫　641
卵管留膿腫　641
ラングハンス型(多核)巨細胞
　　　　63, 82, 396, 715, 739, 788
卵形マラリア　88
ランゲルハンス細胞(LC)　40, 336, 729
ランゲルハンス細胞組織球症
　　　　337, 402, 723
ランゲルハンス島　520, 609
卵巣　627
　──の病変　641
ランバート-イートン筋無力症候群
　　　　409, 689
ランブル鞭毛虫症　87
卵胞刺激ホルモン(FSH)　581

り

リーデル肝葉　482
リーデル甲状腺炎　592
リード-ステルンベルグ細胞　335
リー脳症　210
リーベルキューン腺　460
リウマチ(様)結節　65
リウマチ性疾患　736
リウマチ性弁膜症　369
リウマトイド因子(RF)　120
リガ-フェーデ病　424
リケッチア　83, 399
リソソーム　11, 12, 151

リソソーム酵素　44
リソソーム病(リソソーム蓄積症)
　　　　143, 151, 234
リツキシマブ　260
リノスポリジウム症　377
リブマン-サックス型心内膜炎　123
リ-フラウメニ症候群　278, 692
リポイドネフローゼ　543
リポイド肺炎　401
リボソーム　10
リポ多糖　101
リポタンパク質　144
リポタンパク症　387
リポタンパクリパーゼ(LPL)　144
リポフスチン　31
リモデリング, 骨の　162, 709
隆起性皮膚線維肉腫　697, 749
流行性肝炎→A型肝炎をみよ
流行性耳下腺炎　77, 428
流行性耳下腺炎ウイルスによる精巣炎
　　　　651
良性高血圧症　193
良性腫瘍の命名法　240
良性腎硬化症　193, 558
良性線維性中皮腫　411
良性葉状腫瘍　618
緑膿菌　80, 395
臨界期　219
リン脂質　144
淋疾(淋菌感染症)　80
輪状潰瘍　468
臨床癌　660
輪状膵　521
輪状粘膜襞　457
臨床病期　259
臨床病理検討会(CPC)　7
　──型剖検例検討実習　767
　──形式の実習　757
リンチ症候群　158, 475
リンパ管　339, 341
リンパ管侵襲, 胃の　454
リンパ管脈管平滑筋腫症(LAM)　404
リンパ球　36, 39, 98
リンパ球異常　304
リンパ球系病変, 皮膚の　753
リンパ球減少症　304
リンパ球浸潤癌, 胃の　453
リンパ球性下垂体炎　584
リンパ球性心筋炎　362
リンパ球増多症　66, 304
リンパ系の役割, 急性炎症における　51
リンパ行性転移　252
　──, 胃の　454
リンパ腫　242, 325
　──, 胃の　455
　──, 甲状腺の　598
　──, 縦隔の　412
　──, 大腸の　476
　──, 肺の　409
　──, 鼻の　380
　──の疫学　283
リンパ上皮腫様癌　379
リンパ上皮性嚢胞　424

リンパ節　320
　──の転移性腫瘍　337
リンパ節腫脹　321
リンパ節症, 膠原病に伴う　323
リンパ節症, 薬剤アレルギーに続発する
　　　　322
リンパ濾胞過形成　458
リンホカイン活性化キラー(LAK)細胞
　　　　280
リンホトキシン(TNF-β)　45

る

類基底細胞扁平上皮癌, 食道の　439
類結核肉芽腫　739
類骨　163
類骨骨腫　718
類上皮血管内皮腫, 肝臓の　513
類上皮細胞　39, 63
類上皮細胞性肉芽腫　81
類上皮肉芽腫　739, 788
類内膜癌　793
類内膜腫瘍　644
類皮嚢胞　377
類表皮嚢腫　747
類表皮嚢胞　747
ルーピング　353
ループス腎炎　122, 549
　──の分類　550
ルクソールファスト青染色　664
ルミナル(管腔)型　626

れ

冷式抗体　300
レイノー現象　123, 738
レイノルズの五主徴　516
レーウェンフック　4
レーザー-トレラ症候群　742
レーバー遺伝性視神経症　210, 236
レクチン経路　102
レジオネラ菌　394
レックス-カントリー線　481
レッシュ-ナイハン症候群　156, 235
劣性遺伝→(常染色体)潜性遺伝をみよ
レトロウイルス感染症　78
レトロウイルスによる発がん　273
レニン　537
レニン-アンギオテンシン系　191, 538
レビー小体　678
レビー小体型認知症　678
レプトスピラ　84
レフレル心内膜炎　362
連鎖解析　209
連鎖球菌感染症　79
連銭形成　318
連続性毛細血管　339
レンメル症候群　458

ろ

ロイコトリエン(LT)　44
ロイス-ディーツ症候群　347
瘻　61
老化, 細胞の　261
労作性狭心症　358

漏出性胸水　410
漏出性出血　174
老人性角化腫　743
老人性角化症　743
老人性過膨張　390
老人性黒子　742
老人性骨粗鬆症　711
老人性色素斑　742
老人性疣贅　742
老人斑　676
漏斗，下垂体　581
蠟片現象　736
ロキタンスキー　4, 35

ロキタンスキー-アショフ洞　516, 517
濾出液　170
ロゼット形成　724
ロゼット構造　788
ロバートソン転座　206
濾胞型乳頭癌　594
濾胞癌　592, **596**
濾胞上皮細胞　587
濾胞性樹状細胞　336
濾胞星状細胞　581
濾胞性胆囊炎　516
濾胞性リンパ腫　332, 787
濾胞腺癌　592

濾胞腺腫　593
濾胞ヘルパーT細胞　100
濾胞辺縁帯リンパ腫　331

わ

ワイヤーループ病変　122, 550
ワイル病　84
ワトソン　207
ワルチン腫瘍　430
ワルチン-フィンケルダイ細胞　77
ワルファリン　182
ワンサン口内炎　423

欧文索引

①アルファベットの語順によって配列した．ラテン文字の前にアラビア数字，ローマ数字，ギリシャ文字を1字目とする用語をまとめて掲載した．
②先頭の文字が欧文の用語は，すべて和文索引に収めてある．冠名用語に関してはカタカナ表記も和文索引に掲載した．
③「――」でつないだ用語はすぐ上の用語に続くものである．また「――,」のあとの語句は用語の補足のために付している．
④**太字**のページ数は主要説明箇所を示す．

数字，ギリシャ文字

1 塩基多型（SNP） 215
1 型糖尿病 138, 521
1 倍体 219
2 型糖尿病 139, 521
2 倍体 219
3 塩基繰り返し配列の遺伝性疾患 233, 236
3 型線維芽細胞増殖因子受容体遺伝子 711
3 枝病変 361
3 倍体 X 染色体症候群 230
5q 単独欠失を伴う骨髄異形成症候群（MDS-5q-） 310
8 トリソミー 228
9 トリソミー 228
12-o-tetradecanoylphorbol-13-acetate（TPA） 271
13 トリソミー 228
18 トリソミー 228
21 トリソミー 227
46, XX male 230
47, XYY 230
Ⅰ型過敏反応 116
Ⅰ型糖原病 143
Ⅱ型過敏反応 117
Ⅱ型糖原病 143
Ⅲ型過敏反応 117
Ⅳ型過敏反応 117
α 細胞 520, 609
α-シヌクレイン 678, 681
α-フェトプロテイン（AFP） 508
―― 産生癌 453
α₁ アンチトリプシン（AAT）欠損症 389
β-カテニン 696
β 細胞 520, 609
β サラセミア 298
β 酸化 141, 146
β-ヘキソサミニダーゼ欠損症 234
β₂-ミクログロブリン 155
δ 細胞 609

A

A 型胃炎 117, 442, **443**
A 型肝炎 489
A 型肝炎ウイルス（HAV） 489
A 群溶血性連鎖球菌，スーパー抗原 105
Aβ₂M 155
AA（aplastic anemia） 296, 301
AA 型，アミロイドーシス 554
AA（amyloid A）タンパク 154
AAT（α₁ アンチトリプシン）欠損症 389

abdominal aortic aneurysm（AAA） 346
aberrant pancreas 440 458, 520
aberrant thyroid tissue 589
abetalipoproteinemia 462
ABL 遺伝子 311
abnormal fusion 221
abnormal hemoglobin disease 233
abscess 60
―― , 皮疹 730
abscess formation 52
abscess membrane 61
Acanthamoeba 87
acantholysis 734
acardius 225
accessory adrenal glands 603
accessory lobe 482
accessory spleen 319, 521
accommodation 112
ACD（anemia of chronic disease） 297
ACDK（acquired cystic disease of the kidney） 564
achalasia 435
achondroplasia 711
achromatopsia 235
acidophilic body 483
acinar cell neoplasms, 膵臓の 529
acinic cell carcinoma, 唾液腺 431
acinus of Aschoff 376
acquired cystic disease of the kidney（ACDK） 564
acquired immunodeficiency syndrome（AIDS） 78, 132
acral lentiginous melanoma（ALM） 752
acromegaly 585
ACTH（adrenocorticotropic hormone） 581
ACTH 産生腺腫 585
ACTH 非依存性大結節性副腎皮質過形成（AIMAH） 605
actin filament 13, 26
actinic keratosis 743
actinic lentigo 742
Actinomyces israelii 80, 423
actinomycosis 80, 423
activation induced cell death 109
activation-induced cytidine deaminase（AID） 107
acute adrenal insufficiency 605
acute antibody-mediated rejection, 移植腎の 565
acute appendicitis 479
acute arterial occlusion 345
acute bronchiolitis 390

acute bronchitis 390
acute cholecystitis 516
acute coronary syndrome 358
acute cystitis 573
acute dilatation of stomach 441
acute disseminated encephalomyelitis 682
acute epiglottitis 378
acute esophagitis 436
acute extradural hematoma 671
acute febrile neutrophilic dermatosis 732
acute gastric mucosal lesion（AGML） 441
acute inflammation 34, 58
acute interstitial pneumonia（AIP） 393
acute laryngitis 378
acute lymphoblastic leukemia（ALL） 307, 316
acute mastitis 614
acute mediastinitis 412
acute megakaryocytic leukemia（AMKL） 315
acute monoblastic/monocytic leukemia（AMoL） 314
acute myeloid leukemia（AML） 307, 313
acute myemonocytic leukemia（AMMoL） 314
acute myocardial infarction 787
acute nephritic syndrome 539
acute pancreatitis 522
acute phase reactant 67
acute plaque change 344
acute promyelocytic leukemia（APL） 314
acute pyelonephritis 560
acute pyogenic osteomyelitis 713
acute respiratory distress syndrome（ARDS） 394
acute rheumatic fever 369
acute rhinitis 377
acute sinusitis 377
acute stress ulcer 444
acute subdural hematoma 671
acute subglottic laryngitis 378
acute suppurative thyroiditis 591
acute tubular injury（ATI） 560
acute tubular necrosis（ATN） 198, **560**
ADAMTS13 306, 557
adaptation 13, **29**
ADCC（antibody-dependent cell-mediated cytotoxicity） 117, 280
Addison 病 197, **605**
adenocarcinoma 244

adenocarcinoma
　——，呼吸器の　788
　——，子宮頸癌　633
　——，十二指腸の　459
　——，虫垂の　480
　——，尿路の　579
　——，肺癌の　406
adenoid cystic carcinoma　430
adenoma-carcinoma sequence　475
adenomatoid tumor　655
adenomatous goiter　600
adenomatous hyperplasia　508
adenoma　241
　——，十二指腸の　459
　——，大腸の　471
　——，虫垂の　479
adenomyosis　635
adenosine deaminase(ADA)欠損症　128
adenosis　615
adenosquamous carcinoma，肺癌の　407
adenovirus infection　76
ADPKD〔autosomal dominant (adult) polycystic kidney disease〕　564
adrenal crisis　605
adrenal gland　602
adrenal incidentaloma　609
adrenocortical adenoma　606
adrenocortical carcinoma　606
adrenocortical hyperfunction　605
adrenocortical insufficiency　604
adrenocorticotropic hormone(ACTH)　581
adrenoleukodystrophy　682
adult T-cell leukemia/lymphoma(ATLL)　72, 334
advanced cancer　243
advanced glycation end product(AGE)　140
aflatoxin　508
AFP(α-fetoprotein)　268, 508
agenesis　221
AGM 領域　292
AGML(acute gastric mucosal lesion)　441
agranulocytosis　303
AID(activation-induced cytidine deaminase)　107
AIDS(acquired immunodeficiency syndrome)　78, 132
AIH(autoimmune hepatitis)　494
AIHA(autoimmune hemolytic anemia)　126, 300
AIMAH(ACTH-independent macronodular adrenocortical hyperplasia)　605
AIP(acute interstitial pneumonia)　393
air-conditioner lung　401
air embolism　183, 385
AKT　22
AL 型，アミロイドーシス　554
AL(amyloid light chain)タンパク　154
Albright 遺伝性骨ジストロフィー　601
alcohol use disorder　221

alcoholic fatty liver　501
alcoholic hepatic fibrosis　501
alcoholic hepatitis　501
alcoholic liver cirrhosis　502
alcoholic liver disease　501
aldosterone　603
aldosterone producing adenoma　606
alimentary tract　433
ALK 遺伝子　335
ALL(acute lymphoblastic leukemia)　307, 316
allele　216
allergic granulomatous angiitis → eosinophilic granulomatosis with polyangiitis をみよ
allergic purpura　306
allergic reaction による炎症　36
allergic rhinitis　58
allergy　116
ALM(acral lentiginous melanoma)　752
Alport 症候群　218, 554
alternative pathway，補体の　41, 102, 551
alveolar bone　417
alveolar duct　375
alveolar hemorrhage　384
alveolar macrophage　39
alveolar rhabdomyosarcoma　700
alveolar sac　375
Alzheimer disease　676
amebiasis　87
amebic liver abscess　494
ameloblastoma　426
AMKL(acute megakaryocytic leukemia)　315
AML(acute myeloid leukemia)　307, 313
AMMoL(acute myemonocytic leukemia)　314
amniotic fluid embolism　183, 385
amoebic dysentery　469
AMoL(acute monoblastic/monocytic leukemia)　314
amylin　141
amyloid angiopathy　667
amyloid tumor　387
amyloidosis　154
　——，肝臓の　486
　——，消化管の　470
　——，腎臓の　557
　——，肺限局性の　387
　——，皮膚の　739
amyotrophic lateral sclerosis　681
ANA(anti-nuclear antibody)　120
anabolism　136
anaphylactic shock　197
anaphylactoid purpura　733
anaphylatoxin　41
anaplasia　247, 248
anaplastic carcinoma，甲状腺の　597
anaplastic large cell lymphoma　334
anaplastic seminoma　652
anaplastic tumor　248
anasarca　170

anatomical pathology　4
ANCA(antineutrophil cytoplasmic antibody)　547
　—— による糸球体基底膜傷害　540
ANCA 関連血管炎　351, 378, 555, 556
　—— の肺胞出血　384
ANCA-associated vasculitis　351, 555, 556
ancylostomiasis　90
anemia　294
anemia of chronic disease(ACD)　297
anemic infarction　185
anergy　107, 109
aneuploid　268
aneuploidy，染色体数の　206
aneurysmal bone cyst　720
Angelman 症候群　237
angina pectoris　186, 358
angioedema　731
angiogenesis　23, 57
　——，腫瘍細胞の　264
angioimmunoblastic T cell lymphoma　334
angiomyolipoma，肝臓の　512
angiomyolipoma，腎臓の　569
angioneurotic edema　172
angiosarcoma
　——，肝臓の　512
　——，心臓の　372
　——，軟部組織の　704
　——，皮膚の　749
anisakiasis　90
ankyloglossia　419
annular pancreas　521
anti-glomerular basement membrane disease　352
anti-müllerian hormone(AMH)　649
anti-nuclear antibody(ANA)　120
antibiotics，先天異常の原因　221
antibody-dependent cell-mediated cytotoxicity(ADCC)　117, 280
antigen presenting cell(APC)　39
antigen processing　104
antineutrophil cytoplasmic antibody (ANCA)　547
Antoni A 領域，B 領域　685
aortic aneurysm　345
aortic dissection　348
APC(antigen presenting cell)　38
APC 遺伝子　278, 477, 696
aphthous stomatitis　424
apical periodontitis　420
APL(acute promyelocytic leukemia)　314
aplasia　221
aplastic anemia(AA)　296, 301
apocrine glands　730
apocrine metaplasia　615
apocrine secretion　730
apolipoprotein　144
apoplexy　175
apoptosis　19, 275

APS(autoimmune polyglandular syndrome) 129
arachnoid mater 664
Archaea 71
ARDS(acute respiratory distress syndrome) 394
arrest of development 221
arrhythmia 359
arrhythmogenic right ventricular cardiomyopathy(ARVC) 366
arterial embolus 184
arteriolosclerosis 149, 341
arteriosclerosis obliterans(ASO) 344, **345**
arteriosclerosis 149, 341
arteriovenous malformation 670
Arthus 反応 117
ARVC(arrhythmogenic right ventricular cardiomyopathy) 366
asbestos body 400
asbestosis 400
ascariasis 90
Aschoff body 65
Aschoff の細葉 376
ASD(atrial septal defect) 355
ASO(arteriosclerosis obliterans) 344, **345**
aspergillosis 86, 378
Aspergillus flavus 508
Aspergillus fumigatus 86
aspiration pneumonia 394
asteatotic eczema 731
asteroid body 65, 85, 740
asthenospermia 650
astrocyte 663
astrocytoma, IDH-mutant 685
ataxia-telangiectasia 129
atelectasis 387
atheroma 151, 747
atherosclerosis 142, 149, 342
atherosclerotic plaque 343
atherosclerotic stenosis 344
atherothrombotic cerebral infarction 668
ATI(acute tubular injury) 560
ATLL(adult T-cell leukemia/lymphoma) 72, 334
ATN(acute tubular necrosis) 198, **560**
atopic dermatitis 731
ATP の欠乏による細胞傷害 15
atrial septal defect(ASD) 355
atrophy 31
atypia 246
atypical carcinoid 408
atypical endometrial hyperplasia 637
atypical lipomatous tumor 694
Auer body 314
Auerbach plexus 433, 460
Auspitz sign 736
autocrine 27
autoimmune disease 119, 736
autoimmune gastritis 443
autoimmune hemolytic anemia(AIHA) 126, 300

autoimmune hepatitis(AIH) 494
autoimmune pancreatitis 524
autoimmune polyglandular syndrome (APS) 129
autophagy 22
autopsy 7
autosensitization dermatitis 731
autosomal dominant inheritance 216
autosomal dominant (adult) polycystic kidney disease(ADPKD) 564
autosomal recessive inheritance 218
axon 663
azospermia 650
azotemia 539
azurophilic granule 37
Azzopardi 現象 408

B

B 型胃炎 442
B 型肝炎 489
B 型肝炎ウイルス(HBV) 273, 489
―― による肝硬変 496
―― による肝細胞癌 508
B 細胞 39, 94, 98
―― の分化 108
B 細胞欠損症 129
B リンパ球 39
back-to-back 構造 637
backwash ileitis 464
bacteremia 61
bacterial infection 79, 423
bacterial meningitis 674
bacterial peptide 44
bacterial pneumonia 394
bacterium 71
bagassosis 401
balanoposthitis 660
ballooning degeneration 491
BAL(bronchoalveolar lavage) 387
Banti 病(Banti 症候群) 487
Barr body 203
Barrett 食道 32, **436**
bartholinitis 627
basal cell carcinoma(BCC) 745
basal cell epithelioma(BCE) 745
basal lamina 339
base pair 207
Basedow 病 117, 127, 590
basophilia 303
basophil 36, **39**, 97
bathing trunk nevus 751
Bazin 硬結性紅斑 739
BCR 遺伝子 311
Bednar aphtha 424
Behçet 病 124
――, 腸管 466
――, Sweet 病との合併 732
Bence-Jones タンパク 317
benign fibrous mesothelioma 411
benign hypertension 193
benign nephrosclerosis 193, 558
benign phyllodes tumor 618
benign prostatic hyperplasia(BPH) 657

Berger 病 551
Bernard-Soulier 病 306
bile duct adenoma 503
bile lake 496
bile plug 496
biliary atresia 514
biliary intraepithelial neoplasia(BilIN) 509, 518
biliverdin 159
biopsy 256
Birbeck 顆粒 402, 724
bird-breeder's lung 401
bladder diverticulum 579
Blandin-Nuhn 囊胞 424
bleb 410
bleeding 173
blister 58
――, 皮疹 730
blood pressure 191
blood-testis barrier 655
blood vessel 339
Bloom 症候群 278
blue nevus 751
blue toe syndrome 734
BMP(bone morphogenic protein) 710
Bodian 染色 **664**, 760
bone infarction 713
bone marrow embolism 385
bone morphogenic protein(BMP) 710
bone structural units (BSUs) 709
BOOP(bronchiolitis obliterans organizing pneumonia) 393
Borrelia 属 84
botryoid sarcoma, 腔の 629
botryoid sarcoma, 鼻の 380
botulism 79
bovine spongiform encephalopathy(BSE) 92
Bowen disease, 陰嚢の 661
Bowen disease, 皮膚の 743
Bowman capsule 535
bradykinin 41, **46**
brain edema 172
BRCA1(breast cancer susceptibility gene 1) 157, 234, 619, 660
BRCA1/*BRCA2* 遺伝子 157, 234, 619, 660
breast cancer 618
bridging necrosis 484
bronchial asthma 37, 391
bronchiectasis 390
bronchiole 375
bronchiolitis obliterans organizing pneumonia(BOOP) 393
bronchiolitis obliterans 390
bronchoalveolar lavage(BAL) 387
bronchogenic cyst 382, 412, 434
bronchopneumonia 391
bronchopulmonary dysplasia 388
bronchus 375
brown atrophy 31, 483
brown induration 170
brown tumor 713

Brunner gland 433, 458, 460
Brunner gland hyperplasia/hamartoma
　　　　　458
brush border 460
BSE(bovine spongiform encephalopathy)
　　　　　92
BSUs(bone structural units) 709
Budd-Chiari syndrome 188, 488
Buerger 病 185, 187, 345
bulla 410
──, 皮疹 730
bullous pemphigoid 735, 795
BUN 153
Bunina body 681
Burkitt リンパ腫 272, 277, 333
bursitis 691
butterfly glioma 685
butterfly lesion 737
butterfly rash 121
bystander activation 120

C

C 型肝炎 490
C 型肝炎ウイルス(HCV) 273, 490
　──による肝硬変 496
C 型慢性肝炎から肝硬変 493
C 細胞 587, **588**
C 領域 106
c-abl 277
c-erbB-1 276
c-erbB-2(her2/neu) 276
c-kit 276
c-myc 277
c-onc(cellular oncogene) 275
c-raf 277
c-src 275, 277
C3 102
C3 腎症 547
C3a 41
C3b 50, 102
C5a 41, 44
Ca 代謝 538
Ca^{2+} 濃度の上昇による細胞傷害 15
CAD(cold agglutinin disease) 300
CAH(congenital adrenal hyperplasia)
　　　　　604
calcifying epithelioma 747
calcium pyrophosphate dehydrate
　(CPPD) 727
Call-Exner 小体 645, 655
callous ulcer 446
callus 713
CAM ファミリー 28
Campylobacter jejuni 688
cancellous bone 709
cancer immunoediting theory 112
cancer pearl 427, 438
cancerous peritonitis 454
Candida albicans 85, 423, 436
candidiasis 85
Caplan 症候群 402
capsular drop 554
caput medusae 188, 499

carbuncle 61
carcinoembryonic antigen(CEA)
　　　　　268, 509
carcinoid tumor
　──, 十二指腸の 459
　──, 大腸の 476
　──, 肺癌の 408
carcinoma 241
carcinoma *in situ*, 喉頭の 380
carcinoma of the ampulla of Vater 518
carcinoma showing thymus-like
　differentiation(CASTLE) 599
carcinosarcoma 639
cardiac amyloidosis 367
cardiac cirrhosis 170, 190
cardiac loop 353
cardiac myxoma 371
cardiac rupture 360
cardiogenic cerebral embolism 669
cardiogenic shock 197
cardiomyopathy 363
cardiovascular collapse 196
caretaker 型がん抑制遺伝子 278
caries 420
Carney complex 371, 606
carpal tunnel syndrome 691, 727
carrier 218
cart wheel 749
cartilage cap 716
caruncle 574
caseous necrosis 62, 81
CAS(coronary angioscopy) 344
CASTLE(carcinoma showing thymus-
　like differentiation) 599
Castleman disease 324, 412
Castleman リンパ腫 324
castration-resistant prostatic cancer
　(CRPC) 660
cat cry disease 228
cat eye syndrome 228
cat scratch disease 65
catabolism 136
catarrhal appendicitis 479
catarrhal gastritis 441
catarrhal inflammation 58
cavernous hemangioma, 肝臓の 511
CD(Crohn disease) 466
CD(cluster of differentiation)シリーズ
　　　　　257
CD4 陽性 T 細胞 100
　──, がん免疫にかかわる 114
CD8 陽性 T 細胞 98
　──, がん免疫にかかわる 114
CDC(complement dependent
　cytotoxicity) 117
Cdc25 277
cdk(cyclin-dependent kinase) 25
cDNA(complementaryDNA) 214
CEA(carcinoembryonic antigen)
　　　　　268, 509
CEL(chronic eosinophilic leukemia) 313
celiac disease 462
cell cycle 25

cell injury 13, 34
cell membrane 10
cell senescence 264
cellular atypia 246
cellular oncogene(c-onc) 275
cellulitis 60
Celsus 34
cementum 417
central nervous system 663
centrilobular emphysema 389
centrilobular necrosis 483
centromere 204
cephalothoracopagus 224
cerebral abscess 674
cerebral apoplexy 666
cerebral contusion 670
cerebral herniation 670
cerebral infarction 186, 668
cerebral softening 186
cerebrovascular disease 666
cervical intraepithelial neoplasia(CIN)分
　類 632
cestodiasis 91
CGD(chronic granulomatous disease)
　　　　　46, 235
CGH(comparative genome hybridization)
　　　　　215
Charcot の三主徴 516
Charcot-Leyden crystal 391
Charcot-Marie-Tooth disease 688
CHD(congenital heart disease) 353
chemical gastritis 443
chemical mediator 35, **40**
chemotaxis 26
Chiari malformation 665
chicken-wire calcification 717
chimera 206
Chlamydia pneumoniae 83, 399
Chlamydia psittaci 83, 399
Chlamydia trachomatis 83, 399, 627
chlamydial infection 83
choanal atresia 377
cholangiocellular carcinoma 509
cholangiolocellular carcinoma 509
cholangitis 516
cholecystitis 516
cholelithiasis 515
cholera 58
cholestasis 484
cholesterol crystal embolization 734
cholesterol polyp 517
chondroblastoma 717
chondrocalcinosis 727
chondrosarcoma 718
chordoma 721
choriocarcinoma
　──, 縦隔の 412
　──, 精巣の 653
　──, 卵巣の 647
choristoma 244
choroid plexus 664
chromatin 12, 203
chromomycosis 85

chromosomal instability　206
chromosome territory　202
chromosome　202
chromosome translocation，がん遺伝子の活性化　277
chronic active antibody-mediated rejection，移植腎の　565
chronic bronchitis　390
chronic cholecystitis　516
chronic cystitis　573
chronic eosinophilic leukemia（CEL）　313
chronic esophagitis　436
chronic gastritis　441, 442
chronic granulomatous disease（CGD）　46, 235
chronic inflammation　34
chronic kidney disease（CKD）　539
chronic laryngitis　378
chronic lymphocytic leukemia/small lymphocytic lymphoma（CLL/SLL）　307, 316
chronic mediastinitis　412
chronic myeloid leukemia（CML）　311
chronic myocarditis　363
chronic nephritic syndrome　539
chronic neutrophilic leukemia（CNL）　313
chronic non-suppurative destructive cholangitis（CNSDC）　500
chronic obstructive pulmonary disease（COPD）　390
chronic pancreatitis　522
chronic progressive external ophthalmoplegia（CPEO）　690
chronic proliferative inflammation　62
chronic pyelonephritis　561
chronic pyogenic osteomyelitis　714
chronic rhinitis　377
chronic sclerosing sialadenitis　429
chronic sinusitis　377
chronic subdural hematoma　671
chronic thyroiditis　591
chronic transplant glomerulopathy　566
Churg-Strauss 症候群→eosinophilic granulomatosis with polyangiitis をみよ
Chvostek 徴候　601
chylomicron（CM）　144
chylomicron remnant（CMR）　144
Chédiak-Higashi 症候群　46, 130
ciliary dyskinesia　383
cilium　376
CIN（cervical intraepithelial neoplasia）　632
circle of Willis　666
circular folds　457
circular ulcer　468
citric acid cycle　137
Civatte 小体　124, 732
CJD（Creutzfeldt-Jakob disease）　92
CKD（chronic kidney disease）　539
classical pathway，補体の　41, 102
clear cell renal cell carcinoma　791
clear cell tumors，卵巣の　644
cleft lip　418

cleft lip and palate　419
cleft of lower lip　418
cleft of upper lip　418
cleft palate　419
clinico-pathological conference（CPC）　7
────── 剖検例検討実習　767
────── 形式の実習　757
CLL/SLL（chronic lymphocytic leukemia/small lymphocytic lymphoma）　307, 316
clonorchiasis　494
Clonorchis sinensis　494
Clostridioides difficile　79, 468
Clostridium botulinum　79
clostridium infection　79
Clostridium perfringens　80
Clostridium tetani　79
cloudy swelling　16
CLP（common lymphoid progenitor cell）　288
club cell　376
clumping cells　743
CM（chylomicron）　144
CM（cutaneous mastocytosis）　303
CML（chronic myeloid leukemia）　311
CMP（common myeloid progenitor cell）　288
CMR（chylomicron remnant）　144
CMV（cytomegalovirus）　74, 436
CNL（chronic neutrophilic leukemia）　313
CNSDC（chronic non-suppurative destructive cholangitis）　500
coagulation necrosis（coagulative necrosis）　19
coagulation thrombus　178
coal miner's pneumoconiosis　400
coarse crackles　384
cobblestone appearance　466
coccidioidomycosis　398
Cockayne syndrome（CS）　157
Codman 三角　719
codominance　216
codon　207
Cohnheim　35
cold agglutinin disease（CAD）　300
colitic cancer　466
collagen disease　736
collagen disease-related lymphadenopathy　323
collateral circulation　186
colloid body　732
colloid osmotic pressure　170
colon cancer　473
colonic diverticulum　470
columnar cell papilloma　379
combined hepatocellular and cholangiocarcinoma　510
common cold syndrome　377
common lymphoid progenitor cell（CLP）　288
common myeloid progenitor cell（CMP）　288
community-acquired pneumonia　394

comparative genome hybridization（CGH）　215
complement dependent cytotoxicity（CDC）　117
complementary DNA（cDNA）　214
complete resolution　52
complete transposition of great arteries（TGA）　357
concentric hypertrophy　189
condyloma acuminatum
────，陰茎の　660
────，外陰（女性生殖器）の　628
────，皮膚の　740
confluent necrosis　484
congenital adrenal hyperplasia（CAH）　604
congenital bicuspid aortic valve　370
congenital biliary dilatation　515
congenital cystic adenomatoid malformation →congenital pulmonary airway malformation をみよ
congenital heart disease（CHD）　353
congenital immunodeficiency syndrome　46
congenital pulmonary airway malformation　382
congenital subglottic stenosis　377
congestion　35, 169
congestion of the liver　487
congestive cirrhosis　496
congestive hepatomegaly　190
congestive splenomegaly　190
conglutination thrombus　178
conjoined twins　224
Conn 症候群　606
connective tissue disease　736
contact dermatitis　731
continuous capillary　339
contractile dysfunction　359
COP（cryptogenic organizing pneumonia）　393
COPD（chronic obstructive pulmonary disease）　390
cor pulmonale　386
cor villosum　58
corona virus infection　77
coronary angioscopy（CAS）　344
coronavirus disease 2019（COVID-19）　73, 78, 399
corrected transposition of great arteries　358
corrosive esophagitis　436
corrosive gastritis　441
cortex　665
cortical bone　709
corticotroph　581
cortisol　603
cortisol producing adenoma　606
Couinaud の区域分類　481
Councilman body　483
COVID-19（coronavirus disease 2019）　73, 78, 399
Cowden 病　478

Coxiella burnetii 399
Coxsackie virus A 423
CPC（clinico-pathological conference） 7
CPEO（chronic progressive external ophthalmoplegia） 690
CpG island 237
CPPD（calcium pyrophosphate dehydrate） 727
cranial bifida 665
craniopagus 224
craniopharyngioma 587, 686
crescentic GN 547
cretinism 589
Creutzfeldt-Jakob disease（CJD） 92
——, 孤発性 675
cri du chat syndrome 228
Crick 207
Crigler-Najjar syndrome 161
critical periods 219
Crohn disease（CD） 466
Cronkhite-Canada 症候群 448, 479
Crooke 細胞腺腫 585
croupous inflammation 59
Crow-Fukase 症候群 324
CRPC（castration-resistant prostatic cancer） 660
crust 59
cryoglobulinemic vasculitis 352
cryptococcoma 397
cryptococcosis 85
Cryptococcus neoformans 85, 397
cryptogenic organizing pneumonia（COP） 393
cryptorchidism 650
crypts 460
CS（Cockayne syndrome） 157
CTL（cytotoxic T-cell） 94
CTL（cytotoxic T lymphocytes） 98
——, がん免疫 280
CTLA-4 114
Curling 潰瘍 198, 444
Curschmann spiral 391
Cushing disease 585, 605
Cushing syndrome 585, **605**
Cushing ulcer 444
cutaneous mastocytosis（CM） 303
cutaneous tuberculosis 739
Cutibacterium acnes 402
cuticular cells 730
cyclin 25
cyclin D1 277
cyclin-dependent kinase（cdk） 25
cyclooxygenase 43
cyclopia 377
cystadenoma 241
cystic fibrosis 235
——, 肺の 382
——, 膵臓の 521
cystic neoplasms, 膵臓の 528
cystitis 573
cyst
——, 甲状腺の 600
——, 食道の 434

——, 乳腺の 615
——, 皮疹 730
cytoid body 732
cytological diagnosis 7
cytomegalovirus（CMV） 74, 436
——, 先天異常の原因 220
cytomegalovirus enterocolitis 469
cytoskeleton 12
cytotoxic T-cell（CTL） 94
cytotoxic T lymphocyte（CTL） 98
——, がん免疫 280
cytotrophoblast 653

D

D 型肝炎 490
D 型肝炎ウイルス（HDV） 490
D1 トリソミー 228
DAA（direct acting antivirals） 490
DAB 染色 761
DAD（diffuse alveolar damage） 394
Dane 粒子 489
DBA（Diamond-Blackfan anemia） 297
DC（dendritic cell） 36, **39**, 98
DCIS（ductal carcinoma *in situ*） 621
DCM（dilated cardiomyopathy） 364
DCP（des-γ-carboxy prothrombin） 508
De Humani Corporis Fabrica 4
de novo 発がん 273
de novo B 型肝炎 490
de Quervain disease 691
dead neuron 669
DeBakey 分類 348
decapitation secretion 730
decompression sickness 183
decoy cell 76
decubitus ulcer 424
dedifferentiated liposarcoma 694
deferent duct 655
deferentitis 656
degeneration 16
degraded complements 40, 44
degranulation 39, 50
deletion 212
delta hepatitis 490
dementia with Lewy body 678
demyelination 682
dendrite 663
dendritic cell（DC） 36, **39**, 98
dense deposit disease 547
densely granulated adenoma 585
dental pulp 417
dentigerous cyst 421
dentin 417
dermatofibroma 699
dermatofibrosarcoma protuberans（DFSP） 697, 749
dermatomyositis（DM） 123, 689, 738
dermatopathic lymphadenopathy 323
dermatophytosis 85
dermoid cyst 377
DES（drug-eluting stent） 345
des-γ-carboxy prothrombin（DCP） 508
desmoid-type fibromatosis 696

desquamative interstitial pneumonia（DIP） 393
diabetes insipidus 583
diabetes mellitus（DM） 138, 485, 521, 609
diabetic glomerulosclerosis 553
diabetic nephropathy 142, 553, 791
diabetic neuropathy 142
diabetic retinopathy 142
diagnostic pathology 4
Diamond-Blackfan anemia（DBA） 297
diaphragmatic hernia 441
diaphysis 709
diastolic blood pressure 191
DIC（disseminated intravascular coagulation） 180, 557
dicephalus 224
differentiation 247
diffuse alveolar damage（DAD） 394
diffuse crescentic glomerulonephritis 63
diffuse glomerulonephritis（GN） 544
diffuse large B-cell lymphoma（DLBCL）
——, 甲状腺の 598
——, 鼻の 380
——, not otherwise specified（NOS） 333
diffuse panbronchiolitis 390
DiGeorge 症候群 129, 413, 600
dilated cardiomyopathy（DCM） 364
DIP（desquamative interstitial pneumonia） 393
diphtheric inflammation（diphtheroid inflammation） 59
diploid 219
diprosopus 224
direct acting antivirals（DAA） 490
Dirofilaria immitis 399
discoid lupus erythematosus（DLE） 737
discontinuous capillary 339
disseminated intravascular coagulation（DIC） 180, 557
dissemination 454
Disse 腔 481
distomatosis 90
DLBCL（diffuse large B-cell lymphoma）, 甲状腺の 598
DLBCL（diffuse large B-cell lymphoma）, 鼻の 380
DLE（discoid lupus erythematosus） 737
DM（dermatomyositis） 123, 689, 738
DM（diabetes mellitus） 138, 485, 521, 609
—— type 1 138
—— type 2 139
DN（dysplastic nodule） 508
DNA ウイルス感染症 73
DNA 修復異常 157
——, 腫瘍と 268
DNA 損傷 157
DNA 二重らせん構造モデル 207
DNA 二本鎖切断修復 157
donor 110
double contour 547
double ureter 579
Douglas pouch 454

Down 症候群　204, 227
drug-eluting stent（DES）　345
drug-induced liver injury　502
drug-resistant bacterium　73
Dubin-Johnson syndrome　161
Duchenne muscular dystrophy　235, 689
duct ectasia　614
ductal carcinoma *in situ*（DCIS）　621
ductal hyperplasia　615
duodenal diverticulum　458
duodenal polyp　458
duodenal varix　458
duodenum　459
duplication　206, 212
duplication cyst　434
dura mater　664
dwarfism　222
dysbarism　183
dysgerminoma　645
dyshidrosis　731
dyskeratosis congenita　296
dyslipidemia　146
dysplasia　246
──，喉頭の　380
dysplastic nodule（DN）　508
dystrophic calcification　163
dystrophic calcinosis　387
dystrophin　235

E

E 型肝炎　490
E 型肝炎ウイルス（HEV）　490
early cancer　243
EB ウイルス（EBV）　74, 272, 304, 322, 379
eburnation　726
ecchymosis　175
eccrine glands　729
echinococcosis　495
Echinococcus granulosus　495
Echinococcus multilocularis　91, 495
ectopic gastric mucosa　434
ectopic pancreas　222
ectopic pregnancy　646
ectopic thymus　413
eczema　731
EDCF（endothelium-derived contracting factor）　193
edema　35, 47, 170
EDRF（endothelium-derived relaxing factor）　193
EEM（erythema exsudativum multiforme）　732
effusion into body cavity　170
EGF（epidermal growth factor）　263
EGPA（eosinophilic granulomatosis with polyangiitis）　352
──の肺胞出血　384
Ehlers-Danlos 症候群　155, 233
Eisenmenger Syndrome　354
ejaculatory duct　656
elastic artery　339
elephantiasis　172
embolism　182

embolus　182
embryonal carcinoma　508
──，縦隔の　412
──，精巣の　652
embryonal rhabdomyosarcoma　700
embryonic stem cell　25
embryopathy　219
emerging infectious disease　73
empty lacuna　713
empty sella syndrome　583
empyema　60, 377
EMR（endoscopic mucosal resection）　455
EMT（epithelial-mesenchymal transition）　254, 266
enamel　417
encephalomalacia　186
enchondroma　717
enchondral ossification　710
end-stage cancer　243
end stage kidney　549
endocapillary proliferative GN　545
endocervical polyp　630
endocrine cell carcinoma, 胃の　453
endocrine cell carcinoma, 大腸の　476
endocrine cell neoplasm　476
endometrial carcinoma　638
endometrial hyperplasia without atypia　636
endometrial stromal tumours　640
endometrioid carcinoma　793
endometrioid tumors　644
endometriosis　635
endometritis　635
endoplasmic reticulum　10
endoscopic mucosal resection（EMR）　455
endoscopic submucosal dissection（ESD）　455
endosome　11
endothelial cell　339
endothelin（ET）　193
endothelium-derived contracting factor（EDCF）　193
endothelium-derived relaxing factor（EDRF）　193
Entamoeba histolytica　87, **469**
enterobiasis　90
enterovirus　423
eosinopenia　303
eosinophilia　66, 303
eosinophilic body　732
eosinophilic esophagitis　436
eosinophilic gastritis　444
eosinophilic granuloma of bone　723
eosinophilic granulomatosis with polyangiitis（EGPA）　352
──の肺胞出血　384
eosinophilic granuloma → inflammatory fibroid polyp をみよ
eosinophilic myocarditis　362
eosinophilic sinusitis　377
eosinophil　36, **37**, 97
ependymal cell　663
epidemic parotitis　428

epidermal cyst　747
epidermal growth factor（EGF）　263
epidermoid cyst　747
Epidermophyton 属　85
epididymitis　651
epigenetics　237
epiphyseal cartilage plate　709
epiphyseal secondary ossification center　710
epiphysis　709
episomal 型感染　632
epithelial-mesenchymal transition（EMT）　254, 266
epithelioid cell　39, 63
epithelioid cell granuloma　81
epithelioid granuloma　739
epithelioid hemangioendothelioma，肝臓の　513
EPO（erythropoietin）　288
EPO（extrahepatic portal obstruction）　487
Epstein-Barr ウイルス（EBV）　74, 272, 304, 322, 379
erosion，皮疹　730
erysipelas　691
erythema exsudativum multiforme（EEM）　732
erythema　730
erythema nodosum　740
erythematosus　737
erythrocytosis　302
erythroderma　733
erythroplakia　426
erythropoietic porphyria　485
erythropoietin（EPO）　288
ES 細胞　25
Escherichia coli　80
ESD（endoscopic submucosal dissection）　455
esophageal atresia　434
esophageal cancer　437
esophageal cyst　412
esophageal dilatation　435
esophageal diverticulum　435
esophageal stenosis　435
esophageal varix　188, 435
esophagitis　436
essential hypertension　193
essential thrombocythemia（ET）　313
ET（endothelin）　193
ET（essential thrombocythemia）　313
euchromatin　12, **203**
Evans 症候群　300
EVG（エラスチカ・ワンギーソン）染色　760
Ewing sarcoma　724
excision repair　211
exon　208
exophytic papilloma　379
exophytic urothelial papilloma　575
exostosis　716
experimental pathology　4
extracapillary proliferative GN　547

extrahepatic bile duct cancer 518
extrahepatic portal obstruction(EPO) 487
extramammary Paget disease 628, 745
extramedullary hematopoiesis 292
extranodal marginal zone lymphoma of mucosa-associated lymphoid tissue(MALT lymphoma) 331, 412
──，胃の 455
──，甲状腺の 598
──，肺の 412
extranodal NK/T-cell lymphoma, nasal type 334, 380
exudate 48, 170
exudation 48

F

F-body 203
FAB(French-American-British)分類 313
Fabry disease 152, 367
facies leontina 82
Fallot 四徴症(TOF) 356
familial adenomatous polyposis(FAP) 278, 475, 477
──，合併する甲状腺癌 596
──患者の胃病変 447
familial amyloid(otic) polyneuropathy(FAP) 154, 688
familial breast cancer 278, 619
familial cancer syndrome 234
familial hypercholesterolemia(FH) 146, 231
familial medullary thyroid carcinoma(FMTC) 598
FANC 遺伝子 296
Fanconi 貧血 131, 296
FAP(familial adenomatous polyposis) 278, 475, 477
──，合併する甲状腺癌 596
FAP(familial amyloidotic polyneuropathy) 154, 688
farmer's lung 401
FasL(FAS ligand) 22
fat embolism 182, 385
fat necrosis 713
fat storing cell 481
fatal familial insomnia 92
fatty degeneration 16
fatty liver 484
fatty streak 150, 343
FCM(flow cytometry) 293
FDP，FgDP(fibrin and fibrinogen degradation product) 177
feathery degeneration 485
fenestrated capillary 339
ferritin 161, 294
fetopathy 219
FGF(fibroblast growth factor) 710
FH(familial hypercholesterolemia) 146, 231
fibrin and fibrinogen degradation product(FDP，FgDP) 177

fibrin cap 553
fibrin clot 179
fibrinolysis 44, 177
fibrinous exudate 48
fibrinous inflammation 58
fibrinous pleuritis 410
fibrinous pneumonia 59
fibrin 44, 176
fibroadenoma 242, 617, 792
fibroatheroma 344
fibroblast 40
fibroblast growth factor(FGF) 710
fibroblast growth factor receptor 3(FGFR3)遺伝子 711
fibrocystic disease(fibrocystic change) 615
fibroma，顎口腔の 427
fibroma，卵巣の 645
fibromuscular intimal hyperplasia 341
fibrosis 22, 57
fibrous cap 180
fibrous dysplasia 722
fibrous histiocytoma 699
fibrous plaque 151
filariasis 90
fine crackle 393
fine needle aspiration cytology(FNAC)，甲状腺の 593
finger print structure 550
FISH 法 215
fish-tank granuloma 82
fissured tongue 419
fissuring ulcer 466
fistula 61
flow cytometry(FCM) 293
fluorescent in situ hybridization 法 215
FMTC(familial medullary thyroid carcinoma) 598
FNH(focal nodular hyperplasia) 513
focal fatty change 513
focal necrosis 483
focal nodular hyperplasia(FNH) 513
focal segmental glomerulosclerosis(FSGS) 543
focal segmental lesions 543
follicle stimulating hormone(FSH) 581
follicular adenoma 593
──，oxyphilic cell variant 593
follicular carcinoma 596
follicular cell 587
follicular cholecystitis 516
follicular lymphoma 332, 787
folliculostellate cell 581
foregut 433
foreign body granuloma 63, 66
──，乳腺の 614
──，皮膚の 739
formation of tumor stroma 265
foveolae 440
fragile X syndrome 230
frameshift 212
free radical 15, 45

frontotemporal lobar degeneration(FTLD)，frontotemporal dementia(FTD) 678
FSGS(focal segmental glomerulosclerosis) 543
FSH(follicle stimulating hormone) 581
fulminant hepatitis 492
fundic gland polyp 447
fungal infection 85
fungal pneumonia 396
fungus 71
fungus ball 86, 397
funiculitis 656
furuncle 61
fusiform aneurysm 345, 668
fusion gene 212

G

G(gap)$_0$ 期 202
G(gap)$_1$ 期 25, 202
G(gap)$_2$ 期 25, 202
G6PD(glucose-6-phosphate dehydrogenase) deficiency 299
G 分染法 328
──，マントル細胞リンパ腫の 330
G-CSF(granulocyte colony stimulating factor) 44
galactocele 617
Galenus Claudius 4, 35
gallbladder cancer 518
gallbladder adenomyomatosis 517
Gallyas-Braak 染色 664
GALT(gut-associated lymphoid tissue) 433
gametopathy 219
Gamna-Gandy body 170
ganglioneuroblastoma，縦隔の 412
ganglioneuroblastoma，副腎の 608
ganglioneuroma 608
ganglion 691
gangrene 184
gangrenous appendicitis 479
gangrenous stomatitis 423
Gardner syndrome 692, 696
gas gangrene 62, 80
gastric adenoma 448
gastric anisakiasis 441
gastric carcinoma 448
gastric varix 441
gastrinoma 459, 610
gastroenteric cyst 412
gastroesophageal reflux disease(GERD) 436
gastrointestinal stromal tumor(GIST) 456, 789
gastroptosis 441
gatekeeper 型がん抑制遺伝子 277
Gaucher 細胞 151
Gaucher 病 151, 234, 320
GBM(glomerular basement membrane) 537
GCNIS(germ cell neoplasia in situ)非関連胚細胞腫瘍 652

gelatinous marrow　318
gene　202, 207
gene amplification，がん遺伝子の活性化
　　　277
gene locus　208
gene map　208
genetic disease　202
genetic trait　202
genome　207
genomic imprintingに関連する遺伝性疾患　237
genotype　216
GERD（gastroesophageal reflux disease）
　　　436
――，縦隔の　412
――，精巣の　651
――，卵巣の　645
Gerota 筋膜　535
Gerstmann-Sträussler-Scheinker syndrome（GSS）　92
GH（growth hormone）　581
GH 産生腺腫　585
giant cell arteritis　350
giant cell myocarditis　363
giant cell reparative granuloma　721
giant cell tumor of bone　721
giant cell tumor of tendon sheath　728
giant lymph node hyperplasia　324
Giardia lamblia　87
giardiasis　87
gigantism　222, 585
Gilbert syndrome　161
gingivitis　420
GIST（gastrointestinal stromal tumor）
　　　456, 789
Gleason 分類　658
glia（glial cell）　663
glioblastoma　794
――，IDH-wild type　685
glioma　684
gliosis　663
Glisson 鞘　481
glomerular basement membrane（GBM）
　　　537
glomeruloid microvascular proliferation
　　　794
glomerulus　536
glomus tumor　704
glottis edema　58
glucagonoma　610
glucagon　609
gluconeogenesis　138
glucose-6-phosphate dehydrogenase（G6PD）deficiency　299
glucose transporter（GLUT）　140
glycation　140
glycogen　137
glycogen storage disease　143, 234, 485
glycogenosis　143
glycolysis　137
GM-CSF（granulocyte/macrophage colony stimulating factor）　44
GN（diffuse glomerulonephritis）　544

goblet cell　376
goblet cell adenocarcinoma（goblet cell carcinoid）　480
goiter　592
Golgi apparatus　10
gonadotroph　581
gonadotroph producing adenoma　585
gonorrhea　80
Goodpasture 症候群
　　　117, 127, 384, 540, 547
Gottron 徴候　123, 689, 738
gout　156, 727
gouty kidney　563
gouty tophus　727
graft　110
graft-versus-host disease（GVHD）
　　　20, 111
graft-versus-host reaction（GVHR）　110
Gram-negative bacillary infection　80
Gram-negative coccal infection　80
Gram-positive bacillary infection　79
Gram-positive coccal infection　79
granular cell tumor　439
granulation tissue　24, 53
granulocyte　37
granulocyte colony stimulating factor（G-CSF）　44
granulocyte/macrophage colony stimulating factor（GM-CSF）　44
granulomatosis with polyangiitis
　　　352, 378, 402
granulomatous inflammation　63
granulomatous lymphadenitis　322
granulomatous myocarditis　363
granuloma　739
granulosa cell tumor　645, 655
Graves disease　127, 590
Grawits tumor　566
Grocott 染色　760
growth factor　26, 263
growth hormone（GH）　581
growth hormone producing adenoma
　　　585
growth plate　709
GSS（Gerstmann-Sträussler-Scheinker syndrome）　92
Guillain-Barré 症候群　117, 126, 688
gumma　651
gut-associated lymphoid tissue（GALT）
　　　433
GVHD（graft-versus-host disease）
　　　20, 111
GVHR（graft-versus-host reaction）　110
gynecomastia　615
gyrus　665

H

H. pylori（*Helicobacter pylori*）
　　　81, 441, 442
H-ras　276
Haemophilus influenzae　394, 714
Hageman factor　41
hair matrix　729

hairy cell leukemia　316
hairy heart　58
halo　740
hamartoma　243, 448
hamartomatous polyp　471
Hamman-Rich 症候群　394
Hampton's hump sign　184
hand foot and mouth disease　423
Hansen disease　82
haploid　219
hard chancre　660
Hashimoto disease　591
Hauser 型潰瘍癌　446
HAV（hepatitis A virus）　489
haversian canal　709
HbA1c　140
HBOC（hereditary breast and ovarian cancer）　157, 619
HBV（hepatitis B virus）　273, 489
HBV キャリア　489
HCC（hepatocellular carcinoma）　504, 790
HCV（hepatitis C virus）　273, 490
HDL（high density lipoprotein）　144
HDV（hepatitis delta virus）　490
HE 染色　760
healed ulcer　445
healing by scarring　52
heart failure　189
heart failure cell　170, 383
heavy chain（H 鎖）　106
Heberden 結節　726
Heinz 小体　299
Helicobacter pylori（*H. pylori*）
　　　81, 441, 442
heliotrope rash　738
helminthiasis　90
helminth　72
hemangioblastoma　686
hemangioma　703
hematemesis　175
hematogenous spread　252
hematoma　174
hematoxylin body　550
hematoxylin-eosin（HE）染色　760
hematuria　538
hemizygote　216
hemochromatosis　161, 485, 521
hemolysis　299
hemolytic uremic syndrome（HUS）
　　　306, 557
hemophagocytic syndrome（HPS）
　　　304, 336
hemophilia　175, 235, 307
hemophilia A　227
hemoptysis　175
hemorrhage　173
hemorrhagic diathesis　174
hemorrhagic infarction　185, 361
hemorrhagic inflammation　61
hemorrhagic pancreatitis　522
hemosiderin　294
hemosiderosis　161, 486
hemothorax　410

Henle ループ　537
Henoch-Schönlein purpura → IgA 血管炎をみよ
hepatic encephalopathy　684
hepatic porphyria　485
hepatic regeneration　484
hepatitis A virus(HAV)　489
hepatitis B virus(HBV)　273, 489
hepatitis C virus(HCV)　273, 490
hepatitis delta virus(HDV)　490
hepatitis E virus(HEV)　490
hepatitis virus による肝細胞癌　508
hepatoblastoma　511
hepatocellular adenoma　503
hepatocellular carcinoma(HCC)　504, 790
hepatolithiasis　500
hepatosplenomegaly　311
HER2(c-*erb*B-2)　619
HER2 検査　626
hereditary breast and ovarian cancer (HBOC)　157, 619
hereditary non-polyposis colorectal cancer(HNPCC)　158, 278, 475
hereditary spherocytosis　299
hermaphroditism　229
herpangina　423
herpes simplex encephalitis　672
herpes simplex virus(HSV)　73, 422, 436
——，先天異常の原因　220
—— による脳炎　672
herpes simplex, 口腔の　422
herpes zoster, 口腔の　422
herpesvirus infection　73
heterochromatin　12, 203
heterotopic gastric mucosa　458
heterotopic pancreas　440, 458, 520
heterozygote　216
HEV(hepatitis E virus)　490
HHV-8(human herpesvirus-8)　272, 750
high density lipoprotein(HDL)　144
high-grade SIL(HSIL)　632
hindgut　433
Hippocrates　4
Hirschsprung disease　461
histamine　40
histiocyte　39, **96**
histiocytic necrotizing lymphadenitis　323
histiocytic sarcoma　336
histiocytosis X　402
histological diagnosis　7
histoplasmosis　398
HIV(human immunodeficiency virus)　132
—— の生活環　134
HIV 脳症　674
HLA(human leukocyte antigen)　104
HLA 遺伝子　119
HLA 型　350
HNPCC(hereditary non-polyposis colorectal cancer)　158, 278, 475
hobnail パターン　644
Hodgkin lymphoma　335
holoprosencephaly　377

homeostasis　136
Homer Wright 型ロゼット　380, 685
homologous recombination repair(HRR)　157
homozygote　216
honeycomb lung　393
Hooke, Robert　4
horizontal facial cleft　419
host　110
host-versus-graft reaction(HVGR)　110
hour-glass stomach　441, 446
HP(hyperplastic polyp)　447, 458, 471
HPS(hemophagocytic syndrome)　304, 336
HPV(human papillomavirus)　76, 272, 628, 631, 660
—— 感染と子宮頸癌　631
HPV 6 型　628, 660
HPV 11 型　628, 660
HPV 非依存性胃型腺癌　634
HRR(homologous recombination repair)　157
HSIL(high-grade SIL)　632
HSV(herpes simplex virus)　73, 422, 436
——，先天異常の原因　220
—— による脳炎　672
HTLV-1　72, 78, 273
human herpesvirus-8(HHV-8)　272, 750
human immunodeficiency virus(HIV)　78, 132
human leukocyte antigen(HLA)　104
human papillomavirus(HPV)　76, 272, 628, 631, 660
human pathology　4
human T-cell leukemia virus(HTLV) infection　72, 78, 273
humidifier lung　401
hump　546
Hunner 病変　573
Huntington disease　679
HUS(hemolytic uremic syndrome)　306, 557
Hutchinson 三徴候　220
Hutchinson の歯　420
HVGR(host-versus-graft reaction)　110
hyaline arteriolosclerosis　341, 558
hyaline body　732
hyaline degeneration　16
hyaline droplet degeneration　17
hyaline membrane disease　388
hyaline thrombus　178
hyalinizing trabecular tumor　599
hydatidiform mole　647
hydronephrosis　563, 572
hydropic degeneration　16
hydrostatic pressure　170
hyperdynamic shock　197
hyperemia　47, **169**
hyperlipidemia　146
hyperlipoproteinemia　146
hyperparathyroidism　601, 712
hyperplasia　30
hyperplastic arteriolosclerosis　341

hyperplastic polyp(HP)　**447**, 458, 471
hypersensitivity　36
hypersensitivity reaction　116
hypertension　193
hypertensive cerebral hemorrhage　667
hyperthyroidism　589
hypertrophic cardiomyopathy　364
hypertrophic gastritis, hyportrophic gastropathy　443
hypertrophy　29
hyperuricemia　156, 727
hypochondroplasia　711
hypoparathyroidism　601
hypopituitarism　583
hypoplasia　221
hypoplastic left heart syndrome　356
hypotension　196
hypothyroidism　589
hypovolemic shock　197
hypoxia　14
hypoxic-ischemic encephalopathy　683

I

IAPP(islet amyloid polypeptide)　141, 155
IBD(inflammatory bowel disease)　463
IDC(interdigitating cell)　336
iDCM(inflammatory DCM)　364
IDDM(insulin dependent DM)　138
idiopathic duct-centric pancreatitis (IDCP)　524
idiopathic lymphocytic interstitial pneumonia(LIP)　394
idiopathic osteonecrosis　713
idiopathic portal hypertension(IPH)　487
idiopathic pulmonary fibrosis(IPF)　393
idiopathic thrombocytopenic purpura (ITP)　127, 305
IDL(intermediated lipoprotein)　146
IFN-γ release assay(IGRA)　119
IgA nephropathy　551
IgA 血管炎　306, 352, 551, 733
IgA 腎症(IgA 腎炎)　551
IgG　50
IgG4 関連疾患　125, 323, 346
——，唾液腺の　429
—— の膵病変　524
IGRA(IFN-γ release assay)　119
IHD(ischemic heart disease)　358
IL(interleukin)-1　45
ILC(innate lymphoid cell)　97
ileum　459
iliothoracopagus　224
IM(infectious mononucleosis)　322
IM syndrome　322
imatinib　457
immature teratoma, 卵巣の　645
immortalization　261
immotile cilia syndrome　383
immune complex small vessel vasculitis　352

immune dysregulation, polyendocrinopathy, enteropathy, X-linked(IPEX) 130
immune escape 115
immune privilege 111
immune-related adverse events(irAE) 115
immune system 94
immunodeficiency disease 128
in situ hybridization 法 762
incidental carcinoma 243
incomplete dominance 216
incomplete fusion 221
individual cell necrosis 732
induced pluripotent stem cell 25, 210
infarction of Zahn 487
infarction 184
infected abdominal aortic aneurysm 346
infectious disease, 炎症の原因 35
infectious endocarditis 371
infectious mononucleosis(IM) 322
infective esophagitis 436
inflammation 34
inflammatory abdominal aortic aneurysm 346
inflammatory bowel disease(IBD) 463
inflammatory breast cancer 624
inflammatory cell infiltration 37
inflammatory DCM(iDCM) 364
inflammatory edema 58
inflammatory fibroid polyp 448
inflammatory myofibroblastic tumor 403
inflammatory pseudotumor, 肝臓の 513
inflammatory pseudotumor, 乳腺の 614
influenza virus infection 76
inhibin 655
initiation, 発がんの 271
innate lymphoid cell(ILC) 97
insertion 212
insulin dependent DM(IDDM) 138, 521
insulin resistance 139
insulinoma 610
insulin 609
insult 13
integrated 型感染 632
intercellular bridge 245
interdigitating(dendritic) cell(IDC) 40, 336
interface hepatitis 491
interleukin(IL)-1 45
intermediate filament 13
intermediated lipoprotein(IDL) 146
intermittent claudication 344
interphase 202
interstitial cells of Cajal 456
interstitial cystitis 573
interstitial edematous pancreatitis 522
interstitial pneumonia 392
intestinal Behçet disease 466
intestinal metaplasia 442
intestinal tuberculosis 468
intracellular signaling, 腫瘍細胞の 264
intracerebral hemorrhage 667

intraductal papillary mucinous neoplasms of pancreas 527
intraductal papillary neoplasm of bile duct(IPNB) 510, 519
intraductal papilloma 617
intraepithelial neoplasia, 食道の 439
intrahepatic cholestasis 485
intramuscular lipoma 693
intramuscular myxoma 707
intrathyroidal epithelial thymoma(ITET) 599
intravascular ultrasound(IVUS) 344
intron 208
invasive ductal carcinoma of pancreas 526
invasive ductal carcinoma 622, 790, 793
invasive lobular carcinoma 623
invasive mole 647
invasive urothelial carcinoma 576
inversion 206, 212
inverted papilloma 379
inverted urothelial papilloma 575
involucrum 714
involvement 325
IPEX(immune dysregulation, polyendocrinopathy, enteropathy, X-linked) 130
IPF(idiopathic pulmonary fibrosis) 393
IPH(idiopathic portal hypertension) 487
IPNB(intraductal papillary neoplasm of bile duct) 510, 519
iPS 細胞 25, 210
irAE(immune-related adverse events) 115
iron deficiency anemia 295
ischemia 14, **184**
ischemic bowel disease 462
ischemic cardiomyopathy 361
ischemic colitis 462
ischemic heart disease(IHD) 358
ischemic tissue injury 185
islet amyloid polypeptide(IAPP) 141, 155
islet cell tumor 610
isochromosome 206
ITET(intrathyroidal epithelial thymoma) 599
ITP(idiopathic thrombocytopenic purpura) 127, 305
IVUS(intravascular ultrasound) 344

J

JAK2 遺伝子 312
Janssen 父子 4
Janus janiceps 224
jaundice 160, 484
JC ウイルス 673
jejunum 459
Jenner, Edward 94
juvenile polyposis 448, 478
juxtaglomerular apparatus(JGA) 191, 537

K

K-ras 276
Kaposi 肉腫 273, 750
Kaposi sarcoma-associated herpesvirus (KSHV) 750
Kartagener syndrome 383
karyotype 204
Kasabach-Merritt syndrome 181
Kawasaki disease 350
keloid 24
keratinization 245
keratinocytes 729
keratoacanthoma 744, 745
keratoma senile 743
Kerckring folds 457
kidney 535
Kimmelstiel-Wilson 結節 142, 553, 791
Kimmelstiel-Wilson 症候群 553
kinetochore 204
kinins 41
kissing ulcer 445
KIT 遺伝子 303
Klebsiella pneumoniae 395
Klebsiella rhinoscleromatis 377
Klinefelter 症候群 204, 229
Klüver-Barrera 染色 **664**, 760
koilocyte 76
koilocytosis 740
Koplik 斑 77
Korsakoff 症候群 683
Krukenberg tumor 252, 454, 645
KSHV(Kaposi sarcoma-associated herpesvirus) 750
Kupffer 細胞 39, 481, 491
kuru 92
Kussmaul-Maier disease 733
Küttner tumor 429
kwashiorkor 148

L

L&H(lymphocytic and histiocytic)細胞 335
lactase 462
lactocele 617
lactose intolerance 462
lactotroph 581
lacunar infarction 670
LAK(lymphokine activated killer) cell 280
LAM(lymphangioleiomyomatosis) 404
Lambert-Eaton myasthenic syndroma 409, 689
lambliasis 87
lamellar bone 709
lamin 12
LAMN(low-grade appendiceal mucinous neoplasm) 480
Langerhans 島 520, 609
Langerhans cell(LC) 40, 336, 729
Langerhans cell histiocytosis 337, 402, 723

Langhans 型(多核)巨細胞 63, **82**, 396, 715, 739, 788
large cell carcinoma, 肺癌の 407
large cell neuroendocrine carcinoma (LCNEC) 409
large intestine 460
large-vessel vasculitis 350
larva migrans 90
laryngeal diphtheria 378
laryngeal nodule 379
laryngeal papilloma 380
laryngeal tuberculosis 378
laryngeal ulcer 379
laryngomalacia 377
laryngotracheobronchitis 378
latent carcinoma 243
LBC (liquid based cytology) 258
LC (Langerhans cell) 40, 336, 729
LCIS (lobular carcinoma *in situ*) 621
LCNEC (large cell neuroendocrine carcinoma) 409
LDL (low density lipoprotein) 144
LDL 受容体 231
LE (lupus erythematosus) 737
Leber 遺伝性視神経症 210, 236
lectin pathway 102
Leeuwenhoek, Antoni van 4
left-sided heart failure 190
Legionella spp. 394
Leigh encephalopathy 210
leiomyoma, 子宮体癌 639
leiomyoma, 軟部組織 702
leiomyosarcoma, 子宮体癌 640
leiomyosarcoma, 軟部組織 702
Lemmel 症候群 458
lentigo maligna (LM) 752
lentigo maligna melanoma (LMM) 752
lentigo senilis 742
Leptospira interrogans 84
Lesch-Nyhan syndrome 156, 235
Leser-Trélat 症候群 742
lethal midline granuloma 334, 380
leucine-rich repeat (LRR) 101
leukocyte 36
leukocyte adhesion deficiency 46
leukocyte margination 47
leukocytoclastic vasculitis 733
leukocytosis 66
leukoplakia 424
leukotriene (LT) 44
Lewy body 678
Leydig cell 649
Leydig cell tumor 654
LH (luteinizing hormone) 581
Li-Fraumeni 症候群 278, 692
Libman-Sacks 型心内膜炎 123
lichen amyloidosis 739
lichen planus 425, 736
lichenification 731
Lieberkühn glands 460
light chain (L 鎖) 106
linear ulcer 445
linkage mapping 209

LIP (idiopathic lymphocytic interstitial pneumonia) 394
lipid core 180
lipofuscin 31
lipoid nephrosis 543
lipoid pneumonia 401
lipoma, 心臓の 372
lipoma, 軟部組織の 693
lipopolysaccharide (LPS) 101
lipoprotein lipase (LPL) 144
lipoprotein 144
liposarcoma 693
liquefaction necrosis (liquefactive necrosis) 19
liquid based cytology (LBC) 258
lithium carbonate, 先天異常の原因 221
littoral cell 血管腫 320
liver abscess 495
liver cirrhosis 487, **495**
liver fibrosis 496
LM (lentigo maligna) 752
LMM (lentigo maligna melanoma) 752
lobar atrophy 482
lobar pneumonia 392
lobe 375
lobular carcinoma *in situ* (LCIS) 621
lobule, 乳腺の 613
lobule, 肺葉の 375
localized mesothelioma 411
localized nodular amyloidosis 739
localized scleroderma 738
locomotion 25
Loeffler 心内膜炎 362
Loeys-Dietz 症候群 347
loss of heterozygosity (LOH) 278
low and high grade non-invasive papillary urothelial carcinoma 576
low density lipoprotein (LDL) 144
low-grade appendiceal mucinous neoplasm (LAMN) 480
low-grade SIL (LSIL) 632
LP 細胞 335
LPL (lipoprotein lipase) 144
LPS (lipopolysaccharide) 101
LRR (leucine-rich repeat) 101
LSIL (low-grade SIL) 632
LT (leukotriene) 44
luminal-like subtype 626
lung 375
lung carcinoma 404
lupus erythematosus (LE) 737
lupus nephritis 122, 549
lupus vulgaris 739
luteinizing hormone (LH) 581
Lyme disease 84
lymphadenopathy secondary to drug-induced hypersensitivity syndrome 322
lymphangioleiomyomatosis (LAM) 404
lymphangiosis carcinomatosa 454
lymphatic capillary 341
lymphatic permeation 454
lymphatic vessel 339

lymphocyte 36, **39**
lymphocytic hypophysitis 584
lymphocytic myocarditis 362
lymphocytopenia 304
lymphocytosis 66, 304
lymphoepithelial cyst 424
lymphoepithelioma-like carcinoma 379
lymphoid hyperplasia 458
lymphokine activated killer (LAK) cell 280
lymphoma (malignant lymphoma) 325
── , 甲状腺の 598
lymphoma of mucosa-associated lymphoid tissue, 肺の 409
lymphoplasmacytic sclerosing pancreatitis (LPSP) 524
lymphotoxin 45
Lynch 症候群 158, 475
lysosomal enzyme 44
lysosomal (storage) disease 143, 151, 234
lysosome 12, 151

M

M (mitotic) 期 25, 202
M タンパク 317
MAC (membrane-attack) complex 102
MAC (*Mycobacterium avium* complex) 症 396
Machado-Joseph disease 681
macroglossia 419
macronodular cirrhosis 496
macrophage 36, **39**, **96**
macula densa 537
Maffucci syndrome 717
major basic protein (MBP) 97
major histocompatibility complex (MHC) 103
major histocompatibility complex (MHC) 分子 94
malabsorption syndrome 462
malacoplakia 574
malaria 88
Malassezia globosa 85
Malassez の上皮遺残 421
male breast cancer 624
malformation 218
malignant fibrous histiocytoma → undifferentiated pleomorphic sarcoma をみよ
malignant hypertension 193
malignant lymphoma
── , 胃の 455
── , 縦隔の 412
── , 肺の 409
── , 鼻の 380
malignant melanoma **752**
── , 顎口腔の 427
── , 腟の 629
── , 鼻の 380
malignant melanoma *in situ* 752
malignant mesothelioma 411
malignant nephrosclerosis 194, 558

malignant peripheral nerve sheath tumor 705
Mallory body 148
Mallory-Weiss syndrome 435
MALT（mucosa-associated lymphoid tissue） 108
MALT リンパ腫 331, 412
——，胃の 455
——，甲状腺の 598
——，肺の 409
MALT ball 598
MALToma → MALT リンパ腫をみよ
mammary gland 613
mammary lobe 613
mammary Paget disease 745
mantle cell lymphoma 332
MAP キナーゼ経路 264
Marfan 症候群 155, 233, 347, 348
marginal zone lymphoma 331
massive necrosis 484
Masson トリクローム染色 760
mast cell 36, **39**, 97
mastitis 614
mastocytosis 303
matrical cells 729
matrix metalloproteinase（MMP） 28, 56
mature teratoma, 縦隔の 412
mature teratoma, 卵巣の **645**, 793
Maxam-Gilbert 法 215
Mazabraud 症候群 707
MBP（major basic protein） 97
MCD（minimal change disease） 543
MCH（mean corpuscular hemoglobin） 294
MCHC（mean corpuscular hemoglobin concentration） 295
MCN（mucinous cystic neoplasm） 510, 519
MCNS（minimal change nephrotic syndrome） 543
MCV（mean corpuscular volume） 294
MD 遺伝子 233
MDS（myelodysplastic syndrome） 307, 309
MDS-5q-（MDS with 5q-） 310
MDS-EB（MDS with excess blast） 310
MDS-MLD（MDS with multilineage dysplasia） 310
MDS-RS（MDS with ringed sideroblast） 310
MDS-SLD（MDS with single lineage dysplasia） 309
MDS with 5q-（MDS-5q-） 310
MDS with excess blast（MDS-EB） 310
MDS with multilineage dysplasia（MDS-MLD） 310
MDS with ringed sideroblast（MDS-RS） 310
MDS with single lineage dysplasia（MDS-SLD） 309
mean blood pressure 191
mean corpuscular hemoglobin（MCH） 294

mean corpuscular hemoglobin concentration（MCHC） 295
mean corpuscular volume（MCV） 294
measles 77
Meckel diverticulum 461
medial cervical cyst 588
median rhomboid glossitis 419
medication-related osteonecrosis of the jaw（MRONJ） 420
medium vessel vasculitis 350
medullary carcinoma, 甲状腺の 598
medullary carcinoma, 乳腺の 623
medullary fibroma 569
medullary osteosarcoma 719
medulloblastoma 685
megakaryocyte 39
megaloblastic anemia 297
meiosis 203
Meissner plexus 433, 460
melanocytes 729
melanocytic nevus 751
MELAS（mitochondrial myopathy, encephalopathy, lactic acidosis and stroke-like episodes） 690
melena 175
Melkersson-Rosenthal syndrome 419
membrane-attack complex（MAC） 102
membrane-type MMP（MT-MMP） 28
membranoproliferative GN（MPGN） 547
membranous inflammation 59
membranous nephropathy 544, 791
membranous ossification 710
MEN（multiple endocrine neoplasia） 611
—— type 1 611
—— type 2 598, 608, 611
Ménétrier disease 444
meninges 664
meningioma 686
meningococcal meningitis 80
meningoencephalocele 377
MERRF（myoclonus epilepsy associated with ragged-red fibers） 690
MERS（Middle East respiratory syndrome） 73, 77
Merseburg triad 590
mesangial cell 536, **537**
mesangial interposition 547
mesangial matrix 537
mesangial proliferative GN 545
mesangiocapillary GN 547
mesangiolysis 557
mesenchymal cell 36
mesenchymal-epithelial transition（MET） 266
mesenteric artery occlusion 463
messenger RNA（mRNA） 210
MET（mesenchymal-epithelial transition） 266
metabolic syndrome 152
metabolite of arachidonic acid 43
metachromatic leukodystrophy 682
metaphysis 709
metaplasia 32

metastasis 251
metastasis of cancer 265
——，肝臓の 511
——，骨の 724
——，心臓の 373
——，肺の 410
——，副腎の 609
——，卵巣の 645
metastatic calcification 164
metastatic calcinosis 387
metastatic neoplasms 533
Metchnikoff 35
methicillin-resistant *Staphylococcus aureus*（MRSA） 395
MGUS（monoclonal gamma globulinemia） 317
MHC（major histocompatibility complex） 103
—— の遺伝子多型性 105
Michaelis-Gutmann 小体 574
microbial substitution 73
microcarcinoma 243
microfilament 13
microglia 39, 663
microglossia 419
micrometastasis 266
micronodular cirrhosis 496
micronodular pneumocyte hyperplasia 404
microorganism 70
microsatellite instability（MSI） 158, 475
microscopic polyangiitis（MPA） 352
—— の肺胞出血 384
Microsporum 属 85
microtubular structure 550
microtubule 12
microvilli 460
Middle East respiratory syndrome（MERS） 73, 77
midgut 433
midwall fibrosis 364
midzonal necrosis 484
migration inhibitory factor（MIF） 55
Mikulicz cell 377
milium 747
Miller の二次小葉 376
minimal change disease（MCD） 543
minimal change nephrotic syndrome（MCNS） 543
minor glomerular abnormalities 543
miRNA 211
mismatch repair（MMR） 158
missense mutation 212
missing tooth 419
mitochondrial disease（mitochondrial encephalomyopathy） 690
mitochondrial myopathy, encephalopathy, lactic acidosis and stroke-like episodes（MELAS） 690
mitochondria 10
mitosis 203
mitotic phase 202
mixed nodular cirrhosis 496

mixed tumor 242
MMP(matrix metalloproteinase) 28, 56
MMR(mismatch repair) 158
moderately differentiated tubular adenocarcinoma(tub2) 451
Mönckeberg medial calcification 149
Mönckeberg medial sclerosis 341
MOF(multiple organ failure) 199
molecular mimicry 120
molecular pathology 4
molluscum body 75
molluscum contagiosum 75
monoclonal gamma globulinemia(MGUS) 317
monocyte 36, 39
monocytosis 66
monogenic disease 202
Morgagni, Giovanni Battista 4
mosaic 206
mosaic pattern 713
most common temporomandibular disorders 431
moyamoya disease 670
MPA(microscopic polyangiitis) 352
──の肺胞出血 384
MPGN(membranoproliferative GN) 547
MPN(myeloproliferative neoplasm) 307, 310
mRNA(messenger RNA) 210
MRONJ(medication-related osteonecrosis of the jaw) 420
MRSA(methicillin-resistant Staphylococcus aureus) 395
MRSA感染症 79
MSI(microsatellite instability) 158, 475
MT-MMP(membrane-type MMP) 28
mucinous adenocarcinoma(muc) 452
mucinous carcinoma 623
mucinous cystadenocarcinoma 510
mucinous cystic neoplasm(MCN)
──, 肝臓の 510
──, 膵臓の 528
──, 胆道の 519
mucinous tumors, 卵巣の 643
mucocutaneous ocular syndrome 732
mucoepidermoid carcinoma 431
mucoid degeneration 17
mucormycosis 86, 378
mucosa-associated lymphoid tissue (MALT) 108
mucous cyst(mucocele) 424
mucoviscidosis 382
Muir-Torre syndrome(MTS) 748
multicentric Castleman disease 324
multifactorial inheritance 202
multinucleated giant cell 39, 63
multiple cancer 283
multiple endocrine neoplasia(MEN) 611
── type 1 611
── type 2 598, 608, 611
multiple myeloma 787
multiple organ failure(MOF) 199
multiple sclerosis 682

multiple system atrophy 680
mumps orchitis 651
Mumps virus 77, 428
mumps virus infection 77
Munro microabscess 736
mural thrombus 360
muscular artery 339
muscular dystrophy 232
mutation 211
──, がん遺伝子の活性化 277
myasthenia gravis 127, 413, 688
mycファミリー 277
mycobacteriosis 81
Mycobacterium avium 396
Mycobacterium avium complex(MAC) 82
Mycobacterium intracellulare 396
Mycobacterium leprae 82
Mycobacterium marinum 82
Mycobacterium tuberculosis 81, 395, 423
Mycoplasma pneumoniae 82, 394
mycoplasmal infection 82
mycosis fungoides 753
myelin body 368
myelin sheath 664
myelodysplastic syndrome(MDS) 307, 309
myeloma kidney 554
myeloproliferative neoplasm(MPN) 307, 310
myocardial infarction 186, 358
myoclonus epilepsy associated with ragged-red fibers(MERRF) 690
myofibroblast 24
myospherulosis 378
myotonic dystrophy 233
myxedema 589
myxedema coma 589
myxofibrosarcoma 698
myxoid liposarcoma 695
myxoma cell 372
müllerian duct 627, 649

N

N-ras 276
Naegleria fowleri 87
NAFL(nonalcoholic fatty liver) 502
NAFLD(non-alcoholic fatty liver disease) 502
NAP(neutrophil alkaline phosphatase)スコア 302
nasal catarrh 58
nasal glioma 377
nasal papilloma 379
nasal polyp 377
NASH(non-alcoholic steatohepatitis) 502, 508
nasopharyngeal angio fibroma 380
nasopharyngeal carcinoma 379
natural killer(NK) cell 39, 97, 481
──, がん免疫 280
natural killer T(NKT) cell 97

NBTE(nonbacterial thrombotic endocarditis) 179, 371
ND4遺伝子 210
necroinflammation 490
necrosis 18
necrotic pancreatitis 522
necrotizing fasciitis 691
necrotizing periodontal disease 423
negative selection 108
Neisseria gonorrhoeae 80
Neisseria meningitidis 80
nematodiasis 90
NEN(neuroendocrine neoplasms) 532
neo-antigen 114
neonatal hepatitis 494
neonatal necrotizing enterocolitis 463
neonatal respiratory distress syndrome (RDS) 388
neoplasia 240
nephroblastoma 568
nephron 535
nephrosclerosis 341
nephrotic syndrome 539
nesidioblastosis 610
NET(neuroendocrine tumor) 408
──, 十二指腸の 459
──, 膵臓の 610
neural fold 664
neural groove 664
neural plate 664
neural tube 664
neural tube defect 665
neurilemmoma, neurinoma 748
neuroblastic tumors 608
neuroblastoma 278
──, 縦隔の 412
──, 副腎の 608
neuroendocrine neoplasms(NEN) 532
neuroendocrine tumour 408
──, 十二指腸の 459
──, 膵臓の 610
neurofibrillary tangle 676
neurofibroma 704, 749
neurofibromatosis type 1(NF 1) 687, 692, 705, 749
neurofibromatosis type 2(NF 2) 687, 748
neurogenic bladder 580
neurogenic shock 197
neurogenic tumors, 縦隔の 412
neuron 663
neurosyphilis 674
neutropenia 303
neutrophil 36, 37, 97
neutrophilia 66, 302
nevocellular nevus 751
nevus cell nevus 751
nevus pigmentosus 751
next generation sequencing(NGS) 215
NF 1(neurofibromatosis type 1) 687, 692, 705, 749
NF 2(neurofibromatosis type 2) 687, 748

NF-κB 22
NF-κB 活性化受容体(RANKL) 710
NGS(next generation sequencing) 215
niche 290
nicotine, 先天異常の原因 220
NIDDM(non-insulin dependent DM) 139
nidus 718
Niemann-Pick 細胞 152
Niemann-Pick 病 151, 320
nipple 613
Nissl 染色 664, 760
nitric oxide(NO) 45, 193
nitric oxide synthase(NOS) 45
NK(natural killer) cell 39, 97, 481
──, がん免疫 280
NKT(natural killer T) cell 97
NLR(NOD-like receptor) 102
NM(nodular melanoma) 752
NM23 267
NO(一酸化窒素) 45, 193
NOD-like receptor(NLR) 102
nodular amyloidosis 387
nodular fasciitis 696
nodular melanoma(NM) 752
nodular regenerative hyperplasia 513
nodule, 皮疹 730
noma 423
non-alcoholic fatty liver disease(NAFLD) 502
non-alcoholic steatohepatitis(NASH) 502, 508
non-disjunction 219
non-insulin dependent DM(NIDDM) 139, 521
non-invasive flat urothelial carcinoma 576
non-ossifying fibroma 721
non-specific lymphadenitis 322
nonalcoholic fatty liver(NAFL) 502
nonbacterial thrombotic endocarditis(NBTE) 179, 371
nonsense mutation 212
nonspecific interstitial pneumonia(NSIP) 393
nontuberculous mycobacterial disease 82, 396
NOS(diffuse large B-cell lymphoma, not otherwise specified) 333
NOS(nitric oxide synthase) 45
nosocomial pneumonia 394
NSAIDs 444
NSAIDs 過敏喘息 391
NSIP(nonspecific interstitial pneumonia) 393
nuclear membrane 12
nuclear pore 12
nucleus 12
null cell adenoma 586
nummular eczema 731
nutmeg liver 170, 487

O

O157:H7(O-157) 81, 306, 557
oblique facial cleft 419
obstructive biliary cirrhosis 496
obstructive jaundice 485
obstructive ventilatory impairment 389
occult carcinoma 243
occupational cancer 283
OCT(optical coherence tomography) 344
odontogenic keratocyst 421
odontogenic tumor 426
odontoma 426
olfactory neuroblastoma 379
oligodendrocyte 663
oligodendroglioma, IDH-mutant and 1p/19q-codeleted 685
oligonucleotide 214
oligospermia 650
Ollier disease 717
oncocytoma 569
oncogene 275
oninon-skin 病変 123
onion bulb 688
open ulcer 445
OPMDs(oral potentially malignant disorders) 426
opportunistic infection 73
opsonization 50
optical coherence tomography(OCT) 344
oral candidiasis 423
oral cavity 417
oral potentially malignant disorders(OPMDs) 426
oral tuberculosis 423
orchitis, testitis 651
organelle 10
organic mercury 221
organization 53, 179
organizing pneumonia 392
Orientia tsutsugamushi 83
Osler-Weber-Rendu 病 306
osteoarthritis 725
osteoblast 709
osteoblastoma 718
osteochondroma 716
osteoclast 39, 709
osteocyte 709
osteogenesis imperfecta 163, 711
osteoid 163
osteoid osteoma 718
osteomalacia 163, 712
osteonecrosis 713
osteon 709
osteophyte 726
osteoporosis 163, 711
osteosarcoma 719, 794
overinflation 389
owl-eye cell 63, 66
owl's eye 436, 469

P

p16 264
p16 遺伝子 234
p21 264
p53 22
p53 遺伝子 234, 278
packet 709
PAF(platelet activating factor) 44
Paget disease 623
──, 陰嚢の 661
Paget disease of bone 713
Paget sarcoma 713
PAH(pulmonary arterial hypertension) 195
painless thyroiditis 592
palisaded granuloma 739
palisading necrosis 794
PAM 染色 760
PAN(polyarteritis nodosa) 351, 555, 733
panarteritis nodosa 733
Pancoast 症候群 409
pancreatic cystic lesions 521
pancreatic endocrine tumor 610
pancreatic intraductal neoplasms 527
pancreatic intraepithelial neoplasia(PanIN) 527
pancreatic lipomatosis 521
pancreatic pseudocyst 522
pancreaticobiliary maljunction 520
pancreatitis 521
pancreatoblastoma 531
PanIN(pancreatic intraepithelial neoplasia) 527
panlobular emphysema 389
pannus 726
Papanicolaou 分類 634
papillary adenocarcinoma(pap) 451
papillary adenoma 569
papillary carcinoma 594, 792
──, cribriform variant 596
──, follicular variant 594
papillary fibroelastoma 372
papillary muscle dysfunction 359
papillomatosis 379
papilloma 241
──, 顎口腔の 427
──, 鼻の 379
papule 730
papyraceous fetus 225
paracrine 27
paradoxical hyperplasia 606
paragonimiasis 91
paramesangial deposit 552
paramyxovirus infection 77
paraneoplastic syndrome 409
paraseptal emphysema 389
parasite 225
parasitic cirrhosis 498
parasitosis 90
parasympathetic paraganglioma 608
parathyroid gland 600

parathyroid hormone(PTH) 162, 588, **600**
parathyroid hormone-related peptide (PTHrP) 710
parathyroid hyperplasia 601
Parkinson disease 678
parotid gland 428
paroxysmal cold hemoglobinuria(PCH) 300
paroxysmal nocturnal hemoglobinuria (PNH) 301
partial hydatidiform mole 647
partial nodular transformation 513
parvovirus infection 75
PAS 染色 760
PAS 反応 760
patent ductus arteriosus(PDA) 356
pathologic ossification 164
pathological inflammation 34
pathology 4
pattern recognition receptor(PRR) 101
Pautrier microabscess 753
pavementing 47
PBC(primary biliary cholangitis) 500
PCH(paroxysmal cold hemoglobinuria) 300
PCI(percutaneous coronary intervention) 344
PCOS(polycystic ovary syndrome) 641
PCR(polymerase chain reaction)法 214
PCR-single strand conformation polymorphism(PCR-SSCP) 215
PCV(postcapillary venules) 730
PD-1 114
PDA(patent ductus arteriosus) 356
PDGF(platelet-derived growth factor) 26
pearly penile papules 661
PEL(pure erythroid leukemia) 315
peliosis hepatis 488
pemphigus foliaceus 734
pemphigus vulgaris 734
penetrance 237
penetrating ulcer 445
penicillin resistant *Streptococcus pneumoniae*(PRSP) 395
penile cancer 661
penis 660
percutaneous coronary intervention(PCI) 344
perforated ulcer 445
periarteritis nodosa 733
pericardial cyst 412
pericarditis 361
pericardium 353
pericyte 339
periductal mastitis 614
periodontal membrane 417
periodontitis 420
peripheral nervous system 663
peripheral T-cell lymphoma, not otherwise specified 334
periportal necrosis 484

permeating pattern 718
peroxisome 12
persistence 222
personalized medicine 260
petechiae 175
Peutz-Jeghers 症候群 448, 478
Peyer patch 460
PG(prostaglandin) 43, 45
phagocytosis 50
phenocopy of primary immunodeficiency disease 131
phenotype 202, 216
phenylketonuria 234
pheochromocytoma 607
phlegmonous appendicitis 479
phlegmonous gastritis 441
phlegmonous inflammation 60
phlegmon 691
phocomelia 220
physaliphorous cell 721
physical inflammation 34
PI₃ キナーゼ経路 264
pia mater 664
Pick disease 678
piecemeal necrosis 491
pigment cirrhosis 496
pigmentation 158, 730
pigmented nevus 751
pigmented villonodular synovitis, diffuse type giant cell tumor 728
pilomatricoma, pilomatrixoma 747
Pit-1 ファミリー 582
pituicyte 582
pituicytoma 586
pituitary adenoma 584, 686
pituitary agenesis 583
pituitary apoplexy 584
pituitary carcinoma 586
pituitary gland 581
pituitary hypoplasia 583
pituitary neuroendocrine tumor 686
pituitary stalk 581
PIVKA(protein induced by vitamin K absence or antagonist) 249
PIVKA-Ⅱ(protein induced by vitamin K absence or antagonist-factor Ⅱ) 508
plaque, 皮疹 730
plasma 292
plasma cell 36, **39**
plasma cell mastitis 614
plasma cell myeloma 787
plasma cell neoplasms 317
plasmin 44, 177
plasminogen 177
Plasmodium 属 88, 301
platelet activating factor(PAF) 44
platelet-derived growth factor(PDGF) 26
platelet 39
pleomorphic adenoma 242, 430
pleomorphic liposarcoma 695
pleomorphic rhabdomyosarcoma 702
pleomorphism 248

pleural cavity 410
pleural plaque 401, 411
Plummer disease 590
plurihormonal adenoma 586
PM(polymyositis) 123
PMF(primary myelofibrosis) 313
PML(progressive multifocal leukoencephalopathy) 673
PN(polyarteritis nodosa) **351**, 555, 733
pneumoconiosis 399
Pneumocystis jirovecii 87, 398
Pneumocystis pneumonia 87, 398
pneumocytoma 403
pneumonia 391
pneumothorax 410
PNH(paroxysmal nocturnal hemoglobinuria) 301
podocyte 536, **537**
point mutation 212
polyarteritis nodosa(PN/PAN) 351, 555, 733
polycystic ovary syndrome(PCOS) 641
polycythemia 302
polycythemia vera(PV) 312
polymerase chain reaction(PCR)法 214
polymyositis(PM) 123
polyomavirus infection 76
polyp 241
polyploidy, 染色体数の 206
polyposis 446
polysplenia 319
Pompe disease 143, 234
pompholyx 731
poorly differentiated carcinoma, 甲状腺の 597
porocarcinoma 747
poroid cells 730
poroma 747
porphyria 485
porphyria cutanea tarda 485
portal hypertension 498
portal hypertensive gastropathy 499
portio vaginalis erosion 630
positive selection 108
post streptococcal acute GN(PSAGN) 546
postcapillary venules(PCV) 730
postinfarction ventricular remodeling 361
postmastectomy lymphangiosarcoma 626
Potter syndrome 224
poxvirus infection 75
PP 細胞 520, 609
PPNAD(primary pigmented nodular adrenal deisease) 606
Prader-Willi 症候群 237
precancerous condition 454
precancerous lesion 454
preneoplastic lesion(precursor lesion) 255
——, 肺癌の 405
pressure load 189

pressure pulse 191
primary aldosteronism 606
primary biliary cholangitis(PBC) 500
primary mediastinal large B-cell lymphoma 412
primary myelofibrosis(PMF) 313
primary pigmented nodular adrenal deisease(PPNAD) 606
primary sclerosing cholangitis(PSC) 499
primordial germ cells 649
prion disease 78, **675**
PRL(prolactin) 581
PRL産生腺腫 585
probe 214
processing 211
progressive gangrenous rhinitis 334
progressive multifocal leukoencephalopathy(PML) 673
progressive systemic sclerosis(PSS) 738
prolactin(PRL) 581
prolactin producing adenoma 585
proliferative inflammation 62
promotion, 発がんの 271
prostacyclin 43
prostaglandin(PG) 43, 45
prostate-specific antigen(PSA) 658
prostate 656
prostatic cancer 658
prostatitis 657
protein induced by vitamin K absence or antagonist(PIVKA) 249
protein induced by vitamin K absence or antagonist-factor Ⅱ(PIVKA-Ⅱ) 508
proteinuria 538
proto-oncogene 275
protozoa 72
protozoiasis 87
PRR(pattern recognition receptor) 101
PRSP(penicillin resistant *Streptococcus pneumoniae*) 395
PS(pulmonary stenosis) 356
PSA(prostate-specific antigen) 658
PSAGN(post streptococcal acute GN) 546
psammoma body 164
PSC(primary sclerosing cholangitis) 499
pseudo erosion, 子宮頸部の 629
pseudogene 211
pseudogout 727
pseudomembranous colitis 79, 468
pseudomembranous inflammation 59
Pseudomonas aeruginosa 80, 395
pseudopod 50
pseudopolyp 465
psoriasis vulgaris 736
PSS(progressive systemic sclerosis) 738
PTEN過誤腫症候群 478
PTH(parathyroid hormone) 162, 588, **600**
PTHrP(parathyroid hormone-related peptide) 710
PTTM(pulmonary tumor thrombotic microangiopathy) 183

pulmonary abscess 394
pulmonary alveolar lipoproteinosis 387
pulmonary alveolar microlithiasis 387
pulmonary alveolar proteinosis 387
pulmonary alveoli 375
pulmonary arterial hypertension(PAH) 195
pulmonary artery thrombosis 384
pulmonary aspergillosis 397
pulmonary calcinosis 387
pulmonary candidiasis 396
pulmonary collapse 387
pulmonary congestion 383
pulmonary cryptococcosis 397
pulmonary edema 383
pulmonary embolism 183, 384
pulmonary emphysema 388
pulmonary hamartoma 403
pulmonary hypertension 195, 386
pulmonary hypoplasia 381
pulmonary infarction 386
pulmonary mucormycosis 398
pulmonary sequestration 381
pulmonary stenosis(PS) 356
pulmonary suppuration 394
pulmonary thromboembolism 384
pulmonary tuberculosis 395
pulmonary tumor thrombotic microangiopathy(PTTM) 183
pulpitis 420
pulse pressure 191
pulsion diverticulum 435
punched out lesion 723
pure erythroid leukemia(PEL) 315
pure gonadal dysgenesis 649
pure red cell aplasia 296
purpura 175, 730
purulent exudate 59
purulent inflammation 59
purulent pleuritis 410
pus 52, **59**
pus corpuscle 59
pus serum 59
pustule, 皮疹 730
putrid inflammation 62
PV(polycythemia vera) 312
pyelonephritis 574
pyemia 61
pygopagus 224
pyloroptosis 441
pyogenic arthritis 728
pyogenic liver abscess 495
pyogenic membrane 61
pyogenic osteomyelitis 713
pyorrhea 59
pyothorax 411
pyriform sinus fistula 591

Q

Q熱 399
Quincke水腫 172, 731

R

RA(rheumatoid arthritis) 124, 726
radiation 273
radiation cystitis 573
radiation pneumonia 401
radicular cyst 421
ragged-red fiber 690
RANKL(receptor activator of NF-κB) 710
ranula 424
raphe 371
rapidly progressive nephritic syndrome 539
Rappaportの肝細葉構造説 481
ras 276
Rathke cleft cyst 586
Raynaud現象 123, 738
*RB*遺伝子 234, 278
RB-ILD(respiratory bronchiolitis-interstitial lung disease) 393
RDS(neonatal respiratory distress syndrome) 388
re-emerging infectious disease 73
reactive oxygen species 15
rebal lobe 535
recanalization 179
receptor activator of NF-κB(RANKL) 710
recombination 203, **212**
recurrent or persistent hematuria 539
red cell fragmentation syndrome 301
red infarction 185
red neuron 669
Reed-Sternberg細胞 335
reepithelialization 23
refractory anemia 310
regeneration 22
regurgitation 368
Reinke crystalloid 655
remnant 222
renal amyloidosis 554
renal calices 535
renal cell carcinoma 566
renal column 535
renal corpuscle 535
renal failure 539
renal graft 564
renal hilus 535
renal papilla 535
renal pelvic cancer 569
renal pelvis 535
renal pyramid 535
renal stone nephrolith 563
renal tuberculosis 562
renal tubule 537
reperfusion injury 14, 361
rER(rough-surfaced endoplasmic reticulum) 10
respiratory bronchiole 375
respiratory bronchiolitis-interstitial lung disease(RB-ILD) 393
respiratory syncytial virus infection 77

restriction fragment length polymorphism (RFLP) 215
restrictive cardiomyopathy 366
RET 遺伝子 598
reticulocyte 291
retrovirus 78, 273
reverse transcriptase 214
Rex-Cantlie 線 481
Reye syndrome 484
Reynolds の五主徴 516
RF(rheumatoid factor) 120
RFLP(restriction fragment length polymorphism) 215
Rh 式血液型 301
rhabdomyoblast 700
rhabdomyosarcoma, 軟部組織の 700
rhabdomyosarcoma, 鼻の 380
rheumatic disease 736
rheumatic valvular disease 369
rheumatoid arthritis(RA) 124, 726
rheumatoid factor(RF) 120
rheumatoid nodule 65
rhinoscleroma 377
rhinosporidiosis 377
rib notching 187
ribosome 10
rickets 163, 712
Rickettsia prowazekii 83
Riedel thyroiditis 592
Riedel 肝葉 482
Riga-Fede disease 424
right-sided heart failure 190
ring chromosome 206
RNA ウイルス感染症 76
Robertson 転座 206
Rokitansky, Carl Freiherr von 4, 35
Rokitansky-Aschoff 洞 516, 517
rough-surfaced endoplasmic reticulum (rER) 10
rouleaux formation 318
RS ウイルス 77, 398
rubella 78
────，先天異常の原因 220

S

S(synthesis)期 25, 202
SAA(serum amyloid A protein) 67
saccular aneurysm 345, 668
saddle embolus 183, 385
sagittal furrows 482
salivary glands 428
salivary gland tumor 430
Salmonella enteritidis 81
Salmonella typhi 81
salmonellosis 81
salpingitis 641
Sanger 法 215
Santorini 管 520
sarcoidal granuloma 65, 739
sarcoidosis 402, 740, 787
──── の肉芽腫 63
sarcoma 242
sarcomatoid carcinoma, 肺癌の 408

sarcomere 353
SARS(severe acute respiratory syndrome) 73, 77
satellite cell necrosis 732
scabbing inflammation 59
scar 22, 52
SCD(spinocerebellar degeneration) 680
Schatzki リング 435
Schaumann body 65, 740
Schistosoma japonicum 494
schistosomiasis 90, 487
schistosomiasis japonica 90, 494
Schmidt 症候群 605
Schnitzler metastasis 252, 454
Schönlein-Henoch 紫斑病→ IgA 血管炎をみよ
Schwann cell 664
schwannoma 685, 748, 704
SCID(severe combined immunodeficiency) 128
scirrhous carcinoma 450
scirrhous tumor 244
SCJ(squamocolumnar junction) 629
scleroderma 738
sclerosing GN 549
sclerosing mediastinitis 412
sclerosing pneumocytoma 403
scrapie 92
scrofuloderma 739
sebaceous carcinoma 748, 755
seborrheic dermatitis 731
seborrheic keratosis 742
secondary cardiomyopathy 366
secondary hypertension 193
secondary localized amyloidosis 739
seed and soil theory 266
segment 375
selective pressure, がん細胞の 255
self tolerance 107
sella turcica 581
seminal vesicle 655
seminal vesiculitis 656
seminoma, 縦隔の 412
seminoma, 精巣の 651, 794
senescence 261
senile calcified aortic valve 369
senile freckle 742
senile keratosis 743
senile lentigine 742
senile plaque 676
sentinel lymph node 252
sepsis 46, 61
septic shock 197
sequester 714
sER(smooth-surfaced endoplasmic reticulum) 10
serofibrinous inflammation 58
seropurulent inflammation 59
serotonin 40, **46**
serous catarrh 58
serous cystic neoplasms, 膵臓の 528
serous exudation 58
serous inflammation 58

serous pericarditis 58
serous peritonitis 58
serous pleuritis 58, 410
serous tubal intraepithelial carcinoma (STIC) 642
serous tumors 641
serrated adenoma, 大腸の 472
serrated lesion, 大腸の 471
serrated lesion, 虫垂の 480
Sertoli cell 649
Sertoli cell tumor 655
Sertoli-Leydig cell tumor 645
serum 292
serum amyloid A protein(SAA) 67
sessile serrated adenoma/polyp(SSA/P) 471
sessile serrated lesion(SSL) 471
severe acute respiratory syndrome (SARS) 73, 77
severe combined immunodeficiency (SCID) 128
severe fever with thrombocytopenia syndrome(SFTS) 92
sex cord-stromal tumors, 精巣の 654
sex cord-stromal tumors, 卵巣の 645
sex-controlled inheritance 218
sex-determining region Y 649
sex-limited inheritance 218
sexually transmitted disease(STD)/sexually transmitted infection(STI) 469, 627, 661
Sézary 症候群 753
SFTS(severe fever with thrombocytopenia syndrome) 92
Sheehan syndrome 583
sheet-like arrangement 245
shepherd's crook 状変形 723
shock 196
shock lung 198
short segment Barrett esophagus(SSBE) 436
shower emboli 182
shunt 166
Shy-Drager 症候群 680
sialadenitis 428
sialolithiasis 428
sick house syndrome 401
sickle cell anemia 299
sickle cell disease 233
sideroblastic anemia 298
siderophage 169
signet-ring cell carcinoma(sig) **452**, 790
SIL(squamous intraepithelial lesion) 632
silent stone 515
silicosis 400
silicotic nodule 400
simian sarcoma virus(SSV) 276
simple bone cyst 722
simple ulcer 467
single malformation 222
single nucleotide polymorphism(SNP) 215
sinonasal carcinoma 379

sinonasal papilloma　379
sinus tract　61
sinusitis　377
Sipple 症候群　611
situs inversus　222
Sjögren syndrome　125, 428
SLE(systemic lupus erythematosus)
　　　　　　　　121, 549, 737
──の肺胞出血　384
slit membrane　537
SM(systemic mastocytosis)　303
small cell carcinoma　788
──，尿路の　579
──，肺癌の　408
small intestine　459
small vessel vasculitis　351
smallpox　75
smooth muscle tumor　439
smooth-surfaced endoplasmic reticulum
　(sER)　10
SNP(single nucleotide polymorphism)
　　　　　　　　215
so-called mastopathy　615
solar elastosis　743
solar keratosis　743
solar lentigo　742
solid cell nest　588
solid-pseudopapillary neoplasms, 膵臓の
　　　　　　　　530
solid variant of aneurysmal bone cyst
　　　　　　　　721
solitary fibrous tumor　697
solitary necrotic nodule　513
somatic hypermutation, 抗体の　107
somatostatin　609
somatotroph　581
Southern 法　214
sparsely granulated adenoma　585
spermatic cord　655
spermatocytic tumor　652
spermine　657
spike　545, 791
spina bifida　665
spindle cell/sclerosing
　rhabdomyosarcoma　702
spinocerebellar degeneration (SCD)　680
Spirochaeta infection　84
splenomegaly　320
splenunculus　521
splicing　211
spondylosis deformans　726
spongiosis　731
spoon nail　295
Sporothrix globosa　85
sporotrichosis　85
spread by seeding　252
squamocolumnar junction(SCJ)　629
squamous cell carcinoma　244, 793
──，顎口腔の　427
──，喉頭の　380
──，子宮頸癌　632
──，尿路の　579
──，肺癌の　406

squamous cell papilloma　379, 437
squamous intraepithelial lesion (SIL)
　　　　　　　　632
SRY 遺伝子　649
SS(systemic sclerosis)　123
SSA/P(sessile serrated adenoma/polyp)
　　　　　　　　471
SSL(sessile serrated lesion)　471
SSM(superficial spreading melanoma)
　　　　　　　　752
SSPE(subacute sclerosing
　panencephalitis)　673
SSSS(staphylococcal scalded skin
　syndrome)　79
SSV(simian sarcoma virus)　276
stacking　47
Stanford 分類　348
staphylococcal scalded skin syndrome
　(SSSS)　79
Staphylococcus aureus　79, 395, 713
Starling の仮説　170
stasis　47
STD(sexually transmitted disease)/STI
　(sexually transmitted infection)
　　　　　　　　469, 627, 661
stem cell　25
stenosis　368
Stevens-Johnson 症候群　732
Stewart-Treves 症候群　626, 704
STIC(serous tubal intraepithelial
　carcinoma)　642
stimulus　13
storage iron　161
storiform fibrosis　125
storiform pattern　721, 723, 749
stray germ aberration　222
streptococcal infection　79
Streptococcus mutans　420
Streptococcus pneumoniae　79, 394
Streptococcus pyogenes　79
stress　13
stroke　666
strongyloidiasis　90
structural atypia　246
subacute combined degeneration of spinal
　cord　683
subacute sclerosing panencephalitis
　(SSPE)　673
subacute thyroiditis　591
subarachnoid hemorrhage　667
subclavian steal syndrome　187
subendocardial infarction　358
subglottic stenosis　377
sublingual gland　428
submandibular gland　428
submassive necrosis　484
sulcus　665
summer-type hypersensitivity
　pneumonitis　401
summit lesion　79
sunburst appearance　719
superfemale　230

superficial spreading melanoma(SSM)
　　　　　　　　752
superior vena cava syndrome　187
supernumerary tooth　419
suppurative catarrh　59
suppurative granuloma　739
suppurative inflammation　59
surface osteosarcoma　719
surgical pathology　4
Sweet disease　732
swelling　240
swimming pool granuloma　82
sympathetic paraganglioma　607
symptomatic hypertension　193
syncytiotrophoblast　653
syndrome X　152
synovial chondromatosis　717
synovial osteochondromatosis　717
synovial sarcoma　707
syphilis　84
──，先天異常の原因　220
syphilitic orchitis　651
systemic lupus erythematosus(SLE)
　　　　　　　　121, 549, 737
──の肺胞出血　384
systemic mastocytosis(SM)　303
systemic sclerosis(SS)　123
systolic blood pressure　191

T

T 細胞　39, 94
──のアポトーシス　109
──の抗原認識　103
──の分化　108
T 細胞関連型拒絶, 移植腎の　565
T 細胞受容体(TCR)　94
T リンパ芽球性リンパ腫　412
T リンパ球　39
T cell-mediated rejection, 移植腎の　565
T-cell receptor(TCR)　94
T-lymphoblastic lymphoma　412
t-PA(tissue-plasminogen activator)
　　　　　　　　177, 181
TAA(tumor-associated antigen)　113
TACE(transcatheter arterial
　chemoembolizaion)　186
TAE(transcatheter arterial embolization)
　　　　　　　　186
Takayasu arteritis　350
TAM(tumor-associated macrophage)
　　　　　　　　114
taxol　12
TCA 回路　137
TCR(T-cell receptor)　94
TDF(testis determining factor)　229
TDLU(terminal duct-lobular unit)　613
TDP-43　681
telomere　204
TEN(toxic epidermal necrosis)　732
tenosynovial giant cell tumor　700
tenosynovitis　691
teratology of Fallot(TOF)　356
teratoma　242

teratoma, 精巣の　654
terminal bronchiole　375
terminal duct-lobular unit (TDLU)　613
testicular torsion　650
testis cord　649
testis determining factor (TDF)　229
tetanus　79
Tfh 細胞　100
TG (triglyceride)　144
Tg (thyroglobulin)　588
TGA (complete transposition of great arteries)　357
Th 細胞　100
thalassemia　233, 298
thalidomide, 先天異常の原因　220
Thebesian vein　166
thecoma, 卵巣の　645
therapy-related myeloid neoplasms (tMN)　316
thoracic aortic aneurysm　347
thoracoomphalopagus　224
thoracopagus　224
thrombasthenia　305
thromboangiitis obliterans　345
thromboembolism　182
thrombopoietin (TPO)　288
thrombosis　176
thrombotic microanigopathy (TMA)　306, 557
thrombotic thrombocytopenic purpura (TTP)　306, 557
thromboxane (TX) A$_2$　43
thrombus　39, 176
thrush　423
thymic carcinoma　414
thymic hyperplasia　413
thymic neuroendocrine neoplasms　414
thymoma　414
thyroglobulin (Tg)　588
thyroglossal duct cyst　588
thyroid adenoma　593
thyroid aplasia　588
thyroid carcinoma　593
thyroid gland　587
thyroid hypoplasia　588
thyroid-stimulating hormone (TSH)　581
thyrotoxic crisis　589
thyrotoxicosis　589
thyrotroph　581
TIN (tubulointerstitial nephritis)　558
tinea versicolor　85
tissue-plasminogen activator (t-PA)　177, 181
tissue remodeling　24
tissue repair　22, 34
tissue stem cell　25
TLR (Toll-like receptor)　101
TMA (thrombotic microangiopathy)　306, 557
TME (tumor microenvironment)　244
tMN (therapy-related myeloid neoplasms)　316
TNF (tumor necrosis factor)-α　45

TNF-β　45
TNM がん病期分類　259
TOF (teratology of Fallot)　356
togavirus infection　78
Toll 様受容体 (TLR)　101
tombstone appearance　734
tooth　417
tooth crown　417
tophaceous pseudogout　727
tophus　156
TORCH 症候群　220
total hydatidiform mole　647
Touton 型巨細胞　65, 740
toxic epidermal necrosis (TEN)　732
toxic multinodular goiter　590
Toxoplasma gondii　88
toxoplasmosis　88
——, 先天異常の原因　220
TP53 (p53)　619
TPA (12-o-tetradecanoylphorbol-13-acetate)　271
TPO (thrombopoietin)　288
trachea　375
tracheal stenosis　377
tracheobronchial amyloidosis　387
tracheobronchopathia osteochondroplastica　377
tracheoesophageal fistula　377, 434
tracheopathia osteochondroplastica　377
traction diverticulum　435
traditional serrated adenoma (TSA)　471
tram track　547
transcatheter arterial chemoembolizaion (TACE)　186
transcatheter arterial embolization (TAE)　186
transcription　210
transfer RNA (tRNA)　210
transferrin　161, 294
transformation zone　630
transitional cell carcinoma　245
transition　212
translation　210
translocation　206
transmural infarction　358, 787
transplantation　110
transport iron　161
transthyretin (TTR)　154
transudate　170
transurethral resection of prostate (TUR-P)　658
transverse groove　482
transversion　212
traumatic fat necrosis　614
Treg 細胞　100
——, がん免疫にかかわる　114
—— による免疫抑制　109
trematode infection　90
Treponema pallidum　84, 660, 674
TRI (tubuloreticular inclusion)　550
tricarboxylic acid (TCA) cycle　137
Trichomonas vaginalis　88
trichomoniasis　88

Trichophyton 属　85
Trichosporon asahii　401
Trichosporon mucoides　401
trigger finger　691
triglyceride (TG)　144
triplet repeat　233
—— の遺伝性疾患　236
tRNA (transfer RNA)　210
Tropheryma whippelii　462
tropical sprue　462
Trousseau syndrome　183
Trousseau 徴候　601
true erosion, 子宮頸部の　629
TSA (traditional serrated adenoma)　471
TSA (tumor-specific antigen)　113
TSH (thyroid-stimulating hormone)　581
TSH 産生腺腫　585
TSH レセプタ (TSHR)　588
TTP (thrombotic thrombocytopenic purpura)　306, 557
TTR (transthyretin)　154
tubal cancer　641
tuberculid　739
tuberculoid (caseating) granuloma　739
tuberculosis　82, 788
tuberculous arthritis　728
tuberculous granuloma　65
tuberculous meningitis　674
tuberculous osteomyelitis　715
tuberculous spondylitis　715
tuberous sclerosis　687
tubular adenocarcinoma　789, 790
tubular adenoma, 大腸の　472, 790
tubulitis　559
tubulointerstitial nephritis (TIN)　558
tubuloreticular inclusion (TRI)　550
tubulovillous adenoma, 大腸の　472
tumor　240
——, 皮疹　730
tumor antigen　280
tumor-associated antigen (TAA)　113
tumor-associated macrophage (TAM)　114
tumor heterogeneity　255
tumor immunity　279
tumor marker　249
tumor microenvironment (TME)　244
tumor necrosis factor (TNF)-α　45
tumor progression　255
tumor-specific antigen (TSA)　113
tumor-stromal interaction　244
tumor suppressor gene　234, 277
tumors in the fibro-thecoma group　655
tunica adventitia　339
tunica albuginea　649
tunica externa　339
tunica intima　339
tunica media　339
TUR-P (transurethral resection of prostate)　658
Turner の歯　420
Turner syndrome　229
two cell pattern　794

two-hit 説　278
TX(thromboxane)A$_2$　43
type A gastritis　443
type A hepatitis　489
type B hepatitis　489
type C hepatitis　490
type E hepatitis　490
typical carcinoid　408
tyrosinemia　485

U
ulcer　61
　──，皮疹　730
ulcerative colitis(UC)　464
ultimobranchial body　587
ultraviolet rays　273
undifferentiated carcinoma，甲状腺の　597
undifferentiated pleomorphic sarcoma　707
undifferentiated pleomorphic sarcoma of bone　723
urachal carcinoma，尿路の　579
urachal remnant　579
uremia　59, 153, 539
uremic lung　153
ureteritis　574
urethritis　574
urinary calculus　572
urothelial carcinoma　245, 575, 792
urothelial papilloma　575
urticaria　731
urtica　730
usual ductal hyperplasia　615

V
V 領域　106
v-onc(viral oncogene)　275
v-sis　276
v-src　275
vancomycin-resistant Enterococcus (VRE)　395
varicella-zoster virus(VZV)　74, 422
varicocele testis　651, 656
vascular endothelial cell　37, **40**
vascular endothelial growth factor (VEGF)　26, 44, 264
vascular malformation　703
vasoactive amine　40
VDJ 組換え　107
vegetation　178
VEGF(vascular endothelial growth factor)　26, 44, 264
veno-occlusive disease of liver　488
venous malformation，venous hemangioma　703
ventricular fibrillation　359
ventricular septal defect(VSD)　355
venules　339
Verocay body　748
Vero toxin　306, 557

verruca senilis　742
verruca vulgaris　740
very low density lipoprotein(VLDL)　144
Vesalius, Andreas　4
vesicle　58
　──，皮疹　730
vesicoureteral reflux(VUR)　560, 580
vestibular papillae of the vulvae　661
Vibrio cholerae　81
Vibrio parahaemolyticus　81
Vibrio vulnificus　81
villi　460
villous adenoma，大腸の　472
VIN(vulvar intraepithelial neoplasia)　628
Vincent stomatitis　423
VIPoma　610
viral infection　73
viral meningitis　672
viral oncogene(v-onc)　275
viral pneumonia　398
viral warts　740
Virchow, Rudolf Ludwig Karl　6
Virchow metastasis　454
virilizing adrenocortical tumor　606
virtual slide(VS)　766
virus　70
virus-like particle　550
VLDL(very low density lipoprotein)　144
vocal cord paralysis　377
vocal cord polyp(vocal cord nodule)　379
Volkmann canal　709
volume load　189
von Gierke disease　143
von Hippel-Lindau(VHL)病　567, 608, 686, 687
von Recklinghausen 病（神経線維腫症 1 型）　608, 687, 749
von Willebrand 病　307
VRE(vancomycin-resistant Enterococcus)　395
VSD(ventricular septal defect)　355
vulvar intraepithelial neoplasia(VIN)　628
vulvitis　627
VUR(vesicoureteral reflux)　560, 580
VZV(varicella-zoster virus)　74, 422

W
warm shock　197
Warthin-Finkeldey 細胞　77
Warthin tumor　430
Waterhouse-Friderichsen 症候群　198, 605
watershed infarction　669
Watson　207
WDHA(watery diarrhea, hypokalemia and achlorhydria)症候群　611
Wegener granulomatosis
　 granulomatosis with polyangiitis をみよ

Weil disease　85
well-differentiated liposarcoma　694, 794
well differentiated tubular adenocarcinoma(tub1)　451
Wermer 症候群　611
Werner 症候群　278
Wernicke 脳症　683
Wernicke-Korsakoff 症候群　683, 684
Westermark 徴候　184
wet lung　169, 198
wheal　730
Whipple の三徴　143, 610
Whipple disease　462
white infarction　185
whitlow　61
whole slide imaging(WSI)　766
Wilms tumor　568
Wilson 病　486
wire-loop lesion　122
Wirsung 管　520
Wiskott-Aldrich 症候群　128, 305
wolffian duct　649
wound healing　22
woven bone　709
Wuchereria bancrofti　172

X
X クロマチン　227, 229
X 染色体　203, 229
X 連鎖重症複合免疫不全症　128
X 連鎖慢性肉芽腫症　130
X 連鎖無 γ グロブリン血症　129
X-linked dominant inheritance　218
X-linked inheritance　218
X-linked recessive inheritance　218
X-linked SCID　128
xanthogranuloma　739
xanthogranulomatous cholecystitis　516
xanthogranulomatous pyelonephritis　562
xanthoma　146
xeroderma pigmentosum(XP)　157, 234, 278

Y
Y クロマチン　227, 229
Y 染色体　203, 229
Y 連鎖遺伝　218
Y-linked inheritance　218
yolk sac tumor　508
　──，縦隔の　412
　──，精巣の　652
　──，卵巣の　645

Z
Zahn の梗塞　186
Zahn の線条　178
zebra body　368
zellballen 配列　608
Zenker 憩室　435
Zollinger-Ellison 症候群　446, 459, 610
zonal necrosis　483